SONIA MARMEN

Cœur de GAËL

II. La Saison des corbeaux

Les Éditions
Coup d'œil

De la même auteure :

Cœur de Gaël 1. La Vallée des larmes, Les Éditions JCL, 2003
(Réédition, Les Éditions Coup d'œil, 2015).
Cœur de Gaël 3. La Terre des conquêtes, Les Éditions JCL, 2005
(Réédition, Les Éditions Coup d'œil, 2015).
Cœur de Gaël 4. La Rivière des promesses, Les Éditions JCL, 2005
(Réédition, Les Éditions Coup d'œil, 2015).
La Fille du Pasteur Cullen, Les Éditions JCL, 2007
(Réédition, Québec Amérique, 2011).
La Fille du Pasteur Cullen 1. Partie 1, Québec Amérique, 2009.
La Fille du Pasteur Cullen 1. Partie 2, Québec Amérique, 2009.
La Fille du Pasteur Cullen 2. À l'abri du silence, Québec Amérique, 2009.
La Fille du Pasteur Cullen 3. Le Prix de la vérité, Québec Amérique, 2010.
Le Clan Seton 1. Les Aubes grises, Québec Amérique, 2014.

Couverture : Kevin Fillion et Jessica Papineau-Lapierre

Première édition : © 2004, Les Éditions JCL, Sonia Marmen
Présente édition : © 2015, Les Éditions Coup d'œil, Sonia Marmen
www.boutiquegoelette.com
www.facebook.com/EditionsCoupDoeil

Dépôts légaux : 1er trimestre 2015
Bibliothèque et Archives nationales du Québec
Bibliothèque et Archives Canada

Imprimé au Canada

ISBN : 978-2-89731-677-8

CŒUR DE GAËL

La Saison des corbeaux

* *

Roman

Remerciements

Je tiens à remercier mon époux et mes enfants, pour leur inestimable patience lors de mes « absences ». Mes parents qui m'ont légué ce goût d'apprendre et cette persévérance qui me poussent à aller au bout de mes réalisations. Isabelle, Jacinthe, Judith, Micheline, Suzanne, mes amies, ainsi que ma chère soeur, Judy, pour leur soutien et leurs encouragements. M. Angus Macleod, du Cap Breton, pour ses conseils et le temps qu'il a une fois de plus consacré à la correction des dialogues en gaélique. Pour terminer, encore merci à tous ces auteurs des nombreux ouvrages qui m'ont été d'un précieux secours lors de l'écriture de ce roman. Sans eux tous, je me serais sentie bien démunie…

… du fond du coeur.

S. M.

À Stéphanie et Alexandre.
Les regarder grandir dans ce monde que nous disons « civilisé »
me fait brutalement prendre conscience de la fragilité de la vie.
L'épreuve du courage n'est pas de mourir, mais de vivre.

L'Écosse et les Highlands

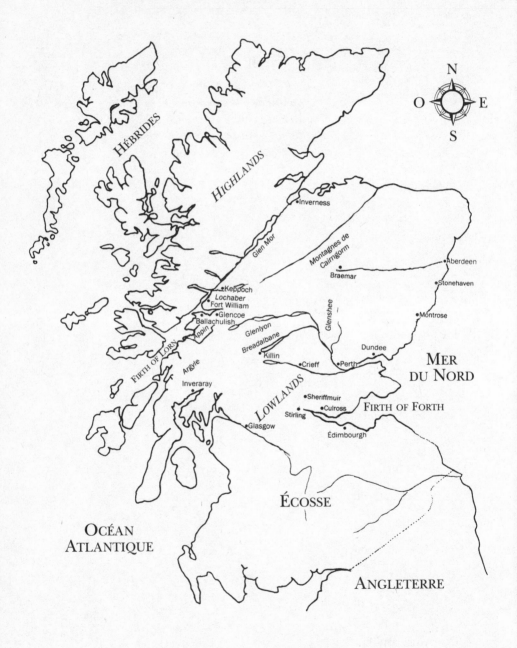

Table des matières

Généalogie des Campbell

Sir Duncan Campbell
Baron de Lochow (✝ 1453)

Les personnages dont le nom est souligné apparaissent dans ce tome.

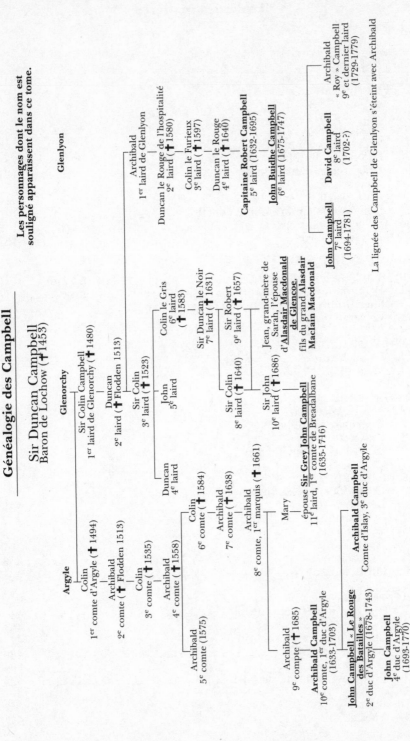

La lignée des Campbell de Glenlyon s'éteint avec Archibald

PREMIÈRE PARTIE

1715

« Pour les Écossais, la cruauté aura été un de leurs pires défauts, mais elle aura été leur sauvegarde. »

RÉSUMÉ DU TOME 1
La Vallée des larmes

En Écosse, à la fin du XVIIᵉ siècle, Caitlin Dunn, une jeune Irlandaise, a été confiée par son père au manoir Dunning où il espère qu'elle pourra honnêtement gagner sa vie. Cependant, le maître des lieux, Lord Dunning, a fait de Caitlin sa propriété, sa chose. Un soir, n'en pouvant plus, elle finit par le poignarder à mort pendant qu'il est de nouveau en train d'abuser d'elle.

Elle abandonne son bourreau inanimé, baignant dans son sang, et fonce dans la nuit sans perdre un instant. Dans sa fuite éperdue, elle tombe face à face avec Liam Macdonald, un géant highlander qu'on avait arrêté pour trafic d'armes et qui vient tout juste de s'évader de sa cellule. Ensemble, ils regagnent la vallée natale de Liam dans les Highlands.

Un amour brûlant naît entre eux. Mais la plus belle femme du village, la magnifique et rusée Meghan, a décidé de faire de Liam son mari et ne se prive d'aucun plan retors pour arriver à ses fins. Or elle disparaît dans des circonstances étranges, et il y a tout lieu de croire qu'elle a été assassinée.

Le fourbe Winston, fils héritier de lord Dunning qui a déguisé le meurtre de son père de façon à ce que Liam soit accusé, parvient à attirer Caitlin dans ses griffes. Du même coup, Liam est capturé et, pour lui éviter la potence, Caitlin accepte de passer un marché humiliant avec Winston. Marché qui bouleverse Liam et le pousse à remettre en question ses sentiments pour Caitlin.

Dans cette tempête d'événements, un premier enfant naît de la relation tumultueuse entre la belle Irlandaise et le valeureux Highlander. Or, leur petit Duncan Coll n'est pas au monde depuis un mois qu'il est enlevé. Des recherches intenses finissent par conduire les battues jusqu'à une personne que tous croyaient morte : Meghan. Ayant pratiquement perdu la raison et n'étant plus que l'ombre de la beauté surnaturelle qu'elle était, elle finit par se donner elle-même la mort sous les yeux effarés de ceux qui ont sauvé le bébé de justesse.

Duncan Coll revient sain et sauf à la maison. La petite famille trouve enfin un peu de paix... pour quelque temps seulement, car le destin n'a pas encore dit son dernier mot.

1

Le dernier raid
Septembre 1715

Le crépuscule embrasait la vallée et peignait d'or et de pourpre les collines couvertes de bruyères et de hautes herbes brûlées par le soleil d'été. Une partie des bêtes de Glenlyon y paissaient tranquillement, ignorant les regards qui les convoitaient.

Duncan Macdonald retira son béret de laine bleue et passa ses doigts dans sa tignasse couleur corbeau qui brillait dans les derniers rayons du soleil.

— Hum... si nous réussissons à toutes les prendre, ce sera du bon travail. Il doit bien y avoir une trentaine de têtes dans ce troupeau. Ces imbéciles de Campbell croyaient-ils qu'après notre échec du mois dernier nous ne reviendrions plus leur rendre visite?

— Tu crois qu'ils sont dans les huttes? demanda le jeune homme étendu à sa droite dans la bruyère humide.

Duncan remit son béret et le cala jusqu'au-dessus de ses épais sourcils noirs froncés. Il se tourna vers son frère Ranald.

— S'ils ne sont pas dans les huttes, ils ne doivent pas être bien loin. Les Campbell ne laissent jamais leurs bêtes bien longtemps sans surveillance. Il faut attendre, décida-t-il en posant de nouveau son regard sur la lande.

— Peut-être qu'ils nous ont repérés.

— Non, je ne crois pas, marmonna Alasdair, qui avait mis sa main en visière. Tu sais aussi bien que moi qu'ils nous auraient attaqués dès qu'ils auraient eu vent de notre présence sur leurs terres.

Grimaçant en se frottant le dos, Ranald se redressa sur les genoux. Duncan détourna son regard avec un pincement au cœur. Il savait que son frère souffrait en silence et il se sentait coupable de son état, qui ne semblait plus vouloir s'améliorer. Il remua légèrement pour déplacer son poids d'un coude sur l'autre.

Deux ans s'étaient écoulés depuis ce terrible accident qui avait failli lui ravir son frère. Ranald, qui n'avait que dix-neuf mois de moins que lui, le suivait comme son ombre. Duncan avait dix-sept ans à l'époque. Ils s'étaient introduits discrètement dans la distillerie pour tirer en cachette un peu d'« eau-de-feu », ce whisky fameux que leur père et Simon Macdonald distillaient quatre fois et gardaient jalousement. Leur mère leur avait formellement interdit d'en boire : « Vous verrez bien assez tôt ce que peut faire ce poison à un homme, mes fils! » Ils savaient qu'il était inutile de discuter avec elle. Lorsque Caitlin Macdonald avait parlé, il fallait se le tenir pour dit. Leur père lui-même arrivait assez rarement à avoir le dernier mot avec elle. Ils avaient donc décidé d'en tirer secrètement une flasque du tonneau de chêne soigneusement caché dans un recoin de la distillerie. Leur père avait placé le fût, non identifié, parmi les tonneaux de whisky ordinaire, pour tromper les éventuels intéressés. C'était mal connaître Duncan. Il avait vu son père encocher le bois et savait où se trouvait le fût en question.

Mais les choses avaient mal tourné. Les deux frères avaient été surpris et, alors qu'ils se cachaient, Duncan avait heurté une cale de bois qui retenait les tonneaux vides empilés contre le mur. Ç'avait été la tragédie. Les tonneaux vides s'étaient mis à dégringoler et à rouler dans un fracas épouvantable. Ranald, qui n'avait pas eu le temps de sortir de la cachette, s'était retrouvé coincé, écrasé. Sa frêle ossature d'adolescent n'avait pas résisté.

Entendant encore les cris de son frère lorsqu'on l'avait extirpé de l'amas de bois de chêne, Duncan ferma les yeux. Ranald avait eu plusieurs côtes et l'os du bassin fracturés. On avait craint pour sa vie, car les pointes d'os avaient pu faire des dommages dans sa poitrine. Il avait souffert de fièvre pendant plusieurs jours. On avait dû lui administrer du laudanum et à défaut, ironiquement, de l'eau-de-feu pour le soulager de ses souffrances.

Ranald était solide; il s'en était sorti. Cependant, son corps avait gardé des séquelles, comme ce mal de dos qui ne le quittait plus depuis. Il avait maintenant sur lui en permanence une flasque d'eau-de-feu pour engourdir le mal lorsqu'il devenait insupportable. Pourtant, jamais il ne se plaignait et il continuait d'afficher son éternel sourire.

Il avait insisté pour participer au raid qu'Alasdair avait organisé sur Glenlyon. À dix-sept ans, il jugeait qu'il était plus que temps pour lui de devenir un homme. Duncan n'avait pu s'opposer à lui, tout en s'attendant aux réprimandes que leur mère ne manquerait pas de leur faire dès qu'elle serait au courant. Mais elle ne pouvait tout de même pas le couver toute sa vie, bon sang!

— Il n'y a personne en vue, s'impatienta Ranald, l'arrachant à ses douloureux souvenirs. Pourquoi ne pas y aller maintenant? On ne va pas passer toute la nuit à attendre ici qu'ils se pointent! Je vais me les geler si je ne me remue pas un peu! C'est qu'il fait drôlement froid ce soir.

Duncan se tourna vers son frère, un sourire moqueur aux lèvres.

— Tu n'auras qu'à demander à Jenny de te les réchauffer un peu, p'tit frère. Je suis certain qu'elle ne demanderait pas mieux!

— Arrête, Duncan! Jenny n'est pas comme ça.

— Elle mangerait dans le creux de ta main, pauvre idiot! Je me demande bien pourquoi tu ne l'as pas encore emmenée faire un tour dans les bruyères. Un simple coup de vent relèverait ses jupes, et tu n'aurais qu'à faire le reste. Tu verras comme c'est agréable. Il faudra bien que tu t'y mettes un jour, Ran. Cela fait partie du terrible lot de la vie pour un homme.

Ranald s'agita et ses joues s'empourprèrent. Il se remit à surveiller distraitement les huttes disséminées au-dessous du promontoire rocheux sur lequel ils s'étaient réfugiés.

— C'est ce que tu fais avec Elspeth?

Duncan ne répondit pas. Il se redressa à son tour, en prenant soin de rester caché. Un mouvement avait attiré son attention. Sept cavaliers traversaient la lande, plus bas.

— Les voilà! s'écria-t-il en dégainant lentement le poignard qui pendait à sa ceinture.

Il lança un regard à Alasdair par-dessus le plaid qui drapait son épaule. Son compagnon avait aperçu les cavaliers lui aussi. Il revint sur Ranald. Le jeune homme fronçait maintenant ses sourcils d'appréhension. Il semblait nerveux, mais sentait peut-être monter l'excitation, comme lui. C'était une sensation exquise qui faisait hérisser tous les poils du corps. Un peu comme lorsqu'il caressait la douce peau mate d'Elspeth. C'était une excitation presque sexuelle et qui s'accompagnait de picotements au creux du ventre.

Il posa une main sur l'épaule de son frère et la serra doucement.

— Tu te souviens des règles, Ran? Si tu vois que ça chauffe, tu te barres, quoi qu'il arrive à l'un d'entre nous. Des vaches, il y en aura toujours. S'il devait t'arriver quelque chose, mère me ferait assurément la peau et moi, je m'en voudrais le reste de mes jours. Alors, t'as compris?

— Ouais... marmonna Ranald en dégainant à son tour.

— On attend? demanda l'un des hommes qui les accompagnaient.

— Oui, ils vont repartir bientôt. Laissons-leur le temps de compter leurs bêtes une dernière fois, ricana Alasdair, un sourire goguenard suspendu à ses lèvres.

Le fils du laird de Glencoe remit son béret et arma son pistolet. Il se tourna vers ses hommes. Son sourire avait disparu pour laisser la place à une expression froide et autoritaire. Duncan sourit intérieurement. Il connaissait bien Alasdair Macdonald. Il possédait la sagesse de son père et affichait la plupart du temps un air affable. Mais lorsque les choses devenaient sérieuses et risquées, il était inflexible et dur avec ses pairs. Quiconque osait contredire ses ordres ou, pire, les transgresser devrait affronter la colère impitoyable de l'héritier du titre de MacIain. L'homme ferait indubitablement un bon chef. Mais n'était-il pas le petit-fils du grand MacIain?

— Je ne veux pas voir une goutte du sang des Campbell rougir inutilement vos poignards.

Se tournant ensuite vers l'un de ses hommes qui vérifiait le tranchant de sa lame sur le bord de son ongle, il insista :

— Allan, c'est clair?

— Ouais, grommela le rustaud en resserrant les mâchoires et en plissant les sourcils d'insatisfaction.

Les six hommes restèrent accroupis derrière les buissons de genêts quelques minutes encore jusqu'à ce que le dernier des Campbell eût disparu derrière la colline. Puis ils retournèrent à leurs montures qui attendaient un peu plus loin, à l'abri des regards.

Duncan suivait son frère de près tandis qu'ils encerclaient les bêtes à cornes pour les rassembler et les faire remonter la lande, avant de faire la crête qui les mènerait sur Rannoch Moor. Ranald semblait être dans son élément et s'en sortait plutôt bien.

— Dépêchez-vous, les gars! cria Alasdair. Faut pas traîner!

Le soleil était maintenant couché et l'obscurité envahissait progressivement la luxuriante vallée de Glenlyon. Duncan jetait des coups d'œil furtifs autour de lui. Il avait une drôle d'impression, se sentait épié. Mais il ne voyait personne. Pourtant...

— Ran, pousse le troupeau avec les autres et avertis Alasdair que je vous rejoins dans quelques minutes. Je veux faire un tour pour m'assurer que personne ne nous suit.

Ranald lança un regard inquiet à son frère.

— Pourquoi? Il n'y a personne d'autre que nous ici!

— Je sais... Je veux seulement surveiller nos arrières, ça te va?

— Bon, d'accord. Mais fais gaffe, car c'est à moi que mère s'en prendrait si tu ne revenais pas entier.

Duncan sourit de toutes ses dents blanches dans l'obscurité grandissante. Il fit pivoter sa monture et s'éloigna dans un nuage de poussière. Les huttes semblaient bien désertes. Pourtant, après avoir fait le tour trois fois, il avait toujours l'étrange impression d'être observé. Le troupeau et les hommes venaient de disparaître de l'autre côté de la crête, et le silence avait repris ses droits dans la lande sombre. Il jetait un dernier regard derrière lui avant de quitter la vallée pour rejoindre ses compagnons lorsqu'un mouvement fugace accrocha son œil averti. Quelque chose avait bougé derrière un taillis d'aulnes, près du ruisseau qui arrosait la lande jusqu'à la rivière Lyon. Il revint sur ses pas. Peut-être n'était-ce qu'un animal, mais il voulait s'en assurer.

Soudain, une silhouette surgit du taillis et se mit à dévaler la pente. Duncan éperonna sa monture pour se mettre à sa poursuite. Il rattrapa le fuyard en quelques secondes, puis se jeta sur lui en l'attrapant à bras-le-corps. Ils roulèrent dans la bruyère, se heurtant aux pierres qui jaillissaient du sol ici et là. Finalement, ils s'immobilisèrent.

— Oh merde! cria une voix aiguë. Ôte tes sales pattes de là, Macdonald!

— Bon sang, mais t'es une femme?

Duncan, qui était assis sur les cuisses de la jeune femme, un genou planté dans le creux de ses reins, relâcha la pression qu'il exerçait sur la lame de son poignard placée à la base de la nuque. Il avait légèrement entaillé la peau.

— Que fais-tu ici, femme? demanda-t-il durement. Il n'est pas un peu tard pour faire une promenade et cueillir des fleurs sur la lande?

Il ne pouvait voir son visage, qui était dissimulé par l'épaisse crinière rousse. Mais des effluves d'eau de rose lui caressaient les narines.

— Tu me fais mal, salaud de Macdonald, glapit-elle en tentant furieusement de se dégager. Vous n'en avez pas assez de voler nos vaches, merde! Sales voleurs... j'en ai vraiment marre de vous. Mon grand-père aurait dû vous exter...

Elle n'eut pas le loisir de terminer. Duncan la retourna vivement sur le dos et appuya la pointe d'acier sur la peau tendre, sous la mâchoire, la fusillant d'un regard assassin. La jeune femme se figea sous la menace réelle de la lame tranchante et celle, plus subtile, des yeux froids qui la foudroyaient. Ses lèvres se mirent à trembler et ses yeux de chat s'écarquillèrent.

— Je... Ce n'est p-p-pas ce que je voulais dire...

Duncan respirait bruyamment. Un malaise s'emparait de lui. L'allusion au massacre qui avait décimé son clan vingt-trois ans plus tôt le mettait hors de lui. Il s'en fallut de peu qu'il n'enfonce l'acier dans la peau blanche de la petite effrontée qui jurait comme un homme et se tortillait sous lui. Mais lorsqu'il croisa son regard...

— Je suis certain que tu ne pensais pas ce que tu viens de laisser s'échapper de ta si jolie bouche.

— Non... en effet.

Elle avait cessé de bouger et le fixait, terrorisée. Lui l'observait derrière ses cils. Il vit la poitrine de la jeune femme se soulever et s'abaisser rapidement. Il s'attarda aussi sur les courbes qui tendaient l'étoffe maculée de boue.

— Qui es-tu?

La femme déglutit. Duncan s'aperçut alors que la pointe de son poignard était toujours piquée dans la chair tendre et pâle. Il rengaina lentement son arme, mais resta assis sur les cuisses de sa captive. La seule arme dont semblait disposer la petite garce était sa langue, et cela, il pouvait bien s'en accommoder.

— Qui es-tu? répéta-t-il rudement.

— Je ne te le dirai pas.

— Avec ta langue de vipère, il est assez évident que tu es une Campbell, fit-il observer en la détaillant d'un œil convoiteur. Tu as parlé de ton grand-père... Serais-tu la petite-fille de ce fumier de Robert Campbell par hasard?

Elle ne répondit pas, mais soutint son regard. Duncan resserra sa prise sur les poignets de la jeune femme, qui se tordait. Son silence ne laissait aucun doute sur son identité.

— Eh bien ça, c'est la meilleure! Je serais assis sur la fille du laird de Glenlyon?

— Va te faire foutre! lui cracha-t-elle au visage.

Elle se remit à gigoter sous lui comme un asticot. Ses mouvements

17

commençaient à drôlement l'exciter. Comment Glenlyon avait-il pu engendrer une si charmante créature? Son pouls s'accéléra. Il ferma les yeux et prit une grande inspiration pour tenter de réprimer les émotions qu'elle suscitait en lui. Des idées se bousculaient dans sa tête, toutes plus concupiscentes les unes que les autres. Mais ce n'était vraiment pas le moment de se faire la fille de Glenlyon. Les hommes du laird pouvaient revenir d'un moment à l'autre et alors là, pour sûr, ce serait la corde au cou pour lui si on le surprenait. Il fallait penser à autre chose : les bêtes, ses compagnons, n'importe quoi...

— Bon sang.

— Lâche-moi! Sale bâtard! Vous n'êtes qu'une bande de minables, toi et tes amis. Des voleurs! Tout ce que vous savez faire, vous, les Macdonald, c'est voler et tuer!

— Holà! Tueurs, c'est un peu fort. Voleurs... bah! Faut bien faire quelque chose dans la vie, ma belle, et c'est vrai que, dans le domaine du vol des bêtes, nous excellons.

Les yeux de la femme foudroyaient Duncan qui se sentait de plus en plus troublé, malgré la colère qui avait ressurgi en lui après l'insulte qu'elle venait de lui cracher au visage. Ce n'était pas l'envie de lui retrousser les jupes pour lui donner une bonne correction qui lui manquait. À cette seule idée, ses muscles se tendirent. « Putain de merde! Je la prendrais bien immédiatement. » Il déglutit. Gagner du temps, c'est ce qu'il devait faire, pour permettre à ses compagnons de s'éloigner suffisamment avant qu'elle n'ameute tout le clan Campbell.

— Que faisais-tu ici? demanda-t-il en tentant de contrôler le timbre de sa voix.

— Je n'ai pas à expliquer mes faits et gestes. Certainement pas à toi! Je suis ici chez moi. C'est plutôt toi qui devrais justifier ta présence sur nos terres. Glencoe est à plusieurs kilomètres d'ici, il me semble.

— Je me suis égaré.

— Oh, bien sûr! Tu me prends pour qui, espèce d'imbécile? Je vous ai vus voler nos vaches, sale ordure!

— Ton père sait que sa fille parle comme un cul-terreux? Est-ce là le discours que tu tiens avec la noble gent écossaise?

— Je parle comme j'en ai envie, Macdonald. Je ne vois pas en quoi cela te choque.

— Nos femmes reçoivent des corrections pour un tel langage.

— Ah, fais-moi rire! Et puis, je n'en ai rien à foutre des manières de vos femmes! Pourquoi ne retournes-tu pas auprès d'elles? Lâche-moi!

Soudain il se mit à penser à Elspeth, à son petit minois tout rond et à son joli nez légèrement retroussé. Elle était plutôt belle, Elspeth Henderson, avec ses grands yeux verts et ses longs cheveux bruns aux reflets cuivrés qui se balançaient au rythme de ses déhanchements. Bien des hommes la reluquaient. Elle était peut-être même plus jolie que cette gueuse qui se démenait sous lui. Mais il n'avait jamais ressenti avec elle ce trouble et cette sensation dans l'aine... Prendrait-il soudainement goût aux petites de ce genre?

— Si je te lâche, tu iras avertir tes hommes. Et ça, je ne peux pas te le permettre... du moins, pas avant quelques minutes. Je dois laisser à mes hommes le temps de bien s'éloigner.

Elle grogna et donna un coup de dent qu'il esquiva de justesse.

— T'es une vraie louve, ma foi!

— Oh! mais tu n'as encore rien vu.

— Vraiment?

Duncan haussa un sourcil sceptique et retroussa le coin de sa bouche. La fille se cambra, tentant vainement de repousser son assaillant qui lui écrasait le bassin contre des pierres.

— Tu m'emmerdes, Macdonald!

— Et toi alors?

Il n'en pouvait plus de regarder cette belle bouche charnue qui ne cessait de cracher des grossièretés.

— Tu vas la fermer à la fin, femme!

— Pas si cela t'emmerde...

Il étouffa ses protestations en plaquant sa bouche sur la sienne, qu'il força avec sa langue. La jeune femme se tendit sous lui et se débattit, mais il la maintint fermement au sol, sans grande difficulté. Face à son mètre quatre-vingt-dix, elle ne faisait vraiment pas le poids. Il gémit doucement de satisfaction, puis s'écarta. Ils haletaient tous les deux, leurs regards maintenant soudés dans un lourd silence. « Qu'est-ce que je fous là? Je dois m'arrêter avant de... » C'était la première fois que l'idée de violer une femme lui effleurait l'esprit, et cela le consternait.

— Je... suis désolé, arriva-t-il à articuler au bout de quelques minutes.

Il se sentait comme le dernier des idiots. C'était tout ce qu'il avait trouvé à dire. Elle remua un peu sous lui. Il lui libéra les poignets et roula dans l'herbe à côté d'elle en remerciant silencieusement l'obscurité de dissimuler son désir maintenant plus qu'évident. Elle ne bougeait toujours pas, mais il pouvait entendre sa respiration précipitée. Il se tourna vers elle. La ligne de son profil aquilin se découpait sur le ciel indigo strié de minces rubans violacés.

— Tu peux partir.

Elle roula sur elle-même, puis se releva à son tour pour lui faire face. Il ne vit pas le coup venir. Elle l'atteignit en plein dans les parties. Il se replia sur lui-même, le souffle coupé, tentant désespérément de reprendre une bouffée d'air. La douleur le paralysait.

— Putain de garce!

Elle s'accroupit devant lui, brandissant un *sgian dhu*[1] sous son nez.

— Ne t'avise pas de remettre tes sales pattes sur moi, Macdonald.

---

1. Petit coutelas que les Écossais portaient glissé dans leur chaussette. Prononcer : skin dou.

— Je... t'ai dit... que j'étais... désolé...

— Désolé, mon cul! Une certaine partie de ton corps me disait tout autre chose.

Elle se mit à rire nerveusement et repoussa les mèches hirsutes qui lui retombaient sur les yeux. Son regard brillait dans l'obscurité. Duncan tenta de se redresser en pestant contre lui-même pour la faiblesse qu'avait provoquée en lui le bleu cristallin de ce regard.

— Je crois bien que j'ai refroidi tes ardeurs. La prochaine fois, je te les coupe et je te les fais bouffer, compris?

Duncan eut soudainement une envie folle de rire. Sa situation était d'un tel ridicule! Lui, Duncan Coll Macdonald de Glencoe, s'était fait avoir par une petite garce de Campbell! Il lui faudrait éviter de raconter sa mésaventure à ses compagnons, pour ne pas être la risée de tous les hommes de son clan. Il éclata de rire et roula sur le sol, sous le regard ahuri de la jeune femme qui se méprenait sur la raison de son hilarité.

— Tu trouves ça comique? Tu crois peut-être que je ne sais pas me servir d'une arme?

Son fou rire redoubla. Visiblement outrée, elle s'apprêtait à lui donner un nouveau coup de pied. Mais Duncan lui attrapa la cheville juste au moment où elle allait l'atteindre et la lui tordit violemment, la faisant tomber à la renverse. La lame du *sgian dhu* lui passa à quelques centimètres des yeux, étincelante dans le clair de lune qui commençait maintenant à faire briller les collines d'une lumière argentée.

— Bon sang, je plains le pauvre type qui t'aura pour épouse! ricana-t-il en se relevant complètement.

Il gardait une main sur la partie de son anatomie agressée un peu plus tôt. Il dévisagea la femme qui frottait sa cheville endolorie en poussant d'horribles jurons en gaélique.

— C'est que t'es une vraie furie! Je n'ai jamais vu une fille pareille. Merde! À t'entendre, on croirait un homme travesti en donzelle.

— Va te faire foutre! Si cela avait été le cas, tu te balancerais déjà à une de nos branches à l'heure qu'il est, fumier!

— Ne t'en fais pas, je pars... Je tiens à rester entier encore un moment.

Il se détourna, puis se dirigea vers son cheval qui attendait à quelques mètres d'eux, témoin muet de sa déconfiture. Entendant soudain un sanglot étouffé dans son dos, il s'immobilisa un instant. Puis il se ravisa. « Qu'elle aille se faire foutre, elle aussi, la garce! » Il frotta son entrejambe encore douloureux, grimpa sur sa monture en grimaçant et éperonna l'animal.

Ranald et Allan attendaient le jeune homme sur la lande, à l'entrée de leur vallée.

— Tu veux bien me dire ce que tu foutais! s'écria son frère, visiblement inquiet. Nous nous apprêtions à retourner sur nos pas.

— T'as eu de la compagnie?

— Non, il n'y avait personne.

Ranald observait son frère silencieusement. Il ne croyait pas un mot de ce qu'il avait dit, car il le connaissait assez pour savoir quand il mentait. Mais il eut la bonne idée de se taire devant Allan. Duncan s'en rendit compte et sut qu'il devrait inévitablement tout lui raconter plus tard.

On cacha les bêtes dans la vallée suspendue de Coire Gabhail. La mère des deux frères avait été rassurée en voyant que ses fils étaient bien rentrés de leur expédition. Sa fille, Frances, avait trouvé quelque chose à lui raconter, mais Duncan savait que sa mère n'était pas dupe. Curieusement, elle ne dit rien et se contenta de leur adresser un regard désapprobateur en posant devant eux leurs assiettes garnies de légumes bouillis et de harengs fumés. Les deux frères échangèrent des regards complices. Leur père demanda simplement, mine de rien, combien de têtes ils avaient ramenées.

Une main fraîche et douce se posa sur la joue de Duncan, puis des lèvres tièdes et humides le firent frissonner.

— Tu sembles bien loin d'ici, Duncan, murmura une voix féminine dans son cou.

— Non, Elsie. Hum... Je suis tout à toi.

— Je l'espère bien, car j'ai envie de toi...

Le jeune homme roula sur le côté dans la paille, et glissa une main sous les jupes de sa compagne qui ouvrait les cuisses en gémissant. Il profita sur-le-champ de son invitation.

— Tout s'est bien passé en Glenlyon, avec Ran?

— Mmmoui, dit Duncan distraitement en remontant les jupes d'Elspeth pour découvrir un petit triangle sombre dans la pénombre de l'écurie.

L'odeur du foin et des bêtes se mêlait à celle, plus intime, de la créature offerte qui se tendait sous ses mains affamées.

— Je n'aime pas tellement que tu ailles là-bas. Depuis qu'ils ont pendu Stuart, le mois dernier...

— Il faudra que tu t'y fasses, Elsie.

Il dénoua les lacets de son corsage et l'ouvrit pour découvrir une poitrine pleine dont il s'empressa de mordiller les mamelons dressés. Elle se cambra légèrement, plongeant ses doigts dans sa chevelure.

— Duncan... s'il devait t'arriver quelque chose...

— Elsie, comme tu es douce...

— Duncan, écoute-moi.

Il rit doucement dans le cou de sa maîtresse.

— Arrête de t'inquiéter pour moi, veux-tu? Tu crois que je vais me laisser faire la peau par un putain de Campbell?

— Je sais bien que non, mais...

Pour la faire taire, il posa sa bouche sur la sienne, goûtant ses lèvres et sa langue avec jubilation. Il s'écarta pour reprendre son souffle.

Il ne voulait pas y aller trop rapidement; le plaisir était bien meilleur lorsqu'il se faisait attendre.

— Tu sens si bon, susurra-t-il, le nez dans ses cheveux soyeux.

— Toi, tu sens l'eau de toilette française, fit-elle remarquer en reniflant sa chemise. Qu'as-tu fait en Glenlyon, Duncan?

Le jeune homme se raidit légèrement, puis se redressa pour retirer sa chemise. Merde! Pourquoi avait-il fallu qu'elle fasse ce commentaire? Il avait réussi pendant un moment à oublier la femme Campbell. Maintenant, le parfum de l'inconnue revenait le hanter, augmentant son désir de prendre brutalement Elspeth comme il avait eu envie de prendre cette femme dans la bruyère humide. Cherchant à se contrôler, il respira profondément et ferma les paupières, mais en vain. Le souvenir de la jeune Campbell le narguait toujours.

— J'ai dû frôler un rosier ou quelque plante odorante sur la lande...

— Mais les rosiers ne poussent pas sur la lande.

— Je ne sais pas, moi! s'impatienta-t-il. Que veux-tu que je te dise? Que je me suis fait attaquer par une femme qui embaumait la rose?

Réprimant un fou rire, il se disait qu'il ne pouvait être plus près de la vérité. Il s'était réellement fait attaquer par une femme qui dégageait des effluves enivrants de rose sur la lande. Elspeth émit un petit cri étouffé lorsqu'il la pénétra.

— Fais attention, Duncan. Je ne voudrais pas me retrouver enceinte...

— Je sais... Oh! Elsie, tu es si moite... si douce...

Les ongles de la jeune femme venaient s'enfoncer dans ses muscles fessiers contractés sous le tartan de son kilt. Gardant les paupières soudées sur ses fantasmes, il imagina le clair regard félin se refermant à demi, le fixant avec sensualité.

— Oooh! laissa-t-il glisser entre ses lèvres sèches.

La paille et le bois rugueux lui râpaient les genoux. Tout à coup, il se rendit compte que c'était à l'autre femme qu'il faisait l'amour. Il se retint d'ouvrir les yeux afin d'éviter de croiser ceux d'Elspeth. Et si elle voyait... Il se sentait comme le dernier des salauds, mais c'était plus fort que lui. Il revoyait les mèches de feu flotter autour du visage oblong et fin de la Campbell, comme des flammes allumées par son tempérament de braise. Sa bouche large et ses lèvres charnues, si douces... Mais d'où sortait un si grossier langage? Cette femme était une vraie garce... Mais peut-être était-ce ce qui l'avait tant excité.

— Duncan... n'oublie pas.

Il entrouvrit les yeux. Elle était secouée de soubresauts qui faisaient sautiller joyeusement ses seins ronds et lourds. Oh, Seigneur Dieu! Il se retira précipitamment. Son corps était parcouru de spasmes, tandis qu'il étouffait son râle de jouissance dans l'étoffe des jupes. Ce qu'il aurait aimé se perdre en elle, mourir en elle... Elle? Elspeth ou bien la femme Campbell?

Duncan roula sur le dos et passa ses doigts dans sa crinière parsemée de brindilles de paille. Son autre main reposait, molle et inerte, sur la cuisse d'Elspeth. Il reprenait son souffle et tentait de remettre de l'ordre dans ses idées. Il se détestait d'avoir joui en pensant à l'autre. Il aimait beaucoup Elspeth. C'était une gentille fille, douce et docile, jolie et chaleureuse. Tout ce qu'un homme pouvait rêver d'avoir dans sa maison, dans sa couche. Alors pourquoi était-il si troublé par cette furie enflammée? Cette Campbell l'avait envoûté d'un seul regard. Elle avait été une vraie garce, et pourtant...

— Duncan, quelque chose te tracasse. Tu sembles à mille lieues d'ici.

Il se tourna vers elle. Son joli visage était tout plissé d'inquiétude. Pourquoi les femmes arrivaient-elles toujours à lire dans ses pensées? C'était la même chose avec sa mère et Frances.

— Je t'assure qu'il n'y a rien.

Elle finissait de rajuster son corsage et s'apprêtait à redescendre ses jupes pour couvrir ses jambes quand il l'en empêcha.

— J'aime te regarder, Elsie. Pourquoi t'empresses-tu toujours de te rhabiller?

La jeune femme rougit jusqu'à la racine des cheveux.

— Je ne sais pas... Ça me gêne un peu.

Duncan sourit devant son innocence. Elspeth avait dix-huit ans. Il était son premier et, il en était certain, son seul amant. Il savait qu'elle attendait qu'il lui propose les liens du *handfast*[2], ce serment des mains liées qu'on se prêtait l'un à l'autre. Ce mariage devant les hommes, mais pas devant Dieu... Du moins, pas officiellement. Les jeunes gens se fréquentaient depuis maintenant un an. Il avait attendu patiemment qu'elle se donne à lui de son plein gré. Il n'avait pas voulu la forcer. Non qu'il n'en eût pas envie, mais... il y avait toujours eu Moïra et Gracie à Ballachulish lorsque cela le démangeait un peu trop.

Ce matin encore, il avait réfléchi à ce qu'il devrait faire. Il n'avait que dix-neuf ans, mais l'occasion de trouver une femme aussi désirable qu'Elspeth ne se représenterait certainement pas avant longtemps. Il avait décidé de lui demander de l'épouser le soir même. Tout était différent maintenant. Il n'arrivait pas à lui faire sa demande, à cause de cette femme. Il secoua la tête pour la chasser de son esprit, se dit que ce qu'il avait éprouvé là-bas n'était rien d'autre que l'envie de prendre au laird de Glenlyon ce qu'il devinait être son bien le plus précieux. C'était ça, oui! Il voulait la fille de son ennemi. Mais qu'est-ce qui l'avait retenu? Ses copains l'auraient certainement porté aux nues pour un acte de vengeance comme celui-là. Et quelle douce vengeance cela aurait été!

— Je dois rentrer, Duncan. Mon père ne va pas tarder à me chercher, et s'il nous trouvait ici...

— Ouais, grommela-t-il en retirant les brindilles de paille de la soyeuse

---

2. Échange des vœux du serment des mains liées. Aux yeux des lois écossaises, cette union était légale.

chevelure d'Elspeth et en songeant qu'il se reprendrait le lendemain pour la demande en mariage. Je ne tiens pas à recevoir une raclée de ton père.

Elle lui offrit un sourire ingénu qui creusa deux profondes fossettes dans ses joues roses. Elspeth méritait mieux que cela. Peut-être devrait-il lui acheter un ou deux rubans de soie verte pour ses cheveux ou un bijou? Mais pourquoi donc avait-il ce singulier sentiment d'avoir quelque chose à se reprocher? C'était ridicule! Il n'avait fait que fantasmer... Son estomac se noua. Il se promit de régler son petit problème le plus tôt possible. Il devait oublier cette femme. Prenant la main de celle qu'il considérait comme sa fiancée, il la porta à ses lèvres et y déposa un baiser. Elle s'approcha de lui et lui offrit sa bouche, qu'il prit doucement.

— Je t'aime, Duncan.

Il l'étreignit tendrement contre son cœur. Mais sa gorge se serra. Il se sentait incapable de lui dire qu'il l'aimait aussi.

Le liquide lui brûla la langue et la gorge, mais lui procura aussi une douce sensation de bien-être. Duncan tendit la flasque d'eau-de-feu à Ranald, qui s'en versa à son tour une bonne lampée dans le gosier. Les deux frères étaient assis côte à côte sur Signal Rock. La nuit était plutôt fraîche, mais le whisky les réchauffait, engourdissait le mal de chacun.

Le village d'Achnacone s'étalait devant eux : petits cottages aux toits de chaume de bruyère et aux murs chaulés que perçaient des fenêtres sans vitre recouvertes d'une simple peau de bête huilée qui plongeait l'intérieur dans une quasi-obscurité l'hiver durant. Les deux jeunes gens avaient eu la chance d'habiter à Carnoch, plus en aval sur le cours de la Coe, dans une maison moins rustique dotée d'une toiture d'ardoises venant de Ballachulish et de fenêtres avec des carreaux de verre. Leur père, Liam Macdonald, s'était enrichi dans la contrebande. Depuis quelques années, il avait repris, au grand dam de leur mère, son activité de voleur de bétail qu'il avait abandonnée après le terrible massacre de la vallée de Glencoe, quatre ans avant la naissance de Duncan.

Ce massacre, Duncan en connaissait tous les horribles détails. Il en rêvait même la nuit parfois, comme si les esprits de ceux qui y étaient morts, notamment son demi-frère Coll et son grand-père paternel Duncan, dont il portait les noms, venaient lui raconter leur agonie. C'était étrange de penser que leur père avait déjà été marié à une autre femme que sa mère, autrefois, et qu'il avait eu un fils avec elle. Sa tante Sàra lui en avait parlé à quelques reprises. Sa mère, elle, semblait plutôt mal à l'aise avec le sujet. Elle lui disait qu'elle sentait parfois leur présence, comme un frisson, une main de glace qui la frôlait. Elle avait la chair de poule chaque fois qu'elle lui en parlait... Lui aussi d'ailleurs, car il avait déjà senti ces courants d'air frigorifiants qui l'enveloppaient et lui faisaient dresser les cheveux sur la tête. S'agissait-il vraiment des âmes errantes? Mais maintenant, tout cela faisait partie de l'histoire du clan et de la longue lignée de Macdonald qu'avait engendrée le grand Somerled sur cette terre rude et sauvage. Cette terre dont les enfants de Gaël étaient issus.

Ranald lui tendit silencieusement la flasque en lui donnant un léger coup de coude. Duncan aimait sa présence à ses côtés. Certes, ils étaient très différents l'un de l'autre mais, d'une certaine façon, ils se complétaient admirablement, formant comme un seul homme à eux deux. C'était ainsi depuis leur plus tendre enfance. Ranald avait un tempérament explosif, bouillant. Lui, Duncan, était plus modéré dans ses comportements. Son frère l'incitait à repousser ses limites et lui tempérait son frère. Il avala une gorgée de whisky, puis étira ses jambes qui s'engourdissaient.

— Raconte, dit Ranald à brûle-pourpoint.

Duncan sursauta, puis se tourna vers son frère qui fixait les étoiles suspendues dans l'immensité ténébreuse, au-dessus de la vallée.

— Raconter quoi? demanda-t-il, se doutant cependant de ce à quoi son frère faisait allusion.

— Tu sais... Glenlyon. Il s'est passé quelque chose...

Ranald dirigea alors son regard vers lui et le dévisagea d'un air sceptique.

— Tu ne croyais tout de même pas que j'allais avaler tes bobards!

Duncan sourit et rit doucement.

— Non, en effet... Je connais ta perspicacité, mon frère.

— Alors? Tu as rougi la lame de ton poignard, c'est cela? Tu as outrepassé les ordres d'Alasdair?

Duncan hésita un moment. Cela lui aurait été facile d'acquiescer, de ne rien lui raconter sur la façon dont une femme Campbell l'avait fait battre en retraite. Mais Ranald aurait rapidement deviné qu'il lui mentait.

— Il y avait effectivement quelqu'un de caché qui nous surveillait, avoua-t-il finalement.

— Et?

— Je l'ai débusqué et poursuivi. Je devais l'empêcher de donner l'alerte.

— Tu l'as tué?

— Euh... Non. C'était une femme.

Une rangée de dents se mit à luire dans la lumière bleutée de la lune.

— Une femme? Ça alors! s'exclama Ranald. Et tu l'as... je veux dire... enfin, tu sais? Forcer une femme Campbell, c'est pas comme...

— Non, Ran.

Il s'interrompit un moment, prit une nouvelle gorgée de whisky qui le fit grimacer.

— C'était pas l'envie qui me manquait, bon sang! Je l'aurais bien prise, là, dans la bruyère. Une Campbell, Ran, tu te rends compte? Elle était seule, sans arme, et terriblement... tentante. Non, mais tu imagines? Et je peux te jurer qu'elle était vierge.

— Et tu n'as rien fait? Toi, Duncan Coll Macdonald, le joli cœur? Tu me racontes des sornettes!

— Non, malheureusement. Ce que j'ai pu être stupide! J'avais terriblement envie, mais...

Il s'éclaircit la gorge et passa sa main rugueuse sur son visage, cherchant une excuse quelconque pour expliquer sa trouille.

— Une vraie sorcière, je te dis! Avec une langue de vipère par-dessus le marché. Elle m'aurait jeté un sort, pour sûr! Une vraie petite garce, je t'assure. Elle jurait comme un homme. Elle a même eu le culot de me menacer de son *sgian dhu* en me promettant de...

Il se mit soudainement à rire en repensant à la femme qui brandissait son petit coutelas sous son nez.

— De quoi t'a-t-elle menacé?

— De me les couper, de me les faire bouffer. Je n'y tenais pas vraiment, tu vois?

Ranald écarquilla les yeux et ouvrit la bouche pour dire quelque chose. Mais un petit rire s'échappa brusquement de sa gorge.

— Une vraie furie, cette femme. Mais, ne t'en fais pas, je ne l'ai pas abandonnée sans prendre un gage. Je lui ai volé un baiser. Ce n'est que partie remise, Ran.

— Tu l'as embrassée! Tu as embrassé une Campbell? Et c'était comment?

— Bien... marmonna Duncan, se remémorant l'étrange sensation que cela lui avait procurée. Je te dis, elle ne perd rien pour attendre, la gueuse.

Ranald émit un sifflement, puis hocha lentement la tête.

— Tu n'as pas dans l'idée de retourner là-bas, j'espère? S'ils te prennent, ils se feront un plaisir de te pendre haut et court. Tu te souviens de ce qu'ils ont fait à Robertson? Ils l'ont pendu, malgré les protestations de la fille.

— Ouais, je sais...

Le regard de Duncan se perdit dans le vague. Puis il se porta sur un petit point lumineux apparu tout à coup plus bas, dans la vallée, vacillant à travers les arbres. Il semblait remonter jusqu'à eux le cours sinueux de la rivière. Une torche portée par un cavalier. Un cri retentit. « *Fraoch Eilean!* » Son sang se figea dans ses veines.

— *An crann-tàra!* Bon sang, Ran! C'est la croix ardente!

Il se redressa sur le rocher et fut aussitôt imité par son frère.

— Tu crois que ça y est?

— Je ne vois rien d'autre. Le comte de Mar nous appelle aux armes sous l'étendard du prétendant Stuart. Père s'y attendait. John MacIain avait reçu des nouvelles de Kildrummy la semaine dernière. Mais je n'aurais jamais imaginé...

Un frisson glacé le parcourut de la tête aux pieds.

2

La croix ardente

Mes jointures blanchies agrippées au chambranle de la porte me retenaient de tomber. « Ça y est, Caitlin. Voilà près de vingt ans que tu redoutais ce moment... » J'eus un hoquet. Liam posa sa grande main sur mon épaule. La contraction de ses doigts me traduisait ses craintes. Il ne dit rien, mais je savais ce qu'il ressentait. Vingt-six années s'étaient maintenant écoulées depuis la bataille de Killiecrankie; les souvenirs étaient encore très nets dans sa mémoire. Les images qu'il m'avait décrites ressurgirent en moi, et je fus secouée d'un violent frisson de peur et de dégoût.

J'avais redouté ce nouveau soulèvement jacobite[3] contre la couronne des *Sassannachs*.[4] D'une certaine façon, j'aurais préféré qu'il eût lieu plus tôt, quand mes fils n'étaient pas encore en âge de prendre les armes, mais... Je mis ma main sur celle de Liam. « Maudits soient ces *Sassannachs*! » J'eus un autre hoquet.

— Liam...

— *Tuch! Na can guth, a ghràidh.*[5]

La croix ardente. Deux petits bouts de bois retenus par un torchon imbibé de sang qu'on embrasait et qui sillonnaient les vallées en passant de la main d'un guerrier à celle d'un autre. L'appel aux armes. Au début, j'avais cru voir un feu follet. Mais je réalisai assez rapidement, au fur et à mesure que l'étincelle s'approchait, que c'était en fait une torche portée par un cavalier qui remontait la vallée. Alasdair Og Macdonald, le frère du chef de guerre de Glencoe, portait la croix ardente à travers notre vallée et appelait les hommes du clan à combattre sous la bannière des

---

3. Jacobites : nom donné aux partisans de Jacques II et de la maison des Stuarts, après la révolution de 1688, en Écosse et en Angleterre.

4. Sassannach : Anglais en gaélique.

5. Chut! Ne dis rien, ma chérie.

Stuarts... Encore une fois. Serait-ce la dernière? Je le souhaitais de tout mon cœur.

La main qui enserrait mon épaule tremblait légèrement. Je me retournai pour faire face à Liam. L'angoisse se lisait sur ses traits et dans ses yeux. Il avait peur. Pas pour lui, mais pour ses fils. Nos fils.

— Nous y voilà! murmurai-je.

— Ouais... soupira-t-il en m'attirant à lui.

Je me blottis dans la sécurité de ses bras, enfouis mon visage dans la laine usée de son plaid et fermai les yeux. Il dégageait une odeur de bruyère et de pin mêlée à l'odeur animale et plus musquée de l'homme.

— Oh, Liam, *fear mo rùin!*[6] Pourquoi?

— Parce que Dieu le veut. C'est sa volonté et nous devons nous y plier.

Je levai les yeux au ciel et les plissai d'incompréhension.

— Dieu n'a rien à voir avec tout ceci! Il ne nous obligerait pas à offrir nos fils en sacrifice pour un roi qui n'a jamais respiré l'air des Highlands. De la chair à canon, Liam, c'est ce que demande Dieu?

Il ferma les yeux, hocha la tête et déglutit péniblement.

— Je ne sais pas, Caitlin. Mais nous devons y aller, tu le sais.

Je le savais, mais refusais de l'accepter. Sa mâchoire se contracta et son torse se raidit sous sa chemise.

— Pour le prétendant Stuart, ajouta-t-il après un moment. Nous avons une bonne chance de le mettre enfin sur le trône qui lui revient de droit. C'est le moment ou jamais, tu comprends?

— Je ne veux pas comprendre, Liam. Les Stuarts sont maudits depuis le début de leur dynastie. Leurs règnes se soldent par un assassinat ou par qui les écarte du trône. Si Dieu ne leur permet pas de régner sur l'Écosse, comment vous, simples mortels, croyez-vous arriver à accomplir ce miracle? Je veux vous garder auprès de moi... Je veux garder mes fils.

— Caitlin, nos fils ne nous appartiennent pas. Ils appartiennent à Dieu, au roi et à l'Écosse, que tu le veuilles ou non.

— Non...

Mes mains pétrissaient le tartan des Macdonald, avec lequel j'essuyai mes larmes. Je jetai de nouveau un regard sur notre vallée. Les hommes s'étaient rassemblés et descendaient le chemin qui suivait le cours sinueux de la Coe bouillonnante dans son lit. Le chef les convoquait. Liam s'écarta puis ramassa son poignard, qu'il glissa dans son fourreau pendant à sa ceinture. Il accrocha aussi son pistolet.

— Je dois y aller, *a ghràidh.*[7] Tu peux m'attendre, si tu veux...

Il sourit faiblement, puis m'embrassa doucement. Au bout de vingt ans de mariage, je ressentais avec la même intensité l'effet de ses lèvres

---

6. Mon bien-aimé.

7. Ma chérie.

28

sur les miennes. Je me retins à l'encadrement de la porte et le regardai partir avec les autres vers Invercoe, où se trouvait la maison de John MacIain. Un nœud douloureux se forma au creux de mon ventre. Je refermai lentement la porte puis m'y adossai, soupirant de désespoir.

Bien de l'eau avait coulé dans le lit rocailleux de la Coe depuis le jour où j'avais donné la vie, sur la lande froide et déserte de Glencoe, à Duncan, mon « second » fils aîné. Je l'appelais ainsi. Je n'avais plus revu mon premier enfant, depuis la nuit de l'accouchement. Je l'avais sacrifié à mon employeur, lord Dunning, dont il était le fils illégitime. J'espérais ainsi, au moins, lui assurer un avenir meilleur. Depuis la mort du lord et de son fils, Winston, qui devait veiller à ce qu'il ne manque de rien, il m'avait été impossible de le retrouver. Il ne m'en restait qu'un vague souvenir. Son odeur, sa petite bouille toute fripée. Son premier cri que j'entendais encore parfois dans mes songes... Il avait laissé un vide que je n'avais jamais réussi à combler, même si je chérissais mes trois autres enfants.

Enfin... beaucoup d'eau avait coulé depuis. On avait reconstruit le village d'Achnacone, dans le Glean Leac, et celui d'Invercoe, sur les rives du loch Leven. Le clan avait triplé sa population, et le nombre d'hommes en âge de prendre les armes atteignait presque maintenant celui d'avant le massacre, soit une bonne centaine. Les hommes avaient repris leurs activités de naguère : voler, élever et vendre le bétail. Ils y excellaient, je devais l'admettre malgré moi. Je n'avais pas vu d'un bon œil que Liam s'y remette, lui aussi. Mais qu'est-ce qui pouvait être pire que la contrebande? Je dus m'y faire. Puis, lorsque Duncan atteignit l'âge de combattre, son père l'initia aux rudiments du métier... parce que ça « allait » de soi. C'était le lot des Highlanders, leur raison d'être et leur principale source de revenus. Leur survie en dépendait. Je dus m'y faire. Maintenant, c'était au tour de Ranald d'apprendre les ficelles du métier. Encore je devais m'y faire...

Malheureusement, je ne me ferais jamais au départ de mes fils à la guerre, qu'elle fût juste ou non. Le soulèvement était prévisible. Depuis que Guillaume d'Orange était monté sur le trône d'Angleterre, d'Écosse et d'Irlande en destituant Jacques II, le mécontentement et la tension n'avaient fait que grandir au sein de la population.

Tout avait commencé avec la triste expédition de Darien. Elle avait pour but d'établir une colonie écossaise en Amérique, plus précisément au Panama, sur la péninsule de Darien, qu'on appela la Nouvelle-Calédonie. L'économie de l'Écosse avait beaucoup souffert des guerres auxquelles l'Angleterre avait participé sur le continent. L'établissement de cette colonie avait pour but de lui fournir un second souffle. Un peu comme la compagnie anglaise des Indes pour l'Angleterre.

Ainsi, en 1698, une flottille comptant mille deux cents personnes à son bord largua les amarres et mit le cap sur l'Amérique centrale, sans se douter qu'elle se dirigeait tout droit vers le désastre. La colonie connut la désertion et la maladie, ce qui l'affaiblit. Puis elle fut menacée par les Espagnols de la Colombie, mécontents de l'arrivée de ces nouveaux venus qui mettaient leur commerce en péril. Une poignée de colons seulement remit ainsi le pied sur le sol écossais. Toute l'affaire créa un énorme scandale qui remua le gouvernement. L'Écosse demanda une compensation à l'Angleterre pour son abandon et l'accusa d'avoir délibérément saboté l'expédition. La compagnie des Indes, ne voulant pas perdre son monopole dans le négoce, avait soudoyé le gouvernement et les hommes d'affaires impliqués pour les obliger de retirer leur support financier à la nouvelle compagnie.

Les pamphlets contre le roi Guillaume circulèrent allègrement parmi les milieux jacobites, dont l'attachement à leur cause se renforça. Puis à l'amertume et à la déception succéda une hostilité implacable envers le roi d'origine hollandaise.

Ensuite était survenue la mort prématurée du dernier enfant de la princesse Anne Stuart, sœur de la défunte Marie, épouse de Guillaume qui n'avait lui-même pas d'héritier. La chute de ce dernier obstacle majeur à l'accession au trône du jeune Jacques Francis Édouard Stuart, fils du roi déchu et exilé, eut pour effet d'accroître les espoirs des jacobites. Les petites combines et messes basses des alcôves obscures reprirent de plus belle. À ce moment-là, mon frère Patrick entra au service du comte de Marischal, gardien des coffres d'Écosse. Il fut envoyé secrètement en France avec quelques autres sympathisants à la cause pour assurer Jacques du soutien des jacobites. Pour eux, logiquement, Jacques devenait celui à qui revenait la couronne qu'on avait retirée par la force de la tête de son père, Jacques II, en 1688. Il était le dernier descendant vivant des Stuarts ayant droit de regard sur cette couronne.

Mais tout le monde n'avait pas la même logique. Le gouvernement des Têtes rondes très anti-catholique et le roi protestant ne voyaient pas la situation du même œil. On commençait à drôlement s'agiter sur les sièges de Whitehall, à Londres, et de Holyrood, à Édimbourg. Ainsi, le gouvernement, à la demande expresse du roi, avait accouché en 1701 de l'Acte d'établissement qui reconnaissait, comme héritiers de la couronne, la princesse Sophie, petite-fille de Jacques Ier et duchesse douairière de la maison de Hanovre, en Hollande, et tous ses descendants. Il s'assurait de cette façon une lignée protestante qui écartait par le fait même la lignée catholique des Stuarts. Ce fut un coup terrible porté aux jacobites, qui se faisaient de plus en plus nombreux. Mais tout n'était pas perdu.

Après la mort de Jacques II, à Saint-Germain-en-Laye, en France, en septembre 1701, le roi Louis XIV reconnut officiellement son fils, Jacques Francis Édouard, comme le futur roi. Mais, pour Guillaume, cette déclaration constituait une violation du traité de Ryswick signé en 1697. La brève période de paix entre les deux pays prenait fin. Les Anglais exigèrent en effet du roi de France qu'il retire sa déclaration, mais ce dernier demeura inflexible, répliquant que rien, dans le traité, ne lui interdisait de reconnaître au jeune Stuart ses droits légitimes au trône que lui conférait sa naissance. Guillaume rappela alors son ambassadeur de Paris et l'Angleterre se prépara à déclarer de nouveau la guerre à la France. Puis Guillaume fit une mauvaise chute de cheval dont il mourut. C'était en mars 1702 et il avait 52 ans.

Les Anglais placèrent Anne sur le trône. Cela donna un moment pleine satisfaction à tous les partis, plus particulièrement aux jacobites. Ces derniers pensaient qu'étant une Stuart et n'ayant plus aucun héritier, Anne se tournerait tout naturellement vers son frère, Jacques Édouard, qu'ils appelaient le « Prétendant ». Mais c'était oublier les intrigues de cour. Le comte de Marlborough, qui devint plus tard duc, réussit, par l'entremise de son épouse, à corrompre l'esprit de la reine.

Un autre événement contribua à l'agitation grandissante des Écossais : le projet d'union entre l'Écosse et l'Angleterre, dont l'acte fut ratifié le 1er mai 1707, après une année de négociations difficiles, de corruption et d'émeutes. C'était la fin de l'Écosse indépendante et le début de la Grande-Bretagne. Les partisans des Stuarts furent cavalièrement écartés du parlement, qui siégeait maintenant à Londres, où les Têtes rondes, qui soutenaient la succession hanovrienne, régnaient dorénavant en rois et maîtres.

Les Écossais étaient mûrs pour une insurrection. Mais le terrain n'était pas encore prêt, et les jacobites l'apprirent à leurs dépens. En 1708, le Prétendant fit une tentative pour venir en Écosse. Mais les Anglais, alertés par leurs nombreux espions, empêchèrent avec succès le débarquement. Une proclamation promettait une récompense de 100 000 £ à quiconque appréhenderait le prince. Ce fut là, sans conteste, la goutte de trop qui annonça le début d'un nouveau soulèvement.

En 1714, Anne mourut. Le gouvernement proclama d'emblée roi de Grande-Bretagne l'Électeur de Hanovre, fils de la princesse Sophie, décédée l'année précédente : George Ier. Roi de paille ou roi fantoche, c'était un Allemand qui ne connaissait rien du pays sur lequel il allait régner. Ni la langue, ni les us et coutumes, ni la religion ou les lois. Le roi idéal pour un gouvernement qui aspirait à prendre les rênes, à exercer le pouvoir sans partage et sans risque de conflit avec la couronne.

« Que le diable emporte les Anglais et leur roi! » s'écrièrent les Écossais. Apparut alors John Erskine, comte de Mar. Cet homme me laissait perplexe. Je me méfiais des raisons qui le poussaient à prendre la tête de l'insurrection. John Cameron, le chef de Lochiel, nous le décrivit comme un homme à l'esprit égocentrique et ambitieux qui allait là où se trouvait le pouvoir. Le roi l'ayant démis de son poste de ministre d'État pour l'Écosse, il s'était mis à courtiser les chefs jacobites et avait embrassé leur cause. Il voulait organiser un nouveau soulèvement pour remettre les Stuarts sur le trône. Patriotisme convaincu ou simple désir de vengeance?

Mais cet homme était-il vraiment l'homme qu'il fallait? Cet homme qui comblait son manque de talent en politique par des comportements empreints d'une courtoisie affectée et qui gérait ses desseins avec une telle prudence et une telle circonspection qu'on ne pouvait être vraiment certain de ses objectifs véritables. Il manquait un chef pour diriger localement l'insurrection. En dépit de tout, on jugea donc qu'il était l'homme de la situation.

Le 9 septembre 1714, le comte de Mar avait réuni à Braemar les plus grands chefs de clans et nobles jacobites pour une grande partie de chasse. Mais il voulait en fait les rallier à l'étendard du Prétendant, Jacques III. La nouvelle nous était parvenue la semaine d'avant; la maison de Lochiel avait envoyé un messager. Nous savions donc que la croix ardente finirait par arriver dans la vallée à un moment ou à un autre... Nous y étions; c'était le début de la rébellion.

Mon regard suivait le mouvement de la petite pendule que Liam m'avait offerte au retour de l'un de ses voyages en France, quelques années plus tôt. J'adorais cet objet qui marquait régulièrement l'avancée du temps. Son tic tac incessant me rendait indolente. Mais ce soir, le balancier de laiton doré finement ciselé qui allait et venait en un mouvement précis m'énervait au plus haut point. Il me rappelait que le temps s'écoulait et que mon mari et mes fils partiraient bientôt se battre. La vallée se viderait de ses hommes. Nous, les femmes, étions condamnées à rester ici, seules, à vivre dans l'angoisse et la crainte, à nous demander si nous allions jamais les revoir un jour.

La porte s'ouvrit dans un fracas épouvantable. Frances se tenait dans l'entrée, les cheveux ébouriffés et l'œil hagard.

— Maman?...

Je baissai les yeux, incapable de répondre à la question qu'elle n'avait pas formulée. De peur d'éclater en sanglots à mon tour, je me mordis la lèvre.

— Maman?... répéta-t-elle un peu plus fort.

Son regard humide et insistant attendait visiblement une réponse de ma part.

— Ils sont venus, Frances.

S'apprêtant à sortir, ma fille pivota sur elle-même, puis s'immobilisa brusquement sur le seuil. Un moment de silence nous enveloppa. Elle referma la porte, y appuya son front. Puis, les épaules secouées de sanglots, atterrée, elle se laissa glisser au sol.

— Nooon! Ils ne peuvent pas partir...

— Frances, ils n'ont pas le choix, fis-je remarquer en répétant malgré moi les paroles de Liam.

J'essayais de me convaincre moi-même. Je la pris dans mes bras et l'entraînai jusqu'au fauteuil qui se trouvait devant le feu. Je lui servis un verre de cidre.

— Regarde-moi, Frances, murmurai-je en m'accroupissant devant elle.

Elle leva vers moi ses beaux yeux, bleus comme les lochs d'Écosse. « Les yeux de Liam. » Elle était la seule de mes trois enfants à posséder le regard bleu intense de son père. Les yeux de Duncan étaient plus pâles et tiraient plutôt sur le gris lors des jours sombres, tandis que ceux de Ranald avaient la couleur de l'océan, comme les miens.

— Tu n'es plus une enfant. Tu savais que le soulèvement était inévitable et que les hommes seraient appelés à...

— Bien sûr que je le savais, rétorqua-t-elle en se relevant subitement, passant près de m'envoyer dans les braises. Et je suis heureuse de constater que tu t'es rendu compte que je ne suis plus une enfant!

— Frances! Ne me parle pas sur ce ton! Je peux comprendre ta peine, mais pas ton manque de politesse.

— Tu ne comprends rien du tout, maman.

Frances était plus grande que moi. Elle avait presque la taille d'un homme, ce qui ne la gênait nullement. Elle s'était servie de cet avantage plus d'une fois et ne s'en laissait pas imposer par ses frères ni par les autres garçons du clan qui, je commençais à m'en douter, fuyaient son caractère plutôt intempestif et indépendant. Je craignais qu'elle n'ait hérité de mon tempérament. Mais j'en souriais secrètement, malgré les nombreuses prises de bec que cela ne manquait pas de provoquer entre nous.

— Je vais bientôt avoir dix-sept ans, et... je...

Elle s'interrompit brusquement. Je haussai un sourcil, curieuse de connaître la suite.

— Et quoi?

— Et... je crois être en âge de me marier.

J'écarquillai les yeux, interdite.

— Te marier? Mais, Frances... dix-sept ans? Tu sors tout juste de l'enfance!

— Maman, je veux me marier. J'aime un homme.

Là je tombai carrément des nues. Quelques secondes auparavant, je m'apprêtais à lui expliquer comme à un enfant pourquoi son père partait pour la guerre, et maintenant elle m'annonçait qu'elle était amoureuse et voulait se marier.

— Qui est-ce?

— Trevor Macdonald.

— Trevor Macdonald? Le Trevor de Dalness?

— Oui, celui-là même. Je n'en connais pas d'autres, d'ailleurs.

— Tiens ta langue, fille!

Je soupirai et me laissai tomber mollement sur le fauteuil, le visage entre les mains.

— Depuis quand?

— Depuis la Beltane, maman.

Son ton s'était radouci. Elle s'assit sur le banc, à côté de moi, le regard perdu dans les flammes dont la lueur accentuait les chauds reflets cuivrés de sa chevelure. Elle était la seule à arborer la magnifique crinière bouclée fauve de Liam. Soudain, à la regarder ainsi, je réalisai que mon bébé était devenu une femme. Dix-sept ans... « C'est l'âge que tu avais lorsque tu es entrée au service des Dunning, Caitlin. » Comment le temps avait-il pu filer si vite? J'attrapai le bout de ma tresse entre mes doigts. Elle était parsemée de fils argentés. « Tu vieillis, Caitlin! »

— Il veut t'épouser?

Elle sursauta, tirée de ses rêveries, puis se tourna vers moi.

— Oui, ce soir...

— Ce soir? Ce n'est pas un peu expéditif? Ton père... Comment crois-tu qu'il accueillera cette nouvelle? De toute évidence, vous ne vous contentez pas de vous tenir les mains.

Elle détourna légèrement le regard, cramoisie. Son silence confirmait mes suppositions. Je fus tout à coup prise d'une terrible appréhension.

— Tu n'es pas... enceinte, tout de même?

— Maman! s'écria-t-elle en se retournant dans une virevolte de mèches rebelles cuivrées. Comment peux-tu?...

Je ne répondis pas, mais soutins son regard pour lui faire comprendre que j'attendais tout de même une réponse.

— Non!

— Alors pourquoi une telle précipitation?

— C'est la croix ardente... Il doit partir...

— Où est-il en ce moment?

— Dans la grange.

— Dans la grange... Hum, j'aurais dû deviner. Avec ta dégaine...

Je me levai pour aller chercher le peigne d'ivoire, puis entrepris de remettre un peu d'ordre dans ses mèches en pagaille. Comment allais-je annoncer à Liam que sa fille avait un... amant? Il était peut-être préférable d'avertir Trevor de filer d'ici le plus tôt possible. Si Liam s'occupait de lui, il ne serait certainement pas en état de suivre son clan en campagne, ni même simplement de brandir son épée.

En finissant de tresser les cheveux de Frances comme je le faisais lorsqu'elle était petite, je déposai un baiser sur le dessus de son crâne.

— Qu'attends-tu de moi, Frances?

— Que tu parles à papa. Seule, je n'y arriverai pas.

Elle prit ma main qui reposait mollement sur son épaule et la posa sur sa joue humide.

— Je ne peux rien te promettre, tu sais. Ton père... Je doute que... enfin... Ne te fais pas d'illusions, ma fille, tranchai-je finalement.

Le poing s'écrasa violemment contre le bois de la porte et le bruit qui retentit dans la pièce me fit tressaillir. Je clignai des yeux et reculai d'un pas. Je m'étais attendue à une réaction plus ou moins violente de la part de Liam. Mais là, il était vraiment hors de lui.

— Où est ce petit salaud? vociféra-t-il en tournant sur lui-même comme une folle toupie, puis en braquant son regard assassin sur moi.

— Liam, calme-toi...

— Me calmer? Ça ne va pas! Tu m'annonces que ma fille est... se fait... qu'elle a un amoureux, qu'elle veut se marier ce soir même et tu voudrais que je me calme?

— Oui.

Il me foudroya du regard, me dominant de sa taille de titan, immobile comme une stèle de granit. D'un index incertain et tremblant, je lui indiquai un banc. Puis je m'assis sur le fauteuil en face, attendant qu'il se décide à prendre place. Depuis quelques années, c'était la solution que j'avais trouvée pour qu'il ne démolisse pas le mobilier dans ses accès de rage non contenue. L'idée m'était venue un soir où il avait appris la dernière incartade de son frère.

Colin et deux autres hommes du clan Cameron étaient descendus dans les terres Campbell du Lorn pour y commettre une razzia d'une telle sauvagerie qu'elle dépassait les règles. De fait, ils ne s'étaient pas contentés du bétail. « Plus de sang! » avait exigé John MacIain en tapant du poing sur la table, lorsque les hommes avaient recommencé à faire régulièrement des raids. Colin et les Cameron étaient entrés dans les chaumières et avaient menacé les habitants en brandissant leurs épées et leurs pistolets, terrorisant femmes et enfants. En plus des bêtes, ils avaient volé des volailles, de la farine, des filets de pêche et des vêtements. Un homme, un certain Ronald Cameron, avait été pris et pendu à l'une des branches du sinistre chêne d'Inveraray. Lorsque Colin était revenu, plutôt bien imbibé d'alcool, j'avais dû faire appel à Simon et à Donald pour calmer Liam. Il avait déjà démoli deux chaises.

Liam avait maintenant croisé ses bras sur sa poitrine. Il soufflait bruyamment comme un taureau prêt à charger. Je lui souris, me souvenant tout à coup de ce que Coll Macdonald de Keppoch m'avait dit à propos du caractère de Liam, le soir de notre mariage. Il m'avait mise en garde sur ses manières plutôt explosives lorsqu'on le poussait à bout : « Il devient dangereux comme un taureau en rut! » Et moi qui lui avais innocemment demandé ce qui le faisait sortir de ses gonds... J'avais eu l'occasion de le découvrir à plusieurs reprises depuis, comme ce soir.

— Tu veux un *dram*? [8]

Il hocha la tête. Quelques *drams* de whisky plus tard, il me sembla plus détendu. C'était le moment de parler.

— Elle aura dix-sept ans bientôt, Liam, commençai-je. C'est une femme maintenant. C'est vrai que c'est un peu rapide... Je te l'accorde. Mais Trevor est un brave garçon. Je suis certaine qu'il sera bien pour elle.

— Nom de Dieu, Caitlin! Il a vingt-cinq ans!

— Et puis?

Je lui souris et me penchai vers lui.

— Quel âge avais-tu lorsque nous nous sommes mariés, Liam? Je n'avais que dix-neuf ans et toi, vingt-sept.

Il fronça les sourcils, et son regard s'assombrit. Puis il grommela quelques mots inintelligibles. Je vins me poster derrière lui et massai ses épaules tendues.

— Je pense aussi que cela pourrait attendre après la rébellion. Jusqu'à ce soir, je voyais encore Frances comme une petite fille. Ç'a été un choc pour moi aussi, *mo rùin*.

---

8. Mesure d'alcool.

Ses épaules se détendaient lentement sous mes doigts. Il bascula la tête vers l'arrière, les yeux fermés.

— Et j'avoue que je ne crois pas que ce soit le bon moment pour annoncer un mariage... Mais pour un *handfast*...

Il ouvrit subitement les yeux et me fixa d'un air incertain.

— Où veux-tu en venir, Caitlin?

— Je ne donne que mon opinion, dis-je en m'installant sur ses genoux. À toi de décider, c'est ta fille.

— C'est la tienne aussi, que je sache, fit-il observer en retroussant malicieusement le coin de sa bouche. Et elle est parfois aussi obstinée que toi.

— Peut-être... Alors?

— Je sais ce que tu es en train de faire, Caitlin...

— Je ne fais rien du tout.

— Elle peut attendre encore quelques mois, nom de Dieu!

— D'accord, elle attendra.

Liam me dévisagea, perplexe, puis haussa un sourcil.

— Je croyais que tu voulais mon accord...

Je l'embrassai sur le bout du nez.

— Je ne veux pas te l'arracher de force, Liam. J'ai moi-même quelques réticences...

J'hésitai un moment, puis repris :

— Quoique... d'un autre côté...

Il inclina légèrement la tête et plissa les yeux en soupirant.

— D'un autre côté?

J'appuyai ma tête au creux de son épaule. Les battements de son cœur avaient à mon oreille une sécurisante constance et son souffle parfumé au whisky caressait ma joue. Avec les années, j'avais aussi appris à trouver des moyens pour lui faire entendre « ma » raison, lorsque je le jugeais nécessaire.

— Si Trevor lui a demandé de l'épouser tout en sachant qu'il devait partir, c'est qu'il l'aime et veut être sûr de la retrouver à son retour.

— Si elle l'aime, elle l'attendra, mariée ou non.

— Peut-être, mais...

Il prit une grande inspiration, mais ne dit mot, se contentant d'afficher une moue affreusement résignée en expirant bruyamment.

— Que ferais-tu à la place de cet homme, Liam?

— Je ne suis pas Trevor!

— Non, je veux dire... si c'était nous qui étions dans cette situation?

— Caitlin, je...

Il hocha la tête, puis rit doucement.

— Est-ce que je t'ai déjà dit que tu pouvais faire de moi ce que tu voulais?

Je lui souris, malicieuse.

— C'est arrivé à quelques reprises, oui.

Il me serra très fort contre lui et posa sa joue contre mon front.

— Caitlin, *a ghràidh mo chridhe*, qu'est-ce que je vais faire de toi?!
— Ça aussi, tu me l'as déjà dit.

***

Les reflets aveuglants d'une lame étincelante me firent cligner des yeux. L'acier bleuté s'élevait lentement dans un ciel sombre, avant de s'abattre avec une force foudroyante dans le noir. Je n'arrivais pas à voir sur quoi l'épée s'acharnait avec violence ni qui la tenait. La lame ressurgit, rougie et poisseuse, et frappa de nouveau sauvagement. Un cri retentit dans les ténèbres où j'étais plongée. « *Fraoch Eilean!* » Le cri de guerre des hommes de Glencoe. Soudain, le voile de l'obscurité se leva, découvrant une scène d'une telle horreur...

Un champ de bataille. Des corps mutilés et désarticulés, méconnaissables, s'empilaient. Des corbeaux par centaines se repaissaient de la chair des morts, picoraient orbites et s'envolaient avec des morceaux sanguinolents au-dessus de cette mer de vestes *sassannachs* et de plaids écossais au milieu de laquelle je me trouvais. Un corps remua près de moi. Un bras ensanglanté se redressa, une main se tendait vers moi, implorante. Je grimaçai de dégoût, étouffai un cri dans ma paume. Le corps bougea, se retourna. Un plaid déchiré et maculé de sang en recouvrait le visage. Le tartan des Macdonald... Le plaid glissa, dévoilant le visage de l'homme. Je détournai le regard et me mis à hurler, tandis que des mains s'agrippaient à moi...

— Caitlin! *Tha e ceart gu leòr! Tha e ullamh!*[9]

Je papillonnai des paupières. Les mains me secouaient rudement par les épaules, avant de s'immobiliser enfin. Il n'y eut alors plus que le bruit de nos souffles saccadés dans l'obscurité qui m'enveloppait à nouveau. Mon cœur menaçait d'éclater dans ma poitrine.

— *A bheil thu ceart gu leòr?*[10]

La pression se relâcha sur mes épaules. Je commençais à distinguer la ligne de la mâchoire de Liam, soulignée par la pâle lumière de la lune.

— *Tha...*[11]

Un sanglot m'étrangla. Liam m'étreignit doucement en me berçant dans ses bras, attendant que je me calme. Je restai ainsi blottie contre lui un long moment, tremblante. Très lentement, il s'écarta de moi. Ses lèvres se posèrent sur mon front, sur l'arête de mon nez, puis sur ma bouche où elles s'attardèrent plus longuement, se faisant plus avides et gourmandes. Ensuite, elles continuèrent leur chemin ici, s'arrêtant, et là, sur mon cou, mes épaules, ma poitrine, réchauffant ma peau, me rassurant...

---

9. Ça va! C'est fini!
10. Est-ce que ça va?
11. Oui...

Les battements de mon cœur se réglaient peu à peu sur le tic tac régulier de la pendule qui résonnait dans la maison silencieuse. La lune éclairait la chambre, que je parcourus du regard. L'épée de Liam était appuyée contre le mur, étincelante. Je gémis.

— *Tuch, a ghràidh!*[12]

Je sentis un étrange malaise s'emparer de moi, me tordre l'estomac et me nouer la gorge. Était-ce un rêve prémonitoire, une vision? Je pris le visage de Liam entre mes mains et l'amenai vers le mien.

— Jure-moi, Liam... murmurai-je d'une voix brisée par la douleur. Jure-moi que tu reviendras et que tu me ramèneras mes fils.

— Caitlin, je ne peux pas te faire une telle promesse.

— Jure-le-moi, Liam!

Il me dévisagea un long moment, visiblement en proie aux mêmes angoisses que moi. Était-il l'homme de mon rêve? Était-ce lui, ce corps mutilé, cet amas de chair, d'os et de sang?

— Je ne peux pas... répéta-t-il d'une voix éraillée par l'émotion.

— Si, tu peux! Pour moi. J'ai besoin que tu me rassures, Liam... S'il te plaît...

Il me poussa sur le matelas et m'enveloppa de son corps, couvrant ma bouche de la sienne.

— Je reviendrai, *a ghràidh*... pour toi. Je serai toujours en toi comme tu es en moi.

— Liam, j'ai si peur. J'ai rêvé... J'ai vu le tartan des Macdonald, sur un champ de bataille, taché de sang. Il y avait des corbeaux par centaines... *Morrigane...*[13]

— *Tuch!*

Ma bouche était sèche. Je déglutis, un goût âpre me restant sur la langue. « Oh, mon Dieu! Épargnez-le, épargnez mes fils! »

— Je veux emporter avec moi le souvenir de ton corps, *a ghràidh*. Je veux te sentir contre moi lorsque je fermerai les yeux, la nuit. Je veux sentir ton odeur... garder le goût de ta peau sur ma langue.

Ses mains allaient et venaient sur mes hanches et mes cuisses, relevant ma chemise de nuit. Malgré ses quarante-sept ans, le temps ne paraissait pas avoir d'emprise sur lui. Certes, quelques cheveux grisonnants paraient ses tempes et quelques rides creusaient le coin de ses yeux. Mais il restait le même homme. Fougueux et sauvage, il me faisait toujours l'amour avec intensité. Parfois avec une infinie douceur, d'autres fois avec une brutalité presque animale.

Réalisant que nous le faisions possiblement pour la dernière fois, ma vue s'embrouilla et j'étouffai un sanglot. Je voulais qu'il reste en moi à jamais.

Il s'écroula sur moi quelques minutes plus tard. Ses boucles emmêlées

---

12. Chut, mon amour!
13. Déesse celte de la guerre.

couvrirent mon visage, se collèrent sur mes joues humides. Il n'y eut plus alors que cet incessant tic tac me répétant inlassablement que le temps filait, m'échappait, inexorablement.

— Reviens-moi, *mo rùin...*

***

Tous les hommes étaient rassemblés et l'atmosphère était lourde de tristesse. Mes fils se tenaient très droits aux côtés de leur père, qui leur donnait des instructions. Pour l'instant, Liam n'était plus leur père, mais leur lieutenant. En temps de guerre, les dirigeants des clans prenaient le grade militaire qui leur revenait selon leur rang social et les autres leur devaient obéissance.

Ils étaient tous là. Simon, Angus. Les deux frères Macdonnell, Calum et Robin. Les MacEanruigs, Ronald et Donald. Puis Colin. Ils étaient plus d'une centaine en tout, armés de mousquets, de poignards et d'épées dont la garde en corbeille de fer ou de laiton étincelait au soleil. Une targe [14] de bois couverte de peau cloutée était accrochée dans leur dos.

Alasdair Og, frère du chef et capitaine, serait celui qui les conduirait sur le champ de bataille, sous les ordres du général Gordon qui avait été chargé de former un régiment dans les clans de l'ouest des Highlands. Le départ était imminent. On avait aperçu la colonne de soldats jacobites à quelques kilomètres seulement d'Inchree. Elle descendait le Glen Mor par groupes. Les Cameron, les Macdonald de Keppoch et de Glengarry ainsi que les Maclean, entre autres, composaient l'impressionnante armée de trois mille cinq cents hommes environ. Ils se dirigeaient vers les terres d'Appin, puis vers l'Argyle où les Stewart et quelques Campbell rebelles au duc devaient se joindre à eux.

Le hurlement strident d'une cornemuse me fit tressaillir. Alexander Henderson, le joueur officiel du clan, entamait le « *Mort Ghlinne Comhann* », le *pibroch* [15] du clan qui annonçait le départ. Les cris et les pleurs des femmes et des enfants s'intensifièrent. Je me mordis la lèvre au sang, mais en vain; les larmes coulaient sur mes joues.

Je pris mes fils à part pour leur faire mes adieux, souhaitant que ce ne soit qu'un au revoir. Mon cœur de mère se déchirait; j'avais l'étrange impression de les envoyer à l'abattoir. Nous ne devrions pas mettre des enfants au monde pour les envoyer se faire massacrer... J'étais perplexe. Je me demandais ce que nous apporterait réellement un Stuart sur le trône d'Écosse et je commençais à douter du bien-fondé de cette cause. À mon avis, cela tournait à l'obsession. Mais je devais bien me garder de me confier à qui que ce soit. Je suppose que ma fibre patriotique s'était

---

14. Petit bouclier rond spécifique aux Highlanders.
15. Grande musique, pièce militaire.

émoussée avec les années. Duncan, cherchant vainement à cacher ses émotions, m'étreignit très fort sur son cœur, me coupant le souffle. Il était presque aussi grand et large que son père.

— Ça va aller, mère, dit-il en s'écartant pour me rassurer.

— Occupe-toi de ton frère...

— Oui, père et moi veillerons sur lui, je te le promets. Ne t'inquiète pas.

Je levai mes yeux humides vers lui. Il affichait un mince sourire, mais ses yeux ne riaient pas.

— Vous partez pour la guerre et tu me demandes de ne pas m'inquiéter?

Son sourire s'effaça, faisant place à une moue attristée.

— Je sais... C'est tout ce que j'ai trouvé à dire.

Je l'embrassai sur sa joue fraîchement rasée.

— Va dire au revoir à ta sœur... et à Elspeth, avant qu'elle nous inonde de ses larmes, murmurai-je en me détachant de lui à contrecœur.

Puis je me tournai vers Ranald.

— Toi, tu te couvres bien la nuit, tu entends? Ton dos...

— Mère! soupira-t-il en roulant des yeux exaspérés vers le ciel. Bon Dieu! Je suis un homme maintenant...

— Et moi, je suis toujours ta mère, l'interrompis-je en fronçant les sourcils d'un air réprobateur. Un homme qui a mal au dos ne peut pas se battre convenablement.

Je saisis sa main et la posai sur ma joue. Ranald était celui qui me ressemblait le plus physiquement. Ses traits étaient plus fins que ceux de Duncan. Ses épaules étaient moins larges. Il avait quelques centimètres en moins aussi. Mais sa fougue et son courage les compensaient amplement. Il serra ma main glacée dans la sienne et m'embrassa chaleureusement.

— Nous reviendrons vainqueurs, mère... avec la grâce de Dieu.

— Je prierai pour vous, mon fils.

— Merci, mère.

Liam se tenait à l'écart et m'observait silencieusement. Il avait mis sa plus belle chemise et son nouveau plaid. J'allai vers lui et me blottis dans ses bras. Il me serra longuement contre lui, avant de s'écarter légèrement. Je croisai son regard accablé, sentis une certaine réticence de sa part à participer à cette insurrection. Il ne m'en avait pas parlé ouvertement et je savais qu'il ne le ferait pas.

Ce n'était pas la bataille à venir qui lui faisait peur. Je le connaissais trop bien pour penser le contraire. Quelque chose le tracassait. Mais, honneur oblige, il fallait se soumettre aux décisions du chef du clan. C'était la règle. Le membre d'un clan qui refusait de prendre les armes et de suivre son chef risquait de voir sa maison rasée par les flammes et, au pire, de se voir bannir ou bien même exécuter sommairement. Connaissant John MacIain, je savais qu'il n'aurait jamais recours à de tels extrêmes. Mais Liam était un homme d'honneur. Il partirait donc même si cela allait à l'encontre de ses convictions personnelles, même s'il devait y laisser sa vie ou celle de ses fils.

Il prit mon visage entre ses mains et en caressa le contour du bout des doigts.

— La mémoire du toucher, *a ghràidh*...

Les yeux fermés, il laissa ses mains glisser sur mes joues, mon cou, puis mes épaules où elles s'immobilisèrent.

— Je commencerai à vous tisser un nouveau plaid dès demain, dis-je en esquissant un sourire chagriné. Vous en aurez certainement besoin à votre retour.

— Il y a de grandes chances, oui.

Les mots nous manquaient. Son regard s'assombrit, sa mâchoire se contracta et son visage redevint grave.

— Ne fais pas de bêtises. Dès que j'ai le dos tourné, tu as cette fâcheuse manie de te mettre dans des situations impossibles!

— Liam...

Essuyant une larme sur ma joue, il mit un doigt sur mes lèvres. La cornemuse stridulait toujours et les hommes commençaient à se mettre en rangs en hurlant le cri de guerre du clan. Liam jeta un regard par-dessus son épaule drapée du tartan rouge, bleu et vert des Macdonald de Glencoe. Sa broche étincelait, tout comme son écusson piqué d'une plume d'aigle et d'une brindille de bruyère dans son béret bleu.

— Il faut partir... Je crois que ça y est.

Il baissa sur moi un regard douloureux, puis prit ma bouche avec fougue. Un frisson nous parcourut, galvanisant nos chairs.

— Tu sais ce qui vous attend, n'est-ce pas? murmurai-je d'une voix grave en enfouissant mon visage dans l'étoffe de laine qui sentait bon le savon et la bruyère.

— Oui.

Il posa sa joue sur le dessus de ma tête et soupira.

— Je veux que tu saches une chose, *a ghràidh mo chridhe*...

— Quoi?

— Quoi qu'il arrive... je veux que tu saches que je pars heureux. Tu m'as donné plus que je n'aurais jamais osé rêver.

— Tu parles comme si tu n'allais pas revenir, Liam.

J'avais la gorge nouée.

— Caitlin, c'est la guerre. Je m'en remets à Dieu.

Il sourit faiblement.

— Si tu as un peu de temps, prie pour moi.

— Ce n'est pas drôle.

— Non, je sais...

Me dévisageant un long moment en silence comme pour graver mon visage dans sa mémoire, il m'embrassa une dernière fois.

— Je t'aime. Je t'ai toujours aimée, de tout mon cœur, depuis ce jour où Dieu t'a mise sur ma route. Ne l'oublie jamais, *a ghràidh*.

— Je t'aime, moi aussi, *mo rùin*.

Il s'écarta et réajusta son plaid.

— Attends!

Sortant ma dague de son fourreau, je coupai une mèche de mes cheveux. Liam la prit, la huma les yeux fermés, puis l'enfouit dans son *sporran* [16] avant de faire volte-face et de prendre sa place à la droite d'Alasdair Og, à la tête de la petite armée des Macdonald de Glencoe qui s'ébranlait. Avec eux partait une partie de moi. Me reviendrait-elle?

---

16. Sorte d'escarcelle, souvent en fourrure, portée sur le devant du kilt et retenue par une ceinture.

DEUXIÈME PARTIE

« Le passé est un prologue. »

Shakespeare, *La tempête*

3

Le siège

L e vieil homme gesticulait et grimaçait. La lueur des flammes métamorphosait ses traits grossiers et lui donnait une allure de gargouille comique. Duncan éclata de rire, oubliant momentanément Elspeth et la demande en mariage qu'il avait finalement choisi de reporter à son retour, lorsqu'il reviendrait glorieux de la bataille.

Murchadh Macgillery, la langue sortie, les yeux roulant vivement dans leurs orbites creuses qu'ombrageait une fine tignasse blanche comme neige, racontait pour la énième fois les exécutions des deux chefs d'Argyle, père et fils, qui avaient eu lieu cinquante-quatre et trente ans plus tôt et auxquelles il avait assisté. Duncan parcourut du regard le groupe d'hommes intéressés par le récit. La plupart, comme lui-même, n'étaient même pas encore nés au moment où la tête d'Archibald Campbell, fils, avait été décollée. Mais, tout comme eux, il se délectait de ces macabres récits sur leurs ennemis séculaires.

Étirant paresseusement ses longues jambes devant lui, et passant ses mains sous sa nuque, il profitait de la chaleur du feu. Près d'un mois s'était écoulé depuis que la croix ardente avait traversé la vallée. Vingt-trois éprouvantes journées de marche sur les routes fangeuses, labourées par plus de quatre mille hommes en armes, trempés par la bruine et les embruns venant du loch Linnhe. Puis quatre autres journées de stabulation dans le campement.

Le général Gordon avait établi le campement à près d'un kilomètre au nord-est de la ville d'Inveraray, fief du deuxième duc d'Argyle, John Campbell, qu'on avait surnommé John le Rouge en l'honneur de sa chevelure et de ses nombreux exploits militaires sur le continent. Le duc d'Argyle, généralissime de l'armée hanovrienne du gouvernement pour le roi George Ier, avait levé son étendard à Stirling. On ne savait rien encore de la force de son armée et on attendait les prochaines instructions du comte de Mar. Les hommes chargés des communications n'étaient pas encore revenus de Perth, où étaient basés le comte de Mar et une bonne partie de l'armée des insurgés jacobites.

Inveraray était maintenant dirigée par Archibald Campbell, comte d'Islay, le frère cadet du duc d'Argyle, qui était absent. Le comte avait apparemment attendu ses ennemis et avait retranché la ville dans la crainte d'une éventuelle attaque. À vrai dire, le général Gordon avait considéré la possibilité d'une attaque, mais il hésitait encore. La ville semblait bien défendue. Toutefois, on ne connaissait pas les effectifs réels de l'armée hanovrienne. Il était donc risqué de passer à l'action, d'autant plus sur terrain à découvert. Les pertes en hommes pouvaient être assez élevées.

Ainsi, les hommes profitaient de quelques jours de repos pour se livrer à leurs activités favorites, c'est-à-dire le vol du bétail et le pillage des fermes. Comme ils étaient en Argyle, ils appréciaient doublement les trophées. Duncan n'aurait pas rechigné à mettre les pieds dans la ville que ses aïeuls avaient jadis pillée, à participer à une razzia sur la capitale de l'Argylshire.

— ... je vous assure que les yeux du vieil « Argyle le bigle » louchaient encore lorsqu'on enfonça sa tête sur la pique! déclarait le vieux Murchadh en mimant le strabisme prononcé dont souffrait le premier marquis d'Argyle.

— C'est pourquoi il n'a jamais pu regarder du bon côté du pouvoir! cria un homme dans la foule qui s'agglutinait autour du conteur. Même dans l'au-delà, il a dû confondre les chemins et aboutir en enfer.

Une vague de rires déferla dans l'assistance.

— Ouais, l'enfer doit grouiller de ces serpents de Campbell, lança une autre voix distendue.

Une flasque de whisky apparut dans le champ de vision de Duncan qui, brusquement tiré de ses rêveries, sursauta.

— Je dois l'avoir entendu raconter son histoire une bonne vingtaine de fois, remarqua Allan Macdonald en s'asseyant à côté de lui.

Ranald l'accompagnait, mais il resta debout, les bras croisés sur la poitrine pour écouter le récit qui reprenait.

— J'ai envie d'aller du côté d'Inveraray, annonça Allan un peu plus bas.

— Ce soir? s'exclama Duncan en s'étouffant avec une gorgée de whisky.

Il haussa un sourcil noir en se tournant vers son compagnon.

— Ouais... pourquoi pas? On ne sait jamais, on pourrait mettre la main sur quelques chevaux. Malcolm Maclean m'a dit que la sentinelle en aurait aperçu quelques-uns qui paissaient non loin de l'embouchure de l'Aray.

Duncan eut une moue dubitative.

— Je ne sais pas, Al... Je ne crois pas que ce soit prudent de s'aventurer trop près des retranchements. Nous ne savons pas combien ils sont là-dedans.

— Tu te dégonfles, ma foi! se moqua le grand rouquin.

— Qui se dégonfle? intervint Ranald qui n'avait pas suivi la conversation.

— Ton frère.

— Toi, Duncan? demanda Ranald en chipant la flasque à son frère.

— Tu en connais un autre peut-être? fit platement remarquer Duncan sur un ton bourru.

Ranald lui donna une pichenette sur l'épaule.

— Et de quoi s'agit-il? Allan a proposé quelque chose d'intéressant à faire ce soir?

— Il veut voler des chevaux.

— Pas si fort, gronda Allan, coulant un regard de maquignon sur les hommes qui les entouraient. J'ai pas envie de voir une vingtaine de ces ivrognes se joindre à nous. Ils alerteraient la garde à une lieue des murs.

Le regard de Ranald s'illumina et ses dents étincelèrent à la lueur des flammes.

— Eh bien moi, je suis ton homme, Al, déclara-t-il en bombant le torse.

Allan se leva. Sa corpulence éclipsait le feu qui séchait le tartan humide de Duncan; pinçant les lèvres, ce dernier leva son regard vers la massive silhouette noire qui se campait devant lui.

— Et toi, alors tu viens ou bien tu préfères rester ici à écouter les vieilles histoires de Macgillery?

Duncan tourna son regard vers son frère. Il se sentait las. Et puis, tout le whisky qu'il avait bu le rendait un peu groggy. Mais il ne pouvait pas laisser Ranald partir seul. Il avait promis... Enfin, si son frère se sentait d'attaque pour voler quelques bêtes, il pouvait bien se botter un peu le derrière...

Ils en avaient compté onze en tout. Les chevaux, dont les croupes luisaient sous le clair de lune, étaient regroupés sur les rives rocailleuses de la rivière Aray. Les trois hommes restaient dans l'ombre des bois et observaient le mouvement des sentinelles qui surveillaient les retranchements sur le côté nord d'Inveraray.

— Combien on en prend? demanda Ranald en ajustant son béret sur sa tête.

— Cinq ou six feraient l'affaire, je suppose, répondit Allan. Il ne faut surtout pas attirer l'attention des Campbell sur nous. J'ai enfin réussi à amadouer la petite Ishobel. Alors c'est pas le moment de me faire farcir le cul avec des plombs, si tu vois ce que je veux dire.

— Si tu voulais garder ton cul intact pour les mains de la jolie Ishobel, il fallait renoncer à l'offrir aux Campbell, Al, ronchonna Duncan qui commençait déjà à regretter la chaleur du feu.

La laine rêche de son plaid encore un peu humide irritait la peau de ses cuisses, qui commençait à le démanger.

— T'inquiète pas, pas un seul de ces satanés Campbell n'aura mon cul cette nuit. Je le garderai bien couvert.

Allan se mit à découvert et, à demi penché, avança prudemment vers le troupeau. Ricanant, Ranald l'imita. À son tour, Duncan, levant les yeux au ciel pour implorer la protection divine, s'élança. Les bêtes s'agitèrent légèrement à l'approche des trois malandrins. Quelques-unes hennirent nerveusement.

— *Tuch! Tuch! mo charaid!*[17] chuchota Duncan à l'oreille d'une belle jument noire tandis qu'il la tirait par la bride et s'approchait d'une deuxième bête.

— Hé, Duncan! appela Ranald tout bas. Je crois qu'on a de la compagnie.

Duncan suivit le regard de son frère. La silhouette bien distincte d'un soldat venant vers eux se découpait dans la lumière argentée.

— Bon sang de merde! Qu'est-ce qu'on fait?

Allan scruta les alentours nerveusement et se tourna vers eux.

— Tant pis, on ne retournera pas bredouilles au camp. Il est seul, fit-il observer. J'en fais mon affaire. Si un soldat *sassannach* a le culot de se balader seul à moins d'un kilomètre d'un camp où bivouaquent près de quatre mille cinq cents hommes armés, eh bien, c'est qu'il ne doit pas être très futé. Il ne doit pas être difficile à mettre hors d'état de nuire. Emmenez dans les bois les chevaux que vous avez avec vous, je me charge de cet imbécile.

Quelques minutes plus tard, Allan rejoignit les deux frères sous le couvert des arbres, avec le soldat qui donnait des pieds et des mains sous sa poigne. Il l'envoya rouler dans les fougères aux pieds de Duncan, qui avait dégainé son poignard et le lui mit sur la gorge en l'immobilisant.

— C'est pas la peine, l'idiot n'est même pas armé! C'est à se demander ce qu'attend Gordon pour attaquer la ville!

Retirant doucement sa lame, Duncan libéra le soldat. L'homme tenta de se relever, mais Allan se planta devant lui et le repoussa au sol d'un coup de pied dans l'estomac. Gémissant de douleur, le prisonnier se plia en deux en retombant à genoux.

— C'est pas des hommes qu'ils engagent dans leurs armées, ces imbéciles de *Sassannachs*! Il a la taille aussi fine qu'une fille. Il doit être plutôt jeune.

Le visage vers le sol, le soldat essayait de reprendre son souffle dans un râle. Allan empoigna sa tignasse ébouriffée, tira sa tête vers l'arrière puis, le regardant dans les yeux, reprit avec ironie :

— Ouais... pas mal. J'en connais quelques-uns qui se feraient un plaisir de lui farcir le cul à leur façon...

Le jeune soldat poussa un cri et, avec une force décuplée par la rage, se libéra de l'emprise d'Allan qui éclatait d'un rire vicieux. Il approcha alors discrètement sa main droite de sa botte. Mais Duncan surprit son geste. Voyant luire la lame d'un coutelas, il envoya un coup de pied vers le bras du soldat, qui émit un cri aigu de douleur.

---

17. Doux! Doux! l'amie!

— Merde!

Blessé, le prisonnier retomba lourdement au sol, se frottant le bras et poussant d'horribles jurons. Duncan se figea. Il avait déjà entendu cette voix haut perchée, mais il n'arrivait pas à se souvenir.

— T'as failli me casser le bras, salaud!

— Bon sang! murmura Duncan en écarquillant les yeux de stupeur.

Se ruant sur le soldat, il l'agrippa par le col de sa veste et le poussa brutalement dans un faisceau de lumière. Il en resta estomaqué.

— Eh bien, ça alors! Qu'est-ce qu'elle peut bien foutre ici, celle-là?

— Elle? s'enquit Allan qui s'approchait pour jeter un nouveau coup d'œil au prisonnier. Sacré nom de Dieu! Une femme?

— Lâche-moi, Macdonald, siffla-t-elle en envoyant son pied dans l'entrejambe de Duncan.

— Pourquoi, tu voudrais me les faire bouffer peut-être? ricana-t-il en sautant de côté pour parer le coup. Tu dois admettre que tu n'es vraiment pas en position de le faire, ma belle.

— Va te faire foutre! glapit-elle en fouillant le sol à la recherche de son coutelas.

— Mais quel langage, madame Campbell! ricana encore Duncan, l'immobilisant d'un genou entre les omoplates.

— Quoi? Tu connais cette femme?

— Si je la connais? C'est la fille de ce cher Glenlyon.

Mettant la main sur l'arme convoitée, Duncan la fit glisser dans sa ceinture. Puis il se pencha sur la jeune femme et la fit rouler sur le dos. Le regard furieux qu'elle braquait sur lui le paralysa. Il ne pouvait en voir la couleur, mais son corps se souvenait assez bien de l'effet qu'il avait eu sur lui, et il en frissonna. Mais que pouvait-elle bien faire ici?

— Tu connais la fille de Glenlyon, Duncan? demanda froidement Allan, à la fois incrédule et suspicieux.

— J'ai eu le... plaisir de la croiser il y a de cela environ un mois, lors de notre dernière visite là-bas.

Pouffant de rire, Allan se pencha à son tour sur la prisonnière et approcha la main de son visage pour mieux l'évaluer. Un claquement de dents l'arrêta net.

— Holà, la gueuse! C'est qu'elle mord comme une vieille bourrique!

— Ouais, et elle jure comme un cul-terreux, t'as pas idée, claironna Duncan.

— Alors c'est elle qui t'a retardé le jour où nous avons raflé les bêtes de Glenlyon? Et tu ne nous en as rien dit? demanda Allan sur un ton chargé de reproches.

Duncan ne répondit pas.

— Tu voulais la garder pour toi, hein, mon vieux? continua l'autre en lorgnant les longues jambes moulées dans la culotte de l'uniforme militaire anglais. Tu as omis de nous en parler... Et c'était comment? Fergus raconte que les femmes Campbell ont cet étrange pouvoir de nous ramollir la...

— Ça va, Allan! gronda Duncan, excédé par les propos déplacés de son compagnon.

La femme lança un regard assassin à Allan et cracha à ses pieds. Une gifle retentissante partit aussitôt en guise de riposte. Ranald s'interposa.

— Fais gaffe, Al!

— La salope m'a craché dessus, nom d'un chien! Et puis, qu'est-ce qu'elle fait ici, déguisée en *Sassannach*?

Repoussant brutalement contre un arbre la pauvre fille qui se débattait comme un diable dans l'eau bénite, il lui enserra le cou d'une main et chercha de l'autre à se frayer un passage vers sa culotte.

— Tu offres tes services aux troupes du duc peut-être, ma mignonne? Hum... Ou bien tu espionnes pour son compte?

— Lâche-moi, sale ordure! lança-t-elle dans un cri étranglé. Je n'ai rien à voir avec le duc d'Argyle.

— Et tu crois que je vais avaler ça? Je ne gobe pas les couleuvres qui sortent de la bouche des Campbell... Vois-tu, mes parents ont été assez naïfs pour le faire, et ils en sont morts.

Il soufflait comme un enragé et fixait la femme de ses yeux exorbités. Son humour sarcastique envolé, il resserra la prise sur le frêle cou. La femme émit alors une petite plainte étouffée. Duncan trouvait que les choses prenaient un tour dangereux.

— Al, fais pas l'idiot, relâche-la. C'est pas à nous de décider de son sort.

— Tu veux rire, Duncan? Ça fait vingt-trois ans que je me promets une petite vengeance sur ces putains de Campbell. Vingt-trois ans que j'attends ce moment. Et, ma foi, je te promets qu'il me sera drôlement agréable. Il n'est pas question que je la relâche. Désolé, mon vieux. Et quand j'en aurai terminé avec cette chienne, elle me suppliera de l'achever...

— Allan!

Ranald esquissa un geste vers son compagnon, qui se retourna aussitôt en le menaçant de son poignard. Duncan sentit un étrange malaise s'emparer de lui. La femme geignait en roulant des yeux terrorisés vers lui. Malgré la haine qu'il éprouvait envers le clan des Campbell, il ne pouvait se résoudre à laisser Allan s'en prendre à elle.

Un silence angoissant pesait sur le groupe. Allan fit pivoter la femme de façon à ce qu'elle se retrouve devant lui, le poignard sous le menton. Puis il défia les deux frères Macdonald.

— Tu t'es vendu aux Campbell, Duncan? Ou bien cette femme est-elle si bonne à baiser que tu ne veux pas la partager avec tes amis?

— Allan!

— T'inquiète, je te la laisserai quelques minutes avant de lui ouvrir la gorge.

— Allan... elle n'est pas responsable du massacre. Relâche-la avant d'aller trop loin, conseilla froidement Duncan.

Allan commençait à s'agiter drôlement. La femme était maintenant paralysée par la frayeur. Un seul faux mouvement, et elle se retrouvait assurément la gorge tranchée. Duncan jeta un coup d'œil vers son frère, qui était aussi tendu que lui. Allan s'acharnait sur les boutons dorés de la veste en pestant. Il avait réussi à en déboutonner deux et tirait rageusement sur le lainage écarlate pour faire céder les autres.

— Nom d'un chien! Les robes sont beaucoup plus pratiques, grommela-t-il.

Ranald fit un pas, mais Duncan lui indiqua du regard de ne rien tenter. Il fallait faire croire à Allan qu'ils ne feraient rien pour l'empêcher de violer la femme. Ainsi, il finirait par lâcher éventuellement son poignard pour occuper ses mains à autre chose. Ce serait le bon moment pour intervenir.

— Bon... d'accord mais ne l'abîme pas trop, Al. Je ne veux pas tacher ma chemise avec le sang d'une Campbell. C'est que j'ai juste les moyens d'en faire laver une par semaine.

La femme, qui n'avait cessé de regarder Duncan, écarquilla les yeux d'horreur et eut un hoquet. Allan éclata d'un rire mauvais et la repoussa brutalement sur le sol avant de se jeter sur elle.

— Non! cria la malheureuse en tournant la tête pour tenter d'échapper à la bouche qui se plaquait sur son visage. Bande de salauds!

— Ah! Crie tout ton saoul, ma belle. Ça m'excite, ricana Allan qui venait de réussir à détacher le dernier bouton de la veste, qu'il ouvrit brusquement avec un enthousiasme renouvelé.

Plantant son poignard dans la terre, juste au-dessus de la tête de sa malheureuse victime qui gigotait comme une damnée sous lui, il tira sur la chemise pour la libérer du pantalon. Duncan choisit ce moment pour agripper la crinière du sacripant et lui piquer la pointe de son poignard sous le menton.

— Mais qu'est-ce que tu fais? bafouilla Allan, immobilisant d'un coup sa main sous la chemise, devant la menace de l'acier qui risquait de pénétrer ses chairs à tout moment.

— J'ai changé d'avis. Je ne peux pas te laisser faire, Al. Nous allons sagement rentrer au camp et remettre la fille entre les mains d'Alasdair. Il décidera de son sort.

— Sacré nom de Dieu! T'es un traître, Duncan!

— Non! rugit Duncan en tirant plus violemment sur la crinière rousse d'Allan pour le forcer à se relever. Je ne trahirai jamais mon sang, et tu le sais. Mais je n'aime pas verser celui des innocents, même si c'est celui d'une garce de Campbell. Est-ce assez clair?

— C'est que t'as pas vécu le massacre, toi. Moi j'ai vu ce que ces fils de pute ont fait... Duncan... Ils ont fusillé mon père, ils lui ont fait éclater le crâne... Ils ont charcuté ma mère... et mon petit frère... Nom d'un chien! Ce n'était qu'un nourrisson et ils l'ont taillardé comme un porcelet. J'ai tout vu, tu ne peux pas imaginer... Tu ne peux pas...

L'homme gémit et retomba à genoux. Duncan relâcha légèrement sa prise. Ranald aidait la jeune femme à se relever.

— C'est vrai que je ne peux pas imaginer, concéda Duncan plus doucement. Mais crois-tu que violer et tuer cette fille t'apporteront quelque chose? Bon sang, Al! Elle n'était même pas née au moment du massacre. Garde ta rancœur et ta soif de vengeance pour les *Sassannachs*!

Allan ne répondit rien, et Duncan le relâcha brusquement. L'un des chevaux près d'eux hennit nerveusement, quelques-uns de ses semblables qui étaient restés sur la rive lui répondirent. Puis ils se mirent à s'agiter et à s'ébrouer. Ranald s'élança vers les bêtes capturées, qui semblaient vouloir partir les retrouver, et les retint par la bride. Lançant un regard noir chargé de rancœur à Duncan, Allan le rejoignit pour lui prêter main-forte.

Le troupeau se mit à galoper sur la grève. Le bruit des sabots martelant les galets était décuplé par l'humidité de l'air et porté par le loch situé à proximité. Les hommes se dévisagèrent, inquiets. Duncan attrapa la femme par le bras au moment où elle s'apprêtait à déguerpir.

— Tu étais avec quelqu'un?

— N-n-non, j'étais seule...

Il jeta alors un coup d'œil à la clairière où se trouvaient les chevaux trentes secondes plus tôt. Quelque chose les avait vraisemblablement effrayés. Un chien, un homme? Il ne voyait rien pourtant. Un coup de feu provenant des retranchements retentit, suivi de près par un deuxième.

— Bon sang!

Il sentit la jeune femme se raidir, puis trembler sous ses doigts. Quelques mèches folles s'échappaient de la lourde masse de boucles retenues sur sa nuque et lui retombaient sur le visage, masquant à demi son regard.

— Oh, Seigneur! soufffla-t-elle, en proie à la panique. Ils nous ont probablement vus. Ils vont envoyer une troupe à nos trousses.

— Combien sont-ils? lui demanda Duncan en la forçant à le regarder.

Ainsi, il pourrait voir si elle lui mentait.

— Je ne sais pas... peut-être un peu plus de deux mille. Je n'en suis pas certaine... Ils ont les nerfs à fleur de peau. Ils ont peur que vous attaquiez.

— Et que faisais-tu là-bas?

Elle pinça les lèvres et fronça ses sourcils délicatement dessinés au-dessus d'un regard troublant. Duncan contracta sa mâchoire, s'efforçant de ne rien laisser paraître du malaise qui grandissait en lui.

— Ça ne te regarde pas.

— Je crains que si, ma belle. Tu venais espionner notre campement...

— Non, je retournais chez moi.

Il la dévisagea quelques instants, incrédule, puis éclata de rire. Elle lui décocha un regard acéré.

— Tu veux dire que tu retournais en Glenlyon? Comme ça, toute seule, sans escorte, en pleine nuit et à pied? Tu veux rire ou bien tu me prends pour un simple d'esprit?

— Je n'ai pas particulièrement envie de rire. Mais je pourrais très bien te prendre pour un simple d'esprit!

— Réponds! lui enjoignit vivement Duncan en resserrant l'étau sur la frêle ossature.

— Je retournais chez moi. C'est la vérité.

— Et pourquoi portes-tu des fripes d'homme? Un uniforme *sassannach*, c'est un peu voyant, tu ne trouves pas?

— C'est tout ce que j'avais... Et puis cela ne te regarde pas. Je ne voulais pas me promener en jupes à proximité d'un campement grouillant d'hommes.

— Tu croyais peut-être passer inaperçue avec la veste de l'ennemi? On t'aurait envoyé une balle ou un poignard entre les deux omoplates avant de te poser des questions!

Prenant soudain conscience de la véridicité des dires de Duncan, la jeune femme baissa les yeux et déglutit. Puis elle tourna un regard haineux vers Allan, qui attendait un peu plus loin avec Ranald et les chevaux volés.

— Cela aurait toujours été mieux que...

La troublante rouquine ne termina pas sa phrase. Elle secoua vivement sa crinière, puis d'une main tremblante entreprit de rajuster ses vêtements, qui pendaient lamentablement. Ce même parfum qui avait hanté Duncan sur la lande de Glenlyon flottait autour d'elle et l'enveloppait. Frissonnant, il sentit un picotement au niveau de l'aine.

— Tu dois comprendre que je dois te remettre entre les mains de mon capitaine. Il décidera...

— Je dois retourner en Glenlyon, j'ai des informations importantes à...

Ses dernières paroles restèrent en suspens dans l'air frais. Elle leva de grands yeux apeurés vers lui et mit une main sur sa bouche pour empêcher le reste de suivre. Duncan raffermit la pression sur son bras.

— Mais t'es vraiment une espionne!

— Je... Oh, Seigneur!

Elle tenta de se dégager en grimaçant.

— Tu me fais mal, Macdonald!

— Réponds-moi! Pour qui travailles-tu? Le duc d'Argyle?

— Non, mon père s'est rangé du côté du Prétendant. Je ne trahirais jamais mon clan.

— Donc, tu glanes des informations pour ton père? Glenlyon est assez bête pour laisser sa fille partir seule dans un pays grouillant de soldats?

— Il ne sait rien de ce que je fais, rétorqua-t-elle, les larmes aux yeux.

Duncan n'y comprenait rien.

— Alors pour qui travailles-tu?

— Le comte de Breadalbane.

— Breadalbane?

— Faudrait savoir de quel côté cette fripouille s'est vraiment rangée, dit avec sarcasme Allan, qui de toute évidence n'avait pas manqué un mot de la conversation. Où sont ses intérêts cette fois-ci?

La femme lui lança un regard noir, puis revint sur Duncan qui la dévisageait, impassible.

— Il espère obtenir un duché en mettant le prince sur le trône. Voilà ce qu'il veut. Il veut mourir duc.

— Cet imbécile ne gagnera pas son ciel avec un duché.

Laissant le silence envahir l'espace, son malaise se définissant peu à peu, il observa la jeune femme. Sa peau était d'un blanc bleuté et se tendait sur sa fine ossature. Non, en définitive, elle n'était pas aussi jolie qu'Elspeth qui était tout en rondeurs, douillette et confortable. La femme qui se tenait devant lui n'avait vraiment rien de douillet. Elle était plutôt tranchante comme la lame d'un poignard, sauvage et rebelle comme un fauve. Elle lui donnait envie de la dompter, de l'apprivoiser.

La soumettre à lui. Voilà ce dont il avait soudainement envie! Ce serait un délicieux combat entre un homme de Glencoe et une femme de Glenlyon. Il voulait l'écraser sous lui et émousser sa langue affûtée avec la sienne. « Mais je divague! C'est une Campbell! » Tant de sang, de morts et de haine étaient entre eux, les séparaient. Il devait la haïr, désirer la broyer entre ses mains, laisser Allan la violer, l'humilier. Mais il s'en sentait incapable. Pourtant, elle l'avait bien humilié, lui, Duncan Coll Macdonald. Il s'était bêtement laissé injurier par une femme Campbell. Des frissons le parcouraient lorsqu'il y repensait.

Il lui lâcha le bras, qu'elle se mit à frotter vigoureusement. Pour traverser les terres d'Argyle seule, en pleine nuit, soit elle avait un sacré culot, soit elle était totalement inconsciente.

— Quel genre d'information recherche ce bon vieux Breadalbane?

Donnant un coup de tête pour dégager de son visage les mèches bouclées qui pendouillaient, elle le toisa de biais.

— Tu n'as pas à savoir. Je ne te dois rien, Macdonald.

— Vraiment? Tu veux que je laisse Allan terminer ce qu'il avait si bien commencé?

Elle recula d'un pas et ouvrit la bouche, mais aucun son n'en sortit.

— Qu'est-ce qu'on fait maintenant? demanda Ranald, qui commençait à s'impatienter.

Duncan se tourna vers les deux hommes qui attendaient toujours avec les chevaux. La sentinelle n'était pas venue, les coups de feu avaient probablement été tirés accidentellement. Il fallait partir.

— Bon, ça va... Partez et laissez-moi une bête. Je la prends avec moi.

Allan s'approcha de lui, un sourire malicieux aux lèvres. L'homme était de la même taille que lui, mais il gagnait en corpulence.

— C'est bien ce que je pensais, grogna-t-il en mettant sa main sur le manche de son poignard.

Le regard de Duncan avait suivi le geste d'Allan.

— Elle monte avec moi, Allan, trancha-t-il, impavide, en gardant les yeux sur la main, qui semblait hésiter. Tu as quelque chose à y redire?

Le grand rouquin bougea légèrement les doigts sur son arme.

— Peut-être...

— Tu verserais le sang d'un Macdonald pour une Campbell?

Allan resta silencieux un instant, cherchant une réplique quelconque. Puis, n'en trouvant aucune qui le satisfît, il tourna les talons et grimpa à cru sur l'une des bêtes en maugréant bruyamment.

Lorsque les deux cavaliers furent hors de vue, Duncan se tourna vers la femme Campbell. Elle s'était accroupie au pied d'un arbre.

— Enlève ta veste.

Elle sursauta, levant vers lui qui la surplombait de toute sa taille un regard à la fois effaré et incrédule. C'eût été si facile de profiter d'elle à ce moment précis. Seule, désarmée et à des kilomètres de Chesthill... Duncan était totalement conscient de ce que son corps lui demandait, mais il devait lutter.

— P-p-pourquoi? bégaya-t-elle.

Il hésita encore quelques instants avant de lui répondre. Enfin, il soupira.

— Tu ne peux pas pénétrer dans le camp avec l'habit rouge des *Sassannachs*.

Elle baissa les yeux sur la veste écarlate qui la couvrait. Un silence troublant les enveloppa tout à coup. Leurs souffles se confondaient avec le vent qui descendait des monts Cruach, derrière eux, et qui faisait murmurer le dais de feuillage au-dessus d'eux. Leurs regards se rencontrèrent.

— Quel est ton nom?

— Marion...

— Marion, murmura Duncan comme pour lui-même. *Trobhad a Mhórag*[18], dit-il doucement en lui tendant la main.

Il hissa la jeune femme sur le dos de la jument noire avant de grimper derrière elle. Puis il fit pivoter l'animal pour sortir des bois en direction du camp. Le cheval avançait au pas entre les massifs d'ajoncs et de bruyères, sur un trop court bout de lande. Le cri plaintif d'une cornemuse s'élevait au-dessus du campement jacobite, illuminé par les feux, et tourbillonnait jusqu'à eux, les enveloppant comme s'ils ne formaient qu'un seul cavalier.

Héritiers de Gaël, ils étaient : le sang des Highlands coulait dans leurs veines. Mais ennemis ils étaient aussi : c'était inscrit en grosses lettres de sang dans l'histoire de leurs clans. Duncan ferma les yeux, humant l'air de la nuit et le parfum de la jeune femme. Les flammes soyeuses de la crinière de Marion lui brûlaient les joues et le cou dans la brise fraîche de ce début d'octobre. « Reprends-toi! » se tança-t-il. Elle remua un peu les hanches pour changer de position devant lui, frôlant inconsciemment ou... consciemment son torse. Son malaise s'accentua, et des pensées impures lui vinrent à l'esprit.

— Pourquoi fais-tu cela? s'informa-t-il à brûle-pourpoint pour tromper son esprit troublé.

---

18. Viens, Marion.

— Faire quoi? demanda-t-elle en se redressant d'un coup.

— Les renseignements... Breadalbane?

Elle attendit quelques secondes avant de répondre. Son corps gracile s'agita encore un peu entre ses cuisses, qui se tendirent.

— Je ne sais pas, murmura-t-elle finalement. Pour mon père, pour mon clan... pour moi-même.

— Pour ton père?

— Mon père essaie de racheter ce que le sien a dilapidé aux dés et aux cartes. Nous avons réussi à récupérer quelques terres grâce à un arrangement avec le duc d'Atholl, qui les détient. Mais ce n'est rien en comparaison de tout ce qui a été perdu.

— Votre loyauté envers le Prétendant serait donc simplement liée à un arrangement?

— Je ne le dirais pas comme ça.

Elle se tourna légèrement pour porter son regard sur le loch, qui brillait d'une myriade d'étoiles. Duncan contempla le profil aux pommettes osseuses et au menton volontaire qui s'offrait à lui. Les lèvres charnues de Marion se courbèrent en un rictus amer. Puis elle reprit la parole d'une voix basse :

— Peut-être voulons-nous nous délivrer d'un lourd héritage en offrant notre sang pour l'Écosse.

— Vous ou Breadalbane?

— Moi, mon père, précisa-t-elle avec une note d'arrogance dans la voix. Breadalbane restera ce qu'il a toujours été. La mort lui tend les bras, il est trop tard pour lui. La soif du pouvoir a fait tourner son sang de Highlander, tout comme celui d'Argyle d'ailleurs. C'est ironique, dans un certain sens : le nom Argyle vient de *Oïrer Ghaideal*[19]. Mais je me demande parfois s'il lui reste encore un centilitre de sang celte dans les veines.

— Il est le chef suprême de ton clan, et tu portes son nom, je te ferai remarquer, dit-il avec sarcasme.

Elle se crispa sous l'affront à peine voilé.

— *Chan àicheidh mi m'fhùil Ghàidhealach gu sìorruidh bràth!*[20] Je suis une Campbell « de Glenlyon », Macdonald, et je le resterai.

Il émit un petit rire cynique.

— Avec ta langue tranchante, femme, tu ne pourrais me convaincre du contraire.

Elle lui envoya un coup de coude dans les côtes et redressa les épaules. Il sourit dans le parfum de ses cheveux.

— Et de quel héritage ton père et toi désirez-vous vous délivrer?

Un lourd silence lui répondit.

— Cela aurait-il quelque chose à voir avec ton grand-père, Robert Campbell?

---

19. La côte des Gaëls.

20. Je ne renierai jamais mon sang gaël!

56

— Oui. Je ne l'ai jamais connu. Il est mort en Flandres, avant ma naissance.

— Il se serait noyé dans son whisky.

— Que sais-tu de lui, Macdonald, pour le juger?

— Assez pour m'en faire une opinion, Marion Campbell. Je sais que son cerveau n'était plus qu'une éponge imbibée d'alcool. Je sais aussi que ses hommes ont tué mon grand-père, ma tante, la première épouse de mon père et mon demi-frère.

— Je... je suis désolée.

Duncan contracta ses mâchoires à l'évocation du massacre de sa famille. Son père lui avait tout raconté un jour. Une fois seulement, puis plus jamais. Mais c'était suffisant : les mots étaient restés gravés dans sa mémoire et dans sa chair comme avec un fer rouge. La nuit, il se savait visité par ceux qui avaient disparu. Il avait vu le massacre avec leurs yeux épouvantés. Les images d'enfer avaient été très nettes derrière ses paupières closes. Il en tremblait encore.

— Tu n'es pas responsable de ce qu'a pu faire ton grand-père, murmura-t-il, surpris de ces paroles qui lui avaient échappé.

— Je sais... mais je porte le poids de ces événements. C'est l'héritage qu'il nous a laissé. La malédiction de Glencoe, la vallée maudite.

Duncan haussa dubitativement un sourcil. Il avait entendu dire que certains Campbell étaient damnés par cette malédiction dite « de Glencoe ». Mais il n'y avait vu que de la provocation, de la raillerie envers les Macdonald. Les anciens racontaient qu'une *bean-sith*[21] du clan possédant le don de double vue avait maudit les Campbell ce fameux matin du 13 février 1692. Duncan avait écouté cette histoire d'une oreille distraite, comme il avait écouté l'histoire du cheval des eaux qui vivait dans le loch Achtriochtan. C'était des superstitions, des légendes. Chaque clan n'avait-il pas de ces histoires qu'on se racontait au coin du feu? Il les trouvait amusantes, mais n'y prêtait pas foi. Pourtant...

— Le massacre de gibiers de potence[22] vous pèserait-il autant? Tu m'as pourtant clairement fait comprendre l'autre jour, et d'une façon assez colorée, je dois dire, que nous n'étions qu'une bande de sales voleurs et de tueurs.

Se contorsionnant pour se tourner vers lui, en évitant toutefois de le toucher, elle le fixa froidement.

— Et c'est vrai! Tu n'es qu'un sale voleur de bétail. J'ai vu plus d'une fois des hommes de ton espèce orner les branches de nos arbres, à Chesthill. Mais ça, c'est le risque que vous prenez en venant faire des raids sur nos terres, n'est-ce pas?

---

21. Fée

22. Dans les Highlands de l'Ouest, les hommes des clans séditieux des Macdonald, Cameron et Stewart étaient ironiquement appelés « gibier de potence » par les clans qu'ils dévastaient, parce qu'ils ornaient plus souvent qu'autrement les branches de leurs arbres.

Duncan sourit et porta instinctivement une main à son entrejambe avant de chuchoter à l'oreille de Marion :

— J'ai risqué pire, tu sais.

Rougissant violemment, elle se détourna, puis reprit sur un ton grave :

— Malgré tout, cela n'excusera jamais ce que mon grand-père Robert a fait...

Le visage de Duncan redevint sérieux. Peut-être était-il possible de construire un pont au-dessus du torrent de sang qui coulait entre Glencoe et Glenlyon? Un pont entre elle et lui? Il risqua une main autour de sa taille. Elle se statufia.

— Bas les pattes, Macdonald.

Un jour peut-être, mais pas pour le moment, corrigea-t-il en retirant prestement sa main téméraire.

***

Les hommes de Glencoe étaient agglutinés par groupes autour des feux de leur campement et partageaient viande rôtie et whisky dont les arômes embaumaient.

Marion s'était réfugiée au pied d'un buisson d'ajoncs et tentait de se faire le plus petite possible dans cette mer d'hommes drapés du tartan ennemi et dont les veines s'emplissaient progressivement de l'eau-de-feu.

La jeune femme ne put réprimer un frisson de dégoût en repensant à l'agression à laquelle elle avait échappé de justesse grâce à Duncan Macdonald. Il l'avait traitée avec respect et lui avait évité le pire en lui permettant d'entrer discrètement dans le campement. Certes, quelques regards intrigués s'étaient posés sur elle. Mais son accoutrement masculin avait confondu les hommes, qui l'avaient probablement prise pour le coursier attendu de Perth.

Cela faisait maintenant plusieurs longues minutes qu'elle attendait dans l'ombre du buisson, frissonnant dans la crudité de l'air d'automne sans l'épaisse étoffe de laine de la veste qu'on lui avait confisquée. Non, en dépit des égards qu'il avait eus pour elle, elle ne pouvait se permettre de faire confiance à ce Macdonald. C'était un homme de Glencoe, un bandit qui venait voler le bétail de son clan dès que les siens avaient le dos tourné. C'étaient des hommes de son espèce qui avaient tué ses cousins, Hugh, dix ans plus tôt, et Ewen, une autre dizaine d'années auparavant.

Certes, on disait qu'Ewen n'était qu'une crapule et que son triste sort n'avait été que bénéfique pour le clan Glenlyon. Ewen avait alors été à deux doigts d'être poursuivi par la Commission par le feu et l'épée. Mais pour Hugh, c'était différent. Il avait trouvé la mort alors qu'il revenait de Fort William accompagné de son frère, John, avec une missive pour son père, de la part du gouverneur du Lochaber, le brigadier Maitland. À leur descente du périlleux sentier qu'on appelait les Escaliers du diable débouchant à l'entrée de la vallée maudite, les deux cavaliers avaient croisé le chemin d'une bande de Macdonald qui rentraient d'une expédition en Argyle.

Des invectives avaient été échangées. Mais Hugh et John étaient minoritaires devant ces arrogants de Macdonald qui étaient au nombre de sept. Pour éviter de se retrouver coincés dans une rixe, ils avaient fui. Non contents de les voir partir aussi rapidement sans avoir eu la chance de dégainer, les Macdonald les avaient poursuivis sur la plaine de Rannoch Moor. La monture de Hugh s'était pris un pied dans un trou et était tombée en entraînant son cavalier dans sa chute, lui rompant le cou. Le père de Marion lui répétait que c'était un accident. Mais la jeune femme ne l'entendait pas ainsi. Hugh, qui avait été pour elle comme un deuxième père, ne serait jamais mort si ces foutus Macdonald ne l'avaient pas poursuivi.

Son père... Son cœur bondit d'un coup. Il fallait qu'elle voie son père de toute urgence avant qu'il ne quitte leur domaine de Chesthill avec ses hommes. Il pouvait y aller de leurs vies. Elle se mit à pester tout haut contre elle-même pour s'être laissé prendre si bêtement comme une simple débutante. Pourtant, elle avait l'habitude de ces petites escapades nocturnes. Elle savait se faufiler entre les hommes chargés de surveiller les frontières de Glenlyon. Mais là, elle n'avait pas vu cette crapule d'Allan cachée derrière l'une des bêtes qu'elle convoitait pour rentrer chez elle. Ces chevaux qu'on avait laissés paître à proximité des retranchements appartenaient à des hommes du Kintyre venus pour prêter main-forte au comte d'Islay.

— Merde! Merde! Et encore merde!

Lentement, elle se redressa sans quitter des yeux les silhouettes rassemblées autour du feu qui ne faisaient plus attention à elle. Elle devait coûte que coûte trouver un moyen de se sortir de cette situation.

— Tu disais?

Faisant volte-face, elle se retrouva le nez plaqué sur une broche étincelante dans laquelle était gravée la devise « *Per mare, per terras* ». Elle se figea et leva les yeux vers le visage souriant de Duncan.

— Alasdair veut te voir.

Elle recula d'un pas et se frictionna les bras en le toisant avec froideur.

— Il ne peut pas me retenir prisonnière ici. Je ne suis pas du camp ennemi...

— C'est ce qu'il aimerait vérifier.

Le regard de Duncan se posa sur la mince chemise de Marion.

— Désolé pour la veste, mais c'était pour ta sécurité. Les hommes t'auraient mise en pièces, histoire de se faire la main. Allons, viens!

Il lui agrippa un bras et la tira derrière lui. Elle résista et se dégagea d'un geste brusque.

— Ne me touche pas, Macdonald, gronda-t-elle avec animosité, les yeux brillants de colère.

59

Il se retourna vers elle et la regarda, surpris de son ton soudainement âpre. Elle lui avait pourtant semblé plus docile à leur arrivée au camp.

— Je dois partir immédiatement et avertir mon père tout de suite.

Immobile, Duncan la dévisageait. Elle s'impatienta.

— Tu as compris ce que j'ai dit? Et puis, arrête de me regarder de cette façon!

Il cligna aussitôt des yeux, tournant son regard vers les hommes de son clan pour le reporter à nouveau sur elle.

— Viens, Marion, tu expliqueras cela à Alasdair. Tu le convaincras toi-même de te laisser partir. Moi, je ne tiens pas particulièrement à me faire peler à vif pour avoir laissé filer un agent de renseignements, de surcroît une Campbell.

Alasdair Og et quelques autres hommes se tenaient à l'écart du reste du clan. Duncan poussait Marion devant lui. À leur arrivée, le groupe se retourna comme un seul homme. C'était la première fois que la jeune femme avait à faire face à l'un des fils du grand MacIain. Elle était impressionnée. Sa bouche s'ouvrit pour laisser échapper une grossièreté, mais elle se ravisa, préférant attendre l'issue de l'entretien.

Le fils cadet de MacIain plissa les yeux et passa machinalement une main sur son menton ombré d'un sombre duvet.

— Eh bien... voilà donc cette Marion, la fille de Iain Buidhe[23] Campbell?

Elle ne répondit pas, haussa un sourcil éloquent et leva le menton pour le toiser hautainement. Alasdair ne put s'empêcher de sourire devant l'air de condescendance que prenait la jeune femme. Il haussa les épaules et tourna autour d'elle. Elle ne broncha pas. Debout aux côtés de Ranald et de son père, Duncan les observait, s'amusant visiblement du manège.

— Duncan me dit que vous êtes d'intelligence avec Breadalbane?

— C'est exact, rétorqua-t-elle brusquement en croisant ses bras sur sa poitrine.

— Je suppose que ces relations secrètes visent l'espionnage chez Argyle pour le compte des jacobites?

— Vous êtes plutôt perspicace pour un homme de Glencoe, hasarda-t-elle en soutenant le regard qui se rétrécit tout à coup.

Un murmure parcourut le groupe qui les encerclait. Alasdair s'immobilisa devant elle et humecta ses lèvres, l'air de réfléchir.

— Ouais... Duncan m'avait mis en garde concernant votre langue de serpent. Vous devez vous entendre à merveille avec Breadalbane, lança-t-il froidement. J'aimerais bien savoir pourquoi ce sale renard change de camp. Aurait-il des remords? Se repentirait-il brusquement de toutes ces années à trahir les Highlands?

---

23. John le Jaune en gaélique.

— Ses raisons ne me regardent pas et vous non plus d'ailleurs. L'important n'est-il pas qu'il œuvre pour le bien du Prétendant?

Alasdair partit d'un grand rire sarcastique. Les autres hommes l'imitèrent.

— Pour le bien du Prétendant? Cela reste à voir... Qu'avez-vous de si important à lui transmettre?

S'approchant d'elle, il lui lança un regard mauvais. Devant la menace subtile qui se lisait sur les traits de l'ennemi juré de son clan, elle eut un mouvement de recul et buta contre Duncan. Deux grandes mains la retinrent alors et lui évitèrent de tomber à la renverse. Elle se tortilla brusquement pour se libérer de sa poigne. Quelques ricanements parvinrent à ses oreilles.

— C'est mon père que je dois informer cette fois-ci, murmura-t-elle du bout des lèvres.

Persuadée qu'elle ne quitterait pas vivante ce damné campement si elle s'obstinait sur la voie du mépris, elle choisit de changer de tactique. En définitive, il s'avérait préférable de jouer la carte de la vérité. Elle ébaucha une mine déconfite.

— Et?

— Mon père doit partir d'un jour à l'autre pour rejoindre l'armée de Mar. Mais il a prévu de passer par le... Lorn.

— Le Lorn? Il aurait tout aussi bien pu passer par les Orcades, ma foi! Pourquoi? Aurait-il l'intention de partir en maraudage et de se refaire un cheptel?

Marion ne releva pas la remarque désobligeante. Mais comment expliquer la situation à ces hommes sans perdre la face? Son père s'apprêtait à faire un raid sur les terres du duc d'Argyle. Il allait s'abaisser à commettre les mêmes crimes que cette bande de rapaces qui, depuis des générations, faisaient leur orgueil du vol de bestiaux! Certes, les Campbell leur rendaient souvent la pareille, mais que le laird de Glenlyon maraude avec eux?

— Si on veut. Je dois l'en empêcher. Je vous en conjure, laissez-moi partir.

Alasdair pencha légèrement la tête de côté et retroussa le coin de sa bouche, l'air ironique.

— Pourquoi?

— J'ai appris que le comte d'Islay avait été mis au courant des intentions de mon père et qu'il se préparait à envoyer une troupe de sept cents hommes, sous le commandement du colonel Campbell de Fanab, pour l'intercepter...

Le capitaine de Glencoe dévisagea Marion avec perplexité. Il se frotta les yeux sous ses sourcils noirs froncés, puis releva un regard inquisiteur sur elle.

— Je peux savoir comment vous avez eu accès à cette information? Il me semble plutôt invraisemblable qu'une... femme arrive à obtenir de tels renseignements sans se faire prendre!

Piquée au vif, elle le foudroya du regard.

— Ma cousine Sarah aurait épousé un rustre arrogant!

Alasdair sourit, faisant fi de l'observation déplacée. Pinçant les lèvres devant son exaspérante équanimité, Marion sentit la moutarde lui monter au nez.

— Si mon père et ses hommes se font massacrer par Fanab, Alasdair Macdonald, je vous en tiendrai pour personnellement responsable. Et vous aurez à expliquer à Mar pourquoi il aura perdu cinq cents hommes...

— S'ils se laissent massacrer comme des lapins par les leurs, c'est qu'ils n'en valent pas la peine. Et je peux vous assurer, mademoiselle, que je n'irai pas pleurer sur leur sort, murmura-t-il avec un flegme emprunté. Dois-je vous rafraîchir la mémoire en vous rappelant que c'est votre grand-père qui est la cause du massacre des miens? Que ses hommes et lui ont lâchement assassiné mon père, et laissé ma mère mourir de froid, à demi nue dans la neige?

Un silence de mort écrasa la petite assemblée. Marion était mortifiée. Elle était allée trop loin... Quand apprendrait-elle à tenir sa langue? Elle frémit, terriblement consciente du regard du jeune Macdonald qui lui brûlait la nuque. Elle esquissa un mouvement pour sortir du cercle d'hommes qui s'était refermé sur elle, mais une douleur lancinante la paralysa sur place. Alasdair lui tordait le poignet dans le dos. Sa vue s'embua et elle ferma les yeux pour se contenir, en se mordant violemment la lèvre.

— Où croyez-vous aller ainsi?

Le souffle de l'homme que son grand-père avait eu l'ordre d'assassiner balaya sa joue. En lui tordant le bras, Alasdair l'avait forcée à se retourner pour faire face à Duncan, qu'elle n'osa pas regarder. Gardant obstinément les yeux fermés, elle gémit lorsque son tortionnaire resserra sa poigne.

— Vous me faites mal... Je vous en prie...

Il la relâcha brusquement et la poussa d'un geste brutal aux pieds de Duncan. Le jeune homme s'apprêtait à l'aider à se relever, mais Liam le retint fermement par le bras et lui indiqua du regard de ne rien faire. Cela aurait constitué un affront au capitaine du clan. Alasdair tourna les talons pour s'éloigner, puis s'arrêta après quelques pas.

— Surveillez-la bien, Duncan, je dois en parler au général. Nous verrons ensuite ce que nous ferons d'elle.

Sur ce, il s'éloigna, suivi de ses hommes. Le jeune Macdonald se pencha finalement sur elle, qui n'arrivait plus à retenir ses sanglots, et risqua une main sur son épaule.

— N-n-ne me touche pas, M-M-Macdonald, hoqueta-t-elle, recroquevillée sur elle-même.

La main se retira prestement et resta un moment suspendue audessus de la crinière de feu qui ondulait dans la brise froide. Duncan se redressa et s'éloigna à son tour.

Roulée en boule, Marion grelottait lorsqu'il revint. Il lui tendit une couverture, puis, voyant qu'elle ne ferait pas un geste pour la prendre, il l'en couvrit. Elle tressaillit et leva ses yeux mouillés vers lui. Il ne souriait pas. Il ne se délectait pas de son humiliation comme elle l'aurait cru. Ni Ranald ni le colosse qui se tenait à côté. Les trois hommes se ressemblaient étrangement. Surtout Duncan et l'homme le plus âgé. Ils avaient la même mâchoire forte et large, le même regard pénétrant.

Elle se détourna pour fuir ces yeux qui la scrutaient. « Le père et ses fils », pensa-t-elle en resserrant la couverture autour de ses épaules. Son œil fut attiré par le chatoiement de l'étoffe de laine qui lui procurait un peu de chaleur. Rouge, bleu et vert... le tartan des Macdonald. Duncan l'avait recouverte des couleurs de Glencoe. Elle ravala ses larmes et son orgueil.

4

Sauvez les Campbell

Une brume épaisse s'enroulait autour des tentes et étouffait les voix. « Que Dieu me vienne en aide si je dois devenir le chien de garde d'une Campbell! » jura *in petto* Duncan en tendant un bol de porridge grumeleux et fumant à Marion. Elle avait passé la nuit sous son buisson d'ajoncs et s'affairait maintenant à dégager ses mèches des branches épineuses. Liam, Ranald et Duncan avaient dormi à proximité, prêts à arrêter toute main qui aurait osé s'aventurer sur elle. Marion accepta l'écuelle qui lui était offerte en grimaçant devant l'aspect peu appétissant de son contenu. Mais elle se garda de tout commentaire.

Duncan s'assit en tailleur dans l'herbe, devant elle, sa portion entre les cuisses. Puis, sortant une cuillère de son *sporran*, il l'essuya avec un coin de son plaid et la lui tendit avec un sourire.

— Mange pendant que c'est chaud, ça passe mieux. Je sais que c'est meilleur avec un peu de miel ou de mélasse, mais ici on ne doit pas être difficile sur la nourriture. Il faut au contraire s'estimer chanceux d'avoir quelque chose à se mettre sous la dent.

Marion esquissa un petit sourire gêné et, sous l'œil observateur de Duncan, avala sans rechigner son porridge.

— Tu as eu froid cette nuit?

Levant le nez de son frugal petit-déjeuner, elle attendit quelques secondes avant de répondre. Bien sûr qu'elle avait eu froid. Elle n'avait pratiquement pas fermé l'œil de la nuit.

— Non, bredouilla-t-elle en avalant sa dernière bouchée.

Déposant devant elle l'écuelle vidée de son infect contenu, elle replia ses genoux sous son menton et tira sur le plaid, qui avait glissé de ses épaules. Duncan s'empara de la cuillère abandonnée, la nettoya et avala à son tour la mixture insipide.

— Tu dois bien te douter que mon clan ne te témoignera pas de sympathie, commença-t-il après avoir rangé son ustensile bosselé dans son *sporran*.

— Je sais.

Son regard se perdait dans la masse grouillante des guerriers qui s'affairaient tranquillement à leurs tâches respectives, selon leur rang dans la hiérarchie militaire. Certains étaient rassemblés autour du feu qui marquait l'emplacement de chacun de leur clan dans le camp pour y faire sécher la laine mouillée de leurs plaids. Les chefs et les officiers bénéficiaient de tentes rudimentaires. Les autres dormaient à la belle étoile, sous les chariots d'approvisionnement ou sous un buisson, bien enroulés dans leur plaid pour toute protection contre le froid des nuits d'octobre.

— Tu ne dois pas en vouloir à Alasdair.

Elle se tourna vers lui, une moue de dégoût peinte sur son visage osseux aux traits tirés par l'angoisse et le manque de sommeil. Le jeune homme sentit son pouls s'accélérer à la vue de ces yeux qu'il voyait pour la première fois à la lumière du jour. Ce regard magnifique qui l'avait ensorcelé au crépuscule, sur une colline de Glenlyon... Les iris étaient d'un bleu pur très pâle, cerclés et striés d'un bleu plus profond. Le tout était magnifiquement bordé d'une longue frange dorée et soutenait son examen avec impassibilité.

— J'en ai assez de payer pour les stupidités de ce grand-père que je n'ai jamais connu, déclara-t-elle d'une voix basse, excédée. Il est mort, bon sang! Je n'ai rien à voir avec lui, hormis le fait que je porte son nom, comme tu me l'as si bien fait remarquer.

— C'est là tout le problème.

— Est-ce que mes enfants devront eux aussi payer pour ses erreurs?

— Erreurs? C'était un massacre, Marion! Ton grand-père et ses hommes ont profité de l'hospitalité de mon clan, ont trahi la confiance de mon clan!

Elle releva le menton en pinçant les lèvres, puis aperçut l'homme qu'elle pensait être le père de Duncan. Il était assis un peu plus loin et les observait.

— C'est ton père?

Le jeune homme suivit son regard.

— Oui.

Roulant sa lèvre entre ses dents, elle baissa les yeux.

— J'imagine qu'il était là au moment où... du...

— Du massacre? Oui, répondit-il un peu plus durement qu'il ne l'aurait voulu.

— Il t'a raconté?

— Oui.

À la dérobée, Marion jeta un dernier regard vers le géant aux tempes grisonnantes, qui parlait maintenant avec un autre homme du clan, et elle déglutit avant de fermer les yeux.

— Je suis... désolée.

Que pouvait-elle dire de plus? Il n'y avait rien à dire. Elle savait ce qui s'était passé le matin du 13 février 1692. Elle avait souvent entendu des bribes des récits que faisaient les soldats de passage en Glenlyon et qui y avaient participé. Elle connaissait tous les détails, sanglants et effroyables. Certains des soldats étaient sincèrement repentants. Ils avaient raconté leur histoire en sanglotant, accablés par la culpabilité et en enfilant l'un après l'autre des *drams* de whisky. D'autres, au contraire, prenaient un réel plaisir à décrire comment ils s'y étaient pris pour violer une de ces « putains de Macdonald » après avoir fait éclater la tête de leur mari. Cette deuxième catégorie de soldats comprenait surtout des Lowlanders, des hommes qui n'avaient jamais eu affaire avec les Macdonald de Glencoe mais qui, comme tous les habitants des Lowlands, les détestaient tout simplement parce qu'ils étaient highlanders. Ces imbéciles leur avaient conté leurs sordides exploits sans sembler se rendre compte que les oreilles qui les écoutaient étaient highlanders, tout comme ces damnés Macdonald. Marion avait ressenti un profond dégoût.

— Tu es désolée parce que tu dois en porter le poids ou bien parce que des innocents ont été tués de sang-froid?

Elle le fusilla du regard.

— Étaient-ils tous vraiment innocents? Vous voliez nos troupeaux et vidiez nos maisons, laissant derrière vous des familles entières sans rien pour passer les durs mois d'hiver... les obligeant à mendier. Les enfants tombaient malades et mouraient, faute d'avoir quelque chose à se mettre dans le ventre. Vous commettez encore les mêmes crimes d'ailleurs.

— Nous nous en prenons au bétail seulement, rectifia Duncan en la toisant de biais. Nous ne volons plus que les bêtes, mais avons-nous le choix? C'est la façon des Highlands, et tu le sais très bien. Et puis, les Campbell connaissent nos montagnes. Ils viennent à l'occasion chercher nos vaches dans nos collines. Vous croyez-vous si différents de nous?

— Nous ne faisons que reprendre ce qui nous a été volé.

La ligne des lèvres de Duncan s'étira en un sourire ironique.

— Je te pardonne ta naïveté, femme.

Elle se rebiffa silencieusement en le gratifiant d'un regard sévère. Mais il continua, sans le moins du monde se laisser démonter.

— Et puis, avons-nous versé une seule goutte de votre sang?

Marion se détourna, dégoûtée. Hugh était mort. C'était vrai que son sang n'avait pas souillé la lame d'un Macdonald, mais elle attribuait indubitablement au clan sa mort, accidentelle ou non. La perte de son cousin l'avait fortement ébranlée, car Hugh avait été le seul à la comprendre. Elle n'avait que huit ans à l'époque. Prise en étau entre deux frères qui la tyrannisaient sans cesse, elle avait appris assez tôt à se défendre avec sa langue, à défaut de pouvoir se servir de ses poings.

Son père, trop occupé à tenter de récupérer son héritage envolé, était rarement au domaine. C'était donc Hugh qui venait à son secours lorsque la situation s'envenimait au point qu'elle en venait aux mains avec ses deux lascars de frères, John et David.

John Campbell était un garçon plutôt taciturne qui ne souriait pour ainsi dire pas. Il se plaisait à manipuler son entourage sans vergogne et à le contrôler. Marion, qui n'était pas d'une nature soumise, ne s'en laissait pas imposer par son autocrate de frère. Entre eux, c'était comme le feu et l'eau. Mais, en tant qu'aîné, il serait ipso facto amené à devenir le septième laird de Glenlyon dans un proche avenir. David n'avait que treize ans et il était d'un naturel plutôt insouciant et guilleret. Elle s'entendait assez bien avec lui lorsque John ne se trouvait pas dans les parages. Mais dès que ce dernier se montrait, David tombait sous sa mainmise et les deux se liguaient contre elle, se plaisant à la faire damner jusqu'à ce qu'elle sorte de ses gonds et fracasse le premier objet qui lui tombait sous la main. Ensuite, les deux sacripants filaient à couvert pour assister, satisfaits, à la punition dont elle écopait inévitablement pour son méfait.

Duncan se leva subitement. Elle suivit son regard. Alasdair venait vers eux. D'un bond, elle se mit debout à son tour en maugréant. Elle surprit l'œil déviant de Duncan qui lorgnait ses longues jambes fuselées, moulées dans la culotte de flanelle élimée; elle rougit violemment en refermant le plaid sur elle. Alasdair se campa devant eux et la toisa un moment avant de parler.

— Vous pouvez partir. Le général Gordon vous fait la grâce de sa confiance. Ne le décevez pas, mademoiselle Campbell.

Son ton était lourd de menaces. Il se tourna ensuite vers Duncan.

— Tu l'accompagnes. Nous ne laisserons pas une femme partir seule. Elle pourrait croire que les hommes de Glencoe n'ont pas de manières.

— Je peux très bien me défendre seule, rétorqua-t-elle, l'œil en feu.

Un petit ricanement s'échappa de la gorge du capitaine highlander, doublé d'un regard moqueur.

— Oui, je n'en doute pas. C'est pourquoi vous vous retrouvez dans notre camp ce matin, n'est-ce pas?

Marion s'apprêtait à répliquer de nouveau, mais elle ravala sa repartie. Elle était libre de partir. Ce n'était pas le moment de discuter. Elle lui lança néanmoins un regard hostile.

— Dès que tu la sais en sécurité, tu rappliques, Duncan. Nous partons pour Glasgow. Ensuite nous prendrons la route de Drummond Castle. On n'a plus rien à faire ici.

Abasourdi, Duncan hocha la tête, puis se tourna vers le visage renfrogné de la rouquine. De toute évidence, cela ne lui plaisait guère de se faire escorter par un Macdonald. Pour sa part, il aurait dû en être agacé lui aussi. Mais étrangement, il en éprouvait un malin plaisir.

***

Liam retint Duncan par le bras au moment où il grimpait sur sa selle. Marion attendait déjà sur sa monture, à quelques mètres, offrant son visage auréolé d'une couronne de flammes à la tiédeur de la brise qui venait du loch Fyne.

— Prends garde, mon fils. J'ai vu la façon dont tu la regardais. Elspeth... Tu lui as juré fidélité avant de partir, non?

Le jeune homme ferma un moment les yeux, puis suivit le regard de son père.

— Bon Dieu, je sais! Père... Qu'allez-vous imaginer? C'est impensable! Elle est la fille de Glenlyon.

Liam lui libéra le bras et recula d'un pas. Puis il jeta un regard par-dessus son épaule vers la silhouette élancée enveloppée de leur plaid qui se gonflait de vent et claquait derrière elle.

— Raison de plus, reprit-il en revenant vers son fils. Une Campbell, c'est...

— Que voulez-vous dire? demanda Duncan en fronçant ses sombres sourcils sur un regard où se lisait l'incompréhension. Croyez-vous que je sois assez stupide pour risquer ma vie pour une... coucherie? Sans compter qu'elle ne serait certainement pas très coopérative si jamais... Je n'ai jamais pris une femme de force, père.

— Je sais! s'écria Liam en posant sa main sur son épaule. Je connais trop bien le fond de ton cœur pour songer à pareille chose. Il ne s'agit pas de vengeance... mais d'autre chose. Ton cœur pourrait en souffrir.

Stupéfait, le jeune homme fixait son père d'un air incrédule.

— Mon cœur? Mais de quoi parlez-vous? Vous croyez que je vais tomber amoureux de cette femme?

Prenant un air choqué, il déglutit et tourna de nouveau son regard vers la créature qui semblait flotter sur la jument. Comment son père pouvait-il imaginer telle sottise? La fille du laird de Glenlyon? Jamais de la vie! Il avait Elspeth, la belle et sensuelle Elspeth qui attendait patiemment son retour. D'accord, il ne pouvait nier avoir éprouvé une certaine forme d'attirance pour cette furie, mais n'était-il pas un homme? Combien de nuits avait-il passées à ne se contenter que d'étreindre le corps d'une femme en songe? Non, vraiment...

— Hum... crois-moi, Duncan, je sais reconnaître cette lueur dans le regard d'un homme. Cette femme ne te laisse pas indifférent. Je sais de quoi je parle. Même Alasdair l'a remarqué. Pourquoi crois-tu qu'il t'a chargé de la conduire en lieu sûr? Un autre que toi s'empresserait de l'humilier, de s'en prendre à elle. Toi... je sais que tu ne le feras pas. Alasdair aussi l'a deviné. L'honneur des Campbell est sauf, mais pour ce qu'il en est de toi...

— C'est ridicule! protesta Duncan, troublé par la révélation de son père.

— On en reparlera, mon fils. Pour le moment, je veux te mettre en garde. Elle n'est pas pour toi, alors ne t'y brûle pas. Elspeth est une fille bien et fera certainement une bonne épouse... Enfin... si c'est ce que tu désires. Je sais que le cœur et la raison ne vont pas toujours de pair.

— Ouais, c'est ce que mère m'a dit un jour.

Intrigué, Liam interrogea son fils du regard.

— Un jour que je l'avais surprise à rêvasser sur le bord de la rivière, elle m'a raconté votre rencontre. Il s'en est fallu de peu que je ne voie pas le jour. Vous en avez mis du temps à lui dire que vous l'aimiez!

— Hum... oui, acquiesça Liam en souriant au doux souvenir de cet après-midi passé dans une chaumière près de Methven.

Duncan regarda son père caresser distraitement son *sporran* dans lequel il savait soigneusement cachée une mèche des cheveux soyeux de Caitlin. Une pointe d'envie lui aiguillonna le cœur. Rêverait-il comme lui d'Elspeth après vingt ans de mariage? Il ne pouvait imaginer son père sans sa mère. Elle était son ancre. S'il devait jamais la perdre, pour sûr il partirait à la dérive et se laisserait engloutir par la tourmente.

Voilà ce que devait être une épouse. Un port d'attache vers lequel revenir invariablement. Une femme n'était-elle pas le foyer de l'amour? La chaleur dans laquelle un homme se blottissait la nuit? Elspeth lui offrait cela si généreusement. Et la passion, cette folle passion... celle qui embrasait le corps? Bien sûr, elle l'avait fait vibrer... au début.

Il soupira. Son père avait raison. Il lui faudrait tenir ses distances avec la fille de Glenlyon. Elle ne pouvait que lui apporter malheur. Il avait Elspeth... Avec elle c'était tranquille, prévisible. Elle était gentille, douce, douillette, mais... était-ce vraiment tout ce qu'il voulait d'une relation avec une femme?

Son cœur s'emballant, le feu lui monta brusquement aux joues au souvenir de la dernière fois où il avait fait l'amour avec Elspeth. Il avait eu du plaisir en pensant à l'autre : la Campbell. Il avait trompé Elspeth en pensée. C'était Marion qu'il avait étreinte ce soir-là. Cette femme au caractère de feu à laquelle il pouvait se mesurer. Cela ne devait plus se reproduire. Il n'allait pas bêtement tout gâcher en jouant avec le feu!

— Bon... je dois partir, père, marmonna-t-il en évitant le regard de Liam.

— Souviens-toi de ce que je t'ai dit, Duncan. Et de grâce, n'oublie pas que tu es en territoire ennemi. Même si Glenlyon a rangé ses armes du côté des Stuarts, il reste un Campbell. Toi, tu es un Macdonald et les habitants des terres d'Argyle nous sont hostiles. Tu es doublement l'ennemi du duc. Si on te prend, on ne sera pas tendre avec toi. Tu comprends?

— Oui, père.

— Marion ne pourra rien pour toi, même si elle le voulait bien.

— Je sais. Je garderai l'œil ouvert et le cœur fermé.

Liam étreignit rapidement son fils et laissa un moment sa grande main sur son épaule.

— Merci pour le conseil, père, dit le jeune homme en se tournant vers son cheval, qui s'impatientait.

— *Bi faicealach*, Duncan Coll. *Gun téid e math leat!*[24]

— *Moran taing.*[25]

Duncan grimpa sur sa selle et fit pivoter sa monture avant de l'épe-

---

24. Sois prudent, Duncan Coll. Que tout se passe bien, et bonne chance!
25. Merci.

ronner pour aller rejoindre la femme qui l'attendait. Liam resta longtemps à regarder les deux cavaliers s'éloigner, l'esprit tenaillé par le doute.

— Prends garde, mon fils.

***

Marion avait décidé de remonter le Glen Aray vers le nord, jusqu'à Kilchurn Castle, l'un des fiefs de Breadalbane. De là, selon les informations qu'ils pourraient recueillir auprès des paysans, ils décideraient de la direction à prendre. Si Glenlyon n'était pas encore passé, ils remonteraient le Glenorchy en souhaitant croiser son armée. Sinon, ils se dirigeraient vers l'ouest et pénétreraient le Lorn en espérant ne pas arriver trop tard.

La deuxième solution s'imposa. Le matin même, Glenlyon avait en effet contourné la tête du loch Awe avec son régiment de cinq cents hommes, et s'était engagé dans l'étroit passage de Brander. Ils avaient cinq bonnes heures de retard sur eux, mais avaient l'avantage de faire le trajet à cheval.

Duncan suivait Marion, qui poussait sa jument écumante à bout depuis maintenant plus d'une heure. « Bon sang! Elle va la faire crever si elle continue à ce train d'enfer! » pesta-t-il intérieurement. Ils venaient de franchir le passage situé au pied du sombre Ben Cruachan lorsqu'il réussit enfin à la faire ralentir en retenant son cheval ahanant par la bride.

— Mais qu'est-ce que tu fais?

— Si tu t'acharnes sur ta monture au point de la faire crever, on sera bien avancés.

— Tu veux me ralentir délibérément? Mon père est en grave danger et... À moins que tu ne veuilles m'empêcher de le rejoindre avant les troupes du commandant Fanab?

Il la dévisagea, interloqué, puis hocha négativement la tête.

— Ils ne doivent plus être bien loin maintenant. Fanab et ses sept cents soldats ne peuvent tout de même pas aller plus vite que nous!

Elle grogna d'impatience et le considéra d'un œil méprisant. Mais elle devait bien admettre qu'il avait certainement raison. Sa bête écumait et avait besoin d'un peu de repos. Seulement, de lui donner raison l'agaçait beaucoup.

Le vent venant du nord-est s'était considérablement refroidi, et Marion commençait à grelotter. Le plaid la protégeait assez bien du vent et du froid à l'arrêt, mais sur un cheval qui filait à bride abattue, il n'était pas d'une grande utilité. Duncan mit pied à terre et tira sa monture jusqu'au ruisseau pour lui permettre de s'abreuver. Il s'assit sur l'une des grosses pierres qui émergeaient du sol broussailleux et roussi de fougères séchées.

— Laisse ta monture se reposer quelques minutes, suggéra-t-il en plongeant sa main dans l'eau cristalline qui cascadait dans un gargouillis assourdissant.

Mettant sa main en forme de coupe, il l'emplit d'eau et la porta à sa bouche, avant de regarder de nouveau Marion qui descendait de cheval à

71

son tour. Le vent faisait claquer le plaid qu'elle retenait d'une main. Le ciel avait pris une inquiétante teinte de plomb; l'orage grondait au loin. Ils allaient manifestement en subir un avant la fin de la journée. Cela lui rappela brusquement qu'il avait toujours la veste écarlate dans l'une des sacoches. Il aurait dû y penser plus tôt. Se dirigeant vers la sacoche en question, il en retira la veste. En se déroulant, l'habit libéra un petit *sgian dhu* qui tomba à ses pieds en cliquetant sur les pierres, pour aller ensuite se perdre dans les fougères. Il fixa un moment l'éclat de la lame à travers les frondes brunes toutes racornies, puis le ramassa lentement. Après avoir glissé le coutelas dans sa ceinture, il tendit la veste à Marion.

— Il va pleuvoir. Tu seras bien mieux avec ceci.

Sans un mot, elle enfila prestement le vêtement, puis pointa l'index vers le coutelas.

— Rends-le-moi.

— Non, répondit calmement Duncan. Je ne sais pas encore si je peux te faire confiance.

Les cheveux de Marion volaient autour de son visage cramoisi et tendu. Elle afficha une moue incertaine pendant quelques secondes, comme si elle réfléchissait. Puis ses traits se détendirent. Le changement d'attitude alerta Duncan.

— Tu as peur de moi?

Une hésitation retint le jeune homme de répliquer. Il contemplait le visage déterminé qui lui offrait maintenant un sourire charmeur qu'une pointe d'ironie recourba davantage. Il eut envie de rire, mais se retint. Puis, n'y tenant plus, il éclata d'un grand rire et ramassa le plaid qu'elle avait laissé glisser à ses pieds. Se relevant, il secoua sa crinière de corbeau.

— C'est la méthode que tu utilises pour obtenir ce que tu désires?

Elle grommela quelques jurons en tournant les talons, faisant mine de retourner vers son cheval. Il fut sur elle en trois longues enjambées et, la retenant par le poignet, il la fit pivoter sur elle-même. Son sourire se transforma en une mince ligne rigide. La colère menaçait.

— Si tu crois berner un Macdonald aussi facilement, femme, tu te trompes drôlement.

Une petite veine palpitait sous la peau blanche et diaphane de Marion, dont le visage n'était qu'à quelques centimètres du sien.

— Tu devras gagner ma confiance, Marion, murmura-t-il doucement, respirant son haleine.

Il ne pouvait détacher son regard de ses yeux. « Père a raison. Je ne tiendrai jamais jusqu'au bout! » pesta-t-il mentalement. Le poignet se tortillait entre ses doigts. Il le relâcha brusquement comme s'il se fût agi d'un morceau de charbon ardent. Elle ouvrit la bouche, un vent de panique balayant son visage.

— Et moi, comment puis-je te faire confiance? Qu'est-ce qui me prouve que tu ne tenteras pas de t'en prendre à moi?

Elle releva le menton avec arrogance et soutint le regard de Duncan, qui fut pris de court par son observation. Il n'avait pas envisagé les choses sous cet angle et il se mit à réévaluer la situation. Il examina le *sgian dhu* qu'il avait en main d'un œil circonspect. Comme pour en vérifier le tranchant, il gratta les callosités de sa paume, puis referma subitement ses doigts sur la lame, avant de lui tendre l'arme, manche en avant.

— Je ne te ferai pas de mal, Marion, mais même si je te le jurais, tu ne me croirais pas.

— C'est vrai, concéda-t-elle en s'emparant du manche offert.

Il frémit au contact de ses doigts contre les siens, qui se resserrèrent alors sur le tranchant, lui entaillant légèrement les phalanges. La douleur lui fit momentanément oublier le trouble qui commençait à prendre possession de son corps.

— Et toi, même si je te disais que jamais je n'oserais planter ma lame dans tes reins si tu avais le dos tourné, tu ne me croirais pas non plus.

— En effet, admit-il avec une douceur appliquée.

Lentement il relâcha la lame. Ils se jaugèrent quelques secondes en silence. Sentant que le coutelas se libérait, Marion tira aussitôt dessus d'un coup sec.

— Aïe! cria Duncan en portant ses doigts à sa bouche.

— Désolée... Je ne voulais pas...

Elle prit sa main et examina l'entaille.

— Elle n'est pas profonde.

Son regard se promena autour d'elle à la recherche de quelque chose. Relâchant sa main, elle tira sur sa chemise afin de la libérer de sa culotte et en déchira une bandelette sur l'ourlet. Il l'observait derrière ses longs cils tandis qu'elle lui improvisait un pansement.

— Voilà! s'exclama-t-elle en nouant solidement la bandelette.

Leurs regards s'accrochèrent un court instant, puis un malaise la força à se détourner. Duncan lui prit doucement le menton de ses doigts bandés et l'obligea à le regarder à nouveau.

— Tout compte fait, dit-il en retroussant la commissure de ses lèvres, je te croirais peut-être.

***

Les vestes rouges couvraient la lande en position d'attaque. Marion sentit un profond malaise s'emparer de chaque cellule de son corps. L'affrontement semblait imminent. Son visage livide fixait maintenant les rangs aux couleurs du sombre tartan des Campbell. John Campbell, sixième laird de Glenlyon, se tenait, l'épée à la main, aussi droit qu'un i sur son cheval, prêt à donner l'ordre d'attaquer.

Ils étaient à proximité du loch Nell, qui était visible entre les arbres, sur la ligne d'horizon.

— Je ne peux pas les laisser faire, Duncan. Ils vont attaquer... Je dois faire quelque chose.

Elle sortit en rampant du buisson sous lequel ils étaient couchés. Le jeune homme la rattrapa de justesse et la força à s'accroupir à nouveau.

— Non, mais tu es complètement cinglée ou quoi? Tu veux te faire tirer dessus?

— Lâche-moi, s'écria-t-elle, se débattant furieusement. C'est trop horrible, je dois aller convaincre mon père, lui faire entendre raison. Ils vont s'entretuer! C'est comme... comme...

Cherchant visiblement ses mots, elle secoua frénétiquement la tête.

— C'est comme si vous leviez vos armes contre les hommes de Keppoch!

Dans un dernier élan, poussée par le désespoir, elle tenta de nouveau de se redresser. Mais elle se retrouva solidement clouée au sol sous le poids de Duncan, qui la maintenait par les épaules.

— Si tu tentes de rejoindre ton père, pauvre idiote, je te jure que tu te fais abattre en moins de deux par les tiens.

Elle le regarda avec des yeux arrondis par l'horreur.

— Les hommes de mon père n'oseraient jamais tirer sur moi!

Le regard de Duncan quitta l'expression incrédule de Marion pour descendre sur la veste rouge garnie de boutons dorés, constatant soudain qu'elle avait volé la veste d'un officier. Mais officier ou simple soldat, il n'en restait pas moins l'habit d'un hanovrien.

— La fille de leur laird a l'habitude de se pavaner devant eux déguisée comme un soldat *sassannach* peut-être?

Elle gémit de désespoir.

— Mais c'est tout ce que j'ai à me mettre! Je peux enlever la veste...

— À cette distance, ils croiront tout de même voir un homme. Attends... j'ai peut-être une solution, déclara-t-il en la relâchant. Ne bouge pas.

Il sortit un plaid d'une sacoche et le lui remit.

— Porte-le en *arisaid*.[26]

— Mais c'est le plaid des Macdonald! Tu crois que mon père ne s'en apercevra pas? Il en a tellement brûlé...

Elle se mordit la langue sur l'observation plutôt acerbe qu'elle allait dire.

— Mon père sait reconnaître les couleurs de l'ennemi, Duncan. Et vous êtes nos ennemis...

— Pas dans « cette » guerre, Marion.

Elle scruta son regard bleu sombre un instant, puis, attrapant le tartan coloré, s'en drapa adroitement. Il sourit, enchanté.

— Les couleurs te vont à ravir. Tu ressembles à l'épouse d'un gentilhomme de Glencoe. C'est à s'y méprendre.

— Va te faire foutre, Macdonald! ronchonna-t-elle en faisant voler les pans de l'étoffe autour d'elle.

---

26. Vêtement traditionnel des femmes dans les Highlands, composé d'un plaid enroulé autour du corps et retenu par une broche sous le buste.

Retroussant sa jupe improvisée, elle s'éloigna en courant en direction du régiment de Glenlyon qui se déployait à une trentaine de mètres d'eux. « *Cruachan!* » Son cri retentit sur la lande, provoquant un remue-ménage dans les rangs. Les hommes se retournèrent brusquement, mousquets en main, prêts à tirer. Marion s'arrêta net. L'écho du cri de guerre des Campbell s'étouffa dans les brumes qui commençaient à avaler les collines du Glen Lonan. Un silence sépulcral tomba sur eux. John Buidhe Campbell fit avancer sa monture de quelques mètres vers Marion, qui était maintenant paralysée devant une bonne centaine de gueules de canons pointées sur elle. Duncan sortit de derrière le buisson et se dirigea prudemment vers eux en levant les mains, paumes ouvertes.

— *Fraoch Eilean!*

— Foutez-moi le camp d'ici! cria Glenlyon.

— Nous devons vous parler... Marion veut vous parler.

— Marion? Grands dieux! Mais c'est toi, Marion?

En quelques secondes, le laird se trouvait devant eux, le visage en feu.

— Marion Campbell! Tu veux bien m'expliquer ce que tu fabriques ici?

— Papa... Vous ne devez pas vous battre. Il faut éviter de faire couler le sang des nôtres inutilement.

L'homme fixait sa fille avec incrédulité, promenant son regard sur les couleurs de Glencoe un moment, puis revenant sur le visage implorant.

— Tu n'as pas répondu à ma question, rugit-il, les poings serrés.

— Je suis venue pour empêcher un massacre inutile. Repliez-vous, papa. Il le faut.

Glenlyon se retourna pour regarder les collines embrasées par les vestes rouges, puis laissa échapper quelques grossièretés.

— Tu n'as pas à te mêler de ça, ma fille. Ça ne regarde que les hommes. Retourne à la maison.

— Non, pas tant que je ne vous verrai pas vous replier.

— Me replier? cracha-t-il à travers un rictus hargneux. Jamais devant Argyle! Ce mufle arrogant n'aura certainement pas le dernier mot cette fois-ci!

— Papa, Fanab était le seul ami de ton père. Il ne doit pas vouloir plus que toi livrer bataille. Et puis, ceci n'a rien à voir avec nos petites vengeances personnelles contre le duc d'Argyle. C'est la couronne des Stuarts contre celle de Hanovre. Si tes hommes se font massacrer, qu'auras-tu à offrir à Mar et au Prétendant comme armée? Tout ceci n'en vaut pas la peine. Je t'en conjure, il faut battre en retraite.

Il resta coi, le visage inexpressif. Seuls ses yeux bougeaient, profondément enfoncés dans les orbites de son visage émacié. Ils allaient de sa fille à l'homme de Glencoe.

— Vous! Qu'est-ce que vous faites avec ma fille, sale merdeux?

— Papa!

— Marion, ferme-la!

Il était blanc de rage.

— Je l'escorte pour assurer sa sécurité, monsieur.

— Vous voulez rire? Ma fille en sécurité dans les mains d'un homme de Glencoe! Sainte mère de Dieu! Allez raconter vos sornettes à quelqu'un d'autre, Macdonald.

— Il dit vrai, confirma Marion, agacée par l'attitude de son père. On l'a chargé de ma protection.

— « On » l'a chargé? Peux-tu me dire de qui tu parles?

— D'Alasdair Og Macdonald et de...

— Alasdair? Grands dieux, ma fille! Mais que faisais-tu dans la vallée maudite?

— Elle n'était pas à Glencoe. Elle était à...

Il s'interrompit et se tourna vers Marion, qui se mordait douloureusement l'intérieur de la joue. Elle n'avait pas le choix, elle devait dire la vérité à son père.

— À Inveraray, balbutia-t-elle faiblement en baissant les yeux.

— Quoi, tu veux bien répéter?

— Inveraray! J'étais à Inveraray et je me suis retrouvée dans le camp des jacobites.

Il hocha la tête, assommé par la déclaration sidérante de sa fille. Marion se tordait nerveusement les mains dans son dos comme une enfant attendant sa correction.

— Que faisais-tu là-bas? C'est toi qui as dit à Archibald que je menais mes hommes dans le Lorn?

La voix de l'homme tremblait d'appréhension.

— Non, comment peux-tu penser une telle chose?

Il gardait ses yeux obstinément fixés sur ses mains croisées sur le pommeau de sa selle. Son regard était vide, son visage, décomposé. Marion s'élança vers lui et empoigna à pleines mains le plaid de son père.

— Je te le jure, papa. Ce n'est pas moi...

Il ferma les yeux et déglutit, puis reporta son regard sur elle.

— Je n'ai mis les hommes au courant que ce matin. Avant cela, seuls tes frères et toi saviez.

— Une domestique aura entendu, c'est possible. Molly écoute toujours aux portes. Elle peut avoir entendu et en avoir parlé.

Le laird de Glenlyon passa une main fortement veinée sur son visage et la laissa sur sa bouche. Il réfléchissait. Duncan observait cet homme détesté de son clan. Le fils du bourreau des siens. « Dieu m'est témoin, voilà que j'essaie de sauver la peau de Glenlyon! » pensa-t-il avec ironie.

C'était la deuxième fois qu'il rencontrait l'homme. La première fois lui semblait si loin maintenant. C'était cinq ans plus tôt. Il n'avait que quatorze ans à l'époque. Avec quelques autres adolescents de Glencoe, il s'était rendu en Glenlyon dans le but de voler ses premières vaches. Le laird les avait surpris en flagrant délit. Il les avait reconduits jusqu'à la frontière de leurs terres, les poussant devant son mousquet. Puis, après leur avoir botté les fesses, il leur avait déclaré qu'étant donné leur jeune âge, il leur faisait grâce cette fois-ci. Mais que cela leur serve de leçon. S'il les reprenait sur ses terres, il leur réserverait une corde de chanvre. Les branches étaient solides en Glenlyon. « Vous voulez agir comme des hommes, avait-il déclaré, alors on vous traitera comme des hommes! » Sa clémence avait ses limites.

Duncan ne put réprimer un petit sourire. Il ne comptait plus le nombre de fois où il était retourné en Glenlyon depuis ce jour. Mais il avait pris grand soin de ne plus se faire prendre, là était la leçon qu'il avait retenue de sa mésaventure.

Le laird de Glenlyon avait considérablement vieilli depuis. Il devait avoir approximativement le même âge que son père, mais paraissait dix ans de plus. La peau de ses joues creuses collait aux os de ses pommettes saillantes et ses yeux d'un bleu délavé par la fatigue et la lassitude se perdaient dans les cavités orbitales, ce qui accentuait la forme de son crâne. Cet homme ployait sous le poids des dettes, héritage laissé par le capitaine Robert Campbell. Il s'était usé le corps et avait ruiné sa santé à tenter de racheter ce que son père avait lâchement vendu pour payer ses dettes de jeu et son whisky. Ce n'était guère surprenant qu'aucun de ses fils ne porte le nom de Robert.

— Explique-moi ce que tu faisais à Inveraray, demanda l'homme accablé en dévisageant sa fille d'un œil colérique. C'est un peu loin de Chesthill pour qu'il s'agisse d'une simple balade, Marion. Tu espionnais?

Elle bondit sous la morsure du ton véhément que prenait son père. Son teint vira au gris. Un lourd silence pesait sur eux. Le comprenant comme un aveu, Glenlyon grogna de rage.

— Papa, je t'expliquerai plus tard, ce n'est pas le moment.

— Pour qui?

Marion se résigna, penaude.

— Breadalbane.

Le nom se perdit dans le tartan que ses doigts crispés froissaient. La colère congestionna le visage de Glenlyon.

— Le fumier! Comment ose-t-il se servir de ma fille? Comment ose-t-il? Non content de me dicter ma conduite et de m'humilier devant mes pairs, ce despote veut aussi avilir ma fille en faisant d'elle une... une...

La phrase resta en suspens, les terribles mots restèrent coincés dans sa gorge. Mais Marion les avait devinés.

— Tu crois que... que je fais la putain pour obtenir mes renseignements? C'est tout ce que tu penses de moi? N'as-tu pas confiance en ta fille, le sang de ton sang, la chair de ta chair?

Ce sang justement lui avait monté au visage d'un coup.

— Je n'ai rien insinué de tel.

— Au contraire! grinça-t-elle en relâchant rageusement l'étoffe de laine fripée. C'était assez clair!

Un mouvement sur la colline en face d'eux vint les interrompre. Quelques bribes des exhortations de Fanab à ses soldats leur parvinrent.

La marée écarlate venait dans leur direction. Fanab avait mis ses hommes en marche et déployait ses forces. Les hommes de Glenlyon s'agitaient. L'horreur remplaça la colère sur les traits de Marion.

— Oh non! cria-t-elle en mettant une main tremblante sur ses lèvres pâlissantes. Papa, réfléchis. Il faut arrêter ceci avant qu'il ne soit trop tard. Empêche ce carnage, je t'en supplie.

La tête de l'homme retomba lourdement sur sa poitrine. Les yeux fermés, il soupira. Puis, après un dernier regard vers sa fille, il éperonna son grand balzan pour rejoindre son régiment. Duncan franchit les quelques pas qui le séparaient de Marion et posa ses mains sur ses épaules tremblantes. Tous deux observèrent dans un silence angoissant le capitaine qui gesticulait devant ses lieutenants. Enfin, l'homme sortit un mouchoir de sa poche et le fourra dans le canon de son mousquet, qu'il brandit haut devant lui.

— *Cruachan!*

Dévalant la pente, le laird de Glenlyon alla seul à la rencontre du commandant Campbell de Fanab. Un second mouchoir blanc apparut, piqué sur la lame d'une baïonnette. Les deux hommes se rejoignirent au milieu de la lande.

Les épaules de Marion se relâchèrent légèrement. Le tonnerre grondait toujours et un fin crachin commençait à les tremper. Les pourparlers entre les deux parties se prolongèrent encore quelques minutes. Puis les deux chefs se séparèrent. Une entente avait été conclue. Pour épargner le sang des Campbell de Fanab, Glenlyon acceptait de baisser les armes à condition que ses hommes puissent quitter le pays d'Argyle sans problèmes. Des cris de joie fusèrent des deux côtés et emplirent la vallée. Malgré qu'ils ne fussent pas du même camp, il n'y avait rien de glorieux à faire couler le sang de compatriotes. Le pire avait été évité. On échangea des otages pour s'assurer le respect de l'entente. Puis les deux régiments s'ébranlèrent dans des directions opposées. Enfin libérée de toute la pression, Marion se mit à sangloter doucement dans le creux de l'épaule de Duncan.

***

L'eau suintait le long des murs de la grotte qui leur servait d'abri. Duncan s'était assis à l'entrée, tournant le dos à Marion qui se rhabillait. Une pluie torrentielle tombait depuis près de deux heures. Un feu réchauffait timidement l'espace humide. Marion avait mis à sécher ses vêtements trempés et s'était réfugiée sous le plaid, toute grelottante.

— Ça va, tu peux te retourner.

Mais Duncan ne se retourna pas. Il préféra se laisser hanter quelques minutes encore par les images d'un corps de femme frémissant. La courbe d'une hanche, la rondeur d'un sein, le galbe d'un mollet. Une ombre vacillante sur un mur de roc à la lueur des flammes. Ombre impudique, sensuelle et gracieuse à laquelle il pouvait aisément donner les traits d'un visage, la couleur d'une chevelure, le teint d'une peau. Sur l'écran de ses paupières closes, il voyait Marion telle qu'il l'aurait certainement vue s'il s'était retourné un peu plus tôt. Car c'était son ombre qu'il avait surprise et épiée du coin de l'œil tandis qu'elle enfilait ses vêtements devant le feu, complice de son péché.

Soupirant, il se retourna enfin. Elle s'était recroquevillée dans le coin le plus reculé de la grotte, la lame de son petit *sgian dhu* étincelant à ses pieds. « *A Mhórag, m'aingeal dhiabhluidh* [27], songea-t-il. Tu ferais mieux de dormir avec ton coutelas à la main. »

Ils allaient devoir passer la nuit ensemble dans cette grotte enfumée et humide. Il n'arriverait jamais à dormir en la sachant si près, si vulnérable. Il pouvait entendre sa respiration, bruyante et rapide. La jeune femme était tendue, elle devait certainement deviner ses pensées. Le temps des épanchements était terminé. La promiscuité forcée dans l'espace réduit de leur abri avait ramené les hostilités. Leurs regards se croisèrent. Les reflets des flammes dansaient dans les yeux de Marion comme des petites *bean-sith* ensorceleuses et malignes et les faisaient ressembler à deux morceaux de charbon incandescent dans un visage en forme de cœur enluminé.

Le manche de l'arme s'était rapproché des longs doigts fins. Duncan jugea préférable de laisser une bonne distance entre eux deux. Se forçant à penser à Elspeth, il s'assit en face de Marion de l'autre côté du feu, qui le séparait de cet objet de tentation rongeant son ventre. Il s'efforça de fixer les flammes, symbole de l'enfer qu'elle lui faisait inconsciemment subir.

L'orage s'apaisait, quelques rares éclairs illuminaient maintenant leur refuge d'une luminosité bleutée dans le silence de la nuit. Marion replia ses genoux sous son menton, sur lequel elle s'appuya.

— Ton père veut que tu rentres immédiatement à Chesthill, annonça Duncan pour briser le silence qui commençait à être embarrassant.

— Je sais, répondit-elle en fixant les flammes à son tour.

Une longue mèche mouillée lui retomba devant les yeux. Elle la repoussa machinalement du revers de la main.

— Je n'irai pas.

— Glenlyon m'a menacé. Il a mis sa confiance en moi...

Elle leva les yeux et émit un petit rire, semblable au roucoulement d'une colombe. Ses lèvres ébauchèrent un large sourire pour découvrir une rangée de dents parfaitement blanches.

— Mon père ne te fait pas confiance, Macdonald. Il n'avait pas le choix, c'est tout. Il ne pouvait pas m'emmener avec lui et il n'avait pas le temps de retourner en Glenlyon avec moi. C'est à moi qu'il fait confiance.

Vexé, Duncan serra les lèvres, les étirant en un sourire narquois au bout de quelques secondes de réflexion.

---

27. Oh! Marion, mon ange diabolique.

— Il t'obéit toujours au doigt et à l'œil? Le laird de Glenlyon serait-il une marionnette entre les mains de sa fille?

Marion pinça sa bouche de mépris. Elle pencha légèrement la tête de côté et lui lança un regard glacial.

Le large visage de Duncan se fendit d'une oreille à l'autre. Le jeune homme se mit à rire franchement et fit courir sa main dans sa longue crinière couleur corbeau. Le mouvement des doigts se refermant sur le manche du coutelas ne lui échappa guère.

— Il doit se ronger les sangs et regretter amèrement de ne pas t'avoir fait accompagner par un des hommes du régiment.

— Je ne tenais pas à avoir un de ses hommes pour escorte, grogna-t-elle. Je dois aller jusqu'à Finlarig rendre mes comptes à Breadalbane. Cela, mon père n'a pas besoin de le savoir. Je serai de retour en Glenlyon bien avant qu'il n'y remette les pieds. Et puis, je sais très bien me débrouiller seule, crois-moi. Je parcours ce coin de pays depuis que j'ai appris à monter. Ta protection m'est superflue, voire encombrante, Macdonald. Et je n'oublie pas que tu es l'ennemi, quoi qu'il ait pu se passer cet après-midi et quoi que tu aies pu en penser.

La pointe du coutelas crissait sur le roc comme un rappel.

— Alors, je me ferai un devoir de remettre les choses au clair. Pour ce qui est de ta protection, on m'en a chargé. Qu'elle te soit utile ou non, je m'en balance. Cependant, je pourrais bien y trouver mon compte...

Il ne quittait pas des yeux la lame étincelante, bien conscient qu'elle n'hésiterait pas à se servir de son arme si elle en sentait le besoin. Toutefois, il n'avait pu s'empêcher de la provoquer. Un éclair de panique traversa le regard de Marion.

— Tu n'oserais pas... murmura-t-elle du bout de ses lèvres tremblantes. Voudrais-tu me faire regretter de t'avoir accordé ma confiance?

— Et si tu t'étais trompée, Marion. Après tout, je ne suis qu'un sale voleur sans scrupules.

Les yeux de braise se refermèrent à demi, ce qui procura un léger frisson à Duncan.

— Si j'avais envie de reprendre là où nous en étions restés la première fois, sur la lande de Glenlyon?...

Une série d'expressions défila sur les traits enluminés de Marion. Duncan la fixait à travers ses paupières mi-closes. Il prenait un plaisir pervers à la taquiner. C'était plus fort que lui. Elle était tout de même une Campbell, de Glenlyon par surcroît. Il ne devait jamais l'oublier, quelle que fût son attirance pour elle. Car ce désir purement charnel qu'il éprouvait et qui l'obsédait depuis ce premier regard ne serait probablement jamais assouvi, et cela le dérangeait. Il voulait l'angoisser, la faire souffrir dans son corps et dans son âme comme il souffrait en ce moment même. Lui aussi pouvait être coupant. Quelle guerre délicieuse! Marion ne s'en sortirait pas sans égratignures, pensa-t-il cruellement. S'il ne pouvait apaiser son corps avec elle, il prendrait son plaisir autrement.

— Tu es à ma merci, Marion Campbell, lui lança-t-il sur un ton marqué par l'ironie. Je peux faire de toi ce que je veux. Si je désire te prendre, je le ferai.

La pointe acérée du *sgian dhu* s'éleva dans sa direction, tremblotante.

— Si tu me touches, je te tue...

Le rire de Duncan rebondit de nouveau sur les parois ruisselantes de la grotte et donna la chair de poule à la jeune femme.

— Oui, peut-être le feras-tu. Mais, pour le moment, j'en suis encore à me demander si tu en vaux la peine.

Elle pinça les lèvres et redressa les épaules sous l'insulte à peine déguisée.

— À moins que tu ne me donnes la chance d'en juger...

— Va te faire foutre, fumier! N'y compte surtout pas, s'écria-t-elle avec hargne en s'enroulant dans la couverture.

Elle était sur le point d'éclater en sanglots. Il était temps de ranger les poignards... pour le moment. Duncan s'étendit sur le sol rocheux et froid, et se couvrit de son plaid encore humide. Le visage effrayé de Marion s'éclipsa derrière le mur de flammes.

— Il faut dormir maintenant, dit-il sur un ton badin.

Elle ne répondit pas. De longues minutes s'écoulèrent dans un silence empli des crépitements du feu et du lugubre ululement d'une chouette. Puis le bruissement d'une étoffe se fit entendre.

— Tu me donneras ta parole, Macdonald.

— Ma parole seule te suffit?

— Tu n'es qu'une ordure.

— Je sais.

Il referma ses paupières et sourit, satisfait.

5

La balade des Macgregor

Marion, qui était d'humeur massacrante, pestait et jurait sans cesse, sur tout et sur rien. Elle leva les yeux vers le pâle disque lumineux qui tentait désespérément de percer le voile de brume opaque qui s'éternisait autour d'eux et rendait l'air encore plus humide. Les chevaux pataugeaient dans une épaisse boue visqueuse. On entendait le bruit de succion que faisaient leurs sabots en s'extirpant de cette fange gluante, comme autant de baisers d'adieu à cette terre hostile.

La nuit avait été longue, très longue. Le sommeil avait effleuré la jeune femme, l'avait narguée, mais fuyait chaque fois que son esprit lui rappelait le danger si proche. Elle n'avait donc, pour ainsi dire, pas pu fermer l'œil de la nuit.

La cause de son insomnie chevauchait devant elle, ne se tournant qu'à quelques reprises pour vérifier si elle le suivait toujours. Ce serait si facile de lui fausser compagnie et de partir pour Chesthill. Mais elle ne le pouvait pas. Breadalbane l'avait chargée d'une mission, et elle devait lui rendre compte de vive voix. Les missives étaient trop compromettantes. Personne ne tenait à se retrouver la tête sur le billot pour haute trahison envers le roi George.

Elle avait donc tout son temps pour contempler la massive silhouette qui se balançait devant elle au gré des mouvements de sa monture. Cet homme énigmatique la laissait perplexe. Tantôt il se faisait bienveillant et démontrait un souci sincère de la protéger, tantôt il devenait le pire salaud arrogant qu'il lui eût jamais été donné de rencontrer. Elle le détestait et n'aurait pas hésité à lui planter son *sgian dhu* dans les reins s'il n'avait pas eu deux fois sa largeur. Elle ne pouvait que le blesser. Il aurait eu vite fait de la neutraliser et de...

Un frisson lui parcourut l'échine et lui procura une sensation indéfinissable s'accompagnant d'un léger picotement dans le creux du ventre. Elle devait bien l'admettre, cet homme ne la laissait pas indifférente. Avec sa crinière sombre comme la nuit et son regard perçant mais impénétrable, il avait une allure mystérieuse qui la troublait plus qu'elle ne l'aurait souhaité, à son grand dam.

Fermant les yeux, elle se remémora le sauvage baiser qu'il lui avait volé dans les bruyères... Le feu lui monta aux joues et elle posa sa main glacée sur ses lèvres entrouvertes pour apaiser la brûlure qu'elle y sentait. Mais c'était un Macdonald! Elle ouvrit les paupières. Duncan s'était retourné et la dévisageait de son regard pénétrant. Elle rougit jusqu'à la racine des cheveux, certaine qu'il avait deviné ses pensées.

— Nous allons avoir de la compagnie, annonça-t-il en pointant un doigt vers l'est.

Un groupe de cavaliers galopait dans leur direction. Ils étaient une dizaine ou une douzaine. Une crainte grandissante fit battre plus fort le cœur de Marion. Elle avait reconnu le tartan qui couvrait les hommes.

— Ce sont des Macgregor, je ne tiens pas à les rencontrer. Il faut déguerpir, Duncan.

— Pourquoi? Ne vivent-ils pas sur vos terres? Ne vous ont-ils pas juré fidélité pour obtenir la protection de votre clan?

— Le leur est proscrit, ils sont sous le sceau de la Commission par le feu et l'épée pour toutes les brutalités qu'ils ont commises. Les Macgregor sont la plaie des Highlands.

Duncan souleva un sourcil noir au-dessus d'un regard amusé.

— Alors il y aurait pire que Glencoe?

Elle s'apprêtait à faire détaler sa jument quand il la rattrapa par la bride.

— Attends! C'est Rob Roy Macgregor. Ils ne te feront aucun mal. Je le connais...

— Ouais, entre voleurs de bétail...

— Dois-je te rappeler que sa sœur est l'épouse d'Alasdair Og et que ton père est son cousin?

— Cousin, peut-être, mais ça ne signifie pas pour autant que j'apprécie de me frotter à ces bandits. Comme on dit, qui s'y frotte s'y pique!

Mais il était trop tard pour filer. La bande des Macgregor venait de s'arrêter à quelques mètres d'eux, leurs bêtes écumantes. Il y eut un silence que seuls les piaffements et les renâclements des chevaux venaient troubler. Les hommes se jaugeaient mutuellement. Un grand colosse aux cheveux roux ébouriffés parsemés de fils d'argent salua poliment Marion du chef. Il brisa finalement le silence en parlant d'une voix basse et enrouée.

— Mes hommages, cousine. Hé, Macdonald! On fricote avec les femmes Campbell maintenant? Qui portent des nippes de *Sassannachs* en plus! s'exclama-t-il en étirant un sourire accueillant.

— J'escorte dame Campbell, Macgregor. Pour ce qui est de fricoter avec elle...

Il hésita un instant, lançant un regard paillard à la dame en question qui le toisait froidement.

— ... je ne sais pas trop. Ce n'est pas l'envie qui me manque, mais elle n'est pas très commode.

Les hommes éclatèrent tous de rire, ce qui mit Marion en rogne. D'un coup de talon, elle fit tourner sa monture pour annoncer son départ, mais Duncan la rattrapa par le bras. Il la fit presque dégringoler en bas de sa selle et l'obligea à se retenir à sa chemise. Elle jurait entre ses dents.

— T'es un beau salaud, Macdonald. Je te le revaudrai un jour. Les Campbell n'oublient pas, « *No obliviscaris*[28] ».

Tirant derechef sur son bras pour l'approcher plus près de lui, il plongea son regard dans le sien.

— J'y compte bien, lui souffla-t-il d'une voix suave, un doux sourire flottant sur ses lèvres. Tu restes avec moi, Marion. Tu es sous « ma » protection et j'entends bien que ça reste ainsi jusqu'à ce que tu sois à bon port.

— Je ne suis pas ta prisonnière.

Elle secoua vigoureusement son bras pour le dégager de la poigne de fer qui lui broyait les os. Duncan la libéra.

— Non, c'est vrai. Mais tu dois te soumettre à moi.

— Goujat!

— Garce! Ainsi nous parlerons la même langue et tout sera très clair entre nous.

Elle accusa le coup sans broncher, se jurant de lui faire payer toutes les humiliations qu'il lui faisait subir. Indifférent à son air rogue, Duncan se tourna de nouveau vers Macgregor.

— Et vous, vous traversez les terres d'Argyle en quête de divertissements?

— Nous suivions l'armée de Gordon quand Colin Macnab est venu nous annoncer qu'un navire de ravitaillement mouillerait dans le loch Fyne. Nous voulions seulement vérifier ses dires...

Le grand rouquin lui lança un regard entendu.

— T'aurais peut-être aimé te joindre à nous, mais...

Son regard dévia vers la jeune femme.

— Je vois que tu as autre chose à faire.

Duncan regarda Marion lui aussi. Elle leva les yeux au ciel en soupirant.

— La dame fera ce que je lui dirai. Quand comptez-vous visiter le bâtiment?

— Cette nuit. Il n'y a pas de temps à perdre. Le navire aurait jeté l'ancre ce matin au large d'Inveraray et devrait arrimer après-demain, ce qui veut dire qu'il est possiblement toujours plein de son chargement.

— Et à quoi avons-nous affaire?

— Le *Holy Faith*. C'est un petit brick. Les officiers et la plupart des hommes auraient quitté le bâtiment pour loger à Inveraray. Il ne resterait que la vigie à bord.

Marion observait silencieusement Duncan, qui luttait contre son envie

---

28. Devise des Campbell.

de faire un dernier raid en Argyle avant de retrouver l'armée highlander. Monter à bord d'un navire... Elle savait d'avance qu'il ne pourrait résister à la tentation. N'était-il pas un Macdonald? Mais, curieusement, elle n'en était nullement choquée, car elle voyait là un moyen de reprendre là où son père avait été forcé d'abandonner. Porter un dernier coup au duc d'Argyle. L'idée faisait son chemin dans son esprit comme une coulée de miel recouvrant ses rancœurs. Perdue dans ses imprécations, elle n'avait pas remarqué que Duncan la dévisageait avec insistance.

— Si j'en juge à ton expression, Marion, tu es déjà sur le navire!

Elle se redressa d'un coup, cramoisie. Comment avait-il deviné?

— Je... Comme tu me l'as clairement fait comprendre il y a quelques instants, je n'ai pas le choix. Je ferai ce que tu décides. Alors?

Il lui coula un regard suspect. Une étrange lueur brillait dans ses yeux.

— J'ai bien envie de retarder notre départ d'une journée.

L'occasion était trop belle pour la laisser passer.

***

Le navire mouillait effectivement là où Macnab l'avait indiqué. Duncan mit sa main en visière pour mieux examiner le *Holy Faith*. C'était en fait une goélette à deux mâts, de facture hollandaise sans doute. Il serait certainement aisé de monter à bord, compte tenu de sa taille. Encore fallait-il savoir combien d'hommes le gardaient.

— Je n'en vois que cinq, dit Rob comme pour répondre à sa question.

— Cela fait près d'une heure que nous l'épions. Je suppose que, si d'autres hommes se trouvaient sur les ponts inférieurs, ils auraient fait surface à un moment ou à un autre. Nous ne devrions pas avoir trop de problèmes.

Duncan rendit la lunette d'approche à son acolyte en souriant.

— Ce sera une partie de plaisir.

— Que feras-tu de Marion?

— Je viendrai avec vous.

Les hommes se tournèrent dans sa direction en affichant des airs ébahis.

— Ça ne va pas?! s'écria Duncan en tapotant un index éloquent sur sa tempe.

— Tu crois peut-être que je vais rester sur la grève à attendre?

Duncan ouvrit la bouche, puis la referma sans qu'aucun son n'en soit sorti. Il se détourna, reportant son intérêt sur le navire convoité au large. Un pli creusa son front. Qu'allait-il faire d'elle? Ce n'était pas une affaire de femme. Mais il désirait tant participer à cette expédition.

— Alors soit! Tu viendras avec moi, mais tu feras ce que je te dirai. À la moindre incartade, je te ramène ici et je t'attache à un arbre. Alors ne t'avise pas de me désobéir. Est-ce clair?

Un sourire mutin s'esquissa sur la bouche pulpeuse de la jeune femme.

— Est-ce clair?

— Très clair, Macdonald.

— Tu es certain de ce que tu fais, Duncan? s'enquit Rob Roy, qui évaluait sa cousine d'un œil sceptique. Je peux laisser le vieux Fergus ici avec elle, si tu veux.

— Non, ce ne sera pas nécessaire, le rassura Duncan sans quitter Marion des yeux. Nous aurons besoin de tous tes hommes disponibles. Et puis, elle est sous ma responsabilité. Je l'emmène avec moi. Si elle me désobéit, je prendrai un malin plaisir à la punir, tu as ma parole.

Son visage s'éclaira d'un sourire moqueur, puis il reprit :

— Après tout, c'est la fille de Glenlyon.

Marion serra les mâchoires à en avoir mal aux dents et lui décocha un regard fulminant.

— Pour ce que peut bien valoir la parole d'un homme de Glencoe...

— Tu tiens vraiment à le vérifier?

Lançant un regard noir à Rob qui semblait s'amuser de la scène, elle ne répondit pas et tourna les talons. Duncan la rattrapa et la fit pivoter. Décidément, elle ne ratait jamais une occasion de le piquer au vif!

— Où crois-tu aller comme ça?

Faisant mine de renifler ses vêtements, elle grimaça et frappa du talon.

— Voilà deux jours que je marine dans cet uniforme qui pue le hareng pourri et je tombe de sommeil. Je vais me débarbouiller et prendre un peu de repos, si tu n'y vois pas d'inconvénient! riposta-t-elle, caustique. Si vraiment ta parole vaut quelque chose, je suppose que je peux compter dessus pour dormir tranquille...

Ses yeux cernés de bleu attestant son manque de sommeil le toisèrent sans ciller. Il desserra sa main sur son bras, parfaitement conscient d'être la cause de sa fatigue.

— Tu as ma parole.

— Par-fait! fit-elle dans un sourire enjôleur destiné à le narguer.

Les boucles de la jeune femme volèrent autour d'elle lorsqu'elle fit volte-face. Elle s'empara du plaid rangé dans la sacoche de Duncan et escalada la colline en quête d'un endroit discret. Il la suivit des yeux jusqu'à ce qu'elle disparaisse derrière un hallier d'aulnes.

— Que fais-tu avec elle? demanda Rob de but en blanc.

Duncan sursauta. Le rouquin s'installa sous un grand chêne et l'invita à prendre place à ses côtés. Il sortit une flasque de whisky pour sceller leur association.

— Je l'escorte. Nous l'avons interceptée près du camp, alors qu'elle quittait Inveraray en catimini. Il s'en est fallu de peu qu'elle n'ait la gorge tranchée par un des hommes du clan. Il croyait vraiment avoir affaire à un *Sassannach* assez sot pour se balader seul hors des retranchements.

— Que faisait-elle à Inveraray?

Duncan s'apprêtait à répondre franchement, mais décida qu'il serait plus sage de ne rien dire pour le moment.

— Tu le lui demanderas toi-même. Moi, je ne peux pas te révéler ce que je ne sais pas.

Rob toisa Duncan de biais, tout en affichant une moue équivoque.

— Tu es de mèche avec elle, Macdonald?

— Quoi! Moi? Tu veux rire? Non, c'est Alasdair qui m'a demandé de la raccompagner jusqu'en lieu sûr. C'est la fille de Glenlyon. Comme ce dernier s'est rangé du côté du Prétendant, nous n'avions d'autre choix que de la protéger. Plus vite elle sera en sécurité, mieux ce sera pour moi, crois-moi.

— Et elle te fait confiance?

Rob fixait un point invisible sur le loch Fyne devant eux. Duncan hésita un instant. Pesant ses mots, il répondit :

— Autant que je lui fais confiance.

Un rire généreux éclata.

— Une confiance aveugle entre Glencoe et Glenlyon? Serions-nous à la veille du jour du Jugement dernier ou bien êtes-vous tous deux vraiment naïfs? Nous en avons déjà connu les conséquences. Et puis, il ne faut pas croire tout ce qu'elle te raconte, Duncan. N'oublie pas que je l'ai vue grandir, alors je sais ce dont elle est capable pour obtenir ce qu'elle veut. Où dois-tu la conduire exactement? À Chesthill ou à Finlarig? Je ne suis pas né de la dernière pluie, l'ami. Marion travestie en *Sassannach* et se faufilant hors des murs d'Inveraray? Allons donc! Il faudrait être idiot pour ne pas deviner qu'elle œuvre pour ce cher Breadalbane. Je connais assez ce vieux renard pour savoir qu'il désespère de faire tomber Argyle en disgrâce. Glenlyon a besoin qu'il desserre un peu les cordons de sa bourse. Donnant donnant.

— Hum... en effet, marmonna Duncan, déconcerté par la perspicacité de Macgregor.

— Elle serait donc d'intelligence avec le vieux comte?

Le colosse jeta un regard inquisiteur à Duncan, puis retroussa les coins de sa bouche. Voyant que le jeune homme ne confirmerait pas ses dires, il reprit la parole en riant :

— C'est bien ce que je pensais. J'ai eu assez affaire avec Breadalbane pour savoir comment fonctionne son cerveau. Elle a du cran, la petite.

— Je sais. Et une langue tranchante en prime.

— Ah! Ça, fiston, c'est parce qu'elle est une Campbell! s'exclama Rob en le gratifiant d'une claque sur l'épaule. Je peux t'assurer que les femmes Campbell ne sont pas banales.

— J'ai cru remarquer.

Le whisky lui brûla la gorge. Il rendit la flasque d'étain à Rob.

— Comment va ton père?

— Ça va, il suit l'armée highlander. Ils ont levé le camp et se dirigent maintenant vers Glasgow.

— Ouais... grommela Rob d'un air absent. Le duc d'Argyle a monté le camp à Stirling. L'heure approche. Combien d'hommes êtes-vous?

— Entre quatre et cinq mille.

Rob émit un sifflement.

— C'est déjà plus que ne possède Argyle. Le comte de Mar peut être assuré d'une armée considérable. Le comte de Seaforth, lui, avance avec trois mille hommes du clan Mackenzie. Reste à savoir si John le Fantoche[29] saura quoi faire de cette armée. Pour ma part, j'hésite encore à me joindre à lui.

— Pourquoi?

— Eh bien, légalement, Argyle est mon tuteur. Et puis, je suis toujours recherché, la proscription n'est pas levée. Le duc d'Atholl veut ma tête. Il est hanovrien, mais deux de ses fils sont au service du Prétendant. Tu connais l'adage : diviser pour mieux régner. De cette façon le clan s'assure de toujours posséder un certain pouvoir au sein du gouvernement selon celui qui le dirige. Mais moi, je risque peut-être ma peau et celle de mes hommes. Je dois m'assurer une certaine protection.

— Celle de Breadalbane n'est pas suffisante? C'est pourtant lui qui t'a offert l'asile après cette histoire avec le marquis de Montrose.

— Je sais, mais si Breadalbane se sent coincé, il peut très bien se servir de moi pour obtenir des conditions de reddition acceptables. Pour le moment, il me fait la charité d'un bout de terre à Auchinsall, dans le Glen Dochart. Je lui en suis reconnaissant, mais le vent peut tourner. Tout dépendra de l'issue de la bataille à venir. Mon cœur penche pour les Stuarts, cela va de soi, mais je ne sais pas encore si je peux me permettre de suivre Breadalbane. Mon clan a déjà été assez éprouvé par les persécutions du marquis de Montrose. Il se meurt de faim.

Une grimace déforma ses traits. Duncan l'observait. Le récit des déboires des Macgregor avec le marquis de Montrose, chef du clan des Graham, avait fait le tour des Highlands à la vitesse du vent, consternant les uns et réjouissant les autres. Macgregor était un homme reconnu pour son honnêteté et son sens de la justice. De plus, il était considéré comme étant le meilleur épéiste des Highlands. Macgregor et Montrose faisaient affaire, ce dernier prêtant à Rob des sommes d'argent considérables pour faciliter ses transactions, souvent illicites, de bovins. Or ce n'était un secret pour personne que Montrose, fidèle à sa rapacité légendaire, en tirait d'énormes profits. Ce commerce avait duré près de dix années, jusqu'à ce qu'un malheureux incident survienne...

— Ce bâtard de Montrose et ses sbires! L'enfer sera encore trop beau pour eux, poursuivit Rob Roy. Les traîtres! Montrose savait que je n'avais pas volé les mille livres qu'il m'avait avancées pour l'achat du bétail. J'ai toujours joué franc jeu avec lui et j'ai rempli ses coffres. D'accord, les dernières transactions que j'ai effectuées n'ont pas été aussi profitables que les précédentes... enfin. Mais j'ai flairé l'arnaque trop tard. Son fumier de trésorier, Graham Killearn, était complice de son escroquerie. Mais tu sais comment la pointe d'un poignard peut être convaincante!

Il s'interrompit un moment, le temps de boire une lampée de whisky. Son regard désabusé traînait sur la flasque, qu'il offrit de nouveau à Duncan.

— Nous avons séquestré Killearn sur une île dans le loch Kettern,

---

29. Sobriquet donné au comte de Mar en raison de ses nombreux revirements politiques.

pendant trois jours. Ce fils de pute! Nous avons réussi à lui faire cracher le morceau, en échange de sa vie.

— Mais on raconte que ce serait ton homme de confiance qui se serait volatilisé avec ces mille livres...

— Volatilisé? Ah! Pour ça oui, il a bien disparu!

Une curieuse expression se peignit sur son visage. Les eaux noires du loch retinrent de nouveau son attention.

— Il portait le même nom que toi, Duncan Macdonald. C'était mon meilleur homme. Je lui aurais confié ma vie. Alors je lui ai remis les mille livres de Montrose pour qu'il les porte chez moi, à Craigrostan. J'avais une affaire urgente à régler ce soir-là. Je savais qu'il ne m'aurait jamais trahi. Non, Macdonald ne m'a pas trahi, mais je ne peux pas le prouver. Et nous n'avons jamais retrouvé son corps. Puis, pourquoi un homme se sauverait-il avec mille livres tout en abandonnant derrière lui les six cents livres qu'il a amassées pendant toute sa vie? Ses économies sont restées cachées dans une grotte, où nous avions l'habitude de nous réfugier lorsque nous étions en fuite. J'étais le seul à connaître l'existence de cet argent et l'endroit où il l'avait planqué.

— Killearn ne sait pas ce qu'est devenu ton homme?

— Non, ce salaud de Killearn avait engagé deux sales voyous : Simon Guthrie et John Moore. Ils devaient s'assurer que mon homme disparaisse après avoir récupéré la bourse de Montrose, mais il ne sait pas ce qu'ils ont fait de lui, ni de l'argent d'ailleurs. On n'a jamais revu ces deux hommes depuis la disparition de Macdonald. Cet imbécile de Killearn s'est bien fait baiser! Il m'a gracieusement offert un montant forfaitaire pris sur sa collecte de fermages qu'il effectuait à Chappelroch, où nous l'avons intercepté. Mais l'argent n'effacera jamais tous les torts qu'il nous a causés. Après avoir été accusé du vol, j'ai dû me cacher dans les collines pendant quelque temps. Killearn en a profité pour rendre une petite visite à ma femme à Craigrostan.

Marquant une pause pour prendre une autre gorgée d'alcool, il abaissa ses paupières, avant de reprendre son récit :

— Montrose l'a envoyé là-bas pour expulser ma femme et mes enfants et prendre possession de mes terres en guise de compensation pour le vol. Mais il ne s'est pas contenté de les expulser et de brûler ma maison... Oh non! Ce bâtard a violé et battu ma femme.

Il cracha par terre et rouvrit ses yeux assombris par une colère froide. Puis il émit un rire rauque, découvrant ses canines.

— Mais je doute qu'il tente jamais de remettre ses mains sur une femme!

De la pointe de son poignard, il désigna son entrejambe, la bouche tordue par un sourire sadique. Duncan grimaça et déglutit en portant instinctivement une main à ses parties comme pour s'assurer qu'elles étaient toujours là. Rob pouffa de rire devant son geste.

— Le salaud hurlait comme un porc qu'on égorge. Je t'assure que j'aurais préféré mourir plutôt que de subir ça! s'écria-t-il avec dégoût. L'honneur de Mary Hellen est vengé. Ensuite, j'ai dû m'abaisser à requérir l'aide de Breadalbane pour reloger ma famille. Comme il est l'ennemi juré de Montrose, ce vieux Breadalbane s'est fait un plaisir de me l'offrir.

Il consulta le ciel pour évaluer l'heure.

— James Mor et Coll ne devraient pas tarder à revenir avec l'équipement « emprunté » dont nous avons besoin.

L'œil de Duncan venait de capter l'éclat lumineux d'une voilure sur le loch qui s'étirait devant eux.

— Là-bas, s'écria-t-il en pointant le navire qui venait d'apparaître sur la ligne d'horizon.

— Un cotre... Si j'ai pas la berlue, c'est un navire de contrebande, annonça Rob gaiement.

Il attendit quelques minutes encore, puis redoubla d'enthousiasme.

— Eh bien ça, par exemple! C'est bien lui, je reconnais sa figure de proue. C'est le *Sweet Mary*. Ah! Argyle fricote encore avec cette vieille canaille d'Edgar Neish! Peut-être changerons-nous de cible cette nuit, Duncan. Le *Sweet Mary* doit être plein à craquer d'armement et de munitions, sans parler de bon brandy français.

Le soleil déclinait lentement derrière les monts Cruach, barrière naturelle entre les lochs Awe et Fyne. Le paysage majestueux qui les entourait s'embrasait d'une lumière dorée qu'accentuait la palette flamboyante du feuillage d'automne. Les fils de Robert Roy Macgregor étaient revenus de leur petite expédition qui avait été fructueuse. Ils avaient récolté trois barques de bonne dimension et deux carrioles qu'on avait dissimulées dans le boisé. On avait établi un plan d'attaque : on s'occuperait des deux navires simultanément. Deux barques pour le *Holy Faith* et une pour le *Sweet Mary* qui avait maintenant jeté l'ancre à proximité du premier et était de tonnage inférieur. Ce vieux loup de mer d'Edgar Neish avait débarqué de son petit cotre avec quelques hommes. Quatre membres de l'équipage étaient restés sur le *Sweet Mary*.

Duncan remontait le sentier emprunté par Marion quelques heures plus tôt. Il pressait le pas, car l'obscurité tombait rapidement sur les collines environnantes. Il appela la jeune femme, mais elle ne répondit pas. Seul le bruit d'une cascade était perceptible. Il s'y dirigea d'instinct.

— Mais où est-elle?

L'idée qu'elle ait pu lui fausser compagnie lui effleura un moment l'esprit et lui procura quelques sueurs froides. Puis il aperçut la veste écarlate suspendue à la branche d'un arbre, près d'une trouée. Elle devait probablement dormir encore.

— Marion?

Il se retrouva sur le bord d'un petit étang dans lequel se déversait la cascade. Personne.

— Marion? cria-t-il, l'inquiétude le gagnant de nouveau.

Tout à coup, la surface de l'étang se brisa et une silhouette lui

91

apparut. Trébuchant sur les pierres, Duncan se réfugia derrière un taillis de jeunes pins compacts, puis se figea de stupeur, hypnotisé par le spectacle qui s'offrait à lui.

Marion lui tournait le dos et tordait sa lourde masse de cheveux. La blancheur de sa peau tranchait sur l'eau sombre qui lui arrivait aux hanches. Dans un mouvement gracieux, elle se tourna légèrement de côté, lui dévoilant impudiquement sa nudité dans toute sa splendeur. Une *ban-dia*[30]. Duncan déglutit péniblement, incapable de détacher son regard de ce corps d'albâtre qui venait d'émerger des eaux noires.

— Elle ne doit pas me trouver ici...

Il recula prudemment d'un pas, puis d'un autre, et d'un troisième. Il heurta alors le tronc d'un arbre, auquel il se retint pour ne pas tomber. Sa respiration était laborieuse et saccadée. Il pesta en lui-même. Elle était vraiment inconsciente de se baigner ainsi nue avec la bande des Macgregor dans les parages! N'importe lequel d'entre eux aurait pu la surprendre. Cousine de leur capitaine ou pas, ils n'auraient pas hésité à lui faire passer un mauvais quart d'heure, ça il en était certain. Ces hommes brisés avaient l'habitude de prendre ce qu'ils convoitaient sans poser de questions.

Marion sortait maintenant de l'eau et se dirigeait vers le plaid qui gisait près de ses vêtements amoncelés sur un rocher. La silhouette à la peau de lune drapa sa nudité dans les couleurs de Glencoe, ce qui accrut la sensation que Duncan éprouvait à l'aine. C'en était délicieusement douloureux.

— J'ai besoin d'une douche glacée...

Le cœur en émoi, le corps en feu, il s'éclipsa sans bruit, puis redescendit le sentier sur quelques mètres avant de s'appuyer contre un arbre. Sa poitrine voulait exploser. Il se sentait comme le dernier des salauds. Il avait le sentiment d'être une bête en rut et tentait désespérément de refouler les images de copulation qui le taraudaient. Le désir impérieux d'assouvir son besoin maintenant irrépressible de se soulager l'élançait douloureusement dans son sexe tendu.

— Et puis merde! grogna-t-il en ouvrant les pans de son kilt.

Incontestablement, il n'y avait pas trente-six façons...

Marion redescendit le sentier quelques minutes plus tard. Duncan, qui l'attendait tranquillement sur le tronc moussu d'un arbre, se redressa.

— Marion...

La jeune femme poussa un petit cri de stupeur, porta instinctivement la main à son coutelas glissé dans sa botte et plongea l'arme droit devant elle. Duncan évita de justesse la lame en bondissant de côté.

— Putain de merde! jura-t-il en s'extirpant d'une touffe d'orties dont les piqûres lui brûlèrent la peau des cuisses.

— Qu'est-ce que tu fais là? s'étonna Marion, le cœur battant. Tu veux te faire tuer ou quoi?

---

30. Déesse.

— Je t'aurais brisé le cou bien avant que tu n'aies eu le temps de me blesser, pesta-t-il.

Il évitait de la regarder dans les yeux ni même ailleurs, de peur de réveiller les émotions qui avaient embrasé son corps quelques minutes plus tôt.

— Il faut y aller, dit-il, le regard rivé sur le bout de ses bottes.

— Déjà?

Elle se tourna vers les fragments du loch visibles entre les branches qui commençaient à se dégarnir à l'approche de l'hiver. Duncan risqua un œil sur elle. La ligne brisée de son profil se découpait sur le fond lumineux du loch doré. Marion épongeait distraitement ses cheveux mouillés avec le plaid qu'elle avait drapé autour de l'habit rouge. Elle avait le même geste sensuel que lorsqu'il l'avait surprise, nue, dans l'étang. « Maudite sois-tu, Marion Campbell! » cria son cœur qui battait follement. Si, comme le lui avait raconté Allan, les femmes Campbell possédaient le pouvoir de rendre l'homme impuissant, celle-ci n'en usait pas. Au contraire!

C'était la fille de Glenlyon! Il ne pouvait se permettre... Et Elspeth? Il réalisait soudain, ne fût-ce qu'une fraction de seconde, lorsqu'il... enfin, seule l'image du corps si bien dessiné de cette sorcière l'avait stimulé. Combien de temps tiendrait-il sans chercher à la séduire?

Une pensée étrange l'envahit. Et si Alasdair l'avait délibérément envoyé avec elle dans le but bien précis qu'il l'avilisse, qu'il la prenne de force pour l'humilier et la souiller? Non, jamais il ne pourrait faire une chose pareille. Alasdair le savait bien. Il chassa cette idée saugrenue d'un geste de la main, ce qui attira l'attention de Marion qui tourna vers lui ses grands yeux de chat si clairs. Leurs regards se rencontrèrent, et de nouveau un feu dévora les entrailles de Duncan. Furieux, le jeune homme grommela, puis se mit en marche sans rien dire, Marion sur les talons.

La surface noire et lisse de l'eau se froissait au fur et à mesure que la barque avançait. Le *Sweet Mary* se profilait faiblement devant eux. Tout était silencieux. Un rire retentit, rebondissant sur l'eau et porté par la brise. Un autre lui répondit. Puis ce fut de nouveau le silence. Ce terrible silence qu'ils se devaient de respecter au prix de leur vie. Même le bruit d'une respiration sifflante pouvait leur être fatal. La vigie avait l'oreille avertie et savait distinguer le clapotis de l'eau sur la coque du navire du bruit d'une barque qui s'approchait. Mais les Macgregor étaient des voleurs aguerris, ils connaissaient bien leur métier. Rob Roy n'avait-il pas été surnommé le Prince des Voleurs?

Marion était assise entre les cuisses de Duncan, dans le fond de la petite embarcation, et elle plantait ses ongles dans les chairs tendues de ce dernier bien malgré elle. Ils étaient cinq dans la barque. James Mor Macgregor, le fils aîné de Rob, était parmi eux ainsi que l'homme de confiance de ce dernier, Colin Macnab. Le cinquième homme, un courtaud assez rond du ventre, tenait le gouvernail. Rob, quant à lui, dirigeait l'abordage du *Holy Faith*.

Duncan était nerveux. Certes il avait volé à maintes reprises, mais jamais sur un navire. Il s'était toujours contenté du bétail des Campbell ou bien des trains de ravitaillement qui se dirigeaient vers Fort William. Les ongles qui s'enfonçaient dans ses cuisses le firent grimacer. Il mit doucement une main sur celle de Marion, qui détendit ses doigts. La jeune femme se tourna vers lui et ouvrit la bouche. Aussitôt, il mit un doigt sur ses lèvres l'invitant à ne rien dire et hocha la tête en fronçant gravement les sourcils.

Peut-être aurait-il mieux fait de la laisser sur la rive avec le vieux Fergus, comme Macgregor l'avait suggéré. Non, il n'aurait pas pu... Il ne connaissait pas personnellement ces hommes et ne leur faisait pas confiance. Alors il n'aurait pas dû accepter de participer à cette expédition, mais l'offre était trop tentante. Tout compte fait, Marion était mieux dans le fond de la barque, avec lui.

La lune n'était qu'une mince faucille suspendue dans les ténèbres au-dessus d'eux, les éclairant faiblement. La nuit était leur alliée. Ils s'étaient tous barbouillé le visage de boue pour éviter la réflexion de la lumière sur leur peau et avaient couvert leurs chemises de leurs plaids sombres.

Le navire n'était maintenant plus qu'à quelques mètres d'eux. On distinguait la silhouette d'une vigie à bâbord de la poupe et une autre penchée au-dessus du mât de beaupré. Où se trouvaient les deux autres? Duncan leva les yeux vers la hune du mât de misaine et vit ce qu'il cherchait. Un bras y pendait mollement, faiblement éclairé par la clarté lunaire. Donnant un léger coup de coude dans les côtes de James Mor, il montra la hune du doigt. Le gaillard à la tignasse aussi sombre que la sienne acquiesça d'un signe de tête, souriant de satisfaction. Il ne manquait plus qu'un homme à localiser. Peut-être était-il à tribord? Ils étaient maintenant trop près du bâtiment pour qu'il puisse vérifier. Peut-être aussi se trouvait-il sur un pont inférieur ou bien dans la cale? Ils le sauraient bien assez tôt.

La barque se trouvait maintenant sous le hauban de misaine. Le courtaud lança une corde munie d'un grappin fabriqué avec une solide branche fourchue qui glissa sur le cordage et retomba lourdement dans ses mains tendues. Personne ne bougeait. Duncan sentait contre ses cuisses les battements du cœur de Marion, qui s'accéléraient.

— Hé, Willie! cria une voix éraillée au-dessus d'eux. Il t'en reste encore un peu?

Duncan sentit de nouveau Marion lui lacérer la peau des jambes avec ses ongles. La tension était à son comble dans l'embarcation. On avait dissimulé les platines et canons des pistolets et les lames des poignards pour éviter que leur éclat n'attire l'œil des marins. Duncan décrocha lentement le pistolet suspendu à sa ceinture. Le mot d'ordre était de ne tirer qu'en dernier recours, le poignard serait privilégié. Le bruit des armes à feu attirerait l'attention des sentinelles au sol et sonnerait l'alarme.

— Attends, je vais voir, répondit une deuxième voix. Ce foutu Neish a certainement mis sous clef sa réserve d'eau-de-vie, encore une fois...

Des pas martelaient le pont supérieur et le son de la voix s'éloignait graduellement.

— C'est pas juste! Tout l'équipage descend faire la fête tandis que nous, on se tape tout le...

— Arrête donc de chialer, Beacham! C'est toujours mieux d'être ici que de se retrouver au trou. Si Neish t'avait pas engagé, c'est là que tu serais, et je peux t'assurer que c'est nettement plus agréable d'avoir le gosier sec sous les étoiles que dans une cellule à partager son eau croupie avec les rats.

— Ah! Va donc te faire foutre, Willie, et cesse de me rebattre les oreilles avec ça! Y va couler de l'eau sous mes pieds avant qu'on me prenne et qu'on me mette au trou!

— Parle toujours, vieux! Trouve-nous une bouteille, qu'on se la partage.

Le deuxième marin grommela de frustration. Puis un silence oppressant s'installa. La quatrième vigie n'avait toujours pas donné signe de vie. Dans la barque, les hommes se jetèrent des regards entendus, puis on projeta encore une fois le grappin dans les airs. Cette fois, il s'accrocha solidement à une enfléchure du cordage du hauban. Des sourires éclairèrent les visages noircis. Seule Marion restait de marbre, pétrifiée de peur.

L'homme au grappin grimpa le premier, puis se hissa sur le hauban tout en restant accroupi derrière le bastingage. Macnab le suivit de près, puis James Mor. Ne restait plus que Duncan, qui attachait solidement la corde du grappin à un anneau d'arrimage, à la proue de la barque. Il s'accroupit devant Marion.

— Couche-toi dans le fond, chuchota-t-il dans le creux de son oreille en l'effleurant de ses lèvres.

La jeune femme se tendit, s'accrochant à sa chemise.

— Qu'est-ce que je fais s'il devait t'arriver... euh... vous arriver quelque chose? balbutia-t-elle nerveusement.

Elle pinçait inconsciemment sa peau sous l'étoffe. Ses yeux braqués sur les siens se levèrent vers le bastingage. Son visage n'était qu'à quelques centimètres du sien. Il allongea un bras, tendit ses doigts vers le visage pâle et osa une légère caresse sur sa joue.

— Tu en serais désolée?

Il flottait une douceâtre odeur de mer et d'algue mariée à son haleine un peu sucrée qu'il pouvait sentir sur sa joue. Il lui sourit. Les lèvres tremblantes de Marion se serrèrent subitement et son regard se rétrécit. Lentement les doigts de Duncan quittèrent la soie de sa peau pour s'accrocher à celle de ses cheveux qui glissèrent entre eux.

— Tu dois me ramener chez Breadalbane, Macdonald, ne l'oublie pas.

Duncan sourit. Il huma la mèche de cheveux qu'il tenait toujours, puis de son autre main il sortit le *sgian dhu* de la botte de Marion en frôlant intentionnellement un genou au passage. Elle tressaillit, mais n'écarta pas sa jambe.

— Comment pourrais-je l'oublier?

Elle déglutit, fermant un instant les yeux. Un malaise jusque-là totalement inconnu l'envahit et elle frissonna comme elle avait frissonné dans les bruyères, quelques semaines plus tôt, lors d'un baiser volé... Le contact dur et tiède du métal dans sa paume la fit réagir. Duncan avait placé le coutelas dans le creux de sa main.

— Je ne doute pas que tu saches t'en servir aussi bien que de ta langue, mais je souhaite que tu n'aies pas à le faire.

Il lâcha sa mèche de cheveux et s'écarta doucement. Marion sentit la panique la gagner et agrippa la chemise à pleines mains, avec plus d'ardeur.

— Sois... prudent...

Il ne dit rien. Il baissa simplement le regard sur la bouche de la jeune femme et dut se faire violence pour ne pas s'en emparer. Ce n'était vraiment pas le moment. Les autres l'attendaient. Il se contenta de sourire, puis se libéra de la prise de Marion et grimpa à son tour jusqu'au hauban.

Dès qu'il eut atteint le bastingage, il se hissa silencieusement par-dessus et se mit aussitôt à couvert derrière une pièce d'artillerie légère. Les trois autres hommes le suivirent. La vigie qui se trouvait postée à la poupe leur tournait le dos. C'était certainement Willie, pensa Duncan. La deuxième vigie n'était pas visible. Elle devait fourrager quelque part sur le pont inférieur, à la recherche d'une bouteille d'eau-de-vie.

Duncan se déplaça lentement vers la batterie située à tribord. Les quatre pirates se consultèrent du regard, concluant silencieusement une entente. James Mor glissa comme une ombre d'un canon à l'autre, de façon à se rapprocher du marin insouciant qui était toujours penché sur la balustrade. Puis il s'élança. L'homme n'eut que le temps de se retourner, une expression de surprise et d'horreur peinte sur son visage émacié et buriné par les éléments. Son cri ne parvint jamais jusqu'à ses lèvres, qui se tordaient maintenant en un horrible rictus et d'où s'écoulait un filet de sang. Le fils de Macgregor retira son poignard de la gorge du malheureux, qui s'écroula mollement sur le pont, à ses pieds. À pas de loup, l'homme au grappin se dirigea, quant à lui, vers l'écoutille restée ouverte et s'accroupit derrière le taud, le poignard en main. Quelques secondes plus tard, le dénommé Beacham apparut en brandissant glorieusement une bouteille.

— Hé, Willie! Regarde ce que j'ai trouvé! Le vieux Neish nous a laissé une bonne bouteille de...

Les mots moururent dans sa gorge lorsqu'il aperçut James penché au-dessus du cadavre de son infortuné compagnon, Willie, qui baignait maintenant dans une mare de sang.

— Une bouteille de quoi, mon ami? s'enquit tranquillement James qui essuyait sa lame sur la chemise de Willie.

Il s'approchait d'un pas nonchalant de Beacham. Ce dernier, les yeux écarquillés, se retrouvait maintenant avec la lame de l'homme au grappin juste sous sa pomme d'Adam, qui bougeait sans arrêt. James lui arracha la bouteille des mains, l'examinant de plus près.

— On vole l'eau-de-vie de ce bon vieil Edgar Neish?

— Je l'ai pas volée...

— T'avais l'intention de la lui remplacer, peut-être? En pissant dans la bouteille, par exemple?

D'un coup de dent, James arracha le bouchon pour le recracher irrévérencieusement aux pieds de Beacham, qui restait silencieux de peur. Il se rinça le gosier avec une bonne lampée et passa la bouteille à Duncan, qui l'imita.

— Mais c'est du brandy français! s'exclama le jeune homme après s'être essuyé la bouche du revers de la main. Le capitaine ne sera pas très heureux de constater que ses hommes lui chipent son brandy!

Les petits yeux brillants de Beacham roulaient dans leurs orbites.

— Qu'est-ce que je fais de lui? demanda l'homme au grappin.

— Je m'en charge, Marcus.

— Sales voyous! gémit Beacham d'une voix étouffée.

— Putains de contrebandiers, siffla James en lui assenant un violent coup de crosse sur la tempe.

L'homme se ramollit aussitôt et glissa sur les planches aux pieds de Marcus, qui avait desserré son étreinte. Restaient deux vigies à neutraliser. Celle qui se trouvait sur la hune ne semblait pas une menace immédiate. L'autre devait se trouver sous leurs pieds.

— Marcus, Colin, descendez et fouillez les ponts inférieurs. Le quatrième ne doit pas être bien loin.

Les deux hommes obtempérèrent sur-le-champ en disparaissant dans le ventre du navire. Un silence tendu que seuls les grincements des barrots venaient déranger enveloppait James et Duncan. Macgregor leva la tête vers la hune juchée tout en haut du mât de misaine.

— Qu'est-ce qu'on fait de celui-là? s'informa Duncan, qui avait suivi son regard.

— Rien, pour le moment. S'il nous surprenait pendant la grimpette, c'en serait fait de nous. Nous ferions des cibles trop faciles.

Après un moment, Marcus apparut dans l'ouverture de l'écoutille.

— Y a personne, James.

— Ils étaient quatre hommes à bord avant la tombée de la nuit, nom d'un chien! Nous avons vérifié trois fois.

— Il a pu quitter le navire peu après, fit observer Duncan en scrutant l'épaisseur de l'obscurité.

— Bon, vidons la cale de ce que nous pouvons emporter. Et que ça presse! ordonna James.

Il déroula une corde nouée autour de sa taille et ligota solidement Beacham. Duncan suivit Marcus dans l'écoutille pour l'aider à hisser la marchandise sur le pont principal. Une écœurante odeur de pourriture et de vin aigre l'assaillit dès son entrée dans la cale. Après un bref coup d'œil circulaire, il fit un inventaire rapide du butin qui s'offrait à eux. Plusieurs caisses estampillées aux armes de la couronne étaient empilées contre le vaigrage suintant d'humidité. Des mousquets, en déduisit Duncan. Rob Roy ne s'était pas trompé. Des barillets de poudre jouxtaient des tonnelets de brandy et de vin français. D'autres caisses contenant divers produits hautement prisés, tels que des épices et du thé, étaient soigneusement entassées un peu partout. Ils avaient le choix. Les trois hommes se mirent immédiatement à l'ouvrage et, à l'aide du palan, ils remontèrent la marchandise jusqu'en haut, où attendait James.

Ils avaient déjà réussi à s'approprier quatre caisses de mousquets, deux barillets de poudre, deux caisses de munitions et deux tonnelets de brandy lorsqu'un coup de feu retentit sur le pont principal. Duncan sentit son visage se vider de son sang dans la seconde qui suivit. Le tonnelet de vin qu'il s'apprêtait à installer sur le palan lui échappa et une sueur froide lui glaça le dos. Mû par un terrible sentiment d'appréhension, il grimpa l'escalier quatre à quatre, suivi des deux autres qui armaient leur pistolet. Scrutant le pont dans un affolement incommensurable, il vit James accroupi derrière un canon, pistolet à la main, lui faisant signe de s'accroupir à son tour. Un cri retentit en haut du mât et un deuxième coup de feu se fit entendre. La rampe du bastingage vola en éclats derrière James qui alla rouler jusqu'au canon voisin.

Le cœur de Duncan battait à lui rompre la poitrine. Marion... D'où était donc venu le premier coup de feu? La vigie aurait-elle tiré sur elle? Le *Holy Faith*, à côté, semblait silencieux. Rob avait certainement réussi à maîtriser tout l'équipage resté à bord. Un autre coup de feu résonna sur le pont. James avait tiré sur la hune, d'où leur parvint un cri de douleur. Le pistolet de la vigie tomba sur le pont dans un bruit sec. Ils ne devraient plus rien avoir à craindre de l'homme. Quelques secondes plus tard, le corps du marin bascula dans le vide pour venir rejoindre l'arme au sol. Tout à coup, une silhouette surgit à bâbord, franchissant la balustrade du bastingage. James, qui venait de recharger son arme, l'aperçut et visa. Une crampe barra le ventre de Duncan.

— Nooon! hurla-t-il en se ruant sur Macgregor.

Le coup partit, ricochant sur une des pièces d'artillerie et provoquant une gerbe d'étincelles.

— Macgregor! aboya-t-il en le repoussant rudement au sol. C'était Marion, imbécile! Tu ne regardes jamais avant de tirer?

James Mor se dégagea, puis se tourna vers la silhouette qui s'était immobilisée sur la rampe de bois polie par les vents marins.

— Mais elle était supposée rester dans la barque! se défendit-il en haussant les épaules.

Hors de lui, Duncan agrippa Marion par le bras et l'entraîna sans ménagement.

— Lâche-moi! lui cria-t-elle en se débattant frénétiquement. Tu me fais mal...

— Tais-toi, Marion! cria-t-il à son tour.

Il la repoussa brutalement contre le mât, la foudroyant du regard en soufflant bruyamment. Elle hoqueta de frayeur face à sa violence et endigua le flot de larmes qui menaçait d'inonder ses joues. Duncan, qui avait momentanément perdu ses esprits sous l'emprise de la peur, se reprenait peu à peu.

— Je t'avais demandé de rester dans la barque. Tu te rends compte que tu as été à un cheveu de te faire tuer?

— J'ai entendu les coups de feu... J'ai eu peur...

Elle hoqueta.

— Une embarcation à tribord! s'écria James. Il faut accélérer le chargement. On va avoir de la compagnie!

Marcus s'empressa de descendre dans la barque pour recevoir les caisses que faisait glisser Colin. James, lui, surveillait par un sabord légèrement ouvert l'embarcation qui approchait. Duncan repoussa Marion derrière l'un des canons de la batterie, à tribord, et s'accroupit près d'un sabord. Il l'entrouvrit et prépara ses pistolets.

La barque n'était plus qu'à quelques mètres du navire. Cinq personnes étaient à son bord, trois hommes et deux femmes qui n'arrêtaient pas de glousser. Duncan se tourna vers Marion. Elle s'était adossée contre le canon, son *sgian dhu* entre les mains jointes comme pour une prière. Ses lèvres remuaient, mais aucun son n'en sortait.

— Ça va pas de vous amuser avec vos pistolets en pleine nuit? Vous voulez que Neish rapplique et nous surprenne avec ce qu'on vous ramène? Hé! Willie, Beacham! cria une voix.

Marion sursauta et se mordit violemment la lèvre avant de lancer un regard angoissé à Duncan qui mit un doigt sur sa bouche pour lui indiquer de se taire.

— Wiiillie! appela encore la voix enrouée. Tu viens nous haler, oui ou non? Ces jolies p'tites dames aimeraient bien monter à bord, tu sais!

Le bruit sourd de la barque abordant le navire se fit entendre. Un homme jura et râla de mécontentement. Les cordages des haubans oscillèrent, puis une main apparut sur la rampe. Duncan tendit son bras et pointa son arme en direction de l'homme qui n'allait pas tarder à surgir. Marion, gémissante, vint se blottir contre son dos.

— Reste derrière moi, lui chuchota-t-il.

Elle ne dit rien, mais il pouvait la sentir trembler et il humait son parfum. James posa son pistolet et dégaina son poignard. Une deuxième main s'agrippa au bastingage. D'un coup, Macgregor se redressa, brandit son arme, puis abattit le tranchant de la lame sur la main en poussant un cri à glacer le sang. Un horrible cri de douleur déchira les ténèbres. La deuxième main lâcha prise, puis l'homme tomba dans l'eau au milieu des cris terrifiés des femmes qui se trouvaient dans la barque.

Marion fixait quatre petites choses blanches qui étaient retombées sur le pont. Duncan aussi les avait vues. Il se tourna vers elle. Elle était pâle comme la mort et ses yeux agrandis par l'épouvante ne pouvaient se détacher des doigts sectionnés du malheureux.

— D-D-Duncan...

— *Tuch!*

Il repoussa la jeune femme de l'autre côté du canon avec douceur et mit une main sur sa bouche pour étouffer le cri qui allait suivre. Un coup de feu fit éclater la rampe derrière lui. Les hommes criaient et grimpaient maintenant les enfléchures des cordages. Il n'y avait plus de temps à perdre. Duncan tira sur le bras de Marion pour la forcer à traverser le pont en courant jusqu'à bâbord.

— Descends!

Se postant devant elle, il fit un bouclier de son corps pour la protéger tandis qu'elle s'agrippait au hauban. Marcus et Colin attendaient dans l'embarcation. Duncan attrapa le cordage et mit un pied sur une enfléchure.

— James! cria-t-il en tendant son pistolet devant lui. Viens, je te couvre!

Le jeune James Mor s'élança alors. Soudain, le visage d'un homme apparut derrière les cordages avec un pistolet prêt à faire feu.

— Plonge, James! Plonge! hurla Duncan en mettant l'homme en joue.

Au moment même où l'homme tirait, James Mor plongea. Duncan hésita un instant tandis que l'homme franchissait le bastingage. Puis il appuya sur la détente. Sa cible s'immobilisa, grimaça, puis recula d'un pas en titubant pour enfin basculer dans le vide. Quelques secondes s'écoulèrent, son esprit enregistrait ce qu'il venait de faire. Il avait tué un homme pour la première fois... Cette pensée provoqua un curieux malaise dans son estomac. « Tu as tué pour sauver la vie... » Ce n'était vraiment pas le moment de se lancer dans de telles réflexions! Le troisième homme ne se montrait pas. Il avait probablement fait dans son froc!

Duncan descendit dans la barque et, d'un coup de poignard, Colin coupa net la corde qui les retenait au navire. Puis ils hissèrent James à bord et mirent le cap sur Strone Point. Duncan se laissa choir près de Marion qui tremblait comme une feuille.

— Je regrette, murmura-t-il en s'appuyant sur les caisses de mousquets.

Son cœur galopant furieusement, il ferma les yeux et déglutit.

— Je... suis désolé, Marion. Je n'aurais pas dû t'entraîner dans cette histoire... Je... Tu aurais pu être tuée. Je ne voulais pas. Je suis désolé.

— C'est moi qui voulais venir, Duncan.

Il lui prit la main : elle était douce mais glacée. Il referma ses doigts dessus pour la réchauffer. Elle se remit à parler :

— Ne sois pas désolé. Tu ne pouvais pas savoir ce qui se passerait sur le bateau. De toute façon, je t'aurais forcé à m'emmener avec toi.

Il se tourna vers elle. Elle lui souriait faiblement dans la pâle clarté de la lune.

— Tu as froid, ta main est glacée.

— Ça peut aller...

Libérant son plaid, il ouvrit les bras pour inviter la jeune femme à s'engouffrer dans sa chaleur.

— Viens...

Elle hésita un instant, puis se blottit contre lui sous le plaid.

6

Une brèche dans le mur

Le butin s'entassait dans les carrioles : huit caisses de mousquets appartenant au gouvernement et comprenant des munitions et de la poudre, whisky, brandy, farine, sucre et sel, épices et thé d'Orient, deux ballots de velours et un de soie, quelques pièces d'argenterie, une tabatière en ivoire incrustée de fils d'or, quelques livres et trois paires de pistolets.

Rob avait percé un tonnelet de whisky pour récompenser les hommes. Il tendit son gobelet d'argent personnel à Duncan après avoir bu une gorgée.

— Tiens, Macdonald, je partage mon verre avec toi et je bois à ta santé. *Slàinte mhòr!*[31]

— *Slàinte mhòr!*

Duncan leva le gobelet et fit cul sec en claquant la langue avec satisfaction.

— Le capitaine du *Holy Faith* a un goût certain en matière de whisky, fit-il remarquer en rendant le gobelet à son propriétaire. Je dois ajouter que la pêche a été bonne ce soir. Et puis, on n'a pas perdu un seul homme.

Rob se tourna en souriant vers les gaillards qui finissaient d'arrimer les caisses et ballots sur les carrioles.

— Oui, je suis plutôt satisfait, bien que nous ayons dû laisser beaucoup derrière nous, faute d'espace dans les barques.

Prenant l'une des paires de pistolets volés qu'il avait glissée dans sa ceinture, il la tendit à Duncan.

— C'est pour toi...

Duncan prit les armes et les soupesa avant de les examiner de plus près.

---

31. Santé!

— De facture écossaise. De belles pièces de Doune. Je te remercie, bredouilla-t-il, un peu mal à l'aise de la somptuosité du présent. Ce n'était pas...

Rob l'interrompit d'un geste de la main.

— C'est très peu pour avoir sauvé la vie de mon fils, Duncan. James m'a raconté.

— Il aurait certainement fait la même chose pour moi.

— Hum... très peu d'hommes ont une telle confiance dans un Macgregor. Mais je suppose que oui... tant que tu ne convoites pas le même troupeau que lui.

— J'essaierai d'y penser.

— Tu pars cette nuit pour Killin?

Se tournant vers Marion qui était assise seule près du feu, Duncan prit quelques instants avant de répondre.

— Non, je crois que je vais attendre demain. Elle est épuisée.

Rob posa une main paternelle sur l'épaule du jeune homme et la serra doucement.

— Glencoe et Glenlyon... murmura-t-il en fixant la jeune femme à son tour. Pourquoi pas?

— C'est peu probable, cela tiendrait du miracle.

Rob dévisagea Duncan.

— Tu crois vraiment?

Le jeune homme ne répondit rien. Il ne savait tout simplement plus ce qu'il croyait, surtout après les événements des dernières heures. Ayant analysé la situation sous tous les angles, il en avait déduit que même si Marion acceptait de partager sa couche, espérer une suite tenait du rêve. Il y avait toujours Elspeth qui l'attendait. Et puis, leurs clans respectifs connaissaient des dissensions qui, elles, n'étaient pas que chimères. Jamais il ne mettrait les pieds en Glenlyon, pas plus, il s'en doutait, qu'elle n'accepterait de poser les siens dans la vallée maudite. Tout était trop compliqué. Il pourrait toujours envisager de se contenter d'une nuit avec elle... Une tape sur son épaule le ramena à la réalité.

— Bon, alors je crois que c'est ici que nos chemins se séparent, Macdonald. Nous ne pouvons nous permettre de rester plus longtemps avec le butin. Nous nous reverrons bientôt au camp, fiston. Tu diras bonjour à ta mère quand tu la verras.

— Je n'y manquerai pas, Rob.

Le grand colosse roux cala son béret bleu piqué des trois plumes attribuées aux chefs de guerre des clans, puis tourna les talons. Duncan le regarda partir avec ses hommes, immobile, les pieds plantés dans l'herbe humide de rosée. Lorsque le convoi eut complètement disparu, il se tourna enfin vers Marion, qui avait elle aussi suivi le départ des Macgregor. Leurs regards se croisèrent.

Mais que lui arrivait-il? « Prends garde! » lui avait conseillé son père. Marion était la fille de John Buidhe Campbell de Glenlyon, il ne devait pas l'oublier, jamais! « Pense à Elspeth... à sa douceur et... » Il tapa le sol du talon, puis se détourna en grinçant des dents. Une autre nuit à dormir près d'elle. Il devait s'efforcer de penser à autre chose. Mais, il le savait, c'était peine perdue. Le seul souvenir de ce corps d'albâtre, si pâle, émergeant du sombre étang dans les derniers rayons du soleil couchant... C'était déjà assez pour lui faire perdre la tête. Sans parler de ces quelques semaines d'abstinence. La combinaison devenait des plus difficiles à vivre. Non! Il ne la prendrait pas de force, il se l'était juré.

— Sainte Mère de Dieu, sauvez mon âme des errements.

— Une trêve pour cette nuit, déclara-t-il en se laissant tomber dans l'herbe à une distance respectable d'elle.

— Une trêve?

Elle le dévisagea d'un air dubitatif.

— Tu peux dormir tranquille et ranger ton *sgian dhu*. Tu n'as rien à craindre de moi, Marion.

Elle le fixa avec une expression indéchiffrable, puis tourna son regard vers les flammes. Pendant un moment, il crut voir une lueur nouvelle dans le fond de son regard.

— Ah bon!

— Demain, je te conduirai chez Breadalbane et là, nos chemins se sépareront.

Ce disant, il en prenait également conscience avec une certaine déception. Il se dit finalement qu'il avait été imbécile de croire qu'il pourrait se passer quelque chose entre eux.

— Euh... oui, demain...

Elle se roula en boule sur le sol, dans le plaid emprunté, et le regarda de nouveau. Les flammes dansantes illuminaient ses traits. Elle ne souriait pas, mais on ne pouvait déceler aucune trace d'animosité dans ses yeux clairs. Il y avait cette lueur... Mais il n'arrivait pas à dire ce qui l'allumait. De la reconnaissance? C'eût été déjà plus que ce qu'il pourrait jamais espérer.

— Duncan...

— Oui?

— Je... Bonne nuit.

— *Oidhche mhath, a Mhórag.*[32]

Elle ferma les yeux. Soupirant, Duncan l'imita quelques minutes plus tard.

Quelque chose bougea. Duncan ouvrit un œil sur une obscurité opaque. Le sommeil embrumait encore son esprit. Il attendit quelques instants. Seul le bruissement des feuilles était perceptible. Il avait probablement rêvé. Soudain quelque chose lui effleura le dos. Il s'empara

---

32. Bonne nuit, Marion.

brusquement de son poignard, qu'il gardait toujours planté dans le sol à côté de lui et roula sur lui-même pour se retrouver enfin accroupi, la lame brillante pointée en avant.

Il cligna des paupières. Un amas de couvertures duquel s'échappaient un bras et quelques boucles lustrées se découpait sur les lueurs agonisantes du feu.

— Mais qu'est-ce que...

Marion se retourna, et la couverture glissa pour dévoiler la pâleur de son visage dans la lumière bleutée de la nuit. Elle aura eu froid et se sera réfugiée contre lui pour lui voler un peu de chaleur. Du feu, il ne restait que quelques braises rougeoyantes qui n'offraient que très peu de réconfort en cette nuit d'automne glaciale. Soupirant de soulagement, il retrouva sa place à quatre pattes, planta son poignard dans le sol et observa la dormeuse.

La lune traînait dans les volutes orangées qui cerclaient le visage serein d'une auréole de feu. « Tu es un ange diabolique, Marion Campbell », songea-t-il. Elle reposait, paisible, sur le dos, une main perdue dans ses boucles, l'autre posée sur son ventre. Un sourire mutin flottait sur ses lèvres. « Tu me nargues même en dormant! »

Duncan se pencha au-dessus d'elle pour la contempler à loisir. La fille de Glenlyon reposait endormie sur un coussin de soie flamboyante. Il promena longuement son regard sur les contours du visage ensommeillé, les effleurant de ses pensées et de son désir. Les lèvres entrouvertes d'où s'échappait une fine vapeur blanche frémissaient au gré des songes. La veste déboutonnée laissait apparaître la chemise qui bâillait légèrement sur le renflement d'un sein laiteux. Il eut envie d'y poser une bouche vagabonde. Il voulait sentir sous ses doigts le cœur qui palpitait dans cette poitrine qui se soulevait doucement. Il osait à peine respirer, de peur de réveiller la jeune femme. À la contempler ainsi, il se consumait tout entier.

Effleurant les langues de feu qui couraient dans l'herbe, il déposa du bout des lèvres un doux baiser sur le dessus de son crâne et remonta à regret le plaid qui avait glissé de son épaule. Puis il passa un bras protecteur autour de sa taille.

— *Mòrag, mo aingeal...*[33] chuchota-t-il doucement dans la soie bouclée qui lui chatouillait délicieusement le cou. Père avait raison de me mettre en garde.

Une pensée en généra une autre et il se reporta sur le *Sweet Mary*, au moment où il avait entendu le premier coup de feu alors qu'il se trouvait encore dans la cale. Il n'avait eu alors que Marion à l'esprit, et son cœur, comprimé par la peur, s'était arrêté de battre. Non pas qu'il avait craint les représailles du laird de Glenlyon s'il était arrivé quelque chose à sa fille : il se foutait totalement de Campbell, il en avait vu d'autres. Ce

---

33. Marion, mon ange.

n'était pas non plus l'idée d'avoir failli à la tâche de la protéger comme Alasdair le lui avait demandé qui lui avait rongé les tripes. Non, c'était autre chose de plus complexe, de plus profond. Un étrange malaise l'avait dérangé, une douleur lancinante qui lui avait déchiré le cœur. Il avait eu peur de la perdre! Dans cet instant d'incertitude interminable qui avait suivi le coup de feu, la réalité l'avait frappé de plein fouet.

— Je m'y suis brûlé...

Il ne pouvait plus le nier. Il savait, depuis le jour où il avait embrassé la jeune femme, que son corps se consumait de fièvre pour elle. Attirance purement sexuelle, avait-il cru. Désir engendré par l'attrait de l'interdit, certainement. Mais maintenant, lorsqu'il la regardait, il ressentait autre chose que le simple désir de lui faire l'amour. Un sentiment étrange qui ne l'avait jamais autant bouleversé l'habitait. Même Elspeth, aussi belle et douce fût-elle, n'avait pas suscité en lui ce vent qui balayait toute raison. C'était irrationnel, il le savait. La fille de Glenlyon! Que Dieu lui vienne en aide! Il n'y pouvait rien. L'homme s'inclinait devant les douceurs de l'ivresse. Il prenait maintenant pleinement conscience que son cœur était ivre d'elle. « *Cha déan cridh misgeach breug.* »[34]

Ses doigts se refermèrent délicatement sur la rondeur d'une hanche. Il revit encore en songe les derniers rayons du soleil entourer d'un halo mordoré les courbes de son corps. Elle lui était apparue telle une nymphe ensorceleuse, tentatrice venant directement des feux de l'enfer pour l'éprouver. La tension grandissante lui donnait des picotements dans le pli de l'aine. Il enfouit son nez dans la douceur de sa chevelure, humant l'odeur de femme qui s'en dégageait, et ne put résister à l'envie de glisser sa main sous le plaid. Il devait user d'une énergie titanesque pour arriver à contenir ses pulsions.

Marion geignit et remua un peu. Duncan se raidit et retira aussitôt sa main. Les fins sourcils de la jeune femme s'étaient joints dans un pli soucieux au-dessus de ses yeux fermés. Elle rêvait. Il attendit en retenant son souffle. Le visage en forme de cœur se contracta, puis la large bouche s'incurva en un rictus d'où s'échappa une plainte étouffée.

— Nooon...

Ouvrant des yeux hagards, Marion crispa des jointures blanchies sur le plaid de Duncan qui, penché au-dessus d'elle, la dévisageait, inquiet.

— Marion... C'est fini. *Tuch! Tuch!*

L'expression terrifiée de la jeune femme se mua en surprise, puis en soulagement. Une larme qui était restée accrochée à ses cils coula sur sa joue. Duncan l'essuya d'une caresse.

— C'est fini.

— Non... Ça n'a pas encore commencé...

Il la dévisagea, perplexe.

---

34. Dicton gaélique : un cœur ivre ne ment pas.

— Mais de quoi parles-tu? Je ne comprends pas. Tu as fait un cauchemar, Marion.

— J'ai...

Elle s'interrompit brusquement, la bouche entrouverte, le regard perdu dans les replis de la chemise de Duncan. Puis elle secoua frénétiquement la tête.

— Non, laisse tomber. Tu as raison, ce n'était qu'un mauvais rêve, balbutia-t-elle.

Ses longs cils dorés balayèrent l'air et elle se blottit, secouée d'un sanglot, dans la chaleur réconfortante de son épaule. Duncan hésitait. Sa main survolait son dos, frôlait ses cheveux. S'il la touchait, le repousserait-elle? Il était manifeste qu'elle recherchait du réconfort... comme dans la barque, au retour. Elle s'était pelotonnée tout contre lui comme un petit chaton tout frémissant de frayeur et s'était peu à peu détendue. Moment délicieux, mais transitoire. La magie de ces quelques instants s'était dissipée dès que la coque de la barque avait crissé sur les gravillons qui couvraient la berge. Elle était alors redevenue distante avec lui.

Il posa doucement sa main à l'arrière de sa tête, enchevêtrant ses doigts dans les boucles. Elle renifla dans sa chemise, réchauffant sa poitrine de son souffle. « Il ne faut pas... » se dit-il. Marion frissonna.

— Tu as froid?

Elle secoua la tête, levant son visage vers lui. Leurs regards se cherchèrent et se trouvèrent.

— J'avais froid... un peu plus tôt. Je... ne voulais pas te déranger. Je peux retourner...

— Tu ne m'as pas dérangé, s'empressa-t-il de dire, la retenant contre lui.

En fait, il mentait, car, à la vérité, elle l'avait grandement dérangé, et cela, beaucoup plus qu'il ne l'aurait voulu. Elle avait éveillé en lui des sentiments qui lui enserraient le cœur comme un étau. Il maudit ce jour où il s'était trouvé sur la lande de Glenlyon, à la pourchasser. Il maudit le baiser qu'il lui avait volé. Il la maudit, elle, de s'être trouvée sur sa route une deuxième fois. Et il maudit le destin... qui le vouait à vivre les affres de l'enfer sur terre, car il ne pouvait lui résister. Il se perdait à cause d'elle, mais il réalisait en même temps que sans elle il serait perdu.

Il n'avait qu'une seule envie : écraser sous lui cette femme qui lui était interdite, prendre sa bouche et fondre en elle. Mais il s'en garda bien. C'était terriblement difficile. Il devait refréner toute son envie de la séduire, car cela ne ferait qu'aggraver la situation. Marion ne portait pas son clan dans son cœur, il pouvait le comprendre. « Garde-la pour tes rêves, mon vieux... » Cette nuit, il lui servirait de rempart contre le froid, rien de plus.

Elle se lova de nouveau contre lui. Son souffle lui réchauffait le cœur. Il tira son plaid par-dessus sa tête, puis ferma les yeux. Sa nuit fut peuplée de fées aux souples corps d'ivoire qui dansaient lascivement autour de lui et l'appelaient par son nom. Il sourit dans son sommeil.

***

Avec les premières lueurs grisâtres de l'aube disparurent les derniers lambeaux de songes qui persistaient dans l'esprit de Marion; et avec eux s'évapora le simulacre d'intimité entre les deux jeunes gens. Marion sentait la présence solide et chaude de Duncan derrière elle. Il ne bougeait pas. Il devait encore dormir. Son bras passé en travers de son corps pesait lourd et sa main reposant dans l'herbe s'agitait nerveusement. Il rêvait.

Sa chaleur l'irradiait. Seuls les extrémités de ses membres et le bout de son nez étaient glacés. Elle bougea un peu, fixant la large main qui se souleva du sol en étirant lentement les doigts pour ensuite se poser sur sa taille. La jeune femme resta immobile une bonne minute. Il ne semblait pas s'être réveillé, car sa respiration était restée lente et régulière sur sa nuque.

Elle redoutait affreusement le moment inévitable où leurs regards se croiseraient. Elle se sentait très gênée et s'en voulait d'avoir succombé à sa peur de dormir seule. Avait-il pensé qu'elle avait voulu?... Son visage s'empourpra. S'il avait eu des pensées empreintes de concupiscence pour elle, il s'était bien gardé de le lui montrer, et c'était bien ainsi. Qui plus est, contrairement à ce à quoi elle s'était attendue de la part d'un homme de Glencoe, il s'était montré doux et tendre avec elle après qu'elle eut eu sa... vision. Elle gémit doucement à l'évocation des images cauchemardesques qui l'avaient assaillie durant la nuit et qui la hantaient encore.

La grande main appliqua une légère pression à l'endroit où elle s'était posée, puis descendit indolemment sur sa hanche. Duncan annonça son réveil en grommelant dans son cou. Elle retint sa respiration. Il l'attira délicatement contre lui, puis s'immobilisa sur-le-champ.

— Il se redressa d'un coup et s'éloigna d'elle.

Il ne bougea plus; seule sa respiration rapide et saccadée signifiait sa présence derrière elle. Avec lenteur, elle se laissa rouler sur le dos, gardant la couverture bien serrée autour de son cou. Il la dévisageait d'un air embarrassé, la bouche entrouverte comme s'il s'apprêtait à formuler quelques plates excuses. Puis sans qu'aucun son n'eût franchi ses lèvres, il referma la bouche et déglutit en se détournant. Un silence plein de gêne s'éternisait. Duncan se frotta les yeux pour en effacer les dernières traces de sommeil et regarda de nouveau Marion.

— Excuse-moi, je croyais que...

La jeune femme eut alors la désagréable impression que quelqu'un l'attendait peut-être à Glencoe, et elle en éprouva une curieuse contrariété. « Mais c'est un Macdonald! » fit-elle intérieurement.

— Tu as réussi à dormir un peu? s'informa-t-il en drapant son plaid par-dessus son épaule et en y fichant sa broche.

— Oui, merci.

— Bon, il faudrait penser à plier bagages. Je dois te conduire à Finlarig Castle.

Il se leva et lui tendit la main pour l'aider à se mettre debout à son tour.

— Il doit bien rester quelque chose à grignoter dans les sacoches.

Marion ajusta ses vêtements humides et froissés et peigna ses mèches rebelles avec ses doigts, pour ensuite les nouer sur sa nuque comme l'aurait fait un homme. Bien qu'elle appréciât porter la culotte, qui lui donnait une plus grande liberté de mouvements et offrait l'avantage d'être légère comparativement aux multiples épaisseurs de lin et de laine des jupes, il lui tardait d'enfiler des vêtements propres. Mais pour le moment, elle devait se faire à ceux-ci.

Elle s'éclipsa quelques minutes derrière l'écran de brume et la végétation colorée pour ses ablutions matinales. Lorsqu'elle revint, Duncan lui tendit une tartine de fromage et une pomme. Ils engloutirent leur frugal petit-déjeuner, puis grimpèrent sur leurs montures en évitant de se regarder.

Le ciel de Killin était sombre et bas au-dessus de leurs têtes. Décidément, cette année l'automne était moche. Marion n'avait trouvé personne au fief de Breadalbane. Deux jours plus tôt, le comte avait quitté d'urgence Finlarig pour Drummond Castle, où se trouvait le comte de Mar. Les deux jeunes gens avaient donc décidé de faire halte au Grey Owl, une petite auberge se trouvant sur la route de Killin, pour se sustenter et se reposer un peu.

Marion se sentait d'humeur maussade. Se rendre à Drummond Castle ne faisait pas partie de ses plans. Pas plus que de battre la campagne avec cet homme qui, à son grand désespoir, commençait à beaucoup la troubler. Que n'aurait-elle donné en ce moment pour se retrouver à des kilomètres de lui, chez elle à Chesthill, devant une tasse fumante de cidre épicé, près d'un bon feu, emmitouflée dans le plaid des Campbell et portant une robe propre après avoir pris un bain chaud. Elle avala sa dernière bouchée de hareng. Elle avait oublié d'ajouter : après avoir mangé le délicieux rôti de bœuf d'Amelia.

Ils s'étaient installés dans un coin tranquille de l'auberge. Sa veste attirait quelques regards curieux, mais elle n'y portait pas attention. Cependant, elle devait reconnaître que cela pouvait sembler étrange de voir un Macdonald accompagné d'un jeune soldat de la couronne. Les gens la prendraient certainement pour un espion. Bah! Elle n'en avait cure. Duncan posa un broc de bière devant elle et s'assit en face avec le sien.

— J'ai pris une chambre, annonça-t-il avant de plonger le nez dans l'écume qui menaçait de déborder.

— Une chambre?

— Je dormirai à l'écurie, expliqua-t-il, comme s'il avait deviné ses craintes. C'est tout ce que je pouvais me permettre pour le moment.

— Ah! mais je croyais que nous repartions pour Drummond Castle?

D'un geste du menton, il indiqua la fenêtre opacifiée par la poussière derrière elle.

— Avec un temps pareil? Il commence à pleuvoir et je pensais qu'après trois nuits sous les étoiles tu aimerais dormir dans un vrai lit. D'ailleurs, nous ne pouvons atteindre Drummond Castle avant la tombée de la nuit.

Il la dévisageait d'un air indéchiffrable, en dessinant distraitement des cercles du bout de son index sur la table à la propreté douteuse.

— Oui, c'est vrai que j'ai très peu dormi ces derniers jours.

Piquant du nez dans son broc, elle se gorgea alors de la boisson fraîche, puis, en évitant consciencieusement de le regarder, elle reprit :

— Je voulais te remercier. Sur le navire... J'aurais dû rester dans la barque.

Il ne répondit pas tout de suite. Voyant son silence se prolonger, elle risqua un œil sur lui.

— C'est vrai, accorda-t-il finalement en se calant contre le dossier de sa chaise. Tu étais plus en sécurité couchée dans la barque, comme je te l'avais ordonné.

Il avait délibérément enflé le ton en prononçant le mot « ordonné ». Puis, haussant les épaules, il camoufla un bâillement derrière une main avant d'ajouter :

— Ce qui compte, c'est que tu n'aies rien.

Ses doigts tripotaient nerveusement le bord de son béret de laine bleue. Il avait été très peu loquace tout au long du trajet jusqu'à Finlarig. Elle fixa la ligne rigide de son sourire tendu. Manifestement, il était aussi mal à l'aise qu'elle.

— Demain, tu seras à Drummond Castle. Breadalbane te trouvera alors une escorte plus appropriée que moi pour ton retour à Chesthill.

— Je suppose...

— Nous avons encore beaucoup de route à faire. Nous partirons donc assez tôt demain matin. Je frapperai à ta porte, ça te va ?

— Je suppose...

Duncan fixa la jeune femme en silence le temps de se dire qu'il partageait sans doute son dernier repas avec elle. Puis il baissa ses yeux sur son assiette et tous deux mangèrent sans rien dire.

Marion vida son broc et fit le tour de la salle du regard. Quelques clients se bousculaient un peu plus loin. L'un des hommes crachait des injures au visage d'un colosse qui le dépassait d'une bonne tête. Duncan qui observait lui aussi la scène émit un petit sifflement réprobateur, puis il fronça les sourcils. Le colosse se mit à jurer à son tour et lança son poing vers la bouille du petit homme qui l'évita de justesse en se penchant. Celui qui se trouvait derrière lui eut moins de chance et reçut le crochet en plein sur la mâchoire. Il s'étala de tout son long sur la table située à sa droite et renversa les pichets sur les gens qui se trouvaient là.

— Holà ! fit Duncan en se levant discrètement. Je crois que nous devrions partir avant que les choses ne se gâtent.

Les clients contrariés et trempés empoignèrent le malheureux responsable du déluge par les épaules et l'envoyèrent rouler sous la table voisine. Une femme poussa un cri aigu. Entre-temps, le colosse avait réussi à agripper le petit homme par le collet et le maintenait contre le mur d'une seule main tandis qu'il lui tambourinait le ventre de l'autre.

Marion se leva subitement et s'accrocha au bras de Duncan qui l'entraînait déjà derrière lui vers les escaliers. Une bagarre générale occupait maintenant toute la clientèle de la grand-salle de l'auberge.

La pluie cinglait la fenêtre de la petite chambre de Marion et s'infiltrait entre les battants avec un courant d'air glacé. La jeune femme s'était emmitouflée dans le plaid sur le lit grinçant et fixait avec une certaine appréhension les ombres qui se dessinaient sur les murs fissurés. Malgré sa crainte de passer une autre nuit seule dans un endroit inconnu, elle était contente.

Une agréable surprise l'attendait dans la chambre. Une baignoire remplie d'eau tiédie trônait au centre de la pièce et une robe de laine d'un bleu défraîchi, mais propre, était étalée sur le matelas avec un jupon et une chemise. Marion ne doutait pas que Duncan était l'auteur de ces présents et elle comprenait maintenant pourquoi il s'était résigné à dormir à l'écurie. Il y avait certainement laissé son pécule.

Un éclair illumina la chambre d'une lumière vive qui la fit sursauter. Puis le tonnerre gronda. Elle ne dormirait certainement pas encore cette nuit.

— Tu n'as rien à craindre, soliloqua-t-elle en entourant ses jambes repliées de ses bras. Tu ne verras plus ces horreurs.

La chandelle vacilla, faisant danser les ombres sur les murs. Les sons venant de la salle commune ne lui parvenaient que comme un murmure étouffé. Elle frissonna de nouveau, puis ferma les yeux dans l'espoir que le sommeil l'envahisse. Un nouvel éclair illumina ses paupières. « J'aurais dû fermer les volets... »

La main posée sur la rampe branlante de l'escalier, Duncan hésitait. « Je n'aurai qu'à lui dire que je voulais vérifier si elle avait bien mis le loquet sur la porte. » Il n'aimait pas beaucoup la laisser seule dans la petite chambre d'une auberge bondée d'hommes ivres, mais il n'avait pas vraiment le choix. Ici, au moins, elle n'aurait pas froid.

Il grimpa jusqu'au premier palier, faisant halte au pied de la deuxième volée de marches. Il pouvait entendre les bruits qui traversaient les murs. Un rire de gorge bien gras et un autre plus rauque, suivis d'un grincement, lui parvinrent d'une des chambres de l'étage. Quelque chose frappait un mur de manière régulière. Duncan sourit en devinant la scène qui se déroulait de l'autre côté de la porte. Puis il grimpa deux par deux les marches du second palier.

Le corridor était silencieux et obscur. Seuls la pluie qui martelait les ardoises de la toiture et le grondement du tonnerre faisaient écho sur les murs crasseux. Une faible lueur filtrait sous la porte de la chambre de Marion. Hésitant, il appuya ses mains aux côtés du chambranle et attendit quelques minutes, le front posé sur le bois balafré. La chambre était silencieuse. Dormait-elle? Et s'il la réveillait? Il s'en voudrait terriblement.

Mais il voulait s'assurer que tout allait bien. Tout à coup un son assourdi, comme un geignement, traversa la paroi. Il leva la tête et mit la main sur la poignée. « Idiot! Tu ne peux tout de même pas entrer comme un voleur dans sa chambre, elle te tuerait à coup sûr! »

Duncan frappa à la porte d'un petit coup discret. La plainte cessa immédiatement. Les planches gémirent et la lumière vacilla sous la porte. Il attendit encore un petit moment.

— Marion? Ça va?

Le bruit du verrou dans l'obscurité, puis un mince rai de lumière lui barra le visage dans un grincement. La silhouette de la jeune femme apparut dans l'entrebâillement.

— Je... je voulais m'assurer que tu allais bien avant d'aller dormir, expliqua-t-il. Tu as besoin de quelque chose?

Elle resta silencieuse un moment. Ouvrant plus grande la porte, elle l'invita :

— Entre, dit-elle en faisant un pas de côté.

Il vit qu'elle ne portait que le jupon et la chemise sous le plaid.

— Je ne sais pas, marmonna-t-il en regrettant déjà d'être venu. Ce n'est pas convenable... Enfin, je ne crois pas que ce soit très bien que je...

— Ne fais pas l'imbécile, Duncan. Voilà trois nuits que nous dormons côte à côte. À moins que le fait de me voir en jupe te gêne!

Il l'avait vue avec bien moins qu'une jupe. Il n'hésita qu'une seconde de plus. Après tout, elle avait raison. La jeune femme retourna se réfugier sur le lit. Il referma la porte derrière lui et s'y adossa. Un éclair illumina la chambre. Duncan regarda la fenêtre que le vent faisait vibrer. Il se dirigea vers elle, l'ouvrit et tira les volets qui battaient le mur extérieur avant de la refermer. Le plancher et le mur en dessous étaient trempés.

— Merci, pour le bain et les vêtements.

Duncan se retourna. Elle avait ramené ses jambes sous elle et les avait soustraites de sa vue en les couvrant du plaid. Une odeur de savon et de bois humide planait dans la pièce.

— Je me disais que la veste pourrait te causer quelques petits problèmes. Nous sommes loin de Glenlyon... Ce n'est pas une robe de qualité, mais compte tenu des circonstances...

— Elle est très bien, déclara-t-elle en repoussant une mèche encore un peu humide derrière son oreille.

Il sourit, puis déplaça le seul siège qui meublait la pièce, de façon à pouvoir s'asseoir en face d'elle. L'œil rougi, le sourcil crispé, elle se balançait d'avant en arrière comme si elle scandait mentalement un psaume quelconque. Elle avait pleuré. Il n'osa cependant pas lui demander pourquoi. Le malaise qui s'était installé entre eux au petit matin persistait, s'amplifiait. Elle lui lança des regards apeurés; soudain, elle lui paraissait très vulnérable. « Elle a encore peur de moi. Je n'aurais pas dû venir ici... » Il se leva brusquement.

— Je vois que tout va bien. Je vais te laisser dormir tranquille. Si tu as besoin de quoi que ce soit, tu sais où me trouver...

— Non! s'écria-t-elle d'un coup en levant vers lui un regard suppliant.

Il la regarda d'un air perplexe.

— Non, quoi?

— Ne pars pas... enfin, pas tout de suite.

Tout n'allait pas si bien finalement.

— Tu peux... rester encore un peu, jusqu'à ce que je m'endorme?

— Tu n'as pas à avoir peur, Marion. Mais je peux rester dans le corridor si cela peut te rassurer.

Il savait qu'il serait un bien plus grand danger pour elle que la bande d'ivrognes qui se trouvait en bas. De toute évidence, elle ne semblait pas consciente de l'effet qu'elle avait sur lui, surtout en ce moment précis. Ses boucles humides adhéraient à ses joues creusées par les ombres, et ses yeux clairs et mouillés le fixaient, l'ensorcelaient. Il prit une grande respiration. Seuls quelques pas et l'épaisseur d'une étoffe le séparaient de sa peau blanche.

— Tu n'as qu'à bien remettre le loquet en place...

— C'est de moi-même que j'ai peur, précisa-t-elle abruptement, les yeux perdus dans les reflets de la flaque d'eau qui se trouvait sous la fenêtre.

— De toi? Je ne comprends pas.

— J'ai...

Elle marqua une pause, se mordant la lèvre.

— J'ai des visions.

— Tu veux dire que tu fais des rêves, des cauchemars?

Elle secoua la tête.

— Des visions, répéta-t-elle, *an dà-shealladh*.[35]

Duncan la fixa, abasourdi.

— Tu as le don?

— Oui.

— Ce ne sont probablement que de mauvais rêves, Marion.

Elle entrouvrit la bouche et hocha lentement la tête de droite à gauche.

— Non, Duncan. Je ne dors pas toujours lorsque les images surgissent. C'est comme si j'entrais en transe; je n'entends plus rien de ce qui m'entoure. Je suis complètement absorbée par ce qui se déroule devant mes yeux. Les images... me semblent si réelles que j'ai l'impression qu'en tendant le bras, je pourrais toucher...

Elle s'étrangla dans un sanglot et cacha son visage entre ses mains. Duncan la regardait, interdit, ne sachant trop que faire ou que dire. Il connaissait le don de double vue, mais n'avait encore jamais rencontré personne qui le possédât. Du moins, pas jusqu'à ce jour. Quels mots pourrait-il trouver pour la rassurer? Elle semblait sincèrement terrifiée.

Précautionneusement, il s'approcha d'elle, puis s'assit sur le bord du

---

35. Don de double vue.

lit qui grinça horriblement sous son poids. Il crut que tout allait s'effondrer, mais cela tint bon.

— Tu veux me raconter? Peut-être cela te soulagerait-il?

Reniflant, elle haussa les épaules d'un air las. Une larme s'échappa du coin de son œil, parcourant la courbe de sa joue pour ralentir à l'angle de sa mâchoire. Duncan fixait la petite coulure luisante qu'avait laissée la larme qui, maintenant, était sur le point de se lancer dans le vide. Il la recueillit sur le bout de son doigt et l'écrasa sur son kilt.

— C'est trop terrible, je ne sais pas...

— Tu en as souvent?

— Non, la dernière fois, c'était il y a plusieurs années. Peu avant la mort de ma mère.

Elle soupira, les yeux fermés, avant de reprendre :

— Je regardais ma mère broder et, soudainement... j'ai vu comme un voile flotter sur elle, un peu comme un linceul. Je ne comprenais pas ce qui m'arrivait. Mes oreilles bourdonnaient de murmures. C'était... je ne sais pas... comme des voix. Mais je n'arrivais pas à distinguer des mots et je ne pouvais plus parler. J'avais perdu le contrôle de mes sens.

— Mais comment sais-tu que c'était des visions, le don?

— On me l'a appris plus tard quand j'ai eu assez de courage pour en parler. Je me disais qu'on allait sûrement me prendre pour une demeurée. C'est que j'ai vu ce voile à plusieurs reprises en regardant ma mère. Au bout d'un moment, je me refusais tout simplement à la regarder et je me cachais pour ne plus la voir. Dans la dernière vision, le voile l'avait couverte presque complètement. Cela ne durait jamais plus de quelques minutes, mais j'en restais bouleversée pendant des jours. Puis, une nuit, j'ai vu... une petite barque qui voguait sur une eau aussi lisse qu'un miroir. Elle était vide... Ma mère est morte noyée quelques jours plus tard, après être tombée dans le loch Tay lors d'une promenade. Sa barque avait chaviré.

Elle réprima un sanglot. Duncan prit la main qui froissait convulsivement le jupon, la tint entre les siennes, un peu désemparé. Elle était de glace. Sa voix se fit plus apaisante.

— Mais tu n'y étais pour rien, Marion... Tu ne pouvais pas savoir.

— C'est ce qui me fait le plus peur, Duncan. Je vois des choses terribles et je ne peux rien y faire. J'ai peur... La nuit dernière, mon cauchemar... ce n'en était pas vraiment un, tu vois.

Elle fixait les mains qui avaient emprisonné la sienne.

— Tu as eu une vision?

Elle acquiesça lentement de la tête.

— Et tu ne veux pas m'en parler?

Elle se renfrogna.

— Les visions ne sont-elles pas des images du destin?

— Mais c'est que cela peut parfois être si terrible!

Inconsciemment, il porta la main glacée à ses lèvres et la baisa tendrement. Marion le laissa faire.

113

— Alors il est préférable d'accepter son destin et de faire avec plutôt que de le combattre. Seul Dieu est maître de notre destin.

— Dieu! répliqua-t-elle âprement en le dévisageant, indécise. Si Dieu est l'artisan de ce que j'ai vu, alors il n'est pas celui en qui je veux croire.

— Mais qu'as-tu vu de si terrible?

Les lèvres de Marion tremblaient. Elle ouvrit la bouche, mais la referma aussitôt en frissonnant. Duncan passa un bras autour de ses épaules, l'attirant doucement contre lui. Il attendit quelques instants, craignant sa réaction. Elle ne le repoussa pas. « Je dois m'arrêter avant d'aller trop loin. » Mais ses mains ignoraient ce que leur dictait son cerveau. Il pouvait sentir le cœur de Marion battre sous ses doigts. Elle ne parlait plus, mais son corps en disait beaucoup plus que les mots. Elle frémissait dans ses bras. Les paupières fermées, les joues mouillées, elle bascula la tête vers l'arrière, lui offrant sa gorge.

Le cœur en émoi devant cette invitation implicite, Duncan hésita quelques secondes avant de s'aventurer sur la soie de sa peau blanche, de peur que cet instant magique ne s'évanouisse à jamais. « C'est de la folie! Glencoe et Glenlyon... Ce n'est que pure folie... Mais je suis fou d'elle! » N'y tenant plus, il hasarda ses lèvres brûlantes et assoiffées sur la gorge offerte. Le corps de Marion se tendit légèrement. La jeune femme agrippa sa chemise de ses deux mains et gémit. C'était inespéré.

— A Mhórag... A Mhórag mhillis, m'aingeal dhiabhluidh...[36]

Avide, la bouche de Duncan remonta lentement vers celle de Marion qui s'entrouvrit, consentante et accueillante. Avec une infinie douceur, il la poussa sur le lit qui se plaignit de nouveau, bruyamment. Il se hissa sur elle, la regardant dans les yeux, à la recherche de l'ombre d'une désapprobation, mais il n'en vit aucune. Ces yeux... Rêvait-il?

— Le destin, Marion, n'est-il pas parfois la plus belle histoire de notre vie?

— Pas toujours... Il peut être notre pire cauchemar, Duncan.

— Pas pour moi. Oh, non! pas en ce moment...

— Peut-être, mais chaque jour est une nouvelle page du grand livre qu'est notre vie. Le destin est la main qui écrit ces pages que nous tournons avec insouciance et naïveté, croyant que la prochaine sera plus belle que la précédente. Cette main se fait parfois bonne et indulgente, mais elle peut aussi être cruelle et impitoyable. Comment savoir?

Duncan chercha les mains de Marion, les trouva et les emprisonna bien fermement dans les siennes. « Elle est là, sous moi. Je dois m'arrêter, j'abuse de sa faiblesse... » Il se sentait comme le pire des profiteurs, mais n'y pouvait plus rien. La jeune femme gémissait, fébrile sous lui, et le brûlait telle une flamme de l'enfer.

— Alors il faut saisir l'instant, murmura-t-il en effleurant les lèvres

---

36. Oh! Marion... douce Marion, mon ange diabolique...

humides de Marion. Il faut le saisir et mordre dedans comme dans un fruit mûr avant qu'il ne se gâte. Le passé... est notre seule certitude. Le présent... est si... éphémère. Il nous glisse entre les doigts comme l'eau qui nous abreuve. Il nous échappe comme l'air que nous respirons. En cet instant précis, Marion Campbell... nous respirons le même air, toi et moi.

— Duncan, il y a tellement de souffrances et de sang entre nous.

Il s'assombrit. « Mais qu'est-ce que je fais? Elle a raison! Tout ce sang qui a coulé entre nos deux clans, nous ne pourrons jamais l'effacer. » Personne ne comprendrait. Il rêvait, oui. Mais il en avait tellement envie. Il désirait tant ne pas se réveiller, du moins pas tout de suite.

— Le sang a coulé sur les pages que d'autres ont écrites et tournées. Oh, Marion... Pourquoi revenir sur ce qui a été écrit? Nous n'y pouvons plus rien.

Le souffle chaud de la jeune femme se faisait irrégulier sur son visage. « Du miel, de la bruyère... Elle dégage le parfum des Highlands. Dans son corps coule le même sang que le mien. »

— Mais les mots restent gravés dans les mémoires, Duncan... Même si les pages ont été tournées... cela ne suffit pas toujours.

— Alors déchire-les avec moi!

Avec une appétence débridée, il couvrit sa bouche de la sienne. Tant d'émotions déferlaient en lui que ses pensées étaient de moins en moins cohérentes. « J'embrasse la fille de Glenlyon... La petite-fille de celui qui a presque réussi à exterminer le peuple de Glencoe. Je suis un traître... Je trahis les miens! Il ne faut pas! »

S'écartant légèrement, il reprit momentanément ses esprits. La poitrine de Marion se soulevait sous la sienne et sa chaleur se diffusait à travers l'étoffe quasi transparente qu'elle portait. Son corps qui se mouvait lentement faisait dangereusement grandir l'excitation dans le sien. Qu'est-ce qu'il la voulait! « Que m'arrive-t-il? » Il n'avait jamais éprouvé cela auparavant avec une femme, et pourtant, il en avait connu quelques-unes. Était-ce le fait qu'elle était l'ennemi qui le chamboulait à ce point?

Il l'observa un moment, haletante et les yeux fermés. Sa chemise encore humide par endroits collait à sa peau, ne dissimulant plus grand-chose. Oh! Le rêve se poursuivait. Sa main se posa sur la taille fine de la jeune femme et, s'emparant subrepticement de la chemise, tira dessus avec une lenteur appliquée. Elle ouvrit ses yeux de chat sur les poutres noircies du plafond. Sa peau si douce, si pâle glissait sous ses doigts comme la plus belle des soies. Il prit un sein rond et plein dans sa main et le massa doucement. La respiration de Marion s'accéléra. Elle émit une sorte de gémissement, comme une plainte, et roula sa lèvre entre ses dents. La main de Duncan quitta le sein tiède et traça un sentier sur la peau palpitante de son ventre, jusqu'au jupon, puis jusqu'à sa hanche. Il glissa ensuite ses doigts sur le lainage pour le retrousser.

Le corps de Marion se tendit et la jeune femme poussa un petit cri rauque. Duncan n'eut le temps que de frôler la douce toison en ce lieu interdit.

— Non...

Elle le repoussa brusquement, se tortillant avec vigueur pour se dégager. Abasourdi, perplexe, il la dévisagea, puis se laissa rouler sur le dos, mettant ses mains sur son visage et jurant intérieurement. « Imbécile! Tu es allé trop loin, trop vite. » Pourtant elle s'était laissé faire, il ne l'avait pas forcée et... elle semblait même aussi excitée que lui.

— Je suis navré.

— Je ne veux pas... Je ne peux pas.

— Je croyais que... enfin, tu ne te refusais pas il y a quelques minutes!

Il la fixait maintenant avec un mélange de frustration et de colère mal contenue. Son corps était encore douloureux de la tension inapaisée.

— Duncan...

Elle s'apprêtait à répliquer, mais se ravisa à la dernière seconde. Les traits de son visage congestionné se durcirent de peur et d'exaspération.

— Aurait-ce été pour une seule nuit, Duncan?

Elle se poussa dans le lit de façon à mettre la plus grande distance possible entre eux. Il se redressa sur un coude, interdit devant son changement d'attitude inopiné. D'une main tremblante, elle attrapa le plaid qui était resté coincé sous le coude de Duncan et tira violemment dessus pour le récupérer, le déstabilisant.

— Un trophée?

Le plaid l'enveloppa, soustrayant d'un coup au regard du jeune homme la quasi-nudité de son corps. Sa bouche se tordit en une grimace de dégoût.

— Un trophée? Mais de quoi parles-tu?

Assommé par ses propos, il s'était assis et la regardait, médusé.

— Tu prends la fille de Glenlyon et tu te sauves avec son honneur, c'est ça?

Il n'en revenait pas. Elle parlait comme s'il avait essayé de la violer. La garce! Elle l'avait laissé faire, l'enjoignant même de continuer en répondant à ses caresses. Et maintenant elle l'accusait!

— Mais ça va pas? Je ne t'ai pas forcée, à ce que je sache! Tu semblais drôlement consentante. Mais peut-être me jouais-tu la comédie pour...

Il s'interrompit brusquement. Il ne voulait pas être blessant, quoique...

— Qu'essaies-tu de me dire? Que je ne suis qu'une vulgaire allumeuse? Que je te jouais le grand jeu?

Il la considéra un moment. Ses yeux lui lançaient des éclairs. Il usait d'une volonté presque surhumaine pour se retenir de lui sauter dessus, de lui tordre son joli cou et de... Il déglutit.

— N'était-ce pas ce que tu faisais? lui lança-t-il âprement. Je suis un homme, Marion, et tu m'as laissé imaginer que tu voulais de moi. Comment croyais-tu que je réagirais?

Elle soutint son regard en se mordillant la lèvre, recroquevillée sous le plaid.

116

— Ensuite, tu m'accuses de vouloir te prendre de force?

Son cœur battait si fort qu'il pouvait presque l'entendre résonner dans la pièce. Il lui tourna brusquement le dos. Le tonnerre grondait toujours au loin et la pluie battait les tuiles d'ardoise avec violence au-dessus d'eux.

— Je pourrais te prendre de force si je le voulais, et tu le sais très bien, Marion Campbell, reprit-il en se retournant vers elle. J'aurais pu te prendre la nuit dernière, et la nuit d'avant. Dieu sait que ce n'était pas le désir qui me manquait. Un homme a des envies des fois... Mais je ne l'ai pas fait.

Il respirait bruyamment et la foudroyait d'un regard assassin. Elle ne cilla pas, ce qui eut pour effet de décupler sa fureur.

— Je suis tenté de ne pas te faire mentir! Il se rua sur elle et, lui arrachant le plaid, il l'écrasa contre le mur. Marion se débattit de toutes ses forces, poussant des cris étouffés sous la bouche qui l'assaillait. Elle le mordit sauvagement. Il s'écarta aussi brutalement qu'il l'avait agressée en proférant un horrible juron, une main sur sa lèvre ensanglantée. Il la sonda alors de son regard brûlant. Elle était complètement terrifiée. Il lui sourit méchamment.

— Tu n'es qu'un sale bâtard, Macdonald.

Duncan se permit quelques instants de répit pour se reprendre avant de répliquer. Sa voix se fit rauque, mais plus posée.

— Je n'ai pas voulu te violer parce que le jour où je te prendrai, Marion Campbell, ce sera parce que tu me l'auras demandé.

— Pas dans cette vie, jamais!

Il lui sourit avec ironie, une main sur la poignée de la porte.

— Alors ce sera dans une autre. Demain, je te conduirai à cette anguille visqueuse qu'est Breadalbane. Je comprends pourquoi il se sert de toi. Vous tenez tous les deux le même discours. Bonne nuit et fais de beaux rêves.

Sur ce, il sortit en claquant la porte derrière lui.

Marion gardait les yeux rivés sur la porte. Mortifiée de sa turpitude, elle enfouit son visage dans l'oreiller pour étouffer les sanglots qui l'étranglaient. Ce qu'elle avait pu être sotte! Elle s'était conduite comme la dernière des traînées avec un homme de Glencoe. Son corps avait trahi son esprit. Mais heureusement elle s'était reprise juste avant que l'irréparable ne soit commis.

— C'est de ma faute. Je n'aurais pas dû me laisser aller ainsi.

Elle renifla et rougit violemment. Le souvenir de ses lèvres humides et chaudes sur les siennes, de ses grandes mains sur sa peau, de ses joues velues qui frôlaient les siennes la brûla comme un péché mortel. Un frisson parcourut son corps. Elle ferma les yeux et mit ses doigts là où il avait posé sa bouche. Son odeur forte et musquée de mâle mêlée de notes plus subtiles de whisky, de laine mouillée et de fumée traînait encore sur sa chemise et dans le lit.

Sa main descendit sur sa poitrine, puis sur son ventre, et s'immisça entre ses cuisses. Elle soupira d'aise. Toutes ces sensations qu'il lui avait procurées! Des sensations nouvelles, enivrantes, merveilleusement délicieuses, presque douloureuses. Elle retira vivement sa main. Était-ce toujours ainsi entre un homme et une femme?

À seize ans, elle ne connaissait rien de l'amour. Lorsque sa mère s'était noyée, elle n'avait que six ans. Son père... Un père ne parlait pas de telles choses avec sa fille. Et qu'aurait pu lui raconter la bonne vieille Amelia qui voyait le mal en tout? Elle avait bien vu des saillies d'animaux, mais pouvait-on comparer un étalon ou un chien avec un homme?

Elle s'était abandonnée avec délices, consentante aux mains si douces de Duncan. Sur ce point, il avait raison, et elle s'en voulait de l'avoir faussement accusé. Mais lorsqu'elle avait senti ses paumes sur sa peau nue, elle avait réalisé qu'il n'y avait plus de barrières. Les événements s'étaient déroulés trop rapidement. Or elle détestait perdre le contrôle d'une situation. Et c'était ce qui s'était produit. Elle avait alors paniqué et l'avait repoussé. Son esprit avait repris les choses en main, comme si une petite voix émergée des brumes l'avait tirée de la douce torpeur dans laquelle elle s'était laissée glisser.

Il devait certainement la détester à présent. Son cœur se serra. C'était probablement mieux ainsi. Elle ne pouvait se permettre la folie de se donner à un homme que son clan considérait comme la pire racaille des Highlands. Oh! Mais comme elle en avait eu envie! Elle avait été prête à lui offrir sa virginité, mais en échange de quoi? Une nuit de fol amour pour se réveiller auprès d'un homme qui la méprisait et s'empresserait de chanter à qui voulait bien l'entendre qu'il avait volé l'honneur de la fille de Glenlyon? Non, elle voulait se donner à celui qui saurait l'aimer vraiment.

Un grognement sourd s'échappa de sa gorge. Elle avait vraiment la langue fourchue d'une vipère. Sur ce point aussi, il avait eu raison. Elle aurait pu lui faire comprendre autrement qu'elle ne voulait pas que les choses aillent plus loin! Mais cela avait été plus fort qu'elle. Ses frères lui avaient appris à se servir de sa verve.

D'un geste brusque, elle chassa ses dernières pensées. Elle devait se concentrer sur la mission dont l'avait chargée Breadalbane. Lorsqu'elle aurait transmis au comte de vive voix les informations obtenues, elle pourrait enfin retourner chez elle et se réfugier dans un cocon douillet, tandis que les hommes se livreraient à leurs jeux de guerre.

Son estomac se noua lorsque la vision lui revint. Un petit cri s'échappa de ses lèvres frémissantes, qu'elle couvrit aussitôt d'une main glacée. La bataille... Elle l'avait vue! Elle l'avait vue comme si elle y était! L'odeur du sang et de la poudre, les cris, le sifflement des lames fendant l'air avant de s'abattre sur... Non, Duncan! Mais que pouvait-elle faire, sinon prier pour lui? Le glaive des *Sassannachs* allait cruellement frapper, elle l'avait vu. Tout ce sang qui assombrissait le tartan de Glencoe...

— Oh! Duncan... gémit-elle.

TROISIÈME PARTIE

« *Le monde est une comédie dont les hommes sont les spectateurs.* »

Pythagore

7

Dans l'antichambre d'une courtisane

Je me laissai lourdement tomber sur le sac d'orge moulu. Un petit nuage de poussière s'en échappa et m'enveloppa, me faisant tousser. J'étais éreintée. Le travail à la brasserie prenait beaucoup de mon temps, et il y avait tant à faire avant l'hiver. Les hommes ayant quitté la vallée depuis maintenant trois semaines, nous nous retrouvions, nous, les femmes, avec une surcharge de tâches à accomplir. La moisson, le salage et le stockage des viandes, le troupeau à ramener dans la vallée...

J'avais même essayé de chasser à quelques reprises, mais sans grands résultats. Les cerfs rouges, comme s'ils savaient que les chasseurs avaient été appelés à traquer un tout autre gibier, venaient nous narguer jusqu'à la limite de nos villages. Nous nous contentions donc d'abattre le bétail que nous possédions, Dieu merci, en assez grand nombre. De toute façon, il ne pourrait de toute évidence pas être vendu au marché de Crieff cet automne.

Du matin au soir, les femmes du clan suaient sang et eau à faucher dans les champs. Puis elles stockaient l'orge et l'avoine dans la grange avant les premières gelées. Si Dame Nature se montrait bonne avec nous, nous aurions juste assez de grain pour passer l'hiver. Le reste pourrirait dans les champs au printemps. Nous n'aurions pas de surplus. La saison froide s'annonçait difficile et nous allions être obligées de rationner nos provisions.

Je me remis sur mes jambes en grimaçant pour retourner au brassage du moût. Il me restait encore deux tonneaux à remplir de brai[37] pour la fermentation et trois sacs d'orge à bruisiner[38]. Je commençais à comprendre pourquoi les hommes appréciaient tant le travail à la distillerie.

---

37. Orge broyé pour la bière.
38. Moudre de l'orge germé afin d'en faire de la bière.

Après seulement quelques heures à respirer l'air chargé de vapeurs d'alcool, je sentais mon esprit flotter d'ivresse. Peut-être cela rendait-il la corvée un peu moins pénible? Enfin, il fallait bien que quelqu'un le fasse. Comme j'avais aidé Liam à maintes reprises, j'en connaissais assez pour tenter de concocter une recette de bière de bruyère à ma façon. Quelques-uns des rares hommes qui étaient restés ici s'occupaient de distiller le whisky. Les hommes en réclameraient à cor et à cri à leur retour... « Ils reviendront, Caitlin, prie pour eux... »

— *Ar n-Athair, a tha air neamh, gum bu naom a bhios t'ainm; guntigeadh do rioghachd...*[39]

— Maman! Maman!

Sursautant violemment, je laissai échapper ma louche de bois et manquai de la perdre dans le liquide mousseux d'où s'élevait le doux arôme de malt. Quand je me retournai, je me retrouvai nez à nez avec Frances qui haletait, les joues rougies par sa course.

— Qu'y a-t-il? demandai-je un peu durement. Si tu veux que je survive encore quelques années, ma fille, tu ferais mieux de ménager un peu mon cœur!

— Il y a un homme qui veut te voir! Il arrive d'Édimbourg...

— Édimbourg? Qu'est-ce que ton père ferait à Édimbourg?

Un nœud se forma au creux de mon estomac. La bataille n'avait certainement pas encore eu lieu, il était beaucoup trop tôt. Les troupes n'avaient pas encore toutes rejoint le comte de Mar. Et puis, s'il s'était passé quelque chose, les vents qui sillonnaient les vallées des Highlands nous auraient sûrement porté la nouvelle.

Frances se tordait nerveusement les mains dans son tablier de jute taché de sang de bœuf. Me dominant par sa taille, peut-être attendait-elle une lettre de Trevor. Ce dernier, après l'échange expéditif de leurs vœux, lui avait promis de lui écrire dès qu'il en aurait la possibilité. Mais aucune lettre ne nous était encore parvenue. Frances aurait pu partir s'installer à Dalness, mais elle avait décidé de rester à Glencoe pour attendre le retour de son bien-aimé. Elle avait prétexté qu'elle ne voulait pas me laisser seule avec tous les travaux. Je lui en étais grandement reconnaissante, d'ailleurs.

La cérémonie du *handfast* avait été un peu ternie par la perspective du départ des hommes dès le lever du jour, le lendemain. Seuls les parents proches y avaient assisté en tant que témoins. Liam avait béni, non sans avoir préalablement enfilé quelques *drams* de whisky, les mains des deux amoureux liées l'une à l'autre par un ruban. J'aurais préféré que cela se passe autrement pour ma fille, mais qu'avais-je à dire? Elle en avait décidé ainsi. Ensuite, Liam, Trevor et mes fils avaient entrepris de vider la bouteille d'eau-de-feu entamée, tandis que j'aidais Frances à préparer la couche nuptiale du couple dans un recoin de la grange. C'était un endroit

---

39. Le Notre Père.

plutôt singulier pour une nuit de noces. Mais Frances avait refusé de dormir à la maison et il était trop tard pour prendre le chemin de Dalness.

Elle me dévisageait toujours, dans l'attente d'une réaction quelconque de ma part.

— Où est-il?

— À la maison. Il tient à te remettre le message en mains propres. Il dit que c'est urgent, viens vite!

Je suspendis la louche au tonneau et mis le couvercle. Après avoir retiré mon sarrau de cuir et m'être débarbouillée un peu, je suivis Frances jusqu'à la maison. L'homme, qui attendait debout devant le feu, se retourna et me gratifia d'un sourire poli tout en inclinant légèrement le chef.

— Madame, dit-il en se redressant.

L'inconnu portait une vieille houppelande de laine brune mouillée et maculée de boue. Il avait déposé son tricorne sur la table, où se trouvaient aussi une cravache et une sacoche de cuir usé.

— Vous avez demandé à me voir?

— Vous êtes bien madame Caitlin Macdonald de Glencoe?

— Oui, c'est moi.

Il se dirigea alors vers la sacoche, fouilla dedans et en retira une lettre scellée.

— J'ai pour ordre d'attendre une réponse de votre part, expliqua-t-il en me présentant le pli froissé.

Je pris la lettre d'une main hésitante et la retournai. Elle portait le sceau de la maison des Keith, comtes de Marischal. Elle ne venait pas de Liam, mais de mon frère Patrick. Le nœud dans mon estomac se resserra. Je me tournai vers Frances, qui me dévisageait avec inquiétude.

— Offre quelque chose à boire au porteur, Frances. Et à manger aussi. Il doit certainement avoir faim.

Je revins à l'homme qui n'avait pas bougé.

— Vous êtes monsieur?...

— Malcolm Marshall, madame.

— Asseyez-vous, je vous prie, monsieur Marshall.

Je fis tourner la lettre entre mes doigts pour l'examiner de nouveau.

— Quand cette lettre est-elle partie d'Édimbourg?

— Je suis parti hier à la première heure, madame. J'ai fait le plus vite possible, mais étant donné la situation, j'ai dû prendre quelques détours pour éviter de me retrouver nez à nez avec les armées royalistes.

— Deux jours... C'est quand même déjà assez rapide par le temps de chien qui sévit.

Il sourit, puis s'assit devant le grand broc de bière que Frances avait déposé sur la table avant de lui retirer sa cape et de la suspendre.

— En effet, madame.

Je tapai nerveusement du doigt sur l'enveloppe.

— Je prends quelques minutes pour lire la lettre et je vous reviens.

Je me préparai à quitter la pièce pour gagner ma chambre, mais me tournai une dernière fois vers le messager, qui mordait déjà dans un morceau de jambon froid.

— Dites-moi, monsieur Marshall, savez-vous où se trouve l'armée highlander du général Gordon?

L'homme haussa ses sourcils broussailleux au-dessus de ses yeux rougis par la fatigue, puis déposa dans l'assiette le morceau de jambon qu'il s'apprêtait à enfourner.

— Le général Gordon? Euh... je suis désolé, madame, je ne saurais vous dire. Une chose est certaine, cependant : elle n'a pas encore rejoint l'étendard du Prétendant, à Perth. Le comte de Mar a réussi à prendre possession de la ville avant le comte de Rothes avec seulement deux cents hommes sous les ordres du colonel John Hay.

— Je suppose que c'est une bonne nouvelle pour nous.

Monsieur Marshall ébaucha un large sourire, dévoilant une dent manquante et quelques autres qui n'allaient certainement pas tarder à disparaître étant donné leur état.

— C'est un point stratégique de la plus haute importance, madame Macdonald! La prise de la ville de Perth nous assure le contrôle de tout le comté du Fife, en plus de celui qui est situé au nord de la Tay.

Je lui souris même si je ne partageais pas son enthousiasme. L'insurrection allait manifestement mettre le pays à feu et à sang, et je ne voyais pas vraiment de raison de m'en réjouir. Car c'était du sang de mes hommes dont il s'agissait.

— Bon appétit, monsieur. Si vous avez besoin d'autre chose, vous n'aurez qu'à demander à Frances.

— Merci, madame.

Je tournai les talons, puis allai m'enfermer dans ma chambre. Je dépliai lentement la lettre sur mes genoux. L'écriture était irrégulière et des taches d'encre masquaient des lettres à certains endroits. De toute évidence, elle avait été écrite à la hâte. Je reconnus néanmoins l'écriture de ma belle-sœur, Sàra.

Édimbourg, le 29 septembre 1715

Ma très chère Caitlin,

Le malheur m'afflige. Je suis dévastée et j'ai le cœur qui saigne à l'heure où je t'écris ces quelques mots. Patrick est enfermé dans la prison du château d'Édimbourg depuis maintenant trois semaines. Je n'ai pu le voir, mais on m'a appris qu'il était blessé à une jambe. Je n'ai aucune autre information sur son état de santé ni sur la nature de sa blessure. Il a été capturé lors d'une tentative de saisie sur la forteresse, au nom du Prétendant, tentative qui s'est malheureusement soldée par un échec. Le duc d'Argyle ayant fait son entrée dans la ville, les partisans jacobites se sont enfuis ou se sont terrés et restent introuvables. Je suis désespérée et je crains pour la vie de Patrick. Je te demande ton aide et t'envoie monsieur Marshall pour t'escorter jusqu'ici, si jamais tu acceptais de venir me prêter main-forte. Peut-être qu'à nous deux nous pourrions trouver une solution pour sortir Patrick de la mauvaise posture où il se trouve. Je sais que c'est la saison des moissons et que le travail ne doit pas manquer. S'il t'est impossible de t'éloigner de Glencoe pour venir jusqu'ici, je saurai comprendre et te ferai parvenir d'autres nouvelles sitôt que la situation changera.

Affectueusement,
Sàra Macdonald Dunn

Je déposai la lettre sur mes genoux, la fixant d'un air absent. Mon frère en prison... *A Dhia! Cuidich mi!*[40] Je devais me rendre à Édimbourg, ne serait-ce que pour consoler Sàra. Ces foutus jacobites! Ils se sauvaient tous comme des rats dès que le chat se montrait, et Sàra se retrouvait seule pour sortir mon frère du pétrin. D'ici, je ne pouvais rien pour eux deux, à part m'abîmer dans la prière. Mais je doutais que la prière puisse apporter l'aide nécessaire.

Je soupirai de lassitude et repliai soigneusement la triste lettre. Il me faudrait laisser Frances seule pour accomplir les corvées. Mais je n'avais guère le choix. Elle comprendrait et ferait ce qu'elle pourrait. J'avais confiance en elle. Elle était obstinée et nous passions rarement une journée sans avoir une prise de bec. Mais elle ne rechignait jamais aux corvées et s'enorgueillissait même de les exécuter à la perfection. Elle veillerait au grain durant mon absence.

Il me faudrait aussi confier la brasserie au bon vieux Malcolm Macdonald. Il ne restait plus dans la vallée qu'une poignée d'hommes, dont le chef, John MacIain. À cause de son état de santé, il n'avait pas pu se mettre en marche à la tête de son clan. Son frère occupait donc le poste de capitaine à sa place.

« Oh, Liam, où es-tu donc en ce moment? » Mes doigts effleurèrent la série d'encoches dont j'avais marqué le bois du lit. Je laissai mes doigts glisser lentement sur les entailles polies par le temps. Vingt ans déjà... C'était si loin, mais le souvenir de cette terrible attente restait gravé dans ma mémoire. Autant de cicatrices sur mon cœur que de marques sur le bois. Vingt-quatre longues journées à espérer voir Liam apparaître sur le seuil de la porte et autant de nuits à pleurer mon bien-aimé dans le lit vide et froid. Sa fuite pour la France après sa libération du Tolbooth d'Édimbourg m'avait dévastée. Je l'avais haï, maudit. L'amour pardonne mais n'oublie pas.

Dix-huit nouvelles marques tout aussi douloureuses s'étaient ajoutées et faisaient saigner mon cœur jour après jour. « Bientôt ton cœur ne sera plus qu'une plaie vive, Caitlin. Alors, peut-être qu'il en aura assez... » Cependant, cette fois-ci, je ne pouvais en tenir rigueur à Liam. Il était soldat.

Je fermai les yeux un moment, inspirant profondément. « Quand il le faut, il le faut, Caitlin! » Me levant, je glissai la lettre dans la poche de ma

---

40. Oh mon Dieu! Aidez-moi!

jupe et sortis. Frances leva le nez de son reprisage et me dévisagea, le teint blafard, le regard interrogateur.

— Maman?...

— La lettre vient de ta tante Sàra. Patrick est enfermé dans la prison du château d'Édimbourg.

Sa mâchoire tomba et elle eut un hoquet de surprise.

— Mais pourquoi? Qu'a-t-il fait?

J'affichai une moue ironique.

— Ils ont tenté de prendre la forteresse, mais l'opération a, semble-t-il, échoué. Ton oncle a été mis aux arrêts et aux fers.

— Et tante Sàra?

— Elle me réclame, ma fille.

Elle resta un moment immobile à me fixer. Puis elle replaça son ouvrage dans le panier posé à ses pieds avant de croiser ses mains sur ses genoux.

— Quand pars-tu? demanda-t-elle sur un ton faussement détaché.

Je me tournai vers l'étranger, qui fumait tranquillement sa pipe dans un des fauteuils, devant le feu. Réalisant que je l'interrogeais du regard, il se redressa aussitôt et toussota en retirant la vieille pipe d'os jaunie de sa bouche.

— Nous pouvons partir dès que vos bagages seront prêts, madame.

— Bon, demain matin alors, monsieur Marshall. Vous avez besoin de repos, et moi, je dois donner des instructions à mes gens avant de quitter la vallée.

— Ce sera selon vos désirs, madame, dit-il, visiblement heureux de pouvoir prendre quelques heures de sommeil.

***

Trois jours plus tard, j'étais à Édimbourg, à attendre dans le petit hall obscur de la maison de Patrick. Au fil des ans, je m'étais retrouvée dans ce même hall à plusieurs reprises. Mais aujourd'hui, le rire rauque de Sàra qui d'habitude tourbillonnait et m'accueillait était muet. Des pas rapides résonnèrent sur le parquet, une porte s'ouvrit, puis une petite bouille rose sous un bonnet immaculé se montra. Le visage s'illumina et se fendit en un large sourire bonhomme.

— Ah! Madame Macdonald! s'écria la gouvernante en levant bien haut les bras.

Elle s'élança vers moi en dandinant son arrière-train. Je souris malgré moi. Chère Rosie! Avec son incessant caquètement, sa petite taille et ses rondeurs, elle me faisait penser à une mère oie gardant toujours un œil protecteur sur ses petits qui, en l'occurrence, étaient Sàra et Patrick.

— Enfin, vous voilà! Je désespérais de vous voir arriver! Maîtresse Sàra ne va pas bien du tout, mais alors là, vraiment pas bien, j'vous dis!

Elle me débarrassa de ma lourde cape de laine et de mes gants, puis m'entraîna dans l'escalier en spirale qui menait à l'étage.

126

— Il y a du nouveau?

Rosie s'arrêta net au beau milieu des marches pour se retourner. Je faillis rebondir sur l'énorme poitrine qui menaçait de déchirer le tablier tendu à l'extrême.

— Monsieur Patrick est très mal en point. Nous avons eu la visite du docteur Arthur hier, dans la matinée. Un de ses collègues était allé à la prison du château deux jours plus tôt...

Elle grimaça, levant des yeux désespérés au ciel.

— Il a une jambe grosse comme un haggis bien dodu et souffre de fièvre maligne. Il ne tiendra pas bien longtemps s'il ne sort pas de là bientôt.

— Il reçoit des soins?

— Ah, pour ça... comment savoir? Le collègue du docteur Arthur n'était passé que pour constater l'état des prisonniers. S'ils reçoivent des soins... avec l'insurrection et tout le grabuge, je ne sais pas, madame. Mais je doute que les insurgés aient droit à un traitement convenable.

Une délicieuse odeur de petits gâteaux fraîchement sortis du four m'accueillit dans le boudoir. Sàra était prostrée dans un fauteuil devant la fenêtre crasseuse. La pièce, plongée dans la pénombre, était un vrai fourbi. Des vêtements s'amoncelaient un peu partout sur le sol et les meubles. Le petit secrétaire croulait sous des piles de paperasse et de livres. Un encrier de faïence aux motifs bleus de Delft était resté ouvert, une plume toujours fichée dedans.

Sàra tourna lentement vers moi son visage ravagé par l'anxiété et la fatigue. Elle poussa un léger cri de surprise en me voyant, puis éclata en sanglots.

— Oh, Caitlin! Je souhaitais tellement que tu viennes... Je ne sais plus quoi faire, hoqueta-t-elle après un moment sur mon épaule trempée.

Je caressai ses longs cheveux de blé, toujours aussi beaux même s'ils avaient légèrement foncé avec les années, et l'embrassai sur les joues.

— Pourquoi as-tu attendu si longtemps pour m'écrire, Sàra?

Repoussant une mèche, elle renifla dans sa manche. Ses beaux yeux gris avaient pris la teinte d'un ciel d'orage.

— Je ne voulais pas te déranger. Je croyais que nos amis jacobites feraient quelque chose pour Patrick et les trois hommes qui ont été pris avec lui. Mais ils n'ont même pas levé le petit doigt... après tout ce que Patrick a fait pour eux!

— Tu aurais tout de même dû m'écrire plus tôt.

— Je sais... mais avec tout le travail à faire avant l'hiver, dans la vallée, et les hommes qui sont partis...

Elle s'écarta et essuya ses yeux cernés et rougis du revers de la main, esquissant un vague sourire.

— L'important est que tu sois là. Rosie m'a apporté du thé et des gâteaux.

Envoyant un jupon voler sur un guéridon, elle libéra un fauteuil qu'elle approcha de la table basse où avait été déposé le plateau avec une théière fumante, des tasses de porcelaine et les pâtisseries.

— Tiens, assieds-toi.

Elle reprit place dans son fauteuil, en face de moi, et nous servit du thé d'une main tremblante.

— Raconte-moi ce qui s'est passé.

Sa main survola un moment le plateau, puis se referma sur l'assiette de petits gâteaux qu'elle me présenta.

— Cela aurait pu être un bon coup, tu sais. Imagine! S'ils avaient pu prendre possession du château, Édimbourg aurait été sous leur contrôle. Sans parler de la réserve d'armes et de munitions qu'il contient, et du trésor de la couronne d'Écosse qu'il abrite. Patrick m'a expliqué que les forces royalistes du gouvernement n'auraient alors pas eu le choix et auraient dû abandonner Stirling aux jacobites pour se replier vers le sud. C'est lord Drummond qui était le cerveau de cet audacieux projet. Il avait recruté quatre-vingt-dix hommes parmi les partisans et amis du Prétendant qui se trouvaient à Édimbourg. En cas de succès, chaque homme devait recevoir un grade d'officier et une prime de cent livres sterling. Pour arriver à leurs fins, ils se sont servis d'un soldat, le caporal Timothy Arthur, jadis porte-étendard dans la garde écossaise. Ce dernier devait corrompre quelques soldats de l'autre côté du mur. Tu connais le proverbe : *Cluinnidh am bodhar fhèin fuaim an airgi!*[41] Un sergent, un caporal et deux sentinelles ont été soudoyés. Ces hommes devaient attendre en haut du mur nord pour les aider à escalader la muraille à l'aide de deux échelles de corde. Le plan était infaillible...

— Ou plutôt semblait l'être.

Sàra haussa les épaules, puis croqua dans un gâteau avant de continuer.

— C'est que personne ne pouvait prévoir... Le caporal Arthur, qui soutient notre cause, en aurait parlé à son frère, le docteur Quinlan Arthur. Ce dernier...

Elle m'offrit de remplir de nouveau ma tasse, ce que je déclinai, puis se resservit elle-même.

— ... ce dernier en aurait malencontreusement parlé à son épouse qui, pour notre plus grand malheur, ne semble pas embrasser la cause. Elle aurait, à l'insu de son mari, envoyé un message à un clerc de la Chambre des lords, sir Cockburn, qui l'aurait fait suivre chez le gouverneur de la forteresse.

— Mais ce docteur Arthur...

— Il est atterré de ce qui est arrivé. Il n'aurait jamais cru que son épouse puisse le trahir de la sorte, car c'est un partisan du Prétendant, tout

---

41. L'homme, même sourd, entendra le son de l'argent.

comme son frère. Il a prêté serment et risque beaucoup maintenant. Il se dit prêt à se racheter en nous aidant. Mais il nous faut trouver un moyen de le faire entrer dans les murs de la forteresse sans éveiller de soupçons.

— Donc les rebelles étaient attendus cette nuit-là!

— En effet. Toutefois, croyant qu'ils ne tenteraient pas leur coup avant la nuit, le gouverneur n'a doublé ses effectifs qu'au changement de garde. Mais les conspirateurs se sont trop attardés à fignoler les menus détails et ont largement dépassé l'heure convenue pour l'assaut. Lorsqu'ils furent au pied du mur et qu'ils commencèrent à grimper à l'échelle, la sentinelle fut prise en flagrant délit et coupa les cordes, envoyant dans le vide les hommes qui y étaient accrochés.

— Et Patrick était de ceux-là.

Elle baissa son regard gris sombre sur le liquide ambré qui tournait dans sa tasse.

— Oui.

— Qui t'a raconté tous ces détails?

— Immédiatement après, Joseph Small est venu me faire part de l'incident. Il m'a dit qu'ils avaient tenté de transporter Patrick. Mais la Garde était sur eux et ils ont dû se résigner à le laisser derrière à cause de son état.

— Les salauds!

Dans un cliquetis de porcelaine, je posai ma tasse vide sur le plateau et me levai brusquement pour aller me poster à la fenêtre. Une forêt de cheminées crachait des nuages de suie noire qui retombait sur la ville et ses habitants. Ironiquement, les cachots étaient creusés dans le granit de Castle Rock sur lequel était assise la forteresse et au pied duquel la maison de Patrick était érigée. Blackstone's Land, comme on l'appelait, était louée à un riche marchand écossais qui était parti en Amérique pour y prospérer. C'était un bâtiment étroit comportant six étages. Patrick et Sàra occupaient les deux premiers niveaux.

— Vous devez bien avoir quelques amis, des connaissances qui pourraient l'aider, non? Et mon frère Mathew?

— Mathew cherche de son côté. La Garde patrouille dans la ville depuis l'assaut avorté. Les partisans se terrent, de peur d'être pris.

— Tu dois bien connaître quelqu'un qui n'est pas partisan, insistai-je en me retournant vers elle.

L'œil vide, Sàra s'était recroquevillée dans son fauteuil, le menton posé sur ses genoux entourés de ses bras.

— Je ne sais pas...

Elle fronça ses fins sourcils et réfléchit en se mordillant la lèvre. Ses cheveux hirsutes retombaient lamentablement sur sa chemise de nuit toute froissée. Bêtement, je me demandai si elle était heureuse avec mon frère. Je ne doutais pas de l'amour qu'elle lui portait : son désarroi en témoignait grandement. Mais depuis ses quatre fausses couches consécutives, elle me semblait plus triste et détachée. Habituellement si pétillante et si débordante d'énergie, elle se laissait maintenant porter par le courant de la vie, sans lutter dans les remous, coulant et refaisant surface un peu plus loin sans tenter de s'accrocher à quelque chose de solide qui l'empêcherait de sombrer de nouveau. « Un jour elle ne refera pas surface, pensai-je tristement. Patrick doit s'occuper un peu plus d'elle... s'il s'en sort. » Il se donnait tant à la cause que parfois il en oubliait qu'il était marié.

Je devais prendre les choses en main. Elle n'y arriverait jamais seule dans l'état où elle se trouvait maintenant. Mais elle devait m'aider. Le docteur Arthur était un bon point de départ; il fallait trouver le moyen de le faire pénétrer dans l'enceinte du château.

Un léger grattement me sortit de mes réflexions. Rosie fit irruption dans l'entrebâillement de la porte.

— Maîtresse Sàra, une dame demande à vous voir. Je lui ai dit que vous ne receviez personne, mais elle insiste.

— De qui s'agit-il, Rosie?

— C'est lady Stratton.

— Clémentine? Mais faites-la monter, Rosie!

La gouvernante fronça les sourcils, jetant un regard désapprobateur dans la pièce.

— Dans ce fourbi, madame? Ce n'est pas convenable!

Sàra éclata de son rire rauque qui, j'en étais certaine, résonnait jusque dans le petit hall d'entrée où devait attendre la visiteuse. D'un bond, elle se mit debout pour faire face à Rosie qui la dévisageait d'un air pincé.

— C'est que vous n'avez jamais visité les appartements de lady Stratton, ma chère Rosie. Quant à ma tenue, elle ne s'en formalisera nullement, je vous l'assure.

Rosie lança un regard courroucé à sa maîtresse, puis referma la porte derrière elle.

— Pauvre Rosie! s'esclaffa Sàra en ramassant le jupon pour l'enfiler. Elle est si bonne pour moi, mais elle peut être si étroite d'esprit!

Je l'aidai à attacher son jupon tandis qu'elle enfilait ses bas. Juste au moment où je finissais de lacer sa robe, la porte s'ouvrit et une ravissante petite créature brune fit son entrée dans un froufrou soyeux d'étoffes et de dentelles.

Lady Stratton retira ses gants de fin canepin [42] qu'elle déposa avec sa capeline de velours sur le dossier d'un canapé. Sa contouche [43] de coton-nade à fleurs crème sur fond rose passé moulait ses voluptueuses formes qui voulaient s'échapper du bustier ajusté sous un fichu de linon dia-phane. Un petit bonnet de dentelles françaises empesées couvrait ses che-veux remontés sur le dessus de son crâne en une coiffure plate. Quelques mèches folles retombaient et encadraient joliment son magnifique visage

---

42. Peau d'agneau ou de chevreau extrêmement fine.

43. Robe à la française ressemblant à un peignoir, popularisée sous la période rococo.

dévoré par une paire d'immenses yeux verts au-dessus d'une bouche en cœur couleur vermeil.

— Sàra chérie! s'écria la dame en embrassant ma belle-sœur avec effusion. Je viens tout juste d'apprendre la terrible nouvelle, j'en suis catastrophée!

Elle se tourna vers moi et me sourit, me détaillant d'un œil curieux. Je lui rendis la pareille. Sàra, se sortant miraculeusement de sa torpeur, prit enfin la parole :

— Clémentine, je te présente Caitlin, l'épouse de mon frère Liam et la sœur de Patrick.

— Enchantée.

— Elle arrive de Glencoe, continua ma belle-sœur. Elle vient pour m'aider à sortir Patrick de prison.

— Oh, Sàra! Si j'avais su plus tôt, j'aurais accouru aussitôt pour te proposer mon aide, mais...

Elle me jeta un coup d'œil circonspect, prenant un air perplexe.

— Ça va, Clémentine. Tu peux parler devant Caitlin.

La jolie créature haussa alors les épaules et reprit sur un ton badin :

— C'est que personne n'a jugé bon de me faire part de la nouvelle.

— Comment va ta mère? demanda ma belle-sœur en lui indiquant un fauteuil.

— Oh, maman...

Elle s'assit précautionneusement et lissa les plis de sa robe autour d'elle, puis elle croisa sur ses genoux ses petites mains potelées, blanches et parfaitement manucurées.

— Elle ne passera pas l'hiver, j'en suis persuadée.

Examinant ses ongles, elle soupira.

— La vie ne lui a pas fait de cadeaux, vois-tu. Le marquis a eu la bonté d'envoyer son médecin personnel à son chevet. Il a pratiqué quelques saignées et lui a administré un lavement ainsi qu'une purge. Mais je sais bien au fond de moi-même qu'il ne peut plus rien contre le mal qui lui ronge les entrailles. Maman ne se bat plus. La mort sera une délivrance pour elle; elle souffre tellement.

Son beau visage s'assombrit.

— Je suis sincèrement désolée, Clémentine, dit Sàra.

— Je me console en me disant que les dernières années de sa vie lui ont été moins pénibles à vivre. Avec l'argent que je lui envoie, elle peut se louer un joli petit cottage sur la rivière Earn, avec les services d'une domestique.

— Ta mère sait pour le marquis?

Clémentine leva un sourcil et fit une moue incertaine.

— Je ne sais pas, probablement... Je ne lui en ai jamais parlé.

Sa main mollasse balaya l'air dans un nuage de dentelles. Puis elle reprit sur un ton plus grave :

— Bon, si on parlait de Patrick! Il est enfermé dans la forteresse, à ce qu'on m'a raconté.

— Oui, acquiesça Sàra d'une voix morose en se laissant retomber dans son fauteuil. Je suis désespérée, Clémentine.

La jolie brunette afficha un air préoccupé et, plongée dans ses réflexions, plissa son nez. Un peu gênée, elle osa :

— J'ai un ami... qui pourrait peut-être nous être utile.

Sàra redressa les épaules en même temps qu'un sourcil intéressé.

— Qui?

— Lord Thomas Minshaw. Il est membre de la Chambre des lords, à Londres. Il est depuis quatre jours à Édimbourg et cherche à se divertir, alors...

— Alors? demanda ma belle-sœur.

— Je pourrais arranger un petit dîner et y convier quelques-uns de ses amis qui ont leur entrée dans la forteresse. Comme... le lieutenant-colonel Stuart?

Sàra ouvrit grands les yeux et la bouche, me lançant un regard ébahi.

— Le gouverneur de la forteresse? Caitlin, c'est notre clef d'entrée!

— Vous aviez un plan? demanda Clémentine en tendant une main gourmande vers les petits gâteaux.

— Une ébauche seulement, reprit Sàra en pianotant nerveusement sur sa cuisse. Patrick est gravement blessé. Le docteur Arthur est prêt à nous aider, mais n'entre pas qui veut dans la prison du château.

— N'en sort pas qui veut non plus, ajouta Clémentine en se levant.

Elle se mit à arpenter le boudoir exigu en mâchant distraitement sa pâtisserie.

— Bon, si nous partions de cette idée qui, ma foi, n'est pas si mal, continua-t-elle en s'arrêtant devant le petit secrétaire. Un ordre en règle pour rendre visite à un prisonnier gravement blessé, ça va. Mais comment faire sortir Patrick?

— Une demande de transfert, peut-être? avançai-je prudemment.

Le visage de Sàra s'éclaira.

— Mais bien sûr! Un transfert! Comment n'y ai-je pas pensé plus tôt? Mais qui nous fournira l'ordre?

Clémentine s'était penchée au-dessus du secrétaire et furetait parmi les papiers entassés pêle-mêle. Elle se saisit d'une feuille et l'étudia un moment avant de se retourner, un sourire triomphal sur les lèvres.

— Toi, Sàra! claironna-t-elle en brandissant la feuille sous le nez de ma belle-sœur. Tu la contreferas.

— Quoi? Mais je ne pourrai jamais! Tu n'es pas sérieuse! C'est Patrick qui est maître dans ce domaine... pas moi!

— Mais si, tu peux. Regarde, tu as réussi à imiter ma signature à la perfection.

Sàra prit la feuille entre ses mains et l'examina à son tour en plissant les yeux.

— Je ne sais pas, Clémentine...

— Laisse-moi voir, dis-je, soudain très intéressée.

Elle me tendit la feuille couverte d'une fine calligraphie et de taches d'encre. Deux signatures se trouvaient au bas de la lettre... identiques.

— Oh, Sàra! m'exclamai-je en sentant une vague d'espoir m'envahir. Je suis certaine que tu en es capable. Mais il nous faut trouver un document que le gouverneur aura écrit de sa main... et signé.

— Je pourrai obtenir ce mot, madame Caitlin.

Je levai les yeux vers l'intrigante créature qui affichait un sourire béat au milieu de son visage tout rose de plaisir.

— Vous semblez avoir des connaissances plutôt bien en vue, ma foi! Un marquis bienveillant, un lord, le gouverneur de la forteresse... qui d'autre encore?

Son sourire s'élargit et un rire cristallin emplit le boudoir.

— Le prévôt d'Édimbourg, quelques juristes réputés... Enfin, je vois que Sàra ne vous a jamais parlé de moi. Je vais donc remédier à cette petite lacune. Mon vrai nom est Ishobel Todd.

Sidérée, je dévisageai Clémentine, ou Ishobel.

— Je viens de la petite vallée de Glenfiddish, et je suis l'aînée d'une famille de neuf enfants. Tout le monde croit que je suis l'orpheline d'un riche marchand de Dunbar. Mais évidemment ce n'est qu'un stratagème, une couverture en quelque sorte.

— Une couverture?

— Mais oui. Voyez-vous, c'est que je fais, comment dirais-je...

Elle pinça les lèvres en cherchant ses mots, abaissant ses longs cils noirs.

— Je fais affaire avec le marquis de Tullibardine, lâcha-t-elle finalement. Nous avons passé une sorte de contrat.

— Un contrat? Avec le marquis de Tullibardine?

— En effet, continua-t-elle, un peu agacée d'avoir à expliquer davantage. Le marquis, William Murray, comme vous devez le savoir, a pris les armes sous l'étendard du Prétendant sur les collines de Braemar, en août dernier. Lui et moi sommes pour ainsi dire de « très » bons amis...

Je commençais à voir un peu plus clair dans ses propos elliptiques.

— Donc, nous avons conclu une petite entente plutôt satisfaisante pour les deux parties...

Elle lissa un pli invisible sur sa jupe, puis coula un regard vers Sàra, qui visiblement se retenait de rire.

— Je lui donne quelques informations en échange d'un certain confort.

— Quel genre d'informations?

Sàra, qui n'en pouvait plus de se contenir, éclata de rire.

— Caitlin, un homme peut mourir sous la torture pour avoir refusé de divulguer certains secrets. Mais lorsque sur mon oreiller...

Je souris, un peu gênée de ma naïveté. Une courtisane! Et espionne de surcroît!

***

Deux jours plus tard, nous nous retrouvions dans les appartements « très » confortables d'Ishobel Todd, alias Clémentine Stratton. Mais pour éliminer toute confusion, elle était simplement Clémentine pour moi. Son logement donnait sur Castlehill, lugubre théâtre du bûcher des sorcières, et offrait une vue imprenable sur la forteresse.

Un cri retentit de derrière un monticule de boules de papier. Pour la énième fois, Sàra froissa et déchira rageusement une feuille de fin vélin. Elle s'acharnait ainsi depuis une heure pour son travail de contrefaçon.

— Je n'y arriverai jamais! cria-t-elle, excédée, en propulsant le boulet au bout de son bras.

— Prends quelques minutes de repos, lui suggéra Clémentine en étirant langoureusement ses jambes sur le petit canapé-lit de soie bleue où elle reposait.

Sàra lui décocha un regard noir, puis, d'un geste sec, elle plaça une feuille vierge devant elle en grommelant des grossièretés en gaélique.

— Je dois y arriver. Oh! Sainte Mère de Dieu! jura-t-elle en plongeant la plume dans l'encrier.

Je ramassai son dernier échec et défroissai la feuille pour évaluer ses progrès.

— Mais, Sàra! Elle était très bien, cette lettre! Pourquoi l'avoir jetée?

— Pas assez bien pour moi.

Clémentine haussa les épaules avec un air impuissant, puis quitta à regret son petit nid douillet pour se diriger vers une console de bois de rose garnie de bronzes fins. Elle prit un carafon de porto et en versa trois verres.

— Repos forcé, ma chère.

Elle déposa un verre sur la page encore immaculée qui se trouvait devant Sàra. Puis elle échangea la lettre fripée que je tenais toujours entre mes doigts contre un autre verre et elle s'appliqua à comparer l'écriture du gouverneur avec l'imitation de Sàra.

— Ils n'y verront que du feu, chérie, déclara-t-elle, agréablement surprise des progrès de ma belle-sœur. La prochaine sera immanquablement la bonne.

— Reste toujours le problème du scellé, fis-je en explorant d'un œil intrigué le petit univers de la jeune courtisane.

— Oui, le sceau... dit-elle en se tournant vers moi. Je n'y avais pas pensé jusqu'à ce que l'ordonnance du lieutenant-colonel vienne me porter la réponse à l'invitation que je lui avais envoyée. Cela peut en effet poser un... problème. Mais à chaque problème sa solution, n'est-ce pas?

Distraitement, j'examinais un superbe coffret d'émail cloisonné orné de la représentation d'un homme et d'une femme dans une position des plus... explicites.

— Et vous y avez réfléchi?

— Quelque peu, oui.

Je passai un doigt sur la surface froide et lisse du couvercle. Clémentine s'approcha et continua à parler par-dessus mon épaule.

— J'ai pensé subtiliser le sceau dans le bureau du gouverneur. Mais j'ai appris que ce dernier portait toujours l'objet sur lui.

Je me tournai légèrement, étonnée.

— Sur lui?

— À l'un de ses doigts.

— Oh! comment allons-nous arriver à le lui prendre?

Elle me sourit malicieusement.

— Il existe une façon, mais je doute qu'elle vous enchante.

Je réfléchis un instant et pris un air choqué.

— Ah non, pas ça! m'écriai-je, comprenant d'un coup ce à quoi elle faisait allusion. Il doit bien y avoir un autre moyen, non?

— Je le ferais bien moi-même, Caitlin, mais j'ai promis à lord Minshaw... Quant à Sàra...

Elle se tourna vers ma belle-sœur qui la dévisageait, interloquée, la mâchoire suspendue.

— Le gouverneur sait trop bien qui elle est. Reste donc vous, mon amie. Personne ne vous connaît.

— Caitlin, tu n'as pas à faire ça! s'écria Sàra en se levant subitement.

— Tout ce qu'elle aurait à faire serait de retirer la bague du doigt du gouverneur, d'apposer le sceau et de la lui remettre...

— Et bien sûr, monsieur le gouverneur n'y verra aucun inconvénient...

— Il dormira comme un bébé, ma belle. Tu n'auras qu'à verser un peu de sirop d'opium dans un verre de vin ou autre chose.

— Hum... fis-je en me frottant le menton. Ce qui veut dire que je dois assister à ce dîner. Et puis quoi encore? Le suivre chez lui?

— Une femme est un piège très dangereux, ma chère Caitlin, déclara-t-elle mielleusement. Et les hommes qui ont l'esprit entre les jambes se laissent prendre facilement, je sais de quoi je parle.

Je commençais à comprendre pourquoi le marquis de Tullibardine usait de ses services. C'est qu'elle était plutôt dégourdie, la Clémentine. Cependant, je devais dire que son petit stratagème ne me plaisait pas du tout.

Mon regard se porta de nouveau sur le lourd coffret d'origine orientale qui était posé sur la commode. Clémentine, qui avait pris note de mon intérêt, tira le merveilleux objet vers nous.

— Ouvre-le.

Une curieuse expression s'était peinte sur son visage.

— Je peux? Il est superbe, fis-je remarquer en soulevant lentement le couvercle.

Je restai un moment interdite devant le surprenant contenu de la boîte. Clémentine éclata de rire devant mon air ahuri. Puis, sortant l'objet insolite de son écrin, elle me le tendit.

— Ce n'est pas la « vraie » chose, mais je dois avouer qu'il est plutôt bien fait!

Je rougis jusqu'au blanc des yeux et refusai de prendre l'objet en question qui ressemblait à s'y méprendre à un membre viril en pleine érection. Sàra, qui nous avait rejointes, prit la chose en la tenant par la base et la fit lentement balancer d'avant en arrière avec un sourire coquin.

— Mais à quoi est-ce que ça sert? demanda-t-elle candidement.

— Le Kama sutra, vous connaissez?

— Non, avouai-je en suivant le mouvement hypnotique de la verge d'ivoire.

— C'est l'art de l'amour. Aux Indes, les jeunes femmes apprennent les règles de l'amour et les gestes qui plaisent à l'homme. Kama est le dieu indien de l'amour et ceci...

Elle regarda avec amusement l'objet, qui s'était maintenant immobilisé entre les doigts de Sàra.

— Eh bien, je suppose qu'il devait servir à des manipulations... C'est un riche importateur irlandais, Nathaniel Kelly, qui me l'a offert. Un homme très charmant qui avait peur que je l'oublie entre deux visites.

Elle gloussa et prit l'objet des mains de ma belle-sœur pour l'examiner de plus près.

— Le pauvre homme! Son navire a fait naufrage dans l'océan Indien, au large des Maldives. C'est tout ce qui me reste de lui!

Son sourire s'élargit; l'expression de son visage en disait long sur ses pensées. Nous pouffâmes toutes de rire. Puis, interrompues par un cri aigu, nous nous retournâmes pour trouver la soubrette cramoisie fixant l'outil d'étude avec des yeux ronds.

— Quelque chose ne va pas, Flora? réussit à articuler Clémentine entre deux hoquets.

— Euh... fit l'adolescente qui, apparemment, savait ce que représentait l'objet. C'est Aggie, madame... Elle voulait revoir le menu pour le dîner de demain avec vous; il y a un petit problème.

— Dites-lui que je descends dans quelques minutes.

— Oui, madame...

La jeune fille se précipita dans le corridor avec soulagement. Clémentine rangea le bel objet dans le coffret, qu'elle referma. Puis elle s'excusa et descendit aux cuisines. Sàra se remit à la tâche en souriant. Le petit intermède cocasse lui avait rendu sa bonne humeur. Je m'assis dans un fauteuil tendu de damas et garni d'un bordé doré assorti aux tentures. Mes chaussures retirées, je plantai les talons dans un moelleux tabouret et trempai mes lèvres dans l'onctueux nectar ambré en fermant les yeux.

— Tu la connais depuis longtemps?

— Qui? Clémentine?

— Clémentine ou Ishobel, comme tu préfères.

— Je l'ai rencontrée chez le comte de Marischal il y a de cela deux ans. Elle accompagnait le marquis. Je l'aime bien. Je sais que fréquenter une courtisane n'est pas ce qu'il y a de mieux, car cela fait jaser, mais elle est ma seule vraie amie ici.

J'ouvris les yeux pour la regarder. Elle était penchée sur sa feuille, la lèvre entre les dents et les sourcils froncés par la concentration.

— Tu es heureuse, Sàra?

La plume resta en suspens au-dessus de l'encrier.

— Mais oui, répondit-elle en déposant lentement l'instrument pour me dévisager. Enfin... je le serai lorsque Patrick sera sorti de prison.

— Ce que je voulais savoir, c'est si tu es heureuse avec mon frère, ici, à Édimbourg.

Ses joues rosirent légèrement et son regard se détourna momentanément.

— J'aime Patrick, Caitlin, si c'est ce que tu veux savoir. Je le suivrai là où il ira sans poser de questions.

— Ce n'est pas ton amour pour lui que je mets en doute, dis-je doucement en me demandant brusquement si je n'aurais pas mieux fait d'éviter le sujet. Dans tes dernières lettres, tu me semblais si triste.

Elle se mit à examiner ses doigts tachés d'encre pour éviter de croiser mon regard, puis elle sourit avec déconvenue.

— Je ne peux rien te cacher, n'est-ce pas?

— Tu ne peux pas cacher grand-chose à qui que ce soit, Sàra. Ton visage est comme un livre ouvert où l'on peut lire tout ce que tu penses. Enfin, tout le monde sauf Patrick peut-être. Tu veux m'en parler?

Elle leva son regard gris vers moi en se mordillant la lèvre.

— Je n'ai pas su donner à Patrick ce qu'il était en droit d'attendre d'une épouse.

— Mais de quoi parles-tu?

— Des enfants, Caitlin. Je n'ai pas pu lui donner les enfants qu'il aurait tant aimé avoir. J'ai échoué, tu comprends?

Son regard se perdit dans les boules de papier froissé qui jonchaient le tapis oriental aux motifs compliqués.

— Ce n'est pas de ta faute, tu le sais très bien.

— C'est qu'il aurait tellement aimé en avoir...

Je déposai mon verre sur le plateau de marbre du petit guéridon, à côté de moi.

— Sàra, Patrick ne t'en veut pas. Il t'adore.

Sa bouche se tordit en une grimace triste.

— Il s'est éloigné de moi, Caitlin. Parfois je me demande si je ne ferais pas mieux de retourner à Glencoe. De toute façon, la vie ici commence à me peser. Toutes ces intrigues et tous ces commérages... J'en ai assez. Je me fous du dernier amant de lady Bruce et le fait que William Hawley s'est ridiculisé lors d'un dîner officiel chez le comte d'Albemarle ne m'amuse plus.

— Peut-être t'es-tu éloignée de lui, toi aussi. Tu aimerais retourner dans les Highlands, et tu sais qu'il ne le peut pas.

— Oh, Caitlin! Que nous arrive-t-il? J'ai parfois l'impression que nous nous perdons l'un l'autre.

Je repoussai le tabouret du bout du pied.

— Vous devriez avoir une bonne conversation, Patrick et toi.

— Je sais. Lorsque tout ceci sera terminé...

Elle sourit pauvrement, fronçant les sourcils.

— Pour ce qui est de récupérer le sceau du gouverneur, je ne veux pas que tu te sentes obligée. Tu cours des risques.

— C'est mon frère. Et puis qui ne risque rien n'a rien!

— Mathew m'a dit que le gouverneur était un homme aux mœurs plutôt dissolues. Tu seras prudente?

Je ris doucement en me levant.

— Alors je doublerai la dose de sirop d'opium. Quand le gouverneur se réveillera, Patrick sera déjà loin. Au fait, pour le sirop...

— Le docteur Arthur nous le fournira. Il faudrait le lui demander.

Elle fit mine de se mettre debout. Je la repoussai doucement sur sa chaise.

— Laisse, termine ta lettre. Je descends pour en parler à Clémentine. Elle enverra quelqu'un chez lui.

Sans prendre le temps de remettre mes chaussures, je me précipitai dans le sombre escalier qui menait au rez-de-chaussée et débouchai dans le hall où Clémentine parlait avec un homme que le mur me dissimulait. Elle donnait probablement ses instructions à l'un de ses domestiques.

— Clémentine! appelai-je en accourant sur le parquet de bois ciré.

Puis je m'immobilisai d'un coup devant l'interlocuteur de lady Stratton qui sortait de l'ombre. Portant un uniforme anglais, l'homme inclinait respectueusement la tête en m'inspectant du regard sans gêne apparente.

— Je... je... bafouillai-je, les joues en feu.

— Ah, mon amie! Vous voilà! affecta-t-elle en me prenant par la main. Je vous présente le lieutenant-colonel Lachlan Stuart, gouverneur du château d'Édimbourg...

Je restai pétrifiée. Le gouverneur me gratifia d'un sourire qui se voulait plus enjôleur qu'amical.

— Enchanté, madame Turnhill. Lady Stratton me disait justement que vous seriez des nôtres demain soir.

— Vous ne m'en voulez pas trop d'avoir annoncé d'avance votre présence à ma table, chère cousine?

Elle me fit un petit clin d'œil.

— Euh... non.

Du bout des doigts, l'homme caressait distraitement son tricorne de feutre placé sous son bras gauche. Ses yeux se rétrécirent.

— Un joli visage autour d'une bonne table est toujours agréable à contempler, dit-il, inclinant légèrement la tête de côté.

Il promena son regard sur moi sans se départir de son sourire charmeur.

— Pardonnez mon impolitesse, lady Stratton, mais je serais honoré si vous me permettiez de prendre place à côté de cette si charmante créature.

Je jetai un rapide coup d'œil à Clémentine, qui haussa un sourcil éloquent.

— Je serais ravie de vous faire ce plaisir, monsieur le gouverneur, dis-je en esquissant une petite révérence.

Le poisson mordait à l'hameçon.

8

Le gouverneur

Mille et une chandelles faisaient scintiller l'imposant lustre qui pendait à l'une des poutres du plafond de la salle à manger. J'étais coincée entre un certain monsieur Daniel Defoe, politicien, éditorialiste et pamphlétaire, et le lieutenant-colonel Stuart. Nous étions huit convives autour de la table qui croulait sous les assiettes de fine porcelaine de Limoges et sous les plats en vermeil délicatement ciselé. « Petit dîner intime et sans façon », m'avait assuré Clémentine. Nous en étions au troisième plat. Les domestiques, qui venaient à peine de retirer les restes des civelles graisseuses, revenaient déjà avec de grandes assiettes dans lesquelles flottaient de curieuses petites boules luisantes de sauce verdâtre sur lesquelles je jetai un regard perplexe.

— Des animelles, me dit Lachlan Stuart en se penchant vers moi, frôlant ma joue de ses boucles poudrées qui s'étaient échappées du catogan de velours noir retenant ses cheveux sur sa nuque.

Je devais bien admettre malgré moi que ma victime était plutôt bel homme. Il était bien bâti et devait être au début de la cinquantaine. Manifestement de bonne éducation, il avait des propos courtois. Seul son regard plongeant avec complaisance dans mon corsage trahissait ses pensées et ses intentions quant à la façon dont il envisageait de terminer la soirée. Faisant mine d'ignorer ce manquement à la bienséance, je lorgnai les petites choses qu'il me servait, les faisant rouler sur un lac de sauce à l'oseille, dans l'assiette qu'on venait de placer devant moi.

— Des animelles?

— Elles sont très prisées en France, à la cour du Régent.

Il se servit à son tour, puis reprit, après avoir bu une gorgée de vin :

— Ce n'est pas que je manifeste un intérêt particulier pour ce qui est français, mais je dois avouer que je trouve ce plat particulièrement délicieux. Vous n'y avez jamais goûté?

— Euh... non, répondis-je en coupant une des petites boules en deux.

139

Je tentais tant bien que mal de paraître détendue, mais mon igno-rance en matière de mondanités me rendait passablement nerveuse. Clémentine avait beau me lancer des sourires qui se voulaient rassurants, j'étais mal à l'aise. La pensée que j'allais devoir quitter la soirée avec cet homme n'était pas pour m'aider.

Mettant un morceau du mets inconnu dans ma bouche, je mâchai len-tement l'aliment à la texture fine qui, en effet, avait assez bon goût. Stuart m'observait d'un œil amusé tandis que j'enfournais le deuxième morceau.

— Alors?

— Délicieux, admis-je en tendant ma main vers mon verre de vin. Au fait, qu'est-ce que c'est? On dirait de la viande mais...

Il se pencha vers moi, ses lèvres allant jusqu'à en effleurer mon lobe d'oreille, et me chuchota :

— Des testicules de bélier.

Je m'étranglai avec ma gorgée de vin. Stuart me tapota vivement le dos, puis un mouchoir jaillit devant moi au bout des doigts boudinés de monsieur Defoe, qui éclata de rire.

—Les boules passent de travers, madame? me lança-t-il entre deux fous rires.

Je lui jetai un regard furibond à travers mes yeux larmoyants, mais acceptai néanmoins le mouchoir de bonne grâce. Empourprée et embar-rassée d'être tout à coup le point de mire, je m'excusai. Voyant ma dé-tresse, Stuart se précipita à mon secours avec tact.

— Mon cher Defoe, commença-t-il en se penchant légèrement vers l'avant pour attraper un petit pain qu'il m'offrit en souriant. On m'a dit que vous aviez définitivement abandonné la politique pour embrasser une tout autre profession. Écrivain, à ce qu'il paraît.

Daniel Defoe secoua sa volumineuse perruque.

— Les langues vont bon train. Eh bien, oui. L'écriture prend beaucoup de mon temps maintenant. Mais je n'en suis encore qu'à une ébauche de mon œuvre.

Je repoussai discrètement mon assiette et me tournai vers mon voisin. Le geste n'échappa guère à Stuart qui sourit de plus belle.

— Peut-on savoir quel sujet vous intéresse?

— Le roman; je pense écrire quelque chose à propos d'un malheureux naufragé vivant sur une île déserte.

— L'histoire du pauvre Alexander Selkirk vous inspirerait-elle, par hasard? demanda Stuart.

Alexander Selkirk était un marin qui, après s'être querellé avec son capitaine, avait été débarqué dans une île déserte où il survécut de 1704 à 1709. Defoe haussa un sourcil, puis une épaule.

— Peut-être bien.

Il enfourna une animelle qu'il s'employa à mastiquer avec appli-cation, les yeux fermés pour mieux la savourer. Je grimaçai de dégoût. Il l'avala et se rinça la bouche avec une gorgée de vin.

— J'en ai terminé avec la politique et tous ses aléas. Je ne m'en plains point. J'ai eu mon lot de séjours en prison.

— C'est vrai qu'écrire des pamphlets contre le gouvernement peut s'avérer un tantinet plus téméraire qu'écrire un roman...

Le rire cristallin de Clémentine s'éleva soudain au-dessus de nous et emplit la pièce. L'homme au visage chafouin et aux petits yeux de goret assis à sa droite m'avait été présenté un peu plus tôt comme étant lord Minshaw. Celui qui se trouvait à sa gauche et qui me lançait des regards furtifs m'était vaguement familier, mais je n'arrivais pas à mettre un nom sur son visage. Étant arrivé un peu en retard, il ne m'avait pas encore été présenté. Il était élégamment vêtu d'une veste de droguet olive enfilée sur un gilet de soie ocre broché d'or et orné de boutons d'orfèvrerie. Il aurait facilement pu passer pour un gentilhomme de la cour de Londres, mais ses gestes empreints d'une rigidité toute militaire trahissaient son métier. Lieutenant? Colonel? Plutôt bel homme avec ses traits racés et ses grands yeux noisette. De toute évidence, il plaisait à sa voisine, Emilie Cromartie, qui le mangeait du regard et tentait de retenir son attention avec son décolleté vertigineux que seul un voile arachnéen couvrait. Le voyant regarder ailleurs, la jeune femme amorça une conversation avec son voisin de gauche, qui semblait à mon avis bien plus amateur de chair femelle de qualité.

Une paire de petites cailles gonflées de farce et dorées à souhait, baignant dans un océan de crème parfumée aux épices orientales, surgit devant moi sans crier gare. J'observai un moment les croustillants oiselets, puis soupirai. Mon estomac, peu habitué aux orgies, commençait à en avoir assez.

— Alors, Stuart, dit l'inconnu. Vous venez de perdre l'approvisionnement d'armes prévu pour les troupes du comte de Sutherland?

— Oui, grommela le gouverneur en faisant tourner le vin dans son verre avant d'y tremper les lèvres. Quatre cents mousquets ont disparu du navire affrété pour l'occasion. Et vous, colonel, je présume que vous venez vider de mon magasin ce qui reste? Vous ferez suivre votre requête formelle à mon bureau demain. Votre régiment se trouve-t-il à Édimbourg?

Le colonel balançait une cuisse de caille devant lui.

— Oui, répondit-il en enduisant la viande de sauce. Nous marcherons sur Stirling dès que nous aurons été approvisionnés. J'ai trois cents hommes sous mes ordres. Nous avons encore grandement besoin de renforts. Les forces ennemies ont l'avantage sur nous en ce moment. Elles sont plus nombreuses. Les magistrats de Glasgow nous ont fourni sept cents hommes, mais ce n'est pas encore assez. L'armée du comte de Mar s'est vue grossir d'un régiment de cinq cents soldats conduit par le comte de Breadalbane et d'un autre de cinq cents mené par le marquis de Tullibardine.

Je levai les yeux de ma petite caille désarticulée pour croiser le regard de Clémentine, réalisant brusquement que je me trouvais en présence de l'ennemi. Le colonel s'essuya la bouche avec le coin de sa serviette, puis il écarta une mèche brune qui lui tombait dans les yeux.

— Nous avons également appris qu'un navire français avait accosté au nord avec un plein chargement d'armes et de munitions.

— Les choses ne tarderont pas à bouger, remarqua un certain Jeremy Carpenter, qui n'avait pas encore ouvert la bouche pour autre chose que se la remplir. De combien d'hommes au total dispose notre cher John le Fantoche?[44]

— Avec l'armée du brigadier Mackintosh, on estime qu'il peut compter sur près de huit mille hommes. Le duc d'Argyle n'en a pas plus de deux mille. Mais nous attendons le corps des clans du nord conduit par le comte de Sutherland, poursuivit le colonel.

Une main se posa sur ma cuisse et se mit à fureter sur la soie bleu nuit de ma robe prêtée par Clémentine. Je me raclai doucement la gorge et bougeai ma jambe pour la soustraire à la main baladeuse.

Devinant le petit jeu qui se déroulait sous la table, le colonel tourna son regard vif vers moi en retroussant les coins de sa bouche avec un air moqueur. Son visage exprimait à la fois de la curiosité et de l'amusement.

— Vous vous intéressez à l'insurrection, madame?

Clémentine s'empressa de me présenter :

— Turnhill, Joan Turnhill.

Je plongeai mon nez dans mon verre que Stuart venait de remplir de vin encore une fois. Voyant que le colonel attendait une réponse, je me mis en devoir de lui en offrir une.

— Je laisse les jeux de guerre aux hommes, colonel. Pour le moment, je visite mon frère pendant quelques jours. J'en ai profité pour venir dire bonjour à ma cousine, avant de repartir pour Berwick.

Je déballais le scénario que Clémentine et moi avions soigneusement mis au point le matin même. Les yeux calculateurs de l'homme me scrutaient, ce qui accentua mon malaise. J'avais la désagréable impression d'avoir déjà croisé ce regard noisette, et cela me troubla. Le colonel se tourna vers ma supposée cousine qui écoutait la conversation avec un grand intérêt.

— La grâce aurait-elle touché toutes les femmes de votre famille, lady Stratton?

Rendu excité par l'alcool, lord Minshaw montrait un visage rougi qui se fendit en un sourire avide de plaisirs charnels.

— Oh! elles ont effectivement été bénies par la grâce des dieux! Elles ont des gorges dignes d'être parées des plus beaux bijoux du royaume! s'exclama-t-il en fourrant son nez entre les seins de la belle créature, qui gloussait.

— Hum... fit Stuart d'une voix chuchotante dans mon cou, tandis que sa main revenait à la charge sous la table. C'est que vous avez tout à fait raison, mon cher Minshaw.

« L'alcool chasse les bonnes manières », pensai-je amèrement. Je gri-

---

44. John Erskine, comte de Mar.

maçai en repoussant les tentacules qui s'agrippaient à ma cuisse. Les carcasses écartelées des cailles qui reprenaient le chemin des cuisines furent aussitôt remplacées par une chiffonnade. Mais comment faisaient-ils pour avaler tout ça?

— Ainsi, nous devrions nous attendre à ce que ce damné John Erskine passe à l'action d'un moment à l'autre, reprit Jeremy Carpenter.

Il mastiquait laborieusement une bouchée de pain enduite de beurre. Décidément, cet homme ne s'intéressait qu'à la nourriture et à la guerre.

— Disons que la situation devient urgente, répliqua le colonel. Je crois que le comte de Mar attend l'armée des Highlanders de Gordon si ce n'est le prince lui-même.

Je fixai délibérément ma cuillère avec le potage vert qui y tremblotait, la déposai lentement dans l'assiette et levai la tête avec un calme feint à grand-peine pour rencontrer une paire d'yeux à demi fermés qui me braquaient. Le colonel ne souriait pas. Mon sang ne fit qu'un tour. « Oh, mon Dieu, Caitlin! Cet homme peut causer ta perte et celle de Patrick! » Je palpai d'instinct la poche de ma jupe dans laquelle étaient enfouies la fiole de sirop d'opium et la lettre à sceller. Un frisson glacé me parcourut. L'homme qui me fixait avec une froideur polie n'était nul autre que George Turner, autrefois capitaine d'un régiment de dragons. Je soutins le regard noisette, m'attendant à ce que le couperet tombe à tout moment. Mais l'homme se taisait.

— Ah! L'armée des Highlanders de la côte ouest! s'écria Carpenter. Cette bande de sauvages sans foi ni loi!

Je saisis mon alliance et la fis négligemment tourner autour de mon doigt. Le colonel perçut mon geste; un sourire sournois se dessina sur ses lèvres.

— Que pensez-vous des Highlanders, madame Turnhill?

« Attention, Caitlin! Question piège! » Clémentine coula vers moi un regard alarmé. Apparemment, personne d'autre que nous n'avait compris le sens de son ton soudain mielleux.

— Je... je n'ai pas d'opinion sur ces gens, colonel Turner, répondis-je en regardant l'homme droit dans les yeux.

Il souriait maintenant franchement.

— Vraiment? Vous m'intriguez, ma chère dame. Vous êtes bien la première personne que les Highlanders laissent indifférente. Soit on les aime, soit on les hait. Parlez-moi donc un peu de vous.

Clémentine, qui commençait à se décontenancer, repoussa doucement Minshaw qui, telle une sangsue, restait fixé à son cou. Je tentais de prendre un air détaché. Il commençait à faire vraiment chaud dans la pièce. Tout à coup, une bouche humide s'appliqua sur mon cou et mon épaule, y laissant une traînée de salive, puis descendit jusqu'au renflement de ma poitrine comprimée dans le corset. Je manquais d'air.

— Je suis certain que madame Turnhill a autre chose à faire que s'intéresser à ces barbares, décréta Stuart.

143

Il glissa une main autour de ma taille et m'attira à lui. La petite fiole roulait entre mes doigts.

Un laquais surgi de nulle part se pencha au-dessus de l'épaule de Turner pour lui chuchoter quelques mots. Le colonel tourna alors les yeux vers la porte qui s'ouvrait sur le vestibule. Une silhouette apparut, puis disparut. Turner but une dernière gorgée de vin, s'essuya avec sa serviette qu'il posa délicatement sur la table et se leva.

— Vous m'excuserez, ma chère, dit-il en s'inclinant vers Clémentine. Un messager qui ne peut attendre. Je n'en aurai que pour quelques minutes.

Il sortit sans plus de cérémonie pour s'entretenir avec le messager en question. D'où j'étais, je pouvais voir son interlocuteur. C'était un jeune homme efflanqué aux cheveux bruns et aux manières dégingandées. Je pus même remarquer qu'il lui manquait deux dents à l'avant. Turner, qui me tournait le dos, hocha la tête. Puis il leva une main et prit le messager par une épaule. D'après l'expression de ce dernier, les propos du colonel ne devaient pas être plaisants. Le jeune homme acquiesça, puis disparut. Au retour de Turner, je tournai rapidement mon regard vers Emilie qui parlait des Highlanders et de leurs « bonnes manières », et je me recomposai un air détendu.

— On dit qu'ils sont comme des bêtes en rut, affirma la jeune femme, les yeux pétillants de malice. Toutefois, je n'ai jamais eu l'occasion de vérifier si c'était vrai.

Son voisin éclata d'un rire égrillard qui fit sautiller ses bajoues et son menton luisant de sauce. Puis il lui pinça une fesse, lui arrachant un petit cri. Son regard de maquereau et de jouisseur de « bonne chair » la détailla avec lubricité.

— Je peux brandir mon épée aussi bien qu'eux, ma biche, déclara-t-il en bombant le torse. Et si vous me fournissez le fourreau... je l'y glisserai volontiers...

Quelques rires bien gras déferlèrent autour de la table. L'alcool aidant, la conversation prenait un tour libertin.

— Mon cher Defoe! s'exclama Emilie, déliez votre langue et faites-nous quelques charades, je vous prie!

— Attendez que je réfléchisse un peu... dit-il en plissant les yeux sous ses sourcils broussailleux. C'est que vous me prenez de court.

Il déposa sa fourchette, qu'il se préparait à piquer dans son flan caramélisé parfumé à la fleur d'oranger.

— Ah! Me faire forcer la langue par un aussi joli minois, comment refuser?

Empruntant une expression pensive, il se redressa dans un geste théâtral en levant un doigt avec éloquence.

— Je crois que, dans les circonstances, celle-ci vous plaira.

— Pas trop difficile, j'espère?

— Petite Emilie, même vous pourrez la déchiffrer si vous vous en donnez la peine.

Les hommes ricanèrent disgracieusement tandis que la jeune femme, feignant de ne pas avoir compris l'allusion, sourit, ravie.

— Hum... Mon premier : ainsi les femmes préfèrent l'homme, telle une muraille imprenable... Mon deuxième : l'endroit tout douillet où j'aimerais me réfugier avec ma belle... Mon troisième : sur lui pleurent les exilés avant de s'embarquer... Oh! Avouez qu'elle n'est pas trop difficile, celle-là. Voilà, mon tout : j'en suis certain, cette nuit, vous vous en réjouirez!

Rires et grognements. Les suggestions fusèrent de part et d'autre de la table.

— Moi, mon homme, je le préfère dur comme le roc!

— Mais cela n'a rien à voir avec la muraille imprenable, ma chère. Essayez encore.

— Muraille imprenable... marmonnait Emilie. Une forteresse?

— Ah! Fort, un homme « fort »!

— Voilà! approuva Defoe. Va pour mon premier... Passons à mon deuxième.

— Moi, je ne vois qu'un lit! s'esclaffa Minshaw.

— Soyez un peu plus subtil, mon ami, vraiment! Un lit... c'est comme un...

— Un nid! s'écria Clémentine, toute rouge de plaisir.

— C'est pas juste, il vous a pratiquement donné la réponse! s'écria Emilie.

— Qui trouvera mon troisième? Les exilés y pleureront bientôt...

— Ah! Ces saletés de jacobites, lorsque l'Écosse en sera nettoyée, nous pourrons enfin respirer, éructa Carpenter.

— La charade, mes amis, s'énerva Clémentine, s'il vous plaît!

Je sentais le regard de Turner qui ne me quittait plus et m'enfonçais dans mon désarroi.

— Madame Turnhill, auriez-vous une réponse à nous proposer? me demanda-t-il doucereux. Où pourront bien pleurer les exilés... jacobites avant de s'embarquer? Enfin... ceux qui n'auront pas été pris et pendus.

« Salaud! » Je le braquai d'un regard haineux. Pourquoi ne me dénonçait-il pas? Voulait-il s'amuser à me torturer un peu avant? Mes ongles s'enfonçaient dans mes paumes moites. La tête me tournait légèrement. « Mon Dieu! Je n'y arriverai jamais! » Tous les regards s'étaient posés sur moi, dans l'attente évidente que je réponde. Une goutte de sueur coula entre mes seins.

— Un quai... balbutiai-je du bout des lèvres.

L'homme inclinait la tête, acquiesçant à ma réponse.

— Merveilleux! claironna Defoe. Et mon tout, cette nuit, vous...

— Fort-nid-quai... déclara triomphalement Emilie en levant son verre, dont le contenu déborda et dégoulina entre ses doigts lorsqu'elle éclata de rire.

Un tonnerre de rires explosa autour de moi et me fit sursauter. Je fixais les yeux froids et calculateurs de Turner. Ce fut la main baladeuse de Stuart sur mon corsage qui me ramena à la réalité. Je la repoussai rudement, mais l'homme ne se laissa pas démonter, se faisant même plus hardi jusqu'à essayer d'enfouir son nez.

— Cette charade me donne des idées, ma chère...

J'échappai au museau fouineur en repoussant brusquement ma chaise. Le gouverneur plongea alors sous la table dans l'hilarité générale. Seul Turner ne riait pas, se contentant de sourire sournoisement en me fouillant du regard de ses yeux mi-clos. Stuart se rattrapa à la nappe sur laquelle il tira. Les verres toujours pleins oscillèrent dangereusement. Puis il prit appui sur mes genoux, les emprisonnant étroitement entre ses mains. Il rit doucement.

— Ha! ha! Ma douce Joan... Quelle muse vous faites! déclara-t-il en reprenant tout son aplomb. Cette nuit, avec vous, je m'en réjouirai... hum...

Il me gratifia d'un sourire carnassier de loup affamé de chair fraîche, puis ajouta :

— Et vous aussi!

« C'est ce que nous verrons! » Je lui rendis son sourire. Ses doigts remontèrent lentement le long de mes cuisses et j'eus l'envie soudaine de lui tordre le cou. Je devais toutefois me retenir, du moins pour le moment.

— Ah, maîtresse! commença-t-il dans un français acceptable, posant une main sur son cœur d'une manière chevaleresque. Je veux mourir pour tes beautés, maîtresse, pour ce bel œil qui me prit à son hain[45], pour ce doux ris[46], pour ce baiser tout plein d'ambre et de musc, hum... baiser d'une déesse...

— Des vers de Ronsard! s'exclama Clémentine. Continuez, monsieur le gouverneur, c'est exquis! J'adore les poètes français. Même si je ne comprends rien à ce qu'ils racontent... les mots sont comme une musique...

L'homme plongea son regard mordoré dans le mien et poursuivit d'une voix suave :

— Je veux mourir pour cette...

Une moue incertaine se peignit sur son visage rubicond. Ses doigts s'emparèrent d'une de mes boucles.

— ... noire tresse, pour l'embonpoint de ce trop chaste sein, reprit-il en faisant glisser lascivement ses mains sur mon corsage.

Je m'apprêtais à repousser ses mains flâneuses et dévergondées lorsqu'elles s'emparèrent des miennes.

— Pour la rigueur de cette douce main...

Il retint fermement entre les siennes mes mains rendues calleuses par le labeur, les portant à ses lèvres, puis galamment sur son cœur, avant de continuer sa tirade grivoise sur le même ton, sous le regard amusé des autres convives.

---

45. Hameçon, moyen français.
46. Rire, moyen français.

— ... qui tout d'un coup me guérit et me blesse. Ah! Je veux mourir pour le... blanc de ce teint, pour cette voix dont le beau chant m'étreint... si fort le cœur que seul il en dispose. Je veux mourir en amoureux combat, soûlant l'amour qu'au sang je porte enclose, toute une nuit au milieu de tes bras...

Levant une main au ciel tout en gardant l'une des miennes dans l'autre, il inclina la tête. Les convives s'exclamèrent et applaudirent avec enthousiasme, tandis que je restais interloquée sur ma chaise, toute cramoisie, fixant le sceau qui brillait à son doigt. « La victime est à point, Caitlin! »

C'était l'heure de mettre le plan à exécution. Je me penchai vers « Ronsard » et, prenant bien soin de lui mettre mon décolleté sous le nez, susurrai à son oreille d'une voix onctueuse :

— Il se fait tard, monsieur le lieutenant-colonel. Peut-être pourriez-vous me raccompagner?

Il me dévisagea un moment, perplexe. Puis ma requête implicite fit son chemin dans son cerveau embrumé. Il me sourit alors, dévoilant une série de dents irrégulières mais entretenues, puis se leva en vacillant légèrement.

— Vos désirs sont des ordres, madame, dit-il en m'aidant à me lever.

Clémentine me fit un petit sourire pincé, puis envoya chercher ma capeline. J'attendais dans le hall avec elle pendant que Stuart s'occupait de faire avancer sa voiture quand je sentis un regard me brûler le dos. Mon cœur s'emballa. Je savais que le colonel Turner m'observait. J'avais craint qu'il dévoile ma vraie identité lors du dîner, mais il ne l'avait pas fait. J'en étais restée perplexe; il avait certainement quelque chose en tête. Turner n'était pas du genre dont on se moque. Ça, il me l'avait déjà fait comprendre vingt ans plus tôt. Je pouvais être assurée qu'il tenterait de découvrir ce que je pouvais bien fabriquer à Édimbourg pendant la rébellion.

— Votre frère habite toujours Édimbourg? demanda-t-il tout à coup dans mon dos.

Je tressaillis et me retournai lentement, froissant entre mes doigts crispés le velours noir de ma capeline.

— Oui, répondis-je simplement en feignant un bâillement.

Il esquissa un sourire qui en disait long sur mon manque flagrant de subtilité pour tenter d'éviter une conversation.

— Et votre père?

— Mon père est mort.

— Ah! Quand cela?

— Il y a deux ans, répondis-je en esquivant soigneusement son regard inquisiteur.

— Vous m'en voyez navré, madame... dit-il après un moment.

Clémentine serra doucement mon bras.

— Ça va aller.

Elle m'embrassa sur les joues et m'étreignit. Ses lèvres frôlèrent mon lobe.

— N'oubliez pas : criez si ça tourne mal. Timothy Arthur ne sera pas bien loin.

J'acquiesçai d'une pression de mes doigts sur son bras. Elle me quitta alors dans un délicieux bruissement de soies et de dentelles pour aller retrouver ses hôtes. Turner s'approcha de moi; je soutins son regard avec une impassibilité forcée.

— Quel frère êtes-vous venue visiter au juste? L'ivrogne? Comment s'appelait-il déjà...? Ah! Mathew, je crois. Ou bien l'autre, celui qui a un don pour manier la plume, Patrick?

Il s'était penché, s'approchant de si près qu'il m'effleura la joue de ses cheveux.

— Patrick n'est-il pas au service du comte de Marischal? Hum... Quels renseignements auriez-vous pu glaner lors d'un dîner avec les fidèles sujets de Sa Majesté George?

Je serrai les dents et fermai les yeux. « Mon Dieu, non! » Il dégageait un agréable parfum d'eau de toilette dans lequel je perçus une note de lavande. J'ouvris les paupières sur son regard noisette bordé de longs cils qui me fixait.

— Quelle coïncidence, n'est-ce pas, que le gouverneur vous raccompagne chez vous! Le sexe et l'alcool, rien de mieux pour délier la langue d'un homme! Je me demande bien ce que vous pourrez en tirer cette nuit. Je le connais assez bien pour savoir qu'il vous faudra le travailler longtemps pour en tirer autre chose que sa sève.

Rougissant violemment, je tentai d'endiguer la vague de panique qui déferlait en moi. Avec une lenteur mesurée, il me prit la main gauche et examina l'alliance qui étincelait à mon annulaire.

— Je me demande ce qu'en pense Macdonald. Sait-il ce que vous faites? Ou bien est-il si dévoué qu'il est prêt à sacrifier à la cause la vertu de sa femme?

Son sourire se fit équivoque. C'est ce moment que choisit Lachlan Stuart pour apparaître dans l'entrée. Il s'immobilisa en voyant Turner, croyant que ce dernier me faisait une cour assidue.

— La voiture est prête, dit-il sèchement en toisant mon interlocuteur sans chercher à cacher son agacement. Madame Turnhill vient avec moi. Je suis navré, colonel.

George Turner lâcha ma main, qui resta suspendue dans l'espace. « C'est fini, Caitlin, il va te démasquer. »

— Pardon, Stuart, dit-il en ébauchant un sourire mielleux. Je n'ai pu m'empêcher de venir souhaiter bonne nuit à madame... Reviendrez-vous prendre un verre de cognac avec nous?

L'allusion était on ne peut plus évidente. Le gouverneur glissa son bras sous le mien et me couvrit d'un regard convoiteur qui fit sourire Turner de plus belle.

— Euh... je crois que je vais passer le reste de cette si agréable soirée chez moi, mon ami. J'ai quelque chose à terminer qui ne peut vraiment pas attendre à demain.

— Alors nous nous reverrons demain à votre bureau. Je vous y attendrai avec ma requête. Bonne nuit, Stuart, madame... Turnhill.

Il me salua du chef en claquant les talons à la façon des militaires, puis fit volte-face pour retourner à la salle à manger, d'où me parvenaient quelques rires ribauds déclenchés par une remarque cocasse. Mon cœur cognait si fort dans ma poitrine que je crus qu'il allait exploser.

— Vous êtes toute pâle, ma chère... Allez, venez, je vous offre un petit remontant.

Je croisai mon reflet dans la psyché et m'y attardai un moment. Mes cheveux noirs et lustrés comme le plumage d'un corbeau étaient remontés à l'arrière de mon crâne et retombaient en lourdes boucles qui me chatouillaient la nuque. Clémentine m'avait prêté l'une de ses robes pour l'occasion. La chance avait voulu que nous ayons à peu près la même taille, malgré mes quatre grossesses et mon âge avancé d'une bonne quinzaine d'années. L'oisiveté et les fastes de la vie de courtisane enrobaient son corps, ce que la vie austère des Highlands ne faisait pas pour moi.

J'examinai mes traits légèrement tirés. La peau qui adhérait à l'ossature creusait mes joues sous mes pommettes et mes yeux sous mes arcades sourcilières. Quelques rides apparaissaient au coin des yeux et deux sillons mettaient mon sourire soigneusement entretenu entre parenthèses... Rien de désagréable pour le regard. Je me souris à moi-même. Somme toute, je n'étais pas si mal pour une « vieille » femme de trente-neuf ans. Un peu trop décharnée peut-être au goût des hommes, qui préféraient les courbes opulentes. Mais à en juger par les regards dont m'avait gratifié Stuart tout au long du pénible dîner, j'étais encore désirable.

Un léger mouvement attira mon attention dans le miroir. Stuart s'approchait avec un verre de cognac qu'il fit passer par-dessus mon épaule, effleurant au passage ma joue avec sa manchette de dentelle. Les reflets de nos regards se croisèrent. Le sien était avide et plein d'assurance, le mien, tendu et craintif. « Que fais-tu ici, Caitlin? » Je baissai les yeux sur le verre et l'acceptai de bonne grâce. « Allez, Caitlin, lève-toi et fonce! » Mes doigts tâtèrent furtivement la petite fiole perdue dans la coûteuse étoffe de ma robe.

— Un moment, j'ai cru vous perdre au profit du colonel Turner.

Il passa un bras lascif autour de ma taille et me plaqua contre lui. Je tiquai et me mordis l'intérieur de la joue.

— Que voulez-vous dire?

Je me dégageai de son étouffante étreinte et affectai un sourire candide tout en faisant le tour de la garçonnière dans un froufrou de jupons. Manifestement, il ne vivait pas ici... du moins, pas de façon permanente. L'appartement était décoré avec un goût certain, mais pour plaire à la gent féminine. L'antre du loup! Ici les petites brebis étaient entraînées et dévorées toutes crues. Je réprimai un frisson en lorgnant de biais le lit qui, de toute évidence, tenait la place d'honneur dans la pièce. La voix grave de Stuart dans mon dos me poussa à pivoter sur moi-même.

— Turner vous dévorait littéralement des yeux...

— Vous le connaissez bien?

Je retirai mes chaussures recouvertes de soie et assorties à la robe et les laissai sur le sol près du fauteuil de velours lie-de-vin.

— Nous avons servi ensemble sous les ordres du duc de Marlborough, à Blenheim, en 1704, lors de la guerre de la Succession d'Espagne. C'est un bon soldat. L'homme est très secret, mais il est loyal. Il ne s'est jamais marié. Je me demande bien pourquoi... Cependant, j'ai surpris quelques jolies demoiselles pendues à ses basques. Elles n'y restaient jamais bien longtemps.

— Et vous? Vous êtes marié?

— Cela vous intéresse-t-il vraiment, madame?

Il enroula une de mes mèches autour de son index et effleura doucement ma joue du revers de sa main. Je levai un œil doublé d'un sourire qui se voulait charmeur et rencontrai le regard mordoré, presque jaune, d'une bête sauvage.

— Non, pas vraiment.

Il dénoua son catogan et retira son justaucorps de brocart prune qu'il laissa retomber sur le sol, à côté de mes chaussures. Puis il se mit à déboutonner sa veste ivoire.

— Donc, vous êtes le gouverneur du château d'Édimbourg.

— En effet, accorda-t-il en vidant son verre d'un trait avant de le déposer sur la table, derrière lui.

Il m'enlaça voluptueusement, faisant courir ses mains sur mon dos et mes hanches. Je fixais son verre vide d'un air absent. Je devais rapidement trouver un moyen de lui faire avaler le sirop d'opium, sinon... Je déglutis. J'étais venue ici de mon plein gré. L'homme, qui cherchait maintenant à s'emparer de ma bouche en grognant de satisfaction, s'attendait à passer un bon moment en ma compagnie. Mes yeux balayèrent rapidement la pièce à la recherche d'une bouée de secours. Les doigts habiles du gouverneur s'attaquaient déjà aux lacets de ma robe, perdus dans les plis « à la française » qui se trouvaient dans mon dos. « Gagner du temps... Tu dois gagner du temps... »

— Avec le nouveau soulèvement, commençai-je entre deux baisers, la prison doit se remplir de rebelles.

Il s'interrompit un moment, un peu déconcerté, et me dévisagea avec circonspection. Ma robe glissa légèrement sur mes épaules. Manifestement, les femmes qui venaient se faire croquer ici ne lui tenaient pas de tels propos pendant qu'il les déshabillait.

— Euh... nous en avons quelques-uns.

Je vidai mon verre et le lui tendis en souriant.

— J'en prendrais bien un dernier si vous m'accompagnez.

Il fixa mon verre vide, le prit et s'éloigna vers la console. Je me calai avec langueur sur les coussins du canapé et pris le verre qu'il revint m'offrir. Il était planté devant moi et m'observait, visiblement satisfait de ce qu'il voyait. Je tapotai doucement à côté de moi. L'homme retira sa veste, puis s'installa sur le canapé.

— Et vous, Joan... Vous êtes mariée? Ou bien seriez-vous veuve?

Son regard avait capté l'éclat de mon alliance, que je tournais nerveusement autour de mon doigt. Je n'avais pu me résoudre à l'enlever comme me l'avait suggéré Clémentine. Cette alliance représentait Liam et notre amour que je craignais à présent de bafouer.

— Cela vous intéresse-t-il vraiment? le singeai-je en lui adressant mon plus beau sourire de nymphe ingénue.

Il me fit un demi-sourire, tendit la main vers les rubans de ma chemise qui pendaient mollement sur ma poitrine et tira lentement dessus.

— Non, je ne crois pas. Pour autant qu'il n'y ait pas de mari jaloux qui surgisse inopinément ici, un pistolet à la main.

Il déposa son verre sur la table. Une main se glissa subrepticement sous ma jupe et osa une petite escapade le long de ma cuisse. Je me déplaçai de côté pour dégager mon pied emprisonné sous mon autre jambe et renversai une partie du contenu de mon verre sur moi.

— Oh! pardon! fit le gouverneur, les yeux rivés sur la tache jaunâtre qui allait grandissante sur le lin délicat de ma chemise.

— Un peu d'eau suffira; ce sera plus facile à nettoyer après.

— Oui... bon.

Se dirigeant vers la console, il prit l'aiguière, que je savais vide pour l'avoir remarquée plus tôt, et grommela quelques jurons.

— Je vous laisse quelques minutes, ma douce. Cette foutue madame Macgraw n'a pas rempli l'aiguière avant de s'en aller.

Sitôt la porte refermée, je fourrai une main tremblante dans ma poche, en retirai la précieuse fiole puis en vidai le contenu dans le verre encore intact de Stuart. Je fis tourner le liquide pour bien le mélanger et reposai le verre là où il l'avait mis. Mon cœur battait à tout rompre. Pourvu que l'effet soit rapide, priai-je. Le médecin nous avait affirmé que cela ne prendrait que quelques minutes. Avait-il bien évalué la dose? L'appréhension me fit frémir. Stuart était plutôt bien charpenté. Si l'opium n'avait pas l'effet désiré, c'en était fait de moi.

Jugeant que j'avais moi-même assez bu, je vidai le reste de mon verre dans un vase vide. Je n'eus ensuite que le temps de me recaler dans le canapé, mon verre vide à la main, que Stuart réapparaissait déjà dans l'embrasure de la porte avec l'aiguière pleine, qu'il déposa sur la table, devant moi. Je lui indiquai son verre du regard.

— Si vous le terminiez, nous pourrions passer à autre chose...

Il ne se le fit pas dire deux fois. En moins de deux, il vida son verre et claqua la langue. Puis, avec empressement, il me souleva du canapé comme si je n'étais qu'un sac de plumes et me porta jusqu'au lit, au fond duquel je me réfugiai pendant qu'il entreprenait de se dévêtir. « Non! C'est trop vite! L'opium doit avoir le temps de faire effet. »

— Attendez! fis-je en me redressant, chancelante, sur mes genoux. Laissez-moi faire...

151

Un sourire s'épanouit sur son visage. Il se tourna vers moi et ouvrit grands les bras comme dans une offrande.

— Prenez, oh! mais prenez, ma doucette! Je suis à vous, ô douce maîtresse... Sur votre gorge de lait, de poser ma bouche je me languis. À vos mains câlines, vos lèvres divines, ma nuit je confie... Et mon cœur...

Et voilà qu'il était reparti! « Tu peux toujours déclamer tes vers, mon cher... » Il se laissa tomber à genoux sur le matelas, les yeux brillants, et s'abandonna à mes mains qui prenaient tout leur temps.

— ... mon cœur, sur un plateau il vous est servi...

M'attirant brutalement à lui, il tira violemment sur ma chemise, me dénudant jusqu'à la taille. Puis, avec un soupir de satisfaction, il emprisonna un mamelon entre ses lèvres et se mit à le sucer voracement, avant de promener sa bouche humide sur le reste de ma poitrine avec appétence.

Je respirai profondément et le repoussai doucement.

— Vous tournez joliment le verbe, le complimentai-je, songeant d'un coup à la fable du renard et du corbeau.

Si je le flattais assez longuement, j'arriverais à mes fins. Je continuai à déboutonner sa chemise avec une lenteur calculée. Son rire vibra dans mon cou.

— Mais c'est que vous m'inspirez, ma doucette. Voulez-vous être ma muse?

— Ne le suis-je pas déjà?

— Oh, que si! Mais je me demandais... si vous deviez vraiment retourner... à Berwick? Vous pourriez vous installer ici...

Ses mots se perdirent dans mes cheveux. « Oh, le fieffé coquin! » Il retira sa chemise. Son puissant torse se soulevait et s'abaissait à un rythme rapide. Ses yeux mi-clos me détaillaient sans vergogne. Il me poussa sur le matelas et prit sauvagement ma bouche. Je sentis son désir plus qu'évident alors qu'il se frottait contre ma cuisse. J'étais morte de dégoût entre les pattes de cet enfileur de catins.

— Ô douce maîtresse... Et de plaisir vibrant... en vous je déverse... ma vie...

Il se redressa sur ses genoux pour tenter de retirer le reste de mes vêtements. Ses yeux se refermèrent momentanément et il s'ébroua comme un jeune chiot mouillé.

— Que dans vos entrailles... se noie... Juste ciel! je...

Il se laissa tomber comme une masse à mes côtés, puis roula sur le dos en frottant ses paupières qui se faisaient lourdes. J'attendais la suite. Elle ne vint jamais. Tournant la tête, il posa sur moi un regard vitreux.

— Mais ma dou... cette... qu'avez-vous...

Sa main mollasse qui se tendait vers moi retomba à plat sur mon ventre. Je restai immobile en retenant mon souffle et l'examinai. Ses paupières fermées tremblotaient encore; il luttait contre le sommeil. Puis sa main se fit plus lourde. J'attendis encore quelques minutes, m'obligeant à l'immobilité absolue de peur de le réveiller. J'y étais! Mon cœur battait si fort que mes tempes m'élançaient. Tremblante, je pris sa main à laquelle brillait le sceau convoité. Il grogna faiblement et remua les doigts. Je me raidis. « Garde ton calme, Caitlin, bientôt tout ceci ne sera plus qu'un mauvais souvenir... »

Je devais faire vite. Le caporal Timothy Arthur devait m'attendre dans l'ombre d'un portique, en face de l'immeuble, pour me conduire chez Sàra, où se trouvaient mon frère Mathew et le docteur Arthur. Nous devions faire évader Patrick dans les heures qui allaient suivre, avant l'aube. Nous ne pouvions pas nous permettre de risquer que le gouverneur se doute de quelque chose. Je tirai sur la bague, qui resta coincée. L'affolement me gagna.

— Pour l'amour de Dieu! Foutue bague!

Je relâchai brusquement la main et fis le tour de la pièce des yeux. Cet homme avait un goût prononcé pour le luxe et la luxure. Des tentures de damas broché vert et or, un bureau à cylindre en acajou moucheté monté sur des pattes de lion en bronze doré, une magnifique toile représentant sans doute l'une des victoires de Marlborough... Un décor sybarite, oppressant, qui vous rappelait cruellement que c'était ces hommes aux morales hédonistes qui, à coups d'intrigues et de manigances, se faisaient les maîtres du monde.

D'un pas pressé, je me dirigeai vers le bureau et l'ouvris. Stuart était un homme ordonné : ses papiers étaient soigneusement empilés, ses plumes, bien alignées, et son sous-main et son buvard, propres. Je soupirai. Il me fallait trouver quelque chose pour faire glisser cette damnée bague sur son doigt.

Je tentai ma chance avec la grande armoire : draps, serviettes, bas et chemises propres. Ah! un nécessaire à raser et quelques petits contenants de verre. J'en pris un dans mes mains. « Pommade de ficaire. » J'ouvris le pot. Il sentait le ranci, mais la pommade était toujours onctueuse. Cela devrait faire l'affaire. Je souris malgré moi : la pommade de ficaire était bonne pour les hémorroïdes.

La bague glissa doucement sur le doigt. Je poussai un soupir de soulagement en la recueillant dans le creux de ma main. Il ne me restait plus qu'à sceller l'ordre et à tout remettre en place.

Je jetai un dernier regard autour de moi. Le bureau et l'armoire étaient bien refermés. La bague brillait au doigt de son propriétaire plongé dans un profond sommeil. Ma robe enfilée et lacée, je pris la lettre dûment scellée qui était posée sur le fauteuil, près de ma capeline, et la serrai sur mon cœur en souriant. J'avais réussi!

Comme la précieuse enveloppe retrouvait sa place dans le fond de ma poche, des bruits de pas retentirent de l'autre côté de la porte. C'était un homme, les pas étaient lourds. Un silence suivit. Timothy devait trouver que je prenais trop de temps et venait vérifier...

On frappa. Je ramassai ma capeline, me dirigeai vers la porte en glissant le vêtement sur mes épaules et ouvris. Mais je m'arrêtai net, pétrifiée devant l'homme qui me dévisageait avec un mélange de surprise et de colère. Reculant de quelques pas, je butai contre le fauteuil. En deux enjambées, le colonel Turner était sur moi et me tordait un poignet dans le dos.

— On file en douce, madame Macdonald?

D'un geste brusque et rapide, il me fit pivoter sur moi-même pour que je lui fasse face, tout en me maintenant étroitement serrée contre lui. Son regard se posa alors sur le corps inerte de Stuart, sur le lit. Il plissa les yeux.

— Ma foi, Caitlin, vous l'avez esquinté ou bien...

— Il dort, le coupai-je en me débattant furieusement pour me dégager de la poigne qui me broyait l'os. Vous n'avez qu'à vérifier.

Son regard froid me glaça.

— Alors vous avez obtenu ce que vous vouliez, ma chère?

— Ce que je voulais?

— Allons, vous savez très bien de quoi je parle.

Son souffle était bruyant. Ses traits défigurés par la haine, il me toisa avec morgue.

— Lorsque vous avez quitté Castlehill, je me suis creusé la cervelle à essayer de trouver pourquoi vous étiez ici pendant que votre mari marchait avec son clan derrière l'armée highlander. Puis je me suis rappelé avoir entendu, il y a quelques semaines, que votre frère Patrick croupissait dans la forteresse.

Je serrai les dents pour empêcher ma mâchoire de tomber. Je n'en revenais pas. Il tordit un peu plus mon bras, m'arrachant un cri de douleur qui sembla lui faire plaisir.

— Alors je me suis dit : « Mais que peut bien faire Caitlin Macdonald avec le gouverneur de la forteresse où est enfermé son frère? Pure coïncidence ou rencontre planifiée pour conclure un marché? »

Il me sourit perfidement.

— J'ai opté pour la deuxième hypothèse. Disons que j'avais de bonnes raisons de croire que c'était ce que vous aviez en tête. Je me trompe?

Ses doigts s'enfoncèrent douloureusement dans mes chairs. Il n'attendit pas que je corrobore ses conclusions.

— À en juger de visu, je suppose que vos services étaient plus que valables. Il m'a l'air passablement claqué.

— Lâchez-moi, Turner.

Il éclata de rire et, de sa main libre, écrasa mes joues entre ses doigts.

— Oh non! Pas cette fois-ci, Caitlin. J'ai encore quelques petites questions à vous poser. Voyez-vous, curieusement, après que je vous eus rendue à Dunning, ce dernier a mystérieusement disparu. Pourriez-vous m'éclairer sur cette disparition inexpliquée? Pas de lettre, pas de corps, rien! Pouf! Envolé! s'exclama-t-il en claquant des doigts.

— Je n'ai rien à dire sur lord Dunning.

— Et votre mari? Il a été vu au manoir avec quelques-uns de ses hommes, dont le jeune garçon qui a été arrêté avec vous à Lang Craig et qui s'est évadé à l'aide d'un poignard. Pourtant, nous l'avions bien fouillé avant de l'écrouer. Et si mes souvenirs sont bons, vous aviez tenu à lui rendre une petite visite d'adieu avant d'être conduite au manoir. J'aurais dû me méfier ce matin-là.

— Vous n'êtes qu'une ordure, « colonel » Turner. Alors, qu'allez-vous faire de moi maintenant?

Il resta silencieux un moment, semblant évaluer mentalement la situation pendant que j'en faisais autant de mon côté. Certes, il s'attendait à me trouver ici. Mais apparemment il n'avait pas encore réfléchi au sort qu'il devait me réserver. Ses narines frémissaient et je remarquai une petite veine qui palpitait dans son cou.

— Je pourrais vous faire visiter les appartements de votre frère... Mais je n'en ai pas terminé avec vous et pour le moment le gouverneur n'est pas en mesure de faire son travail. Je dois repartir pour Stirling dès demain matin; je vous emmènerai avec moi. Je pense que vous trouverez les cachots du rocher de Stirling tout aussi confortables que ceux d'Édimbourg.

— Et de quel droit...

Les mots moururent sur mes lèvres. Une silhouette se profilait dans l'embrasure de la porte restée ouverte. Timothy Arthur avait son poignard bien en main. Il y eut comme un moment de flottement. L'instant d'après, Turner expirait bruyamment son air en ouvrant grands ses yeux sur moi. Ses doigts se figèrent dans mes chairs, et lentement il s'écroula au sol, m'entraînant avec lui dans sa chute.

— Est-ce que ça va, madame Macdonald? demanda le soldat en repoussant du pied le corps de Turner qui m'écrasait.

Je m'accrochai fortement à sa main, en tremblant convulsivement, le cœur sur les lèvres.

— Je... je... crois que oui.

Doucement, il me fit asseoir dans le fauteuil. Après quelques minutes, il retourna vers Turner et se pencha au-dessus du corps.

— Vous avez eu le temps de sceller l'ordre?

— Oui, bafouillai-je en reprenant graduellement mes sens. Mais p-p-pourquoi l'avez-vous tué? lui demandai-je, encore troublée par le regard qu'avait eu Turner lorsque la lame s'était enfoncée en lui.

— Je n'avais pas le choix. Il nous aurait dénoncés et cela aurait été la corde pour nous.

Tout absorbé qu'il était à essayer de trouver ce qu'il allait faire du corps, il se grattait le menton, le regard fixe. Il se leva d'un coup puis, passant ses bras sous les aisselles de Turner, il le traîna jusqu'au lit où dormait le gouverneur sous l'effet de la puissante drogue. Après maintes contorsions, il réussit à le hisser sur le matelas. Je le regardai faire, perplexe.

— Mais que faites-vous?

Un sourire ironique se forma sur son visage aux traits rudes, lui donnant un air des plus sadiques. Un moment, je remerciai le ciel de l'avoir de mon côté.

— Une petite surprise pour Stuart lorsqu'il se réveillera.

D'un geste sec, il retira le poignard toujours fiché dans le dos de Turner et le mit entre les doigts de Stuart. Puis il se recula de quelques pas pour admirer le lugubre tableau d'un air satisfait.

— Je crois que ça ira comme ça. Allez, venez, je dois vous ramener à Blackstone's Land le plus rapidement possible.

9

Escale à Culross

*L*e ciel commençait à pâlir; ce serait bientôt l'aube. D'un pas nerveux, j'allais et venais devant la carriole, lançant des regards furtifs vers la route qui menait à Édimbourg.

— Mais qu'est-ce qu'ils font?

Sàra, perdue dans la contemplation des têtes d'animaux fantastiques qui ornaient la petite église normande de Dalmeny, datant d'un autre siècle, tourna vers moi sa bouche tordue et crispée.

— Et s'ils avaient échoué, s'ils avaient été pris?

Je lui jetai un regard furibond et repris ma marche en faisant crisser les cailloux sous mes semelles.

— Je t'interdis de penser une telle chose, Sàra Dunn! lançai-je, amère.

— Sàra, dit Mathew plus calmement, ils vont réussir à le sortir de là. Aie confiance...

— Les voilà! m'écriai-je en pointant l'index vers une troupe qui venait dans notre direction.

Au fur et à mesure que les cavaliers approchaient, mon estomac se contractait douloureusement. Il y avait bien quatre chevaux, mais je ne comptais que trois cavaliers. Sàra qui avait remarqué la même singularité poussa un cri et s'accrocha à mon bras. Soudain, dans la grisaille de l'aube naissante, je remarquai le corps posé en travers de la selle du quatrième cheval. Ils avaient bien récupéré Patrick, mais dans quel état?

— Dépêchez-vous! hurla Timothy en sautant de sa monture toujours en marche. Il est fiévreux; il faut l'emmener le plus vite possible en lieu sûr.

Nous nous précipitâmes vers le corps qui pendait mollement sur la selle. Je poussai un cri de stupeur en découvrant le visage barbu, décharné et cadavérique lorsqu'on descendit Patrick pour le porter jusqu'à la carriole. Je ne reconnaissais plus mon frère dans ce corps amaigri et brisé. Sa jambe blessée faisait deux fois son volume normal sous le genou, et son bas était souillé d'un liquide visqueux jaunâtre, sanguinolent et nauséabond.

— Les monstres! m'exclamai-je devant la loque humaine qu'avaient faite de mon frère ces ordures d'Anglais.

Sàra sanglotait. On dissimula Patrick dans un grand coffre de bois fabriqué spécialement pour sa fuite. Dans l'éventualité d'une interception par l'ennemi, on le recouvrirait de paille et de couvertures. Je souhaitais silencieusement que cette cachette ne lui serve pas de tombeau. Son pouls était irrégulier et il était plongé dans une léthargie profonde.

— Quelles sont ses chances? demandai-je au médecin qui retenait une de ses paupières sur une pupille dilatée.

— Je ne sais pas, marmonna-t-il en prenant le pouls du blessé. C'est difficile à dire. Je n'ai pas pu l'examiner à fond. Il fallait faire vite et il faisait trop sombre dans la cellule pour y voir quoi que ce soit.

Il sortit un petit couteau de sa poche, à laquelle pendait en châtelaine une montre en or, et fit délicatement une entaille dans le bas pour ensuite le déchirer et mettre la plaie à nu. Une grimace m'indiqua que le pronostic n'était pas très bon.

— Ouf! Je crains qu'il ne faille pratiquer une intervention chirurgicale sur sa jambe. Un abcès s'est formé. Priez pour que les dégâts soient limités, sinon il faudra amputer.

Sàra émit un petit cri étranglé et devint livide. Mathew l'attrapa comme elle s'écroulait au sol et la déposa sur la paille, dans la carriole. Elle revint à elle quelques secondes plus tard et se remit à sangloter. Elle était épuisée et à bout de nerfs; nous l'étions tous d'ailleurs. La carriole s'ébranla en direction de l'ouest. Nous remontions le cours de la Forth.

Timothy, le docteur Quinlan et Malcolm Marshall troquèrent les vestes rouges dérobées pour de vieilles hardes de paysans. Il nous fallait maintenant trouver un passeur pour nous faire traverser la Forth et aller sur la rive nord. Nous éviterions ainsi de longer les campements royalistes installés près de Stirling.

Culross était un petit bourg portuaire qui avait connu ses heures de gloire grâce à sa mine de houille, à sa production de sel et à son commerce avec la Hollande. Mais l'essor des échanges avec les colonies d'Amérique avait sonné le glas de cette belle période. Les activités du bourg, dont les maisons dévalaient la pente douce jusque dans l'estuaire de la Forth, avaient alors périclité et s'étaient figées.

Le trajet s'était déroulé sans encombre. Nous avions réussi à trouver un passeur qui, après avoir négocié le prix fort pour nos têtes, nous avait fait traverser les cinq kilomètres d'eau qui nous séparaient de la rive nord.

Nous attendions depuis quelques minutes le docteur Quinlan Arthur devant la bruyante taverne du Ark dans Wee Causeway. L'homme cherchait un ancien camarade d'université qui habitait le petit bourg. Une délicieuse odeur de gâteaux qui nous enveloppait me rappelait que nous n'avions rien avalé depuis plusieurs heures. Sàra somnolait sur la paille, le bras passé en travers du torse de Patrick, dont l'état n'avait pas changé depuis notre départ.

Mon regard se perdait dans une trouée entre deux bâtiments qui devaient avoir été blancs à l'origine et qui étaient coiffés de pignons à redans de tuiles flamandes rouges. La Forth scintillait de mille feux dans le soleil couchant. Deux marins passablement gris me frôlèrent et heurtèrent de plein fouet le ventre proéminent du chirurgien qui ressortait de la taverne. L'un d'eux perdit pied et tomba sur le pavé poussiéreux. Il se mit à gueuler et à jurer, crachant sur le sol devant Quinlan. Je me réfugiai derrière mon cheval en retenant ma respiration, de peur que les deux hommes en viennent aux mains. Mais Quinlan allongea le bras et aida l'ivrogne à se relever. Ensuite, s'excusant poliment de sa distraction, il lui lança une pièce de monnaie. Tout sourire, le marin tituba avec son compagnon jusque dans la taverne. Je relâchai mon souffle. Ce n'était vraiment pas le moment de se retrouver au beau milieu d'une rixe.

— Il habite à deux pas d'ici, sur Back Causeway, annonça le chirurgien en venant vers nous.

Il empoigna le harnais du cheval attelé à la carriole et nous montra le chemin. Ici, tout semblait ne se trouver qu'à deux pas.

On étendit Patrick sur la table de cuisine du docteur Tom Ross, et ce fut tout un remue-ménage dans la maisonnée du médecin de Culross. La cuisinière mit de l'eau à bouillir dans l'énorme bouilloire de fonte noircie et sortit des draps propres qu'elle déposa sur un banc, près de la table. Quinlan ouvrit sa mallette et sortit toute une panoplie d'instruments en acier. Imaginant ce à quoi ils pouvaient servir, je fus parcourue d'un frisson de dégoût. Tom Ross dénuda la jambe de Patrick et examina le membre tuméfié d'un œil circonspect. Sàra se réfugia contre moi, une tasse de cidre chaud entre les mains, observant la scène de ses yeux rougis.

Ross palpa la jambe, ce qui arracha un cri de douleur à Patrick. Sàra se raidit et détourna le regard.

— Tenez-le bien, ordonna le médecin à Mathew qui maintenait le pied de notre frère.

Le médecin versa une généreuse quantité d'alcool sur la plaie purulente, puis se saisit d'un scalpel.

— Qu'en pensez-vous? demanda Quinlan.

— Il faut drainer l'abcès et retirer les tissus nécrosés pour que l'infection se résorbe. Qu'est-ce qui lui est arrivé?

— Il est tombé d'un mur, dit Quinlan sans donner plus de détails.

Ross avait été un bon ami à la faculté de médecine. Mais on ne pouvait savoir pour quel roi il penchait. Il était donc préférable d'éviter de trop en dire.

— Une fracture? suggéra Ross en incisant délicatement la peau.

Un flot de liquide visqueux et brunâtre s'écoula sur le drap, emplissant la pièce d'une odeur fétide. Patrick gémit, et je déglutis.

— Oui, probablement, confirma Quinlan. Ouf! Sa fracture a été réduite par un compagnon de cellule. Un saigneur qui se croit chirurgien. Mais je soupçonne une esquille d'être à l'origine de l'infection.

Ross plongea précautionneusement un doigt dans l'incision. Je fus prise d'un vertige et de sueurs froides. Patrick gémit de nouveau. Sa peau luisante de gouttelettes de transpiration était pâle à faire peur. Quinlan le regardait avec une moue indécise.

— Il faudra ouvrir pour retirer le séquestre osseux, déclara-t-il après un moment. Souhaitons qu'il ne soit pas trop tard.

Patrick ouvrit un œil hagard et nous aperçut. Un mince sourire se dessina sur ses lèvres crevassées et se mua bientôt en une grimace de douleur d'où sortit un long cri guttural. Ross venait de pratiquer une deuxième incision.

Quinlan sortit une bouteille de sa mallette.

— Relevez-lui la tête, demanda-t-il à Mathew.

Il lui versa une gorgée du liquide dans la gorge. Mathew attendit que Patrick l'ait avalée, puis reposa doucement sa tête sur la table.

— Ça va aller, Pat, murmura-t-il, les traits durcis par la douleur partagée.

Ayant subi les affres d'une amputation qui l'avait privé de son avant-bras gauche, Mathew ne savait que trop bien ce qu'endurait son frère. Je l'observais avec une pointe de fierté tandis qu'il chuchotait des mots d'apaisement au blessé agrippé à sa veste et se tordant de douleur. Mathew revenait de loin. Après avoir dérivé dans les brumes de l'alcool pendant plusieurs années après son amputation, il s'était ressaisi un beau matin. Il avait alors commencé à travailler pour l'employeur de mon père, monsieur Carmichael. Lorsque ce dernier était décédé et que mon père avait pris l'atelier d'orfèvrerie en main, il s'était occupé des registres et des commandes, libérant mon père du côté administratif et lui permettant de se consacrer entièrement à ses œuvres.

Les affaires avaient été florissantes pendant un temps. Mathew s'était marié avec la nièce de Carmichael qui lui avait donné deux magnifiques filles : Rosalind et Fiona. Il louait un petit logement dans Advocate's Close, à quelques pas de chez mon père, qui avait finalement épousé sa tendre et attentionnée logeuse, madame Hay.

Puis, lors d'une glaciale nuit d'hiver, mon père s'était éteint d'un accès de fièvre. Mathew avait dû se résoudre à fermer la boutique. Nous avions craint qu'il ne se tourne de nouveau vers la bouteille, mais il avait tenu bon. Patrick l'avait fait entrer au service du duc de Gordon par l'entremise de son propre employeur et ami, le comte de Marischal, un fervent jacobite. Ainsi, Mathew se trouvait bien malgré lui plongé dans les intrigues fiévreuses des jacobites visant à mettre un Stuart sur le trône de Grande-Bretagne.

— Mon Dieu! gémit Sàra en réprimant un haut-le-cœur.

Le docteur Ross s'était éloigné de son patient maintenant abruti par le laudanum pour céder la place à Quinlan. La jambe, ouverte sur plusieurs centimètres, exposait les chairs sanguinolentes et nécrosées ainsi qu'une portion d'os. Quinlan grattait et découpait délicatement les chairs qu'il laissait tomber par petits morceaux dans un bol près de lui.

Les lampes qu'on avait allumées pour éclairer le travail du chirurgien projetaient des ombres inquiétantes sur les murs. Le visage du médecin, plissé par la concentration, prenait une expression sinistre. L'homme faisait penser à un fou démoniaque qui jubilait à fouiller de ses doigts les chairs encore tièdes d'un cadavre qu'il disséquerait jusqu'à l'os et viderait de ses viscères. Ceux-ci aboutiraient dans les égouts et seraient dévorés par les chiens errants et les rats qui pullulaient.

J'avais entendu parler de ces chercheurs qui, à Édimbourg et à Londres, manquant d'objets d'étude, allaient jusqu'à faire exhumer des cadavres nouvellement ensevelis pour les mettre en pièces. Les restes des corps étaient irrévérencieusement envoyés dans les caniveaux, comme s'il ne s'agissait que de simples carcasses de boucherie. Les os, soigneusement nettoyés par les animaux, se retrouvaient alors entre les mains des enfants qui les utilisaient comme jouets.

— Voilà! s'écria triomphalement Quinlan en brandissant un minuscule éclat d'os sanguinolent. La formation du cal a été retardée par l'abcès, expliqua-t-il en versant encore un peu d'alcool dans la plaie avant de la refermer. Il faudra procéder à une solide contention pour ne pas compromettre la guérison. Souhaitons que l'infection ne s'installe pas de nouveau.

Sàra était maintenant presque aussi pâle que Patrick.

— Je ne me sens pas très bien...

— Sortons, dis-je en me levant.

Me plaçant devant ma belle-sœur pour soustraire de sa vue le médecin qui s'appliquait à recoudre la jambe, je détournai moi-même mon regard. Il fallait admettre que l'odeur qui régnait dans la cuisine n'avait rien d'appétissant. Je me dirigeai vers la porte de sortie, traînant derrière moi la pauvre Sàra qui gardait une main sur sa bouche.

Quelques heures plus tard, nous étions tous réunis autour de la même table et dînions d'un pâté de bœuf aux oignons juteux à souhait accompagné de bière bien fraîche et de pain noir. Le teint encore verdâtre, Sàra picorait dans son assiette en écoutant les deux médecins discourir sur leurs meilleurs succès médicaux. Mon estomac, lui, ne dédaignait pas la nourriture que je lui envoyais. Je vidai mon assiette et l'essuyai avec un dernier morceau de pain que j'engloutis avec une bonne rasade de bière.

On avait porté Patrick à l'étage, dans une petite chambre sombre. Il avait été convenu que nous resterions ici jusqu'à ce qu'il soit en mesure de voyager en voiture. Ensuite, Sàra, Marshall et lui partiraient pour Fetteresso, afin de préparer l'arrivée du Prétendant en terre d'Écosse.

Maintenant que la tension des derniers jours était retombée, l'absence de Liam recommençait à me peser. Aussi, après le repas, lorsque Sàra fut montée au chevet de son mari, je sortis dans le jardin pour prendre un peu l'air avant d'aller dormir.

Les feuilles d'un pommier frissonnaient dans la brise automnale qui soulevait mes cheveux et les faisait voler autour de mon visage. Je resserrai mon plaid autour de mes épaules et fis quelques pas dans les feuilles mortes avant de trouver un banc de bois près du potager. Que faisait Liam en ce moment? Où était-il? Je n'avais pas eu de nouvelles de lui depuis son départ en septembre, et n'avais rien su non plus des déplacements de l'armée des Highlanders.

Un chien jappa. Les voix lointaines des marins ivres arrivaient de la rue. Cependant, j'entendais nettement les cliquetis des chaudrons qui me parvenaient de la cuisine. Je frémis d'angoisse en les remplaçant dans mon esprit par ceux des épées qui s'entrechoquent.

Les feuilles craquèrent derrière moi. Je me retournai pour voir la silhouette de mon frère Mathew qui s'approchait.

— Je peux?

Sans attendre de réponse, il s'assit, se penchant vers l'avant et posant ses coudes sur ses genoux.

— Je pars demain, annonça-t-il à brûle-pourpoint, le regard perdu dans l'herbe entre ses pieds.

— Déjà?

— Il le faut, Kitty. Tu sais que Joan s'inquiète à en être malade lorsque je pars.

Des yeux, il fit le tour du jardin, comme s'il redoutait la présence d'oreilles indiscrètes, et se tourna vers moi.

— Elle n'aime pas ce que je fais pour le compte des jacobites.

— Mais c'est ton frère! m'exclamai-je. Cela n'a rien à voir avec les jacobites ou la cause!

Il étira les doigts de sa main droite, puis referma son poing en le fixant.

— Tu sais très bien que cela a tout à voir avec la cause. Joan comprend. Elle m'est loyale. Mais son nom l'empêche de m'appuyer. Son oncle, le colonel Richard Munden, dirige le 13e régiment de dragons pour le gouvernement. Alors tu vois...

Je posai ma main sur la manche de sa veste usée et pressai son bras en signe d'assentiment.

— Et tes filles, comment vont-elles?

Un sourire brilla dans l'obscurité.

— Elles vont bien. Fiona est une vraie peste et Rosalind a encore un rhume. Mais à part ça, ça va.

— Elles me manquent; il faudra que tu les emmènes dans la vallée. Au printemps peut-être, lorsque nos collines seront couvertes de jacinthes et de bruyères en fleurs... si la rébellion est terminée.

— Oui, c'est une idée. Joan en aura grandement besoin aussi. Lorsque tout ceci sera terminé...

Un ange passa.

— Et Liam? demanda alors mon frère.

— Comme tu l'auras deviné, il est parti avec l'armée du général Gordon, murmurai-je tout bas. Duncan et Ranald aussi. Je prie pour eux.

— Ouais... J'aurais bien aimé avoir un fils. Mais je suppose qu'en période de trouble, le sort de nos filles nous inquiète moins.

J'affichai une moue ironique.

— Ah! Ne te fais pas d'illusions, Mat! m'écriai-je. Frances nous a annoncé qu'elle voulait convoler la veille du départ des troupes. Je ne savais même pas qu'elle avait un petit ami!

Mathew éclata de rire.

— Oh, Kitty! Elle te ressemble tellement!

— Ce n'est pas drôle, grondai-je en souriant.

— Et alors? Elle a obtenu ce qu'elle désirait?

— Oui, marmonnai-je. Son Trevor Macdonald l'attendait dans la grange.

— Bon, je te parie que tu seras grand-mère avant la fin de l'année prochaine, me taquina-t-il.

— Mais je suis trop jeune pour être grand-mère, Mat. Trente-neuf ans, est-ce que j'ai l'air d'une grand-mère?

Se tournant vers moi, il m'examina un moment, plissant les yeux, pinçant les lèvres et retroussant les coins de sa bouche.

— Bah! Tu commences peut-être à avoir quelques rides et cheveux gris. Mais dans l'ensemble tu n'es pas si mal pour une femme de...

— Mathew Dunn! m'écriai-je en lui labourant l'épaule. Espèce de...

— Holà, sœurette! Tu es encore toute mignonne, tu sais!

J'éclatai de rire et lui pinçai une joue.

— La preuve, le gouverneur t'a bien...

Il s'interrompit, brusquement mal à l'aise. Mon visage s'assombrit.

— Je suis désolé, Kitty, s'excusa-t-il aussitôt. Ce n'est pas ce que je voulais dire.

— Ça va...

Je fis une pause, puis continuai d'un air pensif :

— Je veux que tu me promettes de ne jamais en parler à Liam. Si jamais il venait à l'apprendre, il serait fou de rage... d'autant plus que le colonel Turner a été tué.

Mathew me prit la main et la posa sur sa joue râpeuse.

— Tu peux compter sur moi. Je ne lui en soufflerai pas un mot, je te le jure.

— Merci.

J'esquissais un mouvement pour me lever lorsqu'il me retint par le bras.

— Attends, Caitlin, il y a quelque chose dont je veux te parler ce soir. Je serai probablement déjà en route demain, à ton réveil.

Je le dévisageai, curieuse, puis me rassis à côté de lui.

— Tu sais que je peux difficilement m'impliquer dans l'insurrection comme le fait Patrick, à cause de ma belle-famille. Mais je veux que tu saches que mon cœur est avec vous et le Prétendant. Peut-être n'ai-je pas perdu mon bras pour rien, finalement.

— Je sais, Mathew. Tu n'as pas à te sentir coupable.

— J'aime Joan et je ne veux pas la mettre dans une situation impossible. Sa propre relation avec sa famille est déjà bien assez difficile depuis qu'elle s'est convertie au catholicisme pour m'épouser.

— Oui, je comprends.

Se frottant le front, il passa les doigts dans ses cheveux.

— Cependant, je peux peut-être faire quelque chose...

Marquant un temps d'arrêt, il réfléchit à ce qu'il allait dire.

— Il y a quatre jours, alors que j'avais affaire dans le port de Leith, j'ai surpris par hasard une conversation entre deux hommes dont je n'ai pu voir les visages. Ils étaient derrière moi, et j'ai pensé que, si je me retournais, ils interrompraient inévitablement leur petit conciliabule.

Il fixait les boucles d'argent de ses chaussures d'un air absent. Il reprit sa confidence sur un ton plus bas :

— Tu es la première personne à qui j'en parle. Tu dois en faire part à Patrick. C'est au sujet du Prétendant.

Je haussai un sourcil intéressé.

— Des gens trament un complot contre lui.

— Un complot?

Il était visiblement nerveux de ce qu'il allait me confier.

— Pour porter atteinte à sa vie. Des gens complotent pour l'assassiner. Un régicide, Kitty.

— Tuer le Prétendant? Je savais qu'on offrait une récompense pour sa capture, mais de là à l'occire...

— D'après ce que j'ai entendu, la récompense n'intéresse pas particulièrement ces gens-là.

— Et tu n'as pas pu voir leur visage?

— Non. Lorsque j'ai compris que leur petit entretien était terminé, je me suis retourné pour m'apercevoir qu'ils avaient déjà filé. Autour de moi il n'y avait plus que des dockers, des marins et des marchands.

— Tu en as parlé à Joan?

Il secoua la tête.

— J'ai jugé la chose trop dangereuse. Elle n'a pas à savoir.

— Non, effectivement.

— Tu dois le dire à Patrick, reprit Mathew après un moment. Il saura à qui en parler. Vous ne pouvez faire confiance à tout le monde. Il doit y avoir des traîtres dans l'entourage du comte de Mar. Les espions pullulent.

Il se tut. De son unique main, il caressa doucement l'angle de ma mâchoire, puis déposa un baiser sur ma joue.

— Sois prudente lors de ton voyage de retour, ma petite Kitty.

Le chien aboya de nouveau, puis le martèlement de sabots résonna sur la chaussée de Back Causeway. Des éclats de voix d'hommes parvinrent encore jusqu'à nous. Sans doute une dispute entre deux marins. Le vent avait forci et faisait voler les feuilles mortes autour de nous dans un tourbillon glacé.

***

Je me redressai en sursaut, le cœur galopant comme un petit animal affolé dans une cage. Mes doigts crispés sur les draps se détendirent un peu. « Ce n'est qu'un rêve, Caitlin, réveille-toi! » Mes yeux s'habituèrent progressivement à la pénombre, dans l'étroite chambre située sous les combles que je partageais avec Sàra. Je me tournai vers l'autre lit. Il était vide.

Lâchant les draps, je respirai de nouveau en me laissant retomber sur l'oreiller. Encore un cauchemar. Ils revenaient me hanter régulièrement depuis le départ de Liam. Ils étaient toujours différents, mais, en même temps, ils se ressemblaient tous.

Je chassai une mèche de cheveux et humectai mes lèvres desséchées d'un coup de langue. Ma gorge était sèche et ma chemise de nuit, trempée. Oui, mes rêves avaient tous quelque chose en commun : la mort. La mort violente et sauvage. Les ailes du grand corbeau planaient au-dessus de moi, autour de moi, me frôlant de leur plumage de nuit lustré, me rappelant que la mort rôdait.

Je pris une grande inspiration pour emplir mes poumons de l'air sapide qui montait des cuisines. Brigid, la cuisinière, devait faire son pain. Je me frottai vigoureusement le visage pour chasser les images écœurantes qui traînaient encore dans mon esprit :

Avec un hachoir, quelqu'un découpait des morceaux de viande qu'il lançait dans un grand bac de bois, par terre, à ses pieds. Le bac était déjà plein de ces morceaux rouges de chair bien fraîche. Un chien pénétra dans la cuisine, puis un deuxième et encore un autre... Ils grognaient et se disputaient les pièces de viande dans lesquels ils mordaient avidement. Un éclat métallique attira mon attention dans le bac. Repoussant du pied les chiens affamés qui me tournaient autour d'un air menaçant, je m'approchai et, me saisissant d'une grosse cuillère en bois, je fouillai dans l'amas sanguinolent pour retrouver l'objet qui brillait. Je le découvris au doigt d'une main humaine... Une main d'homme aux longs doigts fins. Des doigts d'artiste.

Réprimant une nausée, je fermai les yeux. Je reconnaissais cette main, cette chevalière. Elles appartenaient à Patrick. Bondissant brusquement hors du lit, je tirai sur les tentures pour laisser entrer la lumière à flots. Pourquoi ce rêve? Et les autres? Des visions? Non, ils étaient trop énigmatiques. S'agissait-il de rêves sibyllins comportant un message? Ou tout simplement de manifestations des craintes et des peurs que je refoulais dans les coins les plus obscurs de mon esprit pour m'empêcher d'imaginer toutes les horreurs de la guerre à venir? Je cherchais désespérément à oublier que le sang allait couler pour abreuver cette terre toujours assoiffée, mais je n'y arrivais pas.

« Oh, Liam! J'ai tant besoin de toi! Je voudrais m'emmurer dans tes bras pour ne plus voir, m'isoler pour ne pas savoir... » Je poussai les battants de la petite fenêtre. Une brise marine m'accueillit et pénétra dans la chambre. J'offris mon visage à la tiédeur du soleil de ce matin d'octobre et fermai les yeux pour voir les traits de Liam sur l'écran de mes paupières closes. Une larme s'échappa.

— A Dhia... tha mo dhochas unnad air son gras is gloir...[47]

Ouvrant d'un coup les yeux, je portai mon regard vers l'immensité d'un bleu pur dans laquelle flottaient quelques petits nuages floconneux. Un sentiment étrange s'empara de moi. Dans les moments difficiles, la prière me venait tout naturellement. Je demandais le soulagement de mes peines. Et pourtant... Il me sembla brusquement qu'il ne venait jamais vraiment. Mais qui implorais-je donc ainsi? Ce Dieu que je priais jour après jour en ces temps de misère? Curieusement, le doute m'assaillait. Dieu m'entendait-Il? Existait-Il vraiment?

Un rire gras m'arracha à mes réflexions et retint mon attention, un peu plus bas sur la place publique. Quelques villageois s'étaient attroupés au pied de la croix du marché et encerclaient un enfant accroupi qui se bouchait les oreilles pour ne pas entendre les railleries. Plissant les yeux, je mis ma main en visière pour mieux voir le visage du souffre-douleur. Ce n'était pas un enfant, ma foi! C'était un homme, un nabot bossu de surcroît. Une femme pointa un doigt méchant vers l'infirme et l'aspergea d'avanies avant de lui lancer un navet. Le petit homme se recroquevilla sous la pluie de rires. Des enfants se faufilaient entre les jambes et les jupes, les bras chargés de crottin qu'ils lui lançaient à la figure.

Mais où donc était Dieu? Pourquoi ne répondait-Il pas à la prière que devait sûrement lui adresser cet homme dans son cœur meurtri? Ce nabot n'avait-il pas déjà assez souffert? Peut-être que Dieu était trop occupé ailleurs à répondre aux requêtes du duc d'Argyle demandant du renfort ou bien à celles de la coquine Emilie Cromartie, horrifiée de voir un vilain furoncle sur son nez pourtant si mignon. Quoi qu'il en soit, Dieu ne semblait pas entendre ce petit homme qui gisait au milieu des détritus, sur le pavé insalubre. Devant tant de misère imméritée... je me dis que j'étais en droit de douter.

À notre plus grand soulagement, la fièvre de Patrick chuta au bout de quatre jours. Sans cesse, nous nous étions relayés à son chevet pour l'éponger et calmer ses frissons. Nous arrivions à lui faire avaler un peu de bouillon ou bien des décoctions d'herbes préparées par Brigid à la demande du chirurgien. Quinlan suivait de près les progrès du blessé. Ce matin, Patrick allait nettement mieux et prenait son premier repas consistant.

Il était assis dans un fauteuil. Sa jambe blessée, coincée entre deux attelles de bois, avait considérablement diminué de volume. Le soleil qui filtrait à travers les carreaux de verre colorés d'un vitrail diaprait d'une mosaïque multicolore ses joues blafardes fraîchement rasées. Il souriait à Sàra qui lui présentait un morceau de poulet froid.

Je conclus qu'il était temps pour moi de rentrer à Glencoe. Patrick,

---

47. Mon Dieu... j'espère avec une ferme confiance que vous me donnerez... (prière de l'acte d'espérance).

lui, ne tarderait pas à partir pour Fetteresso. Un peu plus tôt dans la matinée, je lui avais parlé de ce complot ourdi contre le Prétendant. Évidemment, nous n'avions aucune preuve et encore moins de noms à donner. Mais la menace n'était pas à négliger. Il en parlerait à George Keith, le comte de Marischal.

Il était temps aussi que je reprenne mon rôle de mère. Frances, malgré toute sa bonne volonté, ne pouvait seule accomplir toutes les corvées. J'eus un pincement au cœur en observant mon frère avec son épouse. J'étais heureuse qu'il s'en fût sorti. Mais en même temps, j'avais mal en voyant leur bonheur. Je n'y pouvais rien, j'avais tant à perdre.

QUATRIÈME PARTIE

« Si la raison gouvernait les hommes,
si elle avait sur les chefs des nations l'empire qui lui est dû,
on ne les verrait point se livrer inconsidérément aux fureurs de la guerre. »

Diderot

10

Tombent les masques
11 novembre 1715

L'air était lourd de ces aigres odeurs corporelles mélangées à celles, tout aussi âpres, du whisky et du feu de tourbe qui enfumait l'abri provisoire du campement d'Auchterarder.

Un brouhaha incessant régnait dans la tente commune : des éclats de voix avinées, un rire gaillard, des murmures étouffés, le cliquetis des armes, les crépitements des feux. C'était la cohue autour de Liam qui, assis dans l'herbe avec ses compagnons de toujours, Simon et Angus Macdonald, en était à sa troisième pinte de bière.

Après une éreintante campagne de deux mois, l'armée highlander du général Gordon avait fait halte à Drummond Castle deux jours plus tôt. Un conseil de guerre auquel avaient assisté tous les chefs jacobites avait aussitôt eu lieu. Tout de suite après, une rumeur sur la décision prise par le comte de Mar avait déferlé sur le campement à une vitesse fulgurante. L'armée de Mar, qui cantonnait à Perth, quitterait la ville dès le lendemain à l'aube pour descendre sur Dunblane dans le but de prendre possession du bourg, qui n'était qu'à quelques kilomètres de Stirling.

Ensuite, trois détachements de mille hommes chacun se dirigeraient respectivement vers le pont de Stirling et vers deux passages à gué situés un peu plus en amont sur la Forth pour opérer une diversion. Pendant ce temps, le corps principal de l'armée, soit huit mille hommes, tenterait de traverser la rivière plus à l'est. Les trois premiers détachements le rejoindraient après la traversée.

Cependant, dans l'éventualité où le duc d'Argyle abandonnerait Stirling pour intercepter les trois détachements envoyés comme leurres, le corps principal pourrait prendre la ville et poursuivre les troupes hanovriennes. Telle était la stratégie du comte de Mar et tel était le sujet qui nourrissait tous les bavardages.

La veille, après une première journée de marche, les troupes parties de Perth avaient pris leurs quartiers aux alentours du petit hameau d'Auchterarder. Celles des Highlanders de Gordon les avaient rejointes ce matin même. On les avait laissées se reposer le reste de la journée, car le lendemain matin Gordon emmenait trois mille hommes des clans et huit escadrons de chevaux à Dunblane. Glencoe était sur la liste.

La nervosité et la tension précédant généralement les combats commençaient à être palpables dans le camp, envenimant les relations entre les hommes, qui s'arrosaient copieusement le gosier d'alcool et étaient sans arrêt en train de régler leurs comptes.

Le ton avait monté d'un cran dans le groupe d'hommes voisin, mais Liam n'y prêtait pas attention. Il observait Ranald en pleine discussion avec Duncan et le jeune Robin Macdonnell. Il s'inquiétait pour lui. Malgré ses efforts, son fils n'arrivait plus à cacher la douleur qui le tenaillait depuis plus d'une semaine. L'état de son dos avait empiré. Les nuits à dormir dans la bruyère, sur le sol gelé, et les longues journées de marche avaient fait leur œuvre. Mais Ranald avait la tête aussi dure que sa mère. Il se battrait comme les autres et toutes les tentatives destinées à l'en dissuader étaient vouées à l'échec.

Venant tout juste de franchir ses dix-huit ans, Ranald était un homme maintenant, et Liam ne pourrait le contraindre à rester au camp tandis que les autres se battraient pour leur roi. Non, cela allait à l'encontre de tout ce qu'il leur avait enseigné, à lui et à son frère. L'honneur passait avant leur propre vie. Les bardes ne chantaient-ils pas les éloges des héros morts au combat, faisant passer leurs exploits à la postérité? Il n'avait pas le droit de priver son fils de l'expérience de la guerre comme son propre père l'avait fait avec son frère Colin en 1689, pour Killiecrankie.

Colin, qui avait aussi dix-huit ans à cette époque, lui en avait toujours voulu de l'avoir écarté des gloires de la victoire éclatante de cette bataille. Seulement, Liam savait que la vie de ses fils serait irrémédiablement transformée. Ils ne seraient plus jamais tout à fait les mêmes après les combats. Il le savait pour l'avoir vécu lui-même. Tout ce que ses fils avaient connu jusqu'ici, ce n'était qu'échauffourées avec des hommes de clans hostiles, sans conséquences majeures... La guerre, c'était une véritable boucherie. Cela lui paraissait si loin maintenant. Pourtant, l'écho de la bataille résonnait encore dans sa tête et lui donnait la chair de poule.

Duncan lui avait déjà demandé de raconter la retentissante défaite des *Sassannachs* en 1689. Mais il n'aimait pas en parler et ne consentait qu'à en partager quelques bribes. De toute façon, d'autres s'en donnaient à cœur joie, entrant dans les menus détails du massacre de ces jeunes hommes qui pour la plupart n'avaient jamais croisé le fer avec l'ennemi. Une fois seulement il avait narré la sanglante bataille à Caitlin. C'était juste avant leur mariage. Puis, plus jamais.

Le visage de Liam s'assombrit. Il avala une autre gorgée de bière. Les *Sassannachs* qu'ils avaient massacrés avaient pour la plupart l'âge de ses fils. Qu'en serait-il cette fois-ci? L'armée d'Argyle était de toute évidence inférieure en nombre. Combien d'hommes comptait-elle? Il avait entendu parler de trois à quatre mille soldats. Mais c'était des soldats de carrière qui étaient bien mieux entraînés et armés que la plupart des Highlanders. Ces derniers n'étaient que de simples fermiers et conducteurs de bétail, qui n'avaient pour seules armes que leur rage de vaincre et leurs épées rouillées. Devant la gueule d'un canon, ce n'était pas toujours suffisant.

La discussion animée se poursuivait toujours à côté. Liam se retourna et se mit à observer distraitement le groupe d'hommes dans la pénombre du crépuscule. C'étaient des hommes du clan Maclean. Hugh Maclean semblait régler un différend avec quelqu'un.

— Le sang va couler, dit Simon en donnant un coup de coude dans les côtes d'Angus.

— Ouais, Colin a des problèmes. Je me doutais bien qu'ils en arriveraient là un jour...

— Colin? éructa Liam. Tu veux dire que c'est avec mon frère que Maclean règle ses comptes?

Les deux hommes échangèrent un regard surpris.

— Ben oui! fit Simon en haussant les épaules. T'étais où, mon vieux? Ça doit bien faire une demi-heure qu'ils s'engueulent.

Liam secoua la tête. Il entendit un son étouffé, puis il vit Hugh plié en deux et tentant de retrouver son souffle.

— Nom de Dieu, mais qu'est-ce qu'il fabrique encore?

Il se leva prestement et fut aussitôt imité par ses deux amis. Puis il se fraya un chemin parmi les hommes qui encerclaient les bagarreurs et lançaient des paris. Son frère se battait maintenant avec un autre homme.

— Sors-le d'ici avant que je ne lui fasse la peau, lui siffla Hugh qui se remettait du choc.

Liam s'interposa entre les deux pugilistes.

— Ça suffit, Colin! rugit-il en empoignant son frère par le col de sa chemise.

— Ne te mêle pas de ça, Liam.

Un poing surgit de nulle part, atteignant à la mâchoire Colin qui repoussa violemment Liam et s'élança vers son adversaire en rugissant. L'homme reçut un coup dans l'estomac et tomba à genoux en expirant bruyamment son air. Colin se préparait à le frapper sur la nuque quand Liam retint fermement son bras et le lui tordit dans le dos.

— Ce n'est pas le moment, imbécile, lui chuchota-t-il à l'oreille.

Un silence de plomb s'abattit sur la petite assemblée.

— Lâche-moi, pesta Colin.

Liam desserra lentement sa poigne. Colin lui coula un regard hargneux, puis sortit du cercle pour s'éloigner du campement. Liam jeta un regard vers l'homme accroupi à ses pieds. Ce dernier le dévisagea en poussant quelques jurons, puis se leva, aidé des hommes de son clan. Il n'avait rien de cassé, ça pouvait aller.

— Tu veux bien m'expliquer ce qui t'a pris? Ce n'est pas le moment ni l'endroit pour régler un différend avec Hugh Maclean!

Liam marchait de long en large, foulant rageusement les hautes herbes et lorgnant son frère de biais d'un œil mauvais.

— Tu me poses la question?! s'écria Colin, exaspéré, en levant les bras au ciel. Ce foutu imbécile a encore dans l'idée de m'en faire baver pour Maureen. Il ne veut pas comprendre qu'elle et moi, c'est terminé.

— Peut-être a-t-il raison de t'en vouloir, c'est tout de même sa sœur, Colin. Ce que tu as fait à cette pauvre fille... Si quelqu'un avait traité Sàra de la même manière, je lui aurais fait regretter le jour où il est né.

— Ouais... Tu ne fais jamais d'erreurs, toi, murmura ironiquement Colin. Je peux me vanter d'avoir un frère parfait! Ce qui n'est pas ton cas...

— Je ne me considère pas comme un homme parfait. J'ai fait mes erreurs, moi aussi, mais j'en ai assumé les conséquences.

— Contrairement à moi, c'est ça?

Les yeux injectés de sang de Colin se rétrécirent sur un regard chargé de rancœur.

— Regarde-toi, mon frère. Tu bois trop, tu n'es plus toi-même depuis quelques années. Qu'est-ce qui t'arrive?

— Cela t'intéresse-t-il vraiment?

— Arrête, tu es pathétique. Tu sais très bien que ce qui t'arrive me touche, nom de Dieu! Tu es le seul frère que j'ai. Je ne comprends pas pourquoi tu agis toujours de façon si irréfléchie, Colin Macdonald. Parfois, j'en arrive à croire que tu le fais exprès.

Il poussa un long soupir et se frotta les paupières.

— Maureen était une fille bien. Je croyais que tu allais enfin t'assagir et cesser de cavaler avec les Macgregor. Avoir échappé à la corde trois fois ne t'a pas suffi? Elle t'aimait, cette fille, et tu lui as fait subir la pire des humiliations.

— Je ne lui avais rien promis! se défendit Colin en détournant les yeux.

Il chancela un moment, puis lâcha un juron.

— Elle a vécu sous ton toit pendant deux ans. Elle a même porté ton enfant!

— Elle l'a perdu...

— C'est pour ça que tu l'as laissée seule à se morfondre pendant deux mois? Personne ne savait où tu étais. Nous avons même cru un moment que tu avais été tué. Mais non, tu l'avais abandonnée délibérément alors qu'elle avait besoin de toi.

— Non... je...

Liam attrapa son frère par le bras et le força à le regarder.

— Deux mois, Colin! Elle t'a attendu tout ce temps pour apprendre que tu te vautrais dans le lit d'une autre femme, à Inverness. Je ne voulais pas y croire, pas toi!

— Je n'ai pas de comptes à te rendre, Liam.

— Oh, que si!

— J'en ai assez de tes réprimandes! rugit Colin en se dégageant, poussé par une nouvelle bouffée de rage. À t'entendre, je suis la pire des ordures. Tu n'as jamais abandonné Caitlin, peut-être?

Liam blêmit.

— Colin...

— Ah! Tu te souviens de ta petite escapade en France, à ta sortie du Tolbooth d'Édimbourg, en 1695? Eh bien, je te dis tout de suite que je n'ai jamais cru à cette histoire de négoce d'armement. C'était de la foutaise! Aucun homme sain d'esprit ayant passé plusieurs semaines en prison à attendre son exécution pour un crime qu'il n'a pas commis et se voyant gracié ne part comme ça. En tout cas, pas quand il a une femme comme Caitlin qui l'attend... Il s'était passé quelque chose et tu ne l'as pas supporté. Alors tu t'es sauvé et tu l'as abandonnée. Oh, mais j'ai essayé de savoir pourquoi. J'ai pressé Caitlin de questions. Ta femme t'aimait trop pour te jeter la pierre, malgré tout le mal que tu lui faisais.

Un silence hostile les enveloppa. Les deux frères se toisaient froidement. Liam leva lentement le menton; ses lèvres pincées étaient pâles et sa mâchoire se contractait nerveusement.

— C'est vrai, tu ne sais pas ce qui s'est passé, et ce n'est pas aujourd'hui que je vais te le raconter, dit-il sèchement. Et puis, ce n'est pas la même chose. Toi, tu as attendu qu'elle quitte la vallée pour t'y montrer de nouveau. Tu n'as même pas été foutu de lui dire en face que tu ne voulais plus d'elle. Nom de Dieu, Colin! Tu as agi comme un lâche. Hugh a bien raison de vouloir te faire la peau. D'ailleurs, j'aurais bien dû le laisser te rosser comme tu le méritais!

— En effet, tu n'avais pas à te mêler de ça! Ma vie ne regarde que moi.

Le regard gris de Colin s'assombrit.

— Mais en y repensant bien... peut-être te concerne-t-elle, finalement.

Liam secoua la tête et rencontra le regard de Colin. Les deux frères se fixèrent un moment.

— Je ne veux pas revenir là-dessus, Colin.

Un silence oppressant suivit, les empêchant presque de respirer. Tous deux connaissaient bien la véritable raison du malaise. Mais ni l'un ni l'autre n'osaient l'évoquer. Les rires et les exclamations des hommes, étouffés par le taillis qui les séparait du camp, leur parvenaient comme un grondement sourd et lointain. Colin sortit sa flasque de whisky et l'offrit à Liam, qui la refusa d'un geste de la main.

— Je crois pourtant qu'il est temps pour nous de parler, mon frère, dit Colin d'une voix rauque.

— Tu as assez bu. Tu n'es pas en état de discuter.

Ignorant la remarque de son frère, Colin fit néanmoins couler entre ses lèvres le whisky qui dégoulina sur son menton et mouilla sa chemise crasseuse. Il claqua la langue, puis s'essuya du revers de la main. Il émit un petit rire nerveux et poursuivit :

— Je ne le serai jamais assez pour toi. Mais contrairement à ce que tu penses, mes idées sont très claires.

Son regard vitreux se perdit dans le vague. Il pressa de nouveau le goulot de la flasque contre sa bouche. L'eau-de-feu brûla sa lèvre fendue et sa gorge déjà bien enflammée, ce qui le fit grimacer.

— Je t'en veux toujours, tu sais. Mais avec le temps, j'ai appris à tromper mon esprit, comme tu peux le constater... Je fais ce que je peux pour oublier...

Il balançait la flasque devant le visage impassible de Liam, un sourire ironique sur les lèvres. Puis le visage se détendit. Liam resta muet, mais ne le quitta pas des yeux. Sa mâchoire se contractait sous la barbe qui l'ombrait.

— Quel frère ingrat je fais, n'est-ce pas? Liam le Sage... Colin le Turbulent. Tu as toujours essayé de me protéger, et moi, je te haïssais pour ça... À chaque bêtise que je commettais, tu t'empressais de me défendre devant MacIain pour qu'il ne sévisse pas trop durement. Tu n'as pas encore compris que je ne cherchais qu'à t'en faire baver?

Liam tiqua, puis s'éclaircit la gorge en dévisageant son frère.

— Tu aurais dû partir pour l'Amérique avec Munro et Will Macgregor, comme tu en avais l'intention.

— Je sais, mais je n'ai pas pu. Comme tu viens si bien de me le faire remarquer, je suis trop lâche... Et puis, Maureen est arrivée. J'ai cru qu'enfin... Seulement...

— Seulement, tu as préféré bousiller ce qui t'arrivait de mieux depuis des années. T'avais jamais réussi à garder une femme plus de deux mois, le coupa Liam que la colère et la frustration refoulées depuis des années commençaient à étouffer. Si c'était à moi que tu en voulais à ce point, pourquoi t'en être pris à elle? Pourquoi l'avoir fait souffrir, elle?

Le visage de Colin se ferma. Son regard fuit et le coin de sa bouche se tordit.

— Je... je ne sais pas. Je ne voulais pas lui faire de mal, je te le jure, mais je ne savais pas comment le lui dire...

Il poussa un grognement et se prit la tête entre les mains.

— Je n'arrivais pas à l'aimer, Liam... Pas comme elle le méritait! Toute ma vie j'ai cherché en vain l'impossible. Je voulais trouver la femme que je savais ne jamais pouvoir posséder.

— Et tu vas m'en vouloir toute ta vie parce que j'ai épousé Caitlin? rugit Liam en se campant devant lui.

— Tu me l'as prise! hurla son frère en tombant sur les genoux. Je l'aimais, je la voulais, nom d'un chien! Tu me l'as prise sous mon nez, comme ça!

— Elle n'était pas à toi! rétorqua vivement Liam d'une voix blanche.

Il ne voulait pas entendre le reste. Il observait son frère prostré devant lui avec un mélange de colère et de pitié. L'amour de Colin pour sa femme avait tourné à l'obsession et empoisonnait leurs relations.

Tous avaient remarqué l'étrange ressemblance avec Caitlin des femmes qui s'étaient succédé dans la vie de Colin. Certaines fois, c'était une luxuriante chevelure de nuit; d'autres fois, un regard couleur de l'océan; elles avaient toutes un air qui rappelait Caitlin. Maureen Maclean était celle qui ressemblait le plus à sa femme, autant par son physique que par son caractère. Mais ces femmes n'étaient que des passades. Elles ne faisaient que réchauffer ses draps et engourdir son mal.

— Je n'ai rien pris qui était à toi. Caitlin a fait son choix.

— Je sais... admit Colin d'une voix éraillée.

Il porta sa main à sa flasque, puis se ravisa en grommelant.

— Alors pourquoi tout ressasser?

Colin se remit péniblement sur ses pieds.

— Parce qu'il le faut! Tu as toujours cherché à éviter le sujet dès que je l'abordais. J'en ai assez...

Vacillant quelques secondes, le visage défait, il ferma les yeux avant de poursuivre :

— J'en ai plus qu'assez de te haïr. Tu ne peux pas imaginer...

Il émit un son étrange, puis passa ses doigts dans ses cheveux blonds que les derniers rayons du soleil faisaient briller.

— Tu ne peux pas imaginer ce que c'est que de haïr quelqu'un qu'on aime. C'est un mal qui tue peu à peu. Tu te sens rongé de l'intérieur, tu sens un grand vide se faire, puis tu en viens à te haïr toi-même.

Sa voix tremblait tant il essayait de se contrôler. N'y tenant plus, il prit la flasque et avala deux bonnes gorgées avant de continuer :

— Ce jour où tu l'as prise sous mon nez, dans la vieille chaumière, près de Methven... Tu croyais peut-être que je ne savais pas ce qui s'y passait? Bordel de merde! Et Simon et Donald qui y allaient de leurs spéculations sur le temps que cela vous prendrait... À ce moment-là, j'ai eu envie d'entrer dans la chaumière et de vous embrocher sur mon épée.

Il respirait avec peine. Son visage était pâle et ses yeux étincelaient de haine. Une brise se leva, apportant le vacarme assourdissant du campement. Liam frissonna. Il regardait fixement l'homme qui se tenait devant lui et lui crachait toute sa hargne contenue depuis tant d'années.

Un petit rire cynique résonna, puis un silence sépulcral retomba sur eux, les enfonçant dans un malaise insupportable.

— D'accord, c'est toi qu'elle voulait. Depuis le début, je le savais, et je te haïssais pour ça. Je me suis toujours demandé si les choses auraient été différentes si c'était moi qui m'étais fait prendre au manoir Dunning, cette fameuse nuit, lors de notre retour d'Arbroath. Aurais-je été celui que son cœur aurait choisi? Mais ce que je te reproche, c'est d'avoir accepté son choix, en sachant que moi aussi, je l'aimais. Tu as choisi de l'épouser en sachant que cela briserait le lien qui nous unissait... Tu connaissais mes sentiments pour elle.

— Je croyais que cela allait te passer, que ce n'était qu'une tocade...

Colin dévisagea son frère un long moment, puis poussa un soupir désabusé.

— Et toi, cela t'a passé?

Il tenta de sourire, mais ne parvint qu'à grimacer. Chassant un insecte d'un large mouvement, il poursuivit :

— Ensuite, quand vous vous êtes enfuis à Édimbourg, je... j'ai espéré que...

Sa voix s'étrangla. Il se détourna.

— Tu as espéré quoi?

— Tu étais recherché pour meurtre...

— Tu as souhaité que la Garde me prenne et me pende pour le meurtre de ce fumier de Dunning? Tu n'aurais eu qu'à consoler la pauvre veuve éplorée de ton frère. Est-ce ce que tu essaies de me dire?

Le silence se prolongeait et une rage sourde montait en Liam.

— Nom de Dieu, Colin!

L'ombre de pitié qu'il avait éprouvée pendant un moment fut soufflée par un vent de colère froide. Son frère n'était qu'à une longueur de bras, mais il avait l'impression qu'il se trouvait séparé de lui par des kilomètres d'un infranchissable gouffre sans fond. Vingt ans à nourrir une passion obsessive pour Caitlin et un ressentiment sans bornes envers lui. Que pouvait-il rester dans son cœur? Une douleur aiguë lui barra l'estomac. Sa haine l'avait-elle vraiment amené à souhaiter sa mort? L'atmosphère était lourde et sinistre.

— Tu aurais passé toutes ces années à souhaiter ma mort? Je n'en crois pas mes oreilles! Malgré tout ce qui nous sépare, je suis ton frère de sang, Colin! L'aurais-tu oublié? Comment as-tu pu?

— Je sais! hurla Colin en mettant ses mains sur ses oreilles.

Il poussa un cri désespéré.

— Je ne voulais pas ta mort, Liam. Je voulais seulement Caitlin pour moi... Je sais que cela peut te paraître complètement absurde, mais c'est vraiment tout ce que je voulais! Je n'arrivais plus à me comprendre moi-même, je me haïssais...

— Mais seule ma mort pouvait la conduire dans ton lit, n'est-ce pas?

— Non...

— Non, quoi? Tu aurais trouvé une autre solution à ton problème? rétorqua-t-il, cinglant. Allez, raconte! As-tu cru qu'elle accepterait de coucher avec toi?

— Putain de merde! jura Colin en tournant le dos à son frère. Finalement, tu avais raison. Je n'aurais pas dû te parler de ça.

— C'est un peu tard maintenant, mon vieux. Tu ne peux t'arrêter là. J'ai bien envie de connaître la suite. Allez! Quelle solution as-tu trouvée?

Liam attrapa son frère par le collet et le fit pivoter.

— Non, Liam... Je ne veux plus en parler... Tout ça est terminé maintenant.

— Oh non! Ça ne fait que commencer. Tu vas finir ton petit récit qui, ma foi, est plus qu'intéressant, Colin. C'est bon, l'abcès est crevé. Il faut maintenant nettoyer la plaie. Continue! ordonna-t-il en lâchant brusquement son frère.

Colin chancela, puis hocha la tête en plissant les yeux.

— Liam...

— Vide ton sac! cria Liam, blanc de rage. Tu espères toujours me voir crever? Peut-être que, d'ici quelques jours, les *Sassannachs* auront réglé définitivement ton problème, sait-on jamais! À moins que je ne voie pas venir le...

Le coup l'atteignit en plein dans l'estomac. Il se plia en deux, le souffle coupé. Colin le dévisageait, le visage révulsé, en se frottant le poing.

— Comment oses-tu penser?...

Liam fonça tête première sur lui et l'envoya s'écraser contre un tronc d'arbre. À moitié sonné, Colin gémit et se laissa glisser au sol. Liam lui empoigna alors le collet et le força à se relever, puis brandit son poing devant son visage blafard.

— Justement, je ne sais plus quoi penser, Colin Macdonald.

Sa mâchoire se crispa. Il le relâcha enfin en le repoussant. Colin se retint à l'arbre pour ne pas tomber.

— Je vais m'en aller, lâcha Colin après quelques minutes angoissantes. Dès que l'insurrection sera terminée... Je quitterai l'Écosse pour le Nouveau Monde.

Liam ouvrit la bouche. Non, il était préférable de ne rien dire. C'était sans doute mieux ainsi.

— Au fond de moi, je t'aime toujours, Liam... Mais j'aime Caitlin, et je n'y peux rien. À la vérité, je crois que je n'arriverai jamais à aimer une autre femme tant qu'elle sera là. Je voudrais que tu comprennes.

— J'essaie.

Ils se considérèrent quelques instants en silence, puis Colin reprit :

— J'ai essayé, tu sais... avec Maureen. J'y étais presque arrivé. Mais quand elle a perdu l'enfant...

L'émotion l'étrangla. Une larme vint mouiller sa joue.

— Colin, comment as-tu pu? Tu l'as répudiée parce qu'elle a perdu l'enfant?

— Ce n'est pas ça, c'est plus compliqué. Caitlin... Elle n'a jamais perdu d'enfant. Je suis parti pour faire le point, j'ai eu peur. J'ai eu peur de ma réaction. Je savais que j'aurais dû rester auprès de Maureen. Je savais qu'elle avait besoin de réconfort, mais j'étais incapable de lui donner ça.

— Tu lui en voulais?

— Non, pas à elle, à moi-même. Je l'ai comparée à Caitlin, nom d'un chien! Caitlin n'aurait pas perdu l'enfant! Tu comprends ce que je m'évertue à t'expliquer? Tout à coup, Maureen n'était plus comme Caitlin. J'ai alors réalisé que ce n'était pas Maureen que j'aimais, mais plutôt Caitlin à travers elle. Or Maureen ne ressemblait plus à Caitlin.

Liam hocha la tête en signe d'assentiment. Mais en vérité, il ne comprenait pas grand-chose aux élucubrations de son frère.

— Elle « n'était pas » Caitlin.

— Mais si Caitlin n'a pas perdu d'enfant, c'est qu'elle a eu de la chance, c'est tout.

— Peut-être, bredouilla Colin avec lassitude en se laissant glisser au sol.

Quand je la voyais grosse de tes œuvres... je me plaisais à penser que c'était mon bébé. Oh, Liam, j'ai imaginé... Elle me hantait la nuit. Combien de fois l'ai-je étreinte... me glissant à ta place?

— Laisse tomber les détails, tu veux?

Manifestement, l'obsession de son frère était plus grave qu'il ne l'avait cru. Qu'il parte pour les colonies était de toute évidence la meilleure solution pour tout le monde. Soudain, le nœud dans son estomac lui fit plus mal encore. Une terrible crainte l'assaillait. Il sentit ses jambes faiblir. Il n'arrivait plus à respirer.

— Colin, est-ce que tu as?...

Il n'arrivait pas à formuler la question qui le torturait, lui faisant craindre le pire. Son frère leva un visage mouillé de larmes vers lui.

— Quoi?

— Avec Caitlin... je veux savoir... Est-ce que tu l'as... touchée?

Colin le fixa un moment d'un air interrogateur, puis son expression se teinta d'incrédulité lorsqu'il comprit la question qui lui était posée. Les traits de Liam s'étaient figés.

— Colin?

— Non. Enfin, une fois peut-être...

Une sensation désagréable envahit Liam. Sa bouche se tordit et laissa échapper un affreux gémissement. Il serra les paupières.

— Je l'ai embrassée. Une fois seulement, c'est tout. Je te le jure sur la tombe de notre père.

— Embrassée? Quand?

— Le jour de votre mariage, juste avant de la conduire à l'église... En fait, je dirais plutôt que je lui ai volé un baiser, car vois-tu... elle ne voulait pas.

— Tu l'as forcée?

— Je n'irais pas jusqu'à dire que je l'ai forcée. Disons que je l'ai surprise.

— Plus jamais ensuite?

Son cœur battait à lui rompre la poitrine. Que ferait-il si Colin lui avouait avoir pris sa femme de force? Ses doigts serraient le manche de son poignard à lui faire mal.

— Plus jamais. Je lui avais promis de ne plus jamais l'importuner une fois qu'elle serait ta femme, et j'ai tenu ma promesse.

Leurs regards se croisèrent.

— J'aime Caitlin, Liam. Mais tu es mon frère, et je t'aime aussi. Jamais je n'aurais pu te trahir de la sorte. C'est ce qui me tue.

Émettant un petit rire cynique, il roula les articulations de ses épaules.

— Cela aurait été nettement plus simple si ça n'avait pas été le cas.

Il sourit faiblement, et ses dents brillèrent dans la pénombre grandissante du crépuscule.

— Toi, Caitlin, Sàra et les enfants, vous êtes ce que j'ai de plus cher en ce bas monde, Liam. Je donnerais ma vie pour vous... pour ce qu'elle peut bien valoir, ironisa-t-il après un petit moment d'hésitation. C'est pourquoi j'ai décidé de partir. Je vous ai fait assez de mal comme ça. Je ne reviendrai pas.

Il prit une grande bouffée d'air pour oxygéner son cerveau saturé de vapeurs d'alcool. Puis, affichant un air mi-figue, mi-raisin, il ajouta plus doucement :

— Toutefois, je n'arrive pas à m'enfoncer dans le crâne l'idée que mes os n'iront pas sur *Eilean Munde*.[48]

Liam lança un regard surpris à Colin, puis, saisissant le sens de ses paroles, il tendit une main vers lui.

— Ton âme sera toujours en Écosse, mon frère.

Colin se leva en s'agrippant fermement à la grande main offerte. Tout à coup, fixant quelque chose derrière Liam, il se figea et laissa échapper une sorte de gémissement. Liam se retourna. À quelques mètres, à portée de voix, se tenait Duncan à moitié dissimulé par les branchages dénudés des arbustes.

— Depuis combien de temps es-tu là, fils? demanda Liam d'une voix neutre.

Le jeune homme sortit lentement de sa cachette, lançant un regard impénétrable vers son oncle.

— Depuis trop longtemps, je le crains.

— Ah! laissa tomber platement Liam avec consternation.

Colin se racla la gorge puis, évitant le regard lourd de reproches de son neveu, il bredouilla :

— Je retourne au campement. Demain nous marchons sur Dunblane, je vais prendre du repos.

— Qu'as-tu entendu au juste? demanda Liam après que Colin eut disparu.

— Presque tout.

— Bon, d'accord.

Qu'y avait-il à ajouter? Liam sortit sa pierre à affûter et la déposa dans l'herbe à ses pieds pour qu'elle se mouille au contact de l'humidité.

— Je vous ai suivis depuis le campement. Je voulais te parler de... Je suis désolé. Je n'avais pas l'intention de vous épier, mais... Le ton de vos voix m'a inquiété, et je suis resté. Père! Je croyais que Colin avait enfin réalisé que mère était ta femme et que... C'est complètement ridicule! Vingt années se sont écoulées depuis.

Il triturait nerveusement son béret entre ses doigts.

— Je sais.

— Il a avoué qu'il avait voulu t'en faire baver pendant toutes ces années. Tu lui en veux?

— Oui et non. C'est encore trop confus dans ma tête. D'une certaine façon, je ne peux pas lui en vouloir. Somme toute, c'est sa vie à lui qu'il a foutue en l'air, pas la mienne. Et puis, Colin a toujours été insouciant et

---

48. Île située dans le loch Leven ayant servi de lieu de sépulture pour le clan des Macdonald de Glencoe pendant plusieurs générations.

181

téméraire. Il aurait sans doute fait les mêmes bêtises, même si la situation avait été différente.

— Mais elle ne l'est pas.

— C'est vrai. J'ai toujours su que Colin aimait ta mère, Duncan. D'ailleurs, comme tu le sais, il ne s'en cachait nullement. Mais j'ai préféré ne pas le voir. Il s'est lié d'amitié avec des hommes de Macgregor qui vivaient en hommes brisés sur Rannoch Moor. Il disparaissait des semaines durant. J'ai honte de le dire, mais cela m'arrangeait et me facilitait la vie. Ce fut de courte durée cependant. Ensuite, les choses sont allées de mal en pis. Il y avait un certain Dugal Ban MacKellar dans le groupe. Je me souviens très bien de cet homme! Personne ne peut oublier MacKellar, s'esclaffa Liam en hochant la tête.

Il ramassa sa pierre et, s'asseyant en tailleur sur le sol froid, la cala dans les replis de son kilt. Puis il entreprit d'aiguiser son poignard avec des mouvements lents.

— MacKellar, poursuivit-il sans lever les yeux du métal brillant. Il puait le vieux bouc à des kilomètres à la ronde. Je n'ai jamais compris comment il s'y prenait pour surprendre les pauvres voyageurs qu'il détroussait.

— Oncle Colin détroussait aussi les voyageurs? Tu veux dire qu'il est voleur de grands chemins?

— Était, rectifia Liam en vérifiant le tranchant de sa lame sur son ongle. Sa carrière fut de très courte durée. C'était en 1697. MacKellar, Colin et un Macgregor auraient tranché la gorge à un voyageur dans les environs de Bracaldine et lui auraient volé près de huit cents livres écossaises. Colin et Macgregor ont soutenu que c'était MacKellar qui avait commis l'abominable crime. Mais ils se sont tout de même partagé la somme. Deux semaines plus tard, la Garde faisait irruption dans la vallée. Quelqu'un avait dénoncé MacKellar et avait indiqué qu'il se cachait parmi nous. Colin a tout juste eu le temps de se cacher avec ses comparses dans les collines. John a été accusé de donner asile à un meurtrier et MacKellar fut conduit sous bonne escorte à Fort William, où il a été pendu. C'est ce qui mit fin à la carrière de détrousseur de ton oncle. Il s'est ensuite tourné vers les raids sur les terres des Campbell, et comme il ne fait jamais les choses comme les autres...

Du coin de l'œil, Liam observa son fils aîné adossé à l'arbre où s'était trouvé Colin un peu plus tôt. Le jeune homme se rembrunit en entendant le nom des Campbell, mais ne dit rien. Duncan avait rejoint l'armée trois semaines plus tôt. Liam n'avait pas osé le questionner sur la fille du laird de Glenlyon, espérant que son fils en parlerait de lui-même. Mais ce dernier était resté coi sur le sujet. Quelques hommes du clan l'avaient nargué à quelques reprises. Il était alors entré dans une telle rage, lui qui d'habitude était d'humeur égale, que cela avait mis la puce à l'oreille de Liam. Il s'était indubitablement passé quelque chose.

— Ainsi, mon oncle va partir pour le Nouveau Monde? s'enquit Duncan d'un air absent.

— C'est ce qu'il semble avoir décidé. C'est son choix.

— Et tu approuves?

Liam examina le deuxième tranchant de la lame. Satisfait de son travail, il rangea sa pierre et se tourna vers son fils.

— Si c'est tout ce qui peut lui apporter la paix, oui.

— Mais il est la seule famille qu'il te reste dans la vallée, père, fit observer Duncan en le regardant gravement.

— Je sais, Duncan. Mais c'est sa vie, pas la mienne.

— En tout cas, je ne sais pas comment je réagirais, moi, si Ran m'annonçait son départ définitif.

— Tu apprendrais à accepter son choix.

Liam déplia ses jambes et les étira devant lui en grognant.

— Au fait, dit-il en levant les yeux vers les étoiles qui commençaient à briller dans le ciel indigo. Pourquoi es-tu venu me trouver?

— Je... bah! Ça peut attendre.

Duncan se racla la gorge. Liam revint à la charge, résolu à le faire parler enfin :

— Cela aurait-il à voir avec la fille Campbell?

Il se figea.

— Euh...

— Alors, c'est d'elle dont tu voulais me parler?

Glissant son poignard dans son fourreau, Liam posa un regard interrogateur sur son fils.

— C'est possible... bredouilla Duncan en lissant une longue mèche de ses cheveux derrière son oreille. Eh bien, oui.

— Bon, alors, que veux-tu me dire?

— C'est que je ne sais trop par où commencer...

Liam sourit doucement. Décidément, cette nuit, il était le confesseur des âmes tourmentées.

— Le début serait un bon commencement.

— Je ne sais pas, père...

D'une chiquenaude, Duncan projeta un petit paon-de-nuit qui venait de se poser sur sa cuisse. Puis il brisa une branche de callune [49] rose pour la humer.

— Comment...

Liam attendit patiemment la suite, en vain.

— Duncan?

— Ah, bon sang! Cette fille me rend dingue. Mais je ne sais pas exactement ce que je ressens pour elle.

— Mouais... J'ai déjà connu ça.

— Vraiment? s'étonna Duncan en ouvrant de grands yeux surpris et en se tournant vers son père. Quand? Je veux dire, pour qui?

---

49. Plante poussant sur les landes et dont les fleurs en grappe fleurissent plus tard que la bruyère. Un des emblèmes de l'Écosse.

— Ta mère...

— Et pour ta première femme, Anna?

— Pour Anna, c'était différent. Je ne m'étais jamais posé de questions avec elle. Les choses s'étaient imposées d'elles-mêmes.

— En quoi était-ce différent avec mère, alors?

— Elle ne devait rester à Glencoe que le temps que sa blessure guérisse. Je ne voulais pas m'attacher à elle, et cela, pour plusieurs raisons.

— Lesquelles?

— Eh bien, premièrement, après la mort d'Anna, je m'étais promis de ne plus jamais aimer une femme.

— Pourquoi?

Liam haussa les épaules, eut une moue indécise.

— La peur de souffrir encore, je suppose, déclara-t-il d'une voix grave.

— Et les autres raisons?

— Elle était recherchée pour meurtre. John n'aurait jamais accepté qu'elle reste dans la vallée. Il avait promis au roi que le clan se conduirait de façon exemplaire. Héberger, même temporairement, une femme recherchée pour meurtre n'entrait certainement pas dans une bonne ligne de conduite. Il y avait aussi Colin, qui ne se cachait pas pour lui faire la cour.

— Ah! ouais, Colin...

— Donc je suis parti quelques jours pour mettre les choses au clair dans ma tête. J'ai laissé Caitlin avec Sàra. J'ai cru que l'éloignement réglerait mon problème. J'ai cru que je pourrais l'oublier. Elle était très belle, et le seul fait d'être près d'elle me rendait fou de désir. Il me fallait l'oublier, ne plus la voir.

— Ce n'est pas ce qui s'est produit, n'est-ce pas? Tu n'arrivais plus à la chasser de ton esprit, elle hantait tes nuits?

Liam sourit. Son fils semblait bien connaître les tourments auxquels il faisait allusion. Il décrocha sa broche et la fourra dans son *sporran*, puis il s'emmitoufla dans son plaid. La nuit s'annonçait glaciale.

— C'était pire encore : mon cœur ne battait plus que pour elle. J'étais prêt à être banni du clan pour l'avoir avec moi. Mais, entre-temps, j'ai découvert qu'elle n'était plus recherchée pour le meurtre de lord Dunning.

— C'était toi...

— Oui. Alors si quelqu'un devait quitter la vallée, c'était bien moi et non plus Caitlin. Placé devant cette nouvelle tournure des faits, je ne voyais plus ce qui m'empêchait de l'épouser. Mais lorsque je suis revenu à Carnoch, elle était déjà partie. J'ai vraiment cru l'avoir perdue à jamais. C'est à ce moment-là que j'ai su.

— Quoi? demanda Duncan avec une pointe d'impatience dans la voix.

— Eh bien, que je l'aimais vraiment. La peur de perdre quelque chose, quelqu'un, nous fait réaliser à quel point on y tient.

— Mais qu'arrive-t-il si ce quelqu'un nous est interdit, inaccessible?

La voix de Duncan n'était plus qu'un murmure. Liam l'observa d'un œil attendri. « Mon fils est amoureux d'une Campbell, que Dieu lui vienne en aide! »

— Rien n'est inaccessible si on le veut vraiment de tout son être. Il faut cependant y mettre du sien.

— Même si les conséquences peuvent être désastreuses?

— Tu l'aimes vraiment, mon fils?

Le jeune homme sursauta, puis tourna un regard déconcerté vers lui.

— Si je l'aime vraiment? C'est la question que je ne cesse de me poser, père, avoua-t-il finalement. C'est qu'elle est une vraie garce!

Liam pouffa de rire, tapotant affectueusement l'épaule de son fils.

— C'est une Campbell, ne l'oublie pas.

— Comment le pourrais-je? *No obliviscaris!*

Fermant ses yeux un instant, Duncan les rouvrit et lui adressa un sourire las.

— Que s'est-il passé?

— Rien, justement. Je croyais bien que... J'ai été très correct avec elle. Je veux dire... je l'ai traitée comme une dame. Puis, à un moment, j'ai cru qu'elle descendait la garde... Alors j'ai...

— Tu n'aurais pas tenté de... la séduire?

Duncan ne répondit pas tout de suite. Liam soupira d'exaspération.

— Je sais, mais je n'ai rien forcé, père, je te le jure. C'est elle qui, à la dernière minute...

— Je me doutais bien que quelque chose s'était produit entre vous deux. Depuis que tu es revenu au camp, tu traînes une mine de déterré. Il va falloir te secouer un peu, mon garçon, car la bataille qui nous attend sera moins douce à vivre.

L'air mortifié de Duncan se mua en inquiétude.

— Père... pour la bataille...

Il déglutit et ses traits se figèrent en une expression terrifiée.

— Il n'y a pas de honte à avoir peur, Duncan. Aucun homme sain d'esprit ne fait face à l'ennemi sans avoir les boyaux tordus par la trouille. Et je t'assure que je ne fais pas exception à la règle.

Duncan le dévisagea un long moment, puis leva les yeux vers la voûte étoilée qui s'étendait à l'infini au-dessus d'eux.

— Ouais, grand-père Kenneth veillera sur nous.

Le cœur de Liam se serra d'émotion. Son fils pouvait parler avec lui comme un homme puis, l'instant d'après, il redevenait un enfant. Et c'était cet enfant qu'il emmenait à la guerre avec lui.

Cette nuit-là, Liam s'endormit avec la soyeuse mèche de cheveux couleur de la nuit sur son cœur. Il rêva de Caitlin, de son corps tiède sous le sien, de sa peau si douce sous ses doigts et de ses lèvres sucrées comme le miel. Il vit ses propres mains suivre la ligne gracieuse de son cou, de ses épaules. Elles descendirent plus bas, emprisonnèrent ses seins puis les libérèrent pour continuer leur chemin jusqu'à la courbe de ses hanches,

185

sur lesquelles elles s'attardèrent un moment avant de se glisser entre ses cuisses... Là où il voulait se perdre, là où il voulait se cacher. Entrer en elle et se mettre à l'abri, se blottir dans sa chaleur et ne plus jamais en ressortir... Il gémit.

Une main l'agrippait et le tirait. Non! Il ne voulait pas! « Je veux rester ici, laissez-moi! » Il gémit de nouveau. La douce chaleur de Caitlin le quittait. Il frissonna. Non!

— Non...

— Liam! Ça va? chuchota une voix.

La main le secouait doucement. Liam ouvrit des yeux hagards.

— Est-ce que ça va?

Simon était penché sur lui, le regard inquiet.

— Euh... oui, ça va aller, Simon, je crois que j'ai rêvé. Je suis désolé de t'avoir réveillé.

La main de Simon serra délicatement son épaule.

— Je sais ce que c'est, Liam. C'était comme ça avant Killiecrankie, les dernières nuits.

— Ouais...

— Rendors-toi. L'aube ne va pas tarder à se lever; il nous reste encore une heure ou deux.

Liam referma les yeux. « *Caitlin, a ghràidh... fan leamsa, tha dìth agam ort.* »[50]

Le sommeil ne revint pas.

---

50. Caitlin, ma chérie... reste avec moi, j'ai besoin de toi.

11

Drummond Castle
12 novembre 1715

*L*es fleurs de givre fondaient sous la chaleur des doigts de Marion posés sur le carreau de la fenêtre. Les superbes jardins qui s'étendaient au pied de Drummond Castle s'étaient figés sous une mince couche de neige tombée la nuit précédente. La jeune femme fixait le cadran solaire datant du siècle dernier qui émergeait au centre de la croix de Saint-André que formaient les allées de gravier. Mais son esprit était ailleurs.

Une toux opiniâtre et le craquement du cuir d'un fauteuil la tirèrent de ses rêveries. Mais elle ne se retourna pas, préférant laisser son regard errer encore un peu dans ce splendide décor, imaginant la magnificence de la roseraie en juin. Elle ferma momentanément les yeux, se remémorant le parfum entêtant des rosiers qui bordaient jadis les jardins de Chesthill et que sa mère soignait avec tant d'amour. Aujourd'hui les arbrisseaux étaient laissés à la merci des ronces et des herbes folles. Margaret n'était plus là pour les entretenir, et elle, Marion, n'avait pas un goût marqué pour le jardinage. Mais elle se souvenait avec un pincement au cœur de la beauté du jardin.

La toux persistait dans son dos. À regret, la jeune femme détacha le regard du paysage blafard, puis se tourna lentement vers le vieil homme qui s'agitait dans le fauteuil. Le visage raviné et congestionné du comte de Breadalbane se convulsait. L'homme tendit une main tremblante vers l'aiguière posée sur la table à sa droite et s'en empara. Marion suivait d'un œil distrait les gestes hésitants de l'oncle se versant un gobelet de vin pour calmer la nouvelle quinte de toux qui le secouait.

— Asseyez-vous, ma chère, lui proposa finalement sir Grey John Campbell en reposant son gobelet sur la table.

Les petits yeux gris profondément enfoncés dans leurs orbites la fouillaient. Elle ne broncha pas.

— Non, je préfère rester debout, si cela ne vous gêne pas.

— Alors, soit! fit-il en battant l'espace vide devant lui avec sa canne.

Il reposa bruyamment la béquille sur le parquet de chêne ciré et remonta la couverture sur ses frêles jambes habillées de velours marron.

— Vous devez repartir pour Glenlyon, mon enfant, commença-t-il. Les combats ne devraient plus tarder maintenant. Votre père préférerait vous savoir à l'abri dans sa vallée.

— Je sais...

Sous la perruque, le long visage émacié avait un teint bilieux. Marion se mordit la lèvre. Elle ne voulait pas partir, du moins pas encore. Certes, son père lui avait fait promettre de retourner à la maison le plus rapidement possible, dès qu'elle se sentirait disposée à voyager de nouveau. Mais elle avait réussi à retarder son départ de quelques jours en feignant divers malaises. Aujourd'hui, elle était à court de raisons. Et Breadalbane, qui l'avait percée à jour, s'impatientait de la voir s'éloigner des campements de l'armée jacobite.

Le laird lui avait raconté la petite cavalcade de sa fille avec un homme de Glencoe. Marion avait bien cru que le vieil homme ne s'en remettrait pas, mais il avait tenu bon. Le vieux renard était stupéfait. Il avait craché son fiel avec toute l'énergie qui lui restait. La fille de Glenlyon avec la racaille de Glencoe? Quelle horreur! Cette race de bandits ne devait pas frayer avec une fille de la prestigieuse maison des Campbell, encore moins avec la fille du laird de Glenlyon. Elle avait tenté de le rassurer : « Mais Duncan est un garçon très correct! » « Correct? avait alors rugi Breadalbane. Un homme de Glencoe, correct? Je les connais assez pour savoir qu'aucun homme de la vallée maudite ne peut être droit! Cette vallée est un nid de scélérats, de rapaces sanguinaires, de pillards! »

Le vieillard avait craché ses mots avec une telle hargne qu'elle n'avait osé répliquer. Même son père en était resté muet. Cela l'avait d'ailleurs amenée à se demander s'il avait la même conception du clan des Macdonald que Breadalbane. Il était évident que son père ne portait pas ces gens dans son cœur : son cheptel se voyait régulièrement diminué de quelques bêtes après leurs incursions dans ses terres. Mais jamais elle ne l'avait entendu parler d'eux avec la véhémence du vieux comte. « Si cet idiot de Robert avait convenablement fait son travail, les montagnes de l'Argyle et de Breadalbane seraient beaucoup plus paisibles et plus sûres aujourd'hui, et ne grouille-raient pas de cette engeance abhorrée, de ces gibiers de potence! » avait tonné le vieillard en frappant rudement le sol de sa canne. Elle entendait encore l'écho de sa dernière diatribe.

— Marion Campbell!

Elle sursauta.

— Vous partirez demain à la première heure, déclara-t-il en la fixant gravement.

— Demain?

— J'ai fait préparer ma voiture pour vous. Trois hommes vous escor-teront.

— Je ne veux pas partir, les hommes de mon clan auront certainement besoin de soins après les combats...

— Foutaises! Il y a assez de femmes dans le camp pour cela!

Elle chercha des mots qui pourraient le faire changer d'avis. Mais c'était peine perdue, elle le savait. Seul un grognement de réprobation sortit de sa gorge. Breadalbane la dévisagea un moment d'un air intransigeant, puis ses traits se radoucirent un peu.

— Je vous suis reconnaissant de tout ce que vous avez fait pour moi, Marion, reprit le vieil homme sur un ton plus calme, presque affectueux, mais je ne puis vous permettre de rester ici plus longtemps. L'armée du duc d'Argyle est trop proche.

Il s'enfonça dans son fauteuil qui protesta de nouveau en craquant.

— Si Argyle venait à apprendre que vous vous êtes faufilée dans son bureau à Inveraray...

— Personne ne m'a vue.

— Il ne faut jamais être trop sûr de soi, croyez-moi. C'est une erreur qui peut nous être fatale. Des hommes ont vu leur tête rouler à cause de leur insouciance et de leur imprudence.

— Personne ne se trouvait dans cette aile du château au moment où je m'y suis introduite. Ils étaient tous occupés à surveiller le « camp noir » du général Gordon qui ne se trouvait qu'à un kilomètre de là.

— Un domestique, peut-être? Comment savoir?

C'était peu probable. Elle avait vérifié et revérifié : personne ne l'avait suivie. Et puis, qui se serait soucié d'un soldat patrouillant dans les corridors du château appartenant au général des armées du roi George? Car c'était vêtue des habits militaires de la couronne qu'elle avait fouillé le bureau du duc à la recherche de lettres compromettantes. Le comte de Breadalbane espérait trouver un moyen de causer la disgrâce du duc d'Argyle en cas de défaite du côté des jacobites. S'il ne pouvait lui-même obtenir le duché qu'il avait toujours convoité et qui le mettrait à la tête du clan Macdiarmid des Campbell, au moins prendrait-il sa revanche en voyant celui d'Argyle s'effondrer. Mais, pour cela, il lui fallait des preuves de la déloyauté du duc envers la maison de Hanovre, et ce n'était pas si simple à trouver.

Le vieil homme avait bien songé à tramer un complot pour faire accuser Argyle de lèse-majesté, s'inspirant de l'histoire du duc de Marlborough à l'époque de Guillaume III. Le malheureux duc en avait été quitte pour six semaines dans la tour de Londres. Mais sa réputation avait été irrémédiablement entachée. L'homme avait finalement été accusé de double espionnage et disgracié. Breadalbane soupçonnait fortement Argyle d'avoir trempé dans cette affaire. Enfin, l'idée lui avait paru bonne. Mais il avait été contraint de l'abandonner lorsque son ennemi avait été nommé généralissime de l'armée gouvernementale. Il lui fallait trouver autre chose. Une correspondance avec un chef jacobite, par exemple?

Et elle, Marion Campbell, comment le vieux renard l'avait-il recrutée? Elle avait surpris quelques mois plus tôt une conversation entre son père et lui. Son père était venu demander une avance pour payer les fermages dus depuis près d'un an, et elle l'accompagnait, comme elle le faisait à l'occasion, car il devait ensuite se rendre à Édimbourg pour affaires.

La conversation entre les deux hommes avait eu lieu sous une petite charmille chargée de rosiers en fleurs, loin des regards mais pas des oreilles. Breadalbane avait alors fait part à Glenlyon de ses visées sur le duché et les terres d'Argyle. Son rêve pourrait devenir réalité si le Prétendant arrivait à remonter sur le trône. Mais, évidemment, il ne pouvait y arriver seul. Si John Buidhe[51] pouvait l'aider à causer la disgrâce du duc... peut-être que les dettes contractées par cet ivrogne de Robert pourraient être considérablement allégées?

Jamais! Non, jamais le laird de Glenlyon ne s'abaisserait à un tel chantage quel qu'en fût le prix! Les exclamations outrées de son père résonnaient encore dans la tête de Marion. L'honneur d'un homme, aussi endetté fût-il, ne s'achetait pas! La jeune femme n'avait rien dit sur le moment. Mais, quelques jours plus tard, elle faussait compagnie à sa gouvernante, à Chesthill, et galopait vers le château de Finlarig. Breadalbane avait tout d'abord refusé son offre, mais s'était rapidement ravisé devant l'audace dont elle faisait preuve. Pourquoi pas? Qu'avait-il à perdre? D'ailleurs, qui se méfierait d'une innocente jeune femme? Pas si innocente que cela cependant, il le savait bien. Le même sang coulait dans leurs veines. Son père avait désespérément besoin d'argent, mais sa fierté l'avait poussé à refuser l'offre alléchante du comte.

Ainsi, Marion s'était vu confier quelques petites missions secrètes à Inveraray. Elle en était à la troisième lorsque les Macdonald l'avaient surprise sur le point de voler un cheval.

D'un œil sombre, elle détailla le vieux comte qui avait pour un moment fermé ses paupières fripées sur son regard usé. Elle n'aimait pas cet homme, qui lui inspirait plutôt du mépris. Jusqu'où pourrait-il aller pour assouvir sa soif de pouvoir qui lui avait dicté sa conduite tout au long de sa vie? Certes, Breadalbane était un homme très intelligent.

Grâce à sa ruse et à des années de labeur, il avait réussi à se délester du lourd fardeau de dettes accumulées par ses ancêtres au fil des générations. Son père, dixième laird de Breadalbane, avait préféré dépenser son énergie avec ses épouses, qui s'étaient succédé à un rythme effarant. Vingt-six enfants, légitimés, étaient nés, ce qui avait eu pour effet de vider complètement les caisses de la branche des Campbell de Glenorchy.

Enfant, Breadalbane avait vu les hommes de Glencoe et de Keppoch ravager les terres, vider les greniers et voler les biens à sa famille. En 1645, après la défaite des Campbell à Inverlochy[52], devant les Macdonald

---

51. John Buidhe Campbell, sixième laird de Glenlyon.
52. La bataille d'Inverlochy a eu lieu lors de la guerre civile et opposait les Highlanders sous le commandement de James Graham, marquis de Montrose, et les Covenanters sous les ordres d'Archibald Campbell, marquis d'Argyle.

d'Irlande, de Glengarry, de Keppoch et de Glencoe, leurs terres avaient été dévastées à maintes reprises par les clans du Lochaber, qu'on traitait de gibier de potence. Les Macgregor et les Macnab, qui avaient toujours des comptes à régler avec les Campbell, avaient participé au pillage. Breadalbane n'avait que dix ans lorsque les Macdonald avaient brûlé maisons et granges, avaient tué tous les hommes en armes qu'ils trouvaient et s'étaient envolés avec le bétail, ne laissant derrière eux que désolation, sang et larmes.

Un an plus tard avait eu lieu le massacre des collines de Sron a'Chlachain. C'était lors du mariage d'une fille de Glenorchy avec un laird de la maison des Menzie, auquel assistait toute la petite noblesse de Breadalbane, au château de Finlarig. Les hommes Campbell, ayant eu connaissance de la présence de ces damnés Macdonald sur leurs terres, s'étaient précipités hors du château, l'épée à la main et la tête pleine de whisky. Trente-six d'entre eux avaient été tués. Le sang des Macdonald s'était mélangé au leur et avait rougi les ruisseaux qui coulaient vers le loch Tay.

Neuf ans plus tard, le clan de Glencoe et celui de Keppoch dévastaient de nouveau les terres de Breadalbane. Une jeune fille du nom de MacNee avait été accidentellement tuée alors qu'elle tentait d'empêcher les maraudeurs de voler des bêtes. Depuis, les femmes de Breadalbane chantaient le courage de la fillette. Depuis, aussi, la haine de sir Grey John Campbell de Breadalbane envers le clan de Glencoe était incommensurable. À cette époque, le grand MacIain était le chef du clan Macdonald et son neveu, le jeune Robert Campbell, était laird de Glenlyon. C'est en profitant des faiblesses de ce dernier que, trente-sept années plus tard, Breadalbane avait réussi à se soulager de son lourd faix de griefs et à assouvir son désir de vengeance, à l'aube d'un certain 13 février 1692.

Depuis, la devise de Breadalbane était : « Conquérir et garder ce qui a été conquis. » Ainsi, armé de sa seule soif de pouvoir, l'héritier de la maison des Breadalbane avait fait son ascension dans le monde, à coups de mariages fructueux, de manigances et d'alliances politiques lucratives. Il avait accumulé titres et privilèges. Il avait servi le roi Stuart. Puis lorsque Guillaume d'Orange était monté sur le trône, il s'était tourné vers lui, tout naturellement, comme si cela allait de soi, sans se poser de questions. Il ne se souciait pas de donner acte d'allégeance à une famille royale ou à une autre, mais il allait tout simplement là où ses intérêts le portaient, et vers le pouvoir.

Grey John Campbell ouvrit les yeux et sourit à Marion d'un air narquois.

— En passant, dit-il d'une voix suave, pour vous remercier de vos loyaux services, mon enfant, j'ai fait placer une dot de cinq mille livres à votre nom.

La jeune femme ouvrit grands les yeux et la bouche.

— Une dot? Mais pourquoi?

Le vieil homme remua péniblement ses doigts perclus de rhumatismes et dévisagea Marion de son œil gris scrutateur.

— Pour être bien mariée, une jeune femme se doit de posséder une dot convenable, vous en conviendrez.

— Bien sûr, mais...

— Votre père n'est pas en mesure de vous l'offrir. Notre petite entreprise pour faire tomber Argyle a manifestement échoué. Je ne peux tout de même pas effacer toutes les dettes de votre famille, mais je ne vous laisserai pas partir sans une récompense bien méritée.

Le sourire de Breadalbane se tordit en un rictus de mépris. Les ongles de Marion s'enfoncèrent dans ses paumes. « Le salaud! »

— Ainsi, pour vous éviter un mauvais mariage avec un homme que je pourrais qualifier de... peu recommandable et qui ferait la honte de la maison, je vous offre cette dot. Vous m'en remercierez plus tard, ma chère.

Il leva un doigt noueux et fronça les sourcils sur un regard sombre et calculateur.

— Cependant, il y a une condition. Si vous vous y conformez, votre père se verra offrir un montant forfaitaire...

Marion se sentit défaillir. Il voulait l'acheter!

— Vous devez épouser John Lyon, le comte de Strathmore et de Kinghorne.

— Quoi? Je ne le connais même pas!

— Vous aurez tout le temps de remédier à cela, ma chère. C'est un noble jacobite. Il a dix-neuf ans et...

— Je ne l'épouserai pas! trancha-t-elle en faisant les cent pas devant le comte, les poings sur les hanches.

Elle fulminait. Comment osait-il? C'était du chantage!

— Mon père n'accordera jamais ma main à cet homme, noble ou non...

— C'est déjà fait.

Elle devint livide. Non, cela ne pouvait être... Son père lui en aurait parlé. Il n'aurait pas pris une décision si importante la concernant sans lui en avoir préalablement parlé.

— Donc, demain, vous repartirez pour Chesthill, Marion, dit froidement le comte. Vous y resterez jusqu'à ce que les arrangements pour le mariage soient pris. Je vous conseille d'éviter de revoir de nouveau cette... fripouille. Comment s'appelle-t-il déjà? Ah oui... Duncan... Comment aurais-je pu oublier ce nom? Duncan Macdonald.

— Je n'ai pas d'ordre à recevoir de vous. Vous n'êtes qu'une...

Marion mit une main sur ses lèvres tremblantes et réalisa soudain l'ampleur de la menace à peine voilée du comte, qui lui souriait maintenant de toutes ses dents jaunies. Comment pouvait-il savoir pour elle et Duncan?

— Si j'avais trente ans de moins, je vous épouserais bien moi-même, mais...

Il haussa les épaules et esquissa une moue dépitée.

— À quatre-vingts ans, je n'ai plus grand-chose à offrir à une jeune femme, si ce n'est ma fortune. Mais je doute qu'elle vous intéresse. Je sais que vous n'êtes pas ce genre de femme, Marion. Évidemment, cela m'aurait grandement facilité les choses. Mais enfin... Je vous connais depuis votre plus tendre enfance. Je vous ai vue grandir. Et je dois avouer que j'apprécie beaucoup ce que je vois aujourd'hui. Au moins, ce Robert aurait-il apporté quelque chose de bon sur cette terre. Avec votre caractère trempé, vous représentez un défi pour n'importe quel homme.

Il s'éclaircit la voix et se frotta les mains. Son visage redevint grave.

— Malgré tout ce que vous pouvez penser de moi, je vous aime bien. C'est pourquoi je vous ai fait cette offre.

— Laissez-moi rire, monsieur le comte! Vous croyez me sauver?

— Sauver votre âme, bien entendu. Je suis vieux mais point aveugle, vous savez.

— Ce qui veut dire?

— Depuis votre arrivée avec ce jeune Macdonald, je vous vois rêveuse et soucieuse. Je sais ce qui vous ronge le cœur, Marion Campbell.

— Vous vous trompez...

— Vraiment? Pourquoi tenez-vous tant à rester ici? Je me suis fait décrire ce nargue-potence, juste pour avoir une idée... Il ne manque pas de charme, à ce qu'on m'a dit. Vous vous refusez peut-être à l'admettre, mais vous êtes amoureuse de cet homme

Marion ne releva pas la dernière remarque. Il avait fait espionner Duncan, elle en était estomaquée. L'avait-il fait suivre, elle aussi? Breadalbane la fixait dans l'attente évidente d'une expression ou d'un mot qui la trahirait. Elle réussit, au prix d'un effort colossal, à rester impassible.

— Or ça, ma chère, je ne puis vous le permettre. Fréquenter la racaille de Glencoe, certainement pas. Sarah, la cousine de votre père, s'est enfuie avec le fils cadet de MacIain. Nous avons cru que le clan nous montrerait quelques égards, mais nous avons été bien naïfs. Ces hommes n'ont aucun sens de l'honneur. Ils prennent ce qu'ils convoitent sans poser de questions, et c'est tout.

— Vous croyez que ce que vous faites est différent? La seule chose qui vous différencie d'eux, ce sont vos méthodes, je le crains.

Breadalbane émit un petit ricanement rauque qui se changea en toux.

— C'est votre bien que je veux, Marion. Vous comprendrez cela plus tard.

— Et c'est pour ça que vous vous mettez à jouer les entremetteurs? Vous devriez pourtant savoir qu'à ce jeu vous n'avez jamais eu beaucoup de succès.

Les traits du vieil homme se figèrent et ses lèvres se pincèrent à en devenir une fine ligne pâlotte. Marion osa un petit sourire en coin.

— Votre fils aîné ne vous a-t-il pas faussé compagnie pour cette raison?

— Mon fils Duncan n'était qu'un imbécile, rétorqua Breadalbane avec un flegme emprunté. Il était l'héritier de ma pairie. Il devait respecter son rang. Je ne pouvais pas le laisser épouser la fille d'un simple métayer.

Les jointures de ses doigts étaient blanches sur le pommeau d'argent fin de sa canne, et ses yeux étrécis fixaient le vide devant lui.

— Il est tout de même parti avec sa Marjorie. Vous l'avez déshérité parce qu'il a refusé de se soumettre à vous.

— Il avait des obligations envers son clan. Il aurait été comte un jour.

— Il aurait rempli ses obligations si vous lui en aviez donné la chance, poursuivit-elle en le défiant du regard. Ce qui vous gênait chez lui, en fait, c'était son indépendance d'esprit. Vous n'arriviez pas à accepter qu'il puisse penser différemment de vous. Le fait qu'il ne se tournait pas vers vous pour vous demander conseil vous mettait tout simplement hors de vous.

Le comte braqua sur elle son regard glacial puis, comme décontenancé par la perspicacité de la jeune femme, il détourna les yeux. Sa bouche se détendit, s'incurvant légèrement.

— Vous avez du culot, vous savez. C'est malheureux que vous ne soyez qu'une femme, car vous auriez fait un très bon laird.

— J'en doute. Vous n'auriez pu me manipuler à votre guise comme vous avez fait avec mon grand-père. Encore heureux que mon père vous donne du fil à retordre...

La gorge de Marion se noua. La jeune femme déglutit difficilement. Sa témérité l'avait poussée trop loin. Le comte était un homme puissant et son père, un pauvre homme ruiné à sa merci.

— Quoi qu'il en soit, vous partirez demain. Je ne reviendrai pas sur ma décision, déclara le vieillard. Le comte de Strathmore est quelqu'un de bien. J'aurais pu me montrer moins indulgent et vous donner à un veuf beaucoup plus âgé pour consolider une alliance intéressante. Mais j'y ai renoncé, à cause du courage dont vous avez fait preuve dans le but d'aider votre père et votre clan.

On entendit des craquements dans le couloir, puis le murmure étouffé d'une conversation. Un coup hésitant fit vibrer la porte et interrompit le vieux comte, qui se tourna vers la source du dérangement avec un déplaisir patent.

— Qu'y a-t-il?

La porte s'entrebâilla et un laquais montra timidement le bout de son nez.

— Qu'y a-t-il? redemanda Breadalbane avec irritation.

Le garçon entra craintivement et inclina sa petite perruque en frottant nerveusement ses mains gantées de blanc dans son dos.

— Le comte de Mar et lord Drummond désirent s'entretenir avec vous avant de repartir, monsieur le comte.

— Faites-les entrer! Faites! ordonna Breadalbane en faisant voler les dentelles de ses poignets. De toute façon, j'en ai terminé avec mademoiselle Campbell.

La porte s'ouvrit toute grande sur un homme élégamment vêtu de bleu et de gris, suivi de deux autres gentilshommes. Le premier s'inclina devant Marion, s'emparant de sa main pour la porter à ses lèvres.

— Mes hommages, madame. Je suis désolé d'interrompre votre entretien avec ce cher Breadalbane, mais nous devons incessamment quitter le château pour rejoindre nos valeureux guerriers...

— Du nouveau? demanda alors Breadalbane.

Le comte de Mar tourna son regard légèrement bridé vers le vieil homme.

— Nous avons été devancés sur Dunblane. Le duc d'Argyle aurait certainement eu connaissance de nos intentions. Il s'est installé là ce matin. Notre stratégie de le leurrer vers les ponts qui enjambent la Forth et de le prendre par-derrière tombe à plat. Je viens d'en avoir la confirmation à l'instant même par un courrier express envoyé par le général Hamilton qui attend mes instructions à Ardoch, dans la plaine jouxtant les ruines des camps romains.

— Et où se trouvent les hommes du général Gordon?

— Ils ont un ou deux kilomètres d'avance sur Hamilton à qui j'ai envoyé un premier ordre l'enjoignant de rejoindre Gordon dès que le corps central de son armée sera réuni. Ensuite ils avanceront sur Dunblane.

— Vous n'avez pas l'intention d'attaquer aujourd'hui, n'est-ce pas? s'enquit le comte avec une pointe d'inquiétude.

Lord Drummond, qui était resté muet jusque-là, prit la parole :

— Non, les hommes devraient bivouaquer quelque part aux alentours du bourg cette nuit. Nous allons réunir d'urgence les officiers pour un conseil de guerre.

— Nous ne savons pas encore où se trouve le plus gros de l'armée du duc, annonça le troisième homme resté en retrait, tout près de la porte.

Il était nettement plus jeune que les deux autres qui devaient avoir autour de la quarantaine et il arborait un sourire charmeur creusant deux belles fossettes dans ses joues charnues et lisses. Son regard intelligent aux yeux charbonneux allait sans cesse vers Marion, qui se sentit rougir devant autant d'intérêt. L'homme était bien charpenté, mais un excédent de poids tendait dangereusement sa veste de tartan et cherchait à déborder par-dessus sa cravate, formant quelques mentons de surplus.

— Argyle semble connaître vos intentions mieux que vous-même, Mar. Je ne serais pas surpris d'apprendre qu'il se trouve déjà à Dunblane avec la totalité de son armée. Ses espions lui donnent sans doute déjà les positions de vos troupes. Ne le sous-estimez pas. Contrairement à vous, il a fait ses classes dans diverses campagnes sur le continent et il a croisé l'épée avec plus d'un pendant que vous livriez bien tranquillement vos petites guerres oratoires sur votre banc au parlement.

Le comte de Mar pinça les lèvres, mais ne releva pas la remarque caustique du vieux renard.

— L'affrontement devrait avoir lieu dans les jours qui suivent, dit-il en feignant l'indifférence. Nous avons étudié les cartes et en avons déduit que le val de Strathallan ou les collines d'Orchil nous offrent des points stratégiques intéressants. L'endroit le mieux désigné pour livrer combat serait sans doute la plaine de Sheriffmuir. J'ai pensé rallier mes forces à la pierre de Wallace, demain dès l'aube, et y attendre Argyle et ses troupes.

Marion recula de quelques pas et heurta la console, sur laquelle deux magnifiques chinoiseries se mirent à osciller. Lord James Drummond fixait avec effroi ses deux précieuses urnes, qui s'immobilisèrent finalement.

— Je suis désolée.

La bataille serait imminente? Non, elle ne pouvait pas repartir pour Glenlyon. Duncan... le glaive des *Sassannachs*. Il devait bien y avoir un moyen de pigeonner ce fieffé vieux comte. Comme s'il avait compris ses intentions, Breadalbane la lorgna de biais d'un air entendu avant de reporter son intérêt vers le général des troupes jacobites.

— Qu'advient-il des jacobites et de l'insurrection en Angleterre?

— J'attends toujours des nouvelles. Les troupes du brigadier Mackintosh ont rejoint les forces de Forster à Kelso. Le 9 novembre, à Preston, leurs effectifs ont augmenté, se montant à quatre mille hommes. Aux dernières informations, Mackintosh et Forster se préparaient à prendre le pont de Warrington et ainsi se garantir Manchester et Liverpool. S'ils y arrivent, leurs forces augmenteront considérablement.

Breadalbane grommela quelque chose d'inintelligible, puis grimaça.

— Pourquoi ne sont-ils pas remontés vers le nord? Ils auraient dû attendre avant de pénétrer si profondément en territoire anglais. Ce diable d'Argyle est manifestement la seule force à craindre en Écosse. Mackintosh et Forster arrivant par le sud, et vous venant par le nord, le duc aurait été contraint à la reddition. Les forces devraient s'unir et non se disperser, Mar. Une fois l'Écosse sous notre contrôle, là seulement nous aurions pu penser à nous introduire en Angleterre.

— Il est un peu tard, je le crains. Au moment où je suis de leurs décisions et de leurs déplacements, je ne peux plus rien. Je sais que les opinions des chefs, là-bas, divergeaient grandement. Le vieux brigadier Borlum Mackintosh voulait justement rester en Écosse et remonter sur Stirling. Je crois que c'est l'arrivée imprévue du général Carpenter et de son armée gouvernementale de mille hommes, à Wooler, qui les a poussés à prendre cette décision.

Breadalbane soupira.

— Alors, il ne reste qu'à souhaiter qu'avec la grâce de Dieu ils réussissent à rallier assez d'insurgés au cours de leur marche vers le sud pour réussir leur entreprise.

— Oui, avec la grâce de Dieu.

Hésitant un moment et se raclant la gorge avec embarras, il sortit une enveloppe de son justaucorps et la tendit à Breadalbane.

— J'ai ici l'engagement solennel signé des nobles et des chefs jacobites qui ont participé au concours de chasse de Braemar, à la fin de l'été. Je vous prierais de bien vouloir le mettre en sûreté. Vous comprendrez que ce document compromettant peut coûter la vie à plusieurs d'entre nous et ne doit en aucun cas se retrouver entre les mains d'Argyle. Je ne peux me permettre de le laisser ici, encore moins de le garder avec moi.

Breadalbane prit le précieux pli scellé qui craqua entre ses doigts.

— Ne vous inquiétez pas. Demain, il sera en sûreté à Finlarig.

— Nous vous en savons gré. Je dois maintenant vous quitter pour rejoindre mes troupes qui me réclament avant la tombée de la nuit.

— Une dernière chose, mon cher Mar. Avez-vous reçu des nouvelles du Prétendant dernièrement? Il se fait attendre.

Les doigts jouant anxieusement avec sa cravate, Mar secoua lentement la tête.

— Euh... non. Je n'ai encore rien reçu de sa part depuis le jour où nous avons pris Perth. Sa dernière missive annonçait son arrivée imminente sur le sol écossais, ainsi que du renfort venant des Français... que nous attendons toujours, d'ailleurs...

— C'est trop long, grommela Breadalbane en fronçant ses sourcils sur un regard sombre. Les esprits enthousiastes risquent de se refroidir. Les hommes veulent un roi de chair et d'os à couronner.

— Je suis certain que le prince en est pleinement conscient et qu'il débarquera bientôt.

— Enfin... je l'espère pour le bien de la cause. Que Dieu vous garde, Mar. Croyez-moi, je voudrais bien me trouver avec vous pendant les combats. Mais mes vieux os ne suivent plus.

Les regards des deux hommes se croisèrent, puis le comte de Mar se tourna vers Marion pour la saluer. Lord Drummond fit de même. Le troisième homme s'apprêtait à partir lorsque Breadalbane l'interpella.

— Attendez un instant, John, je voudrais vous présenter ma charmante et dévouée nièce, Marion Campbell de Glenlyon.

Le jeune homme s'inclina respectueusement devant Marion, replaçant nerveusement une boucle cendrée qui s'était échappée du nœud de soie retenant ses cheveux sur sa nuque.

— Enchanté, fit-il en affichant une rangée de dents perlées. John Lyon, comte de Strathmore...

— Oh! s'exclama Marion, pantoise.

Le jeune homme prit sa main et l'emprisonna entre les siennes, immenses.

— Je crois que nous aurons le plaisir de nous revoir, déclara-t-il en laissant traîner un regard approbateur sur la silhouette de Marion qui cherchait à reprendre possession de sa main.

— Sans doute, répondit-elle, espérant désespérément qu'il n'en fût pas ainsi. Mais pour le moment, je crois que vous avez d'autres chats à fouetter.

John Lyon éclata d'un rire sincère et libéra la main qui se tortillait entre ses doigts.

— Croyez-moi, nous ferons mieux que les fouetter, madame.

Quelques minutes plus tard, lorsque Breadalbane et Marion furent de nouveau seuls, le vieillard se tourna vers la jeune femme avec une moue cynique.

— Je vous charge d'une dernière mission dont, j'en suis certain, vous vous acquitterez avec le plus grand soin, annonça-t-il en brandissant le document compromettant. Vous porterez l'engagement écrit des chefs jacobites sur vous et vous le remettrez en mains propres à mon fidèle chancelier, Owen. Il loge à Finlarig pour s'occuper de toutes mes correspondances pendant mon absence. Dès que je le pourrai, je lui enverrai un coursier avec mes instructions quant à ce qu'il devra en faire selon l'issue de la bataille.

Comment allait-elle se sortir de ce mauvais pas? Elle prit le pli et lança un regard noir qui sembla amuser le comte. Puis, retournant à sa fenêtre, elle écouta d'une oreille distraite le vieil homme discourir de l'importance de l'honneur et du devoir chez la fille d'un laird ainsi que de la place d'une femme auprès de son mari.

Son regard se perdit au loin, bien au-delà des arbres et des collines du Strathearn. Comment allait-elle s'en sortir? Le document compliquait drôlement les choses.

— Alors vous comprendrez pourquoi nous devons parfois sacrifier certaines choses...

— Hum... acquiesça-t-elle, l'air absent.

Trouver quelqu'un pour aller à Finlarig à sa place? Qui? Elle souffla sur le verre, qui s'embua, et se mit à dessiner un petit nuage auquel elle ajouta une tête puis des pattes. Si elle attendait encore quelques jours avant de partir... après la bataille?... Hum, non, trop risqué. Elle contempla son œuvre pendant quelques secondes et décida d'y ajouter une petite queue et des oreilles.

— J'ai pensé que le mois de mars ou d'avril serait un bon moment...

Elle hocha docilement la tête, essuya son mouton avec sa manche, puis fixa son reflet qui se superposait au paysage endormi.

— Le temps de faire publier les bans...

— Les bans? Qui doit faire publier les bans et quels bans?

— Mais John, pardi! Et vos bans!

— John?... murmura-t-elle, comme une idée germait dans son esprit. Mais oui, John! s'écria-t-elle ensuite en se tournant vers le comte qui l'observait d'un air perplexe.

— Vous m'écoutiez, Marion?

— Bien sûr! mentit-elle sans vergogne, affichant un magnifique sourire. Je dois aller préparer mes bagages, si vous n'y voyez pas d'inconvénient...

Elle adopta aussitôt un air compassé simulant le mécontentement.

— Je vous assure que le document sera en lieu sûr, monsieur le comte.

Breadalbane avança une lippe dubitative et soupira.

— Je compte sur vous, ma chère.

Brusquement, elle fit volte-face dans un tourbillon de boucles folles et de jupons et quitta la pièce en courant. Mais bien sûr! Pourquoi n'y avait-elle pas pensé plus tôt? Son frère porterait le document à sa place. À qui d'autre pouvait-elle faire confiance, quelqu'un qui est du même sang et de la même chair qu'elle? Pourvu qu'il ne soit pas trop tard.

John Campbell, héritier de Glenlyon, fourrait sa chemise propre dans son sac.

— Je ne peux pas, Marion! Je dois rejoindre père. Il m'attend au camp avec les hommes du clan. J'ai déjà trop tardé.

La jeune femme retint le bras de son frère qui mettait des bas dans son bagage. Il tourna un regard exaspéré vers elle et se dégagea pour se remettre à l'ouvrage.

— John! C'est très important...

— Finlarig est sur ton chemin, non? Rentre à la maison comme notre père te le demande. La guerre est une affaire d'hommes et tu n'as pas à t'y mettre le nez.

— Je ne peux pas... Tu ne comprendrais pas.

Comment son frère pourrait-il comprendre qu'elle refusait de quitter Drummond Castle à cause d'un Macdonald? Elle-même avait de la difficulté à comprendre ce qui se passait dans son cœur depuis les dernières semaines. Depuis Killin, en fait. Mais il fallait qu'elle fournisse une raison quelconque à John. Elle n'aurait qu'à lui dire la vérité... en prenant toutefois bien soin de modifier quelques faits.

— Vois-tu, Breadalbane me donne en mariage au comte de Strathmore et... Il sera sur le champ de bataille, alors...

— Quoi? s'esclaffa son frère en la dévisageant d'un air ahuri. Toi et un comte?

Il éclata de rire. Marion le foudroya du regard, vexée.

— Et pourquoi pas? Je ne suis pas assez bien?

— Mais tu ne possèdes pas un seul penny, ma sœur!

— Il y a autre chose dans le mariage que les bénéfices d'une dot, John Campbell!

— Ah! Bien sûr! Mais je suis certain que Strathmore peut facilement obtenir ces petits « à-côtés » sans avoir à épouser la fille d'un laird ruiné!

— Tu ne changeras donc jamais? Toujours prêt à dire le mot qui blesse.

Elle le frappa brutalement à la poitrine avec son poing.

— Qu'y a-t-il là-dedans? N'as-tu point de cœur?

— Bon, ça va! s'écria-t-il en levant les bras en signe de reddition. Mais je te ferai remarquer que tu ne donnes pas ta place lorsqu'il s'agit de blesser avec des mots.

— C'est que j'ai été à la bonne école, figure-toi!

John se frotta les yeux, puis ferma son sac.

— Je t'aiderais bien, Marion, mais...

— La vie de plusieurs hommes dépend de la sécurité de ce document, lâcha-t-elle avec étourderie.

Son frère la dévisagea, interdit. Elle se mordit la lèvre. C'était sorti tout seul. Elle jeta un rapide coup d'œil autour d'eux pour être bien certaine qu'ils étaient seuls. Elle n'aurait pas dû lui révéler ce secret. Mais il l'avait poussée à bout et...

— Que veux-tu dire?

— Je... je ne peux pas t'en dire plus.

— Marion, commença-t-il en la prenant par les épaules, tu me demandes de faire un long trajet aller et retour jusqu'en Breadalbane à la veille des combats pour porter un document dont je ne connais pas le contenu, mais dont tu me dis qu'il peut mettre la vie d'hommes en péril? C'est ahurissant! Je mets ma propre vie en danger? Tu dois me dire ce que contient cette enveloppe.

— Je ne peux rien te dire, John, c'est secret...

Il la relâcha brusquement, puis se frotta le menton pensivement, les yeux dans le vague.

— Écoute-moi, Marion. Je veux bien t'aider, mais je dois savoir ce que contient ce document. Je ne veux pas m'impliquer dans une histoire dont les conséquences pourraient être désastreuses.

Il commençait à faire sombre dans la petite chambre où John avait pris quelques heures de repos avant de partir pour le camp. Le jeune homme arrivait directement de Glenlyon après y avoir été envoyé par son père pour régler une affaire qui ne pouvait attendre. Marion observait ce frère qu'elle n'avait jamais vraiment réussi à jauger correctement. Taciturne et peu prolixe, il était toujours resté une énigme pour elle. Quel genre de laird ferait cet homme fermé comme une huître? Saurait-il être à l'écoute de ses gens?

John avait très peu d'amis. La plupart du temps, il se confinait dans sa chambre avec un livre ou une petite bestiole quelconque qu'il s'amusait à disséquer. Il n'avait jamais caché son amertume engendrée par le refus de son père qu'il fasse des études de médecine. L'argent manquait cruellement. Il serait laird un jour, cela devrait lui suffire. Le mieux pour lui serait d'embrasser une carrière militaire. Le prestige de l'uniforme n'était pas à dédaigner.

À vingt et un ans, il était plutôt beau garçon avec son épaisse crinière auburn et ses magnifiques yeux azur. Les jeunes femmes du clan lui tournaient autour, mais il faisait comme s'il ne les voyait pas. Bien sûr, Marion l'avait surpris à une ou deux reprises coincé entre deux ballots de foin avec l'une de ces charmantes créatures, mais rien de plus. Parfois elle se demandait si le cœur qui battait dans sa poitrine servait à autre chose qu'à faire circuler le sang dans ses veines.

Un moment, elle se demanda si elle pouvait vraiment lui faire confiance. Puis elle pensa qu'elle ne pouvait tout de même pas mettre en doute la loyauté de son frère envers son clan. Elle devait lui dire la vérité. Après tout, il n'avait qu'à porter le document à Finlarig et revenir. Elle, elle ne pouvait pas partir. Pas maintenant.

— C'est le comte de Mar qui a remis ce document à Breadalbane pour qu'il soit placé en lieu sûr. C'est... la liste des noms des chefs jacobites qui participent à la rébellion...

John resta coi pendant quelques secondes. Elle crut voir briller une étrange lueur dans ses yeux, mais il les détourna vite vers les flammes.

— Et il t'a confié ce document? s'enquit-il en se dirigeant vers la cheminée.

— Il me fait confiance.

Immobile, le regard fixe, John allongea les bras pour sentir la chaleur du feu.

— Bon, soit! dit-il après un long moment. Je porterai le document cette nuit. Père ne sait pas encore que je suis revenu. Je n'aurai qu'à lui dire que l'affaire a été plus longue à régler que prévu. Avec un peu de chance, je serai de retour au camp avant l'aube.

— Oh, John! Merci... murmura-t-elle en s'élançant vers son frère pour l'étreindre.

— Que raconteras-tu à Breadalbane? Il s'attend à ce que tu quittes le château demain, à la première heure.

— Je sais, j'ai un plan. Le renard se croit très rusé, mais il ne sait pas que je peux l'être aussi.

— Au fait, pourquoi le comte de Strathmore te prendrait-il en mariage?

— Parce que Breadalbane vient de me doter plutôt généreusement. Apparemment, quelqu'un croit que je vaux quelque chose.

Il émit un sifflement, ébauchant un sourire narquois.

— Je n'avais jamais dit que tu ne valais rien, ma chère sœur. J'avais seulement fait remarquer que tu n'avais rien à offrir à un époux hormis ton... Enfin, tu sais ce que je veux dire?

Il l'embrassa du regard, l'œil goguenard et bien éloquent. Marion en devint toute cramoisie.

— John!

— Tu crois peut-être que, parce que tu es ma sœur, je ne peux pas te considérer avec les yeux d'un homme? Et puis, j'ai assez entendu de remarques salaces à ton sujet...

— Quoi?

John éclata de rire devant l'air désopilant qu'affichait maintenant Marion.

— Oh! Mais ne t'en fais pas, aucun des hommes qui font ces remarques n'oserait s'approcher de toi. Tu leur donnes la trouille, vraiment.

La jeune femme resta bouche bée, la mâchoire suspendue.

— Ils disent qu'ils préféreraient dompter un sanglier plutôt qu'essayer de t'apprivoiser.

— C'est ce qu'ils pensent de moi? s'exclama-t-elle finalement, se demandant brusquement si c'était là l'idée que Duncan se faisait d'elle.

— Eh bien... certains d'entre eux. Mais je constate qu'il en existe un qui possède assez de couilles pour prendre la bête par les cornes.

— Et toi, c'est ce que tu penses de moi, John? Suis-je vraiment ce que l'on dit?

Le sourire du jeune homme s'élargit.

— Moi, je suis ton frère, Marion. Mon jugement n'est pas valable.

— Mais encore? Tu dois bien avoir une opinion sur moi?

— Une opinion? Bah! Tu ne veux pas la connaître...

— Mais si!

— Que veux-tu que je te dise? Que c'est vrai que tu es une vraie peste quand tu t'y mets? Quoi encore? Que tu es une femme, mais que tu penses et parles comme un homme? Cela déroute, Marion. Encore heureux que tu ne portes pas la culotte! Et si tu la bouclais plus de deux minutes, tu arriverais peut-être à être assez charmante pour qu'ils osent t'approcher et te courtiser...

— Charmante? Tu veux que je me taise pour être « charmante »? C'est ridicule! Je ne veux PAS être « charmante »! D'ailleurs, avec la tête que j'ai, il ne manquerait plus que je sois sotte de surcroît! Tu m'as toujours traitée de canard boiteux et de...

— Il t'arrive de te regarder dans une glace, Marion?

— Cesse de te moquer de moi! Je sais que je suis loin d'être jolie, tu n'as pas à en rajouter...

— Ce que tu peux être butée parfois! lança John, exaspéré, en levant les yeux au ciel.

Puis s'emparant du miroir posé sur la commode, il le mit d'autorité entre les mains de sa sœur.

— Regarde-toi bien et dis-moi ce que tu vois? Moi, chaque fois que je te regarde, je vois maman.

— Maman était jolie, John, hoqueta Marion en retenant un sanglot.

Refusant de se contempler plus avant, elle allait reposer le miroir sur le meuble lorsque son frère le lui replaça devant les yeux.

— Regarde-toi, Marion! La couleur de tes yeux, le tracé de ta bouche, la finesse de tes pommettes... Je ne me moque pas de toi. Le petit canard boiteux s'est métamorphosé. Tu es... enfin... Tu es jolie, Marion. Jolie et intelligente. L'esprit rusé des Campbell dans un joli emballage, ajouta-t-il sans pouvoir retenir une note de sarcasme.

Tenant le miroir à deux mains, Marion s'examina avec circonspection, comme si son visage se révélait à elle pour la première fois.

— N'as-tu pas compris que c'est ce que père voit aussi? Et que c'est pour cela qu'il te passe tous tes satanés caprices alors que moi, j'ai droit à la ceinture à la moindre incartade? Père ne voit que toi... Et moi, je suis presque invisible pour lui...

Un silence gênant les enveloppa. L'obscurité avait maintenant envahi la petite pièce que seul le feu éclairait. Un son rauque s'échappa de la gorge de Marion. Les épaules de John s'affaissèrent. Penaud, le jeune homme reprit la parole :

— Navré, je ne voulais pas te blesser.

— Tu es jaloux de moi?

— Oui! ronchonna John dans un dernier élan de frustration. J'envie ton franc-parler, ta facilité à t'exprimer et à imposer tes idées. Tu ne vois donc pas que tu es tout ce que je ne suis pas? Père le voit, lui.

Il soupira bruyamment, puis grogna, s'appuyant sur le manteau de la cheminée de pierre.

— Tu te rends compte? Je suis l'héritier de Glenlyon et on me demande de prendre exemple sur ma sœur cadette! C'est plutôt humiliant!

Consternée, Marion fixait l'ourlet de sa jupe.

— Et c'est pour ça que tu me détestes?

Son frère lui adressa un regard douloureux et prit une profonde inspiration avant de répondre :

— Je ne t'en veux pas, Marion... du moins, pas vraiment. C'est pas comme si tu le faisais exprès. Mais quand père me sermonne en te prenant en exemple... parfois... j'ai honte de le dire... j'ai souhaité que tu ne fusses pas ma sœur.

—Et moi qui me suis toujours considérée comme une ratée, avoua-t-elle dans un reniflement. J'en suis même venue à le croire. Papa me regarde toujours si tristement. Je me disais que je l'avais déçu, qu'il aurait probablement préféré un autre fils plutôt qu'un laideron à élever et à grassement doter pour un bon mariage. C'est pourquoi je m'efforçais d'être comme un garçon. Je croyais peut-être lui faire oublier...

— Lui faire oublier quoi? Si père est triste, c'est parce que tu es... euh... tu es le portrait de maman. Tu sais combien il l'adorait? Depuis qu'elle est morte, il ne vit plus qu'avec ses souvenirs et ses foutues dettes!

— Oui... ses dettes. C'est d'ailleurs pour cette raison que Breadalbane m'a dotée.

— Il me semble plutôt pressé de te marier, tu ne trouves pas? Nous connaissons tous les manigances auxquelles il se livre pour obtenir ce qu'il veut et nous savons très bien qu'il ne fait rien gratuitement.

— Il affirme que c'est pour mon bien.

— Ouais... Laisse-moi rire! J'espère qu'il n'a pas prévu la noce pour la semaine prochaine!

— Il m'a parlé de mars ou avril.

— Nous sommes en pleine rébellion et ce vieux chenapan ne trouve rien de mieux que de jouer les entremetteurs! À moins que... Marion, tu ne te serais pas compromise avec ce Strathmore, au moins?

— John, vraiment!

— Alors pourquoi Breadalbane te pousse-t-il ainsi dans ce mariage expéditif?

Elle haussa les épaules, en signe d'ignorance. Elle n'allait tout de même pas lui donner la vraie raison. De toute façon, le mariage n'aurait pas lieu, elle en avait décidé ainsi. Son père en subirait certainement les conséquences, mais il comprendrait... enfin, elle l'espérait.

Marion sella une petite jument à la hâte. John était parti depuis deux heures déjà, avec la précieuse enveloppe cachée dans son justaucorps. Pendant ce temps, elle avait réglé le problème de son propre départ, qui devait avoir lieu à l'aube. Les méthodes de Breadalbane pouvaient être tout aussi efficaces pour elle que pour lui. Avec l'argent, on pouvait faire bien des miracles. Ainsi, elle avait réussi à soudoyer une domestique, Heather, la fille de chambre qui lui avait été attribuée depuis le début de son séjour et qui était complice dans ses malaises factices. Heather irait à Finlarig vêtue de sa cape et demanderait à voir le chancelier. Comme ce dernier posséderait déjà le document et pour ne pas éveiller de soupçons parmi l'escorte, elle lui demanderait seulement s'il y avait un message à porter en Glenlyon. Puis elle continuerait son chemin jusqu'à Chesthill, où elle remettrait une lettre à Amelia lui enjoignant d'héberger la jeune femme venue quérir quelques effets personnels en son nom, le temps qu'elle se repose avant de retourner à Drummond Castle.

Elle jeta un coup d'œil circulaire autour d'elle. Personne n'était en vue dans la cour. Grimpant sur sa monture, elle la fit avancer sur le chemin. Elle s'assura que son poignard était bien accroché à son corselet et que son *sgian dhu* était bien glissé dans sa botte. Après avoir effleuré le métal tiède contre son mollet, elle éperonna la jument et s'enfonça dans les ténèbres vers le sud, en direction du camp d'Ardoch.

12

Sheriffmuir ou la plaine de l'enfer
13 novembre 1715

Des rubans écarlates s'étiraient devant eux sur les collines givrées de Sheriffmuir et se découpaient sur un ciel laiteux. Les troupes du duc d'Argyle prenaient position sur la crête, formant des larmes de sang qui coulaient doucement vers eux mais qui se figeaient dans la froidure de l'air avant de les atteindre.

On pouvait voir le duc d'Argyle un peu en retrait sur son étalon blanc. Les tambours des *Sassannachs* résonnaient dans la plaine et donnaient la chair de poule à Duncan, qui regardait en silence les forces ennemies se déployer.

La rumeur du combat imminent se confirmait. Tous les hommes avaient passé la dernière nuit à Kinbuck, sur les rives gelées de la rivière Allen. Le comte de Mar avait donné l'ordre que tous restent en armes et soient prêts à combattre. Aucune tente ne devait être dressée. L'ennemi était à proximité. Duncan avait-il dormi? Il n'aurait su le dire. Engourdi par le froid et figé par la peur, son esprit avait rêvassé des heures durant. Peut-être avait-il eu deux heures de sommeil en tout. Comment un homme pouvait-il arriver à dormir paisiblement avec une épée dans une main et un poignard dans l'autre, tout en sachant que le prochain repos qu'il pourrait prendre serait peut-être celui de l'éternité?

Les troupes jacobites s'étaient mises en route au lever du jour. Longeant les rives de la rivière, elles avaient fait halte à un kilomètre environ de Dunblane, où étaient supposées se trouver les troupes du duc d'Argyle. Le comte de Mar avait envoyé un escadron en reconnaissance. Ce dernier n'avait pas été long à revenir, le mors aux dents, apportant une nouvelle qui avait sidéré tout le monde : Argyle se trouvait déjà sur la plaine de Sheriffmuir. Ainsi, il leur offrait le combat tant espéré et tant craint.

D'urgence, Mar avait convoqué son conseil de guerre pour décider si ses troupes iraient combattre. L'attente et l'inactivité des dernières semaines l'emportèrent : « Battons-nous! Battons-nous! » avaient scandé les soldats. Les cris de guerre avaient fusé de toutes parts au-dessus d'une forêt de claymores, d'épées, de haches et de mousquets brandis. Ainsi en serait-il. Mar s'était mis en devoir de former ses rangs. Il le fit avec une efficacité et une rapidité qui auraient pu faire pâlir d'envie n'importe quel général ayant dirigé une armée.

La première ligne se composait des troupes highlanders du général Gordon, soit environ quatre mille hommes à pied. Les Cameron, Macdougall, Macrae, Stewart d'Appin, Mackinnon, Macgregor et Macpherson formaient l'aile gauche, qui se terminait par l'escadron à cheval de Perthshire. Les Macdonald de Sleat, Clanranald, Glengarry, Keppoch et Glencoe, des Macleans et des Campbell de Glenlyon composaient quant à eux l'aile droite, terminée par l'escadron de Stirling.

La deuxième ligne comprenait surtout les troupes à pied des nobles, c'est-à-dire les Mackenzie de Seaforth, les Gordon de Huntly, les Murray de Tullibardine d'Atholl, les Drummond, les Strathallan, les Robertson et les Maule de Panmure. Les escadrons d'Angus et des Keith de Marischal l'encadraient. Les forces du comte de Mar comptaient près de huit mille hommes, en plus des quatre cents hommes du corps de réserve qui se tenait à l'arrière et dont faisaient partie les Macgregor.

— Tu crois que ce sera encore long?

Liam se tourna vers Ranald, qui sautillait d'un pied sur l'autre en se frottant les mains.

— Je ne sais pas, Ran. Argyle n'a pas terminé le déploiement de ses forces.

— Il fait si froid! grommela le jeune homme en soufflant sur ses doigts. Je suis si gourd que je ne m'en apercevrais même pas si je recevais une balle de mousquet.

— Arrête ton humour noir, Ran. C'est vraiment pas le moment.

Ranald ricana et gratifia son frère d'une chiquenaude sur l'oreille.

— Quoi? Mon frère se dégonfle? T'as la trouille?

Duncan le regarda d'un œil torve.

— Je ne me dégonfle pas, espèce d'idiot! Je n'aime pas que tu parles de certaines choses... avant le combat. C'est tout.

— Ben quoi? Tu es devenu superstitieux?

— Ran...

— Ou bien c'est parce que la fille de Glenlyon ne s'est pas montrée...

— Ran.

— Bon, ça va! Mais avoue que tu as les couilles qui te chatouillent un peu, hein?

— Suffit, Ran!

Mais Duncan était déjà loin dans ses pensées. Bien sûr que Marion lui travaillait les tripes! Que n'aurait-il pas donné pour la revoir avant le combat, ne fût-ce qu'une seule fois, et lui dire... mais quoi, au fait? Qu'il la souhaitait près de lui? Non, certainement pas après la rebuffade qu'il avait essuyée à l'auberge de Killin. Il lui faudrait tout recommencer depuis le début. Il était allé trop loin. Mais il était trop tard pour les regrets. À l'heure qu'il était, elle devait se trouver bien à l'abri dans son domaine de Chesthill, loin des horreurs des combats qui n'allaient pas tarder à débuter. Elle devait se morfondre pour les siens. La position du clan de Glenlyon sur la ligne de front se trouvait séparée de celle des Macdonald de Glencoe par les hommes de Glengarry.

Duncan tripota nerveusement son béret, vérifiant si son écusson y était bien fiché, puis il le cala sur sa tête. Devant eux, le chef des Maclean de Duart arpentait le terrain avec le jeune capitaine de Clanranald, Allan Muidartach. Les habits rouges grouillaient toujours devant telles des fourmis formant de longues processions. Ils ne devraient plus tarder à se mettre en marche. À l'instar des autres, il retira la broche qui retenait son plaid et la fourra dans son *sporran*. Son plaid constituerait une entrave lors de la charge.

Un frisson parcourut le jeune homme. Le froid, la peur, l'excitation? Il fixait la targe de bois cloutée posée à ses pieds. La pointe d'acier acérée, longue de plusieurs centimètres, étincelait au centre. Elle avait été aiguisée la veille, tout comme son épée, son poignard et son *sgian dhu*. Quelques-uns possédaient en plus un mousquet, mais lui avait décidé de laisser le sien au camp. Que faire d'une telle arme dans une lutte au corps à corps? Après avoir tiré un coup, il n'en aurait plus aucune utilité. Les Highlanders avaient leur propre méthode pour attaquer. Ils chargeaient sauvagement avec leurs claymores ou leurs épées, semant la confusion et la terreur dans les rangs ennemis. Les armes à feu n'avaient donc pas leur place comme dans les formations des Anglais qui, plus ordonnés sans être plus efficaces, se relayaient au tir, chaque ligne couvrant l'autre lors du rechargement des armes.

Malgré lui, Duncan en revenait toujours vers Marion. Son cœur se serra. Pensait-elle à lui? Qu'espérait-elle pour lui? La grâce de Dieu ou la mort? Il n'osa aller plus loin dans ses conjectures.

Les stridulations des cornemuses faisaient vibrer l'air glacé qui emplissait leurs poumons et engourdissait leurs craintes. Liam se pencha pour prendre la targe et la tendit à Duncan.

— Ça ne devrait plus être long, mon fils, dit-il en posant sur le jeune homme un regard troublé.

Un tumulte détourna leur attention du côté des Macdonald de Glengarry. Leur chef, Alasdair Dubh[53], discutait vivement avec des hommes du clan Campbell.

— Mais qu'est-ce qu'ils font? marmonna Liam en tendant l'oreille.

Tous les regards maintenant convergeaient vers le lieu de l'algarade. Le laird de Glenlyon s'interposa.

---

53. Alasdair le Noir, chef des Macdonald de Glengarry.

— Si vous avez quelque chose à dire à mes hommes, Glengarry, je vous saurais gré de bien vouloir passer par moi.

Glengarry cracha au sol et lança un regard noir chargé d'amertume à Campbell.

— Grâce à votre père, Campbell, nous nous voyons privés de plusieurs bras solides aujourd'hui.

Glenlyon, imperturbable, ne cilla pas devant l'affront. Tout le monde savait trop bien qu'Alasdair le Noir faisait allusion au massacre de Glencoe qu'avait dirigé Robert Campbell. Il tourna un regard impassible vers le groupe des hommes de Glencoe parcouru d'un murmure, puis il dévisagea de nouveau l'insolent planté devant lui.

— Mais de quel bras êtes-vous privé aujourd'hui? demanda-t-il avec un calme composé. Glencoe nous a fourni plus d'une centaine d'hommes.

— Ils seraient certainement plus nombreux aujourd'hui.

— De cela je ne me sens pas coupable, Glengarry.

Toisant froidement son interlocuteur pendant un moment, Glenlyon jeta alors un second regard vers le clan dont il était question. Les hommes les observaient maintenant dans un silence tendu. Son regard croisa celui de Duncan auquel il resta attaché. Puis l'homme se crispa légèrement et reprit d'une voix plus forte :

— La seule rivalité qui m'oppose aux Macdonald en ce jour, c'est de savoir lequel des deux clans s'illustrera le mieux au combat. Qu'en pensez-vous?

Sur ce, il tendit un bras vers Glengarry. On n'entendait plus que le cliquetis des armes et les lamentations des cornemuses qui les enveloppaient comme un tartan écossais et faisaient battre leurs cœurs. Glengarry fixa Glenlyon. Après un long moment d'hésitation, il lui empoigna le bras.

— Alors, nous nous battrons en frères.

La déclaration fut accueillie par des acclamations de joie. Glenlyon regarda une dernière fois vers Duncan, qui ne l'avait pas quitté des yeux, inclina légèrement la tête, puis tourna les talons pour reprendre son poste.

— Ouah! fit Ranald. Un moment j'ai cru que les *Sassannachs* n'auraient pas à lever le petit doigt pour voir couler notre sang.

Duncan hocha pensivement la tête en regardant la plume de Glenlyon disparaître parmi les pointes d'épées levées. Maclean de Duart se dressa alors devant eux en brandissant sa claymore vers le ciel.

— Messieurs! cria-t-il pour attirer l'attention des hommes.

Le silence retomba sur la marée de guerriers s'agitant sous la tension.

— Messieurs!

Se tournant légèrement de côté, le chef dirigea sa lame bleutée vers les colonnes écarlates qui n'en finissaient plus de se déployer sur la crête.

— Là-bas se tient MacChailein Mor[54] à la tête de l'armée du roi George...

Faisant de nouveau face aux guerriers highlanders, il fit avec son épée un geste éloquent pour embrasser la foule bigarrée. Duncan sentit son pouls s'accélérer. La voix se fit plus forte :

— Ici se tiennent les fils de Gaël pour la gloire du roi Jacques! Que Dieu bénisse notre sang highlander qui coulera pour lui aujourd'hui. Faisons-lui honneur par notre ardeur!

Liam posa une main sur l'épaule de chacun de ses fils et la serra doucement. Puis il ramassa sa targe et son épée. Ranald jeta un dernier regard à Duncan, son éternel sourire plaqué sur ses lèvres, puis il enfonça son béret.

— Messieurs, que Dieu bénisse le roi!

Un silence fébrile accueillit le dernier souhait. Tous les regards se tournèrent vers le comte de Mar perché sur sa monture. L'ascension de la colline en direction de l'ennemi commençait. Le comte de Mar donnait le pas. L'aile droite du duc d'Argyle était prête, en position, mais une grande partie du centre et de l'aile gauche était encore en déploiement. Au bout d'un moment, ils arrivèrent à distance de tir de l'ennemi. Duncan sentit son estomac se contracter. Il serra fort ses jointures sur le manche de son épée. De sa main gauche, il glissa la pointe de son long poignard sous la ceinture de cuir qui retenait son plaid afin de la couper.

— *Beannachd Dhé ort mo mhic*[55], murmura son père en posant sur lui et Ranald un regard troublé.

Se tournant vers ses guerriers, Mar retira son chapeau. Duncan, le souffle court, ne le quittait plus des yeux. Le général fit tournoyer son béret noir au bout de son bras puis, dans un cri retentissant, il déclencha l'assaut sur l'ennemi.

Les Highlanders bondirent telle une meute de bêtes sauvages fondant sur leurs proies en poussant des hurlements à glacer le sang. Derrière eux, un tapis de tartans couvrait la bruyère frileuse. Les lamentations des cornemuses mêlées aux roulements des tambours emplissaient la tête de Duncan. Il lui semblait que son rythme cardiaque se mettait au diapason de la musique. Était-ce les tambours *sassannachs* ou bien son cœur qui battaient ainsi dans ses oreilles?

Une première salve de tirs de mousquets siffla. Il entendit des cris. Des hommes s'écroulèrent, blessés ou morts. Il risqua un œil sur sa droite. Ranald courait au même rythme que lui et sautait par-dessus ceux qui tombaient. « Surveille ton frère... » « Oui, mère... » Mais bon sang! Ceci n'était pas un raid, c'était la guerre! Comment pouvait-il garder un œil sur son frère et rester en vie en même temps?

---

54. Titre dont se prévalaient les chefs du clan d'Argyle et qui signifiait « Fils du grand Colin ».
55. Que Dieu vous bénisse, mes fils.

— *Fraoch Eilean!* hurlaient des voix autour de lui.

Son sang bouillonnait dans ses veines. Il ne ressentait plus ni le froid ni la peur. Seule une fureur indescriptible l'habitait, grondait en lui. Une rage de vaincre et de survivre le consumait, le poussait vers l'ennemi. Cette rage emplissait sa poitrine, l'étouffait. Le cri s'échappa alors de sa gorge, un cri libérateur, exutoire pour ses craintes et ses angoisses accumulées durant les dernières semaines :

— *Fraoch Eilean!*

L'épée brandie bien haut, il chargea à toutes jambes les vestes rouges qui n'étaient plus qu'à quelques mètres. Des yeux blancs au milieu des visages noircis par la poudre les fixaient. Cette damnée poudre! Elle brûlait les yeux et son odeur âcre emplissait les narines, la gorge et les poumons. Il cherchait son air.

Une baïonnette étincela. Mû par l'instinct, Duncan souleva son épée et l'abattit de toutes ses forces. Il y eut comme un instant de flottement, puis un cri retentit derrière l'écran de fumée qui se dissipait. La lame de son épée avait pris la teinte de la veste du soldat qui s'effondrait devant lui, le regard stupéfait fixé sur le sien.

Un autre visage apparut, terrifié celui-là. L'homme fit volte-face pour se sauver, mais Duncan l'embrocha par-derrière. De son bras gauche, il para un coup qui ricocha sur sa targe, dont il enfonça la pointe dans la poitrine d'un autre *Sassannach*. Un nouveau cri. Un homme surgit sur sa gauche, le visage rougi par le froid et le sang, et la platine d'un mousquet brilla. Duncan répondit par réflexe. Il éleva son poignard et balaya l'espace de sa lame vers l'attaquant. Le coup porta. L'homme chancela et pivota sur lui-même en poussant un cri qui se perdit dans le vacarme environnant. Le jeune homme poursuivit sa charge avec la rage de vivre qui seule pouvait lui permettre de sortir de cet enfer.

— Duncan!

Derrière lui. Son père. Se retournant comme une toupie, il esquiva de justesse la pointe d'une baïonnette qui plongeait vers son flanc droit. L'homme le dévisageait d'un air ahuri, les yeux exorbités, la bouche grande ouverte d'où ne sortit qu'un gémissement rauque; la pointe d'une lame ressortait de sa veste par-devant. Duncan croisa un instant le regard de son père par-dessus l'épaule du mort. « Merci... » Pas le temps... Plus tard.

D'un pas leste, il reprit son ascension. Ses poumons s'embrasaient, ses yeux brûlaient. Il trébucha. Un corps ou bien ce qu'il en restait. Son poignard lui échappa et tomba dans l'herbe rougie... Il tendit le bras pour le récupérer. Percevant au même moment une ombre qui se dressait au-dessus de lui, il roula et vit des guêtres blanches souillées de boue et garnies de boutons argentés. Un *Sassannach*! Poussant un cri, il s'empara de son épée à deux mains. La lame se dressa avec force vers l'ombre qui le surplombait. Le coup se répercuta jusque dans ses épaules et s'accompagna d'un affreux crissement de métal.

Son regard croisa furtivement celui de son assaillant. Bleu ou gris?

Pas le temps... Le soldat cherchait désespérément à reprendre le mousquet que Duncan lui avait arraché des mains. Mais d'un coup de pied, le jeune homme l'envoya rouler. Il se redressa ensuite prestement et récupéra enfin son poignard. Le manche était poisseux et glissant. Le tenant fermement, il se rua sur le soldat, qui tentait de se relever. Un seul coup, net et précis, juste sous la mâchoire. Une giclée de sang l'éclaboussa, l'enveloppa de son odeur fade. Duncan fixa un moment le soldat. Gris... ses yeux étaient gris.

— Un autre pour le roi Jacques.

Du regard, il chercha son frère et son père. Invisibles. Il était seul, seul face à la mort qui refermait ses longs doigts griffus sur lui, sur tous ceux qui l'entouraient. Cette odeur... l'odeur du sang et de la poudre. Elle s'insinuait dans ses bronches, s'incrustait dans les pores de sa peau. Les cris des hommes luttant avec rage, le fracas de l'acier contre l'acier, le claquement des mousquets. Tous ces bruits envahissaient son esprit, se gravaient dans sa mémoire, à jamais. Il était seul parmi ces milliers d'hommes qui s'embrochaient, se dépeçaient, s'entretuaient. Le carnage... Son cœur battait si fort que ça résonnait dans cette plaine d'enfer. Comme le martèlement des sabots d'un cheval au galop. Des chevaux... Non, ce n'était pas son cœur. C'était la cavalerie qui se dirigeait droit sur eux.

Duncan changea immédiatement de direction et redescendit la pente sur quelques mètres. Une balle siffla au-dessus de sa tête. Il plongea et roula quelques mètres plus bas encore. Un bras l'agrippa et le tira par la chemise.

— Hé, Macdonald! C'est pas le moment de faire la sieste!

— Va te faire foutre, Macgregor!

James Mor lui souriait à travers une barbouille de sang et de poudre.

— On n'a pas terminé le nettoyage, mon vieux.

Il l'aida à se lever, puis le gratifia d'une claque sur l'épaule.

— Pour le roi, Macdonald! hurla-t-il en brandissant sa claymore.

— Pour le roi! cria Duncan à son tour.

James ouvrit la bouche et poussa un cri rauque. Un bras portant une lame menaçante plongeait vers Duncan. James leva sa claymore et l'abattit avec une force foudroyante. Un hurlement suivit. L'homme tomba à terre en se tortillant comme un ver, son bras gisant à côté de Duncan, les doigts encore refermés sur le manche de l'épée maintenant inoffensive.

— Ma vie sur le *Sweet Mary* contre la tienne sur Sheriffmuir. Nous sommes quittes maintenant. Prends garde, Duncan.

Il enjamba le corps frétillant et enfonça la pointe de son poignard dans la gorge.

— Fais de beaux rêves, dit-il à l'homme, qui se détendit brusquement.

Puis il redescendit la colline en bondissant par-dessus les corps désarticulés qui gisaient dans la bruyère.

Duncan jeta un regard circulaire autour de lui avec la curieuse impression de se détacher de lui-même. Il n'avait plus besoin de penser, d'analyser. Son cerveau enregistrait ce que ses yeux voyaient avec une vitesse fulgurante et ordonnait instantanément à son corps les réactions nécessaires pour survivre. Le jeune homme n'avait jamais rien vécu de tel. Il n'avait surtout jamais rien vu de tel. Le temps semblait s'être déréglé. Parfois tout se déroulait comme au ralenti, parfois tout allait à une vitesse inouïe. Il flottait comme dans un mauvais rêve. Depuis combien de temps la bataille avait-elle commencé? Des minutes, des heures?

Son regard s'accrocha à une chevelure fauve qui dépassait les autres : son père. Liam semblait regarder ailleurs... Son frère? Ranald faisait tournoyer son épée et bloquait un coup avec sa targe tandis que le tranchant de sa lame entamait les chairs de son adversaire, s'enfonçant dans son flanc et le sectionnant presque en deux.

L'odeur du sang montait à la tête de Duncan, qui avait la bouche pâteuse et sèche. Il trébucha sur une tête qui le fixait, livide et grimaçante, figée dans un cri muet. Un dragon se dirigeait vers lui, l'obligeant à bifurquer. Il dévala la pente. Le tir d'un mousquet retentit. Il se retourna en même temps que le cri qui suivit le pétrifia.

— Ranald! Nom de Dieu!

Il tourna légèrement la tête, cherchant son père. Il le vit, blême sous son masque ensanglanté, se tenant immobile au centre des combats, le regard fixe sur... son frère qui se tenait l'estomac d'une main. L'autre mollissait et laissa tomber l'épée qui atterrit lourdement à ses pieds.

— Nooon! Ran, putain de merde!

Affolé, Duncan remonta la pente. Le cri de terreur qu'il poussa lui brûla la gorge. Ranald tomba à genoux et le vit.

— Nooon! Ran, tiens bon!

Son père arrivait d'une autre direction. Il parait un coup, embrochait un *Sassannach* et poursuivait sa course à travers les guerriers qui fuyaient devant la cavalerie hanovrienne. Ranald souriait. Ce foutu sourire! Le dragon qui poursuivait Duncan vit son frère et fit pivoter sa monture pour changer de cible. Il se dirigeait maintenant vers Ranald. Le cheval... Ce n'était pas juste! Jamais il ne pourrait courir aussi vite que la bête pour atteindre son frère avant le soldat.

— Nooon! s'entendit-il hurler de nouveau.

La lame du soldat s'éleva. Son père poussa un hurlement à déchirer l'âme. La lame s'abattit, fendant l'air, et s'enfonça dans le corps de Ranald...

— Seigneur! Non, Seigneur, pas lui...

Duncan poussa un cri terrible. Une rage qui lui était encore inconnue s'empara de son corps et de son esprit. Il ne se possédait plus, le diable l'habitait.

— *Fraoch Eilean!*

Le dragon se retourna sur sa selle, le vit et fit pivoter son cheval. Mais Duncan était déjà sur lui. Il retint la monture par la bride, esquivant la lame rougie par le sang de son frère, mais pas assez vite. Une vive brûlure irradia son visage. Il avait été touché... Pas le temps de réfléchir. D'un geste net et précis, il enfonça son poignard dans l'encolure de la bête pour l'immobiliser. D'un autre mouvement brusque, il agrandit l'entaille. Le cheval hennit. Duncan retira son arme et la planta dans la cuisse du dragon, qui se mit à hurler à son tour.

— Je vais te saigner, fils de pute!

Il retira sa lame poisseuse. Une tache rouge grandissait sur la culotte blanche du soldat. Comme le cheval tombait sur les genoux de ses pattes antérieures, la lame du dragon siffla de nouveau à ses oreilles. Duncan sentit soudain une douleur aiguë à l'aine. Il avait été touché une deuxième fois. Dans un bref moment de lucidité, il se demanda où la lame avait bien pu s'enfoncer. Dans le repli de l'aine? « Pas là! » pensa-t-il avec dépit. « Que dira Marion? J'ai même pas encore fait l'amour avec elle! » L'incongruité de sa pensée le fit sourire. « Imbécile, si tu crèves, tu ne la reverras jamais! »

Le dragon d'Argyle brandissait son épée. D'un œil vide, Duncan fixa un moment le tranchant de la lame au-dessus de lui. Puis, avec toute la force qui l'habitait encore, il leva son épée et fouetta l'air avec fureur en direction de l'homme, criant comme un damné. Il entrevit le visage du dragon, déformé par la stupeur, puis ferma les yeux.

— Vengeance! Pour mon frère, espèce de chien de *Sassannach*!

La monture chancela en renâclant faiblement. Duncan s'y accrocha. Quelque chose de chaud coula dans son cou et sur sa poitrine. Sa chemise était écarlate. Était-ce son sang? Ce fumier l'avait-il encore frappé? Ses oreilles bourdonnaient, pleines du martèlement. Il n'arrivait plus à penser. Il leva péniblement sa tête vers le soldat, qui tenait toujours son épée d'une main et les rênes de l'autre. Le sang giclait comme un geyser, par à-coups, inondant la veste décorée de brandebourgs et de boutons dorés à laquelle il s'agrippa. Mais où était la tête?

Le cheval bascula. Duncan perdit l'équilibre et se cramponna au corps qui glissait de la selle, l'entraînant dans sa chute. Une pierre s'enfonça dans son dos, une autre dans son épaule. Il hurla. Une douleur terrible le transperça comme il sentait son bassin se broyer sous un poids énorme. Ce qu'ils pouvaient être lourds, ces *Sassannachs*! Il tourna la tête. Le cheval s'était écroulé sur lui, l'emprisonnant sous sa masse.

La douleur était insupportable. Et cette odeur... encore, partout. L'odeur de la mort était sur lui, autour de lui. Puis, d'un coup, il revit Ranald... son sourire. La lame du dragon qui se soulevait. Il entendit de nouveau le cri de son père, comme un écho dans sa tête qui allait éclater. Cette douleur... Était-il en train de mourir? Non, il ne le voulait pas. Pas avant d'avoir revu les yeux de Marion. Ses paupières étaient lourdes. Il ne lutta pas, gémit.

Maintenant il les voyait dans sa tête, les yeux de Marion. Comme il voulait toucher cette femme! Son bras se tendit et sa main frôla quelque chose de soyeux. Il tourna la tête et grimaça. Son visage était en feu. Qu'avait-il entre les doigts? Il les remua. Des cheveux... Les cheveux de

Marion! Ses yeux refusaient de s'ouvrir, son corps ne lui répondait plus. Qu'est-ce qu'il faisait froid! Bizarre qu'il ne s'en soit pas rendu compte avant.

Puis il fut pris d'un tremblement convulsif. Des larmes coulèrent sur ses joues, brûlant sa plaie. Oh non, Ran! Avait-il rêvé? Tout ceci n'était-il qu'un horrible cauchemar? Il remua de nouveau les doigts. La chevelure n'était pas si soyeuse que ça finalement. Elle était même plutôt rêche, raide et grossière. Rien à voir avec la douceur des boucles de Marion. Ses yeux s'entrouvrirent. Il vit alors un pelage brun et luisant qui le recouvrait. Puis un tapis de selle écarlate galonné d'or qui pendait. Il tourna la tête de l'autre côté. Une veste rouge, des boutons étincelants et une jambe gainée de flanelle blanche et de cuir brun reposant sur la croupe de la bête. Il referma les yeux. Non, il n'avait pas rêvé. L'implacabilité de la réalité le crucifia.

Lentement, Duncan tenta de bouger ses jambes emprisonnées sous le poids de la bête. Une douleur fulgurante lui déchira l'aine, lui rappelant cruellement sa deuxième blessure. Il devait absolument se sortir de là, car les *Sassannachs* ne manqueraient pas de l'achever s'ils le trouvaient lorsqu'ils reviendraient. Au fait, où étaient-ils? Il entendait toujours les bruits des épées qui s'entrechoquaient, quelques détonations isolées et les cris des hommes. Mais les sons lui semblaient maintenant si lointains...

Tout à coup, quelque chose lui effleura les cheveux. Puis on empoigna sa chemise. Son cœur s'emballa et il tressaillit de terreur. Il ouvrit les yeux, très grands cette fois-ci. Les dernières brumes de son esprit se dissipèrent, et il sortit de sa torpeur. Il poussa un cri rauque lorsqu'une main se posa sur sa poitrine, le reposant doucement au sol.

— Duncan, tu m'entends?

Le visage barbouillé de sang et de poussière de son père était penché au-dessus du sien. Les yeux étaient rouges et humides. D'une main rapide et efficace, Liam tâta son torse puis fit doucement basculer sa tête.

— Nom de Dieu...

Sur sa joue, les doigts se firent plus légers mais réveillèrent la douleur, qui lui arracha un gémissement. Il sentit la peau de son visage se décoller, s'étirer. Son père examinait la plaie en plissant les yeux.

— Il me semble qu'il ne manque pas de morceaux et l'os est intact, marmonna-t-il enfin.

Duncan eut brusquement une amère envie de rire. « L'os intact? Manque pas de morceaux? » Peut-être son père devrait-il vérifier l'autre blessure...

— Il faut te sortir d'ici...

Liam s'apprêtait à se relever lorsque Duncan s'accrocha à sa manche.

— Père... Ran?...

— Nous ne pouvons plus rien pour lui, mon fils.

— Ahhh! Non, les salauds! gémit-il, laissant toute sa douleur le clouer au sol.

— Tu l'as vengé, Duncan.

— Vengé? Non, Ran valait bien plus qu'un seul de ces sales chiens!

Leurs regards se croisèrent. Ils étaient accablés par la culpabilité, le remords. Une souffrance indicible étouffait Duncan, l'empêchait de respirer. Il n'avait pas pu tenir la promesse faite à sa mère! Il comprit que son père vivait les mêmes tourments que lui.

— Il est mort pour ses croyances. Son honneur est sauf. Il a donné sa vie pour la cause, déclara son père d'une voix éteinte. Allons! Il faut partir d'ici.

— Où sont-ils? Je les entends, mais je ne les vois pas.

Liam releva la tête et regarda en direction de la rivière Allan, ce serpent d'argent aux écailles de glace qui ondulait au pied des collines d'Orchil.

— Nous avons brisé l'aile gauche d'Argyle. Mais l'aile droite a enfoncé les rangs des Cameron et les a repoussés jusqu'à la rivière. Ils reviendront lorsqu'ils en auront terminé en bas. Tu peux bouger tes jambes?

— Non.

Liam étudia la situation d'un air perplexe. Il se redressait au moment où Colin et Calum arrivaient pour lui prêter main-forte. Après quelques minutes d'efforts soutenus et de grognements, les trois hommes parvinrent à dégager les jambes de Duncan. Une fois libéré du poids du corps sans vie du quadrupède, le jeune homme réussit à bouger un peu. À leur plus grand soulagement, il n'avait rien de cassé. Quelques contusions, des égratignures sans gravité et ses deux blessures, dont celle à l'aine...

— Aïe! s'exclama Calum dans une grimace éloquente. Tu permets?

Sans attendre, il souleva lentement la chemise imbibée de sang qui collait à la peau.

— Sacrebleu, Duncan!

Le jeune homme pâlit en s'imaginant le pire. Il déglutit et sentit le goût métallique du sang sur sa langue.

— Il faudra te trouver des doigts de fée pour recoudre ça!

Calum pressait sans ménagement le haut de sa cuisse. Ne pouvant supporter la torture plus longtemps, Duncan bondit.

— Aïe! Est-ce nécessaire que tu me tripotes dedans?

Haletant, le corps raide de douleur, tout tremblant et couvert de sueur malgré le froid, il retomba dans l'herbe poisseuse.

— L'entaille est longue...

— Est-ce que?...

— Difficile à dire... C'est qu'il y a tellement de sang.

Calum le regardait par-dessus sa chemise d'un air grave. Les autres hommes se détournaient en émettant des sifflements qui en disaient long. Duncan grogna.

— Allez! Dis-moi, qu'on en finisse!

— Eh bien, c'est pas aussi terrible que ça en a l'air à première vue, poursuivit Calum en retroussant les coins de sa bouche. Ne t'en fais pas,

Duncan, tu pourras de nouveau servir Elspeth comme un étalon dès que ce sera guéri.

Il laissa l'air s'échapper de ses poumons dans un soupir de soulagement, et il se sentit aussitôt accablé. Il se préoccupait de la perte de sa virilité alors que le corps de son frère gisait dans son sang à quelques mètres seulement. Il poussa une plainte. Et Elspeth... Il se rendit brusquement compte avec consternation qu'il n'avait pas eu une seule pensée pour elle depuis son retour au camp. Marion avait pris possession de la totalité de son être, corps et âme. « Elle causera ma perte, mon malheur! » Mais il s'en foutait, il la voulait... maintenant plus que jamais.

Colin surgit avec un plaid souillé et déchiré qu'il tendit à Liam.

— Je n'ai pas trouvé nos couleurs.

Liam prit le drap de laine et fit mine de l'examiner.

— Eh bien, je suppose que Duncan ne s'en formalisera pas.

Remis sur ses jambes, l'étoffe bien serrée autour de lui, le jeune homme se tourna vers l'endroit où il avait vu son frère tomber.

— Père... nous ne pouvons le laisser ici!

— Nous n'avons pas le choix. Nous ne pouvons qu'emmener ses effets.

Duncan était horrifié.

— Mais, père!

— Son âme nous suivra, Duncan, trancha Liam, qui s'efforçait visiblement de contenir ses émotions.

Il alla ramasser les armes de son fils perdu et se retourna.

— Il comprendra...

Duncan jeta un dernier regard derrière lui sur l'enfer de Sheriffmuir. Rouge du sang des fils de Gaël et de celui de ces damnés *Sassannachs*, la plaine était couverte de corps éclatés. Dont celui de Ranald Macdonald.

13

Le camp d'Ardoch

*L*e comte de Mar avait ordonné à ses troupes de se replier sur Ardoch pour passer la nuit. On avait installé les blessés dans une grange et une écurie réquisitionnées pour servir d'hôpital. Les autres soldats dormiraient à la belle étoile ou sous quelque abri improvisé. Les derniers groupes d'hommes venaient d'arriver, les bras chargés du butin ramassé sur le champ de bataille. Mousquets, épées, étendards, boutons, boucles d'or et d'argent, montres et chaînes en or. Tout ce qui pouvait avoir un tant soit peu de valeur avait été arraché sur les cadavres qui jonchaient la plaine et les rives de la rivière qui la bordait.

Dans un coin de la grange, Duncan était allongé sur une vieille couverture qu'on avait posée sur la paille afin de le protéger du sol gelé. Une lampe à huile éclairait le côté charcuté de son visage. Liam, le cœur serré, l'observait tandis qu'il somnolait. Le jeune homme aurait des cicatrices toute sa vie comme un cruel rappel de cette terrible bataille. Puis il repensa à Ranald et trembla de rage. Son fils... on venait de lui prendre son fils! Caitlin lui pardonnerait-elle jamais? Comme il avait besoin d'elle en ce moment.

Dieu l'avait épargné, mais son cœur n'arrêtait pas de saigner. Il aurait donné un bras, une jambe, sa vie pour que Ran revienne, mais l'implacable réalité était là. Peut-être Dieu avait-il voulu abréger les souffrances de son fils en lui offrant une mort noble? Ranald s'était battu avec vaillance et était mort pour leur roi, le seul roi qui puisse légitimement revendiquer le trône d'Écosse et de Grande-Bretagne. Il était mort avec honneur, et cela, il ne faudrait jamais l'oublier. Mais Caitlin comprendrait-elle?

Duncan grogna et remua. La lame avait entaillé le côté gauche de son visage. Elle lui avait ouvert la joue de la pommette au menton, laissant pendre la peau et exposant la chair et la blancheur de l'os. Heureusement, la joue n'avait pas été transpercée de part en part. Elle guérirait donc rapidement.

217

Un mouvement furtif attira son attention. Il leva les yeux, vit une jupe tourbillonner et une crinière de feu voler. La silhouette disparut aussitôt dans les ténèbres de la nuit. Il resta un moment figé, médusé par l'apparition. La fille de Glenlyon? Mais que faisait-elle ici? Duncan lui avait affirmé qu'elle était retournée à Chesthill... À moins que...

Jetant un œil sur son fils qui dormait toujours, il reporta le regard vers l'endroit où la jeune femme avait disparu. Les hommes blessés de Glenlyon reposaient dans l'écurie, à quelques pas. Peut-être cherchait-elle son père? Un éclat flamboyant auréolant un visage pâle. Il la vit se pencher de nouveau dans l'embrasure de la porte qui battait au vent. Leurs regards se croisèrent. Non, elle ne cherchait pas son père, pensa-t-il en se levant. Elle s'éclipsa et il s'élança à sa poursuite.

Accroupie, le dos contre la roue d'une carriole, Marion sentait son cœur battre la chamade. Elle l'avait vu... Duncan, elle l'avait vu! Mais elle avait vu aussi le regard affligé de son père posé sur lui. Son estomac se contracta violemment. Était-il mort? Elle n'avait pas osé le demander aux hommes du clan Macdonald, encore moins s'approcher d'eux.

Sans crier gare, une haute silhouette surgit, la surplombant et masquant le disque bleuté suspendu dans le firmament piqueté d'étoiles timides.

— Marion Campbell? demanda une voix grave qu'elle reconnut pour être celle du père de Duncan.

— Oui...

— Je... Euh, vous ne devriez pas être en Glenlyon? Duncan m'a dit que...

— Je suis restée, l'interrompit-elle, embarrassée. Je me suis dit qu'on aurait besoin d'aide avec les blessés...

— Votre clan se trouve dans l'autre bâtiment.

— Je sais.

Se sentant de plus en plus mal à l'aise, elle gardait les yeux obstinément fixés sur les reflets opalescents d'une pierre qui surgissait comme une île déserte d'une flaque d'eau gelée devant elle. L'homme ne dit rien et ne bougea pas. De toute évidence, il attendait autre chose comme explication. Le silence ponctué des gémissements des blessés et des cris des officiers donnant leurs ordres s'allongeait. Marion s'agita.

— Il va bien, déclara Liam après quelques minutes.

— Oh! fit-elle en portant une main à sa bouche pour museler un hoquet de soulagement qui s'échappa malgré tout.

— Il est blessé, mais il s'en sortira avec les soins nécessaires.

Elle osa un regard vers lui. Il faisait trop sombre pour distinguer ses traits. Mais au ton de sa voix, elle le sentait bouleversé. Si Duncan en avait réchappé, alors qui?... Son frère? Elle ne se hasarda cependant pas à poser la question.

— Vous vouliez le voir?

— Je ne voulais pas... déranger.

— Il dormait quand je suis sorti.

Son cœur se déchira lorsqu'elle vit le visage affreusement écharpé de l'homme qui gisait à ses pieds. La plaie était béante et mangeait presque la totalité de la joue gauche. Il aurait besoin d'être recousu par des doigts agiles. Elle s'accroupit pour l'examiner de plus près. Il ne faudrait certainement pas un de ces cordonniers qui assemblaient les lambeaux de chair avec des points grossiers comme s'il ne s'agissait que de simples morceaux de cuir. « Oh, Duncan, que t'ont-ils fait? »

Elle sentait la présence de Liam dans son dos, mais l'homme restait immobile. Ils restèrent ainsi de longues minutes, silencieux dans le tohu-bohu qui régnait autour d'eux. On emmenait des blessés ensanglantés et gémissants sur des civières de branchages. L'odeur de la mort flottait. Des corps alignés contre un mur étaient recouverts de plaids déchirés d'où émergeaient parfois un bras ou une jambe.

— Je suppose que vous savez broder, mademoiselle Campbell? demanda abruptement Liam.

Marion tressaillit, puis se leva d'un bond pour faire face à l'homme. Il la regardait d'un air grave.

— Broder?

Liam lui prit une main et la caressa du bout des doigts en l'examinant avec attention.

— Oui, vous savez... les travaux d'aiguille. Vous avez certainement appris à coudre...

Comprenant tout à coup où il voulait en venir, Marion blêmit. Lentement, elle se tourna vers Duncan. Ses jambes mollirent. Bien sûr qu'elle savait coudre. Elle était même plutôt douée pour ces genres de travaux. Mais... coudre de la chair humaine? Qui plus est, celle de Duncan? Ses doigts tremblaient. Ceux de Liam se refermèrent sur sa main.

— Vous y arriverez, j'en suis certain, la rassura-t-il comme s'il avait deviné ses pensées. Puisque vous ne semblez pas très occupée en ce moment...

Il hésita, son regard s'assombrit légèrement.

— À moins que vous n'offriez vos services qu'à vos compatriotes... Je comprendrais.

Piquée, elle retira vivement sa main. Ses traits se crispèrent en une moue vexée.

— Vous vous méprenez, monsieur Macdonald! C'est que... Je ne sais pas... Coudre l'ourlet d'une chemise, ce n'est pas tout à fait la même chose que de recoudre un visage.

L'homme la regardait, les bras croisés sur la poitrine. Oh oui, Duncan ressemblait à son père. Le même visage large. Le même regard. Troublée, elle le fuit en s'accroupissant de nouveau près du blessé et de sa misérable couche. D'un doigt hésitant, elle repoussa délicatement le lambeau de chair pour refermer l'horrible plaie. On ne voyait maintenant plus qu'une ligne nette en forme de croissant qui partait de l'œil et qui se terminait à la commissure des lèvres. Le jeune Macdonald gémit faiblement. Elle ferma les paupières et déglutit. Un affreux goût emplit sa bouche et une nausée la força à serrer les dents. Merde! Liam attendait toujours derrière elle.

— Vous n'aurez qu'à imaginer que vous recousez votre plus beau corsage.

— Je le ferai.

Les mots étaient sortis de sa bouche sans qu'elle s'en rende compte. Elle allait recoudre le visage de Duncan... Toute l'horreur de la tâche qu'elle allait accomplir la fit grimacer. Recoudre de la chair humaine... Ce n'était pas tout à fait ce qu'elle avait imaginé qu'elle ferait ici en décidant de rester. Mais ce qu'elle avait pu être naïve! C'était la guerre! Il ne s'agissait pas de retirer des échardes ou de mettre des compresses sur des contusions. Ici, il y avait des hommes à l'article de la mort, il y avait des membres tailladés – s'ils n'étaient pas tout simplement arrachés – à panser. Des balles fichées dans les os à extraire. Des plaies, comme celle de Duncan, laissées par les lames ennemies, à recoudre. Qu'avait-elle imaginé? Il y avait tant de blessés autour d'elle...

— Merci, dit simplement Liam. Je vais vous quérir du fil et une aiguille.

— De l'eau-de-vie aussi ou, à défaut, de l'eau chaude.

Hochant la tête, Liam s'éloigna de quelques pas, puis s'arrêta.

— Ah! J'ai oublié de vous parler de son autre blessure.

— Ah oui? Une autre blessure?

Elle souleva lentement le plaid qui couvrait le blessé. Elle remarqua seulement alors que les couleurs de Glenlyon enveloppaient Duncan. Un petit sourire ironique incurva sa bouche, puis s'effaça pour faire place à une moue de dégoût. Elle venait de voir la chemise cramoisie collée sur le torse de Duncan. Son cœur s'emballa. Tout bien considéré, il était plus mal en point qu'elle ne l'avait cru.

— Je ne suis pas certain que vous accepterez de vous en occuper. Ce n'est pas qu'elle soit très repoussante, mais...

— Si je recouds son visage, je peux bien m'occuper du reste. Vous n'avez qu'à m'indiquer où se trouve la blessure.

Liam haussa les épaules et se pencha sur son fils en prenant l'ourlet de sa chemise entre ses doigts.

— Un coup d'épée dans l'aine.

Il la fixait gravement, attendant une réaction.

— Vous voulez dire dans le haut de la cuisse?

— Pas tout à fait...

Perplexe, elle baissa les yeux sur la chemise. L'étoffe imbibée de sang était déchirée, ou plutôt avait été entamée au niveau de l'aine, en effet, et elle collait sur le renflement de l'entrejambe. Si le visage de Marion était blême un peu plus tôt, là, il devint complètement exsangue.

— Je vois...

Puis le sang afflua d'un coup et lui mit le feu aux joues. Se laissant

220

tomber, elle laissa échapper un petit soupir sonore. Liam esquissa un sourire, puis relâcha la chemise avant de rabattre le plaid sur Duncan.

— Ça va. Je vais trouver quelqu'un pour ça. Occupez-vous de son visage et ça ira.

— Merci.

Un curieux petit homme brun arriva quelques minutes plus tard et déposa une vieille besace de cuir écorché et usé à côté de Marion. Sans un mot, il ouvrit le sac et en sortit un morceau de toile roulé et attaché par une ficelle. La jeune femme regarda avec un mélange d'étonnement et de curiosité le petit homme s'affairer. Il déroula le morceau de toile sur le sol, étalant toute une panoplie d'aiguilles et d'alênes de diverses grosseurs, ainsi que des écheveaux de fil. Sa petite main velue replongea dans le sac et en ressortit une flasque d'argent. L'homme tendit le flacon à Marion après en avoir retiré le bouchon d'un coup de dent et après avoir pris une gorgée.

— C'est vous la brodeuse?

Marion bondit au timbre inattendu de la voix de l'homme. Les petits yeux ronds et brillants d'obsidienne enfoncés dans le visage de plâtre craquelé la fixaient.

— La brodeuse?

C'était une voix d'enfant dans le corps lilliputien d'un homme. Enfin... il lui semblait être un homme. Elle prit la flasque.

— Je suis le raccommodeur, annonça-t-il en découvrant une rangée de dents gâtées et mal plantées. Phineas Bethune de Moidart. Vous devez être la petite brodeuse dont Macdonald m'a parlé...

— Oui, c'est moi.

Le visage singulier s'éclaira d'un sourire amène. De sa main gauche formée de trois doigts seulement, le petit homme caressait sa barbichette clairsemée. De sa main droite parfaitement constituée, il pianotait sur son genou.

— Alors vous lui ferez de jolis points décoratifs sur la joue... Cela vous occupera pendant que je travaillerai sur le reste.

D'un geste sec, il repoussa le plaid. Puis, s'emparant de la lampe, il souleva la chemise tandis que Marion détournait les yeux avec embarras.

— Ouille! ouille!

Le visage de gnome devint une masse ronde de chair toute fripée d'où émergeait un nez disproportionné. Un *urisk*, pensa aussitôt la jeune femme. Elle n'avait jamais rencontré ce genre de petit personnage mythique qui, racontait-on, parcourait la lande en quête d'un endroit où il pourrait trouver refuge et bonne chère en échange de menus travaux. D'après ce qu'on disait, l'*urisk* était reconnaissable à sa petite taille, à ses longs cheveux broussailleux et parfois à quelques difformités aux mains et aux pieds. Cet homme en affichait toutes les caractéristiques. Il marmonna quelque chose.

— Vous dites? demanda-t-elle, subitement arrachée à ses réflexions.

221

— Je dis que ce jeune homme a eu beaucoup de chance. Un centimètre de plus vers la droite, et zouip! Fini!

Marion grimaça et avala une gorgée d'eau-de-vie qui lui fit l'effet d'une traînée de feu dans la gorge. Elle en eut les larmes aux yeux et toussota. Phineas lui lança un regard amusé.

— C'est votre mari?

— Euh... non, répondit-elle.

Il la dévisagea un moment, d'un air dubitatif, puis haussa ses frêles épaules perdues dans une veste bistre de grosse laine du pays élimée jusqu'à la trame.

— Bon, allons-y!

Choisissant une longue et fine aiguille, il s'empara d'un écheveau de fil de soie, puis en tira un brin qu'il sectionna d'un coup de dent.

— Tenez la lampe pendant que j'enfile l'aiguille, ordonna-t-il tout en restant concentré sur sa besogne.

— Bien sûr.

Il présenta l'aiguille devant la lumière vacillante de la lampe et, fermant un œil dans une grimace comique, la langue sortie, visa le chas. D'un seul coup l'aiguille était enfilée. Il répéta l'opération avec une deuxième aiguille qu'il tendit à Marion. Elle la prit de ses doigts tremblants et jeta un coup d'œil à Duncan, qui semblait dormir paisiblement. Elle n'y arriverait jamais, pensa-t-elle avec appréhension.

Phineas, sans se poser trop de questions, s'était déjà mis à l'œuvre. Le blessé grogna légèrement.

— Nooon! hurla brusquement Duncan en ouvrant des yeux hagards.

— Donnez-lui une bonne ration d'eau-de-vie, suggéra le petit homme.

Marion obtempéra sur-le-champ. Duncan s'étouffa et gémit.

— Vous pouvez lui vider ma flasque dans le gosier si c'est nécessaire. Vous avez ma permission, mademoiselle la brodeuse, déclara Phineas.

Derechef, la fine aiguille piqua la chair du blessé, lui arrachant un nouveau cri.

— Putain de merde! Qu'est-ce qu'il fabrique?

S'agitant furieusement, Duncan essaya de se relever. Marion le repoussa fermement sur la paille et lui envoya une autre lampée d'eau-de-vie dans le gosier.

— Il te recoud, imbécile! Arrête de frétiller comme une truite hors de l'eau, tu veux?

Le jeune homme la fixa, hébété et haletant. Des perles de sueur brillaient sur son front.

— Marion?

Elle ébaucha un sourire benêt. S'avisant qu'elle tenait toujours l'aiguille enfilée entre ses doigts tremblants, elle la piqua à son corsage. Duncan serra les dents pour contenir un autre cri. Ses doigts se crispèrent sur la jupe de Marion tandis que le raccommodeur faisait ses points.

— Que... fais-tu ici?

Qu'allait-elle lui répondre? Allait-elle lui avouer qu'elle était restée pour lui? Non, jamais! Après la façon cavalière dont elle s'était conduite à l'auberge de Killin, il croirait qu'elle se moquait de lui. Et puis, elle ne pouvait se risquer à lui dévoiler des sentiments dont elle-même n'était pas sûre. Elle voulait aussi s'assurer qu'ils étaient réciproques avant de s'aventurer plus loin.

— Je... j'aide monsieur Phineas dans sa tâche. Je dois te recoudre le visage.

— Toi? grimaça Duncan sur un ton teinté d'ironie. Tu sais coudre?

— Bien sûr! rétorqua-t-elle, vexée.

— Tu vas recoudre mon visage?

Il poussa un autre gémissement, tirant sur la jupe qu'il tenait froissée dans sa main. Marion porta la flasque à ses lèvres et lui versa encore un peu de liquide dans la gorge.

— Peut-être ferais-je mieux de t'enivrer, Duncan Macdonald. Ainsi, je pourrai travailler tranquillement. À moins que monsieur Phineas ne te couse les lèvres ensemble...

Le petit homme brun ricana et piqua de nouveau l'aiguille. Duncan grogna et ferma les yeux.

— Voilà! annonça Phineas d'une voix triomphale. J'ai terminé!

Il prit la flasque des mains de Marion et versa une bonne quantité d'alcool sur la plaie suturée. Duncan s'arc-bouta, étouffant un nouveau cri dans les jupes de la jeune femme.

— Dans quelques jours, vous pourrez enlever les fils. Surtout, nettoyez bien la plaie tous les jours. C'est pas un endroit agréable pour une infection. La brodeuse s'en occupera certainement, ajouta-t-il avec un sourire entendu qui fit rougir Marion jusqu'au blanc des yeux.

Rendant la flasque à la jeune femme, il se redressa et ramassa son nécessaire, qu'il engouffra dans sa besace.

— Je vous laisse l'eau-de-vie pour que vous puissiez terminer ce que vous n'avez pas encore commencé, mademoiselle, dit-il de sa petite voix aiguë. Vous me la rendrez plus tard. Ça ira?

— Je crois que oui, bafouilla-t-elle, incertaine de ce qu'elle avançait. Merci.

Phineas s'inclina, la bouche fendue jusqu'aux oreilles dans sa bouille de gnome. Puis, subitement, il disparut, la laissant seule avec Duncan et son désarroi.

— Alors? demanda le jeune homme dans un faible sourire.

— Alors quoi?

— Tu me le refais, ce visage?

— Je ne sais pas si j'y arriverai... C'est que...

Il la regarda gravement, allongeant le bras pour retirer l'aiguille du corsage.

— Il faut bien que quelqu'un le fasse, n'est-ce pas? Monsieur Phineas semble bien occupé ce soir, alors que toi...

Il lui souriait et tenait l'aiguille devant son nez. Elle loucha sur le petit instrument étincelant, puis le prit.

— Je n'ai jamais recousu de plaie auparavant, lui avoua-t-elle en lui jetant un regard inquiet.

— Il y a un début à tout.

Les sourcils dorés de la jeune femme se rejoignirent au-dessus d'un regard flottant.

— Tu me fais confiance?

Duncan resta muet un moment. Ses doigts frôlèrent la main tremblante de Marion.

— Ai-je le choix? lança-t-il sur un ton qui se voulait badin. Et puis... tu feras un bon travail, mademoiselle « la brodeuse ».

Elle pinça les lèvres. D'un œil avisé, elle étudia en silence le visage de Duncan, qui ne la quittait pas des yeux. Elle poussa un soupir. Comment faisait-on? Elle avait oublié de demander conseil à monsieur Phineas et n'avait pas osé le regarder travailler, vu l'emplacement de la plaie. « Vous n'aurez qu'à imaginer que vous recousez votre plus beau corsage... » Un petit couinement s'échappa de sa gorge. Bon! Elle n'allait tout de même pas y passer toute la nuit!

— Il faut que tu places ta tête sur mes genoux, Macdonald. C'est ainsi que je positionne mon ouvrage quand je travaille à l'aiguille.

— À vos ordres!

Il se redressa sur ses coudes en grimaçant et Marion glissa ses jambes sous lui, bouffant sa jupe en une sorte de coussin sur lequel il se cala. Puis, d'un doigt hésitant, elle suivit la ligne de la longue entaille, évaluant le travail à effectuer.

— Alors, on choisit quoi, Macdonald? Le point de feston, le point de chausson ou bien le point d'épine?

Il feignit de réfléchir.

— Bah! C'est toi l'experte. Tu n'as qu'à éviter les broderies trop compliquées, ricana-t-il en haussant les épaules.

— Comme tu veux.

Elle versa un peu d'eau-de-vie sur l'aiguille et sur ses doigts, et lui tendit la flasque.

— Ça va aller... je survivrai.

Il se tourna alors légèrement de côté, enfouissant son nez dans sa jupe et lui présentant sa joue entaillée, et il ferma les paupières. Marion contempla la ligne de son profil, le contour anguleux de sa mâchoire qui se contractait maintenant dans l'attente; elle fixa sa pomme d'Adam qui montait et descendait au rythme de ses déglutitions. Si lui était tendu, elle, elle était complètement terrifiée à l'idée de planter la petite aiguille dans sa chair tiède. Soudain, elle eut très chaud.

— Je vais verser un peu d'eau-de-vie sur la plaie, Duncan.

— Marion, est-ce que tu vas me décrire chacun de tes gestes? Fais ce que tu as à faire, qu'on en finisse!

— Bon, d'accord...

Il se tendit dans un grognement sourd, sous la morsure de l'alcool. Elle sentit une poigne de fer s'emparer de sa cheville, sous sa jupe. Ses joues s'empourprèrent légèrement. « Ses doigts ont déjà fait bien pire, niaise! » D'un coup de tête, elle chassa les images qui venaient lui troubler l'esprit.

Elle ne dit rien et soupira doucement. L'aiguille s'enfonça dans la chair, sur le bord de la plaie encroûtée de sang coagulé, puis une autre fois de l'autre côté. Délicatement, elle tira sur le fil pour rapprocher les lèvres et le noua. Étonnamment, ses doigts ne tremblaient plus. Elle manipulait l'aiguille avec agilité et faisait ses points comme s'il s'agissait vraiment d'un simple travail de couture. Après le dernier point, elle coupa le fil avec soulagement. Ses doigts s'attardèrent en une caresse sur la mâchoire râpeuse de Duncan. Le jeune homme se détendait doucement et ses doigts relaxèrent sur sa cheville engourdie. Il était resté silencieux tout au long de l'opération.

— J'ai terminé, annonça-t-elle tranquillement en examinant le résultat d'un œil satisfait. Hum... pas mal pour un premier patient.

Un silence gêné les enveloppa.

— Tu souffres beaucoup?

Duncan se tourna vers elle. Sa bouche souriait, mais ses yeux étaient tristes.

— J'ai vécu pire...

— Tant mieux.

Il la regarda d'un drôle d'air, et elle se sentit d'un coup très mal.

— Ce n'est pas ce que je voulais dire. Je suis navrée... C'est seulement que je ne voulais pas être la cause de ton pire supplice.

Attrapant une boucle orangée, Duncan l'enroula autour de son index, la caressa et la relâcha.

— Ne t'en fais pas pour ça, Marion. Les *Sassannachs* ont fait bien pire.

Le cœur de Marion fit un bond.

— Oh! Seigneur Dieu!

Désemparée, elle jeta un œil autour d'elle, fouillant dans la cohue des visages accablés qui les entouraient. Le frère de Duncan était absent. À moins qu'il ne fût pas blessé? Mais elle n'y croyait pas.

— Tu veux m'en parler?

Le regard indéchiffrable de l'homme couché sur sa jupe la fixa un moment avant de disparaître derrière des paupières turgides. Il se détourna. Ses cheveux couverts de sang séché s'étalaient en un éventail rigide sur ses genoux. Elle refoula une folle envie d'y glisser les doigts.

— Mon frère, Ranald... il est tombé sur le champ de bataille. Ces fils de pute l'ont fauché d'un coup d'épée.

— Le glaive des *Sassannachs*, souffla-t-elle, horrifiée de constater que sa vision s'était concrétisée. Duncan, je suis tellement navrée...

D'un geste hésitant, elle lui effleura l'épaule. Sous la grossière étoffe de laine paysanne, elle pouvait sentir les muscles se contracter. Il lui

225

répondit par une pression des doigts toujours enroulés autour de sa cheville.

— Marion... pourquoi es-tu ici?

Pendant quelques secondes, elle resta interloquée.

— Je pensais qu'on aurait besoin de moi.

Demi-mensonge, se dit-elle. Les doigts de Duncan glissèrent doucement sur sa peau, jusqu'à son mollet où ils s'immobilisèrent.

— Tu as eu raison de rester, plus que tu ne pourrais le croire, déclara-t-il en se tournant vers elle.

Elle retint son souffle. Elle n'en était plus aussi certaine. Son cœur se liquéfiait sous la caresse de son regard pénétrant. Elle était amoureuse de lui, elle ne pouvait plus le nier. Mais pourquoi croyait-elle être restée? Elle avait menti délibérément et effrontément à son frère et à Breadalbane. Elle avait osé contrevenir à l'ordre de son père de retourner chez elle. Pour être près de cet homme, soit! Mais encore? Par pure compassion? Oh non! parce que son cœur l'avait exigé. Il avait voulu bousculer son esprit fermé et lui faire prendre pleinement conscience de ce que cet homme provoquait en elle. Cet homme... un Macdonald.

Se mordant la lèvre, elle contempla le visage balafré et tuméfié qui la brûlait de son regard et suscitait en elle des sensations jamais ressenties auparavant. Qu'en était-il pour lui? Il était plutôt clair qu'il la désirait. Mais lorsqu'il aurait pris son corps, que ferait-il de son âme? Pour elle, les deux étaient indissociables. S'il bafouait son âme, elle en souffrirait terriblement.

La main de Duncan quitta son mollet pour effleurer sa joue, puis son cou. Elle frissonna. Gênée, elle tourna les yeux vers la chemise déchirée et souillée de sang, puis remonta le plaid sur le blessé.

— Je vais te trouver une chemise propre.

***

Assis près de son ami Simon qui dormait sur une paillasse ensanglantée qu'on venait de libérer d'un mort, Liam avait suivi toute la scène. Il avait jugé préférable de rester à l'écart pour ne pas gêner le raccommodeur et la brodeuse. Le corps de son fils était en de bonnes mains, et son âme aussi à ce qu'il lui semblait. Il avait observé les deux jeunes gens avec un mélange de soulagement et d'envie. Elle avait du culot, cette fille. Pas étonnant que Duncan se soit entiché d'elle malgré ses avertissements.

Un homme vêtu d'un sarrau de coutil maculé de sang, les manches retroussées jusqu'aux coudes, fit soudain irruption à ses côtés. Il était accompagné de deux jeunes garçons d'une quinzaine d'années qui portaient l'un un seau rempli d'eau rougie et l'autre une mallette qu'il déposa sur le sol à ses pieds.

L'homme se pencha sur Simon en pinçant les lèvres en une moue incertaine et souleva les paupières l'une après l'autre. Ensuite il examina le genou gauche, qui avait été réduit en bouillie par une balle de mousquet.

— Hum.

Il tâtonna le pourtour de la plaie béante en grimaçant.

— Hum, fit-il encore.

Simon se plaignit au contact des mains exploratrices et ouvrit les yeux.

— Holà! Vous avez fini de me tripoter, sacrebleu! La blessure n'est pas assez évidente pour vous?

— Hum, oui. C'est bien ce que je craignais, marmotta l'homme en levant son nez en bec de faucon. L'os du genou est en mille morceaux et l'articulation semble avoir été gravement endommagée.

Simon pâlit, imaginant le pire des pronostics.

— Que voulez-vous dire? Vous avez pas l'intention de me couper la jambe tout de même? C'est qu'une blessure par balle. J'ai déjà eu pire, vous savez.

— Peut-être, mais c'est une sale blessure par balle, si vous voulez mon avis. Vous ne pourrez plus jamais vous servir de votre genou, je le crains. Donc de votre jambe. Et il y a des risques d'infection avec tous ces fragments d'os.

Le teint maintenant cadavérique, Simon se tourna vers Liam.

— Tu ne le laisseras pas faire, Liam, hein?

Liam hocha la tête en signe d'impuissance. Il s'était douté que Simon pourrait perdre sa jambe, mais il s'était bien gardé de le lui avouer.

— Écoute, mon vieux, c'est pas moi qui peux décider...

— On ne me coupera pas la jambe, sacrebleu! hurla le grand costaud en se redressant sur ses coudes.

Il tenta de se déplacer, mais la douleur le cloua sur place. Une fine couche de transpiration faisait luire sa peau à la lueur des lampes suspendues un peu partout dans la grange. Le médecin ne semblait pas impressionné par les vives protestations de son patient. Il se pencha au-dessus de sa mallette et en sortit un flacon de verre rempli d'un liquide qu'il déposa sur un banc avancé près d'eux. Ensuite, il replongea la main et sortit un instrument de bois muni d'une poignée qui servait à faire tourner un pivot auquel était fixée une corde de chanvre. Liam reconnut l'objet avec consternation : c'était un tourniquet. Apparemment, le médecin ne prenait pas en considération l'opinion du blessé, qui commençait à s'agiter drôlement en voyant l'instrument.

— Sortez-moi ce charlatan d'ici! gueula Simon. Personne ne touchera à ma jambe!

— Simon, nom de Dieu... Il n'y a plus rien à faire avec, lui expliqua Liam en le repoussant sur la paillasse.

— Liam, on se connaît depuis qu'on est gosses. Tu sais que je n'arriverai jamais à vivre avec une seule jambe. Tu peux pas laisser ce foutu charlatan me charcuter!

— Je ne suis pas un charlatan, monsieur, fit froidement remarquer le médecin d'un air contrarié. Je suis Hector Niven, chirurgien reçu de l'Université d'Édimbourg. De plus, je suis le médecin personnel du comte de Seaforth. J'ai offert mes services à cause de mes convictions en faveur du Prétendant et non pour le salaire. Alors, si vous n'y voyez pas d'inconvénient... laissez-moi faire mon travail. Vous n'êtes pas le seul blessé ici, et je n'ai pas toute la nuit.

Simon le dévisagea, ahuri.

— Si je n'y vois pas d'inconvénient? Mais bien sûr que j'en vois, sacrebleu! C'est de « ma » jambe qu'il s'agit, si je ne m'abuse! Et si je ne veux pas que vous me la coupiez, alors il en sera ainsi!

Le chirurgien Niven soupira.

— Écoutez-moi bien, pauvre bougre. Si je vous laisse votre jambe, dans quelques jours, voire quelques semaines, vous me supplierez de vous la couper. Mais alors, il sera peut-être trop tard si la gangrène s'est manifestée. Avez-vous déjà vu un membre pourrir sur un homme encore vivant? Ça devient tout noir et tout desséché. La douleur est telle que j'ai déjà vu un homme se couper lui-même un bras pour s'en libérer. Sans parler de l'odeur. Cette terrible odeur de putréfaction qui ne vous quitte jamais et qui vous empêche de respirer sans avoir la nausée!

Simon haletait, les yeux écarquillés. Son teint avait viré au gris. « Ce médecin connaît des moyens de persuasion tout aussi efficaces que sa science », se dit Liam.

— Bon Dieu de bon Dieu! grommela Simon en soufflant bruyamment.

Mais le médecin devait juger qu'il n'en avait pas encore assez dit, car il continua sa morbide litanie des effets de la gangrène :

— Et quand cela se produit, monsieur, je dois couper le membre encore plus court, si ce n'est totalement, pour être bien certain d'enlever tous les tissus nécrosés. Car si j'en oublie ne serait-ce qu'une parcelle, la gangrène se remet à vous ronger jusqu'à ce que vous ne soyez plus qu'un amas de chair putride. Est-ce que vous comprenez ce que j'essaie de vous expliquer?

Simon acquiesça d'un lent hochement de tête, une main sur la poitrine. Ses doigts se crispèrent sur sa chemise. Il grimaça, en proie à un malaise.

— Simon, s'écria Liam en lui soulevant la tête, ça ne va pas?

— C'est... Oh! Ça va aller, Liam, murmura son ami d'une voix tendue. C'est le choc, je crois. Ça va passer. C'est pas facile à accepter, tu sais. Que va dire Margaret? Un mari avec une jambe en moins, pouah!

Liam sourit douloureusement.

— Tu sais très bien qu'elle ne t'a pas épousé pour tes seules jambes, dit-il en sachant ses propos futiles.

Quelle réaction aurait-il eue lui-même en pareilles circonstances? Sans doute la même que Simon. Son ami tourna vers lui un regard implorant.

— À bien y réfléchir, Liam, je crois que je préfère mourir.

— Simon, rétorqua Liam en le prenant par les épaules. Tu n'es pas un lâche. Tu t'es battu comme un dieu aujourd'hui. Combien as-tu fait tomber de ces foutus *Sassannachs*, hein? Combien?

Simon afficha un pâle sourire.

— Seize, annonça-t-il fièrement. C'est quand même mieux qu'à Killiecrankie, tu te souviens?

— Comment peut-on oublier, mon vieux?

Liam observait le médecin du coin de l'œil. L'homme se préparait à installer le garrot autour de la jambe. Tandis que son ami le tenait fermement par les épaules, Simon grogna, puis continua :

— J'en avais fauché onze seulement. Mais c'était tout de même une douce victoire... Ces trouillards se sauvaient comme des lapins au lieu de se battre comme des hommes. Aïe! Mais qu'est-ce qu'il fout, celui-là?

— Ça va, Simon, on s'occupe de toi. Ta Margaret sera sacrément fière de toi lorsque tu rentreras.

Le blessé ricana.

— Ouais... Margaret... Elle me manque, tu sais...

Le médecin tapota l'épaule de Liam, qui se retourna aussitôt. Voyant les scies en acier et les limes encore souillées du sang du dernier patient sur la table où devait avoir lieu l'intervention, il blêmit.

— Il a de la chance, il me reste encore un peu de laudanum...

— Je ne prendrai rien du tout! s'écria Simon en se redressant de nouveau. Je ne suis pas une femmelette!

Il venait de pousser Liam sur le côté et il aperçut à son tour le sinistre attirail soigneusement disposé.

— Oh!

Liam fit signe d'approcher à deux colosses qui les observaient.

— Allez, Simon, fais pas l'imbécile et bois un coup.

— Non.

— Tu sais que tu fais une sacrée tête de lard quand tu t'y mets?

— Ouais. C'est ce que me dit toujours ma douce Margaret.

Avec l'aide des deux hommes, on plaça le blessé sur la table. Une petite femme rondelette déposa une pile de linges relativement propres près d'un bassin d'eau fumante, pendant que l'un des deux assistants du chirurgien, qui venait d'installer un bac de bois encore humide de sang sous la table, enfonçait le fer à cautériser dans un brasero rougeoyant.

Autour d'eux, les hommes étaient visiblement tendus. Certains, pâlots, jetaient des coups d'œil nerveux sur la panoplie de scalpels, de couteaux et de pinces que le médecin étalait maintenant sur un linge déplié. Bizarre comme les hommes pouvaient affronter sans ciller les lames ennemies, longues de plus d'un mètre et tranchantes comme un rasoir, mais prendre la teinte du petit lait devant un scalpel.

Le médecin imbiba d'eau un carré de lin et essuya sommairement la cuisse encrassée de sang et de boue du pauvre Simon qui n'en menait pas large. Le garrot était installé. L'opération pouvait commencer.

Liam sentit son estomac se retourner. Certes, il avait déjà vu des membres tranchés. Mais un coup d'épée net et rapide était certainement moins douloureux qu'une amputation longue et pénible. Son regard fit le tour de la grange, rencontrant ceux de Duncan et de Marion qui regardaient l'effroyable spectacle. La jeune femme semblait sur le point de tourner de l'œil. Lui aussi. Le médecin lui tapota l'épaule; il sursauta.

— Nous sommes prêts. Il faut l'immobiliser.

Puis il lui tendit un vieux morceau de cuir rogné.

— Pour ses dents.

Les deux colosses retenaient solidement Simon par les bras tandis que Liam s'était couché en travers de son torse, le maintenant par les épaules et lui parlant de tout et de rien. Il sut que le médecin avait commencé l'opération lorsque son malheureux ami poussa un cri terrifiant qui le fit momentanément mollir. Deux autres hommes durent intervenir pour maintenir en place le blessé. Les yeux se révulsèrent et la tête bascula lourdement vers l'arrière. Liam constata avec soulagement que son ami avait perdu connaissance. Ils n'eurent que quelques minutes de répit : Simon revenait lentement à lui, haletant et se débattant comme un beau diable.

— J'ai changé d'avis, mon vieux... Donne-moi de ce putain de... sirop. Je crois que j'en ai... assez eu pour aujourd'hui...

— Il est un peu tard pour...

— Donnez-lui du sirop d'opium! hurla Liam en se retournant vers le médecin qui ronchonnait.

Ce faisant, il ne put s'empêcher de voir la jambe de Simon.

La peau nettement incisée au-dessus du genou avait été décollée des chairs et repliée sur la cuisse comme la pelure d'un fruit. Les muscles avaient été entamés et la blancheur de l'os gratté et dégagé tranchait avec les chairs sanguinolentes. Du travail soigné, malgré l'urgence. Liam sentit un malaise s'emparer de lui et se détourna aussitôt. Il avait grandement besoin d'un bon whisky.

L'un des assistants fit couler le sirop entre les lèvres de Simon qui râlait, plongé dans un état de demi-conscience. Puis un grincement sinistre fit vibrer ses tympans. Il serra les dents. Sa chemise était maintenant aussi trempée que celle de son ami.

— En avez-vous encore pour longtemps?

— Eh bien, je n'ai pas fini de sectionner l'os. Ensuite je dois limer les bords, puis ligaturer et...

— Bon! Épargnez-moi les détails, voulez-vous?

— Eh bien...

Le crissement de la scie devenait insupportable. Plusieurs hommes avaient quitté la grange; d'autres n'allaient certainement pas tarder à le faire, vu leur teint verdâtre.

Le bruit sourd de quelque chose qui tombe donna des sueurs froides à Liam. Il ferma les yeux. Simon avait irrévocablement perdu sa jambe. Son ami gémit faiblement sous lui. Sa poitrine se soulevait et s'abaissait à intervalles réguliers. Il lui parut plus paisible. Dans la panique, l'aide avait dû lui donner une dose de cheval. « Dors, mon ami. Tu n'avais pas besoin de vivre ça pour me prouver que t'étais un homme. »

— Voilà, j'en ai terminé avec la coupe, annonça le docteur Niven. Timothy, tu veux bien resserrer le garrot? Le flux sanguin ne s'arrête pas... Il perd trop de sang.

Un claquement retentit, suivi d'un juron et d'un cri de panique.

— Appuie dessus, Sainte Mère de Dieu!

— J'y arrive pas! J'y arrive pas! Je trouve pas l'artère!

— Où est l'autre tourniquet?

— C'est le docteur Shaw qui l'a pris...

— Donne-moi le fer! Je n'aurai pas le temps de ligaturer, allez!

— Qu'est-ce qui se passe? hurla Liam en se tournant vers le médecin.

— Le tourniquet a lâché avant que j'aie le temps de terminer...

Liam écarquilla les yeux devant le spectacle qui s'offrait à lui. Le sang giclait, éclaboussant à la fois le médecin et ses deux assistants, qui avaient plutôt l'air de bouchers sortant de l'abattoir. La panique s'était emparée d'eux. Liam réalisa avec horreur l'urgence de la situation.

— Mais faites quelque chose! Restez pas là à le regarder se vider comme une bête qu'on saigne!

Le médecin lui décocha un regard noir et prit la main de l'aide pour lui indiquer où appuyer. Puis il s'empara du fer rougi. Liam revint à Simon dont la peau avait pris une curieuse teinte grise. Une écœurante odeur de chair brûlée lui monta à la tête, lui soulevant le cœur. Ce ne fut qu'à ce moment-là qu'il remarqua l'immobilité de la poitrine de son ami.

— Simon! Simon! Tu m'entends, mon vieux? Reste avec moi!

— J'y arrive pas! s'écriait toujours le garçon, complètement hystérique.

La peau de Simon était moite et froide. Les colosses qui le retenaient s'étaient écartés, le visage décomposé par la peur. Liam n'arrivait plus à suivre le déroulement des événements.

— Simon... Oh non... Mon ami...

Il était totalement désemparé. Les cris se confondaient dans sa tête. Il s'écroula sur la poitrine de Simon en sanglotant. C'en était trop.

— Liam...

Une main s'était posée sur son épaule, chaude mais ferme. Un instant, il crut que Simon l'appelait, que toute cette scène n'était qu'une mauvaise blague et que son ami allait se mettre à rire de sa mine dépitée. Mais il n'en fut rien. Lorsqu'il rouvrit les yeux et vit le visage exsangue de Simon, il poussa un long gémissement.

— Liam, allons, viens.

Des bras solides l'empoignèrent pour le soulever. Alasdair Og et Adam Cameron l'entraînaient hors de la grange, dans l'air glacé de la nuit. Sans trop savoir comment, il se retrouva assis sur une caisse de munitions avec une bouteille de whisky entre les mains. Il ingurgita plusieurs centilitres du liquide, diluant ses larmes devant ses compagnons. Mais la douleur des pertes qu'il avait vécues ne s'en trouvait pas plus supportable. Il s'essuya les yeux et la bouche de sa manche crasseuse.

— Ils les ont tués, Sandy[56], gémit-il en levant des yeux humides vers Alasdair qui l'observait dans un silence respectueux. Ils ont tué mon fils... et Simon. Putain de guerre! Ils ont arraché la moitié du visage de Duncan... Et moi, j'ai tout vu. J'ai tout vu, et je n'ai rien fait!

Adam s'assit à côté de lui et lui prit la bouteille des mains pour se rincer le gosier à son tour.

— Tu as raison, Liam, c'est une putain de guerre. Mais pour Ranald et Simon, tu n'es pas responsable...

— Putain de guerre! Mon fils... mort... oh, nom de Dieu! Et pourquoi? Pourquoi, Adam? Dis-moi...

— Pour qui? Le roi ne daigne même pas mettre les pieds ici. Vous pouvez bien me dire ce qu'il fabrique? Près du tiers de mon clan est tombé sous les coups des dragons d'Argyle. Ils ont enfoncé nos rangs et nous ont poursuivis jusqu'à la rivière... Nous avons bien cru notre fin venue. Mais, par une chance inouïe, Argyle a décidé de se retirer et de nous laisser la vie sauve.

— C'est que son aile gauche a été complètement coupée, expliqua Alasdair. Elle s'est volatilisée. Et puis, nous les attendions en haut de la colline, prêts pour une deuxième charge. Il a jugé préférable de se replier sur Dunblane avec les hommes qu'il lui restait.

— Nous devrions reprendre l'assaut dès les prochains jours. Malgré nos pertes, nos effectifs sont toujours supérieurs aux leurs.

Alasdair prit la bouteille à son tour.

— Je ne sais pas... Mar est présentement en conseil. Nous en sommes encore à estimer les pertes. Elles sont plutôt élevées. Le capitaine de Clanranald est tombé à la première salve. Un jeune comte a été tué et plusieurs de nos hommes ont été faits prisonniers, dont Strathallan et son frère, Thomas Drummond.

— Quelles sont les pertes pour Glencoe? demanda Adam.

Alasdair lança un regard vers Liam qui semblait ailleurs.

— Eh bien, nous avons perdu neuf hommes, et il y a vingt-trois blessés et deux disparus. Mais je peux vous assurer, à la couleur des pentes de Sheriffmuir, que les pertes de l'autre côté sont équivalentes aux nôtres sinon supérieures. Compte tenu du fait que nous possédions déjà le double de leurs effectifs, nous en sortons gagnants.

— Gagnants? Qu'avons-nous gagné, Sandy? Il est clair que nous avons tourné en rond sur ce champ de bataille. Chaque aile droite a brisé l'aile gauche de l'adversaire. Nous n'avons rien gagné! Match nul, si tu veux mon avis. Argyle obtiendra certainement du renfort de l'Angleterre. Et nous,

---

56. Surnom couramment attribué au prénom Alasdair.

qu'aurons-nous de la France? C'est tout juste si on nous donne le roi à mettre sur le trône! Nous n'avons qu'à bien nous tenir. Argyle reviendra terminer ce qu'il a commencé. Nous étions huit mille contre quatre mille! Que s'est-il passé? Nous n'avons même pas réussi à les écraser. Nous sommes bien loin de Killiecrankie.

Un silence gêné que venait briser le clapotis du whisky dans la bouteille qui circulait s'immisça entre les trois hommes. Chacun revivait dans son esprit les épisodes difficiles de cette terrible journée.

Liam commençait à sentir les effets soporifiques de l'alcool qui, tel un dictame, calmait momentanément ses souffrances. Mais le remède n'effaçait pas totalement les visions d'horreur qui ressurgissaient par moments dans son esprit perturbé.

— Je suis désolé pour Ranald, c'était un brave garçon... Je sais bien qu'il n'y a pas de mots pour apaiser ta peine, Liam, mais...

— Je veux repartir pour Glencoe, annonça abruptement Liam.

— Tu ne peux pas, dit Adam. Ce serait de la désertion, et tu sais que la désertion est punie.

Liam éclata d'un rire cynique, puis arracha la bouteille des mains d'Alasdair pour s'engourdir un peu plus le cerveau.

— Je m'en fous, Adam. Je suis déjà mort. J'ai besoin de...

Il s'interrompit. L'image de Caitlin surgit d'un coup derrière ses paupières. Une larme coula sur sa joue.

— J'ai besoin d'elle, murmura-t-il avec peine. Et puis, elle doit savoir pour Ran. Je crois bien que ce sera la chose la plus difficile que j'aurai eu à faire de toute ma vie. Faire saigner le cœur de ma femme...

Le whisky clapota dans la bouteille et lui brûla la gorge. Mais la brûlure était douce comparée à l'évocation de la tâche qui l'attendait.

— Je trouverai un moyen de couvrir ton départ, Liam, dit lentement son cousin. Tu es tout de même mon premier lieutenant. Je te chargerai d'un message important pour mon frère. Cela devrait suffire. Mais tu auras à nous revenir.

— Ouais...

— Quelques jours, ça te va?

— Quelques jours, c'est bon, Sandy.

Alasdair serra affectueusement son épaule. Liam se sentait las... terriblement las. Lentement, il se leva, chancela, puis tomba sur les genoux. Le monde entier tournait autour de lui à une vitesse effarante. Une nausée le submergea.

— Tu n'as pas l'air bien, cousin, entendit-il dire à travers le brouillard qui l'enveloppait.

« Pas l'air bien? » ironisa-t-il dans sa tête. Oh, mais tout allait parfaitement bien! Il avait seulement le sentiment qu'il n'arriverait plus jamais à dormir sans revoir l'épée s'abattre sur son fils. Un son sortit de sa gorge, à mi-chemin entre un sanglot et un hoquet de rire.

— Liam... Hé, mon vieux...

Comme il se sentait basculer dans le vide, quelque chose le retint. Un bras se glissa sous le sien, le forçant à se relever. « Foutez-moi la paix... » Le bras le soutenait encore.

Il tenta de le repousser, en vain.

— T'as besoin de quelques heures de sommeil, Liam. Le whisky t'est monté à la tête.

« Le whisky? » Il reprit la bouteille et la porta à sa bouche. Adam intervint, retenant son bras.

— Liam, ça ne te fera aucun bien, crois-moi. C'est plutôt chiant de faire face à la réalité avec une terrible gueule de bois, je t'assure.

Dévisageant son beau-frère quelques secondes, il grimaça de douleur et laissa échapper un soupir d'exaspération. Il avala néanmoins quelques centilitres d'alcool. Oublier... Ne plus voir ces images... Ne plus sentir l'odeur de la bataille sur ses vêtements, l'odeur du sang, des excréments et de la chair brûlée autour de lui. Toutes ces odeurs étaient là, immuables, le narguant, l'empêchant d'oublier.

— Je ne veux plus me réveiller, Adam.

La bouteille lui glissa entre les doigts et tomba sur le sol, entre ses pieds. D'un air absent, il regarda le liquide ambré, scintillant dans le clair de lune, se déverser dans l'herbe. Oui, il voulait dormir et ne plus jamais se réveiller. Adam s'accroupit devant lui et ramassa la bouteille qu'il tendit à Alasdair. Puis il le fixa gravement.

— Liam, reprends-toi, mon ami. Je ne te reconnais plus.

Pour être honnête, il ne se reconnaissait plus lui-même. Que lui arrivait-il? Il avait déjà vécu des tragédies tout aussi déchirantes dans le passé : le massacre des habitants de la vallée, la mort d'Anna et de Coll, de son père et de Ginny, sa sœur. Et maintenant, Ranald et Simon.

Ses vieux démons revenaient le hanter. Il n'avait rien fait pour aider ceux qu'il chérissait. Spectateur immobile dans sa stupeur. Observateur inefficace devant l'horreur. Voilà ce qu'il avait été. C'était là sa faute. Le poids de la culpabilité l'écrasait, la rage l'étouffait. Comme une boule, sa fureur roulait et roulait dans sa gorge. Il n'arrivait pas à la cracher et elle l'étouffait. Il était coupable. Il n'aurait pas dû laisser Anna et Coll seuls à l'aube du massacre. Il aurait dû trouver des couvertures, les emmener avec lui et leur trouver un abri où il aurait fait un feu pour les tenir au chaud. Ginny? Il aurait dû bondir et égorger le porc qui violait sa sœur au lieu de regarder bêtement la scène. Il vacilla sur ses jambes qui l'abandonnaient. Adam le retint tout en lui parlant, mais il n'écoutait plus.

Simon... Il aurait dû empêcher le médecin de procéder à l'amputation. Son ami avait raison. Il n'aurait jamais été le même avec une jambe en moins, il le connaissait trop bien. Qui sait? Il en aurait peut-être réchappé... Mais il avait refusé de l'écouter. Et Ranald... Oh, Seigneur! Tout s'était déroulé si rapidement. Il avait vu le dragon viser son fils et tirer. Son cri était resté coincé dans sa gorge. Il ne l'avait pas averti du danger. Ranald avait été touché à l'abdomen. Puis le deuxième dragon...

avec son épée... Il gémit. Son estomac se souleva. Revoyant la lame traverser le corps de son cadet, hoquetant de douleur, il sentit le fil meurtrier le scinder en deux. Par son inertie, il avait tué son fils. Il les avait tous tués, ces êtres chers qu'il avait perdus. Ils étaient tous morts à cause de lui. S'il n'arrivait pas à se pardonner lui-même, comment pouvait-il s'attendre à ce que Caitlin lui pardonne?

Son estomac se contracta de nouveau et eut raison de lui. Il vomit. Des bras le soulevèrent et le portèrent. Il se retrouva sur une couche quelconque, dans un recoin quelconque. Cela lui était bien égal où il se trouvait. Il voulait seulement dormir, dormir... et ne plus jamais se réveiller.

CINQUIÈME PARTIE

« *Épargne-toi du moins le tourment de la haine;*
à défaut du pardon, laisse venir l'oubli. »

Alfred de Musset

14

La déchirure

Une neige mouillée s'accumulait dans les angles des carreaux. Du bout du doigt, je suivis la traînée qu'avait laissée un petit tas en fondant sous la chaleur du verre et en glissant sur le rebord extérieur de la fenêtre. Puis mon regard se perdit au loin : les collines de Glencoe étaient couvertes d'un mince manteau blanc et les nuages étaient si lourds qu'ils cachaient les sommets des montagnes.

Depuis mon retour de Culross, le temps avait été exécrable. Si le soleil brillait, il faisait froid et le sol crissait sous nos pas. En revanche, si le temps était doux comme aujourd'hui, le ciel nous tombait dessus. Nous restions donc à l'intérieur la plupart du temps.

Ainsi, j'avais eu tout le loisir de tisser et d'assembler deux plaids. Un troisième était sur le métier, mais, bizarrement, je n'avais pas le cœur à l'ouvrage pour le terminer.

Un petit ricanement dans mon dos me fit sortir de ma bulle de rêverie. Je me retournai pour embrasser du regard la cuisine qui faisait office de salle de cours; je plissai le front de désapprobation. Tous les regards convergeaient vers la petite Kenna Macdonnell, qui s'étirait au-dessus de la table pour attraper une pomme dans un bol placé au centre. Lorsque la fillette se rassit sur le banc, sa mignonne frimousse pâlit et ses yeux s'agrandirent. Elle bondit, ouvrant la bouche pour pousser un cri perçant. Tous les autres enfants éclatèrent de rire, le nez sur leurs feuilles tachées d'encre.

— Neil Macdonnell, tu n'es qu'un... qu'un...

Elle tourna vers moi ses grands yeux noirs, puis les baissa sur sa pomme avec dépit, tout en se frottant le postérieur.

— Neil a mis un clou à ma place, madame Caitlin.

Elle ramassa l'objet en question et me le tendit.

— C'est pas moi! se défendit son frère. C'est Isaak!

— C'est pas vrai, rétorqua l'autre. Dis-le-lui, Alice, tu l'as vu, toi aussi. C'est Neil qui a mis le clou sur le banc de Kenna.

Alice MacEanruigs toisa son jeune frère avec condescendance.

— Pourquoi mentirais-je pour te disculper? Je faisais mes devoirs, je n'ai rien vu du tout.

Le petit visage parsemé de taches de rousseur d'Isaak s'empourpra. Les lèvres pincées, le garçon lança à sa sœur un regard assassin.

— Eh bien, tu mens tout de même! Tu n'étudiais pas, tu faisais les yeux doux à Alex...

— Isaak! riposta-t-elle, les joues en feu.

— Cela suffit! m'écriai-je en frappant des mains.

J'observai mes élèves, m'efforçant de ne pas rire. Les poings sur les hanches, je me composai tant bien que mal un air exaspéré, réfléchissant à la façon de démêler les choses et de trouver le coupable de la petite farce.

— Voyons, si Alice faisait les yeux doux à Alex comme vient de l'affirmer Isaak, elle n'a pas pu voir qui a mis le clou sur le banc. Et si Isaak regardait vers sa sœur comme il le prétend, il ne peut pas être le coupable. On est d'accord? Reste alors Alex, Coll et Neil. Alex et Coll sont assis de l'autre côté de la table...

Je me tournai vers le jeune Neil, qui courbait déjà l'échine.

— Il ne reste donc plus que toi, Neil. Qui plus est, tu es assis sur le même banc que ta sœur. Qu'as-tu à dire pour ta défense?

Le garçon haussa les épaules et me sourit d'un air contrit.

— Je suis désolé, madame Caitlin.

— C'est à Kenna que tu dois faire tes excuses. Ce n'est pas moi qui me suis retrouvée avec un clou enfoncé dans une fesse.

À ces mots, les enfants pouffèrent tous de rire. J'avais remarqué qu'entendre nommer certaines parties de l'anatomie les faisait rigoler et je n'avais pu m'empêcher d'introduire un de ces mots en rapport avec le corps dans mes réprimandes, histoire de détendre un peu l'atmosphère avant de revenir aux choses sérieuses.

— Alors, Neil?

Le petit plaisantin se tourna vers sa sœur et s'excusa du bout des lèvres. Il s'apprêtait à reprendre l'objet de torture, de fabrication artisanale, lorsque je l'interpellai de nouveau :

— Holà, mon petit homme! Pas si vite!

Faisant quelques pas vers lui, je tendis la main.

— Puis-je voir?

— Vous allez me le confisquer?

— Cela dépend.

Plutôt rudimentaire comme instrument de supplice, mais assurément très efficace. Un simple clou planté dans une planchette de bois. Je grimaçai.

— Est-ce toi qui as fabriqué ça?

— Euh... ben oui.

— Peux-tu me dire où tu t'es procuré le clou?

— Chez le tonnelier, madame.

— Chez le tonnelier... Hum...

240

Je l'observai avec une mine dubitative.

— Mais monsieur MacStarken est parti avec les autres hommes. Alors qui a bien pu te le donner?

— Personne, je l'ai... emprunté.

— Emprunté?

— Je l'ai pas volé.

— Tu avais l'intention de le lui rendre, alors? Tu sais très bien que les clous sont rares.

Son visage se renfrogna, tandis qu'il se balançait d'une fesse à l'autre.

— Ben oui...

— Parfait! Après l'école, tu remettras ce clou à sa place. Puisqu'il a si bien rempli la fonction à laquelle tu le destinais, il n'a plus d'utilité ici, n'est-ce pas?

— Non, madame.

Du coin de l'œil, j'aperçus sa langue rose qui menaçait silencieusement la petite sœur. Les années passaient et rien ne changeait, pensaije en feignant n'avoir rien vu, me rappelant que mes enfants avaient fait la même grimace irrévérencieuse à maintes reprises.

— Bon, voyons ce que vous avez réussi à copier... Alex, dis-je en prenant la feuille de l'adolescent pour clore le sujet. On écrit *adveniat regnum tuum* et non *regnam tum*.

— Madame Caitlin, pourquoi doit-on apprendre toutes ces prières?

— La prière est un moyen d'honorer Dieu, de lui demander pardon pour nos fautes, de le remercier de ses bontés et de lui demander grâce. Nous n'avons pas de prêtre et encore moins de chapelle dans la vallée. Alors il faut bien que quelqu'un vous enseigne les prières!

— Je veux bien pour les prières, mais ne pourrait-on pas les écrire en gaélique? Le latin...

— Vous les connaissez toutes en anglais et en gaélique. Les écrire en latin est la meilleure façon de les apprendre par cœur.

— Oui, mais nous ne parlons pas le latin.

— Le latin est la langue de notre religion. Nous sommes catholiques, donc nous prions en latin.

— Nous pourrions avoir des livres de prières en anglais... J'en ai trouvé un, l'autre jour.

— C'est pour les protestants, Alex. Les livres de prières en anglais servent à l'église presbytérienne de la *kirk*[57] écossaise. Les protestants prient le même Dieu, mais... de façon différente, disons.

— Si on prie tous le même Dieu, intervint Isaak, alors pourquoi papa va se battre pour que nous ayons un roi catholique au lieu d'un roi protestant?

---

57. Terme en scots, dialecte parlé par les Écossais du Sud, et qui désigne une église.

— Parce qu'il trouve que George est un crétin, pauvre imbécile, lança Alice.

— Les Campbell de Glenlyon ne sont pas catholiques, ils soutiennent néanmoins le Prétendant, ajouta Coll.

Je soupirai et affichai cette fois-ci une moue d'exaspération non feinte.

— Vos pères ne se battent pas uniquement pour une question de religion. C'est un peu plus compliqué. Il s'agit de politique, de divergences d'opinions, de vieux griefs.

— Et vous, madame Caitlin, demanda Isaak, quel roi voudriez-vous voir régner sur l'Écosse?

Je fus prise de court un instant, mais me ressaisis et tentai de satisfaire sa curiosité.

— Eh bien, je ne sais pas, Isaak. Je crois que je voudrais voir régner un roi qui nous laissera vivre en paix, je suppose.

Alex émit un petit rire cynique.

— Allez voir si ça se trouve! Tant que nous serons obligés de nous soumettre aux *Sassannachs*, nous serons persécutés. Moi, je dis que cela n'a rien à voir avec le fait que nous sommes papistes. Nous sommes des Highlanders, c'est pour cela qu'on nous hait tant. Les Stuarts catholiques ont déjà émis des lettres de la Commission par le feu et l'épée pour juger les Macdonald de Keppoch. Et pourtant, ils sont papistes, eux aussi.

— Ben alors, pourquoi les gens de Keppoch vont-ils se battre pour les remettre sur le trône? Ils sont cinglés!

— Parce que les Stuarts sont une dynastie de lignée écossaise, mon cher Isaak, fis-je remarquer.

— Ah! C'est pas un peu compliqué, tout ça?

— Je t'expliquerai un peu plus tard, Alice.

Je jetai un bref regard vers Alex Macdonnell, le fils aîné de Calum. Il n'avait que seize ans, mais possédait déjà la stature d'un homme. Quoiqu'il ressemblât plutôt à sa mère du point de vue physique, il me faisait penser à son père à maints égards. En particulier, il avait hérité de sa haine manifeste des Anglais. Bien que ces enfants n'aient pas vécu le terrible massacre de 1692, ils en connaissaient les moindres détails. Leurs parents prenaient soin de garder bien vivant le souvenir de cet événement tragique.

— Quand nous aurons un roi catholique, dit la petite voix de Kenna, devrons-nous encore apprendre à écrire l'anglais?

— Bien sûr, pauvre bêtasse! Le roi Jacques ne parle certainement pas le gaélique!

— Neil! Surveille ton langage.

Puis je me tournai vers la fillette qui croquait dans sa pomme.

— Je le crains, ma puce. En dehors des Highlands, en Écosse, on parle le scots et l'anglais, tu vois?

— Ouais, maman dit que nous sommes une minorité.

— Minorité.

— C'est ce que j'ai dit. Elle dit que les *Sassannachs* nous voient comme des parias. C'est quoi, un paria?

— Eh bien, un paria, c'est quelqu'un qu'on méprise.

— Pourquoi nous méprise-t-on? demanda-t-elle candidement.

— Parce que nous sommes différents. Nous pensons autrement, nous parlons une langue que les autres ne comprennent pas. Nous avons des traditions et des habitudes de vie particulières.

— Mais nous prions le même Dieu! Vous l'avez dit tout à l'heure.

Je soupirai et levai les yeux au ciel.

— En effet. Mais les hommes se querellent sur la façon dont nous devrions prier ce Dieu. Les catholiques s'en remettent au pape, les épiscopaliens, aux évêques et les presbytériens, directement à Dieu.

— Moi, ce que je ne comprends pas, c'est pourquoi les hommes se battent au nom de ce même Dieu qui, d'après les Saintes Écritures, nous demande d'être miséricordieux et tolérants, dit Alice.

— Mais tu ne comprends vraiment rien à rien, toi! s'écria Isaak avec impatience. Papa ne se bat pas au nom de Dieu, il se bat pour rester écossais. Tu sais ce qu'il dit toujours?

Elle haussa les épaules d'un air désintéressé.

— Il dit que nous sommes avant tout écossais. Nous sommes un peu des sujets britanniques, mais nous ne serons jamais anglais.

Je souris. À douze ans, Isaak était tout le portrait de son père, Donald MacEanruigs. Suffisant, exubérant et indiscipliné, mais charmant et d'une loyauté indéfectible envers son clan et ses racines. Il redressa fièrement ses épaules drapées du tartan des Macdonald en secouant frénétiquement ses longues mèches rebelles d'un beau roux sombre.

— En tout cas, moi, je ne serai jamais anglais. Je ne renierai jamais mon sang comme ces imbéciles de Campbell et...

— Et tu termineras tes devoirs comme je te l'ai demandé, compléta Janet MacEanruigs qui, secouant la neige recouvrant ses épaules, venait d'entrer avec un plateau de petits scones au miel tout frais qu'elle déposa sur la table.

— *Teich!*[58] fit-elle en donnant une pichenette sur une main gourmande. Pas avant la fin de la leçon.

— Mais, maman... protesta Isaak en se rasseyant.

— Pas de « mais »! Où en êtes-vous?

J'esquissai un petit sourire gêné.

— Pas vraiment plus loin que lorsque tu es sortie. Nous nous sommes égarés sur un sujet épineux.

— Ah oui? Lequel?

— La religion, le roi d'Écosse et la guerre, répondit Isaak.

---

58. Ouste!

— Cela fait plus d'un sujet épineux, ma foi! Si on s'en tenait à la religion et à la prière? Finissez de copier le *Pater noster*, et vous aurez droit à votre goûter.

La consigne fut accueillie par quelques grognements de protestation. Néanmoins, les enfants reprirent leurs plumes et se remirent à la tâche en lorgnant la collation qui embaumait la cuisine.

— Que veut dire... *inducas in... tentationem*? demanda soudain Alex en levant les yeux vers moi.

— *Et ne nos inducas in tentationem*. En gaélique, on dit : *Thoir dhuinnan diugh ar n-aran lathail*. Cela signifie : Et ne nous laissez pas succomber à la tentation.

— Ce serait tellement plus simple de le dire dans notre langue, maugréa-t-il en caressant de sa plume d'oie sa barbe clairsemée. Au fait, pourquoi les catholiques se compliquent-ils la vie à écrire leurs prières en latin?

— Parce que c'est une langue universelle. Recourir à cette langue évite les erreurs qu'entraînent invariablement les transcriptions d'une langue à l'autre. Ainsi, non seulement les textes restent intacts, mais ils ne sont pas remodelés par celui qui les retranscrit.

— Vous parlez le latin?

— Non, je n'ai jamais eu la chance de l'étudier...

Coll murmura quelque secret dans le creux de l'oreille de son frère Alex, qui me lança un regard hésitant.

— Coll! Peut-être pourrais-tu partager ton opinion avec nous?

Le jeune garçon leva des yeux réticents vers moi.

— Euh...

— Tu as bien dit quelque chose à ton frère, n'est-ce pas?

— Oui, enfin... je ne sais pas si je devrais vous le dire, madame...

Alex pouffa de rire devant la mine déroutée de son jeune frère, puis il se décida à répondre à sa place :

— Il a dit que les filles ne peuvent pas apprendre le latin parce qu'elles ne vont pas à l'école très longtemps.

— Aïe! fit Coll en rentrant la tête dans les épaules.

Je posai un regard sur lui. Il se remit à l'ouvrage, n'osant plus lever les yeux. Isaak et Neil étouffèrent un ricanement, le nez collé sur leurs feuilles respectives.

— Certes, les filles n'ont pas la chance... de faire des études poussées. Mais crois-tu que cela fait d'elles des ignares?

— Ben, j'en sais rien, bafouilla le pauvre Coll, tout cramoisi.

Il me dévisagea, visiblement déconcerté.

— Ben...

Ce fut tout ce qu'il trouva à répondre.

— Les femmes n'ont pas besoin de penser, car les hommes décident pour elles. Et puis, leur devoir est de s'occuper de leur mari, de leurs enfants et de leur maison.

— Isaak MacEanruigs! Ne sois pas impudent! le tança vertement Janet.

— Mais c'est vrai! répliqua le garçon.

— Alors, monsieur « je sais tout », s'interposa Alice, tu peux m'expliquer pourquoi c'est maman qui a toujours le dernier mot avec papa?

Voilà qui mit fin à la discussion.

— Seigneur! fit Janet en ramassant les feuilles. Mets-toi un scone dans la bouche, Isaak, cela t'évitera de dire d'autres bêtises.

Ce qu'il fit sans attendre.

— Comment va Leila? demandai-je à Janet en rangeant les feuilles et les plumes dans le buffet.

Elle, de son côté, rebouchait les encriers.

— Pas très bien, je dois dire. Et Robin qui n'est pas près de rentrer...

Elle s'interrompit un moment, fixant sans vraiment le voir le dernier encrier de verre bleu cobalt.

— Les dernières nouvelles que John a reçues annonçaient le combat imminent. Les troupes royalistes avaient pris Dunblane, et le comte de Mar se trouvait à Perth. L'écart s'étrécit, Caitlin...

Elle leva un regard angoissé vers moi.

— Il faut garder espoir, dis-je autant pour la rassurer que pour me convaincre moi-même.

— Pauvre Leila...

Elle aligna les encriers sur le buffet avec une précision excessive.

— Sa mère, Margaret, tente de lui remonter le moral comme elle peut. Mais c'est difficile pour elle aussi.

— Leila est jeune, elle s'en remettra. Elle et Robin pourront avoir d'autres enfants.

« S'il revient! » pensai-je amèrement en me gardant bien d'exprimer tout haut mes craintes. À quatre mois de grossesse, Leila était tombée d'une échelle en tentant de suspendre dans la grange des fagots d'orge pour les faire sécher. Quatre jours plus tard, elle faisait une fausse couche. C'était son premier enfant. Nous l'aurions perdue, elle aussi, sans l'intervention rapide de madame Wright, la sage-femme de Dalness qui justement passait par Glencoe en allant visiter une parente à Ballachulish. Le malheur s'acharnait. Comme si l'insurrection ne suffisait pas. Janet m'offrit un scone encore tiède.

— Tiens, avant que ces ogres n'avalent tout!

— Merci.

J'observais Alex qui, s'étant emparé de mon livre de Shakespeare écorné par les années que je laissais toujours sur la table les jours de classe, lisait un passage à Alice MacEanruigs. Les épaules des deux se frôlaient, et les joues de la jolie blonde aux yeux gris étaient roses de plaisir. Il faudrait penser à les surveiller, ces deux-là.

— Alex est presque devenu un homme.

Janet posa un regard inquiet sur les deux tourtereaux.

— Et Alice est déjà presque une jeune femme. Je crains qu'elle ait un faible pour le bel Alex. Son père devra faire attention. Mais Alex est un bon garçon. Sa mère a de la chance d'avoir pu le garder près d'elle. Il voulait rejoindre l'armée sitôt ses seize ans sonnés, mais elle lui a expliqué que nous avions besoin d'hommes pour surveiller la vallée, et pour protéger et garder le troupeau pendant l'absence des guerriers. Cela semble avoir suffi pour le moment. Mais elle craint de trouver son lit vide un beau matin et de s'apercevoir que son épée a disparu.

Un sentiment aigre-doux m'étreignit. J'étais heureuse pour l'épouse de Calum, mais en même temps je l'enviais et la jalousais.

— Maman, maman! s'écria brusquement Isaak qui se tenait debout devant la fenêtre.

Il pointait quelque chose à l'extérieur.

— Un cavalier vient par ici. C'est un homme, je le sais. Aucune femme ne peut être aussi grande!

Nous nous précipitâmes vers la fenêtre. Ma bouchée de scone resta coincée dans ma gorge, et je faillis m'étouffer. Les gros flocons de neige que le ciel saupoudrait sur la vallée diminuaient grandement la visibilité, mais on pouvait effectivement voir un homme à cheval venir vers nous, au pas. Il était seul. Un messager? Cette silhouette... ces boucles folles...

— Oh, mon Dieu!

— Qui est-ce? demanda Janet, excitée.

Je courus jusqu'à la porte et l'ouvris toute grande. Janet, qui m'avait suivie, vit la même chose que moi. Les larmes coulaient déjà sur mes joues. Deux mois d'attente...

— Alex, les enfants, appela Janet, venez, nous rentrons!

— Mais, maman...

— Pas de « mais »!

Je ne les entendais déjà plus. Mon cœur s'était mis à battre follement dans ma poitrine et dans mes oreilles. Je fonçai à toutes jambes, dévalant la pente qui me séparait de lui. Plus que quelques mètres... La neige se collait à moi, mouillant ma robe et mon visage. Il était là, je pouvais distinguer ses traits... tristes et tirés. Je m'arrêtai brusquement et le dévisageai. Les mots ne venaient pas; ma gorge était trop serrée. Il immobilisa sa monture et secoua sa tête couverte de neige. Mais pourquoi était-il revenu seul? Les autres étaient-ils derrière? Je tendis la main vers lui.

— Liam...

Ma voix rauque d'émotion ne portait pas, n'était qu'un murmure avalé par l'atmosphère chargée de neige. Il remua sur sa selle, et descendit lentement de cheval. Il tenait toujours l'animal par la bride, silencieux. « Seigneur! Viens à moi, je ne peux plus bouger... » Il entendit mon cri muet. L'instant d'après, je me trouvais emprisonnée dans l'étau de ses bras, couverte de ses baisers et de ses larmes. « Mon Dieu, merci, il m'est revenu! » Nous restâmes ainsi un moment, insensibles au froid et à la neige qui s'accumulait sur nous.

— Caitlin, *a ghràidh*, souffla-t-il dans mon oreille.

— Dieu a exaucé mes prières. Tu m'es revenu, *mo rùin*.

Je le sentais trembler... à moins que ce ne fût moi. Je m'écartai un peu pour le regarder. Il portait les marques de la bataille : une coupure au front, une ecchymose sur la mâchoire, autour de son poignet un bandage ensanglanté. Quoi d'autre? Rien de visible. Il était entier.

— Quand?

— Il y a cinq jours, le treize.

Ses lèvres frémissaient, son regard était sombre et humide.

— Le treize? Mais c'était dimanche! Vous vous êtes battus un dimanche?

Je le dévisageai, incrédule.

— Ce sont les *Sassannachs* qui ont choisi...

— Vous... vous avez perdu?

Ses grandes mains glissèrent sur mes épaules et sur mes bras, qu'elles enserrèrent doucement.

— Non... je ne sais pas, Caitlin. Personne n'a gagné ni perdu...

Je ne comprenais pas où il voulait en venir.

— Qu'est-il arrivé? Où sont les autres? Ils ne sont pas revenus? Et les garçons?

Je regardai par-dessus son épaule pour percer le paysage enneigé, dans l'espoir de voir le reste du clan. Mais l'espace restait obstinément immaculé. Le cheval attendait, docile, à quelques mètres de nous, fourrageant de ses nasaux dans la neige, en quête de quelques brins d'herbe à se mettre sous la dent. Je regardai l'animal, et c'est alors que je les vis : les gardes brillantes en corbeille de deux épées qui émergeaient de deux plaids enroulés et fixés au troussequin de la selle. Mon cœur s'arrêta de battre. Les doigts de Liam s'enfoncèrent dans ma chair. J'essayai de crier, mais l'air ne passait plus. C'était comme si j'avais un boulet dans l'estomac.

— Caitlin...

Il n'arrivait vraisemblablement pas à parler, lui non plus. Je levai de nouveau mes yeux vers les siens. Son regard me fournit la réponse que je ne voulais pas entendre. Je secouai lentement la tête. J'avais mal... si mal. Dans les larmes, les regards en disaient plus que les mots. Un abîme sans fond s'ouvrit sous moi, et je fus prise de vertige. Je tombai dans le vide, un vide terrifiant. Mais en même temps mon esprit essayait de se raccrocher. « Ce n'est pas vrai! Je rêve... Ça ne peut pas être vrai! » La stupeur m'envahissait, m'engourdissait tandis que je plongeais toujours dans le néant.

— Nooon!

Tout explosa subitement autour de moi, comme un miroir qui éclate et nous renvoie mille fragments de notre reflet. Mille parcelles de mon être s'envolaient. Je labourai la poitrine de Liam. C'était trop dur à supporter. Je frappai encore et encore.

— Pourquoi? hurlai-je. Pourquoi ne les as-tu pas ramenés avec toi?

J'entendis un gémissement et ouvris les yeux.

— Je suis désolé, Caitlin.

— Pas les deux?

— Duncan est vivant.

— Ranald... Ranald?

Mes pires craintes se voyaient confirmées. On m'avait enlevé un fils. Mes doigts se refermèrent sur l'étoffe mouillée du plaid de Liam et je tirai violemment.

— Je t'avais demandé de le protéger, Liam... Tu savais qu'il avait une faiblesse au dos. Tu les as laissés l'abattre comme un chien...

Avec force, il m'écrasa contre sa poitrine et poussa une longue plainte dans mon cou. Nous restâmes un moment ainsi, dans les bras l'un de l'autre, à pleurer la mort de notre fils.

J'étais assise à la table, immobile, fixant la lame d'acier de l'épée de Ranald. Depuis combien de temps? Je ne pouvais le dire; le temps semblait s'être arrêté. « Non, c'est une illusion, Caitlin! » Le tic tac de la pendule résonnait dans ma tête. La lame étincelait à la lumière vacillante de la lampe. Elle était maculée de taches sombres. Du sang séché et de la rouille. Je fermai les yeux sur mes larmes et sur les visions cauchemardesques qui défilaient, tel un mauvais rêve, dans mon esprit. J'étais désorientée, perdue. Des pensées incohérentes s'entrechoquaient dans ma tête. Je divaguais. Pourquoi lui? Pourquoi pas Robin, Donald ou Alasdair? Le poids de la souffrance était insoutenable. Je délirais.

Je venais de perdre un deuxième enfant. Mais la mort de Ranald était inacceptable. Stephen, je lui avais donné la vie, mais ne l'avais pas vu grandir. Il restait un souvenir vague dans mon esprit. Au mieux, je pouvais espérer qu'il fût toujours vivant, à l'abri de la misère et de la folie des hommes. Pouvais-je espérer qu'il n'ait rien à voir avec cette damnée rébellion? Pouvais-je espérer?...

Mon âme était déchirée. Un glaive s'enfonçait en moi, un glaive que Dieu tenait. J'avais l'impression d'être écartelée. Dieu m'avait abandonnée. Je pleurais la mort de mon fils. Quelle absurdité! Dans l'ordre normal des choses, c'était l'enfant qui pleurait sa mère, et non l'inverse. Où était Ranald à présent? Son âme errait-elle sur la lande de Sheriffmuir?

Je le vis tout à coup, enfant. À cinq ans, peut-être... Il grimpait pour la première fois sur son poney, sans aide, fier comme un chef. À deux ans... assis au milieu de la cuisine, entouré de deux douzaines d'œufs cassés, sa petite bouille toute renfrognée. Il cherchait des poussins... Je souris. Ensuite à huit ans... Il avait le visage bouffi, ravagé par le chagrin. Notre chien Seamrag venait de mourir. Deux jours d'affilée il avait pleuré. Puis, le troisième jour, il était venu me voir : « Maman, Seamrag me suit partout, même si je ne peux pas le caresser et jouer avec lui. Il est en moi maintenant, dans mon cœur. »

Oh, Ranald! Lui avait vu. Il avait compris ce que moi, je me refusais à voir. La mort n'était pas une absence absolue, mais une présence invisible. La mort supprimait tout ce qui séparait physiquement deux esprits. Je ne pourrais plus sentir ses bras se refermer sur moi, entendre son rire heureux, voir son sourire moqueur. Mais mon cœur le pourrait, car il était en moi. Ces souvenirs... Ces images déchirantes, troublantes. Je les repoussais. Je ne voulais pas accepter. C'était trop douloureux. Je gémis et entrouvris les yeux. Mes jointures étaient blanches sur le tartan.

Je sentais la présence de Liam dans mon dos. Je sentais son odeur qui se mélangeait à celle du whisky et de la laine mouillée. Elle m'avait tellement manqué. Il frôla mes cheveux, à peine. Comme une brise. « Mon amour, *mo rùin*, je sais que tu souffres autant que moi. Ta douleur est peut-être même plus grande que la mienne, car toi, tu portes le souvenir horrible de sa mort... Mais je ne puis rien pour t'apaiser. »

Le matin de son départ, Liam était retourné sur le champ de bataille. Il n'avait pas pu reprendre le corps de Ranald. Les troupes du duc d'Argyle sillonnaient la plaine à la recherche d'éventuels survivants à achever. Des paysans en haillons s'affairaient à dépouiller les cadavres de leurs vêtements et autres effets qui auraient échappé aux guerriers pillards venus chercher leur butin de guerre. Un bûcher était en préparation. Ranald ne reposerait pas sur *Eilean Munde*. De mon fils, il ne me restait qu'un béret, un plaid, son *sporran* et ses armes. Objets dont on découvre brutalement toute la futilité lorsque le corps n'est plus là. Des reliques. Je gémis et sanglotai.

Une main effleura ma joue inondée. La caresse d'une chair tiède, bien vivante me disant : « Je suis là. » Liam avait mis cinq longues journées pour rentrer à Carnoch. Il m'avait avoué qu'il avait failli retourner au campement, se sentant incapable de m'annoncer la terrible nouvelle. La dernière nuit, il avait dormi dans l'une des huttes construites dans les pâturages d'été de Black Mount, à quelques kilomètres seulement du village. Puis à l'aube, il avait encore hésité.

Il était descendu dans la vallée jusqu'au loch Achtriochtan, se tenant bien à l'écart du village d'Achnacone. Enfin, il était remonté sur son cheval et avait parcouru les quelques kilomètres qui le séparaient de moi, le cœur supplicié par le devoir à accomplir : tuer une partie de moi. Sa croix était lourde à porter. Mais son martyre ne s'arrêtait pas là, car il devait aussi remettre au chef la liste des noms de ceux qui étaient tombés au combat. Et puis, cette deuxième épée qu'un moment j'avais cru être celle de Duncan était celle de son ami Simon. Il l'avait remise à la pauvre Margaret.

Oh oui ! Très lourde était sa croix. Liam s'était fait le messager de l'enfer pour moi. Je l'admirais pour son courage. Mais en même temps, je lui en voulais et je le rendais inconsciemment responsable de mon malheur et de mon chagrin. Pourtant, il souffrait lui aussi... D'un seul regard, peut-être d'une seule parole, je l'avais cloué sur sa croix. La culpabilité se lisait sur ses traits. Mais je n'y pouvais rien, j'agonisais dans ma propre souffrance.

Je sentais maintenant son souffle chaud comme un zéphyr sur ma nuque, sur ma joue, puis sur ma bouche. Un goût de sel sur ses lèvres. Le sel de ses larmes. Il m'embrassa doucement, longuement. Agenouillé devant moi, il m'attira à lui. Puis il me prit dans ses bras, me souleva et me porta jusque dans notre chambre, où il me déposa sur le lit. L'amour était-il plus fort que la mort? J'avais tant besoin de lui et de cette vérité. Deux mois de solitude... Le lit avait été vide et froid, la chambre, silencieuse. Il se pencha sur moi et avec des gestes lents retira mes vêtements un à un, délicatement, comme si j'étais un petit oiseau blessé. « Liam, aime-moi... J'ai tant besoin de toi! Comme une fleur a besoin de lumière et d'eau. Dieu m'a abandonnée, ne m'abandonne pas à ton tour. »

J'avais l'impression d'être transportée dans un monde irréel, détachée de moi-même. J'étais Eurydice descendue aux enfers et j'attendais qu'Orphée vienne me délivrer. J'avais froid. « Liam, mon cœur t'appelle. Entends-le. » Ses paumes brûlantes se posèrent sur ma peau glacée, y laissant des traînées de feu. Il me couvrit de son corps chaud et solide. Je gémis.

— *Tuch! Tha e ceart gu leòr.* [59]

— *Cuidich mi, tha feum agam ort.* [60]

Mes yeux cherchèrent les siens, les trouvèrent et s'y accrochèrent comme à une bouée.

— Liam, je crois vivre un cauchemar.

— Je sais...

Ses lèvres effleurèrent les miennes. Contre toute attente, mon corps répondit à la caresse humide qui me parcourait lentement, réveillant chaque parcelle de mon anatomie qui s'embrasait sur son passage. J'étais un être brisé entre ses doigts, frémissant de douleur et de désir. Je le sentais trembler contre moi et en moi. Nos larmes se mélangeaient, nos cris se confondaient. Nous ne faisions plus qu'un, essayant de combler le vide intolérable et inadmissible que laissait l'arrachement si difficile à supporter seul. Peut-être qu'à deux nous arriverions à trouver un sens à ce qui nous arrivait.

La lumière lunaire inondait la petite pièce. Je m'étais lovée dans sa chaleur, contre son torse, et j'écoutais sa respiration. Je n'arrivais pas à dormir. Frances était à Dalness, chez ses beaux-parents, pour s'occuper de la maison de Trevor. Elle ne devait rentrer que dans trois jours, ce qui me laissait un peu de temps avec Liam. Trevor avait survécu à la bataille. Il avait subi quelques blessures, mais dans l'ensemble il allait bien. J'avais évité de demander des précisions sur la nature des blessures de Duncan. Je savais ce fils-là vivant et, au départ, cela m'avait suffi. Mais maintenant, je commençais à m'inquiéter pour lui. J'avais une bonne idée des types de blessures qu'un soldat pouvait se voir infliger sur un champ de bataille. J'avais l'exemple de mon frère Mathew.

Liam m'avait un peu raconté la mort tragique de Simon. Pauvre

---

59. Chut! Ça va aller.
60. Aide-moi, j'ai besoin de toi.

Margaret! Elle avait son lot de souffrances, elle aussi. En moins d'une semaine elle avait perdu un petit-enfant, puis son mari. Vers qui pouvait-elle se tourner? Sa fille Leila était aussi endeuillée qu'elle. Oh, misère humaine! Quel péché monstrueux avions-nous à expier? Dieu Tout-Puissant, où est donc passée Ta compassion? Ma vie durant, je m'étais efforcée de vivre selon Sa parole, enfin... dans la mesure de mes connaissances. Me punissait-Il de mon ignorance? Quelle était donc Sa justice? Évidemment, personne ne me répondrait.

De son bras, Liam ceignit ma taille et m'attira plus étroitement contre lui. Sa bouche se posa sur mon épaule.

— Tu ne dors pas?

— Non.

Le silence. Le tic tac de la pendule. Quelques minutes s'écoulèrent.

— Je dois repartir dans quelques jours, Caitlin.

Mon cœur se serra. J'appréhendais affreusement le moment où nous aurions à nous séparer de nouveau. Mais il était inévitable.

— Je ne bénéficie que d'une permission spéciale, c'est tout.

— Alors ce n'est pas terminé...

— Non. Les troupes se sont repliées sur Perth le jour de mon départ. Ensuite, je ne sais pas ce qu'elles feront. Argyle a certainement ramené ses étendards à Stirling. Nous savons qu'il attend du renfort.

— Ce qui veut dire qu'un nouveau combat doit avoir lieu...

Il ne répondit pas. Il est vrai que ce n'était pas vraiment une question, mais plutôt une constatation.

— Plusieurs clans ont déserté le camp après Sheriffmuir. Je crains que d'autres ne le fassent bientôt, si ce n'est déjà fait. Mar a perdu beaucoup d'hommes.

— Et le Prétendant qui n'est pas encore là...

— Les hommes s'impatientent et perdent espoir. Sheriffmuir a été une bataille non décisive. Chacun courait après la queue de l'autre.

Je me tortillai dans ses bras pour lui faire face.

— S'il y avait une autre bataille, est-ce que Duncan... je veux dire... pour ses blessures?

— Il va bien, Caitlin. Je te l'assure. À l'heure qu'il est, il doit être en mesure de marcher.

— Marcher? Mais quelles blessures a-t-il subies?

— Un coup d'épée à l'aine.

Il sourit, me rassurant.

— Cette blessure l'a un peu inquiété. Il en a une autre au visage, dit-il d'un air plus grave.

— Au visage?

— Un... coup d'épée...

D'un doigt, il traça une ligne en travers de sa joue gauche, de l'œil au menton. Je fermai les yeux et me mordis la lèvre pour étouffer un sanglot.

— Son œil?

251

— Pas touché. Ne t'en fais pas, *a ghràidh*, le raccommodeur et la brodeuse se sont occupés de lui.

— La brodeuse?

Il haussa les épaules, retroussant légèrement la commissure de ses lèvres.

— Pour son visage. Elle a fait du bon travail. Évidemment, il en gardera une cicatrice. Mais grâce à la petite il n'en subsistera qu'un mince filet. Elle a vraiment des doigts de fée. Il est en de bonnes mains.

— Il n'a rien écrit pour Elspeth? Elle se meurt d'avoir des nouvelles de lui.

Son visage prit une curieuse expression.

— À propos d'Elspeth... il faut que je te dise, Caitlin, je ne crois pas que Duncan la fréquente de nouveau à son retour.

— Mais pourquoi? Il l'aimait bien avant son départ. Il voulait la demander en mariage...

Je m'interrompis. Puis je compris.

— Il a pris une femme là-bas?

— Non, pas exactement.

Il esquissa un sourire incertain.

— Je dirais plutôt qu'une femme lui a ravi son cœur.

— Qui? Une petite traînée qui rôde autour des camps pour le bon plaisir des soldats?

Je savais que de nombreuses femmes suivaient les troupes lors de leurs déplacements. C'étaient soit des épouses, des petites amies ou tout simplement des prostituées pour qui les campements constituaient une source intarissable de revenus. Jamais je ne demanderais à Liam s'il avait partagé son plaid avec l'une de ces femmes. Je ne voulais pas savoir. Mais, pour mon fils, c'était autre chose.

— Non, ce n'est pas du tout le genre de femme que tu crois.

— Alors?

— C'est la brodeuse.

— Mais encore?

Il soupira, résigné.

— Il faudra bien que tu l'apprennes un jour ou l'autre. C'est Marion Campbell, annonça-t-il en me dévisageant, impassible.

— Marion Campbell... Mais que fait une Campbell dans le campement des jacobites?

— Tu sais que le comte de Breadalbane a retourné sa veste... Eh bien, le laird de Glenlyon s'est battu à nos côtés, et fort bien, je dois l'avouer.

— Glenlyon? Tu veux dire que Duncan s'est amouraché d'une Campbell de Glenlyon?

— Oui.

Je soupirai.

— Que vais-je dire à Elspeth?

— Rien pour le moment. C'est leur problème, pas le nôtre.

— Mais c'est qu'elle a certains espoirs. Je ne pourrai jamais la regarder dans les yeux.

— Bon, alors dis-lui ce que tu veux bien.

Je réfléchis un moment. Duncan avec une femme de Glenlyon... J'avais peine à y croire. Que ferait-il une fois l'insurrection terminée? Cette femme ne serait certainement pas la bienvenue dans la vallée. Du moins, pas pour Elspeth. Et si ce n'était qu'une passade? Avec la distance... il aura eu envie de réchauffer son cœur et sa couche. Après mûre réflexion, je conclus qu'il était peut-être préférable de ne rien dire. Peut-être reviendrait-il le cœur libre.

— Le laird de Glenlyon ne verra certainement pas cette amourette d'un bon œil.

Sa bouche se tordit en une moue équivoque.

— Tu as sans doute raison, *a ghràidh*, car c'est de sa propre fille qu'il s'agit.

— Oh, Seigneur!

Liam fit courir son doigt sur le contour de mon visage. Il décrivit lentement la courbe de mes lèvres, puis glissa doucement sa main dans ma chevelure, sur ma nuque, pour m'attirer à lui. Baiser tendre et prolongé. Il s'écarta doucement. Ses yeux mi-clos me fixaient, pénétrants et troublants. Sa lèvre s'incurva. Sa bouche s'entrouvrit, mais aucun son n'en sortit.

— Tu veux me parler de Sheriffmuir?

Il resta quelques instants sans bouger, puis hocha sa tête de droite à gauche en baissant les yeux. Son visage se ferma. Quelque chose s'était brisé en lui. J'aurais tant voulu qu'il partage son chagrin avec moi, qu'il m'en parle. Un poids énorme l'oppressait, je le sentais.

— Liam... pourquoi?

Il roula sur le dos. L'air glacé s'immisça entre nous, me privant de sa chaleur. Il couvrit son visage de ses grandes mains. Le bandage à son poignet faisait une tache claire dans l'obscurité.

— Ton poignet, c'est très douloureux?

Il fixa le pansement comme s'il le voyait pour la première fois.

— Euh... non, pas vraiment.

— Demain, il faudra changer le bandage, il est tout crasseux.

Ses bras retombèrent lourdement sur son ventre. J'appuyai ma joue sur son épaule. Les rayons de lune s'accrochaient à la toison de sa poitrine qui se mouvait lentement au rythme de sa respiration.

— J'aimerais que tu me parles...

— Je ne peux pas, déclara-t-il avec agacement, le regard rivé aux poutres de la toiture.

— Pourquoi?

Il râla d'impatience.

— N'insiste pas, Caitlin, s'il te plaît.

Je me mordis la lèvre.

— Liam...

Dans un soupir d'exaspération, il se redressa subitement pour s'asseoir sur le bord du lit et prit sa tête entre ses mains. M'agenouillant derrière lui, je lui massai doucement les épaules. Il était tendu. Sa tête bascula vers l'arrière; un petit gémissement de satisfaction s'échappa de sa gorge. La caresse de ses boucles indisciplinées sur ma poitrine me fit frissonner.

— Tu m'as manqué, *mo rùin*, dis-je d'une voix douce.

— Hum... Toi aussi. Tu sais, les bruyères sont plutôt froides à cette période de l'année.

Je ricanai et lui mordis délicatement le lobe de l'oreille.

— Coquin, va, tu n'as besoin de moi que pour te réchauffer la nuit?

— Le jour, nous sommes bien occupés. C'est la nuit que nous nous sentons seuls.

Je pensai que ma situation était assez similaire. Il attrapa une de mes mèches et la huma.

— Je dormais avec celle que tu m'as donnée sur mon cœur et j'imaginais que tu étais près de moi.

— Tu n'as pas besoin d'imaginer, cette nuit. Tu m'as en chair et en os.

— Hum...

Il m'attrapa brusquement et me fit basculer sur lui.

— Tu m'as terriblement manqué, Caitlin. Tu hantais mes nuits...

Il me souleva, me plaçant à califourchon sur ses cuisses. Ses lèvres chaudes et humides se refermèrent sur un mamelon durci. Je glissai mes doigts dans la luxuriance de sa crinière. La lumière bleutée de la lune accentuait l'éclat de ses cheveux gris qui, d'après mes souvenirs, semblaient s'être multipliés depuis son départ. Sa bouche remonta dans mon cou.

— Et quand j'ouvrais les yeux... tu n'étais plus là.

— Oh, Liam, je ne veux pas que tu repartes au camp le cœur aussi lourd.

Il mit ses mains sous mes cuisses et, d'un coup, il me souleva. Je le guidai en moi.

— Caitlin... souffla-t-il dans mes cheveux, ta seule présence m'apaise... Cela me suffit.

Mes ongles se plantèrent dans ses épaules nouées. Sa respiration se fit plus rapide et rauque suivant le rythme de nos mouvements.

— Ne me repousse pas. Je veux être là pour toi...

— Caitlin, gémit-il en accélérant.

Ses yeux me fixaient, luisants et emplis de douleur. Sa mâchoire se contracta dans un spasme. Un cri animal déchira sa poitrine. Il me broyait les hanches de ses doigts qui s'enfonçaient encore et encore et encore. Finalement, il ferma les yeux, expirant ce qui lui restait d'air dans les poumons, et il s'écroula sur les draps, pantelant. Tremblotante, je rampai sur son torse et me blottis contre lui. Ses bras se refermèrent sur moi.

— J'ai besoin de temps, Caitlin.

Il avait prononcé les mêmes mots avant de partir seul pour la France, vingt ans plus tôt. Il fuyait encore. Je le connaissais mieux qu'il ne se connaissait lui-même. Il était comme ça, c'était sa nature. « Ne m'abandonne pas encore, Liam... »

254

15

Mea culpa

Quatre jours s'étaient écoulés, longs et affligeants. Frances était revenue de Dalness et pleurait son frère avec nous. Liam avait placé l'épée de Ranald au-dessus de la porte. Un endroit plutôt singulier à mon goût, mais il avait insisté : « Elle bénira tous ceux qui entreront et nous protégera... car si un ennemi venait à franchir le seuil de notre porte, elle lui trancherait la tête. » J'avais grimacé, mais n'avais osé m'opposer à lui. Il commençait à m'inquiéter drôlement.

Bien qu'il fût à la maison, je ne le voyais que très peu. Sitôt son petit-déjeuner englouti, il enfilait sa veste de cuir et partait dans les montagnes pour ne revenir que plusieurs heures plus tard, parfois même au déclin du jour. À l'occasion, il me rapportait un lapin bien gras ou une belle grouse qu'il avait réussi à débusquer. À son butin pouvait s'ajouter aussi une hermine, qu'il s'employait aussitôt à écorcher. La peau, très prisée pour la fabrication des *sporrans*, pourrait rapporter quelques shillings.

Quant à moi, j'étais retournée à mes fourneaux et au filage de la laine. Brisés tous les deux, noyés dans nos détresses respectives, nous accomplissions les gestes quotidiens avec automatisme, par simple habitude. Nous nous abîmions dans la douleur et cachions nos larmes – des torrents de larmes dont la source ne semblait jamais vouloir se tarir. Je réalisais que la douleur avait quelque chose de très personnel. Nous étions comme deux navires en perdition dans la tourmente, sur la même mer déchaînée, mais allant dans des directions opposées. Chacun faisait naufrage sur son île de solitude, le dos tourné à l'autre. Il me fallait trouver un amer ou une bouée pour ne pas me perdre moi-même, pour ne pas sombrer.

Ainsi, le temps faisait son œuvre. Progressivement, lentement, mon âme dévastée acceptait la mort de Ranald. Absorbée comme je l'étais par ma quête de sens, occupée à écarter la douleur du centre de ma vie, j'en avais oublié Liam. Il ne trouvait plus la lumière pour éclairer ses ténèbres.

Il passait ses soirées à écluser son whisky devant le feu de tourbe. Il parlait peu. Jamais il ne s'enivrait, mais une odeur d'alcool flottait sans arrêt dans la chambre, nuit après nuit. Et ces nuits... Les précieuses heures de repos n'étaient plus que des intermèdes entre deux cauchemars d'où il émergeait dans un cri, en nage et tremblant. Reprenant conscience, il m'étreignait tout contre lui dans un sanglot, me volant ma chaleur, mais refusant obstinément de me confier les angoisses qui lui bourrelaient l'âme. Il abandonnait le navire. Il fallait que je lui tende une bouée si je ne voulais pas le voir sombrer pour de bon. Mais voudrait-il la prendre?

Frances vivait difficilement la situation. Sentant la tension entre son père et moi, elle prit la sage décision de partir s'installer à Dalness, dans la chaumière qui était désormais la sienne. Je ne tentai pas de la retenir. Elle avait raison : Liam et moi avions besoin de nous retrouver, seuls. Alors peut-être arriverais-je à le faire parler et à exorciser les démons qui le rongeaient.

La porte s'ouvrit et un courant d'air s'engouffra à l'intérieur avec mon mari, qui tenait un autre de ces rongeurs par ses longues oreilles.

— Tiens, *a ghràidh*. Tu feras un ragoût de lapin pour le dîner et tu y mettras beaucoup d'oignons.

Il fit passer la malheureuse bête par-dessus mon épaule et la déposa sur l'étal situé derrière moi, m'emprisonnant entre l'énorme rondin de chêne balafré et son corps frigorifié. Il déposa un baiser sur ma joue, puis essuya une traînée de farine sur mon menton.

— Liam...

— Mouais?

Retirant sa veste, il l'accrocha au mur, près de la porte, puis d'un pas lourd il se dirigea vers la grande armoire où étaient rangées les bouteilles de whisky. Je soupirai.

— Frances a décidé de repartir pour Dalness.

Il attrapa une bouteille déjà entamée et me dévisagea un moment avant de prendre un verre. Se tirant un banc, il déposa bruyamment le verre sur la table.

— Bon... Elle part quand?

— Demain.

Il ouvrit la bouteille et se versa un *dram*.

— Je pars avec elle.

Sa main resta un moment en suspens au-dessus du verre.

— Je ne serai absente que deux ou trois jours.

Il prit le verre et fit cul sec.

— Je suppose qu'il le faut, dit-il doucement d'une voix grave.

Je m'essuyai nerveusement les mains sur mon tablier.

— Tu peux venir avec nous. Je veux juste l'aider à s'installer.

Bizarrement, je ne me sentais pas très à l'aise avec l'idée de le laisser seul avec son whisky et son chagrin.

— Non. Je peux très bien me débrouiller seul. Ça va aller. D'ailleurs... il serait temps que je retourne vers le campement.

Il se versa un autre *dram*.

— Non, Liam! fis-je en criant presque dans un élan de panique. Il faut que nous parlions... Tu pars des journées entières pour je ne sais où, à faire je ne sais quoi. Tu ne me parles plus. Je m'inquiète. À mon retour...

Il tressaillit et son regard me fuit. Il saisit le verre de whisky et le siffla.

— Tu n'as pas à t'inquiéter. Je chasse dans les collines, rien de plus.

— Liam, cesse de te défiler, tu sais très bien ce que je veux dire. Je crois que le moment est venu pour toi de parler...

Il leva brusquement les yeux vers moi. Son regard était empreint d'une telle détresse que mon cœur en fut tout retourné. Je fis quelques pas vers lui, mais m'immobilisai en le voyant se tendre.

— Nous ne pouvons pas continuer ainsi. Ranald est mort, et rien ne le ramènera. Mais je refuse de te laisser partir avec lui.

Il me fixait, impassible, tournant lentement la bouteille entre ses doigts, ce qui produisait un bruit de frottement agaçant sur le bois de la table. Je me raclai la gorge, tentant de rester calme.

— *Mo rùin*, promets-moi d'attendre mon retour. Je sais que la mort de Ranald est difficile à supporter, mais je pense qu'il faut nous y faire. En parler est une bonne façon d'y arriver, autant pour toi que pour moi.

— J'ai déjà trop repoussé mon départ, Caitlin. Et je t'assure que je vais bien... c'est seulement que j'ai besoin d'un peu plus de temps que toi.

— Deux jours, Liam. Promets-le-moi.

Il me dévisagea longuement et soupira. Puis il sortit.

***

Dalness, hameau perdu dans la majestueuse vallée du Glen Etive, s'étalait à l'ombre du Bidean nam Bian qui faisait séparation avec la vallée de Glencoe. Pour l'œil étranger, toutes les vallées des Highlands se ressemblaient. Mais pour nous qui les habitions, ces profondes gorges façonnées par le passage des glaciers plusieurs milliers d'années auparavant étaient aussi distinctes et particulières que les traits sur le visage d'une personne.

Dalness se trouvait à la frontière sud des terres des Macdonald et à la frontière nord de celles des Macintyre du clan Campbell. Ses habitants payaient leurs rentes et juraient fidélité à MacIain depuis des générations. Mais leur situation géographique faisait d'eux une branche isolée du reste du clan. En effet, pour se rendre à Dalness, il fallait traverser les montagnes sur plusieurs kilomètres en empruntant le passage de Lairig Eilde.

Un troupeau de vaches noires aux longues cornes broutaient l'herbe sur la lande, entre le hameau et la rivière Etive, en compagnie de quelques moutons à la face sombre. La neige avait fondu deux jours plus tôt et il y avait un léger redoux. C'était un temps idéal pour voyager.

La porte grinça. Un campagnol, effrayé, trotta se réfugier dans une brèche du mur.

— Tu ne seras pas seule, fis-je remarquer avec humour.

Le cottage était petit et ne comportait qu'une pièce au centre de laquelle se trouvait le foyer sous une ouverture pratiquée dans la toiture. L'épais mur de pierre et de torchis de la façade n'était percé que d'une seule fenêtre, couverte d'une simple peau de bœuf huilée. Je remarquai avec soulagement que la toiture avait été réparée. « Au moins, elle sera au sec. »

Son bagage déposé sur la table, j'entrepris de faire l'inventaire du contenu de l'armoire et des étagères. Je voulais m'assurer que ma fille ne manquerait de rien. J'avais emmené dans mes sacoches quelques provisions : du cerf faisandé, des herbes, du beurre frais et des œufs. Trevor était parti depuis deux mois. Je me doutais que les denrées fraîches manqueraient. Bien qu'appelée à être des leurs, elle était encore une étrangère. Mais elle ne semblait pas le moins du monde s'en préoccuper. Elle était chez elle et elle semblait ravie.

Je l'aidai à ranger ses quelques provisions et effets personnels. Puis nous préparâmes ensemble le dîner. Le voyage et le rangement nous ayant creusé l'estomac, nous nous régalâmes avec du bouilli de bœuf accompagné de navet et de chou. Nous fîmes descendre le tout avec de la bière.

La vaisselle rincée et rangée, nous nous assîmes près du feu de tourbe qui enfumait la petite chaumière. Frances fixait les flammes, une expression sereine sur le visage. Une bouffée de fierté me gonfla la poitrine. Elle avait un caractère bien trempé, ma Frances. Grande, forte et belle à fendre le cœur d'un homme, elle était tout ce qu'un Highlander pouvait désirer chez une femme.

Se sentant observée, elle tourna son regard vers moi. Un moment, je crus rencontrer celui de Liam. « Elle a ses yeux. » Et cette crinière fauve qui lançait des chauds reflets cuivrés à la lueur des flammes.

— J'ai quelque chose pour toi.

Je fouillai dans les replis de ma jupe pour retrouver ma poche, d'où je sortis un petit paquet emballé dans un vieux mouchoir de lin brodé retenu par un mince ruban bleu.

— Je la gardais pour toi, lui expliquai-je en lui tendant le cadeau. C'est ton présent de mariage.

— Maman... Ce n'était pas nécessaire, dit-elle, émue.

Déposant le paquet sur ses genoux, elle dénoua le ruban. Le mouchoir s'ouvrit sur une magnifique broche : un dragon formé d'un délicat jeu d'entrelacs. Frances ouvrit la bouche et mit une main devant en levant des yeux mouillés vers moi.

— Mais, maman... C'est la broche de ta mère!

— Oui, la broche de ta grand-mère, dis-je en lui souriant. Tu n'as jamais connu ta grand-mère Fiona. D'ailleurs, mes souvenirs d'elle sont plus ou moins clairs. Il ne me reste que quelques images floues. Je ne peux pas t'en dire grand-chose. Je n'avais que sept ans quand elle est morte. C'est néanmoins ta grand-mère, et j'ai jugé que la broche te revenait.

La broche d'argent étincelait dans les mains de Frances.

— Ton grand-père Kenneth la lui avait offerte le jour de leur mariage. C'est lui qui l'avait créée. Elle est tout ce qui me reste d'eux, et m'est très précieuse. C'est ton héritage, ma fille. Chéris-la bien.

— Oh, maman, je ne sais pas quoi dire! balbutia-t-elle en essuyant une larme.

— Comme ça, tu n'auras plus besoin de farfouiller dans mes affaires pour la contempler à ta guise.

— Comment! Tu savais?

Je ris.

— Parfois, tu oubliais de rattacher le ruban. Puis, les chemises tachées de confiture...

— Elle me fascinait. Je ne t'ai vue la porter qu'une fois, au mariage d'oncle Mathew et de tante Joan, à Édimbourg.

— J'avais très peur de la perdre.

Elle contempla la broche quelques minutes, puis la piqua à son corsage.

— J'en prendrai soin, maman. Et si un jour j'ai une fille, je la lui donnerai le jour de son mariage en lui racontant d'où elle vient.

— Ainsi, elle traversera les âges.

— Peut-être les océans.

— Elle fera sans doute le tour de la terre.

— Pour revenir en Écosse un jour.

Nous éclatâmes de rire. Je plaçai un bloc de tourbe dans le feu, qui se mit aussitôt à crépiter et à fumer. L'air se fit plus âcre.

— Tu es certaine de vouloir rester ici?

Elle sourit et replia ses genoux sous son menton, les talons sur le bord de la chaise.

— Oui, maman. C'est ici chez moi maintenant. Il était temps que je vienne m'installer et effacer les traces de la dernière... occupante.

— Tu veux dire que Trevor vivait avec une autre femme? Ici?

Elle esquissa un pâle sourire, haussant les épaules.

— Euh... oui.

— Il était marié?

— Non, maman.

— Ah! Bon... Elle était d'ici?

— Non, Catherine Walker vient du Glen Creran. Ils vivaient ensemble depuis trois ans quand, un beau jour, elle est partie.

— Pourquoi?

— Trevor dit qu'ils n'avaient plus rien à se dire, tout simplement. Ils vivaient ensemble par habitude. L'idée du mariage ne les a jamais effleurés. Elle n'est jamais tombée enceinte, alors...

— Il t'en a parlé librement? Je veux dire...

— Trevor ne veut pas de secrets entre nous. C'est lui qui m'en a parlé. Il voulait que je sache tout de lui. Selon lui, on ne peut pas bâtir un mariage sur des mensonges et des non-dits.

Elle me coula un regard perplexe.

— Je suis d'accord avec lui. Dans un couple, on ne devrait pas avoir de secrets l'un pour l'autre. Cela finit par vous ronger le cœur et par prendre des proportions démesurées.

Elle lissa une mèche derrière son oreille, puis me lança un regard incertain.

— Je crois que c'est un peu ce qui arrive à papa.

Mon cœur se serra.

— Oui, je le crois aussi, dis-je d'une voix morne. Ton père est triste.

— C'est plus que ça, maman. Je veux dire... nous sommes tous tristes d'avoir perdu Ran, mais pour papa il y a autre chose.

Je la dévisageai, interdite. Elle savait quelque chose...

— Et qu'est-ce qui rend ton père plus triste que nous, selon toi?

Triturant l'ourlet de son corselet, elle plissa les yeux.

— Eh bien, papa part souvent en montagne... Un jour, je l'ai suivi.

— Frances! fis-je, stupéfaite.

— Je me demandais où il allait et ce qu'il pouvait bien fabriquer pendant tout ce temps.

J'étais estomaquée par son audace, mais je brûlais d'envie de savoir ce qu'elle avait bien pu découvrir.

— Et?

— Il est allé dans une grotte, au sud du Meall Mor. Il s'est mis à parler tout seul.

— Tu es certaine qu'il était seul?

— Oh oui! Je me suis cachée derrière un rocher et j'ai attendu plusieurs longues minutes pour bouger après son départ. Personne d'autre ne l'a suivi. Je suis allée dans la grotte. Elle était vide, mais il y avait des inscriptions dans le roc. Des noms et, au bout de chacun, une croix.

— La grotte où s'étaient réfugiés les survivants du massacre. Entendais-tu ce qu'il disait?

— J'ai saisi quelques bribes. Il semblait prier et demander pardon pour ses fautes.

— Ses fautes?

— Il disait qu'il n'avait pas su protéger ceux qu'il aimait.

— Mais c'est ridicule! Ton père n'est pas responsable de la mort de Ranald, pas plus que de celle d'Anna et de Coll ou de Simon!

— Je sais, maman. Mais il se rend coupable de leur malheur. Surtout pour Ran. Il a dit que...

Elle s'interrompit, soudain mal à l'aise.

— Qu'a-t-il dit? Je veux le savoir, Frances!

— Oh, maman... Il croit que tu lui en veux de ne pas avoir protégé Ran. Il a dit que c'est lui qui aurait dû mourir sous la lame du *Sassannach*.

— Oh, mon Dieu!

Le sol se dérobait sous mes pieds. Comment pouvait-il croire une chose pareille? C'était complètement absurde! Je ne lui avais jamais reproché... Un curieux malaise m'envahit tout à coup et mon estomac se contracta.

— Je me souviens maintenant... murmurai-je d'une voix éteinte.

— Maman?

Je dévisageai ma fille d'un air accablé, hochant lentement la tête.

— Je... Oh, Liam! Je suis si désolée...

— Maman! s'inquiéta Frances. De quoi parles-tu? Tu lui aurais dit quelque chose?

J'acquiesçai silencieusement.

— Maman...

— Je ne pensais pas ce que je disais, Frances. J'étais déchirée par la douleur. Il venait de m'apprendre la terrible nouvelle et... et je crois que... je l'ai accusé de ne pas avoir suffisamment su protéger Ranald...

Je mis mes mains sur ma poitrine pour contenir mon cœur qui voulait éclater. J'aurais enfoncé un poignard dans le cœur de Liam que sa douleur aurait été moindre. Comment avais-je pu? Je l'avais accusé de la mort de Ranald. Il en portait le poids, jour après jour, chaque fois que je posais les yeux sur lui. Il préférait m'éviter. Dans l'obscurité de la nuit seulement il pouvait me toucher sans risquer de croiser mon regard. Sa souffrance devait être insoutenable. Seul le whisky arrivait à le soulager un peu. Maintenant, tout devenait clair. « Liam, mon amour... pardonne-moi. » Pourquoi ne me suis-je pas décidée à discuter sérieusement avec lui plus tôt?

Quelque chose frôla ma main. J'ouvris les yeux. Frances s'était agenouillée devant moi et me tendait le petit mouchoir brodé de tante Nellie.

— Demain, tu dois retourner à Carnoch, maman.

— Oui, hoquetai-je entre deux sanglots. Pourra-t-il jamais me pardonner d'avoir douté de lui?

— Papa t'aime, et aimer n'est-il pas pardonner?

— Frances... C'est parfois si difficile de pardonner.

— Il comprendra que tes mots ont dépassé ta pensée.

J'essuyai mes yeux et me mouchai; je caressai la joue de ma fille qui me regardait avec compassion.

— Je ne sais pas; sa blessure est profonde. Mais je le souhaite de tout mon cœur.

***

La nuit était tombée depuis quelques heures déjà dans notre vallée lorsque j'arrivai en bordure de Carnoch, l'esprit taraudé par la crainte que Liam fût reparti pour les campements jacobites en dépit de mes supplications pour qu'il attende mon retour. J'étais partie plus tard que prévu dans la journée : les parents de Trevor avaient insisté pour que je partage leur dîner. Je n'avais pu refuser l'invitation. Et puis, on m'avait assuré une escorte pour revenir à Glencoe. J'avais donc quitté Dalness peu après le crépuscule, flanquée de deux hommes trop vieux pour Sheriffmuir, mais armés jusqu'aux dents et ayant une allure redoutable.

Après avoir conduit ma jument à l'écurie, je me rendis d'un pas hésitant jusqu'à la maison. La grande pièce était obscure et silencieuse. Pendant un instant, une vague de panique me submergea.

J'allumai un bout de chandelle. La vue des assiettes souillées sur la table me rasséréna un peu. Peut-être était-il simplement chez John MacIain. Je balayai les miettes de pain, ramassai les os de poulet et rangeai la bouteille vide de whisky en soupirant. Un bruissement me parvint de la chambre. Je me figeai sur place. Il était ici... J'attendis un moment. Qu'allais-je faire? Devais-je le réveiller? Peut-être ne dormait-il pas. Je me décidai à pénétrer dans la chambre et posai la chandelle sur la commode. Le tic tac de la pendule résonnait. Liam se retourna, faisant grincer le sommier, et son bras retomba mollement sur le côté du lit. Il ronflait doucement; je souris.

Je pris quelques minutes pour le regarder dormir. L'odeur du whisky flottait toujours. Mais il semblait si paisible que je ne me décidais pas à le réveiller. Je m'accroupis et fis courir mes doigts sur son cou, puis sur sa mâchoire qui n'avait pas été rasée depuis des jours. Il ouvrit un œil, le referma, puis le rouvrit. À présent, il me dévisageait, hagard, comme s'il avait vu un spectre.

— Liam, je...

Le lit grinça de nouveau. Une silhouette surgit alors de l'obscurité, derrière Liam. Peau blanche nue, cheveux bruns en désordre. Mon cœur s'arrêta de battre. Je restai pétrifiée. Je remarquai enfin la robe qui gisait sur le sol avec les jupons et la chemise que j'avais pourtant foulés... Je me sentis défaillir. Incapable de crier, je ne réussis qu'à pousser un terrible gémissement. La femme se tourna vers moi. Margaret! Liam et Margaret! Les noms rebondissaient dans ma tête et martelaient l'intérieur de mon crâne. Je me redressai et reculai d'un pas. J'allais tomber, mes jambes refusaient de me soutenir. Je pris appui sur la commode et m'adossai au mur. Enfin je réussis à parler :

— Mon Dieu! Mon Dieu! Je rêve, dis-moi que je rêve! C'est pas vrai, Liam. Réveille-moi et dis-moi que je fais un cauchemar!

Mes jambes m'abandonnèrent et je glissai jusqu'au sol en poussant un cri. Maintenant bien réveillé, Liam bondit hors du lit et ramassa les vêtements. Puis il les lança à Margaret qui ne semblait pas encore réaliser ce qui se passait.

— Habille-toi, nom de Dieu! ordonna-t-il d'une voix basse et rauque.

— Ou-ou-oui...

Elle enfilait les épaisseurs à la hâte en me dévisageant, hébétée. Puis sa bulle éclata.

— Caitlin... Caitlin, ce n'est pas... Tu ne dois pas croire...

« Dois pas croire? » Les mots me frappèrent comme une gifle. Mon esprit brouillé s'éclaircit d'un coup et une onde de fureur me secoua. Je me gargarisai d'un rire sarcastique et la toisai avec animosité.

— Croire quoi? Croire quoi? Voudrais-tu me faire avaler que tu jouais aux échecs avec mon mari? Non, mais tu te fous de moi! Ça alors! Vous êtes... vous...

Les larmes jaillirent. Je m'étonnai d'en avoir encore. Liam enfila sa chemise et fit un geste dans ma direction. J'eus un brusque mouvement de recul qui le statufia.

— Ne-me-tou-che-pas! hurlai-je avec hargne. Salaud!

Margaret s'apprêtait à sortir. Elle s'arrêta devant moi, embarrassée, le visage décomposé par le remords.

— Je suis désolée, Caitlin. Tu dois comprendre, nous ne voulions pas...

J'éclatai brusquement d'un grand rire nerveux, puis la fusillai du regard.

— Sors! Sors d'ici, Margaret Macdonald... J'ai déjà tout compris, figure-toi! Ne me crois pas si sotte. Comment as-tu pu? Toi, ma meilleure amie?

Éclatant en sanglots, elle quitta la pièce. Je suivis le bruit de ses pas et tressaillis au claquement de la porte derrière elle. Puis ce fut le silence. Seule la respiration sifflante de Liam dérangeait. Lentement, je levai mes yeux et enveloppai d'un souverain mépris cet homme qui m'avait trahie.

— Caitlin...

Les yeux rougis et le teint cadavérique, il était à faire peur. Et son regard était si abattu... Je me relevai, en m'appuyant un peu partout pour m'empêcher de m'effondrer de nouveau.

— Salaud, comment as-tu pu faire une chose pareille?

— Je ne voulais pas, je te le jure, Caitlin. Tu dois me croire.

— Tu ne voulais pas? Je commence à croire que vous me prenez tous les deux pour une dinde! Oh, à moins qu'elle ne t'ait violé, ce qui soit dit en passant me surprendrait vraiment! Je pars une journée, une seule journée. Je décide de rentrer plus tôt que prévu pour être avec toi, et qu'est-ce que je trouve? Mon mari couché avec ma meilleure amie dans mon lit!

Je criais à présent. Liam m'attrapa les poignets. Je me débattis avec fureur pour me dégager, mais il me retint fermement.

— Écoute-moi, je peux expliquer...

— Expliquer? raillai-je. Tu as fait l'amour avec Margaret. Qu'y a-t-il à expliquer? Tu peux me le dire? Si c'est pour me faire le compte rendu, ne te donne pas cette peine.

— C'était un accident, cela n'aurait jamais dû se produire.

— À qui le dis-tu! Mais il est trop tard maintenant pour les remords. Le mal est fait!

— Je veux te dire pourquoi c'est arrivé.

Je tordis mes poignets prisonniers de ses doigts qui me broyaient les os. Il tint bon. Je changeai de tactique et commençai à lui marteler les jambes de mon pied.

— Lâche-moi, espèce de salaud!

— Pas avant que tu ne m'aies écouté jusqu'au bout.

Il me poussa contre le mur pour m'immobiliser, ce qui eut pour effet de décupler ma fureur.

— Elle était venue me porter à dîner, me sachant seul...

— Oh! Mais quelle âme charitable! La veuve esseulée et le mari délaissé. Tu as voulu la remercier, c'est ça?

— Arrête, Caitlin! cria-t-il, le visage révulsé par la colère et l'abattement. Ne sois pas si pathétique. Margaret est dévastée par la mort de Simon tout comme je le suis par celle de Ranald. Tu sais combien elle l'aimait.

Je me mordis la lèvre pour ne pas répliquer. Mais la colère et la douleur l'emportèrent sur la raison.

— Elle m'a trahie, et toi aussi! Vous avez... Oh, mon Dieu!

— Elle avait besoin de parler de Simon. Nous avons trop bu, et... c'est arrivé, c'est tout. Je ne sais pas comment... mais nous ne voulions pas ça, je te le jure.

— Tu ne sais pas comment? persiflai-je en le foudroyant du regard.

Il poursuivit, faisant fi de mes sarcasmes.

— Nous avons parlé de Simon, de la bataille, de Ranald, de nos regrets...

— Tu t'es confié à elle? Tu ne veux rien me dire, à moi, ta femme, la mère de ton fils! Et tu partages ta peine avec une autre? Je n'en reviens pas!

— Tu ne peux pas comprendre...

— Je ne peux pas comprendre? Comment le sais-tu? Depuis que tu es revenu, tu te mures dans ton silence, tu m'évites en te cachant dans la forêt. J'ai essayé de te parler, Liam. Dieu sait combien j'ai essayé. Mais tu t'es fermé à moi. Tu as refusé de te confier à moi!

Le souffle qui balayait mon visage était en effet chargé d'alcool. Je fermai momentanément les yeux pour échapper au regard implorant et repentant qui me fixait. Je sentis Liam se rapprocher, jusqu'à ce que ses lèvres me frôlent la joue. Je me raidis.

— Caitlin, je t'aime tellement...

Sa voix se brisa. Je le repoussai brutalement.

— Eh bien, tu as une drôle de façon de me le montrer, Liam Macdonald. Tu t'épanches auprès de ma meilleure amie et tu couches avec elle!

— Je n'arrivais pas à te parler, c'était trop difficile. Je n'arrivais même plus à supporter ton regard, *a ghràidh*.

— Ne m'appelle plus comme ça, Liam!

Il pâlit. Sidéré, il laissa tomber sa mâchoire.

— Tu m'as écartée de ta vie, tu m'as abandonnée. Je ne suis plus ton amour, plus jamais. Pas après cette ignoble trahison!

Aveuglée par la rage, le cœur lourd comme une pierre, je me débattis de plus belle pour me libérer de son emprise. « Ces mains ont touché Margaret... »

— Caitlin...

Il me poussa derechef contre le mur. Ses joues ruisselaient.

— Pourquoi? Nous nous étions promis de traverser les épreuves ensemble, tu te souviens? Ton port, ton ancre... Qu'as-tu fait de notre serment, Liam? Tu préfères confier ta peine à une autre que moi. Tu préfères exprimer tes remords à des fantômes dans une grotte...

Le silence s'installa entre nous. Je regardai fixement Liam, sans ciller. Il me dévisageait, stupéfait.

— Tu m'as suivi?

Je déglutis.

— Non. C'est Frances qui m'a raconté. Elle s'inquiétait pour toi, elle aussi. Pourquoi ne m'as-tu rien dit? Pourquoi vouloir porter seul tous les maux de la terre? Tu n'es aucunement responsable de la mort de Ranald. Ni de celle de personne d'autre, d'ailleurs. J'ai dit des choses... je sais. Mais je ne les pensais pas, Liam. C'est la guerre. Ranald est tombé sous les coups de l'ennemi comme bien d'autres. Tu ne pouvais pas le protéger dans ces conditions, je le sais très bien. La douleur était trop insupportable... J'ai... j'ai dit des choses qui ont dépassé ma pensée.

— J'aurais dû l'empêcher de se battre.

— Tu ne le pouvais pas, il avait dix-huit ans! C'était un homme. Il t'en aurait voulu pendant le reste de ses jours.

Son regard se brouilla et me fuit. Lentement, il me lâcha et prit sa tête entre ses mains, gémissant de douleur. Un étau m'enserrait le cœur, menaçant de le faire éclater.

— Oh, Caitlin, je n'arrive plus à penser clairement. Saleté de whisky! Je croyais réellement que tu me reprochais la mort de Ran.

— Tu aurais dû m'en parler. J'étais là, mais tu m'as repoussée... Il est trop tard maintenant, murmurai-je en tournant les yeux vers le lit en désordre.

— Je ne suis rien sans toi...

Il esquissa un mouvement vers moi.

— Ne me touche pas! Tu portes encore l'odeur de Margaret, je la sens d'ici.

Il me fixait, le visage défait. Ses cheveux lui retombaient devant les yeux, masquant la moitié de son regard. Mon estomac se noua et une nausée me poussa à détourner les yeux.

— Laisse-moi, Liam. Pars, va-t'en! Je ne supporterai plus que tu me touches.

— Caitlin...

— Va-t'en! hurlai-je.

Sa bouche se tordit en une moue amère. J'évitai de le regarder tandis qu'il ramassait ses effets et ses vêtements. Je serrai les dents pour m'empêcher de hurler. J'avais l'impression de me désintégrer, de me dissoudre dans mes larmes. Mon corps se mit à trembler convulsivement et je fermai les yeux. Le bruit de ses pas qui quittaient la pièce résonnèrent dans ma tête. Il revint quelques minutes plus tard.

Son baudrier passé en travers de sa poitrine, sur sa veste de cuir, son béret enfoncé sur sa tête, il finissait d'accrocher ses armes à sa ceinture. Il repartait pour Perth. Je me sentis faiblir. Ma tête tournait. Me retenant à la commode, je cherchais l'air qui me manquait.

« Il part, Caitlin. Tu ne le reverras peut-être plus jamais... » Je poussai une plainte. J'avais l'impression qu'on m'arrachait le cœur de la poitrine. « Dis-lui quelque chose! Dis-lui que tu l'aimes! » Mais mon regard se posa sur le lit, sur nos draps imprégnés de l'odeur du sexe d'une autre femme, et mon cœur se déchira. Il se planta devant moi, impassible, mais la mâchoire crispée. Je fulminais, emportée par un nouvel élan de fureur.

— Salaud! Comment peux-tu avoir fait ça? Pourquoi?

Je le rouai de coups jusqu'à m'épuiser. Il ne bougea même pas. Son image était floue et difforme à travers mes larmes. Je sanglotais, hystérique. Je sentis ses doigts glisser le long de mes joues détrempées.

— Je t'aime, Caitlin. Quoi que tu penses de moi, je t'aimerai toujours. Mais je ne puis supporter que tu me haïsses. Je pars comme tu me le demandes et je m'en remets à Dieu en espérant qu'il aura pitié de moi... Si par malheur je survis à cet enfer, je ne reviendrai... que si tu me le demandes.

La douleur me faisait suffoquer. Je n'arrivais plus à parler, j'étais paralysée d'hébétement. Ses mots me faisaient l'effet du vinaigre sur une plaie vive. Il resta silencieux un moment. Le tic tac... ce damné tic tac!

— Tu veux transmettre un message à Duncan?

— Hein? Duncan?

Sa question inattendue me dérouta un instant.

— Euh... Dis-lui que je l'aime, qu'il me manque et... qu'il soit prudent.

Il tiqua, mais ne dit rien.

— Emporte-lui sa veste, ajoutai-je bêtement. Les grands froids ne tarderont pas et...

— D'accord.

Il me fixa encore quelques instants, sans toutefois me toucher. Je fermai les yeux.

— *Beannachd Dhé ort bean, mo rùin.* [61]

Après avoir récupéré la veste, il se dirigea vers la porte qui se referma sur un silence terrifiant. Il était parti! Il ne reviendrait pas. « Mais c'est toi qui lui as ordonné de partir, idiote! » Je ne voulais pas... Mais il m'avait trompée, il m'avait trahie avec ma meilleure amie! « Mais qui es-tu pour le juger, Caitlin Macdonald? N'as-tu jamais fait d'erreurs dans le passé? Ne l'as-tu jamais trahi? »

— Nooon! criai-je, désespérée.

Je m'écroulai au sol, incapable de me soustraire à ma conscience qui me narguait encore et encore. Qui étais-je pour juger Liam? Mais il l'avait

---

61. Que Dieu te garde, ma bien-aimée.

choisie, elle, pas moi! C'était à Margaret qu'il avait confié ce qui lui taraudait l'âme, bon Dieu! « Il avait peur de toi, Caitlin. Il avait peur que tu le rejettes. » Mais ce faisant, c'est lui qui m'a rejetée. Je ne pouvais pas savoir! « Tu as attendu trop longtemps pour l'aider. » Mais j'avais mal, moi aussi, j'avais ma propre peine à endurer...

Je poussai un cri de rage. Le tic tac de la pendule résonnait inlassablement dans mes tympans et se mêlait au chaos de mon esprit. Le pouls du temps me harcelait, me provoquait. Je voulais qu'il s'arrête pour pouvoir recommencer à zéro, revenir deux mois en arrière. « La vie n'est pas un roman, Caitlin. On ne peut tourner les pages du temps en sens inverse et revenir en arrière comme dans un livre. »

Le tic tac, encore et encore, indifférent à nos malheurs et à nos souffrances.

Mue par le besoin impérieux de m'en prendre à quelque chose pour me soulager, je me relevai péniblement et me dirigeai vers la cheminée. Je regardai la pendule qui me défiait et la pris entre mes mains tremblantes. Cette merveilleuse chose que j'affectionnais tant. Le petit disque doré se balançait de droite à gauche, puis de gauche à droite dans un mouvement hypnotique incessant. Du bout du doigt j'entravai le mouvement du balancier. Le tic tac s'évanouit. Un silence angoissant m'enveloppa. « Personne ne peut arrêter le temps, Caitlin. »

Je brandis et lançai l'objet précieux, qui alla se fracasser contre la porte dans un terrible bruit de verre brisé et de pièces métalliques cliquetantes. Puis je courus à la chambre et me figeai devant le lit, posant sur lui mon regard perdu. Des images se mirent à défiler dans ma tête. Mon cœur s'emballa dans une rage sourde... Liam et Margaret... Oh, non! L'odeur de leurs ébats flottait encore dans la pièce, m'étouffant. Mon cœur éclata de douleur. J'arrachai les draps et courus à l'extérieur. Faisant un tas devant la maison, je sortis mon briquet à silex. Les draps s'embrasèrent aussitôt. Ces draps dans lesquels nos corps avaient aussi tant de fois pris feu. Avec une sorte de joie morbide, je les regardai brûler comme on regarde brûler une sorcière, horrifiée mais heureuse d'extirper le mal. Tout se consumait, partait en fumée. Demain, il ne resterait qu'un petit tas de cendres froides.

SIXIÈME PARTIE

« Depuis que le monde est monde,
il n'y a jamais eu d'homme étranglé par une femme
pour lui avoir dit qu'il l'aimait. »

Florian

16

Avis de recherche
Décembre 1715

Il faisait chaud dans la petite pièce de la maison sise sur North Port, à Perth, où logeaient quelques nobles jacobites. L'air était rempli d'une délicieuse odeur de soupe qui montait des cuisines. Marion s'était réfugiée dans un fauteuil installé dans un coin de la chambre transformée provisoirement en quartier général. Le comte de Breadalbane, hors de lui, avait convoqué la jeune femme dès qu'il avait su qu'elle se trouvait toujours au camp en dépit de l'ordre qu'il lui avait donné de retourner en Glenlyon.

Malgré l'appréhension qui l'étreignait, Marion se sentait assez soulagée de pouvoir échapper momentanément à l'atmosphère pernicieuse du campement qui minait le moral des troupes. Trois semaines plus tôt, le comte de Mar avait pris la décision de se retirer sur Perth et d'attendre les renforts promis par la France. La retraite s'était faite dans la plus grande confusion. Sous l'ordre de Mar, l'armée n'avait laissé derrière elle que désolation, appliquant la tactique de la terre brûlée.

Les insurgés avaient pillé et incendié chaque hameau, chaque bourg qu'ils traversaient. La vue de tous ces petits cottages transformés en amas de pierres noircies et de poutres calcinées avait affligé Marion. Le souvenir des visages horrifiés des paysans devant leurs provisions d'hiver et leurs biens qui partaient en fumée, et des regards terrifiés des enfants en pleurs accrochés aux jupes de leurs mères hébétées la hantait encore. Un mal nécessaire, lui avait expliqué Duncan. Les insurgés se devaient de détruire sur leur passage toute source de ravitaillement et tout abri disponible dans le but d'affamer les troupes royalistes si jamais le duc d'Argyle décidait de se mettre à leur poursuite. Tactique de guerre. Elle avait soupiré, « c'était la guerre ».

Pour la jeune femme, la guerre, c'était des hommes mutilés, souffrant dans leur corps et dans leur âme sous les bandages et les tartans ensanglantés. Elle avait aidé comme elle le pouvait, en recousant quelques plaies, en lavant ces malheureux et en les aidant à se nourrir. Elle était restée assise au chevet d'un pauvre homme pour qui on ne pouvait plus rien, se contentant de lui tenir la main, l'écoutant l'appeler du nom de son épouse ou de sa bien-aimée jusqu'à ce que la mort l'eût délivré de ses souffrances. Ensuite elle avait été bouleversée des jours durant.

Les pertes en vies humaines s'élevaient à plus d'une centaine et le nombre des blessés dépassait les deux cents. On avait aligné les survivants sur le sol froid et humide de l'hôpital King James VI, construit sur le site d'une ancienne chartreuse détruite en 1559 au début des terribles répressions des catholiques. Aujourd'hui, il n'y restait guère plus d'une vingtaine de blessés, mais un mélange d'odeurs d'excréments, de vomissure et de sang y flottait toujours. Cela la prenait à la gorge et retournait son estomac dès qu'elle y entrait pour ses corvées journalières. Elle avait pris l'habitude d'éviter de manger avant d'aller aider au nettoyage des plaies et au changement des pansements.

Duncan n'y était resté qu'une semaine. Il se remettait lentement de ses blessures. L'infection ne s'étant pas installée, les plaies s'étaient refermées et ses points avaient été retirés. Il ne restait qu'à attendre que le temps fasse le reste et estompe la vilaine balafre qui lui barrait le visage. Pour ce qu'il en était de sa blessure à l'aine, elle lui semblait être en bonne voie de guérison puisqu'il arrivait maintenant à marcher en ne boitillant que légèrement.

La porte s'ouvrit brusquement et Breadalbane fit irruption, seul. C'était son père qui avait mis le vieux comte au courant de sa présence à Perth. Deux semaines durant, elle avait réussi à éviter son père et les hommes de son clan qui la connaissaient bien. Mais elle savait qu'un jour l'inévitable arriverait. Et l'inévitable arriva :

Elle puisait de l'eau fraîche pour préparer le porridge du matin et venait de se retourner pour se saisir du deuxième seau posé derrière elle lorsqu'elle aperçut une paire de bottes connues. Levant les yeux, elle rencontra le regard de son père qui la fixait. Le visage avait une expression indéchiffrable, mais le teint livide sous la tignasse rousse grisonnante en disait long. Son père la traîna jusqu'à un endroit plus isolé.

– Je veux des explications, Marion! rugit-il en la relâchant brusquement.

– J'aide au camp, je ne pouvais pas partir tout en sachant que des hommes auraient besoin de soins et d'un peu de réconfort après la bataille.

Le laird de Glenlyon la dévisagea, hésitant devant l'excuse qui lui semblait admissible. Mais sa colère ne diminua pas pour autant.

– J'aurais tout de même apprécié que tu m'informes de tes intentions. Je suis ton père, ne l'oublie pas. Moi qui te croyais bien à l'abri à Chesthill! Avoue qu'il y a de quoi être bouleversé!

– Je n'ai pas eu le temps de t'avertir avant le début des combats, mentit-elle. Puis, avec les blessés dont il fallait s'occuper... je n'y ai plus repensé.

– Ah, Marion Campbell! grommela son père en secouant sa tête, fâché. N'ai-je pas assez de problèmes avec les dettes? Tu n'as pas besoin d'en rajouter. Et ton frère qui a disparu!

– Mon frère? David s'est sauvé de la maison?

– Je te parle de ton frère John. Il ne s'est pas présenté au camp le matin du combat, ni ces dernières semaines. J'ai cru que les problèmes au moulin étaient plus compliqués que prévu, mais un de mes hommes vient de m'apprendre que tout avait été réglé quelques jours avant les combats. Je m'inquiète. Je vais devoir retourner en Glenlyon pour voir ce qu'il s'y est passé.

John avait disparu depuis le soir où elle lui avait remis le document incriminant? Son sang ne fit qu'un tour. Que s'était-il passé?

La voix caverneuse du comte de Breadalbane la ramena à la réalité du moment.

— Alors, mademoiselle Campbell, qu'avez-vous à dire pour votre défense?

Les petits yeux froids et machiavéliques qui la fixaient dissipèrent toute la chaleur qui l'enveloppait jusqu'alors. Elle frissonna.

— Vous comprenez dans quelle situation nous met votre désobéissance!

Elle hocha lentement la tête de haut en bas.

— Qu'avez-vous fait du document que je vous ai confié, puisque, de toute évidence, vous n'êtes pas allée à Finlarig?

Sa voix était sifflante. Marion devina à ses minces lèvres pâles et serrées qu'il se contenait au prix d'un immense effort. La situation était en effet catastrophique. Et John qui n'avait pas donné signe de vie. Ce n'était plus le moment de mentir.

— Je l'ai donné à mon frère John. Il devait le porter à Finlarig, puis revenir au camp avant l'aube, le jour de la bataille.

L'impact de la canne sur le parquet la fit bondir. Breadalbane jura entre ses dents. Sa fureur monta d'un cran.

— Vous avez enfreint mes ordres! Quelle sotte vous faites! Ce petit vaurien ne s'est pas présenté au château ni au camp. Peut-être auriez-vous une idée de l'endroit où il peut bien se terrer?

— Se terrer? Parce que tout ce que vous croyez, c'est qu'il a gardé le document délibérément et qu'il a fui? L'idée qu'il puisse avoir été agressé, voire tué, ne vous a jamais effleuré l'esprit?

Un rire sardonique résonna dans la pièce et lui donna la chair de poule.

— Chez les Campbell de Glenlyon, la bêtise se transmet d'une génération à l'autre, railla le vieil homme. Je crois plutôt que votre frère s'est caché pour éviter de combattre.

Pinçant les lèvres, Marion ne releva pas la remarque. Breadalbane se traîna en claudiquant jusqu'à un fauteuil libre et s'y laissa choir, grimaçant de douleur. La froidure du mois de décembre avait réveillé ses élancements articulaires et rendait ses déplacements de plus en plus pénibles. D'une main tremblante, il extirpa de la poche de sa veste en tartan une petite boîte de tabac à priser, qu'il ouvrit, versant une petite quantité sur le dos de sa main.

— Il faut retrouver ce document, Marion.

Son ton péremptoire la réduisit au silence. Le vieil homme se pinça une narine et renifla la petite poudre noire de l'autre.

— Il ne doit pas se retrouver entre les mains des royalistes. Prions pour que ce ne soit pas déjà le cas.

Son visage parcheminé se congestionna tout à coup. Le vieillard fut secoué d'une quinte de toux sifflante. Marion le prit en pitié et lui tendit un verre d'eau.

— Qu'attendez-vous de moi? demanda-t-elle lorsqu'il se fut calmé.

Le comte essuya ses yeux larmoyants avec son mouchoir bordé de fines valenciennes.

— Je veux que vous répariez votre terrible faute, mademoiselle. Pour le moment, je suis le seul à savoir que ce document a disparu. J'espère ne pas avoir besoin de parler de ça au comte de Mar. Vous comprenez?

— Mais comment voulez-vous que j'arrive à retrouver mon frère? Il peut être n'importe où en Écosse! Peut-être même se trouve-t-il au fond d'un loch!

— Il ne se serait certainement pas risqué au sud de la Forth avec les forces royalistes qui y cantonnent. Fouillez les Highlands. Je vous ferai accompagner de Macgregor et de ses hommes. Ils connaissent bien le pays et vous serviront de gardes du corps.

Elle leva les yeux au ciel. Cela n'échappa guère à Breadalbane qui sourit malicieusement.

— Il y a des choses bien plus désagréables que de chevaucher pendant quelques jours avec une bande de Macgregor, ma chère. Pensez un peu à tous ces hommes dont le nom figure sur le document. Leur tête ne tient peut-être plus qu'à un fil.

Soudain, Marion eut de nouveau très chaud. Elle revit ces hommes qui risquaient leurs biens, leur titre et leur vie pour la cause et se mordit l'intérieur de la joue. À cause d'elle, ces gens risquaient le baiser de la Veuve [62]. Le visage grassouillet du comte de Strathmore lui apparut alors, affable et souriant.

— Le nom de Strathmore apparaît-il sur le document?

Breadalbane leva vers elle des yeux éberlués.

— Quoi, vous ne savez pas?

— Savoir quoi?

— Strathmore est mort sur le champ de bataille.

Elle resta un moment bouche bée.

— Oh! fit-elle, essayant de ne pas laisser paraître son soulagement. Il était si jeune...

— Évidemment vous en êtes très désolée. Mais ne vous en faites pas, je vous trouverai bien un autre bon parti.

---

62. Guillotine écossaise.

Plissant le front, il tapota sa lèvre supérieure d'un doigt décharné et tordu.

— Au fait, reprit-il avec une pointe de sarcasme, comment va le jeune Macdonald?

— Euh... Duncan?

Ses joues s'empourprèrent. Breadalbane étira ses jambes en grognant.

— Celui-là même. Comment pourrais-je oublier ce prénom ? C'est le prénom d'un traître... Il a été blessé à ce qu'on m'a dit?

— Vous êtes bien renseigné. Il va mieux.

Il la dévisagea attentivement et roula sa fine lèvre en une moue de dégoût.

— Hum... Allez comprendre les intentions du Tout-Puissant! Parfois, je me demande s'Il sait ce qu'Il fait. Il aurait mieux fait de rappeler à Lui ce gibier de potence de Macdonald au lieu de ce pauvre Strathmore.

Il soupira de lassitude et haussa les épaules. Puis il glissa un doigt sous sa perruque et se mit à se gratter mécaniquement le crâne en réfléchissant.

— Les plans de Dieu ne concordent pas toujours avec les nôtres. Enfin...

— Vous devriez avoir honte, monsieur le comte! s'écria Marion. Vous savez que ce sont les Macdonald qui se sont le mieux illustrés lors de cette bataille, et que c'est grâce à eux que le duc d'Argyle n'en est pas sorti vainqueur.

— Oui... c'est vrai que leur attitude sauvage et rebelle peut s'avérer utile à certaines occasions... lorsqu'elle sert nos desseins.

— Ce n'est pas leur attitude sauvage, c'est leur orgueil et leur honneur!

Le vieil homme ricana.

— Honneur? Bah!

Il renâcla telle une vieille bourrique et frappa le parquet de sa canne.

— Si nous revenions au sujet qui m'intéresse et qui est plus pressant. Je veux que vous retrouviez ce document, Marion. Allez faire vos bagages immédiatement, vous n'avez pas une minute à perdre. Et cette fois-ci, vous ne me filerez pas entre les doigts.

Elle le dévisagea, ahurie. Son visage perdit d'un coup ses couleurs.

— Quoi, vous voulez dire que je pars aujourd'hui?

— Macgregor a été informé. Il rassemble ses hommes. Vous partez dans l'heure qui suit.

— Mais...

Elle cligna des yeux. Sa gorge s'asséchait. Douloureusement, elle déglutit, tandis que Breadalbane la toisait froidement.

— Dans l'heure, et cette fois-ci, ne me décevez pas.

***

On frappa à la porte. Barb Macnab, la servante, entra dans la chambre.

— Je ne l'ai pas trouvé, maîtresse Campbell. J'ai demandé aux hommes de son clan, mais personne ne l'a vu depuis plusieurs heures.

— Oh, merde!

Elle ramassa son peigne d'ivoire qui venait de se briser en tombant sur le sol, regarda les morceaux d'un air contrarié et les fourra rageusement dans son sac.

— Je dois lui parler, Barb. Je dois lui expliquer pourquoi je pars.

— J'ai fait trois fois le tour du camp. On commence même à me faire des offres pas très honnêtes, si vous voyez ce que je veux dire. Il est introuvable.

— Essayez encore! Il me reste très peu de temps.

La petite bonne femme aux formes arrondies et au visage rougi par sa course lança un regard exaspéré à la fille de son laird, puis grommela :

— Je ne crois pas que ce soit une bonne chose que vous voyiez aussi souvent ce Macdonald.

— Vous ai-je demandé votre opinion, Barb?

— Non, mais je vous la donne quand même. Ça commence à jaser...

— Eh bien, qu'ils jasent! Cela les changera des indécisions du comte de Mar et des supputations sur les effectifs du duc d'Argyle... sans parler du Prétendant qui n'arrive pas.

À la recherche de son deuxième bas, elle tournailla dans sa chambre et fourragea dans ses affaires. Trouvant enfin le vêtement sous le lit, elle l'envoya dans le sac.

— S'il vous plaît, supplia-t-elle en se tournant vers la servante.

— Bon, mais c'est la dernière fois! J'avertis Macgregor que vous en avez encore pour quelques minutes. Il vous attend en bas.

— Quoi, déjà? s'écria Marion en s'élançant vers la fenêtre, trébuchant au passage sur une chaussure. Eh bien, il attendra!

***

Duncan enfila sa veste de cuir, puis drapa habilement son plaid par-dessus son épaule gauche. Toujours la gauche, car c'était son cœur qu'on couvrait des couleurs de son clan.

— Ainsi, le comte de Mar refuse d'engager le combat? lui demanda son père.

— C'est à peu près ça.

Il se tourna vers l'homme qui le fixait d'un air désabusé. Son père était arrivé à Perth dans la matinée. Quelque chose avait changé dans son attitude. Il n'arrivait pas à dire quoi, mais... le regard était différent; sa posture et sa voix aussi... La mort de Ranald l'avait affecté plus qu'il ne l'aurait cru.

Lorsqu'il avait demandé des nouvelles de sa mère, son père avait grommelé qu'elle était forte et qu'elle s'en remettrait. Puis il avait refusé d'en dire plus long et avait fait dévier la discussion en demandant ce qui s'était passé depuis le repli sur Perth.

— Chaque jour, nous perdons des guerriers. Ils désertent pour

276

retourner auprès de leur famille. Depuis les nouvelles désespérantes de la capitulation des forces de Mackintosh et des jacobites anglais à Preston, et de la prise d'Inverness par les hommes du gouvernement, le moral est à plat. Mar aurait dû prendre sa revanche sur Argyle dans les jours qui ont suivi Sheriffmuir. Maintenant, je ne sais plus...

— N'a-t-il pas reçu les renforts de France comme prévu?

Les traits de Liam s'étaient creusés. Duncan eut la soudaine impression que quelque chose s'était produit à Glencoe. Il était même prêt à le jurer.

— Non, pas encore. Mais la rumeur court que, s'il s'obstine dans son indécision à riposter, la France ne répondra pas à sa demande.

— Et à Preston, que s'est-il passé?

Duncan retira son béret et le secoua vigoureusement pour enlever la neige qui s'y était accumulée.

— À ce qu'on raconte, les jacobites qui tenaient le col de Ribble Bridge auraient abandonné ce point stratégique pour changer de tactique et, à l'annonce de l'ennemi, seraient retournés dans Preston dont ils s'étaient faits les maîtres. Ils auraient ensuite fabriqué des barricades tout autour pour se protéger. Ce fut certainement une erreur. À l'aube du 12 novembre, les forces de l'armée du général Wills pour le roi George auraient marché sur la ville et auraient réussi à enfoncer quelques barrières. Puis, au matin du 13, le reste des forces ennemies auraient encerclé la ville. Le général Forster voulait se rendre, mais les Highlanders s'y refusaient. La victoire ou la mort, tu connais l'adage. Le général Wills leur aurait demandé de se rendre en leur promettant de ne pas les hacher menu.

Duncan éclata d'un rire amer, puis renfonça son béret sur son crâne.

— Le comte de Derwentwater et le brigadier Mackintosh furent gardés en otages jusqu'à la fin des délibérations des jacobites. L'armée était divisée en deux : les Highlanders qui refusaient toute forme de capitulation et les autres. Un certain Murray aurait même réussi à s'introduire dans la chambre de Forster et aurait tiré sur le général en l'accusant d'être un traître s'il acceptait de capituler. Malgré tout, le lendemain matin, ce fut la capitulation. Mille cinq cents hommes, dont mille seraient des Highlanders, auraient été faits prisonniers. Cependant, les pertes humaines ne se monteraient qu'à dix-sept jacobites pour près de quatre-vingts royalistes.

— Hum... fit Liam dont le regard se perdait au-delà de la rive de la rivière Tay, maintenant couverte d'une couche de glace. À moins que la Providence ne nous envoie une armée française, nos chances de mettre Jacques sur le trône sont très minces, voire nulles.

— Il faut garder espoir, père.

— Espoir... ouais... Et toi, tes blessures?

— Je vais bien.

Passant machinalement un doigt sur la longue cicatrice turgescente qui courait sur son visage, il grimaça.

— C'est encore douloureux, mais je m'y habitue.

— Et Marion Campbell... est-elle retournée en Glenlyon? s'enquit alors Liam, un sourire narquois suspendu aux lèvres.

— Marion, non. Elle est toujours ici. Mais je suppose que son père ne tardera pas à l'obliger à retourner chez elle. Les blessés sont presque tous rétablis et il y a assez de femmes à Perth pour s'occuper d'eux. Alors...

Liam examina attentivement la joue de son fils, puis sourit.

— Ouais, je me doutais bien qu'elle ferait du bon travail. Le raccommodeur est très bien, mais les doigts d'une femme sur la peau d'un homme...

Sa voix s'étrangla. Il s'éclaircit la gorge et détourna le regard. Duncan l'observait avec circonspection.

— Père... à Carnoch?...

— S'il te plaît, je ne veux pas en parler, Duncan.

— C'est mère?

Liam ne répondit pas. Il fit quelques pas vers la rivière, puis se posta sur la berge, les bras croisés sur la poitrine dans une attitude fermée. Un lièvre surgit de derrière un tronc d'arbre et s'immobilisa à quelques mètres d'eux. Son petit museau humait l'odeur humaine. L'animal se dressa sur ses pattes postérieures et dévisagea les deux intrus d'un air agacé. Puis il disparut dans un taillis d'aulnes dégarnis qui se couvrait de blanc.

— Sa langue est-elle toujours aussi tranchante?

— Marion? demanda Duncan, qui avait toujours sa mère à l'esprit.

Liam se retourna. La neige crissait sous ses pas. Il ébaucha un sourire.

— Qui d'autre?

— Je présume. Elle est très prise par les corvées, alors je ne la vois pas très souvent.

Pas comme il l'aurait souhaité, en tout cas. Elle venait voir comment il allait à tous les deux jours environ et ne restait qu'une heure ou deux. Ils parlaient alors de sujets plutôt anodins et se limitaient aux quelques rumeurs et anecdotes qui circulaient dans le bourg. Elle lui racontait aussi ses journées éprouvantes auprès des blessés et des malades. Ainsi, il avait découvert avec un certain plaisir que la fille de Glenlyon avait un cœur tendre qui battait dans sa jolie poitrine. Elle lui avait raconté, avec des larmes dans la voix, sa veillée auprès d'un jeune homme qui avait laissé sa nouvelle épousée enceinte dans sa vallée. Il ne verrait jamais son premier enfant. Elle avait alors pleuré sur son épaule.

Il attendait ses visites avec une impatience difficilement contenue. Parfois, il la suivait de loin dans ses déplacements... rien que pour la regarder. Son père avait raison : les doigts d'une femme sur la peau d'un homme...

— Disons qu'elle ne me darde plus d'invectives dès qu'elle ouvre la bouche, ironisa-t-il.

— Ta mère dit qu'Elspeth attendait désespérément de tes nouvelles, Duncan. Tu devrais lui écrire un mot, ne serait-ce que pour lui dire que tu respires toujours.

Un grognement d'agacement s'échappa de la gorge du jeune homme. Pour lui dire quoi? Il haussa les épaules pour toute réponse.

— Que feras-tu à ton retour?

— Je ne sais pas, père. Lui parler et mettre les choses au clair, je suppose.

— Même si Marion ne veut pas de toi? Elspeth est une bonne fille, tu sais. Ce serait dommage...

— Je sais, mais je ne l'aime pas. Que Marion retourne dans sa vallée pour y rester ne changera rien à cela.

— Hum...

Il ne s'était rien produit entre Marion et lui. Du moins, pas depuis la nuit passée au camp d'Ardoch, après la bataille. D'ailleurs, il se demandait parfois s'il n'avait pas rêvé cette nuit-là, car son esprit à demi endormi n'avait enregistré que quelques instants et impressions : Marion penchée au-dessus de lui, lui recousant la joue; sa main caressant ses cheveux tandis qu'il reposait, les yeux fermés, la tête sur ses cuisses; ses doigts qui s'enfonçaient douloureusement dans son bras pendant l'amputation de la jambe de Simon, puis ses sanglots étouffés dans sa chemise après sa mort.

Elle avait pleuré la mort d'un Macdonald... Cela l'avait bouleversé. Et son parfum... Avait-il rêvé le frôlement de sa bouche sur son front brûlant et de ses boucles soyeuses dans son cou? Et ce corps tiède qui avait sommeillé contre lui? Et cette présence réconfortante qu'il avait sentie lorsqu'il s'était réveillé en sursaut en criant le nom de son frère? Oh oui... la douceur d'une femme sur le cœur d'un homme blessé...

À Perth, cependant, elle avait pris ses distances, limitant les contacts physiques au minimum requis par les soins. Elle nettoyait ainsi sa joue et le rasait autour de la plaie avec précaution. Opération fort douloureuse, mais à la fois ô combien agréable! Bizarrement, il commençait à éprouver un certain plaisir à souffrir en sa présence, comme si les deux étaient devenus indissociables. Quant à son autre blessure, il avait dû s'en occuper lui-même, car elle avait refusé de regarder sous son kilt. Il reconnaissait que la situation aurait pu devenir des plus gênantes si elle avait osé poser ses doigts là... Il se sentait mal rien que d'y penser. Enfin, il s'était habitué à la présence de la jeune femme, et se serait tranché un doigt juste pour l'avoir près de lui.

Le moindre de ses effleurements lui donnait des frissons et faisait battre son cœur. Lorsqu'elle lui prenait le visage entre ses mains pour constater l'évolution de la cicatrisation et qu'il sentait son haleine sur sa peau, il avait la chair de poule. Il devait faire un effort surhumain pour se retenir, s'empêcher de l'enlacer et de lui voler ses lèvres. Et ce regard d'un bleu si pur qui l'enveloppait... Il lui avait semblé y lire, à l'occasion, un peu plus que la simple amitié. Mais il ne voulait pas commettre la même erreur qu'à Killin. Marion lui était trop précieuse : elle était un baume sur sa peine.

La nuit, il lui arrivait encore souvent de se réveiller en sueur, effaré, appelant son frère dans un cri étouffé. Il avait de la difficulté à croire qu'il ne reverrait plus jamais Ranald. Parfois, il se retournait et s'attendait à le voir derrière lui, le sourire accroché aux lèvres. Son frère avait l'habitude de le suivre comme son ombre. Maintenant, Duncan gardait le *sgian dhu* de son frère avec le sien glissé dans sa botte droite. En perdant Ranald, il avait perdu plus qu'un frère. Il avait perdu tout ce qu'il rêvait d'être et n'était pas : intrépide, drôle, dur à la douleur. Peut-être le fait d'avoir été à deux doigts de la mort après l'accident de la distillerie avait donné à son frère la capacité de vivre pleinement l'instant présent. Soudain, une question saugrenue lui vint à l'esprit : son frère était-il mort puceau?

***

Elle n'était pas venue aujourd'hui, ni la veille. Duncan était d'humeur irascible. Marion ne s'était pas montrée depuis le retour de son père, trois jours auparavant. Que s'était-il passé? Aurait-il dit quelque chose qui l'avait contrariée? Pourtant, il pesait ses mots lorsqu'il était avec elle. L'évitait-elle? Il avait beau se creuser la tête, il n'arrivait pas à trouver ce qui aurait pu la faire fuir.

Il s'arrêta dans la ruelle de Ropemaker's Close devant la maison où elle logeait, les deux pieds enlisés dans la boue. Si elle l'évitait vraiment, il ne serait certainement pas bien reçu. Il hésita encore un moment, puis tourna les talons. Il pouvait bien attendre encore un peu. Elle était peut-être aux cuisines...

— Attendez! Attendez! Monsieur Macdonald! cria une voix nasillarde au-dessus de lui.

Il leva les yeux et vit le visage rondouillard de Barb Macnab.

— Restez où vous êtes, je descends.

Les battants de la fenêtre se refermèrent dans un claquement. Quelques instants plus tard, la petite bonne femme apparut dans l'embrasure de la porte et lui fit signe d'entrer. Duncan sentit subitement son estomac se serrer. L'idée que Marion pût être malade venait brusquement de lui traverser l'esprit.

— Où est Marion? demanda-t-il abruptement en entrant dans le hall aux fenêtres sans vitres.

La petite bonne femme secoua ses rondeurs dans un frisson.

— Elle est partie. Elle voulait vous voir avant de quitter Perth, mais vous étiez introuvable...

— Partie? Son père l'a renvoyée chez elle?

Elle hocha la tête. Son bonnet se mit de guingois, et elle le redressa d'un geste sec.

— Non... Son frère John a disparu depuis le jour de la bataille...

— Ça, je le savais déjà. On me l'a appris hier.

Elle lui lança un regard sévère, avant de reprendre sur un ton plus cassant :

— Elle est partie à sa recherche.

— Quoi?

— Avec les hommes de Macgregor, que Dieu la protège! termina-t-elle en frottant ses bras frigorifiés.

— Vous voulez dire qu'elle est partie seule avec eux?

Il n'en croyait pas ses oreilles. Il la savait audacieuse et courageuse, mais pas si hasardeuse. C'était de la folie! Une boule de colère lui monta à la gorge, menaçant d'exploser.

— Votre laird ne pouvait-il envoyer ses hommes rechercher son fils, au lieu de livrer sa fille à une bande de... au lieu de la mettre entre les mains des Macgregor?

— Son père ne sait rien, avoua la petite femme sans cacher sa propre inquiétude. C'est le comte de Breadalbane qui a contraint Marion à partir avec ces hommes.

— Breadalbane... Cette vieille anguille visqueuse. Bon sang! Mais pourquoi Marion?

— C'est un peu compliqué, c'est que ma maîtresse a fait une grosse bêtise qu'elle doit réparer.

— Une bêtise?

— Elle n'a rien voulu me dire. Je n'en sais pas plus. Mais elle était terriblement agitée. Elle n'arrivait pas à faire son sac de voyage; elle ne se souvenait pas de ce qu'elle avait mis dedans.

— Elle est partie quand?

— Il y a trois jours...

— Trois jours, déjà? Et vous ne m'en avez rien dit?

— Elle voulait vous voir « avant » de partir. Elle ne m'a laissé aucun message à vous transmettre. Alors je ne voyais pas la nécessité de vous informer.

Duncan empoigna la petite femme par les bras et la secoua rudement.

— Dans quelle direction sont-ils partis?

— Je ne sais pas... Mais lâchez-moi! Vous me faites mal, espèce de brute!

Il la libéra sur-le-champ et elle se précipita aussitôt dans l'escalier en poussant des cris de chouette effrayée. Puis, elle s'arrêta brusquement et se tourna vers lui.

— Ils sont partis vers l'ouest. C'est ça! Je me souviens maintenant. Elle est venue me prévenir qu'ils se dirigeaient vers les Trossachs.

Les Trossachs étaient l'ancien fief des Macgregor.

— Merci...

Il pivota sur lui-même et, dans un tourbillon de bleu, de rouge et de vert, disparut dans la cohue des rues de Perth.

***

Allan Macdonald sortit de la petite auberge miteuse en courant, pour rejoindre Duncan et Colin qui attendaient, transis, sur leurs chevaux. Les bêtes étaient impatientes de se trouver à l'abri des bourrasques qui balayaient leurs crinières et fouettaient leurs croupes de leurs queues. Duncan était tout aussi impatient. Il aurait bien été s'informer lui-même sur le passage des Macgregor dans les environs, mais il essayait d'éviter de monter et de descendre de sa monture trop souvent à cause de sa blessure à l'aine.

— Ils sont passés par ici, déclara le grand rouquin en grimpant sur son cheval. Ce matin même. L'aubergiste est persuadé que ce sont eux. Rob Roy et la fille Campbell peuvent difficilement passer inaperçus. Ils se sont arrêtés pour demander des informations et laisser les bêtes souffler un peu. Ils sont repartis vers le nord.

— Il est sûr de la direction?

— Oui. Il affirme être sorti pour s'assurer qu'ils étaient bien partis, car il ne tenait pas à les voir traîner autour.

— Étant donné le temps, je ne vois qu'un chemin possible, dit Colin. La neige s'accumule dans les cols et les vals; ils n'auraient certainement pas coupé à travers les montagnes.

— Parce que tu crois qu'ils se dirigent vers Glenlyon? demanda Allan.

— C'est une possibilité. Mais ils peuvent avoir bifurqué vers le Glenorchy et Kilchurn Castle.

— Bon... Remontons le Strathfillan. Ensuite nous verrons.

Allan se tourna vers lui, goguenard.

— Que feras-tu lorsque tu l'auras retrouvée, Duncan?

— Rien.

— Quoi? Rien?! Tu désertes et te tapes toute cette route pour rien?

— Mes raisons ne te regardent pas.

— Tu l'as dans la peau, hein? Cette sorcière de Campbell t'a ensorcelé, mon vieux.

— Ferme-la, Allan! gronda Duncan en décochant un regard noir à son compagnon. Je me demande bien pourquoi tu as tant insisté pour me suivre. Si c'est pour déblatérer contre elle, tu peux retourner à Perth.

— Te mets pas en rogne, ça va. J'en avais assez de compter les clous sur les portes en attendant que cet imbécile de Mar se décide à attaquer de nouveau ces foutus *Sassannachs*. J'avais des fourmis dans les jambes.

— Alors fais-les bouger, tes jambes. J'ai bien l'intention de les rattraper avant la tombée de la nuit. Je ne fais pas confiance aux hommes de Macgregor.

Colin et Allan échangèrent un regard lourd de sous-entendus qu'aperçut Duncan. Il préféra les ignorer et fit pivoter sa monture qu'il éperonna.

La neige les ralentissait et le vent balayait toutes les pistes susceptibles de les guider. La lumière faiblissait; le jour déclinait rapidement. Ils risquaient de se retrouver au milieu de nulle part à la tombée de la nuit. Duncan dut donc se résigner à faire halte dans une auberge, à l'entrée de la vallée de Glenorchy.

Pendant trois jours, ils avaient trouvé puis perdu la trace de Marion. Ce furent trois longues journées éprouvantes durant lesquelles ils franchirent des kilomètres dans la neige qui rendait la chevauchée périlleuse à certains endroits. Duncan savait gré à Colin de l'avoir accompagné. Son oncle connaissait cette partie des Highlands beaucoup mieux que lui. Mais Colin avait ses raisons. Il ne retournerait pas au campement. Dès qu'ils auraient retrouvé Marion, il irait à Glencoe chercher ses effets personnels, puis il prendrait la route de l'est à travers le Great Mor, jusqu'à Inverness. Là, il s'embarquerait sur un navire mettant le cap sur l'Amérique. Il ne désertait pas seulement l'armée, il abandonnait sa patrie pour ne plus jamais revenir. Seuls Duncan et Liam savaient pourquoi.

Allan était parti louer des chambres tandis que les autres dessellaient les chevaux à l'écurie. Demain... Demain, il la retrouverait, se disait Duncan. Pour le moment, son estomac réclamait bruyamment son dû et il tombait de sommeil.

Allan entra en trombe dans l'écurie en bousculant Colin. Puis il dévisagea Duncan avec un sourire béat.

— Tu ne croiras jamais qui je viens de voir dans l'auberge.

Duncan, qui venait de finir de donner sa ration d'avoine à son cheval, se redressa en secouant les brindilles de paille qui étaient restées accrochées à l'étoffe de laine de son plaid.

— Le duc d'Argyle?

— Oh! Mieux que ça!

Duncan fit mine de réfléchir.

— Le Prétendant?

— Tu n'y es pas du tout, mon vieux! C'est la sorc... la fille de Glenlyon.

Duncan blêmit.

— Ben quoi? Tu ne dis rien? C'est pas ce que tu voulais?

— Tu es bien certain que c'est elle?

— Je l'ai vue comme je te vois. Elle dînait avec Rob et James Mor.

Duncan déglutit. La panique l'envahit. Il était parti de Perth précipitamment, ne prenant que le temps de rassembler quelques affaires et ses armes et d'avertir son père de son départ. Il avait limité les explications à l'essentiel, puis avait enfourché le cheval noir volé à Inveraray. Il n'avait qu'une idée en tête : retrouver Marion le plus vite possible. Pas une seule fois il ne s'était arrêté pour réfléchir à ce qu'il dirait à la jeune femme lorsqu'il se retrouverait en face d'elle. Soudain, il se sentait ridicule. Que faisait-il vraiment ici? Il voulait tirer Marion des pattes lubriques des hommes de Macgregor? Il considérait donc Marion comme étant sienne? « Quel imbécile je fais! Elle ne me doit rien! » Mais c'était plus fort que lui.

Allan attendait sa réaction.

— Bon... euh... Elle avait l'air bien au moins?

— Je peux aller lui demander si ça va, le taquina son compagnon. Tu crois que j'ai fait la causette avec elle?

— Et les chambres? s'informa Colin. T'as pris le temps d'en louer une au moins?

— Eh bien, c'est qu'il n'en reste plus, grommela Allan. L'aubergiste nous permet de dormir ici, si nous le souhaitons.

— Si nous le souhaitons? ronchonna Colin. Comme si nous avions le choix! J'espère que nous aurons droit à notre ration d'avoine, comme les autres.

L'atmosphère du Black Oak était chaude et joviale. Duncan se tenait en retrait et observait la tête rousse de Marion par-dessus la masse gesticulante de clients qui les séparait. Il avait deux raisons de vouloir rester le plus discret possible. Premièrement, la majorité des hommes qui s'enivraient si allègrement étaient des Campbell. Il n'avait pas vraiment envie de se retrouver au milieu d'une rixe. Sa blessure à l'aine était encore trop douloureuse et toute cette chevauchée n'avait certainement pas eu pour effet d'en accélérer la guérison. Deuxièmement, il ne se sentait pas prêt à faire face à la jeune femme. Que lui dirait-il?

Repoussant son écuelle d'étain, il s'empara du pichet de bière et remplit sa chope. Marion piquait dangereusement du nez dans son assiette lorsque James Mor la retint. Soit elle était ivre, soit elle était épuisée. Il préféra opter pour la deuxième hypothèse. La jeune femme laissa tomber sa tête sur l'épaule de James, qui la ceignit d'un bras protecteur. Duncan tenta de refouler une bouffée de jalousie. « Bas les pattes, Macgregor! »

— J'ai bien envie de tirer un bon coup, cette nuit, articula lentement Allan en lorgnant irrévérencieusement le postérieur d'une jolie blonde qui posait deux pichets de bière sur la table voisine.

— Tu aurais du même coup un bon lit, fit remarquer Colin en riant.

La blonde se retourna vers eux et, apercevant les regards de convoitise, les gratifia d'un sourire aux dents gâtées.

— *Fuich!*[63] fit Allan.

Colin éclata d'un énorme rire et donna à son compagnon une claque sur l'épaule.

— On dirait que tu lui plais, Al!

— Ouais, avec la chance que j'ai... J'ai eu mon lot de laiderons à Perth. Quand on ferme les yeux et que c'est rapide, ça peut aller. Mais cette nuit, j'aspirais à autre chose...

Son regard dissipé se tourna vers la flamboyante créature appuyée contre le fils de Rob Roy.

— Tu pourrais te payer un peu de bon temps, Duncan. Elle me semble avoir rétracté ses griffes, ce soir.

Le regard de Duncan frôla la courbe gracieuse du cou de Marion, puis descendit sur celle de sa poitrine. Le souvenir de ses seins si doux dans ses mains lui donna le feu aux joues.

---

63. Beurk!

— Je ne suis pas venu ici pour la mettre dans mon lit.

— Tu me prends pour qui, espèce de crétin? Un homme ne traverse pas la moitié d'un pays perdu sous la neige uniquement pour les beaux yeux d'une femme. Si c'est parce que tu crains qu'Elspeth l'apprenne...

Duncan se tourna brusquement vers Allan et l'empoigna par le collet.

— Je t'interdis d'en souffler mot à Elspeth. Je ferai ce qu'il y a à faire avec elle en temps voulu.

— Holà, les gars! s'interposa Colin. Ce n'est ni le moment ni l'endroit pour se battre.

D'un geste du menton, il montra deux hommes qui les dévisageaient et reluquaient leurs couleurs d'un air réprobateur. Duncan lâcha prise; Allan ajusta sa chemise en jurant.

— Qu'as-tu l'intention de faire avec elle? demanda tout bonnement Colin. Elle est la fille de notre ennemi juré!

— Je sais, je ne l'ai pas oublié. Mais ce n'est pas parce que son grand-père était l'ennemi qu'elle est elle-même notre ennemie.

— Et Elspeth?

Duncan avala une gorgée de bière, puis reposa bruyamment sa chope sur la table. James aidait Marion à se lever. Tous deux se dirigeaient maintenant vers l'escalier. Les mâchoires du jeune homme se crispèrent.

— Je vais rompre.

— Tu as vraiment l'intention de te mettre avec cette... enfin, avec cette fille?

— Si elle veut de moi.

— Se faire la fille de Glenlyon, c'est une chose. Mais se mettre avec elle...

Le rouquin secoua la tête d'incrédulité.

— Duncan! Prends-la et retourne à Glencoe retrouver Elspeth. Elle est drôlement plus docile que cette furie. Et puis...

Il pencha légèrement la tête de côté et plissa les yeux pour observer Marion.

— Et puis, reprit-il à voix basse, Elspeth est plus jolie.

Duncan contempla les traits irréguliers de la fille du laird de Glenlyon dont le profil se découpait sur le plaid de Macgregor. Sa large bouche aux lèvres charnues affichait une moue désabusée. Ses yeux... grands et légèrement obliques, comme ceux d'un chat, restaient fermés. Duncan la trouvait belle, très belle même. Certes, elle n'était pas d'une beauté à faire se pâmer de désir tous les hommes. Non, mais ses traits qui, pris séparément, pouvaient être qualifiés de banals, voire disgracieux, composaient ensemble un visage intéressant, même attirant, entouré d'une auréole de volutes flamboyantes.

— Elspeth... oui, peut-être est-elle plus jolie. Mais pour Marion... il y a autre chose, Al.

— Et où irez-vous? demanda Colin. Tu n'aurais tout de même pas le culot de l'emmener vivre dans la vallée?

Marion et James venaient de disparaître dans l'escalier. Les suivant des yeux, Duncan vida sa chope. « S'il touche à un seul de ses cheveux... » Mais James revint quelques instants plus tard et retourna auprès des hommes de sa bande. Duncan se tourna alors vers son oncle en faisant claquer sa langue et en le défiant du regard.

— Pourquoi pas? Je suis un Macdonald de Glencoe. Tu ne veux tout de même pas que je gîte dans la vallée de Glenlyon?

— Réfléchis, Duncan...

— Justement, cela fait trois mois que j'y réfléchis! Je vais dormir. J'irai la trouver demain.

Duncan gémit. Un souffle tiède caressait la peau de sa nuque et de son cou. Des lèvres humides laissèrent leur marque. « *A Mhórag...* » Une langue tiède mouillait sa joue et son oreille. Il gémit de nouveau et se tourna pour enlacer l'objet de ses rêves. Il sentit alors une truffe froide sur son visage et ses doigts effleurèrent un pelage court et rêche. Il ouvrit les yeux d'un coup.

Un petit chien bigarré le fixait en haletant, la langue pendante. Il frétillait de contentement en agitant sa queue.

— Pourquoi m'as-tu réveillé? Qui es-tu? *An cu-sith?*[64]

L'animal le fixait toujours de ses petits yeux noirs luisants. Duncan se retourna brusquement dans un bruissement de paille. Il déglutit pour humecter sa gorge sèche. À la lueur de la lampe-tempête accrochée près de la porte, il put distinguer les bottes de Colin qui émergeaient d'un monticule de paille. Il se frotta les yeux et retira quelques brins pris dans sa tignasse ébouriffée. Où était Allan?

Le chien revint à la charge, lui léchant la main. Duncan le caressa et le gratta derrière les oreilles.

— Qu'est-ce que tu veux, *a charaid?*[65] Où est ton maître? Si tu as faim, je suis désolé, je n'ai rien pour toi.

L'animal émit un petit jappement sec et se dirigea vers la porte. Il se tourna vers Duncan une dernière fois, poussa la porte de son museau et disparut dans les ténèbres glacées. L'air froid s'engouffra par la porte entrouverte et fit vaciller la flamme de la lampe. Le jeune homme quitta à regret son nid douillet et alla refermer la porte. Le silence régnait; le vent était tombé, laissant la vallée baigner dans un calme plat. Colin remua.

— Que fais-tu là?

Ses yeux injectés de sang témoignaient d'une ivresse probable. Duncan était déjà endormi lorsque son oncle était venu le rejoindre à l'écurie, aux petites heures très certainement, après avoir éclusé plusieurs pintes de bière.

---

64. Un chien-fée.
65. Mon ami.

— Un chien m'a réveillé. Où est Al?

Colin se frotta le visage, visiblement confus, puis se tourna vers une stalle vide en fronçant les sourcils.

— Eh bien, je ne sais pas... Il s'était couché là, mais je vois qu'il n'y est plus. Peut-être a-t-il décidé de rejoindre la petite blonde de l'auberge, après tout. Elle a joué de la croupe devant nous toute la soirée, la gueuse.

— Hum...

Duncan attrapa la gourde attachée à sa selle. Elle était vide.

— Je vais chercher de l'eau.

Mais Colin était déjà reparti pour le monde des rêves.

— Ouais... Fais de beaux rêves, mon oncle.

Se glissant à l'extérieur, le jeune homme referma la porte derrière lui. L'écart de température le fit frissonner. La lune formait un disque diffus cerclé d'un pâle halo derrière un voile nuageux, au-dessus de l'auberge qui se profilait sur les collines indigo. Tout Black Oak semblait endormi; seule une petite lumière éclairait la salle commune.

Quelques mètres d'un étroit sentier creusé dans la neige durcie par les vents séparaient l'écurie de l'auberge. Duncan les franchit rapidement et pénétra à pas feutrés dans l'établissement. Il promena un regard circulaire dans la grande salle. Des verres jonchaient les tables et le sol. Un pichet renversé baignait dans une flaque de bière.

Un mouvement attira l'attention du jeune homme; on avait bougé dans le fond. Allan était-il venu dormir ici? Il se pencha et plissa les yeux. Un inconnu dormait sur un banc. Son bras pendait et ses doigts étaient toujours refermés sur l'anse d'une chope en étain vide.

D'un pas léger, Duncan alla jusqu'au comptoir sur lequel se trouvaient deux pichets encore pleins de bière tiède. Il prit deux gorgées pour se mouiller la gorge. Tandis qu'il reposait le pichet sur le comptoir tout collant, il entendit un petit gloussement suivi d'un rire rauque. Un rai de lumière lui barra le visage. La silhouette d'une femme apparut alors dans l'embrasure d'une porte et s'immobilisa. La blonde à la croupe généreuse poussa un petit cri et referma maladroitement sa chemise ouverte sur une plantureuse poitrine offerte. Puis elle se retrancha derrière la porte. Le jeune homme entendit ensuite un affreux grincement. Les planches du parquet se mirent à craquer sous un poids lourd. Un colosse surgit dans l'embrasure de la porte, dans le plus simple appareil, un poignard à la main.

— Que faites-vous là?

Ce n'était pas Allan.

— Je termine tranquillement ma bière, expliqua Duncan en souriant à la vue de la coquette qui se cachait derrière son homme.

La petite femme lui sourit, puis laissa délibérément sa chemise glisser sur ses épaules, découvrant ses seins volumineux aux mamelons aussi roses que ses joues.

— Je ne voulais pas vous déranger, je suis navré.

La coquette gloussa de nouveau.

— Toi, retourne te coucher! rugit le colosse en se tournant vers elle.

Il lança alors un regard suspect à Duncan et grommela dans sa barbe. Puis il referma la porte. La pièce replongea dans la pénombre et dans un silence tranquille. Allan se sera trouvé une autre créature à jupons à trousser. Le jeune homme sourit. Soudain, son sourire se dissipa. Un malaise s'emparait de lui. Il prit une autre gorgée de bière et s'essuya la bouche du revers de la main. Il revoyait le regard assoiffé de sexe d'Allan posé sur Marion.

Son cœur battait à tout rompre. Si cette ordure d'Allan avait touché à Marion, il l'enverrait *ad patres*. Il grimpa la première volée de marches. Le corridor était plongé dans une obscurité épaisse. Il longea le mur à tâtons, s'arrêtant devant chaque porte en tendant l'oreille. Il entendait des grognements, des ronflements et des murmures. Où dormait-elle? Il se préparait à grimper au deuxième lorsqu'il entendit un petit cri étouffé. Son sang ne fit qu'un tour. Où? Mais d'où venait ce cri? La panique s'empara de lui.

Il revint sur ses pas, se tint immobile au centre du corridor. Le sang lui martelait les tempes. Un autre cri... vers la gauche. Il se précipita. Un grincement de bois, puis un râle. Il colla l'oreille au bois de la porte. Une femme poussait des petits cris. Duncan n'en pouvait plus; il pénétra brusquement dans la chambre et resta sidéré devant le spectacle qu'éclairait une chandelle sur une table de chevet.

— Oh, merde!

Un homme qui lui tournait le dos s'adonnait pleinement aux œuvres de la chair en grognant de plaisir, les deux mains pleines de l'opulente et tremblotante chair rose de la femme qui se trouvait sous lui. En l'apercevant, cette dernière poussa un cri que son partenaire interpréta comme une manifestation de félicité. Il redoubla d'ardeur.

— Oh oui, ma biquette... râla-t-il, secoué de soubresauts.

Encore sous l'effet de la surprise, Duncan cligna des yeux. Un fou rire incontrôlable montait en lui. Il s'inclina devant la femme qui le fixait d'un air horrifié et sortit de la chambre en se contenant difficilement. Il en avait presque oublié ce qui l'avait amené jusque-là. Il devenait complètement irrationnel! Marion dormait certainement à poings fermés et Allan devait ronfler dans les bras douillets d'une donzelle, au creux d'un lit bien chaud.

— Si tu ne prends pas sur toi, mon vieux, marmonna-t-il, tu vas devenir cinglé avant la fin de l'année.

Il s'adossa quelques instants contre le mur, face à l'escalier qui menait au deuxième, puis ferma les paupières en attendant que son rythme cardiaque redevienne normal. Après trois grandes inspirations, il ouvrit les yeux et fit quelques pas en direction de l'escalier. Des voix lui parvenaient du deuxième, mais il n'y portait déjà plus attention. Soudain, un bruit fracassant retentit, suivi d'un cri qui n'avait rien à voir avec l'extase. Il se figea.

Il leva les yeux vers le plafond, indécis. Une scène de ménage? Il n'avait pas vraiment envie de se mettre encore une fois dans une situation embarrassante. Mais quelque chose le retenait. Et si Allan avait vraiment cherché à s'introduire dans la chambre de Marion? Il avait tout de même essayé de la violer une fois. Et, plus tôt dans la soirée, il avait surpris son regard de convoitise posé sur elle...

Un nouveau cri lui fit carrément dresser les cheveux sur la tête. « Marion! » Puis il y eut un grand vacarme. Des portes s'ouvrirent et claquèrent. Des pas précipités se firent entendre et des hommes crièrent des ordres. Manifestement, ce n'était pas une scène de ménage. Duncan grimpa les marches quatre à quatre. On s'acharnait à essayer de défoncer une porte. Deux hommes l'interceptèrent aussitôt qu'il atteignit le palier et l'immobilisèrent avec rudesse.

— Hé! Où croyez-vous aller comme ça? gronda celui qui se tenait sur sa droite.

Duncan le repoussa vigoureusement, manquant par la même occasion de tomber dans l'escalier. L'homme dégringola quelques marches en jurant. Son compagnon, qui retenait toujours Duncan par le bras, l'envoya brusquement s'écraser contre le mur et lui enfonça son poing dans l'estomac. Duncan en perdit le souffle. Plié en deux, à genoux, il tenta d'échapper à son assaillant en longeant le mur à quatre pattes. L'obscurité aidant, il réussit à se réfugier dans un coin. Mais une lame placée sous son menton le força à se relever.

— On ne va pas plus loin, petit merdeux.

La porte céda finalement sous les assauts répétés des malabars, qui s'engouffrèrent dans la pièce. Un silence terrifiant s'abattit, comme si le temps s'était arrêté. Que se passait-il? Duncan grimaça sous la morsure de l'acier dans sa chair. Qu'arrivait-il? Pourquoi ce silence? Il roula des yeux effarés vers la porte de la chambre restée ouverte. Une faible lueur éclairait le corridor, mais il n'arrivait pas à voir l'intérieur de la pièce.

— Marion...

Une poigne de fer saisit ses cheveux et tira violemment sa tête vers l'arrière. La lame se fit plus menaçante, mais il n'en sentait plus la brûlure. Il ne pensait plus qu'à Marion qui devait se trouver dans la chambre. Mais que faisaient-ils donc? Où était-elle?

— Qui es-tu? demanda la voix maintenant vaguement familière.

— Macdonald... Duncan Macdonald...

La poigne le lâcha d'un coup. Il retomba sur le sol.

— Eh bien, ça alors! Tu veux bien me dire ce que tu fous ici?

— Marion... Je la croyais en danger...

Une main l'aida à se relever. Debout, Duncan reconnut alors James Mor qui lui souriait. Puis une violente dispute éclata dans la chambre. Le jeune homme se précipita. Là, il se figea, médusé. Allan, statufié par la menace d'un coutelas, roulait des yeux terrifiés. Marion, de dos dans sa chemise de nuit déchirée, tenait l'arme avec ses deux mains.

— Non! Je veux le couper en morceaux.

— Nous allons nous occuper de lui, la rassurait Rob, qui tentait visiblement d'empêcher une effusion de sang.

— C'est la dernière fois que ce fumier me touche... Espèce de salaud de Macdonald!

La lame du coutelas remontait vers la gorge d'Allan, qui déglutit.

— Marion, ne fais pas ça, je te jure qu'il ne te touchera plus.

La jeune femme tressaillit, faisant trembler la lame. Elle se tourna lentement vers lui, et son regard terrifié croisa le sien.

— Marion... s'il te plaît...

— D-D-Duncan? Que... fais-tu ici?

— Donne-moi le *sgian dhu*... s'il te plaît.

Elle resta sidérée encore quelques instants. Le coutelas tomba. Les Macgregor s'emparèrent aussitôt du malotru et quittèrent la pièce avec lui. Duncan referma ses bras sur Marion, qui pleurait maintenant à chaudes larmes.

17

L'héritage Campbell

Marion mit un certain temps à se remettre de ses émotions. Se libérant de l'étreinte de Duncan, elle essuya ses yeux et son nez avec sa manche. Le jeune homme la regardait d'un œil inquiet.

— Ça va mieux, bredouilla-t-elle en serrant les doigts qui tenaient encore une main.

— Tu en es certaine?

— Oui, je t'assure, je vais bien.

— C'est de ma faute, je l'ai laissé venir avec moi, j'aurais dû savoir... Oh, Marion! Je suis désolé.

— Je n'ai rien, Duncan.

Elle frissonna. Ses pieds nus étaient gelés sur le plancher glacé. S'asseyant sur le lit, elle rassembla ses jambes sous elle. Le calme était revenu dans l'auberge. Les Macgregor étaient sortis avec Allan pour l'emmener elle ne savait où, mais au fond elle s'en moquait bien. Si son père avait été là, ce sale voyou se balancerait déjà au bout d'une corde. Mais c'était Macgregor qui s'occupait de l'affaire, et elle se doutait bien que ses hommes n'infligeraient qu'une bonne rossée au rouquin avec, au pire, une ou deux dents cassées. Entre pillards chevronnés...

Un bruit de pas résonna dans le corridor. La porte s'entrebâilla et le visage tout rose de l'épouse de l'aubergiste apparut.

— On m'a demandé de vous apporter ceci, dit la femme en entrant avec un bol de lait chaud qu'elle déposa sur la table de chevet.

La petite blonde détailla Duncan, le sourire aux lèvres.

— Vous voulez quelque chose, monsieur? Il me reste encore de la bière...

— Non, merci.

— Si jamais vous avez besoin de quelque chose... quoi que ce soit...

Elle frôla l'épaule du jeune homme du bout des doigts et lança un regard très suggestif. Marion ne pouvait se tromper sur les intentions véritables de la femme. Elle en ressentit un vif agacement.

— Euh... oui, bien sûr, bonne nuit.

— Bonne nuit, pour ce qu'il en reste.

En effet, l'obscurité pâlissait. La femme quitta la pièce en lançant un dernier regard entendu à Duncan, dont les joues rosirent légèrement. Puis elle ferma la porte derrière elle. Marion grimaça. Le jeune homme se saisit du bol et le lui tendit.

— Bois, cela t'aidera à te détendre et à te rendormir.

— Je déteste le lait chaud.

Il rit doucement et s'assit sur un banc, devant elle. « Comme au Grey Owl! » pensa-t-elle.

— Moi aussi, je déteste le lait chaud. Mais ma mère me forçait à le boire jusqu'à la dernière goutte.

Il but une gorgée et lui mit le bol entre les mains.

— Allons, ce n'est pas si mal.

De mauvaise grâce, elle porta à ses lèvres le bol qui pourtant fleurait bon le whisky. Le liquide chaud coulant dans sa gorge sèche la fit frissonner de dégoût. Elle le reposa sur la table.

— Que fais-tu ici, Duncan?

— Euh... je... je retournais à Glencoe...

Il s'éclaircit la voix, passa nerveusement ses doigts dans sa crinière parsemée de brindilles de paille. Un moment, l'idée qu'il ait pu batifoler dans le foin avec la blondasse effleura l'esprit de Marion, qui en ressentit un profond trouble.

— J'ai entendu dire que ton frère manquait à l'appel, dit-il, gêné.

Il éludait la question. Mais que faisait-il ici? Allongeant un bras pour retirer quelques brindilles des sombres mèches rebelles, elle ne put s'empêcher de frôler au passage la joue balafrée. Elle frémit légèrement et réalisa à quel point il lui avait manqué et combien elle était heureuse qu'il fût là.

— On m'a dit aussi que tu avais une bêtise à réparer...

— Oh! fit-elle en pâlissant.

— Et que c'était Breadalbane qui t'avait contrainte à partir avec les Macgregor. Pourquoi, Marion?

Il avait parlé à Barb, c'était sûr.

— Merde!

Il lui faudrait raconter toute la vérité... enfin, presque toute. Peut-être serait-il préférable qu'elle omette certains détails, par exemple la raison pour laquelle elle avait donné le document à son frère. Il la dévisageait d'un regard indéchiffrable qui la dérangea. Elle baissa les yeux sur ses mains posées à plat sur ses cuisses.

— C'est à cause d'un document égaré.

— Un document? Quel document?

— Laisse-moi t'expliquer...

Elle se mit ensuite à fixer la main de Duncan qui tapotait machinalement son genou. Belle et grande. Elle eut envie de la prendre et de la poser sur sa peau. Son regard glissa lentement de la main au genou, puis

292

à la cuisse velue qui dépassait du kilt fripé. C'était la première fois qu'elle examinait le jeune homme de la sorte, et son visage s'empourpra.

— Le document, Marion?

— Oui... le document...

Se reprenant, elle tourna son regard vers le bol de lait.

— Le soir avant les combats de Sheriffmuir, Breadalbane m'avait chargée de porter un document à Finlarig lors de mon retour en Glenlyon. Je... je ne me sentais pas assez bien pour entreprendre le voyage. Mais je savais que ce document était précieux, qu'il devait être mis en sûreté. Alors j'ai demandé à mon frère John de le porter là-bas pour moi. Ce qu'il fit... du moins, c'est ce que je croyais jusqu'à ce que Breadalbane me convoque dans ses appartements, à Perth, il y a quelques jours. Le document ne se trouve pas à Finlarig et personne n'a vu John depuis le soir où je le lui ai remis. Breadalbane était dans tous ses états. Il m'a ordonné de partir pour retrouver mon frère et, du même coup, le document.

Duncan resta silencieux un moment. Ses doigts s'étaient immobilisés. Marion ne pouvait s'empêcher de les fixer. Avaient-ils touché la femme de l'aubergiste?

— Que contenait ce document?

— Des noms...

— Des noms? Mais encore?

— Les noms des chefs jacobites qui se trouvaient à Braemar pour se ranger sous l'étendard des Stuarts. Ce sont leurs signatures, pour être plus précise.

— Oh! Je vois.

Ses doigts se remirent à pianoter nerveusement sur son genou, accélérant la cadence. Le malaise de Marion grandissait. « Tu sais bien qu'il n'est pas puceau. Il a certainement une femme qui l'attend dans sa vallée maudite... » Et puis, la greluche avait certains atouts qu'elle n'avait pas, elle... Cette volumineuse poitrine, par exemple. Duncan ne pouvait pas ne pas l'avoir remarquée. Elle savait combien cette partie de l'anatomie d'une femme pouvait exciter un homme. Elle se rendit compte qu'elle était jalouse. Elle grogna.

— Marion?

Il la regardait d'un drôle d'air. Lui plaisait-elle vraiment ou voulait-il seulement prendre un peu de bon temps avec elle? Elle lui lança un regard désespéré, qu'il interpréta tout autrement.

— Vous ne l'avez pas encore retrouvé, n'est-ce pas?

Elle fit non de la tête. Les larmes lui brouillaient maintenant les yeux. Ce qu'elle pouvait être sotte! La vie de plusieurs hommes était menacée par sa faute, et elle se demandait si cet homme pouvait la désirer pour autre chose que... oh, et puis merde!

— C'est terrible, Duncan, je dois retrouver ce document. S'il tombe entre les mains des royalistes, plusieurs des chefs seront accusés de haute trahison, et tout cela, par ma faute...

« ... parce que je voulais être avec toi! »

— Qu'en pense Rob?

— Pas grand-chose de plus que moi. John reste introuvable. Voilà près d'une semaine que nous le cherchons. Les informations que nous avons pu recueillir nous indiquent qu'il est venu par ici, mais il n'y a rien de certain. Les Highlands sont si vastes...

— Et pourquoi ton frère n'aurait-il pas porté ce document à Finlarig?

Elle s'était posé la question des dizaines de fois. La réponse ne venait pas. Elle n'arrivait pas à croire que John ait pu délibérément garder le document dans le but de trahir les jacobites. Elle haussa les épaules et ferma les yeux. Duncan essuya une larme qui roulait sur sa joue. Au contact de ses doigts sur sa peau, elle frémit.

— Si je peux faire quelque chose... murmura-t-il.

« Prends-moi dans tes bras... »

Le jeune homme était de toute évidence très mal à l'aise; ses gestes étaient gauches et hésitants. Peut-être était-il pressé de retrouver la petite blondasse avant la fin de la nuit et ne savait-il pas comment partir...

— Il n'y a rien que tu puisses faire. Je dois réparer ma terrible erreur moi-même. Que Dieu me vienne en aide!

Elle l'observa de nouveau. Son œil pénétrant et troublant était posé sur elle. L'odeur de foin qu'il dégageait lui rappelait constamment le regard concupiscent que lui avait coulé la femme de l'aubergiste. Elle essaya de se souvenir si la petite femme avait, elle aussi, des brindilles de foin dans les cheveux. Et puis, de toute façon, après la manière dont elle avait traité Duncan à Killin, il n'oserait certainement plus aventurer ses mains sur elle sans qu'elle l'y invite. Ça, jamais elle n'oserait le faire, de peur qu'il ne la prenne pour une fille aux mœurs légères, ce qu'elle n'était surtout pas. Si elle le laissait la toucher, c'était parce qu'elle l'aimait. Seigneur! Dans quel pétrin s'était-elle mise? C'était un Macdonald de Glencoe! Son père et ses frères l'étrangleraient pour ça! Sans parler de ce vieux renard de Breadalbane.

— Marion... tu veux que je reste avec toi?

« Quoi? Rester ici? Et ta greluche qui t'attend dans la paille? » À moins qu'il en ait déjà terminé avec elle et qu'il ait encore envie de... Brusquement, elle remarqua sa chemise de nuit déchirée qui laissait entrevoir sa poitrine plus menue que celle de la blondasse... Elle rougit violemment.

— Tu... veux rester ici cette nuit... avec moi?

Il sourit, narquois, puis émit un petit rire.

— Seulement avec la promesse que je ne me retrouverai pas avec un poignard sur la gorge.

Blessée, elle lui lança un regard menaçant et se renfrogna.

— Je suis désolé... bafouilla-t-il, tout penaud, en tentant de lui prendre la main.

Elle le repoussa et lui décocha un regard noir.

— C'est toi qui as envoyé Allan ici?

« Pendant que tu te roulais dans la paille! »

Duncan blêmit d'un coup. Il la dévisagea, muet d'ébahissement. Elle regretta aussitôt ses paroles, mais il était trop tard. Elle les avait laissées s'échapper sous le coup de la colère et de la frustration.

— Mais ça va pas?

Il était pâle à faire peur. Elle se mordit la lèvre, mortifiée.

— Tu crois que j'ai emmené Allan ici pour te... Non, mais!... Pourquoi es-tu si blessante parfois? Tu devrais savoir maintenant que je ne te veux aucun mal, Marion Campbell... bien au contraire. Je croyais que nous avions fait la trêve... Je croyais que...

Il s'interrompit, troublé et agité. Son ton se fit sec.

— Je retourne à l'écurie prendre quelques heures de sommeil. Ensuite, je continuerai mon chemin vers Glencoe. Ça te va?

L'écurie? Il dormait à l'écurie? Alors, la paille...

— L'écurie, bien sûr!

Se méprenant, Duncan, le visage dur, se pencha sur elle.

— L'écurie, bien sûr! C'est là qu'on parque les bêtes lorsqu'il ne reste plus de chambres disponibles. Mais ne t'en fais pas pour moi, mademoiselle Campbell, j'ai l'habitude.

Fixant la broche des Macdonald, elle éprouva un lourd sentiment de confusion l'envahir. Et la greluche?... Quelle imbécile elle faisait! Mais il n'était pas venu pour elle; il désertait l'armée et filait droit vers Glencoe.

La lumière de l'aurore s'infiltrait doucement à travers les planches des battants de la fenêtre. Une étrange impression de déjà vécu lui laissa un goût amer dans la bouche. Son frère avait raison : elle ferait bien d'apprendre à la boucler.

— Je voulais simplement t'offrir mon aide pour retrouver le document, Marion, dit doucement Duncan après un long silence.

Il paraissait dérouté et déçu. Il hésita, une main sur la poignée de la porte. Marion étouffait de regrets. Pour une fois, les mots ne venaient pas. C'était peut-être mieux ainsi. Dès qu'elle ouvrait la bouche, c'était pour dire des sottises.

— Oh, et puis merde!

Il hésita encore sur le seuil, puis sortit en claquant la porte, la laissant seule avec ses remords et son désarroi, encore une fois.

***

Après quelques heures d'un sommeil agité, Marion ouvrit un œil. La chambre baignait dans une lumière intense qui l'éblouit. Elle plissa les yeux. Le givre qui s'était formé sur le rebord de la fenêtre étincelait. Il faisait si froid... Le brasero s'était éteint, et ses pieds étaient comme des glaçons. À grand-peine, elle se redressa dans le lit et se frictionna vigoureusement. Regardant le bol de lait resté intact sur la table, elle grimaça de dégoût. Son estomac grogna de mécontentement. Elle n'aurait pu dire s'il se tordait de faim ou à cause de la perspective que Duncan pût déjà être parti pour Glencoe. Un nouveau borborygme résonna dans son abdomen. Peut-être un peu des deux. « S'il est parti, tu ne pourras t'en prendre qu'à toi-même. À toi et à ta langue de vipère! » se morigéna-t-elle, amère.

Un léger grattement à la porte la tira de ses méditations. La femme de l'aubergiste présenta son visage rose tout souriant.

— Ah! Vous êtes réveillée.

Poussant la porte, elle entra dans la chambre avec un plateau garni de victuailles qu'elle posa sur le pied du lit.

— Monsieur Macgregor demande que vous preniez votre petit-déjeuner le plus rapidement possible.

— Quelle heure est-il? demanda paresseusement Marion en s'étirant comme un chat.

— Il est dix heures, madame.

— Dix heures? Seigneur Dieu! Dites à Macgregor que je descends dans quelques minutes.

— Bien.

— Oh! Autre chose...

— Oui?

— L'homme qui était ici cette nuit...

La blonde eut un sourire complice et lui adressa un clin d'œil.

— Le beau grand brun à la joue tailladée?

Marion se mordit la lèvre pour retenir une réplique acrimonieuse.

— Oui, celui-là même. Est-il parti?

— Oh non! Il est en bas avec monsieur Macgregor et un autre homme de son clan.

— Macdonald ou Macgregor?

— Macdonald, précisa la petite femme en ramassant le bol de lait froid.

— Un grand rouquin?

— Ah non, celui-là est parti plus tôt ce matin avec une partie des hommes de Macgregor. Je ne sais pas s'il est tombé dans les marches cette nuit, avec tout le vacarme que j'ai entendu, mais il avait l'air mal en point ce matin.

Marion ne put s'empêcher de sourire. Tout n'était pas perdu.

***

Chesthill était un petit manoir de pierres grises avec des encadrements de portes, de fenêtres et de joints de chaînages d'angles en pierres de taille. La maison du laird de Glenlyon était plutôt modeste par rapport aux résidences de certains autres chefs du clan Campbell. Mais Marion n'en avait cure; c'était chez elle. La vallée dans laquelle elle vivait était reconnue pour être l'une des plus luxuriantes et des plus fertiles de l'ouest des Highlands. Ainsi, après deux nouvelles journées de recherches infructueuses, elle avait suggéré à Rob de passer par là pour faire des provisions. Elle avait aussi envie de revoir son jeune frère, David, et de prendre un bon bain. Elle en avait assez de se laver à l'eau glacée, debout dans un baquet, et de remettre des vêtements sales.

Pour couvrir un plus grand territoire dans leurs recherches, Rob Roy avait divisé le groupe en deux. Une partie des hommes arpenteraient le territoire situé plus à l'ouest, tandis qu'eux quadrillaient celui qui se trouvait à l'est de Strathfillan. À un certain moment, ils crurent avoir enfin trouvé la piste de John. Un forgeron affirma avoir réparé un morceau de son harnais trois semaines auparavant. C'était une semaine après la bataille de Sheriffmuir. Marion en avait été affligée. Certes, elle était soulagée de savoir son frère vivant, mais cette information appuyait l'hypothèse de la fuite avancée par Breadalbane. Qu'est-ce que John avait fait du document? Les plus sombres conclusions lui vinrent à l'esprit, et elle ressentait un grand malaise.

Elle se retourna légèrement sur sa monture. Duncan suivait, à quelques mètres. Depuis leur dernière altercation, il affichait un air indéchiffrable qui commençait à l'agacer. Mais elle le savait tendu et nerveux derrière son flegme feint, car Chesthill n'était pas pour un Macdonald ce refuge réconfortant qu'il était pour elle.

Deux hommes montaient la garde devant le manoir. À l'arrivée de la petite troupe, ils se redressèrent et mirent la main sur leur arme. Marion fit tomber son capuchon sur ses épaules; sa flamboyante chevelure cascada dans son dos. Les gardes s'agitèrent et ouvrirent les grilles. Un sentiment de soulagement et de joie submergea la jeune femme. Après trois mois d'absence, elle était de retour chez elle.

Il lui fallut quelques minutes pour que sa vision, habituée à la lumière vive du soleil que réfléchissait le paysage enneigé, s'adapte à la pénombre du hall d'entrée. Une douce chaleur régnait dans la pièce et un délicieux arôme de pâté de porc flottait. Il faudrait qu'elle pense à demander à Amelia de préparer son délicieux rôti de bœuf avant de repartir. Ils ne devaient rester qu'une journée ou deux.

Elle accrocha sa cape au mur et croisa brièvement le regard de Duncan. Le jeune homme était peu loquace depuis qu'il avait claqué la porte de sa chambre, au Black Oak. Bien qu'il fût resté courtois, il avait adopté une attitude froide et distante. Marion s'en voulait amèrement. Elle se savait responsable : d'une phrase tranchante, elle avait abîmé le fragile lien d'amitié qui s'était tissé entre eux à Perth. Cependant, elle se doutait que, sous son apparente indifférence, Duncan nourrissait encore quelques sentiments pour elle. Elle avait, en effet, à maintes reprises, surpris cette étrange lueur qui éclairait son regard... comme en ce moment.

— Je vais prévenir Amelia de mon retour et lui demander d'ajouter des couverts. Installez-vous dans le bureau, suggéra-t-elle en indiquant la pièce en question d'un signe de tête. Vous trouverez certainement une bouteille de whisky sur les étagères. Servez-vous, je n'en ai que pour quelques minutes.

Puis elle tourna les talons pour se rendre aux cuisines, qui se trouvaient au bout du couloir.

Amelia était assise à l'extrémité de la grande table de pin marquée par le temps et les corvées. Elle pelait des navets qu'elle lançait ensuite dans une grosse marmite noircie. La vieille cuisinière leva les yeux par-dessus le monticule d'épluchures qui se trouvait devant elle. Puis son long visage sculpté par les années de labeur s'éclaira. Elle plissa ses yeux usés et eut un moment d'hésitation.

— Oh! s'écria-t-elle en se redressant subitement. *Mòrag Bheag!*[66]

Elle se précipita vers Marion et l'étreignit fortement dans ses bras décharnés. Puis elle s'écarta pour mieux la regarder. Ses yeux noisette pétillaient de joie.

— *A Mhórag, ciamar tha thu?*[67]

– *Tha mi gu math.*[68]

– *Tha Dàibhidh shuas an staighre, chaidh Iain à-mach...*[69]

Le visage de Marion se vida de son sang. Amelia fronça ses sourcils avec inquiétude en poussant la jeune femme vers une chaise.

– *Am bheil thu gu math?*[70]

– *A bheil Iain ann?*[71]

Sa gorge était sèche. La vieille femme la dévisageait sans comprendre.

– *Tha...*[72] répondit-elle comme s'il ne pouvait en être autrement.

– *A Thiarna!*[73] Où est-il?

— Il est parti régler un problème chez le vieux MacOwen, à Innerwick. Il devrait être de retour pour le dîner.

Amelia observait Marion d'un œil circonspect.

— Voulez-vous que je vous prépare votre rôti préféré, ma petite?

— Euh... oui, d'accord, murmura la jeune femme en prenant la main de la cuisinière.

Elle esquissa un mince sourire. Bizarrement, l'idée de goûter au rôti dont elle avait tant rêvé ne la faisait plus saliver.

— John sera certainement très heureux de vous revoir. Il me semble plutôt tendu depuis son retour.

« Tendu? » Elle pouvait aisément le deviner. Par contre, elle doutait que son arrivée provoquât chez son frère une quelconque joie. Il avait des comptes à lui rendre et devait lui redonner le document pour qu'elle le porte à Finlarig dans les plus brefs délais.

---

66. Petite Marion!

67. Marion, comment allez-vous?

68. Ça va bien.

69. David est en haut et John est sorti…

70. Est-ce que ça va bien?

71. John est ici?

72. Oui…

73. Mon Dieu!

Le bruit d'une porte et des pas dans l'escalier la ramenèrent à la réalité. Des voix d'hommes lui parvinrent du couloir. David devait avoir fait connaissance avec les quatre hommes qui attendaient dans le bureau de son père. Amelia, qui avait aussi entendu les voix, se préparait à accourir vers eux lorsque Marion la rattrapa par la manche.

— J'ai oublié de vous avertir que nous avions des invités, Mamie...

La vieille femme se rembrunit. Marion avait l'habitude de l'appeler Mamie lorsqu'elle avait fait une bêtise ou lorsqu'elle voulait obtenir une faveur particulière.

— Je veux qu'ils soient traités avec considération.

— Puis-je savoir qui goûtera à mon rôti, alors?

— Robert Roy Macgregor et un de ses hommes...

— Marie Mère de Dieu!

— Et Duncan et Colin Macdonald.

— Macdonald?

— De Glencoe, Amelia.

Une expression d'horreur se peignit sur le long visage raviné. Puis la cuisinière se signa.

— Ils nous volent nos vaches et je dois en plus les leur préparer! s'exclama-t-elle, indignée.

Marion n'avait pas la moindre idée de la façon dont elle allait aborder le sujet du document avec son frère John. Le silence qui régnait dans le bureau était oppressant. John faisait les cent pas, piétinant les roses du vieux tapis français qu'affectionnait tant leur mère, vestige d'une époque révolue où les Campbell connaissaient la prospérité. Il tenait un verre de whisky rempli à ras bord qui dégoulinait entre ses doigts et arrosait les fleurs de laine aux teintes fanées. S'apercevant qu'il était le point de mire de tous les regards, il maîtrisa ses tremblements.

Il était rentré quelques minutes plus tôt. Évidemment, il n'était pas enchanté de revoir sa sœur. D'abord, il était resté pétrifié quelques instants. Puis son teint avait viré au gris. Enfin, il avait bégayé quelques plates excuses et avait couru dans le bureau pour se verser un *dram* de whisky qu'il avait bu d'un trait. Il s'était alors rendu compte qu'il n'était pas seul dans la pièce. Personne ne lui avait rien dit, mais les regards parlaient d'eux-mêmes.

La lumière du feu donnait une belle teinte rouge aux lambris d'acajou qui paraient les murs. La pièce, meublée de quelques fauteuils qui avaient miraculeusement échappé aux saisies successives, était confortable. Un grand bureau de noyer trônait près de la fenêtre à carreaux. Une des vitres avait été cassée au cours de l'été précédent; une planchette de bois la remplaçait. L'argent allait aux réparations les plus urgentes.

Au-dessus de l'âtre, une toile représentait un homme portant une cuirasse. Son long visage encadré d'une chevelure rousse ondulée regardait l'artiste. L'homme était plutôt jeune. Il devait avoir près de vingt-cinq ans.

Le nez long et étroit, aquilin, le regard intelligent, il arborait un sourire charmeur. Somme toute, il était plutôt beau. C'était le grand-père de Marion : Robert Campbell, cinquième laird de Glenlyon. Avant qu'il ne sombre dans la déchéance, à cause de ses excès de jeu et d'alcool.

Souvent, la jeune femme s'était plantée devant l'image de ce grand-père qu'elle ne connaissait que par les médisances. Était-il vraiment le pleutre qu'on disait? Était-ce vraiment un homme sans cœur, imbu de lui-même? Ou bien était-il simplement la malheureuse victime des guerres de pouvoir qui opposaient les différentes branches de la puissante famille des Campbell? Ironiquement, John vint se placer juste sous le tableau, devant les flammes qui faisaient miroiter le liquide ambré dans son verre. La ressemblance entre les deux hommes était frappante.

Son père avait déjà raconté à Marion l'histoire de la famille des Campbell de Glenlyon. Cela remontait à bien longtemps. C'était un soir du dernier automne que sa mère avait passé avec eux, juste avant que les paysans ne rentrent des pâturages d'été. Les Macdonald avaient effectué un raid à l'entrée ouest de la vallée. Marion avait été tirée de son sommeil par les cris de guerre des hommes de son clan qui sonnaient l'alarme. Terrifiée, elle s'était réfugiée au salon avec sa mère, qui brodait nerveusement en attendant que son mari revienne. Naturellement, il était revenu bredouille. Lui et ses hommes n'avaient réussi à capturer aucun des pillards. Une vingtaine de bêtes manquaient.

Voyant que sa fille ne pourrait se rendormir immédiatement, le laird l'avait prise sur ses genoux devant le feu, et avait entrepris de lui raconter l'histoire de leur vallée. Avec ses quarante kilomètres de collines verdoyantes, du loch Tay au loch Lyon, leur vallée était la plus longue des Highlands. Les légendes racontaient que le grand guerrier Fionn MacCumhail y avait érigé douze châteaux et que son armée, qui avait disparu depuis longtemps, dormait quelque part dans les montagnes du nord.

Vers la fin du XVe siècle, les Campbell de Glenorchy s'étaient emparés de la vallée qui appartenait aux Stewart de Garth. Le premier laird avait été Archibald Campbell. Les légendes disaient très peu de chose sur sa vie, mais il était clair qu'il était un homme affable, bon et juste. Son fils, Duncan, n'avait apparemment pas hérité des qualités et de la sagesse de son père. On l'appelait ironiquement *Dhonnachaidh Ruadh na Feileach*[74]. Tout comme Fionn MacCumhail, c'était un grand bâtisseur. Ses châteaux gardaient les entrées et les coudes de la vallée, et leurs portes étaient toujours ouvertes aux vagabonds harpistes d'Irlande et aux artisans de tout métier venant des Lowlands qui, en échange de leurs services, se voyaient offrir le gîte et le couvert.

Le troisième laird avait été Mad Colin[75]. D'un caractère coléreux, cet

---

74. Duncan le Rouge de l'Hospitalité.
75. Colin le Furieux.

homme avait des accès de violence qui lui valaient la réputation d'un homme sanguinaire. Il était craint de tous, même des siens. Sur les collines qui jouxtaient son château de Meggernie avaient été pendus trente-six hommes du Lochaber, venant de Keppoch et de Glencoe, qui avaient été pris lors d'un raid. Pour son plus grand plaisir, le chef barbare garnissait aussi régulièrement les arbres de son domaine avec les Macgregor qu'il méprisait et se plaisait à maltraiter.

À la folie meurtrière avaient succédé l'indulgence et la compassion. Duncan le Rouge était tout l'opposé de son père. S'il n'allait pas jusqu'à offrir son bétail aux maraudeurs venant du Lochaber, les Macgregor qui vivaient sur ses terres pouvaient compter sur sa protection. Cependant, à chacun ses défauts. La passion incurable de Duncan le Rouge pour le jeu et son manque de chance avaient signifié le début de la fin de la prospérité en Glenlyon. L'homme avait laissé une pile de dettes à son successeur et petit-fils. C'est à l'âge de huit ans que Robert Campbell était devenu le cinquième laird de Glenlyon.

Comme tous les gentilshommes des Highlands, Robert avait eu droit à une bonne éducation comprenant le français, le latin et le calcul, mais aussi la haine des Macdonald et... l'art de lancer les dés. Il avait d'ailleurs parfait son art pendant les années d'oisiveté forcée où son oncle avait tenu la barre du clan par tutelle.

Les plaintes des créanciers furieux s'étaient accumulées. C'est ainsi que Robert avait dû louer une partie de ses terres à des entrepreneurs venant des Lowlands et en vendre une autre partie. Son cousin, Grey John Campbell de Breadalbane, était le seul homme, dans toute l'Écosse, qui acceptât encore de lui faire crédit. Robert avait donc allègrement accumulé les bons de caisse. Mais Breadalbane, qui savait qu'il ne reverrait jamais la couleur de ses deniers, avait un objectif bien précis en devenant le créancier attitré de Robert : l'asservir. Ainsi, en 1684, acculé à la faillite, Robert avait dû promettre par écrit de ne plus vendre aucune parcelle de terre, de ne plus accepter de bons de caisse sans autorisation et de céder la gérance de son domaine à ses titulaires, le comte de Breadalbane et le neuvième comte d'Argyle.

Mais peu après l'exécution du comte d'Argyle en 1689, le comte de Breadalbane avait refusé un nouveau prêt à Robert de Glenlyon qui avait alors rompu sa promesse. Désespéré et aveuglé par la rage, ce dernier avait vendu aux Murray d'Atholl, ennemis des Campbell, la totalité des terres qui lui restaient, exception faite du domaine de Chesthill qui était au nom de son épouse. Pour couronner le tout, les Stewart d'Appin et les Macdonald de Glencoe lui avaient volé les effets personnels qui avaient un peu de valeur au cours du terrible raid qui avait suivi la bataille de Killiecrankie.

Complètement ruiné, anéanti, le « vieux fou », comme se plaisait à l'appeler Breadalbane, avait noyé sa rage et sa honte dans le whisky et le jeu. À quelques reprises, il s'était résigné à effectuer des raids dans le Strathfillan pour éviter que ses enfants ne meurent de faim. Enfin, pour subvenir aux besoins des siens, Robert Campbell avait accepté le poste de capitaine dans le régiment sur pied d'Argyle... Le 13 février 1692, alors cantonné avec ses soldats dans la vallée de Glencoe, il avait dû commander le terrible massacre, au nom du roi.

Marion regardait d'un œil vide celui qui deviendrait le septième laird de Glenlyon. Son frère avait terminé son verre de whisky et s'apprêtait à s'en verser un troisième lorsque la voix grave de Rob rompit le silence :

— Où est le document?

Rob n'avait pas pour habitude de tourner autour du pot. John le dévisagea, muet d'angoisse, et déposa son verre sur le bureau. Ses doigts tremblaient.

— Je ne l'ai plus.

L'atmosphère était à trancher au couteau. Marion agrippa les accoudoirs de son fauteuil et enfonça les ongles dans le tissu.

— Qu'as-tu fait, John Campbell?

Le jeune homme transpirait à grosses gouttes. Il s'essuya le front avec un mouchoir.

— Je... je l'ai vendu.

Un cri fendit l'air comme la lame d'une épée. Marion, d'une pâleur cadavérique, s'était levée d'un bond, les deux mains sur sa bouche d'où ne sortait plus maintenant aucun son. Duncan s'agitait sur son siège; son regard allait de la jeune femme à son frère.

— À qui? s'enquit Rob, toujours aussi placide.

John ne pouvait plus quitter sa sœur des yeux. Désespéré, il ignorait maintenant les autres qui le dévisageaient, incrédules.

— Au fils du duc d'Argyle...

Les mots eurent l'effet d'une masse sur Marion. Elle gémit en secouant la tête. Elle rêvait certainement. Son frère se moquait d'elle, comme à son habitude, pour la faire sortir de ses gonds. Elle chercha dans son regard la moindre trace de raillerie, mais n'y trouva que l'accablement et le désarroi.

— Seigneur Dieu! John, qu'as-tu fait?

Ses jambes mollissaient; la pièce tournait autour d'elle. Quelqu'un la soutint et l'aida à reprendre sa place dans le fauteuil. Duncan se posta derrière, gardant ses mains réconfortantes sur les épaules de la jeune femme.

— Je l'ai fait pour père, Marion, se défendit John avec une verve soudaine. Il pourra racheter plus de la moitié de la vallée...

— Pour papa? glapit-elle en tentant de se lever de nouveau; mais les mains de Duncan la maintinrent d'autorité dans son siège. Sais-tu seulement ce que tu as vendu à l'ennemi, John?

— La signature de père n'apparaît pas sur le document. Celle de Breadalbane non plus, d'ailleurs.

— Mais je me fous totalement de Breadalbane. Il peut aller rôtir en enfer; je dormirai toujours tranquille! Et puis, quelle différence cela fait-il que la signature de papa s'y trouve ou non? C'est la cause pour laquelle il se bat qui importe! Où étais-tu quand tes compatriotes risquaient leur vie sur le champ de bataille? Devant une bouteille de vin à négocier le prix de leur vie? Tu négociais ta trahison, John? Oh, John... tu as trahi ta patrie, ton clan, ton père! Tu m'as trahie...

Sa voix se brisa dans un sanglot. Les larmes coulaient sur ses joues livides. John baissa les yeux, visiblement troublé.

— Je t'ai fait confiance...

— Tu ne peux pas comprendre, Marion. J'en ai assez de voir père se traîner devant ce despote de Breadalbane et lui lécher les bottes.

Le jeune homme se tourna vers le tableau de son aïeul suspendu derrière lui et pointa un doigt accusateur.

— C'est à cause de ce misérable ivrogne! Il a tout vendu, il a tout sacrifié à sa foutue bouteille et à ses damnés dés! Il nous a vendus, et voilà où nous en sommes...

— Certes, Robert n'était qu'un pauvre vieux fou... Mais ce qu'il a vendu n'est pas perdu pour toujours, John. De la terre, des fermes, des collines, des arbres... dont nous profitons toujours d'ailleurs... voilà ce qu'il a vendu. Tout cela peut être racheté un jour. Mais pas la vie d'un homme...

Elle s'interrompit un instant, se levant lentement. Duncan avait doucement retiré ses mains.

— Mais toi, John, qu'as-tu vendu? Le sais-tu, au moins? Y as-tu réfléchi?
— Marion...

Derrière le masque de marbre qu'il s'efforçait de conserver, John arrivait de plus en plus difficilement à dissimuler sa honte.

— Tu as vendu la vie de ces hommes, continua-t-elle d'une voix blanche. Sais-tu ce qu'on risque quand on est coupable de haute trahison?

Il hocha lentement la tête, puis se détourna.

— Sainte Mère! Oui, je sais... Oh, merde! Quel foutoir!
— Le mot est faible.
— Avec qui avez-vous fait affaire? demanda Rob.

John se tourna légèrement, sans toutefois regarder son interlocuteur. Son regard resta rivé sur les flammes.

— Avec... le fils du duc d'Argyle lui-même. Il n'y avait personne d'autre.
— Il a payé?
— Par bons de caisse.
— Où sont-ils?
— En lieu sûr.
— Vous a-t-il dit ce qu'il ferait du document?
— Eh bien...

Il ferma les yeux pour mieux se concentrer.

— Je crois qu'il m'a dit qu'il attendrait l'issue de l'insurrection avant de faire quoi que ce soit. Il devait y réfléchir.

— Vous « croyez » que c'est ce qu'il a dit ou bien est-ce que ce sont vraiment ses paroles?

— C'est ce qu'il a dit, je suis formel, assura John en levant les yeux vers son cousin.

Rob se tourna vers les trois autres hommes, qui étaient restés muets. Le cerveau de Marion recommença à fonctionner. Une bouffée d'espoir ramena un peu de vie dans son visage.

— Nous pourrions tenter de récupérer le document. Je connais bien le château, et...

— Il n'est pas question que tu retournes là-bas, trancha Duncan.

Pivotant vivement sur elle-même, elle le dévisagea d'un air ahuri.

— Pas seule, en tout cas, ajouta-t-il en soutenant son regard.

— Si nous enlevions le fils d'Argyle et le contraignions à nous remettre le document, suggéra tout bonnement Colin.

Rob grommela, réfléchissant au problème.

— Ouais... C'est une solution. Mais le fils d'Argyle ne sera pas facile à approcher. Il est aide de camp sous les ordres de son père, à Stirling. Et d'après les derniers renseignements que j'ai reçus, les forces d'Argyle ont considérablement augmenté. C'est très risqué.

— Il faut essayer, dit Colin.

— J'ai une meilleure idée, laissa tomber Marion. Si nous le faisions venir à nous? John pourrait l'attirer ici sous un faux prétexte. Le fils d'Argyle ne se méfiera pas de celui qui a si lâchement trahi les siens.

Tous les regards se tournèrent vers John qui les regarda, l'air horrifié. Rob esquissa un léger sourire.

— Pourquoi pas?

18

L'invitation

Duncan se tourna pour la énième fois sur la paillasse qui lui était attribuée dans l'une des pièces maintenant vides de Chesthill. Le sommeil ne venait pas. Il laissa son regard errer dans la pièce. La lumière lunaire qui pénétrait par la fenêtre sans rideaux faisait apparaître de grandes taches claires de forme rectangulaire sur les murs sombres et nus garnis uniquement de boiseries. Des tableaux ornaient jadis ces murs. Des étagères vides encastrées de chaque côté de la cheminée condamnée et sur une partie des murs adjacents indiquaient que cette pièce avait été une bibliothèque contenant probablement de précieux livres. Marion n'avait certainement jamais vu cette pièce pleine. Les quelques meubles que le laird de Glenlyon possédait encore et tout ce qui n'avait pas servi à rembourser les dettes ou qui n'avait pas été volé lors de raids étaient entassés dans quatre malheureuses pièces, au rez-de-chaussée, et quelques chambres, à l'étage.

Le jeune homme ferma les yeux et essaya d'imaginer la chambre de Marion. Elle devait être sobre, peut-être même austère. Un lit, une commode, une ou deux chaises. Un bureau? Sans doute pas. Qu'y faisait-elle lorsqu'elle s'y réfugiait? Se contemplait-elle dans un grand miroir vénitien? Fouillait-elle une grande armoire remplie de jupons brodés en coton d'Égypte, et de chemises en fine batiste garnies de dentelles françaises comme il en avait vu sur les belles ladies d'Édimbourg? Possédait-elle des perles d'Orient, des broches en argent fin d'Espagne? Non, certainement pas. Mais c'était sa chambre à elle, emplie de sa présence, de son odeur...

Il se sentit soudain très mal; il n'avait pas sa place dans cette maison, dans cette vallée. Il ne rendait pas son clan responsable de la situation des Campbell : ils s'étaient eux-mêmes assez bien chargés de leur sort. Mais il y avait quelque chose d'intangible, qui le mettait mal à l'aise.

Ici, il était le loup dans la bergerie. Pourtant, il se sentait comme la brebis dans l'antre du loup.

Le mal qui minait les âmes depuis des générations pesait lourd. Les parents apprenaient à leurs enfants à haïr en même temps qu'ils leur apprenaient à parler et à marcher. Devenus adultes, ces derniers faisaient la même chose avec leurs propres enfants, sans se poser de questions. La haine et le désir de vengeance qu'elle engendrait devenaient alors une raison de vivre.

Duncan se sentait accablé par cette pensée. Ici, dans les Highlands, la haine se respirait comme le parfum des bruyères. Toutes ces guerres entre clans... Au lieu de s'unir pour détruire l'ennemi, leur ennemi réel qu'était l'Angleterre, ils se querellaient entre eux. Pendant la campagne, il avait assez vu d'algarades pour comprendre que jamais ils n'arriveraient à restaurer la monarchie écossaise de cette façon. Mais que faire? Les Highlanders étaient ce qu'ils étaient... des hommes comme les autres. Lui-même ne faisait pas exception.

Il devait bien y avoir autre chose à faire dans la vie que de détester son voisin... Bien sûr, les relations de son clan avec les Cameron de Lochiel et les Macdonald de Keppoch étaient au beau fixe depuis plusieurs générations. Mais une étincelle pouvait tout changer. Avec les Stewart d'Appin, elles étaient cordiales. Mais il n'en avait pas toujours été ainsi. C'était la même chose avec les Maclean d'Ardgour et de Duart. Le sang avait coulé entre eux. Mais pour ce qui était des Campbell...

Des craquements le tirèrent brusquement de ses réflexions. Il tendit l'oreille; une porte grinça. Quelqu'un sortait? Duncan s'assit carrément sur sa paillasse. John? Si cette fripouille croyait pouvoir filer en douce... S'emparant de sa ceinture, ajustant son plaid à la sauvette, il enfila ses bottes, puis attrapa son poignard et son pistolet. Un coup d'œil en direction des trois corps qui reposaient dans la même pièce l'informa que Colin et les Macgregor dormaient. Bah! Il arriverait bien à maîtriser cet abruti tout seul.

Le jeune homme se glissa hors de la chambre, prit soin de bien refermer la porte derrière lui et se dirigea à pas de loup vers la porte d'entrée. Puis il sortit. La lune brillait juste au-dessus du Creag Dhearg qui séparait la vallée de la plaine désolée de Rannoch Moor. Sa douce lumière éclairait le paysage de violets opalescents et de bleus nacrés, lui donnant un aspect irréel. Duncan resta émerveillé devant le tableau.

Une silhouette emmitouflée dans une cape et juchée sur un muret de pierres lui tournait le dos, immobile. Duncan allait revenir sur ses pas. Il ne voulait pas violer la solitude de Marion. Mais la jeune femme se retourna.

— Duncan?

— Oui, c'est moi...

Il sortit de l'ombre du porche. La nuit était douce et la vallée était enveloppée dans un silence tranquille. Ce genre de silence que seul l'hiver pouvait apporter. Tous les animaux dormaient alors profondément, dans leurs épaisseurs de graisse et de fourrures, bien à l'abri, enfouis dans le sol, sous la neige qui étouffait et assourdissait les bruits. Il descendit les quelques marches et emprunta le chemin qui menait au muret. La neige crissait sous ses pas.

— La troisième planche du porche craque, dit Marion en souriant. Je l'ai appris à mes dépens.

— Que fais-tu ici en pleine nuit?

— Quand je n'arrive pas à dormir, je viens m'asseoir sur ce muret. Et toi? Comment se fait-il que tu sois sorti?

— J'ai entendu la porte. Je croyais que c'était ton frère qui...

— Se sauvait? le coupa-t-elle. Il n'oserait pas, le lâche.

Elle se tourna de nouveau vers la vallée qui ondulait doucement devant elle. L'embrassant du regard, elle exhala un long soupir dans un petit nuage de vapeur.

— C'est magnifique, n'est-ce pas?

Duncan se hissa sur le muret en prenant soin de laisser une certaine distance entre eux.

— Hum... Oui.

— J'aime le silence. Il me permet de réfléchir.

— Et à quoi pensais-tu?

Balançant ses jambes dans le vide, elle laissa le silence se prolonger quelques secondes.

— Je n'arrive pas à croire que mon frère ait pu faire une telle chose!

— Tu lui en veux beaucoup?

— Si je lui en veux? En fait, je me demandais si je devais commencer par lui arracher les yeux ou... Oh! Je n'arrive pas à dormir. Je tourne et retourne toute cette histoire dans ma tête pour essayer de comprendre. Cela me rend malade.

— Nous récupérerons le document, Marion. Tout n'est pas encore perdu!

— Je l'espère, Duncan. Je n'arrête pas de penser à tous ces hommes qui risquent leurs vies à cause de mon insouciance. En vérité, tout est de ma faute...

— Tu ne pouvais pas savoir.

Elle lui lança un regard désemparé, chargé de regrets.

— Mon propre frère, Duncan... Il nous a trahis. Il est un ennemi de la Cause. Pourquoi?

— Si j'ai bien compris, il l'a fait dans le but d'aider votre père.

— Pour un bout de terre? Seigneur! Lorsque mon père saura, il sera anéanti.

Duncan avait une terrible envie de prendre Marion dans ses bras, de la serrer contre lui pour lui chuchoter des mots apaisants en passant ses doigts dans ses boucles. Mais il n'en fit rien; il avait renoncé à elle. Elle n'était pas pour lui. À un moment donné, il avait cru que tout était possible. Plus maintenant. Un autre que lui la prendrait dans ses bras, caresserait sa peau...

— Quand j'étais petite, reprit-elle, les yeux levés vers la voûte étoilée, à la belle saison, quand tout le monde dormait, je me faufilais parfois hors de la maison et je venais me coucher ici, contre le mur, enroulée dans un vieux

307

plaid. Il m'arrivait de m'endormir et de ne me réveiller qu'au chant du coq. Je retournais alors secrètement dans mon lit pour qu'Amelia ne s'affole pas quand elle viendrait me chercher pour le petit-déjeuner. Pauvre Amelia... Elle est atterrée de ce qui arrive.

— Elle ne m'aime pas beaucoup, fit observer Duncan avec une pointe d'ironie.

Marion laissa échapper un léger rire de gorge, comme le roucoulement d'une colombe.

— Elle n'aime pas beaucoup les hommes de Glencoe pour la simple raison que son mari a été tué par l'un d'eux lors du grand raid d'Atholl. Alors, tu comprends...

— Ah!

Au bout d'un moment, Marion pointa un doigt vers les petits points qui scintillaient dans les ténèbres.

— Là-bas, c'est *Polaris*, l'étoile polaire. Je l'appelle le pivot du ciel.

— Elle appartient à l'*Ursa Minor*.

La jeune femme leva les sourcils d'étonnement.

— Tu connais?

— Mon père m'a enseigné.

Il rit doucement devant son air ébahi.

— Je ne suis pas complètement ignare, tu sais. Je sais lire l'anglais, un peu de français... et je récite mes prières en latin.

— Oh! Ce n'est pas ce que je voulais dire...

— Tu croyais peut-être que je passais mon temps à me battre et à échafauder des plans pour voler vos vaches...

Elle se rebiffa.

— Ce n'est pas ça!

Il éclata de rire, puis pointa lui aussi un doigt vers le ciel, mais un peu plus bas, vers l'est.

— *Ursa Major*, désigna-t-il. C'est la mère. Tu connais l'histoire des constellations de la Petite et Grande Ourse?

— Non, répondit Marion un peu sèchement.

— Connais-tu la mythologie romaine?

— Un peu, dit-elle en bougonnant.

— Callisto était la nymphe favorite de la déesse chasseresse Diane. Elle était très belle...

Il marqua une pause, le temps de lui adresser un regard éloquent. Puis il reprit son récit :

— Le dieu Jupiter la remarqua et voulut la séduire. Il prit l'apparence de Diane pour arriver à ses fins. Mais Diane ne fut pas dupe et comprit le petit jeu. Jalouse et en colère, elle bannit de ses jardins la belle Callisto, qui pourtant affirma qu'elle avait tenté de résister à l'assaut du dieu. Quelques mois plus tard, Callisto donna le jour à un fils qu'elle nomma Arcas. Hum... La pauvre n'était pas au bout de ses peines. Elle connut les foudres de l'épouse de Jupiter qui apprit la nouvelle. Junon transforma en ourse Callisto, qui s'enfuit dans la forêt. Elle épargna Arcas, qui fut élevé loin de sa mère. Au cours de sa quinzième année, le garçon croisa, lors d'une chasse, l'ourse qu'était devenue sa mère. Il se lança aussitôt à sa poursuite et la rattrapa. Heureusement, Jupiter, qui aimait toujours Callisto, intervint juste avant qu'Arcas ne la tue. Atterré par ce qui arrivait, il enleva et transforma en constellations Callisto et Arcas. Depuis, la Grande Ourse et son fils parent le firmament.

Marion sourit.

— C'est triste, mais c'est très beau. Je ne connaissais pas cette histoire.

— Lorsque tu reviendras ici, tu te la rappelleras...

Il effleura la main blanche qui reposait sur le lainage de la cape.

— Alors peut-être te souviendras-tu aussi un peu de moi.

Leurs regards s'accrochèrent un moment, puis Marion baissa les yeux.

— Tu en connais beaucoup, des histoires comme celle-là?

— Quelques-unes, répondit-il en sautant en bas du muret. Mais pour cette nuit, une seule suffit. Tu devrais rentrer te coucher.

Il lui tendit la main pour l'aider à descendre.

— Allez, viens. Il fait froid et tu frissonnes.

Elle retira sa cape dans un tourbillon d'étoffe et de parfum d'eau de rose qui suscita en lui un vif désir. Puis elle entra dans le bureau de son père où agonisait le feu. Il s'arrêta dans l'embrasure de la porte.

— Tu veux boire quelque chose? demanda-t-elle timidement.

— Il est un peu tard, Marion. Tu ne crois pas que tu devrais retourner te coucher?

Elle émit un petit rire.

— On croirait entendre mon père.

Les braises rougeoyantes qui éclairaient faiblement la pièce accentuaient la couleur de feu de sa chevelure.

— Il doit faire froid dans la bibliothèque...

— J'ai l'habitude. Je... je te souhaite une bonne nuit, Marion.

Il fit quelques pas dans le couloir. Une main agrippa sa chemise.

— Duncan... Je voudrais te parler...

— Marion, je ne crois pas que ce soit une bonne idée.

— Quelques minutes seulement, je t'en prie...

Il la suivit dans le bureau. Elle l'invitait à rester. Serait-il assez imbécile pour refuser sa compagnie? Mais chaque minute supplémentaire avec elle était une torture qui semblait durer une éternité.

— Quelques minutes.

Faisant deux ou trois pas dans la pièce, il se tourna vers elle, croisant dans son mouvement les yeux clairs du cinquième laird de Glenlyon qui semblait le dévisager par-dessus l'épaule de sa petite-fille. Sa mâchoire se contracta. Marion suivit son regard.

— C'est Robert Campbell... lorsqu'il était très jeune. Il célébrait sa première expérience de guerre, au début de la Restauration.

Duncan étudia le visage un peu pâlot, à la bouche trop petite pour la large mâchoire. Il y avait quelque chose de féminin dans les traits de l'homme. Rien n'indiquait qu'il allait devenir, des années plus tard, le bourreau des siens, l'auteur du massacre de Glencoe. Perdu dans ses observations, le jeune homme n'avait pas remarqué que Marion s'était approchée de lui. Elle lui effleura la joue du bout du doigt. Il tressaillit.

— C'est encore sensible?

— Seulement quand je ris.

Les doigts de Marion s'attardèrent sur sa joue, suivant le bourrelet de la cicatrice. Il lui sembla qu'une chaleur subite envahissait la pièce. Il prit une profonde inspiration pour contrôler ses émotions.

— Je voulais m'excuser... pour l'épisode du Black Oak. Je sais que tu ne me voulais aucun mal, Duncan. C'est seulement que... j'étais encore très secouée par les événements. Je n'aurais pas dû te dire ces choses...

— C'est oublié...

Elle le regardait de ses yeux bleus. « Les yeux bleus d'un chat sauvage », pensa-t-il. Ses mouvements étaient empreints d'une grâce féline, langoureuse et sensuelle. Elle eut un petit sourire. Oh! ce sourire! Son pouls s'accéléra.

— Duncan... Je voudrais savoir une chose...

Les fins sourcils se froncèrent sur un regard incertain; il attendit la suite.

— Je veux savoir si... tu cherches vengeance...

Il plissa le front et la dévisagea, dérouté.

— De quoi parles-tu?

Marion, très mal à l'aise, tournait en rond devant lui. Apparemment, ce qu'elle essayait de lui dire lui prenait tout son courage.

— Si je t'avais laissé faire cette nuit-là, à Killin, au Grey Owl. Que se serait-il passé?

Interloqué, il resta un moment sans voix. À son regard insistant, il devinait qu'elle attendait une réponse.

— Marion... Je ne sais pas... Je...

Elle se renfrogna et se détourna. De toute évidence, ce n'était pas la réponse qu'elle espérait. Mais que désirait-elle savoir au juste?

— Marion, poursuivit-il doucement, espérant ne pas tout gâcher encore une fois. Je ne voulais pas me sauver avec ton honneur, comme tu l'as cru. Je ne sais pas ce qu'il se serait passé. Mais tu dois me croire. Et le fait que tu sois... la fille de Glenlyon n'a rien à voir avec ça.

Marion se retourna et le dévisagea d'un air insondable. Puis elle s'approcha de lui, jusqu'à le frôler. Il ferma les yeux. Il pouvait sentir son parfum qui l'enveloppait, ce parfum qui l'avait envoûté sur la lande, trois mois plus tôt. Trois mois déjà?

— Moi, j'y ai pensé. Souvent.

Elle posa une main sur sa poitrine, juste là, sur son cœur qui battait follement. Mais que faisait-elle? Il ne pourrait plus tenir longtemps. Il devait lui souhaiter bonne nuit et partir. Son corps refusait de bouger.

— Duncan, je... Cette nuit-là, je voulais... J'ai eu peur...

Il ouvrit les yeux. Marion n'était plus qu'à quelques centimètres de lui, le visage levé vers lui. « Embrasse-moi », semblaient lui dire ses yeux et ses lèvres entrouvertes, tremblantes.

« Je rêve! » pensa-t-il. Mais la main qui courait sur sa chemise, vers sa nuque, était bien réelle.

— Oh, Marion!

Son corps prit l'initiative; il perdait le contrôle. D'abord, ses doigts se refermèrent sur la taille fine et l'attirèrent contre lui. Ensuite, ses lèvres effleurèrent celles de Marion. Il respirait son haleine. Que faisait-il? Son corps s'embrasa tout entier. Il prit sa bouche avec avidité, goûtant ses lèvres et sa langue. Ses mains s'agitèrent, se faisant caressantes, pressantes.

— Oh, Marion!

Il frémissait sous la caresse des longues mains blanches qui lui semblaient elles aussi impatientes. Il ressentait leur brûlure dans son dos et sur ses épaules. La jeune femme l'explorait avec les gestes incertains et maladroits d'une néophyte. Elle n'était pas initiée aux jeux de l'amour, il le devinait. Curieusement, cela le ravissait, décuplant son désir.

« Elle est à moi! À moi seul! » Son cœur battait si violemment que cela lui comprimait la poitrine et que le souffle lui manquait. Duncan repoussa doucement Marion vers le bureau et la souleva pour l'asseoir dessus. Les cuisses de la jeune femme s'écartèrent légèrement d'elles-mêmes, et il vint se camper entre elles. Profitant de cet instant de répit, il promena son regard fiévreux sur le corps qui s'offrait. Puis ses doigts se mirent au travail pour défaire les lacets du corsage.

La peau de Marion était bleutée dans le clair de lune qui pénétrait par les carreaux de la fenêtre. Oh! Cette peau de soie... Sublime sylphide, digne d'un poème d'Éros... Le corsage s'entrouvrit, laissant apparaître le renflement d'un sein qui palpitait. La poitrine se soulevait et s'abaissait à un rythme effréné. Il tira un peu sur la robe. Le sein se dévoila complètement, tout rond. Le petit mamelon rose pointait; il l'effleura des doigts. Cantique nouveau; une mélopée aérienne s'échappa de la gorge de Marion qui bascula la tête vers l'arrière, les paupières fermées.

Tout allait trop vite... Il fallait ralentir, savourer et contempler. Mais son corps qui avait trop attendu voulait tout, tout de suite. Il avait tant rêvé de ce moment. Il dut se faire violence pour se retenir. Marion méritait mieux. Ne pas l'effrayer. Elle devait aimer ce qu'il lui faisait. Elle devait en vouloir plus, en réclamer davantage.

Il remonta prudemment sa jupe, attendit quelques instants avant de s'aventurer sur son mollet, puis sa cuisse. Il avait déjà essuyé une rebuffade, il n'en supporterait pas une autre. Une jambe s'enroula autour de la sienne. Il atteignit la rondeur ferme d'une fesse, puis pressa son bassin contre le sien. « Je vais faire l'amour avec la fille de Glenlyon, dans son bureau, sur son bureau... » Il sentit le regard réprobateur de Robert Campbell dans son dos. « Qu'il aille au diable! »

— Non, gémit-elle soudain.

La main de Duncan resta en suspens. Son cœur s'arrêta net.

— Oh, Marion, merde! pesta-t-il en s'écartant légèrement.

Le rattrapant par le collet, elle le força à se rapprocher pour l'embrasser de nouveau.

— Pas ici, expliqua-t-elle à travers un petit sourire espiègle.

— Seigneur! Je croyais que...

— Non, Duncan. Cette fois-ci, je suis à toi, pour la nuit si tu veux...

— Pour la nuit? Mais je n'aurai jamais assez d'une seule nuit, *mo aingeal*[76]. Je te désire tellement... *A Mhórag*... Tu me rends fou.

Elle le repoussa doucement et lui prit la main pour l'entraîner derrière elle dans l'escalier. Puis ils s'engouffrèrent dans une petite pièce où régnait une douce chaleur. Duncan resta immobile au centre de la chambre et en fit le tour du regard. Il pouvait sentir son odeur, cette odeur de femme qui lui faisait tourner la tête. Le feu de tourbe qui brûlait dans la cheminée en pierres de taille, seule source de lumière, dorait une commode. Une toile représentant sans doute une partie de la vallée ornait le mur au-dessus. Du côté opposé se dressait une petite armoire de bois ciselé de gracieux rinceaux de vigne. Contenait-elle des cotonnades et des lins délicats garnis de fines dentelles? Il en doutait. Marion n'avait pas besoin de ces artifices. Le seul objet de luxe qu'il put trouver était un vase de porcelaine bleue et blanche contenant une brassée de fleurs séchées. Il y avait aussi une chaise recouverte du tartan des Campbell... et un lit un peu étroit pour deux si on voulait y dormir, mais bien assez grand pour autre chose. Il rit.

— Qu'y a-t-il de si drôle? demanda la jeune femme, un peu étonnée.

— Je m'amusais un peu plus tôt à me représenter ta chambre.

— Ah, vraiment? Et puis?

Elle s'était adossée à la porte et l'observait, les yeux mi-clos, ce qui rendait son regard encore plus félin. Il ne put s'empêcher de franchir les quelques pas qui les séparaient. L'écrasant doucement contre la porte, il se pressa contre elle en frémissant délicieusement.

— J'avais oublié le pot de fleurs... susurra-t-il en lui caressant la mâchoire d'un baiser.

Elle éclata d'un rire suave.

— Je me garde toujours un dernier bouquet à l'automne. Je le laisse sécher pour qu'il me rappelle qu'un autre printemps viendra après les longs mois d'hiver. Puis, lorsque la vallée est de nouveau couverte de jacinthes, de primeroses et de bruyères, je le remplace par un tout nouveau.

Duncan glissa une main derrière la nuque de Marion et attira la jeune femme à lui pour l'embrasser.

— J'ai très envie de toi, Marion...

— Moi aussi, Duncan.

---

76. Mon ange.

— Redis-le-moi. Je veux être certain... Je ne veux pas...

— J'ai très envie... que tu me fasses l'amour, Duncan Coll Macdonald.

Chaviré, il l'embrassa avec fougue. Ses mains folâtraient dans les boucles de feu qui lui brûlaient les doigts. Il s'arracha à elle, haletant, et plongea son regard dans le bleu de ses yeux.

— Ce n'est pas un peu dangereux, ici? Tes frères?

— David dormirait au beau milieu d'un troupeau de vaches affolées. Quant à John, il est à l'autre bout du couloir. De toute façon, j'ai mis le verrou.

Il l'embrassa de nouveau, s'abreuvant de l'haleine qui s'échappait des lèvres incarnates.

— Marion, tu es certaine de ce que tu veux? Je veux dire... Toi et moi?

— Oui, Duncan... Je l'aurais fait au Grey Owl, puis au Black Oak si...

— Si tu n'avais pas eu la langue si tranchante...

Il s'empara de sa bouche. Sa langue était plutôt douce et veloutée pour le moment. Finissant de délacer la robe, il aida Marion à la retirer. La jeune femme était un peu gênée. Duncan l'observait avec amusement. Ce n'était pourtant pas la première fois qu'elle se trouvait en simple chemise et jupon devant lui. Doucement, il la tira au centre de la pièce, près du feu.

— Je veux te voir, Marion Campbell.

Elle promena le doigt sur la broche qui retenait son plaid.

— *Per mare, per terras*, dit-elle doucement.

Elle retira la broche et la piqua dans sa chemise.

— Ma devise. N'oublie pas que je suis un Macdonald de Glencoe...

Elle le lorgna de biais, un sourire en coin.

— Hum... Tu oublies la devise des Campbell : *no obliviscaris*, n'oublie pas...

— Comment le pourrais-je, *mo aingeal*?

Un peu gauchement, les doigts de Marion s'attaquèrent à la boucle de sa ceinture, qui tomba, suivie du plaid. Puis les mains caressèrent son dos, tâtèrent les épaules et glissèrent le long de ses bras, jusqu'au bas de sa chemise. Le contact chaud de ses doigts sur ses cuisses le fit frémir. Elle roucoula. Allan avait raison : c'était une vraie sorcière! Il retira ses bottes, fit passer sa chemise par-dessus sa tête et l'envoya rejoindre son plaid sur le sol.

Marion fit un pas en arrière. Elle rougissait. Duncan baissa les yeux sur son érection et sourit. Il l'observait d'un œil amusé tandis qu'elle l'examinait. Puis il lui tendit la main.

— Non, attends...

Lentement, elle tourna autour de lui. Son jupon lui frôla les cuisses; un doigt décrivit la courbe d'une hanche, puis celle d'un biceps. Ses lèvres mouillèrent la carrure d'une épaule, puis l'angle de sa mâchoire.

— Désolé, je ne me suis pas... rasé.

— J'aime bien, tu sais...

Les doigts descendirent sur son torse, avec langueur, et glissèrent dans la toison, jusqu'aux abdominaux qui tressaillirent sur leur passage. Il ferma les yeux, la laissant faire, et gémit lorsque la main exploratrice effleura la boursouflure de sa cicatrice. La main se retira aussitôt, mais Duncan la rattrapa et la reposa à l'endroit de sa blessure.

— Je t'ai fait mal?

— Oh non, *Mòrag*... C'est mon cœur qui n'en peut plus. Continue, j'aime ça...

Les doigts se firent plus légers, mais restèrent audacieux. Ils suivirent la longue couture, depuis le pubis, quelques centimètres seulement au-dessus du sexe dressé qu'elle évita soigneusement, jusqu'à la cuisse. Là, ils s'immobilisèrent.

Puis, elle vint se planter devant lui, posant les mains sur sa poitrine.

— Tu es très beau.

Il sourit niaisement, gêné à son tour. Il savait qu'il plaisait aux femmes. Mais c'était la première fois que l'une d'elles lui disait ouvertement qu'elle le trouvait beau. D'une main hésitante, il effleura sa joue et descendit jusqu'à la chemise entrouverte.

— Je peux?

Elle abaissa les paupières. La chemise glissa sur les épaules, découvrant la poitrine qui pointait entre les longues mèches. De ses paumes, il la caressa doucement, sentit les mamelons se durcir. Elle se tendit, secouée d'un frisson. Lui sentit la douleur s'intensifier dans l'aine. Il fit glisser ses mains le long des flancs de Marion, sentant au passage chacune des côtes, délicates et saillantes, sous la peau diaphane qui frémissait. Il s'arrêta sur la rondeur des hanches, et remonta à la taille, au-dessus des reins légèrement cambrés. Puis il s'attaqua au cordon du jupon qui, quelques secondes plus tard, tomba au sol dans un doux bruissement, les caressant au passage. La chemise ne fut pas longue à suivre. Ébloui, Duncan admirait Marion nue devant lui, telle la Vénus de Botticelli émergeant de sa coquille.

Il parcourut du regard ce corps d'ivoire qu'il avait entrevu un jour dans les eaux d'une mare et qui, depuis, n'avait cessé de nourrir ses fantasmes. Il se tenait maintenant juste devant lui, offert, pour le plus grand plaisir de ses sens.

— Tu es plus belle que dans mes rêves, *a Mhórag*. Et Dieu sait combien j'ai rêvé de toi.

Il s'accroupit devant elle, emprisonnant ses hanches dans ses mains. Puis il posa sa joue contre son ventre, s'enivrant de sa chaleur et de son odeur. Elle tremblait.

— Était-ce comme en ce moment?

— Hum...

Il lui embrassa le nombril et fit descendre sa bouche un peu plus bas. Elle eut un léger mouvement de recul, mais il la retint fermement. Elle ne pouvait plus lui échapper, il était trop tard...

— Non...

Les doigts de Marion plongèrent dans sa chevelure et tirèrent doucement sa tête vers l'arrière. Il put lire de l'appréhension dans son regard,
mais aussi du désir.

— Dans mes rêves, je ne pouvais pas te toucher, te sentir. *A Mhórag*,
ceci est bien meilleur.

Lentement, tandis que sa bouche goûtait sa peau avec délices, ses mains
caressaient, sensuelles et fébriles. Il se releva et prit son visage entre ses
mains.

Les seins ronds se pressaient contre son torse. Duncan se sentait très
ému par la candeur qu'il percevait chez la jeune femme. Il l'embrassa
doucement, enfouissant ses doigts dans la masse de boucles qui lui
chatouillait les joues et les épaules. « Seigneur! Je tiens Marion nue dans
mes bras... Je sens son cœur battre contre le mien. » Il tressaillit. Une
main s'était posée sur son sexe. Il gémit profondément; elle s'interrompit.

— Ne t'arrête pas, je t'en prie...

Obtempérant, elle se remit à explorer son corps du bout des doigts. Il
la sentait se détendre progressivement contre lui. Ses mains et sa bouche
prenaient de l'assurance. Au bout de quelques minutes, ils se retrouvèrent
couchés sur le matelas de plumes. L'odeur de Marion l'enveloppait, lui
faisait tourner la tête. Son corps en voulait plus encore. Il glissa ses mains
entre les longues cuisses, qui s'écartèrent sans résister, et il contempla le
petit triangle doré. La toison était aussi flamboyante que la chevelure.

Il se sentait ivre de désir. Il caressa les cuisses jusqu'à l'endroit où elles
se rejoignaient. Marion eut un petit soubresaut.

— Oh, Duncan!

— Tu aimes?

— Ohhh! oui...

— *A Mhórag, m'aingeal dhiabhluidh...*

Toute gémissante, elle cambra légèrement les reins. Ses mains cherchaient un point d'ancrage, quelque chose auquel se raccrocher dans ce
merveilleux vertige des sens.

— Sais-tu que, ce que tu m'offres cette nuit, tu ne pourras plus jamais
le reprendre?

— Je sais, je sais...

Elle s'agrippa au montant du lit et fut parcourue d'un voluptueux
frisson qui lui arracha un soupir.

— Seigneur Dieu, Duncan, s'il te plaît!

Il se hissa sur le corps qui ondulait et ne demandait qu'à être possédé.
Marion était prête à le recevoir, il le savait. Mais pas encore... Il voulait...

— Oui, *Mòrag*, je veux t'entendre dire mon nom et me demander de
te prendre...

Les mains de Marion abandonnèrent le montant du lit et vinrent
s'enfoncer dans ses épaules avec violence. Il gémit et tressaillit de douleur.
Le corps de la jeune femme l'appelait, le cherchait.

Duncan se redressa légèrement sur les genoux et glissa ses mains autour de la taille de Marion, qui s'arqua plus encore. Elle prononça son nom dans un souffle rauque qui l'excita à l'extrême.

— Duncan... Viens... je t'en prie...

Enfin, il s'enfonça résolument mais doucement en elle, forçant la porte de son jardin clos. Elle poussa une exclamation de surprise. Il resta immobile un moment, l'observant de ses yeux enfiévrés. Il savait qu'elle aurait mal, mais pouvait-il faire autrement? Les mains qui le lacéraient relâchèrent sensiblement leur étreinte. Elle entrouvrit les yeux.

— Je suis désolé... J'irai doucement...

Elle vola ses mots sur ses lèvres en l'embrassant avec tendresse, enroulant ses jambes autour de ses hanches pour le ramener contre elle et l'emprisonner. Attendant que le malaise se dissipe, elle se concentra sur le regard énamouré qui la couvait. Lui vinrent alors à l'esprit certaines remarques amères qu'elle avait entendu chuchoter entre deux filles d'un village voisin sur les manières d'un jeune amoureux qui, après avoir obtenu les faveurs de l'une d'elles, l'avait cavalièrement délaissée pour une autre.

N'y tenant plus, Duncan commença à bouger sur ce rythme qui animait les êtres depuis la nuit des temps. Les sensations que cela procura à Marion chassèrent d'un coup ses craintes naissantes et elle s'abandonna au mouvement. Danse lascive qui asservissait le corps et l'esprit, poussait à en vouloir plus, menait à la félicité ultime.

« Je fais l'amour avec elle, je fais l'amour avec Marion Campbell... » se répétait inlassablement le jeune homme pour se convaincre qu'il ne rêvait pas. Marion gémissait faiblement, la tête basculée vers l'arrière. Il en avait oublié sa douleur à l'aine. Soudain, un cri s'échappa de sa poitrine.

Il exultait. Secoué de puissants spasmes, il se répandit en elle, dissolvant une partie de lui-même. Enfin, rompu, il s'écroula mollement sur la jeune femme en marmonnant.

Quelques instants plus tard, de ses doigts enchevêtrés dans les mèches noir corbeau, Marion força Duncan à la regarder. Sondant son regard, elle vit ce qu'elle cherchait : l'étincelle du désir ne s'était pas éteinte avec le plaisir consumé.

— Tu m'as tué, déclara-t-il dans un murmure.

Le cœur pétri de contentement, elle lui sourit. Il l'étreignit plus étroitement. Son petit roucoulement lui emplit les oreilles et la tête de bonheur. « Une colombe. Une petite colombe toute blanche entre mes mains... »

— Viens avec moi, Marion... Je te veux près de moi.

— Mais je suis là!

— À Glencoe, chez moi.

Il la sentit se raidir sous lui.

— Une Campbell à Glencoe? Tu es... sérieux?

Elle arqua les sourcils avec scepticisme.

— Très sérieux. Marion Campbell, je ne me contenterai pas d'une seule nuit avec toi, je te l'ai déjà dit. Je veux passer toutes mes nuits avec toi. Je te veux avec moi, dans ma maison, à Glencoe... Enfin, si tu le veux bien.

Ivre d'amour, soûlé par l'odeur âcre de leurs corps, il reposa sa tête sur sa poitrine et referma les yeux. Un cœur tambourinait à une vitesse folle sous son oreille. Il voulait dorénavant régler sa vie au rythme de ce cœur. Rien ni personne ne l'en empêcherait, dût-il quitter la vallée pour cela. Il était prêt à lui en faire le serment. Il réalisait brusquement qu'il était amoureux fou d'elle.

— Marion...

— Hum?

Et si elle ne voulait plus de lui? Un poignant malaise l'étreignit. Marion tira l'édredon sur leurs corps qui se refroidissaient.

— Marion, tu te souviens au Black Oak, je t'ai dit que j'allais vers Glencoe? Sous le coup de la colère, après ce que tu m'as dit... ton accusation... enfin, je t'ai menti. La vérité, c'est que j'étais fou d'inquiétude de te savoir avec les hommes de Macgregor. Je t'ai cherchée pendant trois jours, et lorsque je t'ai enfin retrouvée...

Il se redressa sur un coude pour mieux la regarder.

— J'ai eu peur... Je ne savais plus quoi faire. J'ai eu peur de ta réaction. Alors je n'ai rien trouvé de mieux que de te mentir. Mais c'était pour toi que j'étais venu.

Muette d'émoi, elle le fixait d'un air énigmatique.

— Marion... je... je te veux avec moi. Je te veux dans ma vie.

Doucement, elle approcha sa bouche de la sienne et l'embrassa tendrement. Quelques minutes s'écoulèrent encore. Duncan se laissa retomber sur la poitrine de la jeune femme. Elle ne répondait pas; elle ne viendrait pas.

— J'irai à Glencoe avec toi.

Ce furent les dernières paroles qu'il comprit avant de sombrer dans la félicité des songes.

19

L'entretien avec Glenlyon

L'air sapide emplit ses narines, puis vint gonfler ses poumons. Marion déglutit pour avaler la salive qui s'accumulait sous sa langue et soupira de contentement. Son estomac se plaignait d'avoir été négligé. En effet, l'appétit lui avait manqué au dîner, la veille au soir, après l'aveu accablant de John. Mais pour le moment, elle préférait reléguer son besoin de se nourrir au second plan.

Une jambe lourde et velue s'enroula autour de la sienne. Le matelas tressauta sous les mouvements de l'intrus et protesta en grinçant sous le surplus de poids à supporter. Les cheveux noirs ébouriffés de Duncan lui retombaient sur les épaules et masquaient son visage. Elle les repoussa délicatement pour ne pas le réveiller. Avec sa barbe de quelques jours et la balafre qui lui barrait la joue, il avait l'air d'un barbare venu des temps anciens pour piller et brûler tout ce qui se trouvait sur son passage. En un sens, c'était ce qu'il avait fait avec elle. Après s'être emparé de son cœur, il avait enflammé son corps et en avait pris possession. Elle s'était consumée dans ses bras. Elle rougit violemment au souvenir de leurs ébats. Mais elle n'avait aucun regret.

Ces dernières semaines, il lui était arrivé d'imaginer les sensations que susciteraient les mains d'un homme sur elle. Les mains de Duncan, plus précisément. Elle imaginait sa peau contre la sienne. La réalité avait de loin surpassé ses rêves.

Duncan grogna. Lentement, il ouvrit les yeux et lui sourit.

— *Madainn mhath dhuit, mo aingeal.* [77] Dis-moi, est-ce bien toi ou est-ce que je rêve encore ? J'ai fait un merveilleux rêve cette nuit. Doux songe d'une nuit d'hiver...

— Hum... Peut-être n'as-tu pas fini de rêver.

---

77. Bonjour, mon ange.

— Alors, je ne veux plus jamais me réveiller. Tu as bien dormi?

— C'est un peu étroit pour dormir à deux, fit-elle observer en jaugeant sa largeur d'épaules.

— Navré, la taquina-t-il. Moi, j'ai dormi comme un bébé. Tu t'habitueras.

— À t'entendre ronfler?

Il rit.

— Je ne ronfle pas.

— Oh, mais si! Duncan Macdonald, tu ronfles comme un vieil ivrogne! Son rire redoubla.

— C'est que j'étais ivre, *mo aingeal*. Ivre... comme je ne l'ai jamais été.

Il lui prit le menton et leva son visage vers le sien.

— J'étais ivre de toi...

Il posa doucement ses lèvres sur le bout de son nez glacé, puis sur ses lèvres, les forçant à s'ouvrir pour lui permettre d'explorer sa bouche à sa guise.

— Il doit se faire tard, déclara-t-il peu après.

— Hum... fit-elle en faisant mine de humer l'air. À l'odeur du pain, je dirais qu'il doit être sept ou huit heures.

— Déjà? s'écria-t-il en se redressant brusquement.

Puis il se tourna vers elle, un curieux sourire sur les lèvres.

— Chez nous, on se fie au soleil pour deviner l'heure.

— Je t'assure que l'odeur du pain d'Amelia est tout aussi fiable! Amelia fait toujours son pain à la même heure.

Son visage redevint grave. Elle partirait pour Glencoe; le poids de la décision qu'elle avait prise lui retomba dessus comme une pierre sur son cœur. Elle devrait laisser derrière elle toutes ces petites choses qui faisaient partie de son quotidien depuis si longtemps. Elles prenaient soudain une grande importance, comme l'odeur du pain d'Amelia qui embaumait la maison. Mais elle était prête à tout laisser pour suivre l'homme qu'elle aimait.

Duncan sortit du lit pour aller placer un bloc de tourbe sur le monticule de cendres refroidies qu'il remua. Les flammes montèrent au bout de quelques secondes. Marion contempla le corps souple à la musculature bien découpée de son amant. Elle soupira d'aise et s'enfonça plus profondément dans la chaleur des draps. Duncan se tourna alors vers elle et l'observa à son tour. Puis il se redressa sans chercher à cacher sa nudité.

— Tu ne te couvres pas? Il fait si froid.

Il baissa les yeux en esquissant un sourire coquin.

— Je te gêne, peut-être?

— Eh bien... un peu, lui avoua-t-elle. Je n'ai pas l'habitude de voir un homme se promener nu dans ma chambre.

Il pouffa de rire et s'assit sur le bord du lit qui s'affaissa sous son poids, ce qui manqua de la faire rouler sur lui.

— Tu m'en vois ravi!

D'une main hésitante, elle lui effleura la cuisse. Duncan la dévisagea les yeux mi-clos, et elle frissonna de la tête aux pieds.

Sa main la frôla, rallumant instantanément le feu qui couvait en elle.

— Toi et moi... J'ai du mal à y croire... J'ai dû me pincer ce matin pour me convaincre que je ne rêvais pas.

Il lui prit les mains, les baisa l'une après l'autre avant de les porter sur son cœur.

— Tout ce que je t'ai dit hier était sincère, Marion... Ainsi que ma demande de me suivre à Glencoe, si tu t'en souviens encore...

— Ce que je t'ai répondu alors était tout aussi sincère, Duncan.

Il découvrit une rangée de dents blanches.

— Des regrets?

— Jamais.

Il lui prit de nouveau les mains, déposa un baiser dans la paume de chacune d'elles, puis les ramena sur sa poitrine, juste au-dessus du cœur.

— Il bat pour toi.

Il se pencha vers elle. Ses mèches noires lui chatouillaient les joues. Elle ferma les yeux. La bouche de Duncan se posa délicatement sur la sienne, tendre et douce. Lorsqu'il s'écarta, elle se rendit compte qu'il était plus que prêt à reprendre là où ils s'étaient arrêtés quelques heures plus tôt. Il rit devant son air étonné. D'un coup, l'édredon s'envola; Duncan la fit rouler sur le dos, puis il s'immobilisa brusquement. Il l'embrassa doucement, se redressa sur les genoux pour mieux la contempler d'un air fripon.

Elle se sentit un peu embarrassée d'être ainsi examinée à la lumière du jour. Il devina son malaise et prit ses bras qui se refermaient sur elle-même.

— Ne te cache pas, Marion. J'aime te regarder...

Il l'examinait avec convoitise, et elle sentit une bouffée de chaleur monter en elle. Le feu lui vint aux joues.

— C'est plutôt gênant.

Il sourit.

— Dis-moi que tu n'aimes pas me regarder, et je détournerai les yeux...

Elle ouvrit la bouche, décontenancée, puis la referma aussitôt. Il était plutôt vrai qu'elle aimait le contempler.

— Non, tu as raison, concéda-t-elle piteusement.

Ils éclatèrent de rire

— *Leannan sith...*[78]

— Peut-être bien, alors prends garde. Je pourrais très bien t'attirer dans mon repaire souterrain.

— Pour vivre éternellement dans l'abondance et la luxure?

Il roula sa lèvre en une moue de dégoût.

— *Fuich!*

---

78. Fée séductrice.

— Quoi? Tu n'aimerais pas? Je croyais pourtant que tous les hommes en rêvaient!

— Hum... Vivre dans le luxe entouré de créatures de rêve et faire l'amour du matin au soir...

— Oh! Mais n'y pense surtout pas! Je serais la seule créature dans ton lit, Duncan.

Il rit doucement.

— Bien sûr... Dis-moi, il y a plusieurs collines aux fées en Glenlyon?

— Quelques-unes.

— Hum... c'est vrai qu'avec ton don de double vue, tu pourrais très bien être une *leannan sith* après tout.

Duncan la prit par la taille et la hissa sur ses genoux. Elle frissonna dans l'air glacé de la chambre que le feu n'avait pas encore réchauffée et elle se lova contre lui.

— Tu crois en l'existence du monde des elfes?

— J'y ai cru quand j'étais petite, avoua-t-elle un peu gênée. Enfin, jusqu'au jour où j'ai essayé d'en faire apparaître un. Amelia m'avait expliqué comment faire apparaître un cortège de nymphes chevauchant des papillons dorés et d'elfes en armure montés sur des scarabées chatoyants.

— Ah oui? s'intéressa Duncan, amusé.

— Je devais glisser une feuille de frêne dans une chaussure et une feuille de sureau dans l'autre. Ensuite mettre de l'aubépine dans ma poche et saluer le premier tourbillon de vent d'un « Que Dieu te bénisse ».

— Et?

Elle fit une grimace.

— Tout ce que j'ai jamais réussi à faire apparaître, ce sont mes deux frères hilares sortant d'un buisson.

Duncan éclata de rire et l'embrassa sur l'épaule.

— Ah! Les vilains Bonnets rouges![79]

— Hum... Savais-tu qu'un Bonnet rouge se cachait dans nos collines?

— Non, murmura-t-il en caressant sa gorge de ses lèvres.

Ses mains se promenaient voluptueusement sur les hanches de la jeune femme, remontant lentement sur ses flancs. Elle en eut la chair de poule.

— Amelia dit qu'il rôde près des ruines de Meggernie.

— J'ai entendu raconter que c'est aussi là-bas que se trouve le spectre de ton ancêtre, cet affreux Colin le Furieux.

— Qui t'a raconté cela? Tu crois aux fantômes?

— Autant que je peux croire aux fées et aux lutins. Mais disons que nous évitons de passer par là lors de nos... petites visites. C'est le vieil Angus MacColl qui nous a juré avoir vu rôder ton ancêtre le long d'un mur du

---

79. Bonnets rouges : dans le folklore écossais, *urisks* (lutins malicieux) ou petits personnages mythiques qui guettent les voyageurs égarés pour les égorger et teindre leur bonnet de sang. Quand les couleurs pâlissent, ils trouvent un autre voyageur.

château. Le spectre l'aurait pointé du doigt en riant d'un rire effroyable. Angus et ses hommes auraient alors vu apparaître aux branches des arbres situés derrière eux les corps putréfiés des trente-six Macdonald qui y avaient jadis été pendus. Ils auraient sur-le-champ abandonné les vaches qu'ils se préparaient à voler et seraient revenus à Glencoe à bride abattue. Depuis ce jour, Angus a les cheveux blancs comme neige.

Marion sourit.

— Plutôt efficace, ce fou de Colin! Il faudra que je pense à suggérer à mon père de faire paître le troupeau autour de Meggernie...

— Tu ne ferais pas ça, dis? En tout cas, lorsque tu seras à Glencoe avec moi, je ne pense pas que pèsera encore sur moi la menace de me les faire couper.

Elle fronça les sourcils d'incompréhension.

— De te les faire couper?

— Hum... Peut-être ne devrais-je pas te rappeler la menace que tu m'as faite un jour...

Songeuse, elle pinça les lèvres. Puis son visage s'éclaira d'un coup et elle afficha un sourire mutin.

— Ah! En effet, Macdonald, je me rappelle maintenant.

Sa main glissa le long de la cuisse de Duncan et se referma délicatement sur les objets menacés. Le jeune homme sursauta et gémit de satisfaction.

— La menace plane toujours, mais... hum... Je crois que je vais attendre encore un peu avant de la mettre à exécution.

Le caressant lentement, elle émit un petit rire roucoulant. Duncan ferma les paupières et l'attira à lui pour prendre sa bouche. Soudain, des éclats de voix leur parvinrent du rez-de-chaussée. Ils tressaillirent. John et les trois autres hommes semblaient se disputer. Marion n'entendait pas ce qu'ils disaient, les paroles leur parvenaient étouffées. Mais le cri d'Amelia lui frappa très clairement les tympans, et elle comprit.

Elle se dégagea des bras de Duncan et sauta du lit. Des pas martelant les marches et de vilaines grossièretés résonnèrent dans l'escalier. Marion lança un regard désemparé à Duncan, qui semblait réaliser à son tour ce qui se passait.

— Habille-toi, dit-il d'une voix blanche.

Livide, elle attrapa ses vêtements éparpillés sur le sol et les enfila à la hâte. Duncan l'imita. John frappait maintenant à la porte de la chambre avec fureur.

— Marion, ouvre la porte tout de suite! hurla-t-il. Je sais qu'il est là. Marion! Ouvre cette damnée porte!

Elle jeta un regard désespéré à Duncan qui finissait de revêtir son plaid et d'attacher sa ceinture.

— Il va te tuer... Oh non! Duncan...

— Il n'en fera rien, *mo aingeal*. Enfin, peut-être essaiera-t-il, mais je ne me laisserai pas faire la peau par un Campbell.

Elle lui décocha un regard noir. Les coups redoublaient sur la porte, qui tremblait sous l'assaut.

— N'oublie pas que c'est mon frère.

Il noua le lacet de son corsage, puis l'embrassa sur le front.

— Alors j'éviterai de lui ouvrir la gorge.

— Marion! beuglait toujours la voix chargée de haine et de colère froide. Ouvre la porte immédiatement, ou je l'enfonce! Je sais que ce fils de pute de Macdonald est avec toi!

Elle regarda les gonds avec inquiétude et revint vers Duncan qui ne semblait pas s'en faire outre mesure.

— La fenêtre, Duncan! Passe par la fenêtre!

Enfonçant ses doigts dans son bras, elle le poussa vers la seule sortie possible.

— Marion! Tu ne crois tout de même pas que je vais me sauver comme un couard! Ouvre la porte et laisse-le entrer.

Les poings de John s'abattaient violemment, et Marion sursautait à chaque coup. Duncan la poussa doucement vers la porte et tenta de la rassurer en affectant le calme. Mais elle remarqua qu'il avait néanmoins porté sa main sur son poignard.

— Allons, Marion...

D'une main tremblante, elle retira le verrou. Son frère, le visage blême de rage, fit irruption dans la chambre en soufflant comme un sanglier blessé prêt à charger. Elle recula instinctivement de quelques pas sous la menace de son regard assassin. Il les fixa à tour de rôle. Un silence de mort s'abattit. Amelia se tenait dans l'embrasure de la porte, devant Rob et Colin qui, la main sur le manche de leur poignard, se tenaient prêts à intervenir. On n'entendait que les sanglots de la cuisinière et la respiration saccadée de John.

Marion était pétrifiée. John fit un pas et s'immobilisa. Il inspecta sa sœur de la tête aux pieds, puis tourna le regard vers le lit défait.

Hors de lui, il lui flanqua une gifle retentissante qui la fit pivoter. Elle tomba contre le mur et se laissa glisser au sol, une main sur sa joue cuisante et les larmes aux yeux. Duncan la dévisagea un moment, sidéré. Puis ses traits se transformèrent au fur et à mesure qu'une bouffée de rage montait en lui. Il poussa un cri à glacer le sang et s'élança sur John, qu'il écrasa violemment contre la commode. Le meuble oscilla, le vase de fleurs séchées roula et la belle porcelaine alla se fracasser au sol.

Amelia cria de plus belle. Marion se recroquevilla dans son coin, paralysée par la peur et la stupéfaction. Un poing s'abattit, puis le craquement d'un os résonna sinistrement. Robert et Colin grimacèrent.

— Fumier de Macdonald! rugit John en portant une main à son nez ensanglanté. Tu as déshonoré ma sœur. Tu le paieras de ta vie, petit merdeux!

Sur ces mots, il dégaina son poignard. Mais en même temps qu'il le pointait en direction de Duncan, une lame vint se poser sur sa propre gorge. Colin le retenait par les cheveux.

— Tu lui fais ne serait-ce qu'une égratignure, et je te jure que tu iras retrouver ton ordure de grand-père en enfer...

Amelia poussa un hurlement terrible et dévala l'escalier. Rob s'élança à sa poursuite pour l'empêcher d'ameuter tout le clan, ce qui ne manquerait pas de conduire à un bain de sang. Marion se releva péniblement en se retenant au montant du lit.

— Arrêtez! Relâchez-le.

Mais Colin l'ignora totalement. Elle s'apprêtait à se jeter sur lui lorsque de nouveaux éclats de voix retentirent. Amelia, hystérique, criait et pleurait. Des pas lourds montèrent l'escalier. Marion crut défaillir.

— Papa...

Le laird de Glenlyon fit un pas dans la chambre. Un de ses hommes le suivait. Ce dernier empoigna aussitôt Duncan et le repoussa brutalement contre le mur en lui tordant le bras dans le dos et en appuyant la lame d'un poignard sur sa gorge. Le sang allait couler...

— Relâchez immédiatement mon fils!

Colin obtempéra sans regimber et poussa John vers son père.

— Qu'est-ce qui se passe ici? demanda alors Glenlyon.

Ses yeux profondément enfoncés dans l'ombre de leurs orbites firent le tour de la pièce et se posèrent sur le lit. Puis, comme son cerveau interprétait ce qu'il voyait, le sang quitta son visage. Il poussa un rugissement.

— C'est ce foutu Macdonald qui l'a souillée! cria son fils en pointant un doigt accusateur sur Duncan, qui haletait sous la menace du fil tranchant de la lame.

Marion gémit. Elle devait faire quelque chose. La main qui tenait le poignard n'attendait qu'un signal, qu'une parole pour ouvrir la gorge du jeune Macdonald. Glenlyon posa son regard froid sur le présumé coupable.

— C'est moi, c'est moi qui l'ai invité ici.

— Tu as invité cette canaille dans ton lit? siffla son frère en crachant à ses pieds. Tu étais promise au comte de Strathmore. Il ne voudra certainement plus d'une petite traînée comme toi!

— Ferme-la, hurla Glenlyon en dévisageant son fils avec une fureur contenue.

Au même moment, Marion croisait le regard de Duncan, abasourdi par la révélation de John. Le jeune homme déglutit à grand-peine. Marion se tourna vers son père, dont le regard était dur et impénétrable.

— C'est vrai? lui demanda ce dernier d'une voix blanche.

— Relâchez-le, papa. Il n'a rien pris que je ne voulais lui donner de mon plein gré.

— Pourquoi, Marion?

— Eh bien... parce que...

— Elle voulait certainement bousiller ses chances de faire un bon mariage, railla alors John.

— Le comte de Strathmore est mort sur le champ de bataille, pauvre imbécile!

Fusillant son frère du regard, elle fit un pas vers lui.

— Il est mort en combattant pour son roi. Il ne l'a pas trahi, lui!

John blêmit et serra les mâchoires.

— Arrête, Marion.

— Oh non! Le seul qui ait souillé le nom des Campbell ici, c'est toi! Alors tu n'as pas le droit de juger de mes actes.

Le laird de Glenlyon fronça ses sourcils broussailleux sur un regard sombre.

— Explique-toi, Marion. Quelle est cette histoire de trahison?

— John a...

Elle savait que la terrible révélation anéantirait son pauvre père, déjà bien éprouvé par la vie. Mais elle n'avait pas le choix; elle devait lui dire la vérité. Elle lui exposa brièvement l'essentiel de l'affaire. Les détails pouvaient attendre. Elle chercha un peu de réconfort dans le regard de Duncan. Mais le jeune homme s'était détourné et se tenait immobile sous la lame de l'homme de main de son père. Les épaules de Glenlyon s'affaissèrent sous le poids de la fatalité qui semblait s'acharner sur lui. Il ferma les yeux, puis, tête baissée, ordonna qu'on relâche Duncan et demanda à son fils de quitter la pièce.

— Père, je peux expliquer...

— Descends immédiatement dans mon bureau, John.

Le fils jeta un dernier regard haineux à sa sœur et à Duncan, qui restait impassible, et il quitta la pièce. Colin le suivit de près. Le laird se tourna alors vers Duncan, qu'il regarda fixement.

— J'ai quelque chose à régler avec mon fils. Ensuite, je m'occuperai de vous.

Sur ce, il tourna les talons sans même regarder sa fille. Marion s'écroula sur le lit, secouée de sanglots. Plusieurs minutes après, Duncan s'approcha d'elle. Elle fixa le bout de ses bottes, mais n'osa lever les yeux vers lui.

— Je crois avoir droit à quelques éclaircissements, déclara le jeune homme d'une voix blanche. Qui est Strathmore?...

— Je suis désolée... Je voulais t'en parler, mais je pensais que ça pouvait attendre. Comme il est mort...

— Tu étais promise en mariage au comte de Strathmore et tu ne m'as rien dit?

— Pourquoi t'en aurais-je parlé, Duncan? Il n'y avait rien entre nous à ce moment-là.

Il pivota sur ses talons et s'éloigna. Elle se décida alors à lever la tête et regarda son dos.

— Il est mort, cela n'a plus d'importance aujourd'hui.

Le silence se prolongeait.

— Duncan... tu dois me croire.

— Et s'il n'avait pas été tué, tu te serais donnée à moi quand même?

— Je ne l'aurais pas épousé. Je ne le voulais pas. C'est le comte de Breadalbane qui avait organisé cette union, dans le but de m'empêcher de...

Il se tourna légèrement et la dévisagea de biais.

— Tu veux me faire croire que tu aurais préféré une simple chaumière de Glencoe à un château dans le comté d'Angus? Tu te fous de moi! Et moi qui avais cru... à Ardoch, que tu ne t'y trouvais pas par hasard, que...

— Tu avais raison...

— Bien sûr! Le comte s'y trouvait!

Elle se leva sur ses jambes flageolantes et le regarda droit dans les yeux.

— Tout ceci est ridicule, Duncan! C'est pour toi que je suis restée au campement après la bataille. Je savais que quelque chose de terrible allait arriver. Je savais que la mort allait frapper ton clan...

— Bien entendu que la mort allait frapper. C'était une bataille, après tout!

— Je ne pouvais pas me résoudre à te laisser après la... vision que j'avais eue... Je l'avais vu. J'avais vu le tartan de ton clan souillé de sang, Duncan.

— Et tu n'as pu résister à l'envie de vérifier si ta vision se concrétiserait? lança-t-il, amer.

La pique blessa Marion droit au cœur. Elle contint une réplique, s'efforçant de comprendre la réaction de Duncan.

— J'ai eu peur, car cette vision ne m'est venue que lorsque je me suis trouvée près de toi, alors... je savais...

Duncan regarda la jeune femme avec attention. Elle disait la vérité.

— Tu savais que mon frère allait mourir? Tu veux dire que la vision que tu as eue la nuit de l'abordage du *Sweet Mary*... et tu ne m'as rien dit?

Les traits du jeune homme se durcirent. Il passa une main sur son visage.

— Non! Je ne pouvais pas savoir exactement sur qui la mort allait s'abattre, Duncan. Mais... j'ai cru que cela pourrait être toi. Je ne savais pas ce qui allait arriver. J'ai eu peur de te perdre...

— Mais tu aurais dû m'en parler. J'aurais peut-être pu empêcher mon frère de se faire tuer!

— Non! On ne peut rien contre le destin! Tu ne comprends donc pas? Je vois des choses, et je n'y peux rien. C'est écrit, le futur ne se change pas. Oh, Duncan!

Elle se laissa tomber sur les genoux en sanglotant bruyamment. Duncan la regarda un moment sans rien dire. Puis il soupira.

— Marion, je suis désolé. Je n'aurais pas dû te parler sur ce ton. Je sais bien que tu n'y es pour rien.

Il lui embrassa doucement le visage.

— Pour ce qui est de Strathmore...

Elle ouvrit ses yeux rougis pour le regarder.

— Il a eu la bonté de mourir au combat.

— Comment peux-tu dire une chose aussi affreuse? Il n'avait que dix-neuf ans...

Elle s'interrompit devant la mine de Duncan et poursuivit :

— Mais je te le répète, je ne l'aurais jamais épousé. Ils n'auraient pas pu m'y forcer.

— Non, pourtant, il était de toute évidence un bon parti...

— Je ne voulais pas de ses châteaux et de ses titres. C'est toi... C'est toi que...

Les mots ne sortaient pas de sa gorge sèche. Elle hésitait. Mais au point où ils en étaient...

— C'était toi que je voulais, Duncan.

Les traits du jeune homme se détendirent. Sa bouche s'ouvrit. Visiblement ému, il cherchait ses mots. Il serra fortement Marion contre lui.

— Je crois que je t'aime...

— Tu « crois » que tu m'aimes?

— Pour être franche, Duncan, je ne voulais pas t'aimer. Tu comprends, moi, la fille du laird de Glenlyon, et toi... Et puis, je ne connaissais pas vraiment tes intentions. J'avais peur que tu veuilles te servir de moi pour venger ton clan.

— Marion...

Il prit son menton et la força à le regarder.

— Ma douce *Mòrag*... Jamais je ne pourrais te faire de mal. Et que tu croies m'aimer, même un petit peu, c'est déjà plus que ce que je pouvais espérer.

***

Planté devant la fenêtre, le laird de Glenlyon lui tournait le dos. Son regard se perdait dans les blanches collines qui entouraient le domaine. L'incessant pianotage de ses doigts sur le bureau rendait Duncan très nerveux. Le jeune homme affecta néanmoins un air impavide lorsque Glenlyon abandonna le paysage pour se tourner vers lui, las.

— Je ne vous cacherai pas ma déception. Marion est ma fille unique et j'espérais autre chose pour elle, déclara-t-il d'entrée de jeu. Un Macdonald! *Fuich!* Marion m'a toujours surpris. Mais là, cela dépasse l'entendement.

Son poing s'abattit bruyamment sur le bureau. Il fixa sa main crispée, la desserra, et soupira en refermant les paupières de résignation.

— Toutefois, je ne veux pas la forcer à faire quoi que ce soit. Je dois avouer que je craignais ce qui arrive. Pourquoi serait-elle restée à Perth sinon? Je connais ma fille plus qu'elle ne le croit. Je ne suis pas très bavard. Mes conversations avec mes enfants, surtout avec Marion, sont plutôt... Bah! Ce n'est pas facile pour un homme seul d'élever sa fille, avec un tempérament si impétueux par surcroît. J'ai depuis longtemps baissé les bras à maints égards.

Il haussa les épaules, puis, se tournant vers les flammes, il alla se poster sous le tableau. Son père semblait suivre le déroulement de l'entretien avec attention.

— Je serai honnête avec vous, Macdonald. Je considère votre clan comme une vraie plaie dans nos Highlands. Cependant, je sais juger un homme pour ce qu'il est en mettant de côté ce qu'il représente...

Il regarda Duncan, debout près de l'entrée, immobile.

— Marion était promise au comte de Strathmore, comme vous le savez. Mais il est mort, que Dieu ait son âme. Cela simplifie les choses avec le comte de Breadalbane. Cependant, Marion perd aussi sa chance de faire un mariage profitable.

— Profitable? s'indigna alors Duncan, sortant d'un coup de son mutisme. Pour qui?

Le visage émacié et fatigué de Glenlyon se durcit. Des fils gris parsemaient la chevelure rousse. L'homme fronça les sourcils sur son regard triste, d'un bleu délavé.

— Pour elle, Macdonald. Ne vous méprenez pas sur mes intentions. J'aime profondément ma fille. Pour elle, je suis prêt à sacrifier quelques-uns de mes principes. Jamais je ne me servirais de Marion dans le but de m'enrichir. Je veux que ce soit clair.

— Oui, monsieur.

Glenlyon soupira, puis jeta un œil au visage charmeur de l'homme suspendu au mur, au-dessus de lui.

— Ce sont vos intentions qui m'inquiètent, Macdonald. Pourquoi un homme de Glencoe voudrait-il de la fille de Glenlyon, sinon pour?... Étant donné les relations entre nos deux clans, je crois qu'il est normal que je me pose des questions.

— En effet, admit Duncan. Mais mes intentions sont honnêtes, monsieur, vous pouvez me croire...

Le laird sourit, ironique.

— Vous croire sur parole? J'aimerais bien. Mais le problème est qu'il y a longtemps que je ne fais plus confiance aux hommes qui viennent de la vallée maudite. Il m'est difficile de ne pas voir dans cette affaire une volonté de vengeance. Ma fille m'est très précieuse. Elle est tout ce qu'il me reste... Elle me rappelle ma défunte épouse.

— Je suis désolé, monsieur. Marion m'a raconté.

— Elle vous a raconté? Bon...

Il hésita. Ses longs doigts osseux tripotaient nerveusement la poche de sa veste en velours céruléen qui accentuait la couleur de ses yeux. Un moment, Duncan imagina Marion dans une robe de la même couleur.

— Est-ce que vous l'avez forcée?

Duncan cilla.

— Euh... non, monsieur!

Le laird grimaça, puis se gratta l'aile du nez en évaluant le jeune homme d'un œil circonspect.

— Évidemment, il est plutôt difficile de forcer Marion à faire ce qu'elle ne veut pas sans risquer une crise, je suis bien placé pour le savoir. Et comme j'ai pu deviner les sentiments qu'elle semble nourrir à votre endroit, je la crois lorsqu'elle me dit que c'est elle qui vous a invité dans sa... chambre. À seize ans... elle est devenue une jeune femme qui sait ce qu'elle veut, je suppose. Je suis terriblement choqué de son comportement, et le mot est faible. Mais je n'y peux plus rien, n'est-ce pas?

Il émit un petit rire sarcastique, avant de reprendre :

— Je dois avouer que c'est un peu de ma faute. Je l'ai toujours laissée faire ce qu'elle voulait. Je suis beaucoup trop fatigué pour me battre avec elle. Au grand dam d'Amelia, elle préférait grimper les buttes de tourbe en culottes plutôt que de rester sagement ici dans une robe propre à s'adonner à des activités féminines ou bien à réciter les psaumes de la Bible. C'est qu'elle peut être très butée, vous savez.

Duncan retroussa les coins de sa bouche.

— J'ai cru remarquer... Elle a aussi la langue bien pendue.

— Hum... fit le laird en plissant les yeux. J'aurais sans doute dû être un peu plus sévère sur ce point. Son langage laisse beaucoup à désirer.

— Je m'en accommode assez bien, fit observer Duncan sans cesser de sourire.

— Oui, je n'en doute pas.

Glenlyon le dévisageait d'une drôle de manière, ce qui le mit mal à l'aise.

— Comment s'appelle votre père?

— Liam Macdonald.

— Liam... C'est un prénom peu commun dans les Highlands. Je crois me souvenir de lui. Je l'ai probablement « croisé » sur mes terres à un moment ou à un autre.

Il se frotta pensivement le menton, puis se tourna vers le tableau situé derrière lui.

— Vous savez que cet homme est mon père?

— Oui, je l'ai deviné.

— Ce qu'il a fait ne pourra jamais être réparé, ni pardonné. C'était un homme malade et manipulé. Je ne veux pas excuser ses actes, mais je ne veux pas que Marion en paie le prix.

Il regarda Duncan d'un air entendu.

— Vous comprenez?

— Très bien, monsieur.

— Qu'avez-vous l'intention de faire avec elle, maintenant que... Enfin, vous savez?

— Je veux l'emmener avec moi à Glencoe, répondit Duncan, sans broncher.

La mâchoire du laird se crispa. L'homme enroulait machinalement la chaînette d'or de sa montre accrochée à sa boutonnière autour de son index, la tendant dangereusement.

— Glencoe... murmura-t-il en grimaçant, comme si le simple fait de prononcer ce nom était une malédiction en soi. Elle a accepté?

— Oui.

Glenlyon se renfrogna en expirant bruyamment sa reddition devant les faits. Duncan ressentit une certaine pitié pour cet homme dont le poids de la vie semblait si lourd à porter. Marion avait-elle déjà vu son père sourire?

— Dites-moi, Macdonald, pourquoi voulez-vous emmener ma fille à Glencoe?

Duncan resta coi un moment. Puis il redressa les épaules et le menton.

— Parce que je l'aime, monsieur.

Son cœur galopait comme une bête effarée tentant de fuir un danger. Il avait enfin avoué au père de Marion les sentiments qu'il venait tout juste de s'avouer à lui-même. Il aimait Marion.

— Vous l'aimez... dit Glenlyon tout haut. Et jusqu'où irait votre... amour pour elle?

— Je suis prêt à tout pour elle.

Les mots étaient venus tout seuls. Il s'en étonna lui-même. Oui, il aimait Marion Campbell. Après la rage qu'il avait ressentie un peu plus tôt dans la chambre, lorsque son frère l'avait frappée, il réalisait qu'il pourrait tuer pour elle. Si John n'avait pas été son frère, il aurait certainement senti la morsure de l'acier de son poignard.

— Comprenez-moi, reprit le père de Marion. Je dois m'assurer de votre loyauté envers elle. Il est très difficile pour moi de vous juger correctement. Vous êtes un homme de Glencoe. Mais je vous ai vu à l'œuvre sur le champ de bataille. Vous êtes un homme courageux. Je crois aussi que vous êtes un homme d'honneur. Ma fille s'est retrouvée entre vos mains bien malgré moi pendant un certain temps, et...

Il grimaça.

— Vous l'avez respectée. Je dois d'ailleurs vous remercier pour tout ce que vous avez fait pour elle...

Glenlyon se dirigea vers un petit guéridon, prit l'un des verres qui étaient posés dessus et attrapa la bouteille de whisky rangée sur les étagères. Puis il revint vers le bureau.

— Vous savez que mon père a dilapidé notre héritage, dit-il en se versant un *dram* de liquide ambré.

Il ouvrit alors un tiroir du bureau de noyer d'où il sortit une boîte en bois de rose garnie de coins de laiton brillant. Elle était fermée à clef. Duncan observait le laird avec curiosité, sans rien dire, tandis qu'il farfouillait dans son trousseau de clefs. L'homme trouva ce qu'il cherchait et enfonça la petite clef dans la serrure de la boîte.

— Je suis donc ruiné, et il ne me reste rien pour Marion.

Il leva un regard entendu vers Duncan.

— Je veux dire qu'il m'est impossible de doter adéquatement ma fille.

— Je ne veux rien de vous, monsieur. Votre fille est tout ce que je désire.

— Oui, bien sûr.

Il rit doucement.

— Enfin... Disons que toutes les vaches que vous m'avez volées depuis ce premier jour où vous avez mis les pieds sur mes terres et où je vous ai renvoyé chez vous avec mon pied au derrière constituent sa dot.

Duncan sentit le sang lui monter aux joues. Il ouvrit la bouche, mais aucun son ne sortit. Glenlyon se souvenait de lui? Ça alors! L'homme ouvrit le coffret. Une coupe en argent délicatement ciselée reposait dans son écrin de velours rouge sang. Glenlyon la fixa un moment avec un air indéchiffrable. Puis il la sortit lentement et la posa à côté du verre rempli de whisky.

— Avez-vous l'intention de vous marier avec elle?

Duncan se sentait de plus en plus mal. Évidemment, le père veillait à ce que sa fille ne soit pas bafouée. Mais le mariage ne lui avait pas effleuré l'esprit. Voulait-il vraiment se marier? Et elle, que voulait-elle?

— C'est que... Marion et moi n'en avons pas discuté. Mais si c'est ce qu'elle désire... alors je prononcerai les vœux avec elle.

Glenlyon sembla satisfait de sa réponse. Il versa du whisky dans la coupe d'argent, qu'il lui tendit. Puis il prit le verre et le leva.

— *Slàinte mhat!*

Duncan l'imita, puis vida la coupe d'un trait. Il esquissa un geste pour la rendre à Glenlyon, qui l'arrêta d'une main ferme.

— Non, dit-il, elle vous appartient.

Le jeune homme baissa des yeux éberlués sur le magnifique travail d'orfèvrerie qui étincelait entre ses doigts.

— Elle appartenait à votre clan, tenta d'expliquer le laird avec embarras. Je crois que le moment est venu de vous la rendre.

Soudain, Duncan réalisa avec ébahissement qu'il tenait dans sa main la fameuse coupe d'argent du grand MacIain, que le capitaine Robert Campbell avait fait assassiner plus de vingt ans plus tôt. Cette coupe rapportée de France avait disparu avec tout ce qui se trouvait dans le manoir de Carnoch avant qu'il ne soit incendié par les hommes du régiment d'Argyle.

— La coupe de MacIain... murmura le jeune homme, subjugué.

— Oui. Je vois que vous en connaissiez l'existence. Elle est enfermée dans ce coffret depuis les terribles... événements. Je n'y ai jamais touché avant aujourd'hui. Plusieurs fois, j'ai surpris mon père assis devant le coffret ouvert, à fixer la coupe. Mais il n'y touchait pas non plus. Je crois qu'il en avait peur... La malédiction, vous comprenez?

— Je crois.

— Je vous la rends. Elle ne m'appartient pas. Je suis même soulagé de m'en débarrasser. La seule idée qu'elle était ici me pesait. Mais je ne pouvais quand même pas me présenter chez votre chef et lui dire : « Tenez, voici la coupe de votre père... »

Il s'interrompit, les yeux rivés sur l'argent brillant.

— Je ne pense pas que la paix régnera de sitôt entre nos deux clans, déclara-t-il. Je sais que mes vaches continueront de disparaître et qu'à l'occasion l'un des vôtres sera pendu à l'une des branches de Chesthill...

Duncan déglutit, mais soutint le regard désapprobateur de Glenlyon.

— J'espère que vous veillerez à ne pas vous faire prendre, Duncan, pour Marion... Je serais bien marri de devoir sévir contre celui qui a pris le cœur de ma fille.

Un sourire narquois courba les lèvres de Duncan malgré lui. Quelle situation! Quel cynisme! Glenlyon avait le sens de l'humour!

— J'y veillerai, marmonna le jeune homme.

Glenlyon sourit. Tout à coup, il parut à Duncan que le laird avait dix ans de moins.

— Autre chose... Je ne suis pas assez naïf pour penser que Marion aura la vie facile à Glencoe. Si elle a choisi de vous suivre, c'est qu'elle en accepte les conséquences. Cependant, je compte sur vous pour faire en sorte qu'elle ne souffre pas trop.

— Bien sûr, vous pouvez compter sur moi.

Glenlyon posa la main sur l'épaule de Duncan. Il dévisagea longuement le jeune homme. Après une légère pression des doigts, il s'écarta.

— Un dernier avertissement. Si jamais ma fille souffre à cause de vous, je jure de vous tuer de mes propres mains. Suis-je assez clair?

Duncan ne put s'empêcher d'étirer son sourire.

— On ne peut plus clair, monsieur.

— Mon père doit se retourner dans sa tombe...

La porte s'ouvrit subitement, et Rob Roy fit irruption avec son fils, James Mor. Il lança sur le bureau un pli dont le sceau avait été brisé et s'adressa au laird sans aucune autre forme de cérémonie qu'un bref salut de la tête.

— Je crois que nous avons trouvé un moyen de récupérer le document.

Glenlyon fronça les sourcils en regardant le pli, sans toutefois y toucher.

— Qu'est-ce que c'est?

James Mor s'avança avec un sourire triomphal sur son visage rougi.

— C'est un document qui commande l'assassinat du Prétendant. Il est signé de la main de John Campbell, le fils héritier du duc d'Argyle.

— Putain de merde! siffla Duncan.

— Le Prétendant serait-il arrivé enfin en Écosse?

— Oui, depuis deux jours. Il aurait débarqué à Peterhead et aurait rapidement pris la route de Perth, où on l'attend avec fébrilité.

— Dieu soit loué, murmura le laird.

Il prit le pli violé pour l'examiner de plus près.

— D'où vous vient ce document?

— Nous avons intercepté la poste venant de Fort William, annonça James. Disons que nous n'avons pas eu trop de mal à convaincre les courriers de nous laisser fureter dans leur paperasse, ajouta-t-il en tapotant le poignard qui pendait à sa ceinture. J'ai reconnu l'écriture du fils d'Argyle sur l'enveloppe. Au début, je croyais avoir affaire au document que nous cherchons à reprendre... Mais celui-ci pourra tout de même nous servir.

— Du chantage? demanda Duncan.

La bouche de James se fendit en un large sourire.

— Si on veut... Je ne crois pas qu'Argyle approuve les idées et les petites combines de son fils. Le chenapan fait passer le complot comme une machination du duc. Vous pouvez imaginer les conséquences si le Prétendant monte sur le trône. Il finira comme ses ancêtres, la tête sous la lame de la Veuve.

— Hou là! fit Duncan.

Glenlyon esquissa un sourire énigmatique et froissa le pli entre ses doigts d'un air pensif.

— Hum... Je te tiens, Argyle...

— Voilà pour les bonnes nouvelles, dit James.

Il se tourna alors vers Duncan d'un air affligé.

— J'ai bien peur que ta sœur et son mari ne soient en mauvaise posture...

— Quoi?

— Trevor Macdonald a été arrêté pour l'attaque d'un train de ravitaillement destiné à Fort William. Un soldat aurait été tué.

Duncan serra la coupe.

— Avec le soulèvement, je doute qu'ils reçoivent des traitements... euh... Enfin, nous les avons croisés alors qu'ils étaient transférés à Inverness.

— Ils? Tu veux dire que Frances n'a pas été relâchée?

— Non, répondit James.

— Mère ne passera pas l'hiver!

— Colin est aussitôt parti pour Glencoe. Lui et ta mère iront à Perth pour avertir ton père et voir ce qu'il faut faire.

Duncan était déchiré. Il se disait qu'il devait accourir vers sa mère qui était certainement au bord du gouffre avec la mort de Ranald, et maintenant l'arrestation de Frances... Mais il y avait aussi Marion et ses problèmes...

SEPTIÈME PARTIE

« Il est des gens qui n'embrassent que des ombres;
ceux-là n'ont que l'ombre du bonheur. »

Shakespeare, *Le Marchand de Venise*

20

Les premières résolutions

Une fébrilité intense agitait les soldats jacobites qui canton-naient à Perth depuis maintenant un mois. Partout dans les rues et dans les tavernes, on portait des toasts à la santé du prétendant Jacques Stuart, qui avait foulé le sol gelé d'Écosse et devait arriver dans le petit bourg dans les prochains jours. Le comte de Mar et le comte de Marischal ainsi qu'une trentaine de nobles et de gentilshommes avaient quitté Perth pour se lancer à la rencontre du futur roi, proclamé à Fetteresso, principal siège des Keith, tandis qu'ici on s'activait à préparer l'arrivée imminente et le couronnement, qui serait célébré en grande pompe.

Pour ma part, j'étais à Perth depuis un peu plus de vingt-quatre heures et n'avais vraiment pas le cœur à fêter. Le jour touchait presque à sa fin et avec lui se terminait l'an 1715. La taverne de Tay Street où je m'étais réfugiée était maintenant bondée. Avec un mélange de crainte et d'impa-tience, j'y attendais Colin, parti à la recherche de Liam. Il fallait le retrouver le plus rapidement possible pour sortir Frances et Trevor du pétrin dans lequel ils s'étaient fourrés.

Presque trois semaines s'étaient écoulées depuis le départ en catas-trophe de Liam. Dans un état d'égarement total, je traînais pitoyablement ma carcasse vide de toute émotion. Je vivais dans un épais brouillard qui ne voulait pas se dissiper. Pour oublier un peu Liam, sa trahison, mon chagrin et ma propre existence, je m'abîmais du matin au soir dans les tâches ménagères. Mais rien n'y faisait. Comment oublier?...

À deux reprises, Margaret était venue. Je savais, au fond, qu'elle se sentait honteuse et regrettait sincèrement. Mais j'avais refusé de lui ouvrir ma porte pour écouter ses plates excuses qui ne m'auraient apporté aucun réconfort. Je n'étais pas prête à l'entendre... pas plus que je n'étais prête à revoir Liam. Mais il y allait de la vie de notre fille.

Je n'avais rien raconté à Colin sur mes déboires matrimoniaux. Je savais qu'il se doutait de quelque chose, car je m'étais montrée réticente à partir retrouver Liam à Perth. De plus, j'avais carrément refusé de le suivre dans les rues du bourg pour rechercher mon mari. Il avait eu la discrétion de ne pas trop poser de questions. Peut-être savait-il déjà? J'en doutais, cependant. Liam n'était pas du genre à s'épancher auprès d'autrui. Pourtant, avec Margaret...

Rabrouant ma conscience qui ne me laissait pas tranquille, je serrai les dents et avalai une gorgée de vin. Je fixai la porte dans l'appréhension constante de le voir entrer. Je repoussai mon assiette à moitié entamée. Assise dans un coin sombre, j'embrassais la pièce d'un seul regard. La porte s'ouvrit. Une tête blonde et lisse apparut dans l'embrasure; Colin me cherchait dans la cohue. Sans m'en rendre compte, je m'étais redressée pour m'efforcer de découvrir la tête fauve et bouclée de Liam, derrière lui.

Mon cœur me martelait la poitrine; les muscles de ma gorge et de mon estomac s'étaient contractés. Colin était seul. Je me mordis la lèvre pour ne pas pleurer. Avait-il refusé de me voir ou restait-il introuvable? J'eus un moment de panique. Et s'il n'était pas revenu à Perth? Colin vint me rejoindre et s'assit en face de moi, une pinte de bière à la main.

— Alors?

— Je l'ai vu, dit-il en me dévisageant fixement d'un air triste. Il ne voulait pas venir ici...

Mon cœur fit un bond. Dieu soit loué! Il était ici.

— ... il était bouleversé.

— Mais je dois le voir! Nous ne savons pas ce qui est arrivé à Frances.

— C'est de te savoir ici qui le bouleverse autant, Caitlin.

— Mais nous ne pouvons nous permettre de nous attarder trop longtemps. Quand acceptera-t-il de me voir?

Colin afficha une moue incertaine et haussa les épaules.

— Tu l'as bien mis au courant de l'urgence de la situation? insistai-je en vidant le reste du contenu du pichet dans mon verre.

Il mit son nez dans le pichet et me regarda d'un drôle d'air.

— Tu as eu de la compagnie ou bien tu l'as vidé toute seule pendant mon absence?

— Eh bien... je l'ai bu toute seule, répondis-je bêtement.

En même temps, je sentais l'alcool commencer à me faire tourner la tête et une molle langueur m'envahissait. Je plongeai dans une profonde mélancolie.

— Tu n'as pas répondu à ma question, Colin. Est-ce que...

— Oui, je lui ai tout expliqué.

— Où était-il?

— Dans Skinnergate, avec Calum, Robin et Angus.

— Était-il... ivre?

Pendant un instant, j'avais pensé qu'il était peut-être trop ivre pour m'affronter.

— Non.

Il me lança un regard mi-intrigué, mi-empathique.

— Caitlin, commença-t-il en me prenant la main. J'ai beaucoup de peine de te voir dans cet état. Je ne suis pas dupe. Je sais qu'il s'est passé quelque chose entre Liam et toi...

Je vidai mon verre et soulevai le pichet vide en grimaçant.

— Tu m'en apportes un autre?

Il m'adressa un regard plein de mansuétude, puis commanda un autre pichet.

— Tu vas te retrouver complètement ivre, Caitlin.

Je lui souris, dépitée.

— J'ai besoin d'oublier... articulai-je en riant nerveusement.

Assis à la table voisine, un jeune homme brun à la tenue soignée se tourna vers moi et me reluqua un bon moment avec un sourire charmeur. À part les serveuses, les femmes étaient rares dans le bruyant établissement. On déposa un pichet plein de vin devant moi. Je me versai un verre. Colin serra doucement mon poignet pour me ramener à lui.

— Je disais qu'il s'était passé quelque chose entre Liam et toi...

Je bus une gorgée de vin.

— Raconte-moi cette histoire avec le duc d'Argyle.

Comprenant que je ne voulais pas parler de mes problèmes, il n'insista pas. Il lâcha ma main et s'empara de sa pinte de bière.

— C'est le fils du duc qui s'est mis dans la merde, si je puis dire. Il a tramé un complot visant à faire assassiner le Prétendant. Mais l'imbécile n'a même pas eu le cran de porter le chapeau. Il a contrefait la signature de son père...

Un mouvement rapide attira mon attention. Le grand efflanqué aux cheveux bruns de la table voisine venait de renverser sa pinte, qui avait éclaboussé le bas de ma jupe. Il se confondait maintenant en excuses en tentant d'éponger la bière.

— Ça va aller, ça va aller!

— Je suis vraiment peiné, madame... euh?...

— Macdonald.

Le jeune homme me prit la main et la porta à ses lèvres. Puis il s'inclina légèrement.

— William Gordon, annonça-t-il dans un large sourire dévoilant l'absence de deux dents. Je suis le coursier du comte de Marischal, et je n'ai pu m'empêcher de vous entendre parler du Prétendant...

— Oh! En effet, nous...

Colin me donna un coup de pied sous la table et me fit les gros yeux.

Je m'apprêtai à protester, mais me retins, devinant à la lueur de son regard qu'il valait mieux que je me taise.

— Vous parliez d'un complot contre notre futur roi?

— C'est une rumeur, expliqua Colin en souriant à William Gordon.

Ce dernier tiqua.

— Et où avez-vous entendu cette rumeur?

— Dans les rues de Perth... par hasard.

Le jeune homme plissa les yeux.

— Vous en avez parlé à quelqu'un?

Il paraissait nerveux et gesticulait sans arrêt.

— Je ne colporte pas les rumeurs, monsieur Gordon, affirma sèchement Colin.

William Gordon pinça les lèvres. Il inclina de nouveau le chef et s'excusa une autre fois de sa maladresse en posant les yeux sur moi.

— Je vous souhaite une bonne année, madame, monsieur.

Puis, il tourna les talons et disparut.

— Il était préférable de ne rien dire, tu comprends?

— Hum...

Le nez dans mon verre, je regardai le grand échalas s'éloigner. J'avais déjà vu cet homme quelque part... Mais où?

— Et comment Glenlyon pense-t-il régler cette affaire? demandai-je en reportant mon attention sur Colin.

— Il va demander un entretien avec le duc, je suppose, et lui brandir la preuve de ce que manigance son fils. Si le duc a encore un tant soit peu d'honneur, il acceptera de procéder à l'échange des documents. Sinon, les libelles peu flatteurs à son égard circuleront dans toute l'Écosse, et il sera la risée de ses compatriotes. Un duc, se faire jouer ainsi par son propre fils? De plus, nous ne savons pas encore quelle sera l'issue du soulèvement. Qui prendrait le risque de se trouver en si mauvaise posture? Si Stuart monte sur le trône, Argyle sera accusé de lèse-majesté et suivra son grand-père sur l'échafaud. C'est en effet sa signature qui commande le régicide...

J'écoutai d'une oreille distraite Colin expliquer le complot, puis raconter la scène de la chambre de Marion Campbell, en vidant le deuxième pichet. J'avais les yeux rivés sur la porte. Liam ne venait pas. Une boule me montait à la gorge. Je réalisais qu'au fond j'espérais le voir, ne fût-ce que pour m'assurer qu'il allait bien. « Avoue, Caitlin, il te manque... » Non, j'étais encore trop amère et déchirée; je lui en voulais trop...

Les doigts de Colin effleurèrent ma joue humide.

— Caitlin...

— Il m'a trompée.

Il me dévisagea, muet de stupéfaction. J'avais envie de lui refermer la mâchoire avant qu'elle ne tombe sur la table.

— Quoi?

— Liam m'a trompée, articulai-je avec peine.

Tout à coup, je sentais le besoin de tout lui raconter. Il fallait que je me soulage de ce poids terrible qui m'empêchait de respirer depuis des semaines; de cette douleur qui me bourrelait l'âme.

— Avec Margaret Macdonald.

— Mais comment est-ce arrivé?

Je lui racontai les circonstances qui avaient amené Liam à commettre l'impardonnable à mes yeux. Grise du vin et de l'ambiance qui régnait dans la salle, j'étais loquace. Je me vidais de ma hargne, de mon amertume et de mes regrets d'une voix languissante. Je plongeais dans le regard gris compatissant de Colin.

— Voilà! Tu sais tout maintenant. Il a dit qu'il ne reviendrait pas...

L'émotion m'étrangla, et j'éclatai en sanglots. Un peu décontenancé, Colin vint s'asseoir à côté de moi, sur le banc, et m'enlaça affectueusement.

— Je ne sais pas quoi dire, Caitlin. Je suis tellement désolé... Bon sang, je ne savais pas Liam capable d'une telle ignominie.

Après un moment, je me calmai. La chaleur de son corps me réconfortait, et je me blottis tout contre lui. Se penchant sur moi, il déposa un baiser sur mon front.

— Je vais te conduire à ta chambre. Tu as besoin de prendre du repos, déclara-t-il en m'aidant à me lever.

Je vacillais dangereusement sur mes jambes tandis qu'il ramassait ma cape qui avait glissé au sol.

— Oups! fis-je en me retenant à son bras. Arrête de bouger, Colin...

— Je ne bouge pas, Caitlin. Allez, viens. Tu ne tiens plus debout.

La chambre était sombre et glacée. J'avais des sueurs froides et ma tête tournait terriblement. Après m'avoir installée sur l'unique chaise, Colin alluma une chandelle. Puis il retira l'édredon. Je l'observais en grelottant. Le feu était éteint. Je devais le rallumer. Il faisait si froid...

— Holà! s'écria-t-il en m'attrapant par la taille juste au moment où je basculais la tête la première dans le tas de cendres froides.

— Je ne peux pas te laisser deux minutes.

J'éclatai d'un rire faux. Je croyais entendre Liam. Combien de fois s'était-il plaint en riant, m'accusant de me mettre dans le pétrin dès qu'il avait le dos tourné.

— C'est vrai que je suis une emmerdeuse, marmottai-je d'une voix molle en me retournant dans ses bras. Un vrai casse-pieds, hein?

Je lui lançai un regard provocant.

— Au fond, c'est vrai. Pourquoi Liam reviendrait-il? Regarde-moi, Colin...

Il prit mon visage entre ses mains et me regarda tristement.

— Arrête, Caitlin. Tu n'es plus toi-même.

— Aaaah non? Mmmm... C'est vrai que je me sens un peu tristounette, ce soir.

J'éclatai de rire de nouveau. Mais bizarrement, Colin ne trouvait pas ça drôle. Mes jambes mollirent.

— Caitlin!

Il me retint fermement contre lui. J'avais si froid... Je me sentais attirée par la chaleur de son corps et me pressai contre son torse. Je croisai alors son regard pénétrant. Ce regard...

Je clignai des yeux. Mais il était toujours là, à me fixer d'un air indéchiffrable, son souffle tiède balayant mon visage. Soudain, sa bouche s'écrasa contre la mienne. J'en fus déstabilisée tant physiquement que moralement. Je me retins à son plaid. « Mon Dieu, Caitlin! Mais que fais-tu? »

Colin me porta sur le lit, où nous nous effondrâmes. Ses mains parcouraient mon corps. Je ne sus comment, mais au bout de quelques minutes ou de ce qui me sembla n'être que quelques minutes, je ne me retrouvai vêtue que de ma seule chemise. Mes vêtements étaient éparpillés autour de nous.

— Caitlin... Caitlin... Dieu du ciel! Toutes ces années...

Un moment je crus entendre la voix de Liam. Il reprit ma bouche et m'explora de ses mains, sous ma chemise. Je me laissai porter par les sensations que ses caresses me procuraient. Frémissante et gémissante, j'ondulais comme un roseau sous une douce brise. Puis la bourrasque de ma conscience me secoua. J'ouvris les yeux. Non... Ce n'était pas Liam. Ce n'étaient pas ses baisers; ce n'étaient pas ses caresses.

— Le salaud, comment a-t-il pu te faire ça, Caitlin?

Dans la pénombre de la chambre, je distinguais la tignasse blonde et lustrée qui fourrageait sous ma chemise retroussée. « Caitlin, que fais-tu? Secoue-toi avant qu'il ne soit trop tard! » Je remuai un peu et protestai faiblement. Mais mon corps ne répondait plus et ma tête...

Colin se hissa sur moi et écarta doucement mes cuisses avec son genou. « Colin, s'il te plaît... » Mais les mots restaient coincés dans ma gorge. Mes yeux brûlaient de larmes. Je geignis et eus un hoquet. Colin s'immobilisa brusquement et leva les yeux vers mon visage.

— Caitlin... Je...

Son regard était triste, si triste. Il poussa un grondement et enfouit sa tête entre mes seins, haletant.

— Pardonne-moi, murmura-t-il. Je n'ai pas le droit... Tu es ivre et... je sais que c'est Liam que tu veux...

Il fit une pause, pendant laquelle je n'entendis que son souffle rauque et entrecoupé. Pleurait-il? La chambre tournait autour de moi. La nausée me prit. Colin se redressa.

— Caitlin, je t'aime depuis toujours. Je ne pardonnerai jamais à Liam ce qu'il t'a fait... Mais il est mon frère, et toi... fit-il en s'asseyant. Je ne peux pas... pas comme ça. Je ne veux pas profiter de ta faiblesse. Je sais que tu es triste et que c'est avec Liam que tu voudrais être.

Ses paroles prenaient un sens bien particulier dans la petite partie de mon cerveau qui fonctionnait encore. Je me rendais compte que j'avais été à un cheveu de faire la même erreur que Liam. Je restais sur le lit sans bouger, les yeux rivés sur les lattes du plafond qui n'arrêtait pas de tourner.

— Colin...

La nausée me reprit de plus belle. Je sentis la main de Colin sur mes cuisses, puis sur mon ventre. Il rabattit ma chemise sur ma nudité en jurant.

— Colin... je crois que je vais vomir...

Il se précipita, et je me retrouvai penchée au-dessus d'une cuvette, vidant mon estomac qui se rebellait violemment.

— Oh, ma tête! geignis-je en retombant sur l'oreiller.

— Ça va aller. Je n'aurais pas dû te laisser terminer le deuxième pichet.

Il m'épongea le front et la gorge avec une serviette mouillée, et me fit boire quelques gorgées d'eau. Je gardais les yeux fermés pour essayer d'atténuer le vertige qui ne me quittait pas. Mais je sentais son regard posé sur moi.

— Je quitte l'Écosse, Caitlin, m'annonça-t-il de but en blanc.

— Quoi?

J'ouvris un œil. Il me fixait d'un air grave. Il était toujours aussi beau. La rudesse de la vie qu'il avait choisie n'avait pas laissé trop de marques sur son visage... hormis cette cicatrice au menton, souvenir d'une bagarre avec un homme de Keppoch, lors d'une beuverie.

— Pourquoi? Où vas-tu?

— Je pars pour l'Amérique. Je ne sais pas... le Canada peut-être... La Virginie, les Carolines... Là où le premier bateau m'emmènera. Je ne peux plus rester ici, tu comprends?

Je hochai la tête pour approuver. Mais en fait, tout était confus dans mon esprit. Ses lèvres se posèrent sur les miennes.

— Je vous aime, Liam et toi. Mais je souffre trop de vous voir ensemble, avoua-t-il d'une voix basse.

Il prit un air résigné et détourna le regard.

— Je vais avec vous à Inverness, pour Frances. Ensuite, je trouverai un bateau.

— Mais l'insurrection... Ils ne te laisseront pas embarquer. Les ports sont certainement surveillés et fouillés.

Sentant un goût de bile me remonter en bouche, je grimaçai.

— Je trouverai bien un moyen. Des papiers volés...

— Mais pourquoi quitter l'Écosse? Pourquoi aller si loin?

Il haussa les épaules avec lassitude.

— L'économie stagne. Il n'y a rien pour moi ici. L'Amérique offre beaucoup de possibilités. Il paraît qu'on peut y faire fortune dans le commerce des fourrures.

— Mais on dit ces contrées infestées de sauvages qui coupent la peau du crâne et les cheveux pour s'en faire des trophées.

Il éclata d'un rire ironique.

— Je devrais bien m'entendre avec eux...

— Colin... C'est à cause de moi. J'ai gâché ta vie.

— Ne dis pas de bêtises, Caitlin. Tu n'y es pour rien. Je suis seul responsable de mon malheur.

— C'est de ma faute. Tout est de ma faute! Maudit soit ce jour où j'ai croisé votre route, à Liam et à toi!

— Arrête, Caitlin. Ne dis pas ça.

Je déglutis. Ma gorge était irritée et sèche; mon estomac n'avait pas dit son dernier mot. Colin me dévisageait d'un air abattu. Il repoussa une mèche moite qui me collait à la figure.

— Tu devrais dormir. Je vais rester un peu pour m'assurer que tout va bien.

Je le fixai un moment, ne sachant trop quoi dire. Peut-être n'y avait-il tout simplement plus rien à dire. Colin m'aimait toujours et en souffrait. Il s'était tourné vers le whisky et vers une vie aventureuse. Rien n'y avait fait. Peut-être valait-il mieux effectivement qu'il s'éloigne pour de bon. Je levai des yeux accablés vers lui, puis hochai lentement la tête.

Les collines peintes d'émeraude et mouchetées de bleu ondulaient en miroitant sous la caresse de la brise tiède que je sentais aussi sur mon visage. Notre chien, Seamrag, gambadait autour de mon petit Ranald et jappait joyeusement. Les rires de mon fils résonnaient sur la lande et le soleil étincelait dans la crinière qui volait autour du visage poupin rouge de plaisir.

— Ne va pas de l'autre côté de la colline, Ran!

J'étalais du fromage de brebis bien frais sur une belle tranche de pain.

— Non, maman!

Je lui souris. Dans son tartan, mon fils n'était plus qu'un tourbillon chatoyant de rouges, de verts et de bleus. Je fermai les yeux un moment pour humer le parfum suave de la bruyère. Le soleil était chaud, si chaud...

Je rouvris les yeux.

— Ran?

Mais où était-il?

— Ran?

Je tentai de me relever, mais mes jambes semblaient prises dans un étau.

— Ran! criai-je, paniquée.

Il ne me répondait pas et je n'entendais plus les jappements de Seamrag.

— Oh, mon Dieu!

Je n'arrivais toujours pas à me lever; quelque chose d'invisible emprisonnait mes jambes. Je me débattis. Il faisait chaud, si chaud! Je transpirais à grosses gouttes. Où était mon fils? J'avais perdu mon fils!

— Ranald!

Quelque chose remua dans le lit, me libérant les jambes. Haletante, les doigts crispés sur ma chemise trempée, je tentai de percer l'obscurité. La chandelle s'était éteinte. J'avais rêvé... encore.

— Colin?

L'air froid glaçait la chemise qui me collait à la peau. Je frissonnai. Il s'approcha.

— C'est moi...

Mon sang ne fit qu'un tour. La voix grave de Liam m'atteignit en plein cœur, et je fus prise d'un tremblement incontrôlable. La nausée m'envahit de nouveau. Penchée au bord du lit, je tentai de réprimer le nouvel assaut en cherchant à tâtons la cuvette. Liam me redressa et déposa l'objet recherché sur mes genoux. Mon estomac se calma et les spasmes cessèrent.

— Ça va mieux? demanda-t-il un peu froidement.

Je ne pouvais le voir, mais je le savais tout près.

— Je crois, oui.

Il reprit la cuvette et la poussa sous le lit. Depuis combien de temps était-il ici? Colin était-il encore dans la chambre quand il était arrivé? Qu'avait-il vu?

— Liam?

L'odeur âcre de la vomissure flottait dans la pièce et me prenait à la gorge, me soulevant l'estomac. Pensant à la mine affreuse que je devais avoir, j'espérai que Liam n'allume pas la chandelle. Le savoir près de moi me rassurait, mais le voir me déchirerait. Le lit s'affaissa et une grande main chaude m'effleura le front, puis les joues. Je frémis et eus un mouvement de recul. Il retira sa main.

— Tout ira bien, *a ghràidh*... dit-il avec hésitation.

Des images surgirent dans mon esprit : Liam et Margaret nus dans notre lit, s'embrassant, se caressant... Je les repoussai tant bien que mal. Liam s'était assis, laissant un espace entre nous. Un terrible espace de quelques centimètres qui me semblait être un gouffre. Sa respiration était lente, mais je savais qu'il se contrôlait.

— J'ai soif...

J'avais terriblement soif. Les vertiges avaient disparu, mais je me sentais encore nauséeuse. Ma tête semblait sur le point d'éclater à chacun de mes mouvements. Libéré du poids de Liam, le lit s'ébranla. Je l'entendais fouiller dans la chambre, puis revenir.

— Tiens, dit-il en tâtant le lit pour trouver ma main, dans laquelle il mit la gourde. C'est de l'eau.

Je sentis une pointe de sarcasme dans sa voix.

— Merci, répondis-je rudement.

La chaise grinça sous son poids. Il fut secoué d'une quinte de toux grasse.

— Tu es malade?

— *Tuch!* Tu n'es pas en état de parler.

Je lui jetai un regard noir, bien malheureuse qu'il ne pût le remarquer.

— Où est Colin? m'enquis-je néanmoins sur un ton qui exprimait assez bien mon humeur.

Il y eut un moment de silence. Puis je l'entendis soupirer et la chaise craqua de nouveau.

— Il est reparti au camp.

Je rentrai la tête dans les épaules et me mordis la lèvre.

— Liam... tu ne dois pas croire...

— Je ne crois rien, Caitlin, me coupa-t-il sèchement. Et puis, de quel droit te reprocherais-je?...

— Rien, dis-je, caustique. Justement, moi, je n'ai rien à me reprocher.

Son ton faussement détaché était lourd de sous-entendus. Je pris un certain plaisir à imaginer la souffrance qu'il devait éprouver à penser que j'avais pu coucher avec son frère. Mais l'infidèle, c'était lui!

La chaise craquait; il s'agitait. L'auberge, elle, était silencieuse. Nous entendions juste quelques fêtards, dehors. Cela me rappela que les gens fêtaient la Hogmanay[80]. Pour nous, l'année commençait plutôt mal.

— Les cloches ont-elles sonné?

— Oui, à minuit.

Son ton s'était radouci.

— Ah bon... Depuis longtemps?

— Trois heures, peut-être quatre.

Je laissai tomber la gourde sur le sol et remontai l'édredon jusque sur mes épaules grelottantes. Colin n'avait pas allumé de feu. Privée de la chaleur de Liam, j'étais gelée dans ma chemise humide sous les couvertures.

— Tu devrais te rendormir, Caitlin. Je te prédis une belle gueule de bois pour demain, alors...

— La commande a été livrée, figure-toi, répondis-je en fermant les yeux sous les élancements qui m'ouvraient le crâne. Et puis, j'ai trop froid pour arriver à me rendormir.

La chaise grinça. Je l'entendis mettre une pelletée de charbon dans l'âtre. Il alluma un feu. Une faible lueur le fit apparaître dans un halo doré. Il se tenait immobile devant la cheminée de pierres grises, me tournant le dos. Certainement, il évitait de croiser mon regard. Ses épaules furent brusquement secouées par une nouvelle quinte de toux.

— Mais tu es malade, Liam! ne pus-je m'empêcher de m'exclamer, inquiète. Tu te soignes?

— Tu me vois heureux de savoir que tu te soucies encore de ma santé, répondit-il seulement sur un ton acerbe.

— Ne sois pas stupide. Nous sommes toujours mariés et...

Il s'était retourné. Je restai coite devant ses yeux cernés de bleu et ses traits tirés que la pénombre accentuait.

— Mais tu ne vas pas bien du tout! constatai-je, horrifiée.

Il me gratifia d'un petit sourire sarcastique.

— Ce n'est qu'un rhume. Garde ta sollicitude pour toi.

Je le regardai bouche bée et me recroquevillai sous la véhémence de son ton. Sa mâchoire se contractait et ses doigts pianotaient machinalement sur sa cuisse.

— Peut-être devrions-nous parler, proposai-je au bout d'un moment.

Il ne répondit rien. Ses doigts ralentirent pour enfin se refermer en un poing serré.

— De quoi veux-tu parler exactement? De mon rhume?

— Arrête ces remarques stupides, pour l'amour de Dieu! Tu sais très bien.

Ma tête était sur le point d'exploser et mes yeux larmoyaient tellement

---

80. Jour de l'an.

j'avais mal. Il n'était vraiment plus question de dormir pour moi. Je me massai les tempes et mis ma tête entre mes genoux.

— Ah, bon sang!

Il fallait parler, me répétai-je. Mais si les semaines avaient rendu la blessure moins vive, la souffrance était toujours là. Remuer le couteau dans la plaie ne me plaisait guère. Le lit s'affaissa et des doigts se posèrent doucement sur mes tempes. J'eus un léger mouvement de recul. Liam s'écarta, puis nos regards se croisèrent. Enfin, je refermai les yeux. Après un moment, ses doigts revinrent se poser sur moi et me masser les tempes. Mon esprit se remit au travail aussi... Liam et Margaret s'enlaçant... faisant l'amour...

— Caitlin, commença Liam.

Les mouvements de ses doigts se firent plus lents.

— Quoi?

Il immobilisa ses doigts qui glissèrent sur mes joues et tombèrent mollement sur mes épaules.

— En vérité... je veux savoir.

J'ouvris les yeux et le regardai, perplexe.

— Savoir quoi?

— Pour Colin et toi...

Apparemment, il avait eu à l'esprit le même genre d'images que moi. Après ce qui venait de défiler derrière mes paupières, j'avais vraiment envie de lui répondre qu'il s'était passé quelque chose. Je détournai les yeux.

— Non, répondis-je laconiquement.

Je l'entendis pousser un soupir, mais me refusai à le regarder.

— Je souhaitais presque que vous ayez...

Je braquai un regard ébahi sur lui.

— Quoi? Cela t'aurait fait plaisir?

— Non! C'est juste que je me serais senti un peu moins coupable.

— Ainsi, nous aurions été quittes, c'est ça? Et tout serait redevenu comme avant?

Je le repoussai vivement. Il me toisa froidement.

— Tu voulais parler, oui ou non?

— Oui! répliquai-je, criant presque.

— Alors, je te suggère fortement de rentrer tes armes. Nous n'arriverons à rien autrement.

Je soufflai rageusement. La magie de ses doigts s'était évanouie et les élancements reprenaient. Comme si ce n'était pas assez, mes oreilles se mirent à bourdonner.

— J'ai mal, Liam. Cela me fait terriblement mal... de te revoir... Pourquoi avec Margaret? Je n'arrive plus à la regarder sans te voir sur elle.

— C'était un accident, un stupide accident.

— Un accident? rétorquai-je avec sarcasme. Faire l'amour peut être un accident pour toi?

— Oui! Je n'ai pas tenté de la séduire, si c'est ce que tu crois. Nous évoquions des souvenirs de Simon. Margaret pleurait, alors je l'ai prise dans mes bras... Nous avions beaucoup bu, Caitlin.

J'avais les joues en feu. Je sentais encore les mains de Colin sur ma peau et me rendais amèrement compte que je n'avais rien fait pour repousser mon beau-frère. Pas physiquement, du moins. J'émis un petit rire ironique. Liam dut mal l'interpréter, car il m'attrapa brusquement par les bras et me secoua comme un prunier.

— Penses-tu que je n'ai pas mal, moi? Tous les jours, je me maudis pour ce que j'ai fait. Je regrette, nom de Dieu! Comme je regrette! Mais il est trop tard maintenant.

Sur mes épaules, ses mains me brûlaient à travers ma chemise. Je tentai de m'écarter.

— Pourquoi ne t'es-tu pas confié à moi? Tout ceci ne serait peut-être pas arrivé...

— Je ne pouvais pas, Caitlin...

Il me relâcha brutalement, puis frappa le matelas d'un coup de poing violent en grognant.

— Tu ne sais pas ce que c'est que de se sentir responsable de la mort de quelqu'un.

— Mais tu n'es responsable de rien.

— Deux fils, Caitlin! Ces putains de *Sassannachs* m'ont pris deux fils, et je n'ai rien fait! Anna est morte de froid. Je n'avais même pas une foutue couverture pour la couvrir. Ma sœur a été violée devant moi, et j'ai bêtement regardé la scène sans lever le petit doigt. Elle en est morte. Mon père a reçu une balle dans la tête, et j'ai assisté au spectacle. Tu ne peux pas imaginer toutes les images qui sont gravées dans mon esprit... Tout ce sang... leur sang. Et ces cris... c'étaient leurs cris, Caitlin! Ils m'appelaient, et je n'ai rien fait!

— Tu ne pouvais rien faire, Liam! criai-je, ébranlée par son aveu. Pour qui te prends-tu à la fin? Pour Dieu? Crois-tu avoir le pouvoir de sauver tout le monde, de faire aller les choses comme tu le veux?

Son regard me foudroya quelques secondes. Il ferma les yeux.

— Je ne supportais plus ton regard, *a ghràidh*... Les mots que tu m'as dits ce jour-là, quand je suis revenu de Sheriffmuir... Je les avais tant redoutés, et tu les as prononcés.

Affligée, je baissai les yeux et triturai l'ourlet de ma chemise.

— J'étais aveuglée par la douleur. Mes paroles ont dépassé ma pensée. Pas une seule seconde, je te le jure sur la tête de notre fils, pas un seul instant je ne t'ai cru responsable de la mort de Ranald. Sur le coup... La douleur était trop vive, Liam. Mais c'est la guerre, et on n'y peut rien...

J'éclatai en sanglots et reniflai bruyamment.

— Et puis, repris-je entre deux hoquets, Frances m'a ouvert les yeux. Je ne comprenais pas bien ta réaction. Tu t'éloignais alors que moi j'avais tant besoin de toi... Frances a compris bien avant moi. J'avais décidé de rentrer plus tôt chez nous. Je ne voulais pas que tu croies que je te tenais pour responsable... Mais toi... toi, tu avais déjà trouvé...

Ma peine m'étouffait.

— Quel gâchis! continuai-je d'une voix éraillée. Au lieu de nous soutenir l'un l'autre, nous n'avons su que nous éloigner.

— Je suis désolé.

Il s'essuya les yeux et renifla.

— Quand je suis entré dans la chambre et que je t'ai vue avec Colin, j'ai cru que tu avais voulu te venger.

Il se tourna vers moi. Au bout d'un moment, il reprit :

— J'ai longuement réfléchi. Lorsque je t'ai épousée, j'ai juré devant Dieu de t'être fidèle.

Il se tut un instant, cherchant comment formuler ce qu'il voulait dire. Puis il reprit d'une voix lasse et triste.

— J'ai failli à ma promesse. Je ferai ce que tu souhaites. Si tu veux que je parte, je me débrouillerai pour t'envoyer de l'argent. J'expliquerai tout à John. Tu ne seras pas dans le besoin. Duncan s'occupera de toi.

— Où iras-tu?

— Je ne sais pas... À Glasgow peut-être? descendre jusqu'aux Borders[81]. Je pourrai y trouver du travail dans une fabrique. Il y a toujours les bateaux.

— Les bateaux, murmurai-je d'un air absent.

Ainsi, Liam était prêt à me quitter si c'était là mon désir. Mon œil fut attiré par l'éclat de l'anneau qui ceignait mon doigt depuis vingt ans. Vingt ans... pour aboutir à ça? Liam attendait ma réaction en silence. Je savais que jamais je ne pourrais oublier ce qui s'était passé. Mais l'amour ne devait-il pas pardonner? Mon cœur battait si fort à l'idée de ne plus jamais le revoir. Mon ancre, mon épaule, mon port... Des promesses. Moi-même, les avais-je tenues? Anéantis et perdus, nous avions cherché chacun de notre côté une bouée dans la tourmente. Nous avions négligé de nous tourner l'un vers l'autre. Promesses rompues. J'étais aussi coupable que lui.

— Je ne veux pas de ton offre, déclarai-je.

— Je vois. Peut-être veux-tu une autre forme de compensation? Je peux...

— Non, tu ne comprends pas.

Il me dévisageait, interdit. Manifestement, il se contrôlait avec peine. Ses mâchoires étaient serrées et ses poings, fermés sur son kilt.

— Alors que veux-tu? réussit-il à articuler sur un ton mesuré.

— Je ne sais pas... J'ai besoin de temps... Mais je ne suis pas sûre de vouloir qu'on rompe nos serments, Liam... malgré ce qui s'est passé.

Les traits de son visage se détendirent un peu. Il respira profondément et ouvrit ses mains, qu'il posa à plat sur ses cuisses. Après un moment, il m'offrit une main ouverte et tremblante. J'y déposai la mienne qu'il porta à son cœur.

---

81. Région au sud de l'Écosse qui longe la frontière de l'Angleterre.

— *A ghràidh*... Je t'aime tellement.

Ses doigts effleuraient mon alliance. La sienne cliquetait dessus. Elle était en argent et magnifiquement ouvragée. Je l'avais commandée à mon père quelque temps après notre mariage, un peu avant la naissance de Frances. Je la lui avais offerte le jour de notre quatrième anniversaire de mariage.

Le regard brillant, Liam m'attira doucement contre lui. Il émit un petit gémissement et frissonna.

— Oh, Seigneur! souffla-t-il sur ma joue. J'ai cru ne plus jamais pouvoir te serrer dans mes bras. On ne peut pas effacer les événements, je sais. Mais je crois qu'on peut essayer de...

Ses lèvres me frôlèrent, trouvèrent les miennes et firent naître en moi un frisson qui me parcourut de la tête aux pieds. Ses mains s'enhardirent. Nous avions franchi la première étape de la réconciliation. Mais je ne me sentais pas encore prête à passer à la deuxième. Si mon corps répondait à ses caresses, mon esprit continuait de résister. Je me tendis légèrement lorsque sa main glissa sur ma cuisse, sous ma chemise. Liam se raidit et m'adressa un regard douloureux.

— *A ghràidh*... me supplia-t-il.

— Je te l'ai dit, j'ai encore besoin de temps.

Il s'écarta légèrement, puis lissa une de mes mèches derrière mon oreille.

— Je comprends, dit-il après un moment. Tu veux que je retourne au camp?

— Non... tu peux rester.

J'ébauchai un sourire falot.

— Il fait froid.

Souriant à son tour, il m'embrassa tendrement.

— Hum... alors, je réchaufferai chastement votre couche, madame Macdonald. L'aube se lèvera sur le premier jour de l'an 1716 et...

Fouillant dans son *sporran*, il en sortit un petit balluchon formé d'un mouchoir qu'il déposa sur le lit, devant moi.

— La tradition veut qu'on ne commence pas l'année sans s'être souhaité santé et prospérité...

Je déballai le petit paquet qui contenait un morceau de gâteau brun épicé. Je souris. La tradition voulait que la première personne qui passait le seuil de votre porte, au début de l'année, soit un homme assez grand, de belle apparence et à la chevelure sombre. Liam remplissait ces premières conditions. Ensuite, cet homme devait apporter trois présents : une ration de whisky, une tranche de gâteau ou de pain, pour assurer l'abondance de nourriture dans l'année, et un morceau de charbon symbolisant la chaleur.

— Il manque le morceau de charbon et le whisky! fis-je remarquer.

— Pour le whisky, j'ai jugé bon de laisser tomber pour cette fois-ci, dit-il avec un petit sourire.

Il replongea sa main dans son *sporran*.

— Voilà! s'exclama-t-il en déposant un petit cristal de sel à côté du gâteau. Du sel pour éloigner le mauvais œil.

— Et le charbon?

Il haussa les épaules.

— Eh bien... il brûle déjà.

21

Le duc d'Argyle

Le soleil déclinait à l'horizon, mais Duncan ne le voyait pas. Posté à l'une des fenêtres ogivales ornant la façade sud-est du château d'Inveraray, il fixait son regard sur les montagnes enneigées qui prenaient des teintes de pastel derrière le loch endormi sous une épaisse couche de glace. Il ferma les yeux un moment pour mieux s'imprégner des longs gémissements d'une cornemuse qui emplissaient l'air glacé de ce début de janvier et venaient s'enrouler autour de lui comme un plaid. Il soupira. Cette musique était l'essence même des Highlands. Elle faisait battre le cœur des guerriers et élevait leurs âmes lorsqu'ils tombaient sur le champ de bataille.

Quelle ironie! pensa-t-il en regardant la troupe de soldats qui pivotaient et martelaient le sol avec leurs chaussures à boucles d'argent couvertes de guêtres blanches. Les hommes manipulaient leurs mousquets à baïonnette avec agilité et rapidité, dans une valse de vestes à basques colorées, sous les regards scrutateurs des officiers qui criaient des ordres. La majorité d'entre eux était des Highlanders, comme lui. Les autres venaient des Lowlands. Tous portaient la veste écarlate des *Sassannachs*.

Duncan méditait sur ce que pouvait ressentir un homme qui se battait dans les habits d'un autre peuple, pour le roi d'un autre peuple. Pour lui, porter la veste rouge lorsqu'on était highlander signifiait renier son sang. En vérité, certains de ces hommes n'avaient pas le choix, parce qu'ils appartenaient à des clans qui avaient prêté serment d'allégeance au roi George. Mais pour qui battaient vraiment leurs cœurs? Duncan fronça les sourcils et grimaça.

— Traîtres! murmura-t-il en se détournant.

— Tu dis?

— Rien, marmonna-t-il en regardant Marion.

La jeune femme furetait dans l'imposante bibliothèque avec une telle jubilation que cela le fit sourire.

— Peut-être nous a-t-il posé un lapin? fit-il observer.

— Argyle? fit Marion en levant le nez d'un livre magnifique à la reliure de veau jaspé et à la tranche marbrée. Hum... je ne crois pas.

— Voilà plus d'une heure que nous attendons ici que messire le duc se pointe!

— Oh! regarde, Duncan! Quel livre fabuleux! s'extasia-t-elle devant une planche représentant un grand perroquet au plumage rouge et aux ailes bleues. *Histoire des animaux* de Conrad Gesner... Je n'avais jamais remarqué ce livre auparavant. Peut-être est-ce une nouvelle acquisition?

— Nous devrions déjà être sur le chemin du retour, continua le jeune homme, excédé.

Marion déposa le précieux volume sur son lutrin et prit un air grave.

— Il viendra, j'en suis persuadée. Il nous a invités à le rencontrer ici, aujourd'hui, et...

Elle soupira.

— Bon, d'accord, reprit-elle, je t'accorde qu'il a du retard. Mais tu oublies qu'il est à la tête d'une armée...

— De l'armée ennemie, dois-je te le rappeler?

Elle fronça les sourcils.

— De l'armée ennemie, c'est vrai! Mais s'il a dit qu'il viendrait, c'est qu'il viendra. Cesse de te faire un sang d'encre avec ça!

Duncan leva des yeux exaspérés vers le plafond à caissons en bois de chêne provenant sans doute des terres d'Argyle. En fait, tout respirait l'Argyle dans cette pièce, et cela le faisait suffoquer. Le duc était l'homme le plus puissant au nord de la Forth, le plus puissant de tous les Highlands peut-être. Mais tous les hommes, aussi puissants fussent-ils, avaient un talon d'Achille.

Il parcourut du regard la spacieuse bibliothèque. Les murs étaient littéralement tapissés de livres dont les lettres dorées sur le dos brillaient à la lueur des chandelles. Plusieurs fauteuils de style baroque, tendus de damassé bleu foncé, étaient disposés autour de la pièce pour les lecteurs. Au centre trônait un imposant bureau en acajou garni de poignées en laiton représentant des têtes de lion menaçantes. Dessus, le buste de marbre d'un homme lui offrait fièrement son profil altier au nez busqué. Des cartes représentant diverses parties des Highlands et de l'Écosse en général couvraient la surface de cuir patiné et écorché par les pointes des plumes.

Les quelques parcelles de mur qui n'étaient pas recouvertes par les livres se cachaient timidement derrière autre chose. Sur la hotte de la cheminée, deux magnifiques claymores, longues de près de deux mètres, croisaient le fer sous une targe d'apparat en cuir repoussé et clouté. Dans l'âtre flambaient des bûches, sur des chenets dorés représentant des tiges d'ortie.

Dans un angle de la pièce se dressait une énorme *clarsach* [82] dépouillée

---

82. Harpe celtique d'Irlande.

de ses cordes. Duncan avait souvent eu le plaisir de voir et d'entendre ce genre d'instrument merveilleux qui chantait comme une sirène. Les bardes en jouaient parfois. Mais les leurs étaient plus petites, pour le transport. Celle-ci était aussi haute que lui. Dommage qu'elle fût réduite au silence. Peut-être Argyle préférait-il les claviers musicaux des gens du sud.

Quelques toiles représentant sans conteste des membres de la branche d'Argyle des Campbell ornaient un pan de mur, au-dessus d'une console. À côté, un globe terrestre était emprisonné dans un carcan de bois et de laiton. Duncan se prit à se demander si le duc avait choisi cette pièce pour leur rencontre dans le but de l'impressionner ou si les autres pièces du château étouffaient tout autant sous une débauche de meubles et d'ornements. Comparée à sa modeste chaumière et à la pauvreté des clans, dans les replis montagneux, la demeure d'Inveraray avait des allures de paradis sybaritique.

Ce luxe était excessif à ses yeux. Il n'avait pas besoin de tout ceci. Sa richesse à lui se trouvait dans sa vallée ancestrale, dans ses collines émeraude et améthyste qui foisonnaient de gibier, dans ses lochs scintillants qui accueillaient des nuées de cygnes chanteurs. Sa richesse était la terre qui l'avait vu naître, qui avait fait de lui ce qu'il était. Rude et sauvage, mais combien fier d'être tout simplement lui-même. Et, il avait Marion...

Son regard s'arrêta sur un meuble à l'allure singulière placé dans un coin de la pièce. Assez massif, il était en bois sculpté. Deux montants magnifiquement ouvragés, mesurant plus d'un mètre et demi, supportaient quatre grands pupitres disposés en croix qui tournaient librement autour d'un axe tout en demeurant inclinés. Sur chaque pupitre s'étalaient des livres aux reliures superbes, ornées d'arabesques, de rinceaux et de blasons en creux ou en relief.

Son œil de profane fut attiré par une reliure de maroquinerie rouge qui présentait sur le plat deux encadrements, l'un en bordure, l'autre au centre, en triples filets croisés et ornés de fleurons dans les coins. Il se pencha pour lire le titre du livre, gravé au dos dans les entre-nerfs, juste sous les armoiries de la maison d'Argyle : *L'Anatomia Reformata*.

Il prit le volume, qui craqua lorsqu'il l'ouvrit. Tombant sur une gravure morbide, il ne put retenir une grimace de dégoût. L'image représentait une peau humaine vraisemblablement vidée de son contenu et déployée comme un linceul. La tête aux traits contorsionnés d'un supplicié pendait. Les bras et les jambes étaient cloués sur un cadre.

— Très inquiétant, fit Marion par-dessus son épaule.

— Hum... autant que peut l'être un traité sur l'anatomie humaine. Pour ma part, je préfère les modèles vivants.

Il lui fit un clin d'œil et rit. Marion lui donna un léger coup de hanche et se pencha sur le volume du pupitre inférieur.

— Regarde celui-ci! s'écria-t-elle en faisant tourner le pupitre. Une édition in-douze d'Érasme.

— Érasme?

— Desiderius Erasmus Roterodamus. C'est un humaniste du XVIe siècle qui luttait pour la liberté de morale des individus. Un libre penseur. Il se moquait des institutions religieuses et prônait une entente entre les catholiques et les protestants. Je me demande s'il a été excommunié...

Duncan ne put s'empêcher de rire.

— Vraiment? Pour des protestants réformistes aussi farouches, je trouve que les Campbell ont des lectures bien éloignées de leurs convictions et de leur philosophie. Peut-être devrais-je y voir une certaine ouverture. Mais j'en doute...

— Ah! Mon préféré!

Elle fit pivoter le présentoir pour l'arrêter sur une édition latine de *L'Énéide* de Virgile, reliée de maroquin olive et dorée sur tranches.

— Tu connais tous ces livres? s'étonna Duncan.

— Bien sûr! Lorsque mon père a affaire au duc, il me permet à l'occasion de l'accompagner. Moi, je l'attends ici en farfouillant dans cette caverne du savoir.

— Tu lis le latin? s'exclama encore une fois le jeune homme.

— Euh... pas vraiment. Quelques mots, sans plus. Papa a un exemplaire de la traduction anglaise de *L'Énéide* de Gavin Douglas. Connais-tu la tragique histoire de Didon et Énée?

— Non, avoua Duncan, un peu gêné. Mes lectures se limitaient à des textes de la Bible, aux œuvres de Shakespeare et à quelques lignes de Henryson et de Racine.

— Racine? C'est un tragédien français, non?

Il pouffa de rire.

— Je ne sais pas si je devrais te raconter ça.

— Essaie toujours.

— Comme le seul livre en français que nous possédions était la tragédie de *Phèdre*, mon père m'obligeait à donner la réplique à ma sœur dans le rôle d'Hippolyte. Je crois bien avoir été exécuté une bonne douzaine de fois. Frances jouait Phèdre. Mais nous n'arrivions jamais à terminer la pièce, car elle refusait obstinément de se pendre à la fin.

— Tu faisais du théâtre? s'écria Marion en se retenant de rire.

— Ne raconte ça à personne, Marion Campbell, ou bien je...

— Il faudra que tu me joues la pièce un de ces jours.

— Pas de chance! J'ai brûlé le livre.

— Quoi? Tu as brûlé un livre? Quelle horreur, Duncan! Ça ne se brûle pas, des livres!

— J'en avais assez du théâtre. Ma mère avait même l'idée saugrenue de présenter la pièce chez John MacIain. Non, mais tu imagines? À douze ans, je m'intéressais bien plus au maniement des armes qu'à l'art théâtral.

— Dommage.

Elle lui lança un regard coquin.

— Mais au fait, où aviez-vous trouvé ce livre? Lors d'un raid?

Il lui décocha un regard noir.

— Non. Mon père a passé quelque temps en France, expliqua-t-il avec une pointe d'orgueil. Il parle très bien le français et tenait à ce que nous maîtrisions cette langue, nous aussi.

— Vous aviez un précepteur? demanda-t-elle en fronçant les sourcils d'incrédulité.

— Non. Ma mère nous enseignait l'anglais, le gaélique et le latin. Mon père, lui, se chargeait du français lors des longues soirées d'hiver.

Les flammes dans l'âtre, qui illuminaient la chevelure de Marion, créaient un halo doré autour de son visage. Il écarta une boucle rebelle qui lui retombait dans les yeux et l'embrassa doucement.

— Tu aimes les livres, *mo aingeal*?

— Énormément, les livres sont...

Elle plissa le nez en retirant un volume d'un des pupitres.

— Les livres nous ouvrent les portes du monde et du temps, reprit-elle. On y fait des rencontres parfois intéressantes, parfois...

Un raclement de gorge fit écho dans la pièce. Duncan et Marion tressaillirent et se retournèrent d'emblée.

— Je vois que vous vous intéressez à ma collection d'elzévirs.

— Elzévirs? fit Marion en rougissant.

Le duc d'Argyle entra dans la pièce, flanqué de deux superbes lévriers écossais bruns et talonné par un jeune chiot d'une race qui leur était inconnue.

— *Suidh!*[83] ordonna-t-il aux chiens.

Les deux lévriers obéirent sur-le-champ. Le troisième chien se mit à gambader jusqu'à Marion et Duncan, qu'il renifla.

— *Seo! A Sheanailear, suidh!*[84]

L'animal se mit à japper et fourra son museau sous les jupes de Marion, qui poussa un petit cri de surprise.

— *Falbh! Falbh!*[85] s'écria la jeune femme en le poussant du pied.

— *Seanailear!* rugit alors Argyle de sa voix de stentor.

Le chien obéit enfin.

— Excusez-le, il est encore un peu jeune.

— Il est... mignon, fit Marion en examinant le chiot. Mais de quelle race est-il?

— C'est un pointer anglais. Il est le merveilleux fruit d'un croisement entre le braque espagnol, le fox-hound et le greyhound. On m'a assuré que son flair est remarquable. Pour ce qui en est de son degré d'obéissance...

Redressant les épaules pour toiser les deux jeunes gens, il balaya l'air d'une main rigide.

---

83. Assis!
84. Ici! Général, assis!
85. Ouste! Ouste!

— Vous vous intéressez toujours aux livres, à ce que je vois, mademoiselle Campbell.

Elle baissa les yeux sur le volume qu'elle tenait toujours dans ses mains.

— Euh, oui...

— *The Colloquia*, sixième édition. Ce livre fait partie de ma collection d'elzévirs. L'Église l'a interdit. Il est donc rare.

— Ah? fit Marion. Ces ouvrages sont très beaux.

— Et très précieux, fit remarquer le duc.

Elle reposa le livre sur le pupitre, puis se rapprocha de Duncan.

— La collection me vient de mon grand-père. Lors de son séjour... forcé en Hollande, il s'est lié d'amitié avec l'un des fils Elzévir, à Leyde. Les Elzévir étaient maîtres-imprimeurs et éditeurs. Leurs éditions, souvent imitées, sont très prisées. Si je peux encore admirer ces livres aujourd'hui, c'est grâce à mon père qui a eu la présence d'esprit de les mettre en sûreté lors du grand raid d'Atholl.

Il toisa Duncan avec morgue, sans chercher à cacher son animosité. Ce dernier subit l'examen, impavide.

— Mon père était un amoureux des livres, poursuivit le duc.

— Entre autres choses, fit sournoisement observer Duncan avec un sourire. J'ai cru entendre qu'il avait une grande passion pour les charmes féminins, qui l'aurait suivi jusqu'au trépas.

Les paupières d'Argyle se refermèrent à demi sur un regard glacial. Il était de notoriété publique que le neuvième comte d'Argyle, Archibald Campbell, aimait beaucoup les femmes. La liste des noms des demoiselles qu'il avait courtisées jusque dans leur lit était plutôt longue, au grand désespoir de son épouse. Sur son lit de mort, il aurait eu l'audace de demander que sa dernière conquête, une certaine Peggy Alison, vive dans l'une de ses propriétés. La comtesse fit fi de sa requête et mit « la putain » à la rue avant même que le corps de son mari ne se soit refroidi.

— Je constate avec consternation que les hommes du clan de MacIain sont toujours aussi insolents.

Le duc pivota sur lui-même, faisant voler les basques de son uniforme lourdement brodé et garni de brandebourgs dorés. Vêtu de sa tenue militaire, il devait arriver directement de Stirling. D'un pas cadencé, il se dirigea vers une console sur laquelle étaient alignées des carafes de cristal et des bouteilles d'eau-de-vie et de vin.

— Ma chère Marion, dit-il en haussant le ton, vous devriez choisir vos fréquentations avec plus de soin. Prendrez-vous un verre de porto ou de whisky?

— Du porto, messire.

D'une main leste, il retourna trois verres. Puis, prenant la carafe de porto, il la leva au-dessus d'une chandelle pour en vérifier la clarté, remplit un verre. Il versa ensuite du whisky dans les deux autres.

— Je ne vous tiendrai pas rigueur de votre arrogance, Macdonald.

En lui tendant son verre, il regarda Duncan dans les yeux. Puis son regard se tourna vers la longue balafre qui le défigurait. Il grimaça.

— Sheriffmuir?

— Oui.

— Quel est votre prénom déjà?

— Duncan.

— Ah oui! Duncan Macdonald. Et votre père?

— Liam Macdonald. Il est *tacksman*[86] à Carnoch. C'est le cousin de John MacIain Macdonald.

— Je crois avoir négocié quelque chose avec lui... marmonna-t-il en réajustant son écharpe de tartan passée en travers de sa poitrine.

Duncan soutint le regard scrutateur du duc. Bizarrement, il se l'était imaginé plus vieux. Mais l'homme devait être dans la trentaine avancée. Comme tous les autres Campbell dont les portraits ornaient les murs de la bibliothèque, il arborait une chevelure rousse qui cascadait sur ses épaules. Argyle, qui devait également se sentir l'objet d'un examen minutieux, s'éclaircit la gorge.

— Oui, cela me revient. C'était pour la libération de son frère, qui appréciait particulièrement la viande de bœuf engraissé sur mes terres, railla-t-il. Ils vont bien?

— Nous ne sommes pas venus ici pour parler des membres de ma famille, dit Duncan avant de tremper ses lèvres dans le liquide au puissant parfum de tourbe.

— Cela vient de l'île de Mull, précisa le duc. La terre tourbeuse qui filtre l'eau des sources de l'île lui donne un parfum bien distinct. C'est un vingt ans d'âge. À mon avis, c'est à ce moment-là qu'il est le meilleur. Mais tout est question de goût, n'est-ce pas?

Pinçant les lèvres, il leva son verre en direction de ses deux invités.

— Votre père est-il retourné à Perth, Marion? demanda-t-il sur un ton badin.

— Il est reparti dès qu'il a reçu votre réponse.

En effet, le laird de Glenlyon avait fait parvenir une missive au duc, par l'entremise du frère de ce dernier, le comte d'Islay. L'attente avait duré cinq jours. Finalement, l'un des *gillies*[87] d'Argyle avait apporté la réponse à Chesthill. La rencontre aurait lieu à Inveraray. Il était convenu que le duc ne verrait que Marion, accompagnée d'une escorte non armée.

Évidemment, Duncan et Marion s'étaient fait accompagner par les Macgregor, qui les attendaient dans une petite taverne en dehors d'Inveraray. Ils devaient assurer leurs arrières au cas où le duc d'Argyle essaierait de récupérer le document de façon plus ou moins honnête.

---

86. Bailleur.
87. Hommes de main.

Duncan souhaitait seulement que les hommes de Macgregor ne fussent pas trop ivres à leur retour. Tous ces préliminaires l'agaçaient.

— Avez-vous le document? demanda-t-il, pressé d'en finir.

Argyle le dévisagea, impassible, puis serra ses mâchoires.

— Oui, répondit-il gravement en portant sa main sur l'une des poches de sa veste. Je ne vous cacherai pas que cette affaire m'irrite au plus haut point. Je serai bien soulagé de la voir réglée. Cependant, je me demande ce qui a bien pu pousser votre frère à trahir votre père de la sorte, Marion.

Elle se raidit et s'accrocha au bras de Duncan.

— Vous ne devinez pas, messire? Qu'est-ce qui amène certains hommes à trahir les leurs? L'argent? Mon père croule sous les dettes. John aura voulu l'aider. Ses intentions étaient nobles, mais je dois avouer que sa méthode...

— Oui, les dettes... murmura le duc pensivement. J'ai été très déçu de ne pas trouver la signature de votre père sur la pétition en faveur du roi George, qui a circulé dans le clan, en août dernier. Mais Breadalbane a choisi le parti des jacobites, et votre père, en qualité de vassal de la maison de Glenorchy, n'avait pas le choix.

— Mon père a choisi son camp avec son cœur, non par obligation.

Argyle fronça les sourcils et but une gorgée de whisky.

— Les lairds de Glenlyon ont toujours été fidèles à leur roi, petite.

— Il l'est. Il honore son sang highlander et ses origines.

Le sous-entendu fit tiquer le duc.

— Il y a diverses façons d'honorer son sang, ma chère. Voyez-vous, je tire essentiellement ma fierté du fait que je suis MacChailein Mor. Être duc n'est rien d'autre qu'un titre auquel sont associés quelques privilèges. Il n'y a que deux attitudes possibles par rapport au pouvoir : s'en emparer et s'en servir, ou le subir. Dans l'intérêt de mon peuple et du nom que je porte, j'ai choisi la première. Aujourd'hui, je me retrouve au plus haut rang, dans mon pays. Je veille à ce que les titres et les propriétés de ma famille soient à l'abri.

Il se servit un deuxième verre de whisky et approcha la bouteille du verre de Duncan. Le jeune homme déclina l'offre d'un geste de la tête. Le généralissime s'accota alors au bureau, fixant d'un œil vide ses chiens qui dormaient à ses pieds.

— Je n'ai jamais tourné le dos à mes origines, mes ancêtres non plus d'ailleurs.

— Pourtant la tête de votre grand-père s'est retrouvée au bout d'une pique pour haute trahison envers Charles II, qui était de sang Stuart, rétorqua Duncan.

Le duc le foudroya du regard.

— On l'a exécuté parce qu'on le jugeait trop puissant. On s'est servi de son hésitation à prêter le serment imposé par la loi du Test pour le condamner à mort. Mais son hésitation était due au fait que la loi obligeait tout titulaire d'un office public à communier selon le rite épiscopalien. Or cela allait à l'encontre de ses convictions religieuses. Nous sommes protestants.

Il mit sa main dans sa poche et en sortit le fameux document, qu'il examina d'un œil prudent.

— Contrairement à ce que vous pensez, Macdonald, reprit-il plus posément, le même sang coule dans nos veines à tous les deux.

Une exclamation de dégoût résonna dans la bibliothèque. L'un des lévriers leva la tête en direction de Duncan, bâilla paresseusement, puis la reposa sur ses pattes en gardant un œil sur lui. Argyle laissa tomber le pli sur le bureau, au beau milieu du fouillis qui le couvrait.

— Si je ne veux pas me laisser asservir et manipuler par les Anglais, je dois les combattre sur leur propre terrain. Quelle façon plus efficace voyez-vous que de se joindre à eux? Cela me permet d'anticiper les coups et d'en retirer certains avantages.

Il embrassa la pièce d'un geste éloquent en affichant un sourire sournois.

— Mais vendre ses pairs? intervint Duncan. Les persécuter, est-ce honorer son sang?

Argyle siffla hargneusement.

— La sédition n'apporte rien.

Il fit quelques pas en direction de Duncan et se planta à quelques mètres de lui, jambes écartées. Malgré la haine qu'il éprouvait pour cet homme, Duncan ne put s'empêcher de lui trouver un certain charisme et une force de caractère hors du commun. Le duc vida son verre, le considéra un moment et poursuivit sur sa lancée.

— Les Anglais veulent l'Écosse, je ne vous apprends rien. Les Highlands leur posent un problème de taille avec les guerres incessantes entre clans et ces insoumis qui ne cessent de dévaster les Lowlands. Ils veulent voir la paix régner dans ces montagnes. Ma mission est d'obtenir et d'assurer la paix. Par la même occasion, je veille à la sécurité des miens. Oui, je suis fidèle à la maison de Hanovre. Je la sers du mieux que je peux en dirigeant cette armée et en luttant contre les insurgés. Mais je ne perds pas de vue que, pour les Anglais, je serai toujours un Écossais, un Highlander par surcroît. Je vous assure que cette étiquette me brûle parfois la peau, quand je vois le comportement de certains clans. Nous ne sommes plus au Moyen Âge, Macdonald! Réveillez-vous! L'Angleterre tend une perche avec l'Acte d'union, qui commence déjà à porter ses fruits. Regardez donc dans quelles conditions misérables la plupart d'entre vous vivez. Vos méthodes de culture sont archaïques; vous avez besoin d'une réforme agraire. Vos habitations... Ces tas de pierres et de tourbe qui couvrent vos têtes et que vous appelez maisons...

Duncan commençait à sentir la moutarde lui monter au nez. Il se contenait difficilement.

— Devons-nous vendre notre âme au diable pour ça? Ils veulent notre sang sur les champs de bataille du continent. Ils veulent la sueur de nos fronts pour s'enrichir encore plus. Ils veulent nous assimiler pour mieux nous contrôler. Plutôt crever que de devenir la bête de somme des *Sassannachs*!

Il reprit sa respiration et sentit la main de Marion lui presser le bras. Il devait se calmer pour ne pas faire échouer la transaction. Un sourire mi-amer, mi-dégoûté se peignit sur le visage du duc.

— Je vois à quoi s'est buté ce cher Breadalbane lors du grand rassemblement d'Achallader, en 1691.

— Vous ne pourrez jamais comprendre, messire le duc, répliqua Duncan sur un ton plus calme. Nos vues divergent depuis trop longtemps; un gouffre nous sépare. Vous déployez votre énergie à servir les *Sassannachs* dans le but de préserver vos titres et vos terres. Nous, nous versons notre sang pour préserver notre identité et notre liberté.

Argyle resta un moment silencieux, à observer les deux jeunes gens, les yeux mi-clos. D'une main distraite, il caressait le tartan de son clan.

— Où sont les bons de caisse et l'autre document?

Marion se dirigea vers la sacoche cachée derrière un fauteuil et en sortit une enveloppe.

— Je veux voir l'entente jacobite avant, demanda-t-elle.

Le duc cilla, mais sourit devant l'audace de la jeune femme. Il tendit le document.

— J'imagine que vous avez pris soin de noter tous les noms qui y figurent, dit-elle en parcourant la feuille des yeux.

— La liste des noms ne me serait d'aucune utilité, sans preuve pour les accusations. D'ailleurs, la plupart des noms sont déjà connus des membres de la Chambre des lords.

Il tendit de nouveau la main, et Marion y déposa l'enveloppe proposée en échange.

— Je me demande bien pourquoi votre fils veut vous impliquer dans un complot aussi grotesque qu'un régicide, le nargua-t-elle.

Argyle pinça les lèvres, laissa tomber les bons de caisse sur le bureau et déplia lentement le document. Son teint pâlissait tandis que son regard suivait la calligraphie trébuchante et irrégulière de son fils. Sa lecture terminée, il déposa la feuille sur les bons et la regarda fixement pendant plusieurs secondes.

— Glenlyon affirme que ce document a été intercepté par Macgregor et qu'il se trouvait dans le courrier de Fort William en partance pour Édimbourg...

— Oui, confirma Marion. Aucun destinataire n'est inscrit dessus. Il y a juste ce symbole, qui ressemble à un glaive ou à une croix.

— Le destinataire devait connaître ce symbole.

— Votre fils a du culot de mettre ainsi votre tête sur le billot, railla Duncan. Sans parler de la façon dont il semble dilapider votre précieuse fortune...

Une profonde inspiration tendit le gilet du duc.

— Je ne vous ai pas demandé votre opinion, Macdonald.

Son attention se reporta sur la feuille.

— Je me demande si c'était la première missive qu'il envoyait avec... ma signature? marmonna-t-il les yeux plissés par la concentration.

Il grogna et replia la feuille, qui prit le chemin de la poche d'où il avait sorti l'entente jacobite un peu plus tôt. Il releva la tête et se composa un air condescendant.

— Ne vous méprenez pas sur la raison qui m'a fait accepter ce petit marché. La tête du Prétendant est mise à prix. Un prix très élevé, dois-je préciser. Je crains que celle de mon fils ne déborde d'imagination. Je suppose qu'il a cru que ma signature ajouterait du sérieux à un tel ordre. Enfin... Quoi qu'il en soit, c'est le fait qu'il ne m'ait pas demandé mon consentement qui me fâche. Je ne crains aucunement de monter sur l'échafaud et de subir le baiser de la Veuve. L'issue de la rébellion n'est plus un secret pour personne. Le mélange plutôt hétéroclite qui constitue l'armée de ce cher ancien collègue, le comte de Mar, se dissout d'après mes sources. Je crois que je peux m'y fier, car jusqu'à aujourd'hui, elles n'ont pas failli. Puis, c'est évident que Mar n'a pas fait ses classes dans l'armée. Je le connais bien pour avoir siégé avec lui à la Chambre des lords. Il n'est point stratège et ne sait pas entretenir le moral de ses troupes. Le but de votre cause, quant à lui, est très ambigu, je dois vous faire remarquer. Vos motifs sont divers. Certains d'entre vous croient au droit légitime de Jacques de monter sur le trône, bien qu'il soit catholique. D'autres, comme les anti-unionistes, voient dans l'insurrection une façon de reconquérir l'indépendance de l'Écosse. D'autres encore agissent pour la simple raison qu'ils veulent retourner aux « vieilles méthodes ». Tristement, l'histoire se répète : chaque clan pour soi, chaque homme pour soi. N'ai-je pas vu le marquis de Huntly prendre la poudre d'escampette sur sa monture à Sheriffmuir? De très mauvais augure, ne trouvez-vous pas? Concernant votre cause, je dois préciser...

Duncan serrait les mâchoires à s'en faire mal. Il savait qu'Argyle disait vrai, et cela l'effarait. L'armée du duc grossissait considérablement. D'après les espions, d'autres troupes arrivaient encore de Hollande. L'armée jacobite avait, elle, sérieusement diminué. Les réserves d'armes et de munitions s'épuisaient. L'aide promise par la France ne venait pas. On avait aperçu des navires, mais aucun débarquement n'avait eu lieu. Le duc d'Orléans, régent à la cour de Versailles depuis le décès de Louis XIV, ne s'intéressait pas aux problèmes de l'Écosse. Le manque d'initiative du comte de Mar y était pour beaucoup. Ce n'était plus qu'une question de semaines, voire de jours, avant que la rébellion ne soit définitivement étouffée.

Argyle, qui semblait deviner ses sombres conjectures, le gratifia d'un malicieux sourire.

— Évidemment, nous n'entrerons pas dans les détails. Si je dévoilais des secrets militaires, je pourrais effectivement craindre la décollation.

Il passa un doigt sous sa cravate, sur son cou, et émit un rire cynique.

— Dans votre intérêt et dans le mien, il serait donc sage d'oublier notre petit entretien... On pourrait se méprendre quant au motif de votre présence ici. Pour ce qui est de la tête du Prétendant, avec une prime de cent mille livres anglaises, vous savez... l'argent et le diable n'ont pas de repos.

Bizarrement, malgré le succès de l'entreprise, Duncan ne se sentait pas l'âme à la fête. La véridicité des observations démoralisantes d'Argyle lui avait fait l'effet d'une douche froide et avait fait s'envoler le peu d'espoir qui subsistait encore dans son cœur. Le duc avait frappé au bon endroit.

Tristes, ils quittèrent Inveraray. La nuit était tombée et les routes enneigées, mais encore praticables, étaient éclairées d'une lumière de lune bleue. Duncan, qui suivait Marion dans la forêt, se retournait régulièrement sur sa monture, pour être certain qu'ils n'étaient pas suivis. Il ne voyait personne, mais ne se sentait pas à l'aise. Quelque chose lui disait... Puis il les vit : deux cavaliers venaient de traverser un rayon de lune que laissait passer une éclaircie. Il fit avancer sa monture à la hauteur de celle de Marion. Son pistolet chargé à la main, il posa alors un doigt sur les lèvres de la jeune femme.

— Nous sommes suivis, l'informa-t-il en chuchotant.

Les yeux agrandis par la peur, elle se retourna et émit un gémissement.

— Tu passes devant. Quand je siffle, tu t'enfonces aussitôt dans les bois avec ton cheval. C'est compris?

Lentement, elle acquiesça d'un hochement de tête. Duncan l'attira rapidement à lui pour l'embrasser à la sauvette. Puis il la repoussa.

— Ils ne sont que deux, dit-il pour la rassurer. Je devrais arriver à les maîtriser.

— Duncan...

— *Tuch!* Tu fais ce que je te dis et tu attends que je t'appelle. Reste cachée.

— Oui.

— Allez!

Il donna une claque sur la croupe de son cheval, qui se mit aussitôt au trot. Puis il évalua la distance qui le séparait des deux poursuivants : une cinquantaine de mètres peut-être, pas plus. Mais ils se rapprochaient. Il n'y avait pas de temps à perdre.

Il parcourut la forêt des yeux. Marion avait pris assez d'avance. Il s'enfonça alors dans les bois, sauta en bas de sa monture et siffla. Puis il s'empara d'une longue branche tombée d'un arbre et à demi enfouie dans la neige. Son cœur se mit à galoper comme un animal furieux. Les deux hommes, alertés par le sifflement, s'approchaient maintenant à vive allure. Il souleva la branche au-dessus de lui en priant Dieu de ne pas le laisser rater son coup. Dix mètres... Cinq mètres...

Avec une force inouïe, la branche faucha le premier cavalier, qui tomba de sa monture dans un sinistre craquement. Son compère, qui le suivait de près, tira sur ses rênes. Son cheval se cabra en hennissant. Son cri résonna dans la forêt. Enjambant l'homme inconscient qui gisait dans la neige, Duncan sortit de l'ombre. Il pointa son pistolet sur l'inconnu, qui jura entre ses dents.

— Descends! beugla-t-il en s'approchant de lui.

L'homme s'apprêtait à prendre son pistolet. Mais Duncan perçut son geste et tira au-dessus de sa tête. Il ne voulait pas le tuer. L'homme tressaillit. Duncan profita de ce moment de surprise pour se ruer sur lui et le tirer brutalement en bas de son cheval. Après quelques secondes de lutte, il se retrouva couché sur lui dans la neige, pointant son poignard sur sa gorge. Les yeux de l'homme se mirent à rouler de terreur.

— Pourquoi nous suivez-vous? rugit Duncan en l'empoignant par la cravate.

— Je... je dois... j'obéis à un ordre...

— Quel ordre? Et de qui?

— Le document...

— Qui a donné l'ordre? Argyle?

Furieux, Duncan appuya un peu plus fort sur le poignard, entaillant légèrement la peau. L'homme gémit de douleur.

— Ou-oui...

— Ce putain de duc! J'aurais dû lui abîmer le portrait...

L'homme agrandit un peu plus les yeux, comme si cela lui était encore possible.

— Non... Vous vous méprenez. Ce n'est pas le d-duc, bafouilla-t-il d'une voix étranglée par la peur. C'est son fils...

— John?

— Oui.

Ainsi, le duc avait respecté les termes de l'entente. C'était son imbécile de fils qui continuait de manigancer dans son dos. Il grogna.

— Vous n'allez pas me tuer, hein?

— Te tuer?

Il émit un petit ricanement sarcastique.

— Les morts ne parlent pas, mon vieux. Je veux que tu portes un message à ton maître de ma part.

— Ou-ou-oui...

— Dis-lui que, s'il tente de nouveau de s'en prendre à nous, je lui pèlerai la peau et m'en ferai une targe. Est-ce clair?

— Très clair... une targe...

Duncan regarda l'homme affolé sous son poignard. D'âcres relents d'urine lui montèrent au nez. Il s'écarta un peu et vit que la culotte de l'homme était souillée à l'entrejambe.

— Tu n'aurais pas fait de vieux os à Sheriffmuir! Quelle sorte d'hommes cet imbécile de John engage-t-il pour ses sales besognes?

— S'il vous plaît... Relâchez-moi maintenant, supplia l'autre. J'irai porter le message... Aïe!

Duncan venait de lui entailler la joue gauche.

— Ça, c'est pour Sheriffmuir, espèce de petit merdeux! siffla-t-il en le libérant brusquement.

Un cri aigu retentit derrière lui. Il se releva d'un coup, poignard en avant. Marion se tenait debout au-dessus de l'homme inconscient sur lequel elle braquait le pistolet que Duncan avait laissé tomber avant de se ruer sur l'autre cavalier. L'arme tremblait tellement qu'elle avait du mal à la garder pointée sur la poitrine. En même temps, elle fixait d'un œil ahuri le type qui geignait de douleur en tenant sa joue blessée.

— Que fais-tu là? s'écria Duncan. Je t'avais dit de rester à couvert!

— J'ai eu peur. J'ai entendu un coup de feu, j'ai cru...

Ses lèvres tremblaient autant que ses mains. Duncan poussa un soupir d'exaspération, puis se tourna vers l'homme blessé. Il lui arracha son pistolet, resté accroché à sa ceinture, et le lança dans les bois. Il s'apprêtait à faire de même avec celui de l'homme inconscient, mais se ravisa et le glissa dans sa ceinture.

— Viens, Marion. Filons!

Quelques kilomètres plus loin, ils atteignirent la taverne où les attendaient les Macgregor. Marion se laissa glisser de son cheval, puis se mit à trembler et à sangloter. Duncan la prit dans ses bras.

— Tout va bien maintenant, *mo aingeal*, lui murmura-t-il à l'oreille.

— Oh, Duncan! J'ai eu si peur. Je croyais que... Je... je croyais qu'ils t'avaient...

— Ne t'avais-je pas dit que je ne me laisserais pas faire la peau par un Campbell? dit-il en souriant.

— Ce n'est pas drôle, Duncan Macdonald! J'ai eu peur.

Elle le fusillait maintenant du regard.

— Mais tu mettais tout de même l'homme en joue avec mon pistolet! Qu'aurais-tu fait s'il était revenu à lui?

— Eh bien, j'aurais tiré, quoi!

Il éclata de rire.

— L'arme était vide, *mo aingeal*.

22

Les tourments

Perdu dans ses pensées, Alasdair Og Macdonald arpentait d'un pas nerveux notre petite chambre sur St. John's Street, à quelques pas du clocher de la St. John's Kirk qui avait sonné l'arrivée de la nouvelle année quelques jours plus tôt. Liam venait de lui demander la permission de repartir pour Inverness avec Colin et moi.

— Écoute, Sandy, dit Liam, je ne te demande que deux semaines, trois tout au plus.

— Je t'en donne cinq si c'est ce qu'il te faut, Liam, répondit Alasdair. Là n'est pas le problème. C'est de vous laisser partir seuls qui m'embête. Argyle attend une armée, et nous ne savons pas où elle débarquera. Si c'est à Inverness, tu t'y retrouveras coincé.

— Raison de plus! répliqua Liam. Pourquoi envoyer d'autres hommes dans la gueule du loup? Est-ce que deux ou trois hommes de plus feront la différence face à une armée de deux ou trois mille soldats?

Alasdair recommença à faire les cent pas, les mains dans le dos, le nez rivé sur les lattes râpées du plancher. Il venait de franchir le cap de la cinquantaine, et ses cheveux étaient maintenant aussi blancs que le manteau d'hiver qui couvrait l'Écosse. Mais son regard vif et ses traits énergiques attestaient d'une grande vigueur.

En l'absence de John, le chef du clan, le fils cadet du grand MacIain menait les hommes d'une main de fer. Les deux frères se complétaient merveilleusement. C'était comme si MacIain s'était divisé en deux : d'un côté, John le sage, le patient et le compatissant; de l'autre, Alasdair le fougueux et l'arrogant. Avec les années, je m'étais fait une idée de ce qu'avait pu être leur père, Alasdair MacIain Abrach Macdonald de Glencoe, sauvagement et lâchement assassiné vingt-trois ans plus tôt. Sandy, comme l'appelait affectueusement Liam, se frotta les yeux en grommelant.

— Je ne sais pas... Non mais, quel imbécile, ce Trevor Macdonald!

s'écria-t-il en levant les bras au ciel. Attaquer un convoi de ravitaillement de la Garde sans renfort!

— Je te rappelle qu'il s'agit du mari de ma fille, le semonça gentiment Liam.

— Ouais, enfin...

Il hésita encore un moment, puis laissa ses épaules s'affaisser dans un soupir de lassitude.

— Bon, soit! Je n'ai pas vraiment le choix. Avec l'arrivée du Prétendant à Perth, Mar voudra certainement que ses troupes soient prêtes pour une riposte.

La porte s'ouvrit avec fracas et Colin apparut.

— Ça y est! Ils ont débarqué, annonça-t-il hors d'haleine. Ils sont près de six mille, avec tout leur arsenal!

Nous le dévisagions tous, estomaqués. Il referma lentement la porte derrière lui et s'y adossa. Puis il s'expliqua.

— Je quitte à l'instant Adam et John Cameron de Lochiel. Ils venaient d'apprendre que six mille Hollandais étaient arrivés à Berwick. Une partie d'entre eux ont atteint Édimbourg avec un détachement des Scots d'Argyle. Puis ils ont traversé la Forth et ont pris Burntisland. Ayant eu connaissance de ces mouvements, nos troupes qui occupaient les villages avoisinants ont aussitôt plié bagage. Les hommes rentrent à Perth et abandonnent tout le territoire situé au nord de la Forth.

Un silence de plomb s'abattit sur nous. Seule la toux rauque de Liam vint le perturber. Je lui jetai un regard désemparé. Il haussa les épaules, l'air de dire « Que pouvons-nous y faire? ».

— Ce n'est pas tout, poursuivit Colin, visiblement accablé par ce qu'il allait nous annoncer. La cause est perdue...

— Que dis-tu là? murmura Alasdair, abasourdi. Quelle idée!

— C'est confirmé... enfin, officieusement. Les dirigeants ont décidé de replier les troupes dès qu'Argyle marchera sur nous. Cette décision date de deux semaines déjà. Mar la tient secrète pour ne pas tuer le moral des soldats et pour éviter une émeute dans Perth. Mais la rumeur court...

Mon sang ne fit qu'un tour. Mar abandonnerait? Tout ça pour rien? Non, je devais rêver!

— Mais d'où tiens-tu cette information?

Colin sourit niaisement et se gratta la gorge. Ses joues rosirent.

— Euh... C'est Griseal, la soubrette affectée au service du comte de Mar...

— Une soubrette? s'exclama Alasdair en riant. Voyons, Colin, ce n'est pas sérieux. Elle t'a certainement raconté ces sornettes pour se rendre intéressante.

— Elle n'avait pas besoin de ça, je t'assure...

Il me coula un regard, puis se détourna rapidement, gêné. Liam le surprit, mais fit mine de rien, se contentant de serrer les mâchoires. Le sang me fouettait les tempes. Ce fumier de Mar... Il s'était fichu de nous! Toutes ces vies perdues! Colin reprit :

— J'avoue que moi aussi j'avais de la peine à y croire. Elle m'a dit qu'elle avait entendu une conversation entre Mar et Seaforth. Je suis allé voir Lochiel; il n'a pas confirmé, mais n'a pas démenti non plus. À son regard, j'ai su que c'était la vérité. Nous avons perdu. Je n'arrive pas à y croire... Pourquoi?

Alasdair et Liam échangèrent un regard entendu. Je sentis mes jambes se ramollir et me retins à la petite table.

— Cela veut dire qu'ils nous ont joué la comédie pendant tout ce temps!? m'écriai-je, furieuse. Ces rumeurs de riposte et de couronnement...

— Mar a saboté toutes nos chances, cracha Colin, que la colère envahissait aussi. Un beau parleur et un piètre stratège, voilà ce qu'est notre commandant en chef. Il aurait dû ordonner une attaque il y a des semaines, lorsque nous avions encore l'avantage. Les Français et les Espagnols qui attendent sur leurs navires ne risqueront de prendre du plomb aux fesses que s'il leur présente une stratégie de riposte. Mais cet imbécile a réduit nos chances à néant avec ses hésitations. Il s'est obstiné à vouloir attendre le Prétendant. Pendant ce temps, le camp s'est vidé. Maintenant, l'armée d'Argyle doit compter dans les dix mille hommes, tandis que la nôtre frôle tout juste les quatre mille. Il est trop tard!

Une colère froide avait pris possession de chaque cellule de mon corps. Ne pouvant plus me contenir, j'explosai littéralement de rage et me mis à hurler ma haine et ma peine.

— Les salauds! Mais pour qui nous prennent-ils? Des pions sur un échiquier qu'on balaie du revers de la main sitôt qu'on connaît l'issue de la partie? Mon fils serait mort pour rien?

— Caitlin...

Liam s'approcha de moi et tenta de me prendre dans ses bras. Mais je le repoussai vivement, l'écume à la bouche. Je devais me libérer de ce poison qui me rongeait le cœur depuis mon arrivée à Perth, cinq jours plus tôt. Même un aveugle aurait vu la désillusion et l'accablement dans le regard des soldats.

La moitié des hommes seulement étaient convenablement armés. Les autres ne possédaient que des piques, des haches, des épées rouillées ou des fourches. Certains n'étaient chaussés que de vieilles brogues [88] percées sur des pieds nus. Pouvait-on appeler cela une armée? C'était une vraie farce!

— Pourquoi Mar vous a-t-il demandé de prendre les armes, Liam? Tu peux me le dire? Était-ce pour finir par tout foutre en l'air? Et pourquoi le roi... Mais non, cet imposteur qui se fait appeler un roi... Pourquoi serait-il venu jusqu'ici, hein? Serait-ce pour voir ses sujets se faire tuer comme des chiens par les hommes de George sans lever le petit doigt?

---

88. Chaussures de cuir souple portées dans les Highlands.

Toute cette rage étouffante qui s'était accumulée depuis des semaines jaillissait hors de moi dans mes mots et ruisselait dans les larmes sur mes joues sous les regards stupéfaits et impuissants des trois hommes. Je tombai à genoux et enfouis mon visage dans mes mains tremblantes d'émotion.

— Ce tartufe, ce damné de Mar. Il est responsable de la mort inutile de Ranald. Oh, Liam!

Les grandes mains de Liam se posèrent sur ma tête et m'attirèrent à lui. J'agrippai son kilt et enfouis mon nez dedans.

— Notre fils serait-il mort pour une chimère? Non...

J'entendis des murmures, puis des pas qui s'éloignaient. La porte s'ouvrit et se referma sur un silence lourd. Liam se mit à genoux devant moi et me prit les mains.

— *A ghràidh*, murmura-t-il gravement, Ran est mort parce qu'il a été fidèle à ses croyances, comme nous d'ailleurs.

— Et tu y crois encore, Liam? Dis-moi la vérité.

Il baissa les yeux, mais j'eus le temps d'y lire le désabusement et l'accablement. Sa bouche s'ouvrit et se tordit en un rictus amer.

— Si ce n'est pas cette fois-ci, ce sera une autre fois. Mais nous n'abandonnerons jamais, Caitlin. J'aimerais tellement que tu comprennes. Je sais que le prix est élevé, mais... Je ne sais plus... Je me sens si impuissant. Il ne me reste que l'espoir, et je m'y accroche aussi fort que je le peux. Et puis, il y a Frances qui se trouve maintenant à Inverness...

Une larme coula le long d'un sillon qui se creusait au coin de son œil. Nous restâmes un long moment silencieux, accrochés l'un à l'autre dans la tourmente de nos émotions.

— Liam.

Il me regarda attentivement.

— *A ghràidh!* souffla-t-il en me serrant très fort.

Sa chaleur m'enveloppa comme un baume magique. Je le sentis frissonner contre moi, comme s'il avait froid, comme s'il se vidait de toute sa chaleur pour me réconforter. J'avais tellement besoin de le sentir près de moi. En même temps, je luttais toujours contre ces affreuses images qui surgissaient dans mon esprit troublé la nuit. Je me retranchais au bord du lit, lui s'écartait en soupirant, laissant ce terrible espace entre nous.

— Caitlin, *a ghràidh, ni maitheanas dhomhj.*[89]

Son souffle me brûlait la nuque, le cou, la gorge...

— Laisse-moi t'aimer, je t'en prie. Pardonne-moi...

Son cri d'amour m'étouffait et m'embrasait en même temps. Tout était si confus.

— Liam...

Ses mains dénouaient les cordons de ma jupe... « La jupe de Margaret... » Je tentai de le repousser, mais il me retint.

---

89. Caitlin, mon amour, pardonne-moi.

— Liam, arrête...

— Je n'en peux plus.

Ma jupe glissa au sol, autour de mes genoux. Ses doigts s'activaient sur mon jupon. « Caitlin, laisse-toi aller! » Mais je n'y arrivais pas. Je voyais, je voyais... Mon Dieu, aidez-moi!

— Je ne peux pas... s'il te plaît...

— Tu le peux, Caitlin. Si j'ai pu le faire, alors tu y arriveras toi aussi.

— Si tu as pu... Quoi? m'exclamai-je en tentant de le repousser. Mais de quoi parles-tu?

— On n'oublie jamais, tu sais, répondit-il. Mais avec le temps, on arrive à s'y faire.

Je cherchais à comprendre où il voulait en venir. Il me retint fermement par les épaules et plongea son regard triste dans le mien.

— La mémoire est une chose admirable, qui nous fait revivre des moments merveilleux. Mais elle est aussi quelque chose de terrible... car elle nous empêche d'oublier complètement ce que nous ne voulons plus voir. Je le sais.

Tout à coup, je compris. Lord Dunning! Il faisait allusion au marché que j'avais passé avec l'homme qui l'avait faussement accusé de meurtre, alors que c'était moi la coupable. J'avais acheté la libération de Liam avec mon corps. Une nuit pour une vie... Salaud! Comment osait-il faire une telle comparaison? Il dut sentir que j'avais compris son insinuation, car ses doigts s'enfoncèrent dans mes épaules pour m'empêcher de me relever.

— Écoute, Caitlin...

— T'es un beau salaud, Liam Macdonald! Tu n'as pas le droit de comparer Margaret et...

— Winston Dunning? laissa-t-il tomber.

Je tressaillis. Vingt ans... et il m'en reparlait aujourd'hui!

— Tu crois peut-être que je ne me souviens plus? On n'oublie jamais. Le souvenir s'estompe, d'accord. On peut arriver à le repousser dans un coin de notre esprit. Mais il est toujours là, sournois, prêt à ressurgir au moment où on s'y attend le moins. Je sais ce que c'est. Je te comprends.

Je ne trouvais pas les mots pour exprimer ma détresse et ma rancœur. Son regard était totalement dénué de rancune. Il n'avait pas voulu me blesser. Mais c'était si douloureux!

— Je t'aime, *a ghràidh*. Ne me repousse pas.

Ses mains relâchèrent lentement mes épaules pour descendre sur ma poitrine, qu'il caressa à travers l'épais lainage de mon corsage. Puis il en dénoua les lacets en m'observant. Sa respiration se fit plus lente et contrôlée, tandis que la mienne s'emballait. La panique me paralysait. « Margaret... »

Je fermai mes yeux brûlants de larmes pendant que mon corsage glissait à son tour au sol et je me mordis la lèvre. Le goût du sang me fit grimacer. Ses mains tiraient lentement sur ma chemise, me dénudant une épaule. Avec une infinie tendresse, il me caressa, s'attardant sur une pâle cicatrice, souvenir de notre fuite du manoir maudit, dans les ténèbres d'une lointaine nuit de mai.

Un frisson extatique me parcourut l'échine. Soudain je le revoyais tel qu'il était à ce moment-là : ce Highlander qui m'avait fait frémir avec son allure imposante, mais qui m'avait aussi émue avec sa douceur et l'intensité de son regard, allumant en moi une petite flamme qui, en dépit de tout, brûlait toujours. « Ne souffle pas dessus, Caitlin... Laisse-la t'embraser, te consumer... »

— Liam...

— *Tuch!*

Ma chemise venait de rejoindre mes autres vêtements et ses doigts traçaient des sentiers de feu sur ma peau. « La peau de Margaret... » Je tremblais de jalousie et de désir.

— Tu es ma femme, Caitlin, murmura-t-il entre mes seins. Laisse-moi te faire l'amour...

Sans trop savoir comment, je me retrouvai sur le lit, complètement nue. À genoux entre mes cuisses, figé dans une immobilité de statue, Liam me surplombait de toute sa taille. Son regard me caressait comme ses doigts l'avaient si bien fait. « Caitlin, il n'a jamais regardé Margaret comme il te regarde... »

Enhardie par cette dernière pensée, je tirai sur sa chemise pour la dégager de son kilt, lentement et avec hésitation. Il ne bougea pas et me regarda faire. Était-ce Margaret qui lui avait enlevé sa chemise ou l'avait-il retirée lui-même? « Caitlin, arrête de te faire du mal! » Mais c'était plus fort que moi. Elle était là, entre lui et moi, maudite soit-elle! Je n'arrivais tout simplement pas à l'oublier. Mes doigts se crispèrent sur l'étoffe usée.

— Je ne peux pas...

Je me cachai derrière mes mains pour échapper au regard de Liam. Un soupir de déception s'échappa de sa gorge, tandis que je sanglotais, mécontente de moi-même.

— *Seall orm, a ghràidh* [90], murmura-t-il après un long moment.

Mes mains glissèrent doucement et je fixai son visage flou à travers le rideau de mes larmes.

— Pourquoi? demanda-t-il simplement.

— Elle est là; je la vois toujours entre nous. J'ai besoin de temps.

Lentement, il secoua la tête et baissa les yeux.

— Je suis désolée. Je...

J'aurais voulu lui dire combien je l'aimais, mais les mots se sauvaient. Ce n'était plus le moment. Son regard s'attarda encore quelques minutes sur moi, insondable et sombre comme un loch. Il attendait la suite qui ne venait pas. Tout à coup, d'un geste brusque, il rabattit l'édredon sur ma nudité et se redressa.

— Pas autant que moi, Caitlin.

---

90. Regarde-moi, ma chérie.

Puis, sans un mot de plus, il réajusta ses vêtements et se dirigea vers la porte.

— J'ai besoin d'air. Ne m'attends pas pour dormir. Je vais régler quelques détails avec Sandy avant notre départ, demain.

La porte claqua. Prostrée, je fixai les poutres du plafond. Avais-je coupé le dernier lien? Je tirai sur l'édredon et le tins serré sous mon menton qui tremblait.

« Pauvre imbécile! » me dis-je, les dents serrées.

Une résurgence de profonde amertume et un incoercible sentiment de culpabilité me submergèrent. Je déversai un flot de larmes sur mon oreiller.

Quelques heures plus tard, je me réveillai, trempée et claquant des dents. La chambre était plongée dans l'obscurité et le froid. Le grondement sourd d'une clameur venant de la rue me fit tourner la tête vers la fenêtre. Liam n'était pas revenu. Je tendis l'oreille; le brouhaha se rapprochait. Je m'extirpai du lit en maugréant et enfilai à la hâte mes vêtements épars sur le sol gelé. Puis j'allai me poster à la fenêtre. Une cohue de Highlanders en armes grouillait dans la ruelle encaissée entre les hauts murs auxquels étaient accrochées des torches. J'ouvris légèrement le battant pour mieux entendre les cris qui s'élevaient. Un homme, brandissant d'une main une épée et de l'autre une bouteille de whisky, protestait contre le comte de Mar et les chefs jacobites.

— Tout ceci va tourner à la mutinerie, dis-je en refermant le battant.

Le courant d'air froid avait fini de me réveiller. Harcelée par la faim, l'accablement et la crainte, j'errai dans la chambre en essayant de rassembler mes idées. Je devais commencer par me remplir l'estomac. Je verrais ensuite pour le reste.

Plus tard, enfin sustentée, je terminais ma chope de bière quand mon regard croisa celui d'un jeune homme qui était adossé au comptoir de la taverne. D'abord grave, l'étranger étira sa bouche en un sourire qu'il voulait charmeur, mais qui ne me disait rien qui vaille. En quelques secondes, il penchait son sourire au-dessus de ma table. C'était l'individu qui avait éclaboussé ma jupe de bière, le soir de ma cuite.

— Bonsoir, madame Macdonald. Vous permettez?

— C'est que je m'apprêtais à partir...

— Cela ne prendra que quelques minutes, s'il vous plaît.

De toute façon, personne ne m'attendait.

— Bon, soit!

Il s'assit sur la chaise qui me faisait face, m'observant d'un œil bleu circonspect et frottant l'un contre l'autre son pouce contre son index.

— Êtes-vous seule? me demanda-t-il en lançant un regard circulaire autour de nous.

— J'attends quelqu'un, mentis-je pour le dissuader au cas où il aurait échafaudé un plan pour s'en prendre à moi.

Son air nerveux commençait drôlement à m'inquiéter.

— Tant mieux. Les rues de Perth ne sont pas très sûres avec tous ces... ivrognes qui les sillonnent.

— Ne vous inquiétez pas pour moi, monsieur...

— Gordon, termina-t-il dans un sourire troué.

— Hum... oui. Les soldats sont tellement découragés depuis Sheriffmuir.

— Peut-être. Bah! Je me demandais...

Ses doigts traçaient des dessins imaginaires sur la table.

— Enfin... Avez-vous de nouveau eu vent de cette rumeur à propos du fils du duc?

— Non, répondis-je prudemment.

— C'est que tout me porte à croire qu'aucune rumeur de ce genre ne circule dans le camp. J'aimerais bien savoir d'où vous tenez cette information.

« Attention, Caitlin! » Cet homme ne m'inspirait pas confiance.

— Ah bon! fis-je seulement, le nez plongé dans ma chope vide.

Il secoua les épaules et, un petit sourire aux lèvres, il poursuivit :

— J'ai fait ma petite enquête, voyez-vous. Personne n'a entendu parler de cette histoire de régicide.

Je restai de marbre sous son regard glacial.

— Elle aura été étouffée, tentai-je d'expliquer.

Je croisai nerveusement les jambes sous la table. Le jeune homme ricana, narquois. Une lueur s'alluma subitement dans ses yeux.

— Bien sûr... Une telle rumeur n'aurait pu qu'attiser le feu qui couvait déjà dans les veines des hommes de troupe.

Il m'examina longuement, scrutant ma tenue vestimentaire défraîchie, mes cheveux en broussaille et, sans équivoque, mon anatomie qui tendait l'étoffe.

— Vous ai-je dit que j'étais le coursier du comte de Marischal?

— Je crois que oui.

— Je n'ai donc pas besoin de vous préciser que vous pouvez me faire confiance...

Il fit une pause, avant de poursuivre sur un ton mielleux.

— Vous êtes très attirante... L'homme qui vous accompagnait l'autre soir, c'était votre mari?

Oh, la fripouille! Ainsi, il croyait me tirer les vers du nez avec des flatteries! Je lui souris onctueusement en penchant la tête et en papillonnant des paupières.

— Non, Colin est un proche parent...

— Vraiment! Donc, je pourrais vous inviter...

Il grimaça, puis se reprit.

— C'est vrai que Perth n'est pas Édimbourg. On n'y trouve pas les tables raffinées de la capitale. Mais il y a toujours celle de la bonne dame Wallace. Elle prépare un délicieux faisan aux raisins et au porto...

J'émis un petit rire sarcastique en me rappelant ce fastueux dîner servi chez Clémentine... Le jeune homme me regarda d'un air énigmatique. Soudain, je me sentis très mal. Mes doigts se crispèrent sur la chope vide et mon sang se figea dans mes veines. Cet individu était le messager du colonel Turner...

— Vous allez bien, madame? s'enquit-il, visiblement inquiet.

J'avais maintenant très chaud. Je lançai un regard alarmé autour de moi. Aucune connaissance en vue. Seigneur! Étais-je en présence de la taupe ennemie dans notre camp? M'avait-il vue lors de cette soirée? Savait-il qui j'étais? Je tentai de retrouver mon calme et affichai un sourire compassé. Mais j'étais complètement affolée. Que me voulait-il à la fin?

— Ce n'est rien, le rassurai-je sans me départir de mon sourire empesé, ce doit être le pâté de porc.

Il éclata de rire.

— Oui, le pâté de porc! Encore faut-il savoir si c'est vraiment du porc, ma belle. J'ai entendu des habitants se plaindre de la disparition de leurs chiens et chats. Hum... Avec plus de quatre mille hommes à nourrir depuis plus de deux mois, je suppose que les taverniers se font moins difficiles concernant la viande qu'on leur propose.

Le petit intermède terminé, il retrouva son sérieux.

— Vous êtes donc libre?

— Je suis mariée, monsieur, l'informai-je sèchement. Mon mari est d'ailleurs ici, à Perth.

— Dommage! Bon... revenons au sujet qui m'intéresse.

Son ton était brusquement devenu menaçant et sa mâchoire tremblait imperceptiblement. Son regard, qui ne cessait de lorgner avec méfiance les autres clients de la taverne, m'indiquait qu'il était très nerveux.

— Que savez-vous sur cette menace qui pèse sur notre futur roi?

— Rien de plus que ce que vous avez entendu.

Son regard se rétrécit.

— Je crains que vous ne me disiez pas la vérité. J'ignore où vous avez eu ce renseignement, madame, mais laissez-moi vous mettre en garde...

Il me fallait trouver un moyen de me sortir de cette situation délicate. Si je feignais de me trouver vraiment mal? William Gordon se pencha vers moi et plongea son regard de fouine dans le mien.

— Je pourrais vous faire arrêter pour non-divulgation d'informations ayant trait à la sécurité du Prétendant...

— Vous me menacez?

Je me redressai à demi, mais il m'empoigna le bras et me força à reprendre ma place. Le coursier de Marischal ne riait plus. Je déglutis.

— Restez, madame, je n'ai pas terminé.

— Je ne me sens pas très bien, me plaignis-je en portant ma main à mon ventre.

En vérité, je ne mentais pas. Mon estomac se contractait, et la crampe me donnait des sueurs. Je repensai aux chiens disparus et pris une profonde inspiration pour faire cesser le malaise. Machinalement, Gordon se remit à tracer des dessins avec son doigt sur le bois de la table. Ses lèvres se tendirent légèrement. Son doigt s'immobilisa dans une petite flaque de bière et se mit ensuite à tapoter dedans avec un agacement évident. Le jeune homme braqua sur moi ses yeux chargés de mépris.

— Écoutez-moi bien, madame Macdonald. À moins que vous n'ayez imaginé toute cette histoire, ce dont je doute fortement, vous avez forcément entendu quelqu'un parler de ce petit complot. Donc, au nom du roi, je vous demande...

— De quel roi au juste parlez-vous?

Le doigt dégoulinant de Gordon s'immobilisa au-dessus de la flaque. Le jeune homme tressaillit et ferma à demi ses paupières sur un regard mauvais. Je piquai du nez dans ma chope. Je regrettai ma question et voulus la ravaler avec une gorgée de bière. Mais il était trop tard. Gordon essuya son doigt sur sa veste.

— Que voulez-vous insinuer?

Je reculai sur ma chaise.

— Je dois partir... Les quelques minutes sont écoulées...

— Oh, que non! Vous n'irez nulle part, ma belle... pas tant que vous ne m'aurez pas dit tout ce que vous savez. Vous mettez ma patience à rude épreuve. Ne m'obligez pas à employer des moyens nettement moins agréables pour vous faire parler.

— Vous voulez me passer à la question, peut-être? rétorquai-je dans un rire nerveux. Vous savez que la torture est illégale en Grande-Bretagne.

— Pas pour les affaires d'État.

— Vous êtes ridicule, monsieur Gordon.

La pâleur de mon teint démentait certainement mon ton qui se voulait assuré, car les coins de sa bouche se retroussèrent en une moue sceptique. Il glissa une main sous la table et fit apparaître à la lumière des flambeaux une petite dague à la lame finement ciselée, mais non moins tranchante. Il en piqua la pointe dans la table, devant lui. Je fixai l'arme d'un regard halluciné, et déglutis. La panique m'envahit, m'empêchant de respirer. Je me mis à bafouiller.

— Qu'avez-vous l'intention de faire?

Si cet homme était vraiment à la solde de l'ennemi, je le savais capable de me tuer pour me faire taire. Mon regard terrifié cherchait désespérément une connaissance dans la salle. Cela n'échappa pas à Gordon. Il lança un regard incertain autour de nous.

— Venez, ordonna-t-il en me forçant à me lever. Je vais vous reconduire chez vous.

Chez moi? Il voulait rire!

— Non, je reste ici. Mon mari doit venir me rejoindre...

Sans crier gare, il s'empara de sa dague et de mon bras, m'attirant brutalement à lui.

— Votre mari n'est pas ici, madame. Il n'aurait jamais laissé sa dame causer avec un inconnu aussi longtemps.

Je gémis faiblement lorsqu'il tordit discrètement mon bras dans mon dos et piqua dans mes côtes la pointe acérée de son arme.

376

— Maintenant, vous allez sagement me suivre, compris?

Prestement, il ramassa ma cape et la posa sur mes épaules, puis il me poussa vers la sortie. Le rappel de l'acier qui m'écorchait le dos était un moyen plutôt persuasif. J'obtempérai donc sans rien dire et suivis mon cerbère à l'extérieur.

La ruelle était tranquille, bien qu'il fût assez tôt dans la soirée. Le froid avait sans doute contraint les gens à rester à l'intérieur. Nous fîmes quelques pas en silence, trébuchant dans les ornières de boue gelée. Il était inutile de lui donner l'adresse de l'endroit où je logeais, car je devinais parfaitement que c'était la dernière chose qui l'intéressait à mon sujet... Je ne me faisais pas d'illusions sur ses intentions. Il voulait me cuisiner.

À une intersection, il me poussa dans une sombre venelle. Je perdis l'équilibre et faillis m'étaler de tout mon long, mais Gordon me retint. Je débitai tout un chapelet de jurons en gaélique.

— Pas mal, pour une femme! s'exclama-t-il en me poussant contre la pierre dure et froide d'un mur.

Aucune lueur ne me permettait de distinguer ses traits et de prévoir ses gestes. Seul son profil se détachait sur le ciel couvert d'un voile brumeux éclairé par un faible halo laiteux. Sa main monta vers ma gorge et l'enserra doucement, m'écrasant douloureusement le larynx.

— Maintenant, madame, si nous reprenions notre petit entretien. Avec la pointe d'un poignard, on obtient toutes les réponses voulues.

Tout à coup, son profil se fondit dans l'ombre d'une silhouette massive. Je poussai un cri étranglé lorsque je sentis la pointe de sa dague me piquer sous le menton. Gordon gronda. Puis il pivota brusquement sur lui-même, expirant bruyamment son air sous l'impact d'un coup de poing à l'estomac. Terrifiée, je m'éclipsai en rasant le mur vers Tay Street, tandis que le malabar administrait une bonne dérouillée à Gordon, qui geignait à chaque coup. Je n'avais pas particulièrement envie d'assister au spectacle ni de remercier mon bienfaiteur. Je pris donc mes jambes à mon cou et déguerpis. Mais je n'avais pas franchi dix mètres qu'une poigne d'acier me tira violemment en arrière, m'arrachant un cri de douleur et de frayeur.

— Tu veux hurler moins fort! Tu vas ameuter tout le quartier!

— Liam? Mais que fais-tu ici?

— C'est plutôt à moi de te poser la question? dit-il.

Resserrant sa prise, il me tira derrière lui dans le dédale des ruelles obscures. Ainsi, je n'avais fait qu'échanger un cerbère pour un autre. Je le suivis tant bien que mal jusqu'à notre chambre, dans laquelle il me poussa rudement, avant de claquer la porte. Je le sentis passer devant moi, dans un frôlement furtif. Il alluma le feu.

Tremblante, je me laissai tomber sur la chaise, dans l'attente de l'inévitable interrogatoire. Liam se redressa, contempla un moment les flammes grandissantes, puis tourna un visage d'une froideur marmoréenne dans ma direction. Une veine gonflée palpitait à la base de son cou. Ses yeux m'auraient tuée s'ils avaient été des pistolets.

— Que faisais-tu là-bas? rugit-il.

— Je tapinais, qu'est-ce que tu crois? ne pus-je m'empêcher de répondre pour le narguer, sentant la colère monter en moi. Tu m'espionnais ou quoi?

— Je ne t'espionnais pas, j'attendais.

— Tu attendais quoi? Où?

Il soufflait comme un taureau enragé. Tournant son visage vers l'âtre, il m'offrit un profil soucieux.

— Que faisais-tu avec cet homme, Caitlin?

Son ton était resté de glace.

— C'était William Gordon, expliquai-je du bout des lèvres. C'est le coursier du comte de...

— Je sais très bien qui est cet homme.

Il se tourna vers moi, les mâchoires serrées.

— Pourquoi étais-tu avec lui dans cette taverne?

— Mais tu m'espionnais vraiment! m'indignai-je avec véhémence.

— Je t'ai dit que je ne t'espionnais pas!

— Alors pourquoi n'es-tu pas venu nous rejoindre?

— Je ne voulais pas vous déranger.

— Dis plutôt que tu attendais de voir le dénouement de la rencontre!

— Si tu veux. Mais pas pour les raisons que tu crois. Sachant qu'il était au service de Marischal, je croyais qu'il venait te donner des nouvelles de Patrick. J'attendais qu'il ait terminé pour aller te retrouver. Apparemment, je me suis trompé. Monsieur Gordon avait autre chose en tête.

— En effet.

Je baissai les yeux sur mes doigts rougis et gercés par le froid et me mis à frotter mes mains.

Liam me prit le menton et me força à lever les yeux vers lui. Il était blanc comme un drap.

— Qu'essaies-tu de me dire, Caitlin? balbutia-t-il d'une voix altérée par une rage contenue.

Il lâcha mon menton et se recula, comme s'il avait été brûlé.

— Qu'offrais-tu à cet homme?

Ses mots soufflés me firent l'effet d'une gifle.

— Tu crois que?... bégayai-je, médusée. Tu as mal interprété...

Je mis une main sur ma bouche restée ouverte de stupeur. Liam me regardait fixement avec férocité. Puis, il explosa, levant les bras au ciel.

— Qu'est-ce que j'ai mal interprété? Dis-moi ce que je dois comprendre, Caitlin? Primo, je te surprends ici avec mon frère dans ton lit... Secundo, je te retrouve dans un établissement à la réputation douteuse, avec un homme que tu ne connais même pas. Tu crois que je n'ai pas remarqué la façon dont il te regardait? Non, mais que devrais-je croire, hein? Tu peux me le dire?

Il frappa sa rage contre le mur, qui vibra sous l'impact. Je tressaillis.

— Liam, calme-toi...

Je me levai lentement sur mes jambes flageolantes pour reculer vers la sortie. Il fondit alors sur moi, me poussa et m'écrasa de tout son poids sur la porte.

— Laisse-moi, Liam. Tu fais fausse route, je peux expliquer...

Mais il ne me laissa pas continuer. Il plaqua sa bouche sur la mienne et m'embrassa sauvagement. Je le repoussai, ce qui ne fit que redoubler son ardeur. J'étais complètement terrifiée, me rappelant cette fameuse nuit, à Édimbourg, où, sorti de prison et informé du marché que j'avais passé avec l'infâme Dunning, il m'avait prise de force tellement il était furieux.

Je réussis à le repousser suffisamment pour me libérer et courus me réfugier à l'autre bout de la chambre. Comme il revenait à la charge, je fouillai sous mes jupes pour trouver ma dague.

— Tu te refuses à moi et tu t'offres aux autres, siffla-t-il hargneusement. Que cherches-tu, Caitlin? Tu veux me rendre la monnaie de ma pièce?

— Imbécile, tu n'as rien compris! lui lançai-je en levant ma dague enfin libérée. Reste où tu es, Liam. Si tu me touches, je jure sur la tête de notre fils que tu ne me reverras plus jamais.

Il s'immobilisa aussitôt sous la menace froide de l'acier. Son regard allait de la dague à moi. Il mit quelques secondes à se rendre compte de la situation.

— Plus jamais tu ne me reprendras de force, Liam. Plus jamais. Personne ne me violera de nouveau...

Il secoua alors la tête. Ses traits se décomposèrent et il tomba à genoux en gémissant. Mon cœur martelait l'intérieur de mon crâne. Haletants et brisés, nous restâmes ainsi un moment, comme suspendus dans le temps. Je me mis à trembler sans pouvoir m'en empêcher. Ma petite dague qui me semblait maintenant bien futile tomba au sol. Liam ne bougeait pas. Prostré, il me fixait d'un regard vide. Envahie de sentiments contradictoires, j'hésitais entre l'écœurement et la commisération.

— Tu vas m'écouter maintenant.

Il acquiesça silencieusement de la tête.

— William Gordon voulait autre chose que ce que tu t'es imaginé... C'est une taupe, Liam. Ça, j'en suis certaine. Et il sait que je suis informée d'un complot contre le Prétendant. Il voulait que je lui dise ce que je savais...

Il sortit de sa torpeur. Son regard se fit incrédule. Je lui devais des explications, mais ne pouvais le faire sans lui parler de ma petite escapade à Édimbourg. Je le renseignai donc sur la mésaventure de Patrick. Je lui dis avoir par hasard vu Gordon discuter avec un officier hanovrien. Je lui contai notre fuite à Culross et lui confiai le secret que m'avait révélé Mathew. Enfin je l'informai du document intercepté par les Macgregor et du rôle du fils du duc dans le terrible complot. Liam écouta mon récit dans un silence claustral, le regard perdu.

— Il me menaçait, Liam, continuai-je après une pause. Il avait surpris ma conversation avec Colin...

— Pourquoi? murmura-t-il en évitant mon regard. Pourquoi ne m'en as-tu pas parlé avant?

— Nous avions autre chose à penser. Cela pouvait attendre.

— Attendre...

Il se releva, lentement, comme si ses épaules supportaient le poids de toute la terre. Puis il s'assit sur la chaise qui craqua. Le silence était lourd.

La lassitude extrême et la confusion d'esprit avaient pris le pas sur sa colère. Absorbé dans ses réflexions, il ne me vit pas venir vers lui et sursauta lorsque je lui effleurai l'épaule.

— Que nous arrive-t-il, Liam?

Il enfouit alors sa tête dans mes jupes et éclata en sanglots. Longtemps il gémit ainsi et trembla. J'attendis, caressant ses boucles, ravalant mon propre besoin d'ouvrir les vannes.

— Je te demande pardon, Caitlin... Je suis tellement désolé...

L'émotion l'étranglait.

— Pourras-tu me pardonner un jour?

Je ne pus lui répondre.

***

Le ciel gris pesait lourd sur nos têtes. Quelques flocons dansaient mollement autour de nous et couvraient de blanc les bérets bleus et les plaids colorés des hommes. Nous avions filé en douce avant les premières lueurs de l'aube, pour nous éloigner, à mon grand soulagement, du climat d'abattement général qui régnait à Perth.

Les dernières rumeurs qui circulaient maintenant dans le bourg étaient atterrantes. Elles racontaient que certains chefs jacobites étaient prêts à livrer le Prétendant au gouvernement, à certaines conditions. Le marquis de Huntly était de ceux qu'on accusait. À notre plus grand désarroi, tout indiquait que la reddition était imminente. Cela eut pour effet de plonger mon escorte dans un mutisme morne. Le trajet s'annonçait des plus moroses.

Nous n'avions aucune nouvelle de Frances et de Trevor. J'en tremblais d'angoisse. Trevor avait certainement été accusé de meurtre et il croupissait probablement dans un cachot froid et lugubre du Tolbooth d'Inverness. Quant à Frances... je priai Dieu qu'elle fût saine et sauve et en liberté. Si tel était le cas, elle devait errer dans la petite ville comme une âme en peine, attendant le miracle qui lui rendrait son époux. Mais, au fond de moi, je doutais que nous pourrions venir en aide à Trevor. Même qu'il devait déjà avoir été pendu.

Liam fut secoué par un accès de toux. Je jetai un coup d'œil vers lui. Il ne semblait pas fiévreux, mais sa respiration sibilante m'inquiétait. Il avait dormi sur le plancher glacé de la chambre, ce qui n'avait certainement pas amélioré son état. Je craignais maintenant que sa santé ne se détériore davantage avec la longue chevauchée qui nous attendait.

Pour ma part, j'étais exténuée. Trop bouleversée par les événements de la veille, je n'avais pas réussi à trouver le repos dans le sommeil. Les quelques heures où j'avais pu dormir un peu avaient été agitées par des rêves tumultueux. C'est donc en traînant une humeur atrabilaire que j'avais entrepris ce périple dans un paysage où on ne distinguait pas le ciel de la terre.

Liam m'adressa un timide sourire. Je ne voulais pas rendre la situation plus insupportable qu'elle l'était déjà. Je m'efforçai donc de le lui rendre et fermai les yeux pour tenter de remettre un peu d'ordre dans tous ces sentiments qui se bousculaient en moi et qui torturaient mon âme déjà bien assez éprouvée.

Nous chevauchions depuis plusieurs heures. Je ne pouvais dire combien, car le soleil demeurait invisible derrière les tourbillons de neige. Aveugle, je me laissais conduire par ma jument qui, heureusement, semblait savoir où elle allait. Colin et Donald étaient derrière et discutaient tranquillement. Le son de leurs voix me parvenait comme un murmure étouffé. Liam conduisait sa monture à ma droite. La route se mit à grimper. J'avais l'estomac dans les talons. Nous n'avions rien avalé depuis notre départ.

Le hennissement d'un cheval et l'éclat d'une voix perçant le voile de neige nous figèrent sur nos selles. Liam posa une main sur ma cuisse et, d'un geste éloquent, me demanda de ne rien dire. Puis il se tourna vers Colin et Donald, qui se consultaient du regard.

— On nous suit, fit observer Donald en chuchotant.

Je plissai les yeux pour tenter de percer la blancheur du paysage derrière nous : rien que de la neige que les bourrasques faisaient voler autour de nous. Je haussai les épaules.

— Tu as pourtant bien entendu comme moi? demanda Colin.

— Ben oui.

C'est alors que nous les vîmes : un détachement de dragons anglais déployé en deux colonnes surgit des volutes immaculées.

— Bordel de merde! jura Colin.

La pression des doigts sur ma cuisse s'accentua. Je croisai le regard inquiet de Liam. L'heure était grave. Les hommes décrochèrent leur pistolet et l'armèrent. Puis, comme dans une entente tacite, nous éperonnâmes nos montures, détalant dans l'enfer blanc à bride abattue.

Les dragons, qui nous avaient repérés, étaient à nos trousses. Des balles ricochèrent sur les arbres autour de nous, faisant éclater l'écorce dans un bruit d'explosion.

— Enfonce-toi dans les bois! me cria Liam en poussant ma monture vers les arbres.

— Liam! hurlai-je, terrifiée.

Une balle siffla au-dessus de nous.

— Fais ce que je te dis, Caitlin!

Il me tira violemment vers lui et m'embrassa avec fougue.

— Je t'aime, *a ghràidh*. Va!

— Je ne peux pas...

Il sauta de son cheval et me tira en bas du mien pour ensuite me pousser vers la forêt. Un autre coup de feu, puis un cri. Je me retournai. Colin se retenait à la crinière de sa monture, une drôle d'expression peinte sur son visage crispé.

— Colin! criai-je en m'élançant vers lui.

Mais Liam m'attrapa à bras-le-corps et me repoussa avec autorité vers l'abri que m'offrait la forêt.

— Je t'en conjure, *a ghràidh*, cours te cacher!

Je pus lire la douleur, la peur et le désespoir dans ses yeux et sur ses traits. Une autre balle fit exploser une branche derrière moi. Je sortis de ma torpeur et je me mis à courir et à louvoyer entre les silhouettes blafardes des arbres. Émergeant des tourbillons de neige, tels des spectres allongeant leurs longs bras aux doigts griffus, ils m'écorchaient le visage, s'agrippaient à mes vêtements, s'acharnaient à entraver ma course folle. Prise dans le courroux de la tempête, giflée par les bourrasques, j'avais du mal à respirer. « Mon Dieu, venez-nous en aide! »

Les cris des soldats emplissaient mes oreilles et ma tête. Le paysage défilait à toute vitesse dans mon champ de vision. Comme un animal traqué, j'étais guidée par mon instinct. « Trouve un abri, Caitlin, un abri... » Mais je n'y voyais rien! Puis ce fut...

Le vide. La terre se dérobait sous mes pieds. Une ravine s'ouvrait sous moi, m'attirant dans le creux des entrailles de la terre. Avec tout le désespoir qui m'habitait, je m'agrippai à une branche, qui refusa de soutenir mon poids. J'enfonçai alors mes ongles dans la neige, mais glissai sur la glace et le roc. Un mur de granit défila devant mes yeux écarquillés. J'entendis mon cri se répercuter dessus, rebondir et se heurter aux montagnes, avant d'être emporté par le mugissement du vent.

J'atterris enfin au fond de la ravine. Une douleur fulgurante à la tête me paralysait. J'ouvris péniblement un œil. Un torrent d'une eau limpide comme du cristal dévalait sous mon nez la pente en cascades grondantes, avant de disparaître sous la glace dans un remous. « Liam... où es-tu? »

J'eus la curieuse impression de me détacher de mon corps. La douleur me quittait. Un sentiment de calme me portait. Je ne ressentais plus ni le froid ni la peur. Les gros bouillons d'écume se teintaient maintenant de rouge. Du sang? Un faible gémissement s'échappa de ma gorge. « Ton heure est venue, Caitlin... » J'allais retrouver mon fils. Je souris bêtement à cette pensée. Puis, la consternation remplaça le contentement. « Duncan... Liam... » J'aurais voulu les revoir... Seigneur, non! Sur ces dernières pensées, je sombrai dans les ténèbres.

23

Le serment

*L*e croassement lugubre d'un corbeau fit grimacer Duncan. Le jeune homme avait toujours éprouvé de l'aversion pour ce sombre oiseau, messager de la mauvaise fortune. L'oiseau se tut. Soulagé, Duncan se remit à suivre avec son doigt le trajet de la fine veine bleue qui courait sous la peau diaphane du cou de Marion, endormie à ses côtés. La jeune femme remua légèrement.

Quel bonheur pour un homme de se réveiller auprès d'une femme, après avoir partagé son intimité nocturne avec une centaine d'hommes pendant de longues semaines!

Marion dans sa maison. Marion dans son lit. Une Campbell de Glenlyon dans la vallée de Glencoe. « Je dois rêver! » pensa-t-il en souriant. Personne n'était encore informé de leur présence au village, mais cela se saurait bien assez tôt. Ils allaient devoir faire preuve de courage et de patience tous les deux, il le savait. Marion ne serait pas la bienvenue. Mais les membres du clan devraient s'y faire, car elle était ici pour rester, quoi qu'ils pensent ou disent.

Il pouvait se permettre de la contempler sans retenue. Blottie dans la sécurité douillette de ses songes, elle lui présentait un visage appétissant : des lèvres de cerise, une peau de pêche et un nez éclaboussé de soleil. Elle ressemblait à un fruit mûr, sucré et juteux qui attendait d'être croqué avec délices. Il s'en repaîtrait indéfiniment.

Marion était les Highlands faits femme. Un chat sauvage à apprivoiser. L'humeur changeante du ciel d'Écosse, parfois brumeuse et insondable, parfois orageuse et tourmentée. Il aimait entendre son rire rafraîchissant comme une source qui jaillissait du sol et cascadait le long des collines. Ses yeux... Dans ses yeux, il retrouvait le ciel brillant d'un jour d'été sans nuages. Et son corps... Il l'explorait comme il parcourait le relief des Highlands. Montagnes et vallées douces et escarpées. Terre qu'il aimait et aspirait maintenant à labourer pour que naisse un bonheur nouveau.

« Ô douce *Mòrag*... mon soleil chaud, brûlant. Le centre de mon univers. » Cette femme était un poème. Il déposa un baiser sur la crinière de feu qui s'étalait en rayons lumineux sur l'oreiller et en huma l'odeur. Âcre et sucrée, douce-amère, suave mais poignante, enivrante. Il ferma les yeux pour en sentir toutes les subtilités. Elles déclenchaient en lui des sensations étranges, nouvelles.

Sous les draps, leurs corps enlacés baignaient dans une douce tiédeur. Deux corps repus, blottis l'un contre l'autre après s'être livrés à la folie de la passion. Duncan découvrait avec une jubilation grandissante cette femme qui ne s'encombrait pas de cette pudeur à laquelle il s'était heurté chez les autres femmes qui avaient partagé sa couche. Le plaisir que Marion prenait à faire l'amour n'était pas feint. La jeune femme semblait avoir un besoin insatiable de donner et de recevoir; il se demandait s'il serait toujours à la hauteur. Elle le comblait.

Elle se retourna en marmottant quelque chose. Quelles images défilaient derrière ses paupières closes? Elle humecta ses lèvres, qui s'étirèrent ensuite en un beau sourire. À qui rêvait-elle? Ses nuits à lui étaient hantées par les horreurs de l'enfer qu'il avait vécu sur la plaine givrée par la mort et par les regards terrifiés des hommes qu'il avait lui-même fauchés. La présence de Marion le réconfortait alors. Il contempla le visage singulier de la jeune femme. Un cœur nacré auréolé de feu. « *M'aingeal dhiabhluidh...* » Oui, c'était comme ça qu'il la voyait, depuis le premier jour. Un ange diabolique. Sourire mielleux, langue tranchante; regard candide, esprit rusé. Énigmatique. « Qui es-tu donc exactement, Marion Campbell? »

Le corbeau croassa de nouveau, le tirant de ses réflexions. Il repensa alors aux événements de la veille. Le document devait maintenant se trouver à Finlarig, sous scellé. Malgré les fourberies du fils d'Argyle, ils avaient réussi. Marion pouvait maintenant dormir tranquille dans ses bras. Après leur mésaventure sur la route de la taverne, ils avaient retrouvé Macgregor et ses hommes devant un pichet de bière. L'affaire était réglée, au grand soulagement de tous. Rob s'était chargé de rapporter le document en Breadalbane pour le mettre en sûreté.

Après un bon repas, il avait emmené Marion dans sa vallée, dans sa maison construite sur le flanc d'Aonach Eagach, non loin du loch Achtriochtan. Son cottage était petit, certes. Mais au printemps il pourrait toujours ajouter une vraie cuisine avec un four à pain et arranger l'abri des animaux. Ils étaient arrivés aux petites heures du matin. La maison enfouie sous une épaisse couche de neige était gelée. Mais après avoir allumé un feu et s'être glissés sous les draps glacés, ils s'étaient vite réchauffés l'un contre l'autre. Leur ardeur avait doucement réchauffé la pièce également. Son pouls s'accéléra à la seule évocation de leurs ébats. Marion frémissante sous lui. Marion haletant son plaisir dans une fine buée blanche...

Elle aimerait cet endroit, il en était persuadé. Lui l'avait toujours adoré. Son père avait l'habitude de l'y emmener, enfant, avec son frère pour s'y baigner. Un peu plus tard, lorsque Frances avait été assez grande, ils venaient à trois s'y amuser et y pêcher. Il sourit au souvenir. Lorsque le fil de pêche de leur sœur se tendait, Ranald et lui prenaient un malin plaisir à la faire crier de terreur en lui racontant que c'était le *Each Uisge*[91] qui avait mordu à l'hameçon. Si elle tirait sur son fil, le cheval des eaux viendrait la chercher et l'emmènerait avec lui dans les profondeurs du loch, d'où elle ne reviendrait plus jamais. Immanquablement, elle s'enfuyait à toutes jambes vers le village et leur abandonnait sa prise.

Plus jamais il n'irait pêcher avec Ranald. La présence de son frère et ses remarques taquines lui manquaient cruellement. Avec l'insurrection et tous les événements qui l'avaient tenu occupé, il n'avait pas réalisé pleinement le vide que laissait son frère. Mais maintenant qu'il était de retour à Glencoe...

D'un seul regard, il embrassa la pièce unique de sa modeste demeure. Les murs de pierre étaient isolés avec de la tourbe et du torchis. Deux fenêtres étaient percées dans la façade. Elles n'étaient recouvertes que de peaux de bête et de battants de bois, mais il se promettait d'y installer des carreaux de verre pour Marion. Cependant, il s'était construit une vraie cheminée, au lieu de l'encombrant foyer central qui enfumait tout. Des poutres de troncs d'arbres soigneusement choisis pour leur forme soutenaient la toiture de chaume de bruyère qui avait séché tout l'été, et étaient arrimées avec de solides cordes de chanvre. La maison n'avait rien d'un château et ne pouvait se comparer au manoir de Glenlyon. Mais elle était solide et leur garantirait un abri pour dormir et s'aimer.

Le voisin le plus proche ne se trouvait qu'à deux kilomètres, à Achnacone. Son besoin de solitude, trait hérité de son père, l'avait poussé à choisir cet emplacement. Amoureux de Jenny, Ranald, lui, devait entreprendre la construction de sa propre maison au printemps prochain...

Duncan enfouit son visage dans la soie flamboyante et resserra son étreinte autour de la taille de la dormeuse. Un mollet effleura le sien, un pied lui caressa la cheville. Le lit était plutôt étroit, mais Marion aimait dormir blottie tout contre lui.

Une sombre pensée vint jeter de l'ombre sur son bonheur tout neuf. Elspeth... Il n'en avait pas encore parlé à Marion. Comment réagirait-elle? Elle devait bien se douter qu'il avait connu d'autres femmes avant elle. Mais se doutait-elle qu'il y en avait une qui l'attendait avec impatience? Marion ne lui avait jamais posé de questions à ce sujet. Peut-être l'avait-elle simplement cru libre de toutes attaches? Un sentiment déplaisant lui crispa l'estomac. Sans doute aurait-il mieux fait de lui en parler avant. Il avait toujours repoussé ce moment à plus tard, se disant chaque fois que cela pouvait bien attendre un jour de plus. Aujourd'hui, il ne le pouvait plus.

Il lui fallait aussi discuter avec Elspeth. Cela le rebutait au plus haut point. Comment lui expliquer qu'il la délaissait, elle, la plus jolie fille du

---

91. Cheval des eaux.

clan, pour une autre femme? Une femme qui, de plus, était du clan enne-mi des Macdonald? Elle ne comprendrait certainement pas. Elspeth avait perdu un grand-père, un oncle et une tante dans le massacre perpétré par le régiment d'Argyle. Elle lui en voudrait et lui cracherait assurément sa haine au visage. Il n'y pouvait rien.

La lumière blafarde qui filtrait à travers les fissures des battants de bois des fenêtres traînait sur les angles de la mâchoire de Marion, sur la ligne de ses lèvres, et s'accrochait au fin duvet de son visage. La courbure de la bouche s'accentua doucement, s'étira lentement en un sourire mutin. Des doigts glacés sur son ventre le firent tressaillir, tandis qu'un doux roucoulement se fit entendre.

— Hé! Mais t'es un vrai glaçon!

— Réchaufffe-moi alors, *fear mo rùin*[92].

Les paupières de Marion papillonnèrent sur un regard coquin. La jeune femme se hissa langoureusement sur lui, le balayant de ses boucles ébouriffées, et enroula ses jambes autour des siennes.

— J'ai rêvé, dit-elle doucement en plongeant son regard clair dans le sien.

— Je sais...

— Ah oui?

— Tu parles dans ton sommeil.

— Vraiment? Et que disais-je?

— Mmmm... Que tu m'aimais et que... tu ne voulais plus quitter mes draps et que... tu voulais que je te fasse l'amour toute la journée...

Elle éclata de rire.

— Menteur!

— Quoi? Ce n'est pas ce que tu disais? demanda-t-il d'un air innocent. Pourtant, c'est ce que j'ai cru entendre.

Elle l'embrassa.

— C'est vrai qu'il fait bon dans tes draps, avoua-t-elle en soupirant d'aise. J'y passerais bien volontiers la journée. Mais j'ai peur que mon estomac ne soit pas du même avis.

Elle l'embrassa de nouveau, mais avec lenteur. Il prit le temps de déguster à loisir son fruit défendu.

— Marion...

Elle posa délicatement son index en travers de ses lèvres et tira les draps sur sa tête.

— Oh, Seigneur! souffla Duncan, les yeux fermés.

De ses doigts et de ses lèvres, elle réveillait, émoustillait, titillait ses sens. Un frisson extatique le parcourut de la tête aux pieds et il ne put réprimer un gémissement de contentement. Le visage de Marion resurgit de sous les draps, légèrement cramoisi.

---

92. Mon bien-aimé.

— Ça va?

— Diablesse, sorcière! Tu pourrais être condamnée au bûcher pour ce que tu fais...

— Tu veux t'en plaindre?

— Oh, non! Continue, *mo aingeal*. Si l'enfer ressemble à ça, alors c'est là que je veux finir... J'aime...

Elle pencha la tête de côté, le regardant de biais. Sa main glissa vers son entrejambe pour s'emparer de la preuve concrète appuyant sa déclaration. Sa bouche se fendit alors jusqu'aux oreilles et elle gloussa.

— J'ai cru remarquer.

Elle demeura silencieuse un moment. Son air coquin laissa place à une moue dubitative. « Marion l'énigmatique... »

— Tu me trouves jolie? demanda-t-elle de but en blanc, ce qui laissa Duncan pantois.

Il la considéra un long moment d'un air très sérieux, bien que son idée fût déjà toute faite. Ses doigts s'égarèrent dans l'abondance de ses cheveux qui léchaient ses épaules laiteuses.

— *A Mhórag*... susurra-t-il. « Jolie » n'est pas tout à fait le mot que j'emploierais.

— Ah? fit-elle, un peu décontenancée.

Duncan rit doucement et l'attira plus étroitement contre lui.

— Pourquoi me poses-tu cette question?

Elle plissa le nez et pinça les lèvres.

— Eh bien... Je me demandais seulement... C'est qu'on ne m'a jamais vraiment dit que j'étais belle. Pour toi, j'espérais l'être.

— Tu es très belle, *a ghràidh*. En doutes-tu? Tous les anges du ciel doivent te ressembler.

Son visage s'éclaira d'un sourire ravi.

— Il faut savoir, Duncan. Suis-je une sorcière, un ange ou une diablesse?

— Tu es un peu tout ça. Et ma foi, c'est ce qui te rend si attirante. Tu me fais perdre la tête.

La sorcière, l'ange ou la diablesse, au choix, émit un suave rire de gorge et retourna sous les draps. Sa bouche gourmande se remit à la tâche. Il en trembla. Bon sang! Il la voulait pour l'éternité. Il grogna lorsque les dents se mirent de la partie. Marion resurgit, les cheveux en broussaille.

— Je t'ai fait mal?

— Pas vraiment.

Les doigts suivirent la longue cicatrice qui lui traversait l'aine. Elle effleurait sa peau comme une brise tiède. « Marion la sensuelle... »

— C'est encore douloureux?

— Parfois, si tu appuies un peu trop dessus, concéda-t-il dans un sourire. Mais ne t'en fais pas pour ça.

Elle resta songeuse un moment et posa sa joue sur son ventre.

— Duncan...

— Mmmm...

— J'ai peur.

Il se hissa sur un coude et chercha son regard.

— Pourquoi?

— Je sais ce qui m'attend ici. Je veux dire, les gens de ton clan... J'ai vu les regards que les hommes de ton clan me lançaient au camp. Je sais ce qu'ils pensent de moi. Je sais aussi ce qu'ils peuvent me faire. Allan...

— Je ne laisserai personne te faire de mal, Marion.

Il passa un bras autour de sa taille et la fit glisser sur son torse.

— Je sais que ce ne sera pas facile au début, admit-il. Mais avec le temps, ils apprendront à te connaître. Ils finiront par t'accepter, tu verras.

Il la fit rouler sous lui en grognant. Le souffle de Marion était doux sur sa balafre. Il observa la jeune femme un moment derrière ses paupières mi-closes, et lui embrassa le bout du nez.

— J'espère que tu dis vrai.

— Bien sûr que je dis vrai... T'ai-je déjà menti?

— Comment le saurais-je? répondit-elle en souriant.

Lascivement, elle enroula une jambe autour de ses hanches. Serpent de la tentation l'invitant à reprendre là où ils s'étaient arrêtés un peu avant les premières lueurs de l'aube. Il lui répondit avec moins de subtilité, glissant une main sur la chair ferme d'une fesse et pressant fermement son bassin.

— Hum... fit-elle en fermant les yeux.

Il hésitait à lui poser la question qui le travaillait depuis l'entretien qu'il avait eu avec Glenlyon. Était-ce la crainte d'un refus ou bien la peur de l'engagement qui le retenait? Il avait réfléchi et réfléchi encore à s'en user les méninges. Il savait maintenant ce qu'il désirait. Mais elle? Que voulait-elle? Accepterait-elle de s'engager sérieusement avec lui? Et si elle refusait, que ferait-il?

Les doigts de Marion s'enchevêtraient dans sa chevelure à la couleur de la nuit et se refermèrent sur une poignée de cheveux. Enfonçant sa tête dans l'oreiller, elle lui offrit sa gorge opaline d'où s'échappa un roucoulement.

— O Mòrag... murmura Duncan sur la soie de son cou qui vibrait sous sa bouche.

Il avait peur, lui aussi. Brusquement, il s'empara d'une des mains de Marion et la retint en entrecroisant leurs doigts. Prenant appui sur son coude, il attrapa la deuxième main, qui reposait maintenant sur l'oreiller. Marion réagit en enroulant sa jambe encore libre autour de sa cuisse.

— Mòrag... souffla-t-il, le cœur battant.

Le regard bleu azur croisa le sien. Il crut que sa poitrine allait éclater. Prenant une grande inspiration, il réussit à poursuivre :

— Prêtons-nous serment... Dieu nous servira de témoin.

Les mots s'étaient bousculés dans sa tête et dans sa bouche, puis avaient déboulé sur ses lèvres. Marion haussa un sourcil. Ses jambes enroulées autour de lui se tendirent, l'emprisonnèrent, l'empêchèrent de partir en courant pour se sauver, pour ne pas entendre la réponse. L'espace d'un instant, il crut défaillir. Elle ne réagissait pas. « Trop tôt... C'est trop tôt, bon sang! » pensa-t-il. Mais il était trop tard. Elle hésitait, elle refuserait.

Une larme mouilla le coin de l'œil de Marion et glissa sur sa tempe, pour aller se perdre dans ses cheveux. La jeune femme ouvrit lentement la bouche, puis la referma aussitôt dans un petit gémissement. « Elle ne veut pas... » L'amertume lui étreignit le cœur. « Elle ne sait tout simplement pas comment me le dire. »

— Je suis désolé. Je... murmura-t-il, désemparé.

— Tu es sérieux, Duncan?

— Si tu ne veux pas, je comprendrai.

— Tu m'aimes assez pour me proposer d'échanger nos serments?

— Enfin, oui...

Son cœur se remit à galoper comme un cheval sauvage qui cherche à s'échapper. Marion inondait maintenant l'oreiller.

— Oh, Duncan...

— Marion! grommela-t-il en se pressant plus fort contre le corps tiède et souple qui se tendait sous lui. Réponds-moi!

Resserrant ses doigts sur les siens, il vrilla son regard dans le bleu qui le fixait. Contre toute attente, elle hoqueta et l'éclaboussa d'un rire cristallin qui le laissa perplexe.

— Tu es certain de vouloir d'une sorcière à la langue tranchante comme moi?

— Marion!

Vexé, il lui lança un regard réprobateur. Son fou rire redoubla.

— Oui, Duncan, réussit-elle finalement à articuler.

Le jeune homme ne comprit pas immédiatement. Les paroles de Marion se frayèrent lentement un chemin dans le chahut de ses pensées, et brusquement leur sens devint évident. Elle acceptait.

— Oh! merde, Marion! bafouilla-t-il, pataud. Je croyais que...

Elle ne riait plus, mais un sourire narquois flottait toujours sur ses lèvres. Duncan croqua dedans à pleines dents en grognant de plaisir.

— Que croyais-tu, grand nigaud?

— Qu'importe! lâcha-t-il en riant à son tour.

Ses mains libérèrent celles de Marion qu'elles retenaient prisonnières et encadrèrent le visage rose de plaisir. Puis il posa ses lèvres sur les siennes.

— Moi, Duncan Coll Macdonald, déclara-t-il alors solennellement, je te prends, toi, Marion Campbell...

Il s'interrompit un instant pour la regarder.

— Qui aurait dit il y a quelques mois que je prononcerais ces mots!

Fronçant les sourcils, Marion le pinça. Il grimaça, puis reprit son serment avec un peu plus de sérieux.

— Donc je te prends, toi, Marion Campbell, pour épouse et je promets de t'aimer, de te chérir, de te protéger... et de te rester fidèle, jusqu'à la fin de ma vie.

— Moi, Marion Campbell, je te prends, toi, Duncan Coll... Macdonald... Tu es fou, Duncan...

— *Tuch*...

Elle l'enveloppa d'un roucoulement rauque, avant de continuer :

— ... donc, pour époux... Oh! Duncan, que fais-tu?

— Continue, *a Mhórag*, lui susurra-t-il en se glissant doucement en elle.

— Doux Jésus! ... pour époux... et je promets de t'aimer... de te chérir... Je n'y arriverai jamais si tu continues comme ça, dit-elle en haletant.

— Continue, l'encouragea-t-il dans un murmure.

— ... de te... chérir et de te protéger... et... et... Oh! Et de te rester... fidèle... jusqu'à-la-fin-de-ma-vie! Ouf! termina-t-elle tout d'une traite, avant de laisser échapper un gémissement.

— Nous sommes liés... *mo aingeal*... pour la vie... Nos serments... sont... irré... vocables.

La regardant fixement d'un œil possessif, il s'enfonça plus profondément en la faisant tressaillir.

— ... car notre union... est... con... sommée...

Marion se cambra et laissa échapper un cri rauque. Duncan lui répondit par un grognement. Les élancements douloureux de sa blessure se confondaient avec ceux de la volupté qui embrasaient son bas-ventre. Il se convulsa, emporté par l'extase qui le vidait de sa substance. Il en oublia son Écosse en pleine ébullition, plongée dans une rébellion qui lui avait arraché son frère. Il en oublia sa sœur, probablement enfermée dans un endroit sordide à Inverness. Il en oublia même qu'il était Macdonald, et elle, Campbell. Plus rien n'existait, sauf cet instant précis.

Puis, il s'écroula sur Marion. L'odeur âcre de la fumée de tourbe se mêlait avec celles, plus complexes, de leurs corps. Marion était sienne corps et âme.

— Marion Macdonald... marmonna-t-il dans un souffle.

Ils demeurèrent plusieurs minutes silencieux, écoutant les craquements de la toiture sous le poids de la neige et le crépitement du feu. La jeune femme remua. Le drap glissa, et l'air froid vint mordre la peau moite de Duncan. Il frissonna; elle rit doucement.

— Marion « Campbell » Macdonald, le nargua-t-elle en se redressant au-dessus de lui.

Elle s'empara de la couverture de laine et s'en enveloppa, puis elle baissa un regard matois sur lui en sautant en bas du lit.

— Que fais-tu?

Il tira sur lui le drap et se couvrit de la peau de cerf qui était tombée sur le sol.

— J'ai faim! Il doit bien y avoir quelque chose à se mettre sous la dent ici!

Traversant un rai de lumière, elle se dirigea vers le buffet. Après avoir fouillé quelques minutes dans le meuble et sur les étagères, elle tourna vers lui un air déconfit.

— Mais il n'y a rien! Mon nouvel époux me laissera-t-il mourir de faim?

Elle esquissa un sourire malicieux. Diane chasseresse le fixait d'un regard de cannibale affamé.

— Hum... Peut-être devrais-je chasser mon gibier moi-même, dit-elle en se ruant sur Duncan. C'est que je sens de la chair fraîche... Mmmm...

Elle s'élança sur le lit, manquant de les faire dégringoler sur le sol. Puis ses mains se mirent en quête d'un bout de peau à croquer.

— Mais tu es chatouilleux? Oh! J'adore chatouiller...

Visiblement ravie de sa découverte, elle donna toute liberté à ses doigts qui n'eurent aucune pitié.

— Arrête, Marion, de grâce! s'étrangla Duncan en se poussant.

Les doigts s'agitaient impitoyablement sur son ventre et ses flancs, lui arrachant un fou rire qui frisait l'hystérie.

— Tu vas me faire crever... haleta-t-il à bout de souffle.

— Grrrr...

Elle planta ses dents dans le gras d'une cuisse.

— Aïe! La louve! Pitié!

Alors qu'il réussissait à se soustraire aux assauts carnassiers de sa femme, la porte s'ouvrit dans une explosion de lumière éblouissante. Le jeune homme se figea lorsque son regard croisa celui d'Elspeth, qui lançait des éclairs émeraude.

— Putain de merde! marmonna-t-il tout bas.

Personne ne bougeait. Le silence dura une éternité. Puis une plainte sourde emplit la petite chaumière. Marion, qui semblait se remettre de la surprise, remonta vivement la couverture sur sa poitrine découverte et lança à Duncan un regard interrogateur. Elspeth pointa vers elle un doigt accusateur.

— Une catin Campbell! Je ne voulais pas le croire, geignit Elspeth. Tu baises avec une salope de Campbell!

La violence de ses paroles fit sursauter Marion qui se réfugia au fond du lit.

— Elsie... fit Duncan.

— Traître! hurla l'éconduite. Tu n'es qu'un sale traître, Duncan! Je n'en crois pas mes yeux! Avec une Campbell... Sainte Mère de Dieu! Aidez-moi! Foudroyez-le!

— Elsie! redit-il plus rudement en se levant.

Le regard furieux se posa sur les griffures qui marquaient son bas-ventre et ses cuisses. Soudain conscient de sa nudité, Duncan ramassa son plaid qui gisait sur le sol et l'enroula hâtivement autour de ses hanches. Puis, contrôlant ses émotions, il demanda sur un ton mesuré :

— Que fais-tu ici?

— Ce que je fais ici? rétorqua l'autre avec virulence. Ce que je fais ici? Non mais...

Elle bouillait de rage.

— J'attendais que tu reviennes, figure-toi! Je me faisais un sang d'encre! Je priais le ciel pour toi! Je me morfondais et je pleurais! Et toi, tu me demandes ce que je fais ici?

Sidérée, Marion regardait vers Duncan et devenait livide. Elspeth poursuivit avec hargne :

— Pendant que moi je t'attendais, toi, tu t'envoyais en l'air avec une sale catin de Campbell! *Fuich!*

— Qui est cette fille... Duncan?... demanda faiblement Marion en tremblant.

— Je t'expliquerai plus tard, Marion.

Le froid qui entrait par la porte restée ouverte les enveloppait et les pénétrait jusqu'à l'âme. Duncan ne savait plus comment se dépêtrer de cette situation des plus embarrassantes. Certes, il avait prévu de s'expliquer avec Elspeth, mais pas ici, pas maintenant, pas devant Marion qui ignorait encore tout d'elle. Il devait se calmer, reprendre ses esprits. Elspeth aussi d'ailleurs. Et Marion... Son cœur fondit en la regardant. Elle était complètement désemparée. Il devait lui parler en premier.

— Elsie, retourne chez toi...

— Ce n'est pas à moi de partir, c'est à cette garce! cria Elspeth en braquant un regard haineux sur Marion, qui n'en menait pas large.

— Duncan... tu veux bien m'expliquer...

— Tu ne lui as rien dit? continua la furie avec morgue. N'as-tu pas jugé utile de lui parler de moi parce que tout ce que tu voulais au fond, c'était une bonne baise avec la fille de ce fumier de Glenlyon, hein?

Puis, se tournant vers Marion, elle leva le menton et se drapa de condescendance.

— Je suis sa fiancée, petite traînée...

— Va-t'en! gronda dangereusement Duncan. J'irai t'expliquer plus tard.

— Ce n'est pas la peine, Allan s'en est chargé.

— Allan? Oh! Le fils de...

D'un pas décidé, il se dirigea vers Elspeth et s'empara de son bras pour la pousser vers la sortie. Il ne voulait pas être brusque avec elle, il pouvait comprendre sa colère. Mais ses propos blessants à l'égard de Marion lui faisaient perdre son calme.

— Je ne te le répéterai pas : retourne chez toi.

Sans crier gare, Elspeth éclata alors en sanglots et s'accrocha à son bras.

— Renvoie-la chez elle, Duncan... je ne t'en tiendrai pas rigueur... J'oublierai... Je comprends ta faiblesse... Les hommes, il leur arrive parfois...

— Non! trancha-t-il en serrant les mâchoires. Tu n'as pas compris, Elsie. Marion n'est pas une faiblesse, elle est ma femme.

Une plainte s'échappa de la bouche tordue d'Elspeth. Écarquillant les yeux, la jeune femme recula vers la porte, se heurtant au chambranle. Incrédule, abasourdie, elle jeta un dernier regard vers celle qui lui avait volé son amant, puis vers celui qu'elle avait tant attendu et qui l'avait trahie, qui avait trahi son clan en emmenant dans son lit la fille de l'ennemi.

— C'est toi qui aurais dû mourir au lieu de Ran!

La virulence du venin paralysa Duncan, dont le sang quitta le visage. Il serrait les poings pour ne pas frapper. Brusquement, Elspeth fit volte-face et s'échappa dans la lumière vive qui entrait à flots dans la chaumière refroidie.

Duncan resta quelques minutes à fixer le vide laissé par la jeune femme. Puis il ferma violemment la porte, avant d'y appuyer son front moite. Il tremblait de rage, de haine et de froid. Un bruissement d'étoffes le ramena dans la pièce.

— Marion, je... commença-t-il en se retournant. Mais que fais-tu?

Elle enfilait ses vêtements avec des mouvements saccadés, s'essuyant les yeux et reniflant dans sa manche. Elle ne lui répondit pas, continua de fouiller sous le lit pour extraire une botte et un bas. En deux enjambées, il était sur elle. Il l'empoigna et la força à lui faire face.

— Que fais-tu? Où vas-tu? s'inquiéta-t-il, blême d'appréhension.

— Je retourne en Glenlyon. Je retourne chez moi, d'où je n'aurais jamais dû partir.

Elle le repoussa brutalement. Les larmes coulaient sur sa peau de soie. Le cœur de Duncan se déchira.

— Non, Marion... reste...

— Si tu crois que je vais te partager avec cette... cette... Oh! Et puis merde!

Elle gronda, puis renifla en tentant de lacer son corsage de ses doigts tremblant de rage et d'humiliation. Elle jura encore; le lacet lui échappait sans cesse.

— Quel merdier! Quel merdier! se répétait-elle. Sa fiancée! Ce que j'ai pu être stupide... Ah! Mais le mot est faible. Je n'arrive pas à y croire, j'aurais dû savoir... rien qu'une baise... C'est pas vrai, je rêve!

Elle soliloquait sous le regard désemparé de Duncan, à qui tout semblait échapper et qui ne trouvait rien à dire.

— On ne doit pas faire confiance à cette racaille de Macdonald. Des ordures, des voleurs ...

Elle hoqueta et promena son regard désespéré autour d'elle.

— Marion... reprit bêtement Duncan.

Il osa une main sur le bras de la jeune femme, qui eut un violent mouvement de recul.

— Ne me touche pas, salaud!

— Je voulais t'en parler, je te le jure...

— Ta parole ne vaut rien, Duncan Macdonald... Elle a raison, tu n'es qu'un traître, un menteur...

Elle s'étrangla avec un sanglot, puis fondit en larmes. Écroulée sur le sol, elle pleurait dans ses jupes. Duncan s'accroupit près d'elle.

— Marion, bon sang, je t'aime...

Les pleurs redoublèrent. Prudemment, il mit une main sur l'épaule secouée par le chagrin. Elle sursauta, mais ne le repoussa pas.

— Pourquoi ne m'en as-tu pas parlé? demanda-t-elle en sanglotant, le nez dans l'étoffe trempée. Tu étais fiancé... pourquoi?

— J'aurais dû te parler d'Elspeth, je le sais, admit-il avec lassitude.

Il essuya délicatement une grosse larme qui roulait sur sa joue. Elle se déroba aussitôt.

— Regarde-moi, je t'en prie.

Comme elle ne bougeait pas, il la força à lui obéir. Il voulait qu'elle plonge dans ses yeux, qu'elle scrute son âme pour qu'elle voie la partie de lui-même qu'elle emporterait si elle partait. Mais elle fuyait, fermant les yeux. Il lui caressa les cheveux, mais n'osa aller plus loin. Puis, il sut qu'elle ne partirait pas. Ils étaient liés par leurs serments. Elle était désormais sa femme; Dieu avait été témoin de cette union.

— Tu es MA femme, Marion. Je ne te laisserai pas partir.

— Essaie donc! Il n'y avait aucun témoin lorsque nous avons échangé nos vœux. Ils ne tiennent plus.

— Et Dieu? Qu'en fais-tu? Le renierais-tu? Dieu nous a été témoin, tu le sais.

Elle se tut un moment et renifla.

— Qu'est-elle pour toi? Tu as prêté serment avec elle aussi? Elle a dormi ici avant moi?

— Je n'avais rien promis à Elspeth, expliqua-t-il. Nous ne sommes pas vraiment fiancés. Je l'aimais bien, sans plus.

— Et moi? Tu m'aimes « bien », moi aussi?

— Toi, c'est différent...

Il n'arrivait pas à trouver les mots. Il se laissa tomber sur le sol froid à côté d'elle, puis se frotta les yeux, accablé par la tournure des événements.

— Toi... je t'aime, un point c'est tout. Depuis ce jour où je t'ai embrassée dans vos collines, tu me hantes.

— Foutaises! rétorqua-t-elle. C'est le fait que je suis la fille de Glenlyon qui t'a fait remuer la queue, espèce de sale porc...

— Arrête de jurer comme un cul-terreux! Si j'avais voulu te prendre de force, je l'aurais fait dès ce jour, et tu ne serais pas ici aujourd'hui. Mais je ne voulais pas que cela se passe autrement entre toi et moi. Et puis, je n'avais pas besoin de prêter serment avec une femme pour faire l'amour avec elle seulement.

— Pouah!

— Tu te souviens de Killin?

Elle haussa les épaules avec une désinvolture affectée, en évitant toujours de le regarder dans les yeux.

— Cette nuit-là, je t'avais dit que le jour où je te prendrais serait celui où tu me l'aurais demandé. Tu t'en souviens?

Elle ne répondit pas. Cela l'énerva.

— T'ai-je forcée, Marion?

— Tu m'as manipulée. Avec tes faux airs de...

— Marion! s'écria-t-il, sur le point d'éclater. C'est faux, archifaux, tu le sais très bien!

Décidé à en finir avec cette mascarade, il l'empoigna par les épaules et l'attira à lui. Elle résista un moment, et finit par le regarder. Leurs yeux se croisèrent alors. Elle dut voir ce qu'il n'arrivait pas à lui dire avec des mots. La façade s'écroula.

— Je t'aime, *mo aingeal*, ne peux-tu le voir, le sentir?

— J'ai mal, Duncan, je ne croyais pas pouvoir avoir si mal dans mon cœur. Je me sens trahie.

— Je le sais. Je ne voulais pas que cela se passe ainsi. Je te demande pardon. Je ne supporterais pas de te perdre. Je t'en conjure... reste.

Les yeux rougis le fixaient intensément. Il écarta avec douceur quelques boucles rebelles qui collaient aux joues.

— Marion, je t'en prie...

— Oh, Duncan...

Fermant les yeux, elle abandonna ses dernières armes. Duncan étreignit alors avec force le bonheur qu'il avait failli perdre. Il s'emplit les bras de son soleil et s'en réchauffa le cœur.

— Je t'aime tant... *O Mòrag*... Je t'aime tant.

Ils restèrent ainsi pendant une éternité, jusqu'à ce que le funeste croassement du corbeau les tire de leur léthargie. Duncan, nu sur le plancher glacé, était complètement transi. Il n'avait pas osé bouger de peur que son ange ne s'envole. Il lui embrassa les paupières, puis lui releva le menton pour l'embrasser sur la bouche. Doucement, l'effleurant presque au début. Lorsqu'il la sentit frémir contre lui, il y mit plus d'ardeur et elle lui répondit avec la même fougue.

Après quelques minutes, il s'écarta légèrement pour reprendre son souffle. Il la dévisagea, le cœur en liesse. Elle affichait un sourire énigmatique.

— Quinze coups devraient suffire, annonça-t-elle de but en blanc.

Il fronça les sourcils.

— Quinze coups?

— Quinze coups de fouet, précisa-t-elle.

— Oh, merde! fit-il en grimaçant.

24

Fourberies

Marion leva les yeux vers le ruban de ciel blanc opaque qui s'étirait au-dessus de la vallée encaissée dans les sombres montagnes. La tempête menaçait. Quelques flocons virevoltaient déjà autour d'elle. Elle décrocha le dernier drap, entortillé autour d'une branche de pin, et le huma. La fraîcheur hivernale s'y était incrustée et mêlait son parfum à l'odeur musquée de leurs corps. Afin de s'occuper en attendant le retour de Duncan, elle les avait suspendus aux branches des arbres qui entouraient la petite chaumière pour les aérer, comme le faisait Amelia à Chesthill.

Duncan lui avait longuement parlé d'Elspeth après qu'elle se fut calmée. Il lui avait tout expliqué pour la rassurer et faire s'envoler toutes ses craintes. Cependant, un petit malaise persistait. C'est qu'elle était drôlement belle, cette Elspeth. Lorsqu'elle l'avait vue entrer en trombe dans la chaumière, elle avait senti une vague appréhension la submerger. Pourtant, elle se doutait que Duncan avait connu d'autres femmes avant elle. Il savait tellement bien la toucher, l'embrasser, la caresser pour faire naître en elle cette marée de sensations qui l'engloutissait et la noyait dans une ivresse qu'elle n'aurait jamais cru possible. En comparaison, elle se sentait tellement maladroite. Sa propre gaucherie la mettait dans l'embarras. Mais Duncan ne semblait pas s'en plaindre. Il semblait même y trouver un certain plaisir.

Roulant le drap, elle le mit avec les autres dans le panier posé à ses pieds et scruta l'horizon éblouissant de blancheur en plissant les yeux. Mais que faisait-il donc? Il était parti depuis plus de deux heures pour aller s'expliquer avec Elspeth... Elle grimaça et refoula les pensées qui surgissaient dans son esprit. Duncan avait raison. Elle ne serait pas ici, dans sa maison, dans sa vallée, s'il ne l'aimait pas vraiment. Toutefois, son retard l'inquiétait. Sans doute s'était-il éloigné un peu plus pour leur trouver quelque chose à manger.

Le hennissement d'un cheval la fit sursauter. Elle se tourna vers le petit abri que Duncan avait construit pour les bêtes. Rudimentaire, mais solide. Il lui avait raconté comment son frère et lui avaient bâti son humble demeure au printemps dernier. Mais l'avait-il construite pour la belle aux yeux émeraude? Bah! Quelle importance? Ils s'étaient prêté serment l'un à l'autre. Cela scellait leur union au même titre qu'un mariage devant un homme de Dieu. À la différence qu'ils n'avaient eu que Dieu pour témoin.

Elle ferma les yeux et sourit. Duncan s'était assuré de l'irrévocabilité de leurs serments d'une façon plutôt expéditive. Mais cela ne lui avait pas déplu, bien au contraire. Qu'en avait pensé le Tout-Puissant? Bah! N'était-ce pas là le but du mariage?

Le vent s'insinuait sous sa cape et glaçait ses jambes. Elle ferait mieux de rentrer avant d'attraper la mort. Duncan ne tarderait certainement pas; la clarté faiblissait et la tempête menaçait. Prestement, elle ramassa le panier et se précipita à l'intérieur pour refaire le lit et préparer les quelques légumes qu'elle avait dénichés.

Un cheval hennit de nouveau et un autre lui répondit. Marion se retourna. Quelqu'un venait. Des silhouettes se profilaient à l'est, dans l'étroit passage du col de Glencoe. Des hommes du clan venaient. Elle referma la porte.

La petite troupe de cavaliers s'arrêta devant la chaumière. Elle les épia de la fenêtre, mais la neige, maintenant abondante, l'empêchait de bien distinguer ces hommes. Ils s'attardaient et discutaient. Étaient-ils des guerriers de Glencoe qui avaient abandonné le camp de Perth? Le soulèvement avait-il été étouffé? Deux hommes se détachaient maintenant du groupe et venaient vers la chaumière. Elle s'énerva, s'empara de son plaid pour couvrir sa chemise. Merde! Elle n'avait pas le temps d'enfiler sa robe qu'elle avait fait aérer avec les draps.

La porte s'ouvrit brusquement. Quels rustres! On ne frappait pas avant d'entrer par ici? Clignant des yeux, elle se tourna vers l'intrus qui emplissait l'embrasure. À cause du contre-jour, elle ne distinguait qu'une silhouette. Mais elle reconnut immédiatement le tricorne et la culotte de l'homme et en fut pétrifiée. Ces hommes n'étaient pas de Glencoe. L'intrus entra et la poussa brutalement. Celui qui le suivait cria des ordres à ses compagnons qui étaient restés dehors et s'engouffra à son tour accompagné d'un tourbillon de neige.

— Où est-il? tonna le premier homme.

— Quoi?

— Ce chien de Macdonald!

Mais que voulaient-ils? Duncan avait-il des problèmes dont elle ignorait l'existence?

— Visiblement, il n'est pas là, grogna le deuxième.

« Très futés! » pensa-t-elle, sarcastique.

— Le document! précisa l'homme en s'approchant.

Sa houppelande s'ouvrit sur des cuissardes de cuir qui enveloppaient une solide paire de jambes et une veste de tartan qui lui était familière.

Le cœur de Marion fit un bond. Les couleurs sombres des Campbell... Elle recula.

— Le document? bafouilla-t-elle d'un air absent.

En réalité, son cerveau fonctionnait à un rythme effréné. Discrètement, elle fit le tour de la pièce du regard. Où avait-elle mis son *sgian dhu*? L'homme avança sur elle telle une ombre comminatoire. Sur la table... La lame dépassait légèrement du corsage de sa robe. Elle se précipita sur l'arme, mais l'homme fut plus rapide qu'elle. Il l'attrapa à bras-le-corps et la coinça contre le mur.

— Holà! Où penses-tu donc aller, ma belle!

— Laissez-moi! s'écria Marion en tentant de maîtriser la terreur qui s'emparait d'elle.

— Donne-moi le document, et nous partons sans te faire de mal.

— Mais de quel document parlez-vous, espèce de brute?

L'intrus éclata d'un rire sardonique et se tourna vers son comparse.

— Es-tu certain que cette petite mignonne vient de Glenlyon? On croirait entendre une de ces bêtasses de Macdonald qui ne sont bonnes qu'à baiser.

L'homme reporta son attention sur Marion et la considéra d'un œil mauvais.

— Écoute-moi bien, ma mignonne. Tu sais très bien de quel document je parle. Un de mes petits copains dehors a une bosse grosse comme un œuf sur le front et aimerait bien régler son compte à ce fumier de Macdonald qui, comme je peux le constater, n'est pas ici. Mais peut-être se contentera-t-il de toi. Tu étais à Inveraray, toi aussi.

— Puisque vous savez qui je suis, je vous conseille de prendre vos distances, le menaça-t-elle.

L'homme rit.

— Alors, on fricote avec les hommes de Glencoe, mademoiselle Campbell?

— Cela ne vous regarde en rien. Nous n'avons pas ce que vous recherchez, alors partez!

— Qu'en avez-vous fait?

Il fit un geste de la tête à son comparse qui attendait de procéder à une fouille en règle. Il revint ensuite vers elle et promena un regard licencieux sur sa chemise avec un sourire malicieux.

— Hum... Glenlyon fait tout de même bien les choses, déclara-t-il.

Ce disant, il lui lâcha le bras et lui enserra le cou.

— Dis-moi, ma mignonne... gronda-t-il en appuyant sur son larynx, qu'avez-vous fait de ce foutu bout de papier?

— Il n'est pas ici... Il est à Finlarig Castle...

L'homme grogna.

— Tu te fiches de moi! Tu veux me faire avaler que vous vous êtes rendus jusqu'à Finlarig hier et que vous êtes revenus ici immédiatement après?

— Non... C'est Macgregor qui l'a porté.

— Rob Roy?

— Elle dit peut-être la vérité, Rory. Brian m'a dit avoir aperçu des hommes de Macgregor sur nos terres hier.

Marion fut prise de panique quand elle sentit qu'une main cherchait à retrousser sa chemise. Son cri s'étrangla sous les doigts de l'inconnu, qui la tenait toujours contre le mur. L'homme pesta et jura. Elle s'agita, se débattit, mais rien n'y fit. Il était trop grand et trop fort pour elle.

— Je ne serai pas venu dans cette vallée maudite avec ce temps de chien pour rien! s'écria-t-il dans un élan de frustration. Je prendrai quelque chose en compensation...

Il chercha ses lèvres; elle esquiva.

— Tout doux, mignonne, je ne te ferai pas de mal... Tu verras, c'est plutôt plaisant...

Il lâcha son cou pour descendre sur sa poitrine. Elle bouillait de rage, s'agitait. L'homme la repoussa contre le mur et, d'un coup de genou, lui écarta les cuisses. Avec toute sa force, elle envoya son genou dans les parties de son assaillant. L'homme gémit. Il était trop grand, constata-t-elle avec consternation. Elle n'avait réussi qu'à lui frapper l'intérieur de la cuisse.

— Sale petite... Aïe!

Voilà qui était mieux! Il la relâcha brusquement pour porter sa main à sa joue, puis l'écarta pour voir son sang qui la souillait.

— Cette sale petite garce m'a griffé! s'écria-t-il avec stupéfaction.

Enfin libre, Marion se précipita sur son coutelas et le brandit devant elle. L'étonnement de l'homme se mua alors en rage meurtrière. Elle ne vit pas venir le coup, qui l'atteignit en plein visage. Déstabilisée, elle pivota comme une toupie et s'écroula sur la table avec un gémissement de douleur. Les larmes lui montèrent aux yeux et lui brouillèrent la vue. Elle tenta de se relever. Sa mâchoire élançait terriblement; la pièce tournait bizarrement autour d'elle.

— ... garce... va payer...

Des murmures parvinrent à percer le bourdonnement assourdissant qui emplissait sa tête. Elle geignit et se redressa sur un bras, cherchant le coutelas qui lui avait échappé. Il fallait le reprendre... Ses doigts se refermèrent sur le métal froid.

Une main l'agrippa alors solidement à l'épaule et la retourna comme une crêpe sur la table.

— Laissez-moi... Nous n'avons pas le...

L'empoignant par le devant de sa chemise, l'homme la força à se relever. Elle tenta de nouveau de le repousser. Le regard méprisant qui la fixait la paralysa. Il allait la tuer!

Des images lui vinrent à l'esprit. D'autres Campbell dans la vallée de Glencoe, assassinant des Macdonald. Elle était l'une des leurs maintenant. L'ironie de la situation lui donna le vertige et lui crispa douloureusement l'estomac.

— Non... gémit-elle faiblement.

Sa mâchoire lui faisait affreusement mal. Le simple fait de serrer les dents la faisait souffrir.

— Lâche-la! cria la voix du deuxième homme. J'ai fouillé partout, il n'y a rien ici.

— Elle m'a giflé, la garce! Elle va payer! rugit le premier.

— Laisse tomber. On nous a bien avertis de ne pas toucher à la fille.

— Mais elle putasse avec les Macdonald!

Marion fit une tentative avec son coutelas, qu'elle plongea vers l'homme. Mais elle n'était pas de taille. Son bras se retrouva tordu dans son dos, et elle cria de douleur. Le coutelas lui échappa. L'homme articula des grossièretés; l'autre lui enjoignait de la laisser avant que les choses ne tournent mal. Il refusait, il voulait sa revanche.

Propulsée contre le mur, Marion cria et geignit. Tournant la tête vers son agresseur, elle n'eut que le temps de voir un poing arriver. Il l'atteignit à l'estomac, la vidant de son air. La douleur était terrible. Elle allait mourir...

Elle pensa à Duncan. À leurs serments. À ses mains sur elle... Les mains d'un homme de Glencoe pouvaient se faire si douces sur la peau d'une Campbell. Quelle ironie! Et maintenant... C'était celles d'un homme de son propre clan qui la frappaient.

Pliée en deux, elle soufflait, râlait, cherchait son air. Elle rampa jusqu'au lit. La pièce tournait terriblement autour d'elle; elle vacillait. Il faisait soudain si froid. Un coup de vent souleva sa chemise et la fit claquer des dents. La douleur la fit grimacer. Les voix résonnaient toujours dans la chaumière. Le ton monta. Puis un homme cria à l'extérieur. Duncan?

Une douleur fulgurante lui coupa le souffle de nouveau. Elle se retrouva propulsée contre la traverse de bois du lit. Un coup de pied? Qu'importe! La brute l'avait encore frappée dans les côtes. Percluse de douleurs, elle s'effondra au sol.

Elle ouvrit un œil dans la pénombre et remua. La douleur lui arracha alors un gémissement. Frigorifiée, elle roula sur le côté et tendit la main vers la couverture de laine. La porte était restée ouverte.

Combien de temps était-elle restée inconsciente? À la vue de la neige accumulée dans l'entrée, elle jugea que cela devait faire plusieurs longues minutes. Laborieusement, elle se hissa sur ses coudes. Sa chemise était glacée et collait à ses cuisses. Elle baissa les yeux sur une tache sombre qui en maculait le devant.

Le feu s'était éteint dans la bourrasque qui avait pénétré sans scrupules à l'intérieur et qui visitait les moindres recoins de la chaumière. Elle grelotta. Sa mâchoire lui faisait terriblement mal. D'un doigt, elle inspecta l'intérieur de sa bouche. Cela pouvait aller. Pas de dents cassées. Mais elle avait le goût métallique du sang dans sa bouche. Elle s'était mordu l'intérieur de la joue et sentait avec sa langue le petit morceau de chair entaillée.

Péniblement, elle grimpa sur le lit. Comme un animal blessé, elle s'y roula en boule, s'emmitouflant dans la couverture. Quelqu'un finirait bien par fermer cette fichue porte qui cognait sans cesse dans la colère du vent. Où pouvait être Duncan? Elle se souvint des cris des hommes qui s'en allaient. L'avaient-ils aperçu? L'avaient-ils pris en chasse comme du vulgaire gibier? L'avaient-ils tué?

Un cri retentit et quelqu'un entra. Il faisait si sombre à présent. Elle entendit la neige accumulée devant la porte crisser sous les pas, puis plus rien. Était-il parti?

— Sacré nom de Dieu!

Des mains la retournèrent, tirèrent sur la couverture qu'elle tentait de garder serrée autour d'elle. L'homme jura et la laissa tranquille. Ce n'était pas Duncan, constata-t-elle tristement... Immobile, elle fixait la silhouette qui se découpait faiblement dans la pénombre. Il émit quelques grognements. Puis la porte se referma, la plongeant dans l'obscurité totale. Allan était reparti.

***

Le vent soulevait des nuages de neige, réduisant considérablement la visibilité. À bout de souffle, Duncan accéléra. La neige s'accumulait rapidement. Par endroits, il s'enfonçait jusqu'aux genoux. Il avait traqué une belle biche sur le flanc est du Meall Mor. Elle l'avait semé. Mais au moins, il ne rentrait pas les mains vides. Marion aurait l'occasion de lui faire connaître ses talents de cuisinière. La faim commençait à lui tirailler l'estomac. Soudain, l'idée qu'elle ne sache pas cuisiner lui traversa l'esprit. Glenlyon avait toujours eu une cuisinière à son service. Bah! Elle apprendrait.

La silhouette de sa chaumière surgit des tourbillons de neige. Il pressa le pas. Il lui tardait de s'asseoir avec Marion près du feu. Devait-il lui raconter l'entretien orageux qu'il avait eu avec Elspeth et ses parents? Il grimaça. Enfin, tout était réglé. D'une certaine façon, Allan lui avait facilité la tâche en la prévenant. Ce grand rustre avait toujours eu un faible pour Elspeth et n'avait sûrement pas manqué d'offrir à la jeune femme une épaule réconfortante. Ainsi, si elle était si furieuse, c'était certainement parce qu'elle avait été délaissée pour une femme Campbell.

Un mouvement devant la chaumière attira son attention. Quelqu'un sortait. Mais où pouvait bien aller Marion par un temps pareil? À la taille de la silhouette, il comprit brusquement que cela ne pouvait être elle.

Son cœur s'affola lorsqu'il reconnut Allan. Il courut à perdre haleine jusqu'à lui.

— Qu'est-ce que tu fous ici? cria-t-il en haletant, le foudroyant du regard.

— Je... écoute, Duncan, je n'ai fait qu'entrer, bafouilla l'autre. Elle était là... C'est pas moi, je te le jure!

Duncan sentit ses jambes mollir. Qu'est-ce qu'Allan essayait donc de lui dire? Il était arrivé quelque chose à Marion? Poussant un cri de rage, il se précipita à l'intérieur, Allan sur les talons. Il faisait sombre; le feu s'était éteint. Il baissa les yeux sur le plancher couvert de neige.

— Marion? appela-t-il.

Un gémissement lui parvint du fond de la pièce. Il scruta le lit. Ses yeux s'habituaient à la faible luminosité, et il put distinguer les contours du corps de Marion sur le matelas.

— Qu'est-ce qui s'est passé ici?! s'écria-t-il.

Il s'élança vers elle et la prit par les épaules. Elle était glacée et gémissait de douleur. Il tâta rapidement son corps. Apparemment, il n'y avait rien de cassé.

— J'ai rien à voir avec ça, marmonna Allan dans son dos.

Duncan, bouillant de rage, se tourna vivement vers lui.

— Tu te fous de moi?

Allan esquissa un mouvement vers la porte. Mais Duncan fut sur lui en moins de deux et lui assena un violent coup de poing au menton. Il jura royalement sous la douleur qu'il sentit aux jointures des doigts, tandis qu'Allan s'écroulait sur le banc, près de la porte, dans un craquement de bois.

— Deux fois tu t'en es pris à elle, espèce de petit merdeux! pesta Duncan en se frottant la main. Ensuite, tu envoies Elsie ici, sachant très bien ce qu'elle y trouvera. Et tu veux me faire croire que tu n'es pas venu ici pour terminer ta sale besogne?

— Je te jure que c'est la vérité, se défendit Allan.

Il cracha du sang dans la neige qui commençait à détremper le plancher.

— Mungo MacPhail a aperçu des hommes à l'entrée de la vallée. Des Campbell, précisa-t-il. Comme tu es isolé et que tu te trouves près de l'entrée, j'ai pensé qu'il fallait te mettre au courant. Quand je suis arrivé, j'ai aperçu des hommes qui s'éloignaient. La porte était ouverte. Je suis entré et je l'ai trouvée là, sur le lit. Je suis arrivé trop tard, les hommes étaient déjà passés...

Duncan respirait bruyamment et serrait son poing douloureux, qu'il avait envie d'envoyer derechef à la figure de ce salopard.

— Et tu filais en douce sans lui porter secours?

— Je ne voulais pas la toucher, sacré nom de Dieu! Qu'aurais-tu fait si tu m'avais surpris avec dans les bras ta... femme salement tabassée et en simple chemise?

Duncan ne put que se rendre à l'évidence.

— Je t'aurais fait cracher toutes les dents qu'il te reste. Ensuite, je t'aurais probablement coupé les couilles et je les aurais envoyées à Elsie en guise de cadeau de fiançailles.

— C'est bien ce que je pensais, dit Allan après un moment. J'allais chercher Sarah, l'épouse d'Alasdair. Je me disais qu'elle saurait quoi faire.

403

Duncan s'accroupit de nouveau auprès de Marion qui sanglotait doucement et tremblait. Il se mit à la frictionner.

— Rallume le feu, veux-tu? gronda-t-il à l'intention d'Allan. Ensuite, tu iras quérir Sarah.

— Ouais...

Rapidement, les flammes apparurent dans l'âtre, nimbant la pièce d'une lueur réconfortante.

— Écoute, Duncan, commença Allan qui se préparait à sortir, j'aurais jamais fait ça à ta femme, Campbell ou non...

— Ça va! s'énerva Duncan. Va chercher Sarah.

Allan sortit sans un mot de plus, laissant retomber un silence lourd de ressentiments dans la pièce.

— C'est fini, *mo aingeal*, chuchota Duncan dans les cheveux de Marion.

— J'ai eu si peur... J'ai cru que... qu'ils allaient...

Elle éclata en sanglots.

— Je suis là maintenant. Repose-toi un peu. Je vais te réchauffer; tu es complètement gelée.

Il s'allongea précautionneusement près d'elle, puis l'attira doucement contre lui pour lui donner un peu de sa chaleur. Elle claquait des dents et ses lèvres avaient pris une inquiétante teinte bleutée. Les sanglots s'espacèrent. Après un certain temps, elle cessa de grelotter. Un sentiment de culpabilité pesait lourd sur le cœur de Duncan. Vingt-quatre heures ne s'étaient pas écoulées que déjà il avait failli à l'une de ses promesses : il n'avait pas su la protéger.

— Je n'aurais pas dû te laisser seule. Ce ne serait pas arrivé si j'avais été là.

— Sottises! murmura-t-elle gravement. Ils t'auraient tué. Ils te cherchaient. C'étaient ces hommes qui nous ont suivis la nuit dernière.

— Hum...

Il se redressa sur un coude pour la regarder et grimaça à la vue de l'énorme ecchymose qui couvrait le côté gauche de sa mâchoire. Il l'effleura du bout du doigt.

— Les salauds! Mon message n'aura pas été assez clair. Ce fumier de... je lui briserai tous les os quand...

— Laisse tomber. Chercher à me venger ne fera qu'aggraver les tensions entre nos deux clans. Les hommes de mon père s'en chargeront.

— Mais ils t'ont battue!

— Ce n'est pas grave, Duncan, lui dit-elle sur un ton qui se voulait rassurant. Quelques bleus et...

— Mais tu es blessée! s'écria-t-il, épouvanté.

Il écarquilla les yeux d'horreur en apercevant la tache de sang encore moite sur la chemise. Il s'apprêtait à soulever le vêtement lorsqu'elle l'arrêta d'un geste.

— Laisse...

— Mais tu saignes!

— Je ne suis pas blessée, enfin ce n'est pas ce que tu crois.

Il la dévisagea d'un air perplexe, ne comprenant rien à ses propos ambigus. Il regarda de nouveau la chemise. Aucune lacération n'était visible sur le tissu. Une terrible appréhension s'empara de lui.

— Marion... ils ne t'ont pas?...

Il n'arrivait pas à le lui demander. Puis, une pensée en entraînant une autre :

— C'est ton sang? s'enquit-il, croyant qu'elle eût pu blesser son agresseur.

— Oui.

Il fronça les sourcils et ferma les yeux.

— Que t'ont-ils fait, *mo aingeal*? murmura-t-il, les lèvres tremblantes.

— Eh bien, pour commencer, j'ai reçu un coup à la mâchoire. Ensuite, j'ai eu droit à un poing bien placé dans l'estomac. Pour terminer, un pied dans les côtes, enfin, je crois bien que c'était un pied.

— Tu n'es pas drôle, Marion. D'où vient ce sang, alors?

— J'ai mes règles, grand bêta!

— Tes règles?

— Tu sais au moins ce que c'est?

Tout d'un coup, il comprit et se sentit comme le dernier des imbéciles.

— Euh, oui... tes règles. Bon, enfin.

— C'est le coup dans l'estomac qui les aura déclenchées un peu plus tôt que prévu. Ça va aller.

Il fixa la tache écarlate encore un moment. Le soulagement fut de courte durée. Elle avait été battue. Cette bande de salauds avait lâchement brutalisé une femme, qui plus est, la fille de l'un des chefs de leur propre clan!

— Non, ça ne va pas du tout. Tu aurais pu y rester, Marion, tu t'en rends compte?

— Je sais. Mais ce n'est pas le cas, alors...

— Tu les connaissais?

Elle hocha la tête de droite à gauche.

— Je te ramène en Glenlyon...

— Non! s'écria Marion en s'accrochant au plaid mouillé de Duncan. Je ne veux pas retourner là-bas. Je veux rester avec toi!

— Mais enfin, sois raisonnable! Je dois repartir pour Perth. Je ne peux pas te laisser ici et, de toute évidence, tu ne peux pas venir dans cet état!

— Je ne suis pas raisonnable, Duncan Macdonald, tu le sais! rétorqua-t-elle aussitôt. Pour ce qui en est de mon état, je n'ai rien de cassé. Quelques contusions qui, dans quelques jours, ne paraîtront plus. Quand mon pauvre estomac, qui se plaint depuis ce matin, sera plein, j'irai beaucoup mieux.

Il la considéra encore un moment, indécis.

— On en reparlera... J'ai deux gros lièvres, annonça-t-il sur un ton plus détendu, tu les veux en ragoût ou bien rôtis ?

— Comme tu veux. Je crois que je les mangerais crus tellement j'ai faim. Ce soir, je ne ferai pas la difficile, même si je m'attendais à manger un bon rôti de bœuf de chez nous, dit-elle avec un petit sourire.

Duncan sourit à son tour.

— L'idée m'a effleuré l'esprit, déclara-t-il. La prochaine fois peut-être.

— Je connais les endroits où mon père garde ses plus belles bêtes, tu sais. Je pourrais te montrer.

Il haussa un sourcil, puis éclata franchement de rire.

— C'est que je suis une Macdonald à présent, précisa-t-elle avec un sourire goguenard. Je fais partie du pire clan de gibier de potence, alors...

***

Nimbé d'un brouillard qui se déchirait en lambeaux dans les rayons rosâtres de l'aurore, le clocher de la St. John's Kirk brandissait sa croix brillante au-dessus de Perth. Catholiques ou protestants, c'est vers cette croix que tous se tournaient maintenant avec une prière sur les lèvres pour garder espoir. La désillusion et la déception se lisaient sur tous les visages.

Le Prétendant avait été accueilli plutôt froidement dans le bourg médiéval. Non satisfait par l'apparence du camp, il avait lui-même déçu. Duncan, en effet, comme la plupart des Highlanders présents, ne put réprimer un sentiment de déréliction devant celui qu'ils tentaient de mettre sur le trône.

Jacques Francis Édouard Stuart était grand, fluet et de complexion pâle. Peu loquace, évasif et d'un tempérament désespérément peu affable, il ne semblait pas vouloir se mêler aux soldats ni assister aux exercices militaires. On le surnommait Sire Mélancolie. Si cet homme aspirait à reprendre la couronne qui lui revenait de droit, son air taciturne et grave n'était pas pour l'exprimer. Ainsi, il ne semblait rien présenter de ce à quoi on pouvait s'attendre d'un futur roi. Certes, une fièvre quarte l'avait terrassé peu après son débarquement sur le sol d'Écosse. Mais l'homme devant lequel ils s'étaient tous inclinés n'avait rien à voir avec ce fougueux et courageux jeune prince de vingt et un an qui avait débarqué sur les côtes écossaises au printemps 1708.

L'entreprise d'Écosse, comme on avait appelé cette dernière expédition, avait lamentablement échoué. L'effet combiné des tempêtes qui avaient fouetté la flottille française au large d'Arberdeen et du tempérament rébarbatif du comte de Forbin, qui dirigeait l'expédition depuis son départ de Dunkerque, était en cause. Rendu responsable de l'échec, Forbin avait par la suite été disgracié par la cour de Louis XIV.

L'horizon infusé d'une lueur iridescente pâlissait. Duncan fixait d'un air absent les pignons crénelés et abrupts depuis la petite fenêtre de sa chambre. Marion et lui étaient arrivés quelques jours plus tôt. Son regard s'arrêta de nouveau sur le clocher : St. John's Kirk. Les murs de pierre de l'église avaient été, en 1559, les témoins muets du violent sermon de John Knox. L'homme avait excité à l'excès le peuple, allumant le terrible brasier de la Réforme protestante.

Dans son prêche calomnieux, ce bouillant prédicateur calviniste avait dénoncé l'idolâtrie papiste et sonné le glas du règne catholique en Écosse. C'est ainsi qu'avait pris fin la Vieille Alliance qui avait lié l'Écosse et la France pendant plus de trois siècles. Les églises catholiques avaient été pillées, les abbayes et les couvents, brûlés, des évêques, assassinés. La *kirk* protestante était née, imposant sa rigueur morale et son intransigeance. Seuls quelques clans des Highlands lui avaient opposé une farouche résistance.

Depuis, ces clans étaient demeurés fidèles à la lignée catholique des souverains écossais, qui se réduisait aujourd'hui à un prince exilé, élevé dans l'opulence de la cour française de Saint-Germain-en-Laye. Soit! le sang qui coulait dans les veines du Prétendant était écossais. Mais que connaissait réellement cet homme de son pays et de ses sujets?

Duncan tourna la tête vers le nord et porta son regard au-delà du bourg royal[93]. Érigé à trois kilomètres du centre de Perth, sur la rive opposée de la Tay, le palais de Scone aux multiples tours à créneaux de grès rouge, de style néobaronnial, abritait le prince. À cet endroit aussi dormaient les ruines d'une abbaye, première victime de la folie de Knox. Scone, cœur du royaume picto-écossais, avait été la première capitale du pays et le siège du gouvernement depuis le premier roi, Kenneth Mac Alpin. Ce dernier avait réussi, en 843, l'exploit de réunir le royaume picte et celui des Scots. Mais depuis le sacre de Charles II, en 1651, plus aucun roi n'y avait été sacré. Aujourd'hui, ils mettaient tout en œuvre pour que cela change. Certes, la pierre de la Destinée, sur laquelle se tenait traditionnellement le souverain lors de son couronnement, avait été volée, emportée à Londres et gisait sous le trône anglais depuis 1275. Mais la terre du tertre de Moot Hill, où avaient lieu les couronnements, pouvait tout aussi bien faire l'affaire.

Ainsi, l'insurrection était tombée dans un état cataleptique. Duncan, faisant le bilan des dernières semaines, en tira une triste conclusion : la cause était perdue; il n'avait plus rien à faire ici.

Distraitement, il effleura la longue cicatrice qui barrait sa joue, marque indélébile de son attachement à cette cause. Elle était encore sensible au toucher. Mais grâce au merveilleux travail de Marion, elle ne serait plus qu'un mince filet pâlot dans quelques années.

Il se tourna vers le lit où, au milieu des draps grisâtres, on apercevait des parcelles de chair rose et les boucles rouge feu de Marion qui dormait. Qu'allait-il faire maintenant? La nuit porte conseil, lui avait-on dit. Pour-

---

93. Bourg qui a reçu une charte du roi. Perth obtint ce statut au XIIᵉ siècle.

tant, il avait passé les dernières heures à cogiter et il en était toujours au même point. Il devait partir, il le savait. Mais que ferait-il de Marion? La laisser ici était trop risqué. La rumeur annonçait l'arrivée imminente des troupes du duc d'Argyle. L'emmener avec lui?

Le lendemain de leur arrivée, il était allé trouver Alasdair Og. Ce dernier l'avait mis au fait des derniers événements, qui le désespérèrent. Moins de trois jours après le départ de Liam pour Inverness, Donald était revenu en catastrophe. Leur groupe avait été attaqué par une garnison de dragons. Colin avait été blessé. Quant à son père et sa mère, Donald n'avait pu retrouver leur trace dans la tempête.

Il s'était rapidement réfugié dans les bois où il était resté plus d'une heure. Lorsqu'il avait été certain que les dragons étaient partis, il était revenu sur la route déserte. Les chevaux avaient disparu, tout comme Liam, Caitlin et Colin. Avaient-ils été pris? Donald en doutait. Les *Sassannachs* se seraient fait une joie de tuer des Highlanders et ne se seraient certainement pas encombrés des cadavres. Ils étaient donc assurément vivants, puisqu'il n'y avait aucune trace de leurs corps.

Donald avait passé deux heures à les chercher. Mais le vent et la neige avaient rendu les recherches difficiles, voire dangereuses. Il avait donc « emprunté » un cheval dans une ferme voisine et avait pris le chemin du retour. Il fallait les retrouver. Duncan partirait donc avant midi avec Donald et quatre autres hommes du clan pour la vallée de Glenshee.

Le fouillis de draps remua. Un long bras gracile en émergea, s'étira, puis retomba mollement sur l'oreiller dans un enchevêtrement de boucles. L'autre bras inspectait la place qu'il avait laissée vide et qui s'était certainement refroidie. D'un bond, Marion se redressa sur son séant, balayant la pièce d'un regard alarmé.

— Duncan? fit-elle d'une voix éraillée.

— Ici.

Elle tourna vers lui son visage en plissant les yeux pour percer la pénombre qui traînait encore dans la petite chambre, située sur Ropemaker's Close.

— Que fais-tu là?

— Je réfléchis, *mo aingeal*.

Elle resta silencieuse un moment, puis tapota la place vide à côté d'elle.

— Viens ici! j'ai froid... dit-elle en souriant lascivement. Comment fais-tu pour rester nu dans ce froid qui nous pénètre jusqu'aux os?

Duncan grimpa sur le lit après avoir envoyé une pelletée de charbon dans le feu.

— Je n'ai pas froid.

Elle se blottit contre lui.

— À quoi pensais-tu?

Le front plissé par l'indécision qui le taraudait, il appuya ses pouces sur ses paupières fermées et rougies par le manque de sommeil, les frotta lentement, puis les étira vers ses tempes. Il soupira de dépit. Marion se mit à genoux et pencha sur lui un regard inquiet.

— Qu'est-ce qu'il y a, Duncan?

— Je pars aujourd'hui, laissa-t-il tomber.

Ouvrant lentement les yeux, il croisa le regard mystérieux de sa femme qui le fixait. Des yeux de chat. Obliques et effilés, comme ceux d'un félin. Mais d'un bleu...

— Ah bon, fit-elle simplement.

Comme absorbée dans ses propres pensées, elle fixait un point au-delà du lit. Brusquement, elle revint à Duncan. Les premiers rayons de soleil pénétraient dans la chambre derrière elle et entouraient son corps nu d'un halo lumineux. Le jeune homme sentit une bouffée de désir monter en lui. Elle sembla percevoir son frémissement, car, le sourire aux lèvres, elle lorgna sans vergogne son entrejambe, qu'il dissimula sous le drap. Une étrange lueur vint éclairer son regard. Elle s'humecta un doigt et lissa ses sourcils.

— Que fais-tu? demanda Duncan, intrigué par cette attitude mystérieuse.

— Rien, répondit-elle simplement en sautant du lit.

Il se hissa sur un coude et l'observa d'un œil mi-curieux, mi-amusé. Elle prit un bas sur le dossier de la chaise, puis lentement se pencha pour ramasser le deuxième, qui se trouvait par terre. Ses gestes avaient quelque chose de provocant. Elle était consciente de sa séduction et de la paire d'yeux qui la dévoraient littéralement. Troublé, Duncan replia une jambe de façon à dissimuler son désir grandissant. Ses poils se hérissèrent de plaisir.

Marion s'assit sur le bord de la chaise et lui lança un petit regard langoureux avant de reprendre son petit manège. Avec une lenteur calculée, elle enfila un bas, puis le lissa en caressant doucement le fin lainage.

— Hum... fit-elle.

En soupirant, elle noua une jarretière de soie rouge autour de sa cuisse. Puis elle recommença avec le deuxième bas. Enfin elle se leva pour examiner le résultat, et le regarda de nouveau. Elle lui jouait le grand jeu et lui succombait.

D'un gracieux mouvement circulaire, elle s'étira comme un chaton, les bras au-dessus de la tête, le dos légèrement cambré. L'aube peignait sa peau comme si c'était une toile. Elle l'éclaboussait de bleu sur l'épaule, la caressait de rose sur les bras. Le bistre se glissait dans le creux de sa gorge, le doré s'emparait de ses seins, le pourpre se dissimulait sous ses pommettes. Une toile vivante, chamarrée de lumière. Il regardait son fantasme onduler comme une algue qui résistait à la vague qui se retirait. Il se demanda comment Dieu pouvait inventer une si belle créature et pourquoi c'était à lui qu'il l'avait offerte. Il se demanda aussi ce qu'il devrait payer en retour pour un cadeau si somptueux.

Elle était le chant d'un roitelet parmi les cris des corbeaux. Elle était la primerose qui poussait dans la faille du granit. Elle était la goutte de rosée qui miroitait dans sa vallée. L'espace d'un instant, elle lui faisait oublier que la couronne des Stuarts leur échappait, que la reddition planait, que la persécution menaçait, que la famine, le désespoir et la misère les guettaient. Il s'en fichait. Les hommes pouvaient s'entretuer et le ciel lui tomber sur la tête, être avec elle était la seule chose qui lui importait. Elle le rendait heureux. Pendant un moment, il ferma les yeux pour imprimer son image dans son esprit. Puis il les rouvrit pour nourrir son fantasme.

Vêtue d'un reflet de nacre et d'une capeline d'or cascadant jusque dans le creux de ses reins qui se cambraient docilement sous sa caresse, elle le gonflait de désir. Tsigane, ensorceleuse, déesse, elle était tout cela. Avec un sourire onctueux, avec un regard incendiaire, troublant, elle enfilait l'un après l'autre ses vêtements. Elle s'habillait comme une femme se déshabille pour tenter l'homme. Caressant une hanche, frôlant un mamelon, effleurant la porte de son jardin secret. Plus elle se couvrait, plus il se sentait excité.

Le petit jeu dura encore quelques minutes, pendant lesquelles son rythme cardiaque s'accéléra. Elle était maintenant complètement habillée, et lui, complètement allumé. Dans un froufrou de jupons, elle s'approcha du lit et considéra sa proie d'un œil satisfait. L'odeur indéfinissable qui émanait d'elle finit de le rendre fou de désir. D'un mouvement rapide, il la fit basculer sur lui et l'embrassa avec un appétit vorace, goûtant ses lèvres et sa peau. Sans qu'il s'en rende vraiment compte, il était en elle. Poussant un petit gémissement, il glissa ses mains sous les jupes et sur les cuisses qui le chevauchaient.

— Marion... tu es une vraie sorcière...

Elle lui sourit et s'immobilisa sur lui.

— Hum... Je me demandais avec qui tu partais pour Inverness.

Voilà où elle voulait en venir! Duncan ne put contenir un fou rire.

— Marion!

Avec un sourire mutin, elle promena ses doigts sur son ventre, ce qui lui procura un frisson exquis qui le parcourut de la tête aux pieds.

— Tu n'as pas répondu, Duncan.

— MacEanruigs, les frères Macdonnell et Angus.

Son sourire se transforma en une moue de déception. Il lui enserra la taille et la força à se mouvoir sur lui, mais elle résista.

— Et moi? demanda-t-elle avec une ondulation des hanches.

Il se sentait sur le point d'exploser, mais elle s'immobilisa de nouveau, lui faisant subir la pire des tortures.

— Tu ne peux pas... Je n'en peux plus, Marion... Je t'en prie...

— Et moi? répéta-t-elle d'une voix rauque et mielleuse qui coula sur lui comme une caresse.

Il frémit. Elle plongea son regard dans le sien. Un ange venu de l'enfer, une diablesse... Elle remua légèrement et s'immobilisa de nouveau.

— Seigneur! gémit-il en enfonçant ses doigts dans la chair tiède et tendre qui emplissait ses mains.

Il n'en pouvait plus, il allait céder.

— Et moi? redemanda-t-elle dans un murmure qui le fit penser au doux bruissement des feuilles dans la brise d'été.

— Et... toi aussi! abdiqua-t-il dans un cri.

Elle le libéra alors seulement de la tension devenue insoutenable.

— *Cruachan!*[94] triompha-t-elle dans un cri rauque.

Il crut que son cœur allait éclater. Elle se laissa tomber mollement sur lui, un sourire vainqueur sur les lèvres. Vidé et vaincu sur le douillet champ de bataille qu'était leur lit, Duncan se sentait néanmoins le cœur en liesse. Marion était une Campbell, rusée et fourbe comme les renards qu'ils étaient. Il l'avait oublié à ses dépens. L'adversaire tenait la victoire... pour cette fois. Des guerres comme celle-ci, il en ferait encore, dût-il y laisser son cœur. La bataille était si douce et l'ennemi, si délicieux.

— *Mòrag*, tu viens directement de l'enfer, tu sais...

Elle gloussa exquisément et l'embrassa.

— Je sais. Mes frères me disaient souvent que des cornes me pousseraient sur la tête si je n'arrêtais pas d'user de mes manigances pour...

Deux petits coups furtifs furent frappés à la porte. Sans aucune autre forme d'avertissement, Barb Macnab entra à reculons. Marion n'eut que le temps d'étaler sa jupe sur les cuisses de Duncan. Déjà la servante se retournait avec un plateau chargé de nourriture.

— Voilà votre petit-déj... Oh! fit-elle en écarquillant les yeux.

Le plateau vacilla et faillit se vider de son contenu. Rouge jusqu'aux oreilles, Barb piqua du nez et déposa rapidement le plateau sur la table.

— Euh... Je croyais... C'est que j'avais oublié que monsieur... enfin... Je suis désolée, maîtresse Campbell.

— Macdonald, corrigea gentiment Marion en réprimant un fou rire. Je suis madame Macdonald à présent. Et tâchez de vous souvenir que je ne dors plus seule.

La petite bonne femme lui lança un regard courroucé et se détourna aussitôt du tableau cocasse qui s'offrait à elle. Marion était juchée à califourchon sur Duncan dont seuls les bras nonchalamment croisés sous la nuque et les jambes velues apparaissaient. Les deux jeunes gens affichaient un sourire béat.

— Je vous remercie, Barb, dit doucement Marion.

La femme s'apprêtait à repartir dans un soulagement non feint lorsque Marion la rappela.

— Oh, j'oubliais! Vous reviendrez dans...

Elle lança un coup d'œil à Duncan, dont les épaules commençaient à sautiller.

— Bah! Disons une heure. Vous m'aiderez pour les bagages.

Barb Macnab la dévisagea.

— Vous repartez? Mais vous venez tout juste d'arriver!

— Vous voulez venir?

La pauvre femme grimaça et jeta un regard noir à Duncan, qui se retenait à grand-peine.

---

94. Cri de guerre des Campbell.

— Non, merci. Je préfère rester avec le clan Campbell, déclara-t-elle d'un air hautain. Je vous souhaite bon retour, madame... Macdonald. Que Dieu vous garde.

— Vous aussi, Barb. Vous me manquerez.

— Hum... bien sûr.

Sur ce, elle sortit au pas de course. Sitôt la porte refermée, des rires emplirent la petite chambre.

— Je n'ai vraiment pas la cote auprès de tes domestiques, fit remarquer Duncan dans un dernier spasme. Toutes me fusillent du regard. Je me demande bien pourquoi.

— Gibier de potence! s'esclaffa Marion en roulant sur le côté.

Libéré du poids de la jeune femme, Duncan se hissa à son tour sur elle et l'emprisonna sous lui.

— Tu as vu sa tête? J'ai bien cru qu'elle allait exploser!

— Son livre de chevet est la Bible. Alors, imagine!

— Ah! Ah! Bientôt, toutes les femmes de ton clan seront au courant des ébats de la fille de leur laird et de son dévoyé de mari!

Marion pouffa de rire.

— Et elles auront certainement pris soin d'ajouter quelques petits détails croustillants.

Les rires fusèrent et retentirent encore pendant un moment. Puis un calme heureux les enveloppa, jusqu'à ce qu'un bruyant borborygme l'interrompe.

— Je crois bien que mon estomac essaie de me dire quelque chose, murmura Marion, les yeux mi-clos.

Duncan redevint grave. Il effleura doucement la meurtrissure à la mâchoire de la jeune femme, qu'il embrassa tendrement.

— Je t'aime, Marion.

Il aurait aimé pouvoir lui dire que plus jamais il ne laisserait quelqu'un lui faire du mal. Mais il lui aurait menti. La vie n'était pas ainsi faite. Tout ce qu'il pouvait lui promettre, c'était de l'aimer plus que sa propre vie.

25

La sorcière

Une obscurité abyssale m'enveloppait. Je clignai des yeux. Rien... Rien que les ténèbres. Un hurlement me fit dresser les cheveux sur la tête et me glaça le sang. Où étais-je? Il faisait si froid... Sans doute dans le monde des morts. Le hurlement retentit de nouveau, cri sinistre se perdant dans les abîmes qui m'avaient avalée. Puis un reniflement bruyant, plus proche, me fit tressaillir. Mais où étais-je donc?

Je remuai doucement la tête. Une douleur me transperça le crâne. Je bougeai mon corps qui se plaignit lui aussi. Je fus ainsi brutalement arrachée à mon état de torpeur profonde. Finalement il m'apparut que je n'étais pas morte, du moins pas encore.

Le vent sifflait, mais bizarrement je n'en sentais pas la morsure sur mon visage. Seul un froid chargé d'humidité me perçait jusqu'aux os. Le hurlement, longue mélopée funeste, emplit ma tête d'images affolantes. Des loups, réalisai-je soudain avec consternation. Ils me cherchaient. Mon cœur s'emballa. Je tentai de me redresser, mais la douleur me cloua au sol. Puis j'entendis un piaffement étouffé près de moi. Je n'étais pas seule.

Un deuxième reniflement. Les loups étaient-ils si près? La panique m'envahit. Malgré la vive douleur, je réussis à me hisser sur mes coudes. Ouverts ou fermés, mes yeux ne m'offraient qu'un rideau noir, impénétrable. J'étais aveugle! Où étais-je? Que s'était-il passé? Je n'arrivais plus à me souvenir. Je poussai une plainte déchirante.

Je devais réfléchir. Pourquoi étais-je ici? Et où étais-je? Tout était si confus. Et cette douleur qui voulait faire éclater ma tête... Je n'arrivais tout simplement pas à me rappeler. J'effleurai le dessus de mon crâne, là où la douleur se faisait la plus lancinante. Mes cheveux étaient raidis par la glace. Je palpai une croûte et sentis les contours d'une plaie ouverte. M'avait-on frappée?

Un lambeau de souvenir flotta dans mon esprit et je m'y accrochai

413

désespérément. Le bruit de l'eau... Le grondement sourd d'un torrent dans lequel se confondait un cri. J'entendais mon nom; quelqu'un m'appelait encore et encore.

D'autres vagues souvenirs affluèrent encore. Des mains me palpaient, s'emparaient de moi, me soulevaient et me portaient. On me parlait doucement. Liam... Mais mon esprit restait embrouillé.

Une toux rauque et opiniâtre résonna près de moi. Liam? Je me tournai vers ma droite : rien que les ténèbres. Mais il était là, quelque part. Sa respiration sifflante, entrecoupée de quintes de toux, m'indiqua où le chercher. Je rampai, tâtonnai, puis heurtai une masse froide de cuir et de laine.

— Liam...

Je le secouai doucement. Chaque mouvement que je faisais me fendait le crâne; la douleur faisait larmoyer mes yeux aveugles. Je tâtai rapidement le corps inerte de Liam. Ses jambes étaient tièdes et ses bottes rigides et recouvertes de glace. Je remontai vers son torse. Il se mouvait par saccades. J'effleurai son cou, sa joue râpeuse et son front. Il était brûlant de fièvre. Il n'allait pas bien du tout. De nous deux, il était celui qui était le plus mal en point.

Sans crier gare, d'autres images surgirent dans mon esprit tourmenté. Des vestes rouges, des soldats. Des coups de feu. Je me souvenais à présent. Une garnison de dragons anglais nous avait attaqués par surprise. Le sifflement des balles. Colin qui s'affalait sur l'encolure de son cheval avec cette expression indicible sur son visage. Liam me repoussait vers les bois. Je courais à perdre haleine dans cet enfer où je ne distinguais plus le ciel de la terre. Puis le vide subit sous mes pieds. Un gouffre m'avalait, me tirait inexorablement dans ses entrailles. J'étais tombée dans une ravine et m'étais probablement frappé la tête sur une pierre ou autre chose.

Tout se replaçait, se clarifiait dans mon esprit, faisant naître une douleur d'une tout autre nature. Mon cœur se déchira. Où était Colin? Et Donald? Liam avait-il été blessé? Je glissai mes mains sous sa veste, et tâtai sa poitrine et son abdomen. La chemise était douce et chaude. Elle était sèche. Il tressaillit au contact de mes doigts glacés et eut une nouvelle quinte de toux. Gémissant, il roula sur le dos.

— Liam... Liam...

Mais pourquoi ne voyais-je rien? Liam grogna et remua. Je me hissai sur lui et le couvris de mon corps et de ma cape.

— Liam, tu m'entends?

Il grogna de nouveau. Ses doigts frôlèrent ma mâchoire, puis retombèrent lourdement sur sa veste.

— Caitlin... appela-t-il dans un souffle rauque.

— Je suis là, le rassurai-je avec un trémolo dans la voix. Je suis là, *mo rùin*. Ça va aller...

J'enfouis mon visage dans sa chemise et sanglotai doucement. Je

414

pleurai sur notre sort, sur nos malheurs qui n'en finissaient plus, sur nos déchirements. Je maudis cette rébellion qui détruisait nos vies. Je damnai ce roi pour qui notre fils était mort. Je blasphémai ce Dieu qui m'avait abandonnée et restait obstinément sourd à mon appel.

***

Une faible lumière éclairait mes paupières. Un râle sibilant résonnait sous ma tête. J'ouvris les yeux et me redressai lentement. Je voyais... Je voyais! Des murs de pierre. Une porte défoncée, à travers laquelle filtrait la lumière vive. Au-dessus de moi, des poutres de bois étaient couvertes de fientes d'oiseau. La toiture conique était percée par endroits et laissait apparaître le ciel bleu. Le bâtiment était cylindrique. Un broch?[95] Un colombier?

Du regard, je fis le tour de la pièce, qui devait bien mesurer cinq ou six mètres de diamètre. Mon cœur s'arrêta net et un cri resta coincé dans ma gorge sèche lorsque je découvris nos montures. Un corps inerte était posé en travers d'une selle. Le plaid de Glencoe le couvrait. Je reconnus cependant immédiatement la chevelure blonde qui dépassait. Colin... Oh, Colin, non!... Le ciel s'acharnait sur nous, nous accablait d'épreuves cruelles et imméritées. Pourquoi? Pourquoi?

Je détournai le regard et reposai ma tête sur le torse de Liam. Il dormait; son cœur battait contre ma joue. Doucement, je posai mes doigts sur la peau moite et brûlante de son cou. Le chagrin, la colère, le ressentiment se bousculaient en moi. Qu'avions-nous fait de si terrible pour mériter tout ça?

La respiration difficile de Liam se perdait dans une fine buée blanche qui se cristallisait sur sa moustache et sa barbe naissantes. Ses lèvres pâles et gercées remuèrent légèrement.

— Liam... l'appelai-je doucement.

Il sursauta, puis ouvrit des yeux hagards en gémissant. Ma main le rassura d'une caresse. La fièvre était forte. Je devais faire quelque chose, sinon il allait mourir ici. Il n'était de toute évidence pas en mesure d'aller plus loin.

Me hissant un peu plus haut sur sa poitrine, je le regardai, chagrinée. Que pouvais-je faire? Je ne connaissais pas la région. À la vérité, je n'avais pas la moindre idée de l'endroit où nous nous trouvions lorsque nous avions été attaqués, et encore moins de l'endroit où Liam nous avait emmenés. Où était Donald? Je ne voyais pas sa monture et espérai qu'il avait réussi à s'échapper.

— Caitlin...

La voix de Liam était si rauque que je la reconnus à peine. Il se remit

_____

95. Tour fortifiée datant de l'âge de fer.

à tousser et déglutit avec beaucoup de difficulté. Je m'écartai pour lui permettre de mieux respirer.

— *Tuch!* Ne parle pas, repose-toi. Je vais nous sortir d'ici.

— Non, *a ghràidh*, je n'y arriverai pas. Va-t'en... Prends un cheval... Retourne à Perth...

Sa phrase se termina dans une toux âpre. Il déglutit encore péniblement en grimaçant et se détourna.

— Si tu crois que je vais te laisser ici, tu te trompes, rétorquai-je un peu rudement devant son attitude résignée. Tu vas mourir de froid. Avec les chevaux, nous y arriverons.

— ... tiendrai pas le coup...

Un profond sillon se creusa entre ses sourcils. Sa peau luisait de sueur malgré le froid. Ses paupières bouffies s'ouvraient à peine sur un regard vitreux.

— Je crois que... c'est fini pour moi... Je suis trop épuisé...

Je le dévisageai, horrifiée.

— Je t'interdis de dire des choses comme ça, Liam Macdonald! Tu ne te laisseras pas bêtement mourir d'une simple fièvre, après tout ce que tu as traversé!

— ... plus de forces. Tu es sauve, j'en suis heureux. Au moins aurai-je réussi cela dans cette... foutue rébellion.

Les larmes coulaient. Il déclarait forfait. J'empoignai sa chemise et le secouai vigoureusement malgré la douleur que cela provoqua dans ma tête. Râlant toujours, il tourna son regard vide vers moi. Où était l'homme que j'avais connu? Liam! Je le sauverais malgré lui, il ne m'abandonnerait pas comme ça, jamais!

— Tu ne m'empêcheras pas de te sauver, grondai-je en le relâchant.

Je me levai péniblement, grinçant comme une vieille charpente malmenée par la tempête, et constatai les dégâts. J'avais un genou écorché et passablement enflé. Mes doigts étaient entaillés. Un ongle était presque arraché et les autres étaient pratiquement tous cassés. Mis à part ces détails et la plaie ouverte à ma tête, le reste me semblait en ordre. La neige avait amorti ma chute dans la ravine. Je n'avais rien de brisé.

Claudiquant vers les chevaux, j'hésitai devant le corps rigide de Colin. Divers sentiments se bousculaient en moi. Je pleurais sa mort. Malgré tout, je l'aimais bien. Je savais qu'il avait souffert à cause de moi. Il était si malheureux de me voir mariée à son frère. Mais il ne m'en avait jamais tenu rigueur et était toujours resté prévenant et gentil avec moi. « Colin, pardonne-moi. » La mort l'avait délivré de moi. Je me tournai vers Liam, qui s'était roulé en boule sur le sol gelé. Attendait-il lui aussi une délivrance?

Je soulevai doucement le plaid de Colin. Les longues mèches emmêlées cachaient le visage exsangue. J'en écartai quelques-unes et caressai une joue glacée. Étrange, cette sensation que donne le contact d'une peau sans vie. Elle était ferme et froide mais douce. Je déposai un baiser d'adieu sur la joue et la mouillai de larmes. Les yeux fermés, je me rappelai la nuit où nous avions été à un doigt de faire l'amour. Il serait plus heureux là où il se trouvait maintenant.

— Que Dieu ait ton âme, Colin Macdonald, murmurai-je entre deux sanglots.

Ramenant mes pensées aux priorités du moment, je laissai retomber le plaid. Il me fallait trouver un moyen de nous sortir d'ici. Comment allais-je faire monter Liam sur son cheval? Peut-être pourrais-je le hisser avec une corde passée par-dessus la selle et tirée par l'autre bête... J'en étais rendue là dans mes plans lorsque j'entendis des chiens aboyer. Une meute de chiens.

Je voulus sortir, mais me ravisai au dernier moment. Et s'il s'agissait de chiens sauvages en quête de nourriture? L'idée saugrenue que les soldats soient revenus pour nous chercher me traversa l'esprit. « Sottises, Caitlin! » Je pris néanmoins le pistolet de Liam et l'armai.

Les aboiements se rapprochaient; moi je reculais. Prenant d'un coup conscience que Liam gisait au milieu de la place, je me campai devant lui pour le protéger. Les chiens étaient maintenant devant la porte. L'odeur des chevaux avait dû les attirer. Le pistolet en position de tir, j'attendais en tremblant. Puis, la porte s'ouvrit avec fracas. Une lumière éblouissante m'aveugla, et je fis l'erreur de fermer momentanément les yeux. Un coup de crosse eut vite fait de me désarmer. Je hurlai de douleur, portant ma main à ma bouche. Trois silhouettes emplissaient l'espace de lumière. Je clignai des yeux.

L'un des hommes s'avança lentement vers moi et me contourna pour m'examiner en silence. Je fus soulagée de voir un plaid, mais me demandais quel roi ils soutenaient. Du bout du canon de son fusil de chasse, l'homme poussa Liam, qui roula sur le dos en râlant.

— Ne le touchez pas, il est malade, bande de...

M'interrompant brusquement, je ravalai mon dernier mot. Ce n'était pas le moment de me faire des ennemis.

— *Có sibhse?*[96] demanda l'homme.

Je n'osai répondre, de peur de signer notre arrêt de mort. L'homme me considéra d'un œil froid.

— *Có ás a tha sibh?*[97] demanda-t-il encore, me regardant fixement.

Ce devait être un *crofter*[98]. Son visage raviné et tanné par les éléments et ses larges mains usées qui tenaient fermement le fusil pointé sur Liam dénotaient une vie rude et laborieuse.

— *Freagair an duine*[99], ordonna un de ses compagnons en s'avançant vers moi.

Leur allure ne m'inspirait guère confiance. Le deuxième homme me

---

96. Qui êtes-vous?
97. D'où êtes-vous?
98. Paysan fermier.
99. Réponds-lui.

reluqua au passage et se pencha sur Liam qui avait entrouvert les yeux et regardait la scène sans réagir.

— *A bheil Gàidhlig agad?*[100]

Je fis oui de la tête. Le troisième homme, qui pointait son fusil vers moi, aperçut le corps de Colin et s'en approcha. D'un geste, il souleva le plaid et examina le cadavre d'un air impassible.

— *Fear-leanmhainn teaghlach nan Stiùbhartach!* s'écria celui qui était penché sur Liam. *Mac Dhòmhnall*[101].

Je fermai les yeux, le cœur battant, attendant la sentence. Si ces hommes appartenaient à un clan fidèle au roi George, ils ne manqueraient pas de nous livrer aux autorités ou, pire, de nous abattre sommairement pour la seule raison que nous avions traversé leurs terres. J'entendis le murmure d'un conciliabule. Un silence angoissant suivit. J'ouvris lentement les yeux. Le premier homme me souriait, appuyé sur le canon de son arme. Celui qui était penché sur Liam lui versait un peu de whisky dans le gosier. Liam s'étouffa. Je soupirai et me mis à trembler. On m'offrit la gourde de whisky, que j'acceptai de bonne grâce.

— Que faites-vous ici? demanda le premier homme. Euh... Je suis Lucas Bremner. Voici mon frère Paddy. Lui, c'est Quinton Hardy.

Les hommes me saluèrent d'un sourire poli, auquel je répondis de même.

— Nous allions à Inverness. Nous avons été attaqués par une troupe de dragons.

Ils échangèrent un regard entendu. Puis le dénommé Lucas cracha au sol comme pour conjurer le mauvais sort.

— C'est un ami? me demanda-t-il en désignant le corps de Colin du bout de son fusil.

— Mon beau-frère.

— Ah! Et lui?

— Mon mari. Il est gravement malade. Je dois lui trouver un médecin.

— Ouais... il n'a pas l'air en forme, constata-t-il bêtement.

Il grommela quelque chose. Paddy et Quinton entreprirent de soulever Liam en le soutenant aux aisselles. Tressaillant avec vivacité comme s'il avait été brûlé au fer rouge, mon homme poussa un gémissement. Son regard effaré se posa sur nous un moment, puis se réfugia de nouveau dans le vide. Ses jambes vacillaient sous son propre poids, mais les individus le soutinrent bien fermement.

— Que faites-vous?

Lucas me tendit les rênes de l'une des bêtes.

— Nous allons vous conduire chez la *ban-drùidh*. Elle saura quoi faire de lui.

— La *ban-drùidh*?

---

100. Comprenez-vous le gaélique?
101. Des jacobites, Macdonald.

418

— La sorcière. Elle a des mains magiques, précisa-t-il sans plus d'explications.

La sorcière, comme l'appelaient ces braves hommes, habitait une petite chaumière sise en haut d'une falaise. Seul un sentier y accédait; encore fallait-il savoir où il se trouvait. Liam étant trop faible pour tenir en selle, nous dûmes nous résigner à le coucher en travers. Les deux frères furent ainsi transportés comme de vulgaires sacs d'orge, l'un figé dans la mort, l'autre... Je préférais ne pas y penser.

Quand nous arrivâmes enfin, Lucas descendit de son cheval et se dirigea vers la chaumière d'un pas hésitant. Je me préparais à faire de même lorsque Paddy me retint d'un geste.

— Attendez, madame, dit-il en gardant un œil sur la cabane d'où s'échappait une âcre fumée noire. Il faut vérifier si la sorcière veut bien s'occuper de lui.

— Ah bon!

Après quelques secondes, Lucas se décida à frapper à la porte et se recula d'un grand pas. L'inquiétude commençait à me gagner. Ces hommes bien armés et assez costauds semblaient craindre cette femme. Était-elle porteuse du mauvais œil?

La porte s'ouvrit lentement. Une petite silhouette couverte d'un châle apparut dans l'ombre. Lorsqu'elle reconnut Lucas, la femme s'avança dans la pleine lumière et se découvrit. Je restai sans voix. Au lieu de la vieille femme au nez d'aigle couvert de verrues à laquelle je m'attendais, je voyais une jeune femme d'une beauté aérienne. « Ce n'est pas une sorcière, c'est une fée! »

— Nous avons un homme malade, madame Beatrix, expliqua Lucas, un peu mal à l'aise.

J'eus l'impression que le temps s'était arrêté. Les hommes retenaient leur souffle devant la créature féerique qui glissait déjà jusqu'à nous. « Elle vole! » J'en eus la chair de poule et retins mon souffle à mon tour lorsqu'elle posa ses mains blanches sur Liam. Je me surpris à réciter mentalement une prière chrétienne. Elle déplaçait ses doigts sur son dos et sur ses tempes, le visage tendu par la concentration. Puis elle hocha la tête.

— Amenez-le à l'intérieur, ordonna-t-elle avec douceur.

Paddy et Quinton sautèrent aussitôt en bas de leurs montures. La créature se tourna alors vers moi et me sourit. Si vraiment elle était une sorcière, elle devait connaître le secret de la beauté éternelle. Une lumière intérieure semblait irradier de son teint de porcelaine. De longues mèches folles, d'un blond si pâle qu'elles en étaient blanches, dansaient autour de son beau visage ovale, dans lequel brillaient des yeux d'un bleu qui rappelait celui de l'aigue-marine. Sa bouche incarnate était ronde et pulpeuse comme celle d'un chérubin. Je me demandais ce que ces hommes craignaient le plus : ses supposés pouvoirs ou sa beauté? Peut-être les deux étaient-ils inextricablement liés.

— Je suppose que vous êtes son épouse? me demanda-t-elle.

— Ooooui... répondis-je, un peu décontenancée. Mon mari est très fiévreux, et je crains que...

— Ce sont ses poumons, décréta-t-elle de but en blanc. Votre mari souffre d'une fluxion de poitrine.

— Oh! Comment avez-vous fait pour... enfin?...

Sa jolie bouche s'incurva en un sourire malicieux.

— Entrez, il fait froid. Nous aurons tout le temps de faire connaissance.

La nuit était tombée. Nous étions assises devant une tasse de tisane à la camomille bien bouillante. Liam reposait sur une paillasse installée près du feu et dormait d'un sommeil agité. Nous l'avions déshabillé et lavé sans qu'il ouvre un œil. À quelques reprises, il s'était mis à marmonner des propos incohérents. Puis Beatrix, comme elle m'avait demandé de l'appeler, l'avait enduit d'une pommade verdâtre qui dégageait une forte odeur de camphre. Pour finir, elle lui avait donné à la cuillère une décoction de marrube blanc, de feuilles d'hysope et de grande aunée.

Je l'avais observée tout au long de l'application des soins. Efficaces, ses gestes étaient rapides et précis. J'avais remarqué qu'elle posait souvent ses mains à plat sur la poitrine de Liam. Au début, ce geste m'avait agacée. Puis je m'étais souvenue de ce que m'avait dit Lucas : Beatrix avait des mains magiques. Je n'avais donc soufflé mot, espérant que ce fût vrai. Étant donné l'état dans lequel se trouvait Liam, seules la magie ou l'intervention divine pouvaient en effet le sauver.

— L'homme qui est mort, c'était un parent à vous?

— Oui, le frère de mon mari. Il s'appelait Colin.

— J'en suis attristée. Lucas et les autres l'ont monté sur la crête. Il y a une petite éclaircie là-haut. Ils l'ont enseveli sous des pierres. Au dégel, ils lui donneront une sépulture plus digne.

— Merci, dis-je simplement.

Je fermai les yeux. L'idée que Liam risquait de se retrouver aux côtés de Colin m'étreignit le cœur.

— D'où venez-vous?

Sa voix séraphique aux intonations mélodieuses me tira de mes réflexions. Elle faisait tourner le liquide doré dans sa tasse, m'observant de son regard si particulier. Son petit accent traînant m'indiquait que c'était une étrangère. Elle devait venir du continent.

— Nous arrivons de Perth.

— Ah oui, le camp jacobite.

Je n'ajoutai rien. Je n'avais pas particulièrement envie de parler du comte de Mar et de sa rébellion avortée. Beatrix le devina et n'insista pas.

Une entêtante odeur d'aromates flottait dans la chaumière. Elle m'avait légèrement incommodée au début, mais à présent je la trouvais agréable, voire apaisante. Beatrix enroula une de ses mèches blondes autour de son index et posa lentement ses mains à plat devant elle, de chaque côté de sa tasse.

— Que vous a raconté Lucas Bremner sur moi?

— Eh bien... il a dit que vous étiez une sorcière, avouai-je, un peu embarrassée.

Cela ne sembla nullement la choquer. Elle rit doucement.

— Je m'appelle Beatrix Becket. Et vous?

— Caitlin Macdonald. Vous n'êtes pas écossaise, n'est-ce pas?

— Non, en effet. Je suis française. Je sais que mon accent trahit mes origines étrangères. Je ne suis sur l'île britannique que depuis une douzaine d'années. Je suis originaire d'Alzonne, dans le sud de la France. Mon vrai nom est Béatrice Bacqueson. Vous comprenez pourquoi j'ai dû le modifier un peu.

— Qu'est-ce qui vous a amenée ici?

— La révolte des Camisards. Mon père était huguenot. Dans un pays où le roi ne jure que par la religion catholique, vous comprenez...

Je comprenais plus qu'elle ne pouvait l'imaginer, pour avoir vécu une situation similaire en Irlande.

— Les protestants étaient persécutés. Un vrai massacre.

Ses magnifiques yeux s'assombrirent.

— Mon père a péri sur le bûcher parce qu'il a refusé de se convertir. Ils l'ont accusé d'hérésie. Pourtant, c'était un homme bon qui vénérait Dieu et aimait sa famille. C'est parfois difficile d'imaginer toutes les horreurs dont les hommes sont capables au nom de l'amour de Dieu.

Elle me dévisagea un moment d'un drôle d'air. Ses doigts s'agitaient sur l'anse de sa tasse.

— Vous êtes protestante? me demanda-t-elle, hésitante.

— Catholique, spécifiai-je avec un sourire gêné. Et irlandaise. Mes parents aussi ont vécu la répression, à Belfast.

Elle resta songeuse. Jugeant nos situations semblables, elle poursuivit son récit :

— Il était évident que nous ne pouvions plus rester en France. Ma mère nous a emmenées, ma sœur et moi, à La Rochelle, où nous avons toutes les trois embarqué sur un navire en partance pour l'Angleterre. Ici, notre religion n'est pas un péché. Ma mère, déjà affaiblie par la maladie, n'a pas survécu à la traversée. Ma sœur, Giselle, qui est un peu plus vieille que moi – j'avais treize ans à l'époque –, nous a trouvé une place chez le prévôt d'Amesbury, dans le Wiltshire. Nous n'y sommes restées que trois ans, mais ce furent mes trois plus belles années en Angleterre. Je travaillais aux cuisines; ma sœur était femme de chambre. Madame Wilson était très bonne pour nous. Malheureusement, elle est tombée malade et elle est morte. Monsieur Wilson était inconsolable. Voulant fuir tout ce qui lui rappelait son épouse, il a fermé la maison et est parti oublier sa peine en voyageant. Ma sœur et moi avons alors été placées chez des connaissances à lui : Giselle à Londres, et moi à Cardiff, au pays de Galles.

— Mais c'est terrible! Pouviez-vous voir votre sœur à l'occasion?

Elle fit non de la tête et plongea le nez dans sa tasse.

— Vous ne l'avez jamais revue?

— Non, jamais.

Je me mis à fixer distraitement ses mains, consternée par son malheureux sort. J'essayai d'imaginer ce que cela pouvait être de se retrouver seule dans un pays inconnu. Si j'avais moi-même été séparée de ma famille à mon arrivée en Écosse, j'avais au moins la consolation de la savoir à quelques kilomètres de moi.

Ses mains s'agitaient toujours. Je les examinai plus attentivement. Elles étaient menues et délicates. Des mains magiques... Comment des mains pouvaient-elles être magiques? Ma curiosité l'emporta.

— Lucas m'a dit que vos mains possédaient un certain pouvoir magique.

Elle les fixa comme si elles étaient mystérieuses pour elle aussi.

— « Magique » est un bien grand mot. Les gens de la région sont très superstitieux. Ils se plaisent à dire que j'ai des mains magiques. Enfin, peut-être que, de leur point de vue, elles ne peuvent que l'être. Un jour, quelqu'un m'a dit que j'avais les mains vertes.

Voyant mon air interrogateur, elle ajouta quelques explications :

— J'ai un don.

— Un don?

— Pour guérir.

— Comment faites-vous?

Elle rit et arqua les sourcils au-dessus de son magnifique regard.

— Pour être franche, je ne le sais pas. L'homme qui m'a fait cette déclaration est un sage que j'ai rencontré un jour à Amesbury. Une sorte de druide, je suppose. En tout cas, il en avait l'air. Souvent je le croisais lors de mes promenades près d'un de ces cercles de pierres dressées. Il m'a dit que je possédais l'énergie des guérisseurs. Il le voyait dans la lumière qui émane de mon corps.

Elle pouffa de rire.

— Il m'a expliqué que la lumière m'enveloppait comme elle enveloppe les anges que l'on voit sur les voûtes des églises. Est-ce que vous la voyez?

— Euh... non. Pas vraiment.

— Moi non plus. Pour ce qui est de mes mains, je dois dire qu'il avait raison.

Elle fronça les sourcils et pinça les lèvres en examinant de nouveau ses mains.

— Toutefois, je ne peux pas faire de miracles.

Elle se tut, perdue dans ses souvenirs.

— Comment avez-vous appris à vous en servir? Je veux dire, pour guérir.

— Randolf, le sage, répondit-elle d'un air pensif, possédait une telle sapience... Ses connaissances médicales étaient très approfondies. Il m'a appris comment imposer les mains, comment sentir la source du mal et comment user de mes énergies pour contrer ce mal. Il m'a aussi enseigné la science des plantes.

D'un geste, elle me désigna les étagères qui couvraient une bonne partie du mur de la cuisine. Une multitude de bocaux et de sacs de toile remplis de racines, de champignons et de plantes séchées y étaient posés. Mais je ne voyais pas la moindre trace d'ailes de chauves-souris, de crânes de lièvre ou bien d'araignées qu'on trouve habituellement chez une sorcière. D'ailleurs, dans la marmite pendue à la crémaillère mijotait une soupe aux abats de mouton et aux haricots que j'avais trouvée fort bonne.

— Et vous, demanda-t-elle, comment va votre tête?

Je tapotai le cataplasme de prêle moulue qu'elle m'avait appliqué un peu plus tôt.

— Je crois que ça va.

La plaie était en fait superficielle, mais l'énorme bosse était douloureuse. J'avais eu de la chance. Je dirigeai mon regard chargé d'inquiétude vers Liam dont la peau moite luisait à la lueur du feu. Sa température était toujours élevée et il marmonnait dans son sommeil agité.

— Je crois qu'il s'en sortira, dit-elle pour me rassurer en le regardant à son tour. Il est très fort, vous savez.

Elle m'enveloppa d'un regard apaisant et mit sa main sur la mienne. Je m'attendais à ressentir quelque chose, mais rien ne se produisit. Rien qu'une douce chaleur humaine qui irradiait. Je restai perplexe.

— J'ai demandé à Paddy d'aller quérir le docteur Mansholt, reprit-elle. Ils devraient arriver demain dans la journée.

Peut-être n'était-elle pas plus sorcière que moi, après tout!

Le lendemain, aux environs de midi, Paddy apparut tout souriant sur le seuil de la chaumière avec un beau morceau de cerf et un gros lièvre encore tout chaud. Un petit homme ventripotent au regard chaleureux perdu dans les replis de ses paupières tombant de fatigue l'accompagnait. En apercevant Beatrix, il sourit jusqu'aux oreilles et montra des dents de cheval proéminentes.

— Bea, ma mie! s'écria-t-il en étreignant la jeune femme. Je suis si heureux de voir que tu penses encore un peu à moi!

— Mais je pense à vous tous les jours! se défendit-elle en riant. C'est que je vous sais très occupé. De plus, la route jusqu'à Auchallater est très longue et ne doit pas être excellente en cette saison.

— Pour toi, elle n'est jamais trop longue ou trop mauvaise, Bea, tu le sais.

Beatrix rougit et s'écarta pour se tourner vers le pauvre Paddy, qui attendait toujours derrière le médecin avec ses offrandes.

— Merci, Paddy! s'écria-t-elle en le soulageant du rongeur et du beau cuissot bien gras.

— J'ai pensé que vous auriez besoin d'un peu plus de vivres avec vos hôtes, bafouilla l'homme. Alors je me suis permis de vous apporter un peu de viande. Le malade en aura certainement besoin pour reprendre des forces.

Il devait avoir à peu près le même âge que Liam. Cramoisi, il se tourna vers moi.

— Comment va-t-il? Il n'avait pas la forme, hier.

— Ni mieux ni moins bien, répondis-je avec un soupir de lassitude. La température ne baisse pas.

Se dandinant d'un pied sur l'autre, Paddy observait à la dérobée la belle Beatrix, qui accrochait la pièce de viande au-dessus de l'âtre pour le faisandage.

— J'en suis désolé, marmonna-t-il en me regardant de nouveau. Docteur Mansholt est un très bon médecin. Et avec madame Beatrix, votre mari devrait aller mieux dans quelques jours.

— Je l'espère.

Je me retournai vers Liam, sur lequel le médecin se penchait déjà.

— Bon, continua Paddy à l'intention de Beatrix, je vais continuer mon chemin. Je reviendrai chercher docteur Mansholt dans trois jours.

— Oh! Mais non, mon cher Paddy, s'exclama-t-elle aussitôt. Vous allez bien rester pour prendre une bonne tasse de thé avant? Il me reste un peu de gâteau aux noix aussi.

— Si vous insistez... j'en prendrai bien un morceau.

Cela crevait les yeux : Paddy était sous le charme, et même amoureux. Je laissai donc les deux en tête-à-tête et rejoignis le docteur Mansholt au chevet de Liam.

— Hum... grommela le médecin en laissant retomber le poignet du malade sur la couverture. Le pouls est fort et dur. Je vais devoir pratiquer une saignée pour tirer le sang acrimonieux et réduire l'inflammation.

Je grimaçai. Docteur Mansholt tira sur une paupière, puis sur l'autre.

— Je vais aussi lui administrer un peu de quinine pour sa fièvre. A-t-il eu des nausées ou vomi dans les dernières heures?

— Non. Il n'a rien avalé depuis deux jours, alors...

— Deux jours? Vous essaierez de lui faire avaler un peu de bouillon fortifié.

— Beatrix dit qu'il souffre d'une fluxion de poitrine.

Le petit homme replet déplia sa masse opulente et me sourit.

— En effet. Beatrix ferait un merveilleux médecin, me confia-t-il tout bas. Mais les femmes... vous savez, l'université leur est interdite.

Haussant les épaules, il fixa Liam en pinçant ses lèvres charnues.

— Quel gaspillage de connaissances! Cette femme possède un don inestimable. Mais parce qu'elle est une femme, on la relègue au rang de sorcière pour expliquer son savoir. Je pourrais être sorcier au même titre qu'elle. Dommage que l'homme se refuse à voir en la femme un être qui est son égal et qui, à mon avis, lui est supérieur dans certains domaines. Ne possédant pas la force physique pour affronter le monde cruel qui l'entoure, elle développe ses capacités intellectuelles pour compenser, ce que l'homme néglige souvent de faire.

Il tourna son gros ventre vers moi et rit doucement d'un rire bien gras devant ma mine ébahie.

— Vous devez vous dire : « Mais qui est cet hurluberlu? » J'ai vu ce regard plus d'une fois dans ma vie. Je sais que je remue beaucoup sur mon passage, l'air autant que l'esprit, expliqua-t-il avec un ricanement. Je suis ainsi fait. J'ai toujours refusé de me conformer aux courants de pensée que la société nous impose. C'est trop... limitatif, vous comprenez?

Je fis oui de la tête, mais je n'en étais pas très sûre. Il continua alors sur sa lancée :

— L'esprit de l'homme est la seule chose qu'on ne peut dòminer. Il est toujours libre. Vous pouvez mettre un homme aux fers, le battre, le menacer, l'enfermer, vous n'arriverez jamais à mettre son esprit sous séquestre. Malheureusement, la plupart des hommes laissent leur esprit dormir et préfèrent laisser les autres penser à leur place.

Il se pencha sur son sac de cuir posé près de la couche de Liam et en retira un petit étui, une fiole de verre et un garrot. Il noua le lien autour du bras du malade.

— Je connais Beatrix depuis plusieurs années...

Il se préparait pour la saignée. D'un mouvement de tête, il m'indiqua un bol posé sur le sol près des blocs de tourbe qui séchaient. Je le lui tendis. Il le plaça sous le bras de Liam étendu sur une planchette.

— Depuis sept ans, pour être exact. Je visitais un ami à Cardiff et j'appris qu'avait lieu un procès pour sorcellerie.

— Sorcellerie?

Le médecin hésita, visiblement mal à l'aise.

— Oui... je ne crois pas qu'elle m'en voudra beaucoup de vous parler de ça.

— Vous voulez dire que Beatrix a été accusée de sorcellerie?

— Elle aurait inévitablement été condamnée au bûcher. Évidemment, elle était innocente. De sorcellerie, je veux dire.

— Alors, qu'avait-elle fait?

— Vous n'avez qu'à la regarder, madame. Sa beauté est son seul péché. Ce cadeau du ciel peut être un don, mais il peut aussi devenir un vrai calvaire.

D'un geste rapide et précis, il enfonça la lancette effilée dans la chair de Liam, qui tressaillit légèrement sous la morsure de la lame. Un filet noirâtre apparut aussitôt et s'écoula dans le bol. Je fixai la petite mare de sang qui s'agrandissait et eus l'impression de me vider également du mien.

— Asseyez-vous, madame. Avez-vous mangé?

— Un peu.

— Beatrix fait un merveilleux ragoût de lièvre aux oignons aromatisé au thym et à la bière. Cela vous ferait le plus grand bien d'en avaler une assiettée ou deux.

Il appuya sur la petite entaille pour arrêter la saignée et essuya le bras de Liam.

Beatrix posa le bol contenant les vidures du lièvre écorché sur une grosse pierre plate à l'extérieur, à quelques pas de l'entrée. Paddy était reparti et le docteur Mansholt était allé chercher de l'eau fraîche au ruisseau avec quelques cruches. J'observais Béatrix. Elle poussa soudain un cri animal qui rappelait celui d'un fauve et se tourna vers moi.

— C'est pour Flocon, expliqua-t-elle.

— Qui est-ce?

— C'est un chat sauvage. Je l'ai trouvé dans les bois lorsqu'il n'était encore qu'un chaton. Il neigeait de gros flocons ce matin-là, et le pauvre petit en était tout recouvert. D'où son nom. Sa mère a probablement été tuée et il se sera égaré en tentant de trouver de la nourriture. Il était si chétif. Je l'ai amené ici pour le nourrir. Il est resté quelques mois, puis la nature l'a rappelé. Je ne l'ai plus revu pendant un moment. Un beau jour, alors que j'accrochais ma lessive aux arbres, sous le soleil, je l'ai aperçu dans les fourrés qui m'épiait comme le fauve qu'il est. Je n'étais pas certaine que ce fût lui. J'ai donc déposé un morceau de viande sur cette pierre, pour vérifier. Il est venu. C'était bien mon Flocon : je l'ai reconnu à son oreille fendue. Depuis, il vient régulièrement chercher ici ce que je peux lui offrir.

Je m'approchai de la porte. Beatrix poussa derechef son cri. Quelques secondes plus tard, un superbe chat tigré surgit d'un bosquet de houx couvert de neige et s'immobilisa. Il était aux aguets; ses yeux jaunes nous scrutaient.

— Allez, Flocon! J'ai un vrai festin pour toi aujourd'hui. C'est Paddy qui te l'offre.

Le chat renifla l'air, puis s'approcha lentement, rasant le sol jusqu'au bol. J'admirai la bête. Elle inspecta le contenu du récipient et, satisfaite, le vida, léchant le fond jusqu'à ce que le bol tombe de la pierre. Voyant qu'il n'y avait plus rien pour elle, elle s'éloigna avec toute la grâce de sa race en bondissant par-dessus un tronc d'arbre couché. Elle disparut dans les bois.

— Et voilà! fit Beatrix en souriant. Vous venez de faire la connaissance de Flocon. Vous avez de la chance. Habituellement, il fuit les étrangers.

— Il est superbe. Vous arrivez à le caresser?

— Lorsqu'il était petit, oui. Mais aujourd'hui, je ne m'y risque pas. Il accepte ma présence sur son territoire et me fait l'honneur de la sienne à l'occasion, en échange d'une offrande. C'est tout. C'est un animal sauvage, et je le respecte. Cela doit rester ainsi.

Nous demeurâmes un long moment à contempler la nature endormie sous le manteau hivernal autour de nous. Beatrix reprit la parole sur un ton plus grave :

— Docteur Mansholt vous a raconté pourquoi je suis ici?

Mon expression suffit à lui répondre. Elle me poussa à l'intérieur, et nous nous assîmes à la table devant les oignons à éplucher et le lièvre à dépecer. Je me chargeai des oignons.

— Il m'a en quelque sorte sauvé la vie, commença-t-elle en s'emparant d'un couteau pointu. Ici, les gens m'appellent « la sorcière ». Ce surnom est pour eux respectueux. Mais à Cardiff, c'était différent. À cette époque, je travaillais chez le bailli d'une bourgade jouxtant la ville.

Elle prit un air rêveur, son couteau en l'air, au-dessus de l'articulation d'une cuisse.

— Il était très beau, Daniel Morgan... J'étais tombée amoureuse de lui. Mais il était marié depuis peu à la cousine de monsieur Wilson, mon premier employeur.

Le couteau s'attaqua aux chairs du rongeur avec application.

— Quelle harpie, cette femme! grommela-t-elle en tordant la cuisse pour la dégager de la cavité articulaire. Je suis restée deux ans à leur service.

L'articulation céda. Elle fixa d'un air absent la cuisse qu'elle tenait dans la main gauche, la lança dans la marmite, puis s'attaqua à la deuxième.

— Je vous ai parlé de la maladie de madame Wilson?

— Un peu, oui.

— Mais je ne vous ai pas dit que j'avais essayé de la guérir, n'est-ce pas?

— Non...

Elle soupira. La deuxième cuisse alla rejoindre sa jumelle dans la marmite.

— Je l'aimais beaucoup. Elle était comme une mère pour ma sœur et moi. Peut-être était-ce parce qu'elle n'avait pas eu d'enfants... Sa maladie a été foudroyante. En l'espace de quelques semaines, elle a dépéri considérablement. Je me suis dit un jour que je devais tenter de l'aider. Alors j'ai essayé. Ça n'a pas marché. Je ne suis pas une « faiseuse de miracles », vous voyez. Je peux aider dans la mesure du possible. Si le malade n'a aucune volonté ou si le mal qui le ronge a fait trop de ravages, je ne peux rien faire. Dans son cas, la maladie avait trop d'avance sur moi.

— Madame Wilson savait ce que vous faisiez?

— Difficile à dire. Elle était dans un état léthargique si profond la plupart du temps. Mais sa sœur, Madelyn, m'a surprise une fois. Elle m'a observée pendant toute la durée de la séance, dans l'ombre de la porte entrebâillée. Puis, quand madame Wilson est morte, elle m'a accusée de lui avoir jeté un mauvais sort. Bien sûr, monsieur Wilson n'a rien voulu entendre de ces « âneries », comme il disait. Mais Madelyn, qui m'en voulait pour je ne sais quelle raison, a fait part de ses « croyances » à l'épouse de Daniel. Cette dernière, qui s'était aperçue que son époux partageait mes sentiments amoureux, a commencé à faire circuler la rumeur que je faisais tourner son lait. Elle mettait du vinaigre en cachette dans les réserves de la laiterie et envoyait une de ses petites servantes le chercher. Stupide créature! Elle gaspillait des litres de bon lait pour justifier ses accusations. Ensuite, elle a raconté que je versais un philtre d'amour dans le vin de son époux pour qu'il tombe sous mon charme.

Donnant du plat de la main un coup sur la tranche non affûtée du couteau, elle sectionna le tronc de l'animal.

— Pour cela, elle n'avait pas entièrement tort, même si je n'avais pas besoin de philtre. Daniel et moi étions amants, avoua-t-elle tristement. Nous nous aimions vraiment. De toute façon, je n'ai aucune idée de la façon dont on prépare un philtre d'amour.

Ses yeux se fermèrent un moment. Ses joues rosirent, sans doute au souvenir de son amour perdu. Puis elle se remit à la tâche avec une nouvelle ardeur.

— Pour mon plus grand malheur, cette ânesse a eu la bonne idée de tomber enceinte. Daniel était fou de joie. Non qu'il l'aimât, loin de là! Mais il voulait tellement avoir des enfants...

— Elle était tout de même son épouse, fis-je observer.

— Je sais... Mais il me disait qu'il...

Elle s'interrompit, visiblement émue par ses souvenirs.

— J'ai été naïve de croire ce qu'il me disait. Elle a accouché prématurément d'un garçon. Le bébé était si faible, et Daniel, si bouleversé à l'idée de le perdre que je crus bon de tenter quelque chose. Ce fut la plus grosse erreur de ma vie. L'enfant n'avait aucune chance. Je me savais surveillée par Amanda. C'est le nom de l'épouse de Daniel. Mais je n'ai pas été assez prudente. Elle m'a surprise au-dessus du berceau. Le petit est mort deux jours plus tard. Avec les rumeurs qui couraient à mon sujet, on ne tarda pas à me pointer du doigt. On m'accusa ainsi d'avoir fait périr le nourrisson.

— Et Daniel?

Elle finit de débiter la viande et jeta les morceaux dans la marmite avant d'essuyer ses mains poisseuses de sang sur son tablier.

— Il a cessé de venir me rejoindre dans ma chambre. Je n'ai jamais su si c'était parce qu'il ajoutait foi aux médisances ou bien parce qu'il se sentait surveillé lui aussi. Sa femme n'aurait certainement pas hésité à l'accuser de complicité... Ils sont venus me chercher à l'aube d'un dimanche pluvieux et gris. J'étais en chemise de nuit, les cheveux en broussaille. Encore endormie, je leur ai ouvert la porte de ma chambre sans penser à me couvrir et à remettre un peu d'ordre dans ma tenue. Ils ont utilisé ça comme preuve : je m'étais livrée à la fornication avec le diable pendant la nuit du sabbat, selon eux. Je suppose qu'ils sont arrivés si tôt ce matin-là dans ce but précis.

— Mais c'est ridicule! m'écriai-je, abasourdie.

Beatrix ramassa les oignons tranchés et les envoya dans la marmite. Puis elle ajouta trois brindilles de thym et une pincée de sel avant de couvrir le tout de bière et d'un peu d'eau.

— Voilà! C'est prêt. Docteur Mansholt accrochera la marmite à la crémaillère lorsqu'il rentrera.

Elle se rinça les mains et se dirigea vers une armoire de laquelle elle sortit une bouteille de vieux porto.

— Tenez, dit-elle en me versant une rasade. Je la garde pour les occasions spéciales. Comme vous pouvez le deviner, il n'y en a pas souvent. Je suggère que nous buvions à la santé de votre mari.

— Oui, à la santé de Liam... fis-je avec un pincement au cœur.

Les verres tintèrent. Elle se rassit et me dévisagea, perplexe.

— Vous avez déjà assisté au procès d'une sorcière?

— Non. Ici, dans les Highlands, il y en a très peu.

— D'où êtes-vous?

— De Glencoe, dans le comté d'Argyle.

— Ah oui... J'en ai entendu parler...

— Hum...

Elle trempa ses lèvres dans le rubis de son verre en plissant les yeux. Après quelques secondes de silence, elle reprit son récit :

— Vous savez, lorsqu'ils décident de vous accuser de sorcellerie, que vous soyez coupable ou non leur importe peu. Les gens veulent simplement ressentir la satisfaction d'avoir soulagé l'humanité d'une fraction du mal qui l'habite. Ils croient qu'au jour du Jugement dernier, ils seront remerciés pour avoir brûlé une hérétique, une maîtresse de Satan. Toutes ces pauvres filles qui n'ont pu échapper aux flammes du bûcher n'ont été que des boucs émissaires. Les hommes rejettent sur elles tous les péchés du monde, leurs péchés. Curieuse façon d'expier ses fautes... Ce qu'ils désirent, c'est du spectacle. On m'a rasé la tête et on m'a déshabillée en public. Puis on m'a affublée d'une simple robe de bure lavée à l'eau bénite et au sel. Évidemment, ils ne se sont pas souciés du fait que ma peau n'était pas brûlée par le tissu purifié. Ils racontaient que j'employais ma magie pour me protéger. Ensuite, on m'a demandé si je croyais en l'existence du diable.

Sa jolie bouche se tordit en un rictus de dégoût. Ses doigts pianotaient nerveusement sur la table.

— Question piège. Qu'auriez-vous répondu, Caitlin?

Elle me regardait sans ciller.

— Je ne sais pas... on ne peut être très objectif dans ce genre de situation...

— En effet. On cherche la réponse qu'ils voudraient ou celle qu'ils ne voudraient pas entendre, mais quelle que soit la réponse que vous donniez, elle se retourne contre vous. Si je réponds non, c'est une erreur, car le diable existe dans la Sainte Bible, donc on doit y croire. Si je réponds oui, j'avoue mon crime.

— Qu'avez-vous répondu?

— Rien. Je suis restée muette tout au long de l'enquête. Cela les a grandement exaspérés. Ils ont fait défiler des témoins que je ne connaissais même pas. Vous ne pouvez pas imaginer tout ce dont j'ai été accusée. J'ai fait mourir le bétail d'un voisin en mettant une coquille d'escargot broyée dans le fourrage. J'ai fait couler un bateau de pêche en provoquant une tempête et entraîné dans la mort les six pêcheurs qui se trouvaient à bord. On a même raconté que j'avais fait un pacte avec le diable pour obtenir ma beauté et que je devais lui sacrifier des nourrissons mâles pour la conserver...

— Mais c'est terrible!

Puis je piquai du nez dans mon verre en me rappelant subitement qu'une pensée similaire m'avait traversé l'esprit lorsque je l'avais vue pour la première fois.

— Le chasseur de sorcière qui s'occupait de mon cas avait la réputation d'obtenir assez rapidement des aveux de ses victimes en employant des moyens très persuasifs. Mais qui n'avouerait pas n'importe quoi sous la torture, dans le seul but d'en finir et de mourir plus rapidement, sachant qu'il n'y a pas d'issue? Là, j'ai eu de la chance. Docteur Mansholt s'est mêlé de l'affaire. Il était venu assister à l'enquête, car le juge était un ami à lui. Il a deviné la sournoiserie qui se cachait derrière l'accusation d'Amanda Morgan. Le lendemain devait avoir lieu l'ordalie. Je devais aussi subir le supplice des brodequins. Si je n'avouais pas, c'étaient les poucettes, puis l'estrapade et enfin le bûcher. Les habitants avaient déjà commencé à le monter en chantant des psaumes tirés de la Bible. Je pouvais les entendre de ma cellule et, bizarrement, je me surprenais à les murmurer avec eux.

Je frissonnai en tentant d'imaginer ce qu'on pouvait ressentir au moment où le bourreau allumait le feu avec sa torche.

— Docteur Mansholt a réussi à convaincre le juge Caldwell, un homme fondamentalement bon, mais qui devait appliquer la loi, de me libérer. Ils ont tous les deux organisé une sorte d'évasion pour ne mettre personne dans l'embarras. Daniel y a participé; il se sentait coupable. Ce fut la dernière fois que je le vis. Ensuite, docteur Mansholt m'a emmenée ici. Ce cottage lui appartient, mais il préfère habiter sa maison d'Auchallater, sur la route de Braemar. Il me considère comme sa fille adoptive.

Comme s'il avait attendu la fin du récit pour nous interrompre, le docteur entra à ce moment-là. Il secoua ses bottes et sa veste après avoir déposé deux grosses cruches d'eau sur le sol recouvert de paille et de sapinage.

— Brrr... fit-il en faisant trembloter le collier de graisse qui débordait de sa cravate de dentelle. Je crois que je me suis attardé un peu trop longtemps au bord du ruisseau.

— Qu'y faisiez-vous? s'enquit Beatrix en soulevant la lourde marmite avec ses petites mains.

Elle possédait une force surprenante pour sa taille. Le docteur vint néanmoins à son secours, l'allégeant de son fardeau qu'il accrocha à la crémaillère.

— J'en ai profité pour fumer du bon tabac des îles, avoua-t-il en souriant. Et vous, de quoi avez-vous bavardé?

— Oh, de tout et de rien, répondit-elle en me faisant un clin d'œil. Nous faisions plus ample connaissance en buvant le porto que vous m'avez offert.

Le visage du médecin s'éclaira d'un sourire satisfait.

— Voilà qui est bien, ma mie, voilà qui est bien.

Puis, il se joignit à nous pour vider la bouteille.

26

Enfin, la lumière

Les trois jours que devait durer le séjour du docteur Mansholt parmi nous s'écoulèrent lentement. Je trompais mon angoisse en aidant Beatrix. L'hébergement de trois personnes dans sa petite chaumière engendrait un surplus de tâches. Le reste du temps, je le passais auprès de Liam, qui n'avait pas quitté son lit de fortune. Je le lavais et le nourrissais de bouillons et de décoctions d'herbes. Malgré les saignées et les soins, son état restait stable mais ne laissait présager aucune amélioration. La température ne baissait pas. Je sentais que le médecin commençait à s'inquiéter.

Les quelques heures où il sortait de sa léthargie, Liam les passait à me tenir la main, la caressant de son pouce, et à me regarder en silence. Les premiers jours, j'ai essayé de parler avec lui. Mais ses répliques ne se résumaient qu'à de simples grognements. Je le savais déchiré par la mort de Colin et tentais de le consoler. Mais que pouvais-je faire pour lui dans un moment pareil? Je me résolus donc à partager son silence et sa peine, souhaitant que ma seule présence lui apporte du réconfort.

Je m'inquiétais aussi pour Frances. Nous étions encore trop loin d'Inverness pour que je puisse m'y rendre seule et tenter de la retrouver. J'avais peur aussi de m'éloigner de Liam. Il passait d'un état d'hébétude profonde au délire et inversement, et je craignais qu'il se laisse mourir si je le quittais ne fût-ce qu'une seule journée.

Je laissai tomber dans le bol le navet que je venais d'éplucher et m'emparai d'un autre. En silence, je réfléchissais à ma situation désespérée quand j'entendis Liam s'agiter et délirer sur sa couche. Je me précipitai vers lui. Malgré la fraîcheur de l'air, de grosses gouttes de sueur perlaient sur son visage livide creusé de cernes noirs. Sa peau était si brûlante que je ne pouvais y laisser ma main.

— Oh, mon Dieu... non! Liam!

Les jupes retroussées, je bondis hors de la chaumière sous le regard stupéfait de Beatrix.

431

— Docteur Mansholt! Docteur Mansholt! criai-je à pleins poumons.

L'homme apparut entre deux arbres, dans l'obscurité, et accourut aussi rapidement que sa corpulence le lui permettait.

— Que se passe-t-il? demanda-t-il, haletant, le visage rougi par l'effort.

— C'est mon mari, bredouillai-je, au bord des larmes. Il ne va pas bien du tout. Sa température a monté... Il est au pire. Faites quelque chose!...

Complètement affolée, je m'effondrai dans ses bras. Il me poussa à l'intérieur et me fit asseoir sur une chaise avant d'aller rejoindre Beatrix qui était déjà penchée sur Liam.

— Va chercher de la neige, Bea, ordonna-t-il après avoir constaté l'état d'urgence. Il va nous faire une crise de convulsions si nous n'arrivons pas à faire baisser sa température.

Clouée à ma chaise par la stupeur, je regardais Beatrix sortir et revenir avec la neige entassée dans son tablier. Après plusieurs allées et venues, elle avait recouvert le corps de Liam d'un mince linceul immaculé. Ce fut le signe de croix que Beatrix traça sur son front qui me tira de ma torpeur. L'image de la mort me frappa de plein fouet.

— Que faites-vous?! hurlai-je en bondissant. Vous ne pouvez pas faire ça! Il n'est pas mort, il ne mourra pas... Arrêtez!

Un peu effrayée par la virulence de mon ton, Beatrix recula contre le mur. Le docteur Mansholt m'éloigna du lit malgré mes protestations.

— Venez, Caitlin. Ma science ne peut plus rien pour lui. Laissons Beatrix et Dieu...

J'éclatai d'un rire sarcastique.

— Dieu? Dieu? Il m'a abandonnée!

Je tentai désespérément de me dégager pour retourner auprès de mon amour qui se mourait. Je voulais lui dire combien je l'aimais malgré ce qu'il avait fait, je voulais lui expliquer que je ne pourrais vivre sans lui. Mais une poigne de fer m'en empêcha. Le docteur Mansholt attrapa ma cape et d'autorité me poussa hors de la chaumière.

Je pleurai. Je pleurai des torrents de larmes jusqu'à être tarie. Je ne saurais dire combien de temps je demeurai prostrée sous l'aile bienveillante du médecin impuissant. Je m'en fichais. Plus rien ne m'importait.

— Que vais-je faire sans lui?

Le brave homme m'offrit son mouchoir, et je me mouchai.

— Il est toujours de ce monde, Caitlin. Dieu ne l'a pas encore rappelé. Ayez foi en Lui.

La foi... Je l'avais perdue dans l'un des détours du chemin tortueux qu'était devenue ma vie depuis la mort de Ranald. J'émis un petit rire cynique et reniflai bruyamment.

— Avoir foi? Mais en quoi? en qui? Liam? Dieu? Ils m'ont tous abandonnée. Liam ne lutte plus pour sa vie; il attend sa délivrance. Quant à Dieu, il y a longtemps qu'Il ne m'écoute plus. Au lieu d'apaiser ma peine, Il ne cesse de m'accabler. Qu'ai-je fait? Qu'ai-je donc fait pour mériter tout ça?

J'avais l'impression que les ténèbres se refermaient sur moi. J'étais seule dans cet abîme froid et lugubre.

— Cela ne sert à rien de chercher à savoir pourquoi Dieu nous inflige tant de souffrances, croyez-moi.

— Qu'en savez-vous? demandai-je sur un ton acide.

L'homme soupira. Ce profond soupir exprimait une telle douleur qu'on ne pouvait y rester indifférent. Il avait vraisemblablement connu de grandes souffrances lui aussi. Cependant, ma propre douleur m'empêchait de m'y intéresser.

— Pourquoi dites-vous que votre mari attend la mort? Vous l'aimez et il vous aime, cela se voit à la façon qu'il a de vous regarder. Les regards ne mentent pas.

— Nous nous sommes tellement éloignés l'un de l'autre depuis la mort de notre fils, à Sheriffmuir. Je crois... Parfois l'amour ne suffit plus...

— Un levain d'amour suffit. La foi fait le reste. Si on se tourne vers Dieu...

— Mais Dieu nous a abandonnés! Il nous a punis!

— Ah! Belle question de théodicée... Nous connaissons tous cet incessant va-et-vient entre le doute et la confiance, la révolte et l'abandon, la foi et l'incrédulité. Le problème est que nous cherchons toujours à justifier nos souffrances imméritées. Vous avez déjà lu la Bible, Caitlin?

— Des passages, bien sûr... Je suis catholique.

— Peu importe votre religion. La Bible est la même pour tous. Mais les hommes s'obstinent à l'interpréter de différentes façons... Vous connaissez le livre de Job?

Je restai muette. Il n'en prit pas ombrage et poursuivit.

— Lorsque Job a vu s'ouvrir sous ses pieds un abîme de souffrances qu'il croyait injustifiées, il tenta d'en découvrir la raison. Étant un homme honnête, juste et de bonne nature, il n'en trouva point. Alors il se révolta contre ce Dieu, en qui il avait toujours cru aveuglément, et réclama justice. Qu'avait-il fait pour mériter tant d'injustices? Mais rien ne sert de chercher à pénétrer le mystère des desseins et des plans de Dieu pour l'humanité. Job le comprit. Nous sommes incapables de percer l'énigme de la souffrance et du mal. Le mal... l'absence du bien. Il n'y aurait pas de bien sans l'existence du mal. Dieu permet le mal; « *ne vult, nec non vult, sed permittit!* » Pourquoi? Peut-être parce que, même dans le mal, la puissance du Créateur tire le meilleur de nous. Il ne faut pas porter de jugement sur Dieu, mais plutôt Lui témoigner une confiance absolue. Aller vers Lui, simplement, avec toute notre souffrance et notre détresse, notre douleur, notre colère et nos doutes. Ouvrir notre cœur et accepter ce qui est.

— Mais à quoi me servirait la foi en ce moment? répliquai-je, ironique. Me redonnera-t-elle mon fils? Sauvera-t-elle mon mari?

Il hocha la tête.

— Non. Votre fils est parti. Mais, pour votre mari, il y a encore un peu d'espoir. C'est à cela que vous devez vous raccrocher. La foi... c'est une main tendue qui aide à traverser les océans de souffrances, les épreuves qui nous vident de tout courage. Mais elle ne nous permet pas de les éviter. Elle rend simplement la souffrance plus supportable, car la souffrance fait partie intégrante de la vie des hommes. Chaque homme ne doit-il pas porter sa croix?

— Celle de mon mari était trop lourde. Elle l'a rompu.

— Aidez-le, Caitlin. Aidez-le à la supporter pour quelques pas.

Je le dévisageai d'un air désabusé et détournai le regard.

— L'aider... Cela semble si simple à vous entendre. Il est peut-être trop tard. Comment arrivez-vous à parler ainsi? Vous n'êtes pas celui qui souffre.

Une grimace tordit sa bouche.

— J'ai eu mon lot de souffrances, vous savez. J'ai eu une épouse que j'aimais et quatre enfants que j'adorais.

Je le regardai à travers mon rideau de larmes, stupéfaite.

— Nous habitions un petit bourg situé près de La Haye, en Hollande.

— Où sont-ils aujourd'hui?

— Morts. Un accident, un stupide accident, murmura-t-il, perdu dans ses souvenirs douloureux. Un brasero oublié près d'une fenêtre. Les rideaux, probablement, se sont enflammés. Le feu a tout ravagé. J'étais parti à Amsterdam pour me procurer des volumes traitant d'anatomie et de médecine en général. Lorsque je suis revenu, il ne restait plus rien. De ma vie, il ne restait que des cendres fumantes et des souvenirs. Ils avaient tous péri dans les flammes. Je m'en suis voulu d'être parti, j'en ai voulu à Dieu de m'avoir volé ma raison de vivre, j'en ai voulu au monde entier de continuer de rire et de s'amuser sans moi. On m'avait arraché le cœur et je voulais que le monde entier souffre avec moi. Je n'acceptais pas. Pendant longtemps j'ai erré. J'ai abandonné ma pratique et je me suis plongé dans la lecture, me noyant dans les écrits, pataugeant dans les idées, cherchant une bouée à laquelle m'accrocher pour ne pas sombrer. Je cherchais une raison à ce qui m'arrivait. Je n'acceptais plus de vivre dans ce monde cruel que Dieu avait créé. Alors j'ai lu. Socrate, Platon, la Bible, le Coran, le Talmud... Aussi je me suis imprégné des pensées de Descartes et d'Érasme. De tous ces traités de métaphysique, de philosophie, de théodicée, de théologie et quoi encore, j'ai tiré quelques bribes de réponse. Je me suis ainsi créé mon propre livre de pensées. Même votre très brillant Shakespeare a influencé ma conception du monde. C'était un homme très perturbé, qui cherchait des réponses lui aussi.

— Je connais *Macbeth*, *Roméo et Juliette* et *Le Roi Lear*.

— Ah, *Macbeth*! Un drame brumeux comme l'Écosse, entaché de sang et rempli des cris d'angoisse du roi rongé par la culpabilité. Oui, je me souviens tout particulièrement d'une scène. Hum... je crois que c'est la troisième du cinquième acte : Macbeth y discute de l'état de son épouse avec le médecin. J'en ai tiré une leçon. La reine est troublée, hantée par l'odieux meurtre du roi Duncan. Macbeth demande au médecin de soigner son esprit malade, d'en extirper le chagrin et de le purger à l'aide d'un antidote pour la libérer de ses remords. Mais le médecin lui répond que, dans pareil cas, c'est au malade de prendre soin de lui-même. J'ai alors compris que le remède à mon mal ne se trouvait qu'en moi, dans mes propres forces et convictions, dans mon cœur. Rien dans ce monde ne pouvait me sauver, si ce n'était moi-même. Alors seulement je me suis réconcilié avec Dieu. Dans les écrits de l'apôtre Jean, on trouve cette phrase : « Je suis la porte, si quelqu'un entre par moi il sera sauvé; il entrera et il sortira, et il trouvera des pâturages. » Dieu nous indique la voie du salut. Mais c'est à nous de la trouver et de la franchir, dans la foi.

Nous restâmes silencieux un long moment, sous la voûte céleste constellée de millions d'étoiles scintillantes. Un jour, alors que j'étais encore enfant, tante Nellie m'a raconté que chaque étoile était l'âme d'une créature de Dieu. Si c'était vraiment le cas, celle de Ranald brillait certainement au-dessus de moi.

— Caitlin, il y a toujours une lumière dans les ténèbres pour nous guider. C'est à nous de la trouver. Dieu ne vous a pas abandonnée; c'est vous qui l'avez abandonné. Retrouvez-le, et vous vous retrouverez. Dites-vous qu'il y a une raison à tout, mais que seul Dieu la connaît. Faites-lui confiance.

Resserrant ma cape autour de mes épaules, je laissai mes paupières se fermer. Il y avait une raison pour tout... La mort de Ranald, la trahison de Liam, sa maladie? Tout cela avait une raison d'être. Mais laquelle? Dieu seul le savait. Il me fallait Lui faire confiance... Je supposai que cela s'appelait accepter son destin.

Plus d'une heure plus tard, la porte de la chaumière s'ouvrit et le visage blême de Beatrix apparut. Elle me regarda d'un air indéchiffrable, puis chancela. Mon cœur s'arrêta de battre.

— Oh, non... Liam!

Je me précipitai à l'intérieur, la bousculant au passage, et demeurai interdite au pied de la paillasse. Liam reposait sur un drap sec, couvert jusqu'à la taille par un autre drap. Il était exsangue. Je m'accroupis près de lui, tremblante, hésitante. Était-il mort? Puis je vis sa poitrine se soulever doucement. Mon cœur se remit à battre avec le sien. Je caressai sa joue creusée par la maladie; la peau était sèche et fraîche. La fièvre avait baissé considérablement. Je n'arrivais pas à y croire. Pour l'instant, la crise était passée. Mais ce n'était pas la fin de la nuit. Il me restait encore un peu d'espoir.

— Liam, *mo rùin*, murmurai-je doucement. Pardonne-moi comme je te pardonne. Je t'aime tant...

Je dormis sur la paillasse, blottie contre lui, écoutant son souffle encore rauque, mais plus léger et plus régulier.

Au seuil du jour, le bonheur m'attendait. Sentant quelque chose m'effleurer la joue, j'ouvris les yeux et croisai le regard de Liam. Il était fatigué, faible et amaigri, mais bien vivant. Pouvait-on appeler cela un miracle? Que s'était-il passé? Les mains de Beatrix? Je fermai les yeux sur une larme de joie. Puis une autre roula sur ma joue, et encore une autre. Ne pouvant plus me contenir, je me mis à pleurer, me libérant de toute ma douleur, me nettoyant de toute ma rancœur. Je me demandais qui je devais remercier. Je me dis que, même s'Il avait eu besoin d'un coup de main magique, ce devait être Dieu. Il nous donnait une seconde chance. Après tout, n'était-ce pas Lui qui avait transmis ce don à Beatrix?

Ce fut avec regret que je fis mes adieux au docteur Mansholt, que Paddy vint chercher plus tard dans la matinée.

— Parlez-Lui, ma chère Caitlin. Il vous écoute, vous savez. C'est en Lui ouvrant votre cœur que vous réussirez à L'entendre. N'oubliez pas la parole de Jean.

Il m'embrassa sur les joues, puis se tourna vers Beatrix. Elle avait déjà commencé à déplumer une grosse poule bien dodue, cadeau de Paddy, bien entendu.

— Porte-toi bien, Bea, ma mie. Et nourris bien ces deux oiseaux-là, ajouta-t-il en riant. Ils ont besoin d'être un peu remplumés.

— J'y veillerai, ne vous inquiétez pas.

***

Je passai les trois jours suivants à gaver mon « oiseau ». Son estomac regimba un peu au début. Il fallut doser les quantités. Mais de jour en jour il prit du mieux. Son regard se fit plus clair, son teint plus rosé. Le quatrième jour, il réussit à se lever et à faire quelques pas à l'extérieur, accroché à mon bras. Le sixième jour, il demanda à voir la tombe de Colin. C'était inévitable.

— C'est trop loin! m'exclamai-je avec vigueur.

Je le savais assez en forme pour monter sur la crête, mais je craignais que de faire face à la réalité de la mort de Colin ne le frappe brutalement et compromette sa guérison.

— Caitlin, si tu ne m'indiques pas où est la tombe, je te jure que j'essaie de la trouver moi-même. Je me sens beaucoup mieux, je t'assure.

— C'est trop dangereux, tu es encore faible.

Son regard m'interdit toute autre forme de protestation. Je capitulai et demandai à Beatrix de nous indiquer le chemin.

L'épiant discrètement, j'attendais en silence à quelques pas de lui. Il était assis sur une petite butte enneigée et fixait d'un regard vide le cairn sous lequel reposait son frère disparu. Il était calme. Le soleil dansait dans ses boucles. Il pleurait en silence. Pour respecter son besoin de solitude, je m'éloignai et marchai jusqu'au bord de la crête. Je réfléchis ainsi de mon côté à ce que nous devions faire ensuite.

Cela faisait maintenant plus d'une semaine que nous étions ici. Le temps filait. Sa forte constitution aidant, Liam se remettait assez bien de

436

sa maladie. Son appétit était revenu. Peut-être était-ce donc le moment de reprendre la route. Nous avions assez abusé de l'hospitalité et de la bonté de Beatrix. Même si elle ne se plaignait jamais, notre présence devait commencer à lui peser un peu. Demain, peut-être...

Je pivotai lentement sur moi-même avec la drôle d'impression d'être observée. Je croisai alors le regard bleu de Liam. Il se tenait à quelques mètres de moi et me fixait d'un regard troublé.

— Ça va?

Il acquiesça lentement, mais ne dit mot. Je m'apprêtai à faire quelques pas vers lui.

— Non, ne bouge pas! dit-il subitement.

— Mais qu'y a-t-il?

— Je veux te regarder, *a ghràidh*. Tu es belle comme ça, les cheveux libres dans la brise. La dernière fois que je les ai vus ainsi, c'était dans le vent de la tempête... puis dans l'eau rougie d'un ruisseau.

Son visage s'assombrit.

— Sur le coup, je t'ai crue morte. Tout ce sang dans l'eau, sur la neige... Je t'ai portée jusqu'à la route, où attendaient les chevaux et... Colin. Il n'y avait aucune trace de Donald. J'ai laissé son cheval sur la route, espérant qu'il s'en fût sorti. Je vous ai ensuite couchés, Colin et toi, en travers des selles et me suis mis en route pour trouver quelqu'un pour te soigner. Tu délirais. Oh! tant d'incohérences dans ta bouche ne me rassuraient pas. Je ne voyais aucune ferme. Rien que de la lande et des bois... Et cette damnée tempête qui m'aveuglait et m'étouffait! La nuit tombait et le froid commençait à m'atteindre. C'est à ce moment-là que j'ai trouvé...

— Le colombier?

— Oui.

Il se tenait bien droit, campé sur ses jambes légèrement écartées, les mains dans le dos.

— Cette nuit-là, juste avant de sombrer, continua-t-il en faisant quelques pas vers moi, j'ai vraiment cru que c'était la fin pour nous. Je me suis dit : « Tu vas la perdre comme tu as perdu Anna. Par le froid. » Je n'avais même pas de quoi allumer un feu. Mais d'une certaine façon, je n'étais pas triste, car je savais que je te suivrais de l'autre côté.

Il s'approcha encore; sa veste de cuir craquait dans le froid.

— Mais tu es là, devant moi. Et moi... reprit-il, profondément ému.

La neige crissa sous les derniers pas qui nous séparaient. Je retins mon souffle lorsqu'il se mit à dessiner du bout du doigt le contour de ma bouche, qu'il fixait amoureusement.

— Oh, *a ghràidh*! murmura-t-il doucement dans un élan de tendresse. Et moi, je suis toujours là...

Lentement, ses doigts glissèrent dans mes cheveux, puis sur ma nuque. Doucement, il m'attira à lui. Mon cœur s'emballa; je fermai les yeux. Il posa sa bouche sur la mienne. Je laissai ses mains me parcourir sous ma cape, je laissai naître en moi un désir longtemps refoulé. J'en tremblai. Seigneur! Cela faisait si longtemps... Liam s'écarta pour reprendre son souffle.

— Je t'aime tellement...

— Je t'aime aussi, Liam. J'ai eu si peur de te perdre...

Il me serra très fort contre lui et m'embrassa encore une fois, avec plus de fougue. Puis il me considéra encore un moment, un sourire énigmatique sur les lèvres.

— Allez, viens, rentrons!

Nous nous arrêtâmes une dernière fois devant le cairn.

— Colin nous manquera, dis-je doucement en lui serrant la main.

— Oui. Il t'aimait toujours, tu le savais?

— Je le savais. Je suppose qu'il est plus heureux maintenant, là où il est.

— Oui, il l'est. Au moins ses os resteront sur la terre d'Écosse. C'était le seul regret qu'il avait à l'idée de partir : de ne pouvoir être enseveli sur *Eilean Munde*. Je reviendrai le chercher au printemps.

À notre retour, nous trouvâmes la chaumière déserte. Beatrix avait laissé une note sur la table : « *Partie vieux Guthrie soigner goutte. Reste jambon froid et whisky. Reviendrai demain avant midi. Rattrapez temps perdu. Avec amour, Beatrix.* »

Je fixai longuement la note, songeuse. Rattraper le temps perdu... Soudain, j'eus une bouffée d'angoisse. Y arriverais-je? Beatrix avait eu le tact de trouver une raison pour s'éclipser quelques heures et laisser la chaumière à notre disposition. Je levai les yeux sur Liam, qui attendait.

— Elle est partie voir un malade. Elle ne rentrera que demain, vers midi.

Sa mâchoire se contracta, mais son expression resta indéchiffrable. Il avait sûrement les mêmes pensées que moi.

Nous étions assis sur le banc, devant le feu. Une certaine gêne s'était installée entre nous. Nous étions comme deux jeunes mariés qui anticipaient ce qui devait se produire, mais ne savaient pas comment s'y prendre. Liam parlait très peu, préférant m'écouter lui raconter les tristes histoires de Beatrix et du docteur Mansholt. Mais ses regards valaient mille mots, et je frissonnais déjà sous leur caresse. « Tu y arriveras, Caitlin! »

Distraitement, je faisais tourner mon verre vide entre mes doigts. Il m'échappa et alla rouler sous le banc. Tandis que je me penchais pour le ramasser, Liam fit le même geste, et nous nous heurtâmes le front l'un contre l'autre.

— Aïe!

— Désolé. Ça va?

Il m'inspecta l'arcade sourcilière.

— Je n'ai vraiment pas de chance avec ma tête, ces temps-ci... Je saigne?

Il rit doucement.

— Non, pas cette fois.

— Alors ça peut aller.

Ses doigts massaient la petite bosse qui apparaissait au-dessus de mon œil. Puis il l'embrassa.

— C'est fini, déclara-t-il en riant. Tu as la tête si dure que...

Il s'interrompit et se mit à me fixer gravement. Son regard se fit plus pénétrant et sa respiration plus profonde. Sa main gauche me maintenait tout contre lui. Nous prenions progressivement conscience du contact de nos corps. Mon cœur se mit à battre comme un tambour.

— Caitlin?...

Il laissa la question en suspens, mais son regard dit le reste. Je fermai les yeux.

— Oui.

Poussé par une impulsion soudaine, il s'élança sur ma bouche. Nous tombâmes sur le sol et, empêtrés dans mes jupes, roulâmes sous le banc.

— Caitlin... Ne me repousse plus...

— Non, balbutiai-je, tandis que ses doigts s'attaquaient frénétiquement aux lacets de mon corsage.

Il pesta contre le nœud qu'il avait lui-même formé dans son empressement, puis se cogna la tête au banc en tentant de se redresser pour s'y prendre autrement. J'éclatai de rire malgré moi. Il pouffa à son tour. C'était si bon de rire ensemble.

— Ces fichus lacets... Viens par ici.

Il m'entraîna à quatre pattes jusqu'à la paillasse, où je m'apprêtais à m'étendre.

— Attends, dit-il.

Il m'observait sous ses cils. Les ombres creusaient son visage émacié, mais j'y trouvais toujours ce regard brûlant qui me pénétrait jusqu'à l'âme. Ses doigts revinrent à la charge sur les lacets. Le corsage glissa enfin.

— Seigneur...

Il prit mes seins en coupe et les caressa doucement jusqu'à en faire durcir les pointes.

— Dis-le-moi, Caitlin, chuchota-t-il sur ma peau frissonnante. Dis-moi que tu m'aimes... Je veux te l'entendre dire encore une fois... Que tu me veux toujours...

— Oui, Liam. Je te veux plus que jamais. Je t'aime...

Mes jupes glissèrent au sol. Puis nous nous retrouvâmes sur la paillasse, enlacés.

— Seigneur! répétait-il sans cesse en me couvrant de baisers. Cette attente a été la pire souffrance que tu m'aies infligée, *a ghràidh*.

Il me mordit le cou. Je défis sa ceinture et basculai la tête vers l'arrière en frémissant.

— Toutes ces nuits près de toi sans pouvoir te toucher... Puis d'avoir cru te perdre...

Je pris sa figure entre mes mains et le dévisageai longuement. Un frisson d'angoisse me parcourut à l'idée qu'il ait été à un cheveu de mourir.

— C'est fini, bredouillai-je sur le point d'éclater en sanglots.

Sa chemise alla voler à quelques mètres. Ses doigts se promenaient sur ma peau, fébriles, tremblants.

— Tu es toujours aussi douce. Cela m'a semblé une éternité.

Je réalisai soudain que cela faisait plusieurs minutes qu'il me touchait et qu'aucune image n'était venue me hanter. Un sentiment de bonheur indicible m'envahit. J'étais libérée. J'étais enfin libérée de mes démons!

— Liam... aime-moi, je t'en supplie... Aime-moi.

— Mais je n'ai jamais cessé de t'aimer.

Il me sourit avec malice, s'invitant entre mes jambes.

— Dans ma tête... je te faisais l'amour. Toutes ces longues nuits froides, tu me réchauffais dans mes rêves.

— Oh, oui!

Il se pressa contre moi, enfonçant ses doigts dans mes chairs.

— Mais ce n'était pas aussi bon... qu'en ce moment.

Il me frôlait, m'effleurait, me narguait.

— Liam!

— J'aime lorsque tu murmures mon nom pendant que nous faisons l'amour... Ta voix est différente... si douce... comme la brise. Oh, Caitlin! mon vent d'Irlande...

Le corps écartelé par l'ardeur de ses caresses, les chairs consumées par le brasier d'un désir trop longtemps inhibé, je l'attirai sur moi et fondis sous sa bouche vorace, qui se mit à me dévorer avec l'avidité d'une bête affamée. Ses joues un peu rêches me râpaient délicieusement la peau, me procurant de délicieux frissons. Je n'étais plus qu'une poupée désarticulée entre ses mains. Pantelante, gémissante, je m'abandonnai à son amour.

— *A ghràidh...* j'ai tellement besoin de toi... Combien de fois ai-je rêvé ce moment?

J'émis une petite plainte en le sentant s'introduire en moi et enfonçai mes ongles dans ses fesses bandées. Il tressaillit. Je souris de satisfaction.

— *A ghràidh mo chridhe...* râla-t-il en se mouvant lentement.

— S'il te plaît, réclamai-je en cambrant les reins.

— Non, attends. Je veux te goûter, te sentir...

Mon cœur battait dans mes tempes. Je fermai les yeux et goûtai le sel de nos larmes de bonheur sur ses lèvres gonflées de désir. Puis je me laissai emporter par l'onde de volupté qui déferla soudain en moi.

— Oh, mon Dieu! Liam, je t'en supplie!

Il grogna de satisfaction devant mes supplications, cadençant le rythme de ses assauts avec la violence de son désir jusqu'à m'arracher un cri auquel se confondit le sien.

Longtemps nous restâmes enlacés, nos jambes et nos doigts enchevêtrés. Je n'entendais plus que le battement de nos cœurs. Liam s'empara de ma main, la porta à ses lèvres pour la baiser et l'écrasa sur sa poitrine encore palpitante. Lentement je reprenais le contrôle de mes sens. Mais les émotions qui se bousculaient encore en moi m'interdisaient toute pensée cohérente, toute parole. Vidée, heureuse, je me laissai glisser dans une douce torpeur.

— *Seall orm, a ghràidh* [102], murmura Liam après un moment.

Son souffle me réchauffait. Je levai les yeux vers lui. Non, je ne pouvais pas vivre sans lui. Son regard qui me fixait et son silence prolongé exprimaient mieux que des mots ses états d'âme. Il étendit la couverture pour nous couvrir.

Le froid me fit frissonner. Je tirai la couverture sur mon épaule et me tournai. Les draps étaient glacés... et vides. Je me redressai en sursaut. Liam était parti.

Poussant un petit cri d'angoisse, je fis le tour de la pièce du regard. Je le vis, là, sur le banc devant l'âtre. Il était à moitié couvert de son plaid et me fixait d'un air grave.

— Que fais-tu là?

Mon cœur cavalait et ma voix chevrotante trahissait mon affolement soudain.

— Je n'arrivais plus à dormir. Peut-être ai-je trop dormi ces derniers jours...

Il me sourit d'un air un peu penaud.

— Je suis venu mettre un bloc de tourbe dans le feu. Je t'ai vue, comme ça, couchée sur le lit. Je ne voulais pas te réveiller... et je voulais te regarder dormir. Tu es si belle lorsque tu dors.

Il rit. Je lui souris.

— Tu savais que tu souriais en dormant?

Il rit encore. Moi aussi.

Les flammes dansaient doucement et envoyaient sur lui une douce lumière dorée. Sous la peau amincie par son régime forcé se découpait sa forte musculature. En fait, il avait perdu ce petit excédent de poids que les années avaient sournoisement agglutiné autour de sa taille.

— J'ai froid, me plaignis-je langoureusement.

Lentement il déplia son corps massif que j'admirai avec une appétence renouvelée. Ses cicatrices miroitaient. Blessures dont la vie l'avait marqué, telles ces inscriptions oghamiques qu'on trouvait parfois sur les stèles de granit, chacune d'elles avait sa signification. Elles constituaient une sorte de mémoire vivante. Celles de son cœur restaient invisibles à l'œil, mais je les savais bien là, sous cette masse de muscles et d'os. Elles se cicatriseraient, elles aussi, comme les autres. Avec le temps.

Dans un geste éloquent, j'ouvris les draps. Il se laissa tomber à côté de moi, me frôlant au passage de ses boucles et de ses cuisses. Puis il s'allongea, prenant appui sur un coude et passant une jambe sur mes cuisses. S'emparant d'une mèche de mes cheveux, il se mit à l'entortiller autour de son index.

---

102. Regarde-moi, mon amour.

— Il y a quelque chose dont je voudrais te parler, commença-t-il.

— Quoi?

— J'ai vu... Enfin, je ne sais pas comment t'expliquer. C'était si flou et confus... Je crois avoir vu Anna et Coll.

Mes poils se hérissèrent sur mon corps et un frisson glacé me parcourut l'échine.

— Quand?

— Le dernier soir, celui de ma grande fièvre.

J'eus un soubresaut d'effroi. Il le sentit et m'attira à lui, me serrant fortement contre son torse.

— Elle a vraiment un don?

— Hum? fis-je distraitement.

— Beatrix.

Mon esprit s'était tourné vers l'image qu'avec les années je m'étais forgée du visage rayonnant d'Anna, entouré de longues mèches blondes. Peut-être l'avait-il confondue avec Beatrix?

— Qu'a-t-elle fait?

— Je ne sais pas vraiment. Je crois qu'elle posait ses mains sur ma poitrine et disait des choses... C'est tellement confus, Caitlin. Et puis, je n'arrivais pas à voir vraiment; elle me tournait le dos. Je ne voyais que mon visage par-dessus son épaule...

— Ton visage par-dessus son épaule? Mais de quoi parles-tu, Liam?

La nature de ses mots me donna la chair de poule, et je me figeai.

— Je me voyais de loin, d'en haut, comme si je flottais au-dessus de moi...

Je le sentis trembler contre moi. Était-il passé de l'autre côté? Avait-il franchi le Voile du royaume des morts? Avait-il visité l'Autre Monde?

— Puis j'ai vu une lumière très vive. Elle m'attirait irrésistiblement. Ensuite, des mains... oui, des mains m'empoignaient et me tiraient pour m'éloigner de la lumière. Je ne voulais pas; j'étais si bien. C'est alors que j'ai vu leurs visages, Caitlin. Ils étaient dans cette lumière et me regardaient. Coll... il me souriait.

Je levai les yeux vers lui; les siens étaient fermés, avec une larme au bord des cils. Il demeura silencieux un long moment avant de reprendre son incroyable et effarant récit :

— Leurs traits n'étaient pas très nets. Mais je savais que c'était eux. Caitlin... j'avais oublié... gémit-il, j'avais presque oublié leurs visages. Comment ai-je pu? Coll, avec son petit sourire espiègle... Comme celui de Ranald. Mes deux fils...

— Oh, Liam...

Mon cœur se serra.

— Je crois que... qu'ils essayaient de me dire quelque chose. C'est alors que j'ai compris que mon heure n'était pas encore venue.

Il me vit, figée de stupeur et me sourit doucement, essuyant sa joue humide. Puis, il resserra son étreinte et déposa un baiser dans mes cheveux.

442

— La mort ne me fait pas peur, tu sais, déclara-t-il solennellement après un moment de silence. On ne souffre plus, ni dans notre corps ni dans notre âme. En fait, c'est comme... comme si nous n'étions plus qu'un esprit libre. C'est merveilleux, Caitlin. Je sais maintenant que ceux qui sont partis sont bien et heureux. Ranald, Colin, Simon...

Je frémis.

— Alors pourquoi n'es-tu pas resté là-bas? demandai-je un peu sèchement.

— Hé! *A ghràidh!* fit-il en relevant mon menton vers lui.

Il y eut encore un long silence. Ses yeux brillaient dans la faible lueur des flammes dont les crépitements emplissaient la pièce. Ils étaient empreints d'une telle quiétude que cela me troubla. Quelque chose en lui avait changé. Il avait vraiment traversé le Voile du monde obscur.

— Si tu étais si bien... Pourquoi es-tu resté ici?

Il m'embrassa.

— Je ne suis pas si pressé. J'ai tout mon temps. Et pour te dire la vérité...

Ses dents luisirent dans la pénombre. Je leur trouvai une petite allure carnassière. L'animal avait encore faim.

— Ici n'est pas mal non plus.

Sa main se promena le long de mon bras, continua son chemin sur ma hanche. Je caressai sa tempe argentée, et mes doigts se perdirent dans ses boucles. Liam m'avait été enlevé, puis rendu. « La foi, Caitlin. » J'avais tant espéré. Dieu m'avait entendue. Il avait jugé que Liam avait encore du chemin à faire. Pourquoi? Lui seul le savait. Une pensée en entraînant une autre, je me demandai :

— Tu crois être capable d'entreprendre le voyage pour Inverness?

— En douterais-tu?

— C'est que tu as maigri et perdu des forces... Le chemin est encore long. Et puis il y a cette neige, ce froid, les risques de croiser un détachement de dragons...

— Et quoi encore? J'ai perdu un peu de poids, c'est vrai. Mais j'ai retrouvé ma taille de jeune homme et... ma vigueur aussi.

Il m'enveloppa d'un petit rire rauque et se hissa sur moi.

— Oh! fis-je, surprise.

Il avait effectivement retrouvé toute sa vigueur.

— Mais les cheveux gris? le taquinai-je. Ils sont toujours là, eux, et plus nombreux, je te ferai remarquer.

— Ah, les cheveux gris! Ces traîtres! Hum... Attribuons-les à la sagesse. Et puis, avoue qu'ils donnent du charme.

— Le charme, hein? Chercherais-tu à en abuser? Peut-être devrais-je te les arracher un à un?

Il prit un air horrifié, puis éclata de rire.

— C'est que tu en es bien capable! Mais tu changeras sans doute d'avis en apprenant que, comme Samson, toute ma vigueur réside dans mes cheveux!

— Ouais... les choses se compliquent un peu. Tu es très futé, *mo rùin*.

Il sourit.

Son visage respirait la sérénité et le bonheur. Ses yeux me regardaient avec une telle tendresse. Sans parler de son désir qui se pressait contre ma cuisse. Il était là, bien vivant dans mes bras, m'enveloppant d'une douce chaleur. Je me pressai plus fortement contre lui.

— On garde les cheveux blancs, alors?

— Oui...

Huitième partie

« *Le destin est ce qui nous arrive au moment où on ne s'y attend pas.* »

Tahar Ben Jelloun

27

Une chevauchée éprouvante

Le temps était particulièrement doux et les gazouillis des oiseaux en quête des quelques baies restées accrochées aux sorbiers emplissaient les bois. Les chevaux étaient sellés et les sacoches bouclées. Liam avait nettoyé ses pistolets ainsi que ceux de Colin, qu'il avait enfouis dans les fontes de mon harnais. Nous partions pour un territoire hostile.

J'attendais impatiemment le retour de Beatrix. Il n'était pas question de partir sans la remercier de vive voix ni l'entourer de mes bras reconnaissants. Je fixais le sentier qui serpentait sur le flanc de la colline, guettant sa frêle et petite silhouette perchée sur Amandine. Elle avait ainsi appelé son âne, probablement à cause de la stupidité dont faisait preuve la femme de son amoureux perdu. Elle allait me manquer; nous avions toutes deux noué des liens étroits.

Des geais se mirent à cajoler bruyamment. Puis la silhouette d'un cavalier apparut au détour du sentier. Je mis ma main en visière pour me protéger les yeux, la blancheur du paysage étant éblouissante. C'était une femme, mais ce n'était pas Beatrix. Cette femme montait un cheval, et une auréole rousse rayonnait autour de son visage. Une connaissance peut-être. Un deuxième cavalier apparut quelques secondes plus tard. Cette fois-ci, je reconnus Beatrix.

Je pivotai pour aller rejoindre Liam. Il attachait la dernière couverture, dans laquelle était glissée l'épée de Colin.

— Elle arrive!

Liam leva les yeux vers le sentier. Il lâcha aussitôt la sangle qu'il tenait et son visage s'éclaira d'un sourire éclatant.

— Regarde, *a ghràidh*!

Mon regard suivit le sien. Cinq Highlanders venaient derrière les deux cavalières. Je m'étais détournée dès que j'avais reconnu Beatrix, et je n'avais pas vu le reste de la troupe apparaître. Puis je le reconnus. De longues mèches noires et lustrées comme le plumage d'un corbeau, le plaid de Glencoe... Mon cœur s'arrêta de battre, puis repartit au galop. Mon fils...

— Duncan? murmurai-je avec émotion.

Cela faisait près de quatre mois que je ne l'avais pas vu. Un sanglot m'étrangla.

— C'est mon fils! C'est Duncan!

La troupe de cavaliers franchissait les derniers mètres qui la séparaient du plateau où était située la chaumière. Je m'étais mise à courir. Sautant du cheval, Duncan m'étreignit avec fougue. Je mouillai son épaule de larmes de joie.

— Mère... chuchota-t-il dans mes cheveux qu'il caressait doucement. Mère, je...

L'émotion l'étranglait tout autant que moi. Il ne termina pas, mais me serra davantage contre son cœur. Nous restâmes ainsi pendant un long moment. Puis nous nous écartâmes légèrement.

— Oh! fis-je en voyant la balafre qui le défigurait.

Ses mâchoires se crispèrent sous mes doigts qui l'examinaient.

— Ce n'est rien, mère. Rien qu'une égratignure.

— Une égratignure? Mais ils ont failli t'arracher la moitié du visage!

— Cela aurait pu être pire...

Voyant son regard triste, je me tus. Il était vivant, n'était-ce pas assez? Je me dégageai un peu plus pour le contempler dans son entier.

— C'est vrai, tu me sembles en pleine forme. Quelqu'un se serait-il chargé de te remplir l'estomac?

Un mouvement discret derrière lui attira mon attention. Duncan le perçut aussi et se retourna aussitôt. Une créature à la crinière flamboyante que j'avais aperçue la première me souriait timidement. Bizarrement, son allure me rappelait quelqu'un. Ses magnifiques yeux bleus allaient de moi à Duncan.

— Mère, je te présente Marion.

J'ouvris la bouche de surprise. Marion? La fille de Glenlyon dont mon fils s'était entiché.

— Bonjour, bredouilla-t-elle, visiblement mal à l'aise devant mon air ahuri.

Je refermai la bouche et esquissai un petit sourire qui se voulait rassurant.

— Bonjour.

Un silence embarrassé suivit. Duncan sentit le malaise et crut bon de mettre les choses au clair dès le début.

— Elle est ma femme, mère.

— Ta... femme? balbutiai-je, estomaquée.

Il avait été plutôt expéditif. Qu'avait-il fait d'Elspeth? Que lui avait-il dit? J'évitai cependant de le lui demander devant Marion. Meghan! Voilà à qui elle me faisait penser! Grande, mince, féline. Mais son regard à elle n'avait rien de la froideur émeraude de celui de Meghan Henderson. Et ses traits étaient... moins délicats, plus singuliers, quoique très agréables. Surtout lorsqu'elle souriait.

Sa bouche lippue s'étira en un sourire avenant. Elle serra chaleureusement ma main et se colla à Duncan. Mon fils marié... avec la fille du laird de Glenlyon! Liam était-il au courant? Justement, sa grande main se refermait sur mon épaule. Puis le père et le fils s'étreignirent avec émotion à leur tour.

Les retrouvailles se firent dans la joie et les rires. Donald raconta ses péripéties après l'attaque et son retour en catastrophe à Perth.

— Comment avez-vous réussi à retrouver notre trace?

— Donald se souvenait approximativement de l'endroit de l'attaque, expliqua mon fils. Nous sommes partis de là. Nous avons fouillé la région et posé des questions aux habitants. Après plusieurs jours, nous n'avions toujours aucune piste et pensions que vous étiez sur la route d'Inverness. Nous nous apprêtions à nous y rendre quand un homme nous a affirmé avoir aperçu des chasseurs chargés de gros gibier... qui se dirigeaient par ici. Puis nous avons croisé cette charmante personne, dit-il en désignant Beatrix que les autres hommes ne cessaient de reluquer.

— Oui, je vous présente Beatrix Becket. Elle s'est occupée de nous et a soigné ton père, expliquai-je en m'approchant d'elle. Nous lui en serons éternellement reconnaissants.

— Père a été blessé?

— J'ai été malade, précisa Liam. Mais ça va maintenant.

S'étirant le cou, Duncan promena un regard circulaire autour de lui, cherchant visiblement quelque chose. Son visage s'assombrit.

— Et Colin?

Personne n'avait encore demandé de ses nouvelles. Mais j'avais vu les hommes lancer des regards discrets autour de nous. Liam hocha lentement la tête. Un son rauque s'échappa de la gorge de Duncan.

— Putain de merde!

Donald, qui s'était certainement douté du malheureux sort de Colin, s'approcha.

— Il a été pris?

— Non. Il est mort dans les minutes qui ont suivi le début de la fusillade.

— Je... je suis désolé, Liam. Où est-il?

— Sur la crête.

Liam lui indiqua le sentier qui y menait. Il refusa de retourner sur la crête; la vue du cairn le remuait trop. Les hommes s'éloignèrent pour aller se recueillir sur la tombe de mon beau-frère. Je profitai du peu de temps qui m'était alloué pour faire mes adieux à Beatrix. Je la remerciai chaleureusement, lui promettant de revenir au printemps prochain avec Liam pour emporter la dépouille de Colin. Le destin avait mis cette petite femme sur mon chemin. Le docteur Mansholt et elle avaient été des balises qui m'avaient empêchée de m'égarer dans les ténèbres. Ils avaient transformé ma vie. Jamais je ne les oublierais.

Liam était resté près de la chaumière et regardait d'un air absent des

449

becs-croisés s'en donner à cœur joie dans les miettes de pain que leur envoyait quotidiennement Beatrix. Son visage tendu me disait que quelque chose le tracassait.

Les hommes et la créature Campbell..., ou plutôt l'épouse de mon fils, revinrent en affichant des mines solennelles. Il était temps de se mettre en route. Nous avions les montagnes de Cairngorm à passer. L'itinéraire à prendre avait été l'objet d'un débat animé : fallait-il franchir ou contourner ces montagnes? Liam avait fini par trancher la question. Nous les contournerions. La neige accumulée dans les cols et les vallées risquait d'entraver l'avancée des chevaux et ne ferait que nous retarder davantage.

Le redoux qui persistait avait fait fondre une partie de la neige laissée par la tempête une semaine plus tôt. Cela avait rendu les routes moins praticables. Les chevaux s'enlisaient parfois jusqu'aux genoux dans la boue et se fatiguaient plus rapidement. Néanmoins, faisant de courtes haltes, nous arrivions à parcourir plusieurs kilomètres et nous approchions d'Inverness.

J'appris à apprécier la compagnie de Marion, que j'avais cessé d'appeler mentalement « la créature Campbell ». Outre qu'elle était ma seule interlocutrice de sexe féminin, elle était une aide précieuse pour trouver de quoi manger.

Nous en étions au terme de notre troisième journée. Les hommes accumulaient ce qu'ils pouvaient pour allumer un feu devant un mur de granit, qui réfléchirait la chaleur et nous protégerait des vents du nord-ouest. Marion et moi, comme d'habitude, coupions des branchages pour les abris de la nuit. J'avais fait un aller et retour jusqu'à l'emplacement où montaient déjà les flammes lorsque retentit le claquement d'un coup de feu. Je levai la tête. Le temps sembla s'arrêter. Je vis Duncan pâlir, puis se mettre à courir vers l'endroit où était restée Marion.

— Marion! hurla-t-il.

Les autres empoignèrent leurs mousquets et poignards et se précipitèrent à sa suite. Je les suivis. Nous nous immobilisâmes tous, horrifiés, devant une traînée rouge vif. Duncan, livide, repartait déjà.

Nous suivîmes le filet de sang, qui contournait une petite butte et nous figeâmes devant le spectacle. Marion, les manches retroussées sur ses bras ensanglantés, nous souriait d'un air gêné.

— Ah! Il était trop lourd, alors je...

— Qu'est-ce que tu fous!... beugla Duncan en fondant sur elle.

Il s'interrompit brusquement en apercevant une chèvre sauvage qui gisait dans la neige écarlate, derrière sa femme. Sa mâchoire resta suspendue et le rouge lui monta aux joues.

— C'est que je l'ai vue entre les arbres et...

— Marion! s'écria Duncan en la serrant contre lui. Je croyais que...

— Mais que croyais-tu? Que je ne savais pas me servir d'un pistolet? riposta Marion, vexée.

Duncan baissa les yeux sur l'arme déchargée, abandonnée dans la neige près de la bête.

— Mais c'est mon pistolet! Que fais-tu avec ça?

— J'ai pensé que je pourrais nous dénicher un lièvre ou autre chose. Un mousquet est lourd à traîner, et... Enfin...

Fronçant les sourcils devant la mine renfrognée de Duncan, elle pinça les lèvres.

— Si la chèvre ne te convient pas, tu n'as qu'à aller chasser autre chose pour le dîner.

— Là n'est pas la question! Que fais-tu avec mon pistolet?

Elle lui décocha un regard assassin et afficha un air exaspéré. Nous étions tous muets de stupéfaction. Ce que nous pensions être, à première vue, une scène tragique virait, à notre grand amusement, à la querelle de ménage. De quoi inspirer Shakespeare!

— Eh bien, je chasse avec ton pistolet! lui lança-t-elle, sarcastique.

— Tu chasses? Mais ça ne va pas?

— Comment ça, « ça ne va pas »? Je chasse depuis que j'ai douze ans, et je t'assure que je me débrouille plutôt bien.

— Oui, mais...

Il fit une pause, un peu dérouté par la tournure des événements.

— Tu aurais pu me prévenir que tu partais avec ça! gronda-t-il. Tu aurais bien pu te tirer une balle dans le pied! L'autre jour, tu n'arrivais même pas à garder l'arme pointée sur le sbire d'Argyle.

— Ce n'était pas la même chose, pauvre nigaud! Je n'avais jamais visé un homme auparavant... et je croyais que ces imbéciles t'avaient tiré dessus. Si c'est comme ça, la prochaine fois je m'abstiendrai de...

La suite resta coincée dans sa gorge. Semblant d'un coup prendre note de notre présence, elle nous dévisagea avec agacement, avant de pousser un horrible juron qui me fit grimacer. Puis, se retournant de nouveau vers Duncan, elle lança à ses pieds le couteau avec lequel elle avait commencé à éviscérer la bête, jura encore et s'enfuit dans les bois.

Personne n'osa souffler mot. Duncan grogna et pesta, battant la neige imbibée de sang. Il ramassa le couteau, le considéra un moment puis, après un long soupir, entreprit de terminer l'étripage de la chèvre.

— Duncan, tu ferais mieux d'aller t'excuser, lui conseillai-je doucement.

Il me lança un regard terrible.

— M'excuser? Mais pourquoi?

— Premièrement, grâce à elle nous aurons quelque chose à nous mettre sous la dent ce soir...

— Je nous aurais trouvé autre chose...

Je ne pus m'empêcher de sourire. Je continuai toutefois sans relever la remarque.

— Deuxièmement, tu n'avais pas à t'en prendre à elle de cette façon parce que tu as...

— Mère, me coupa-t-il en se tournant vers moi. J'ai très bien compris

451

ce que tu veux dire. Marion est ma femme; ce sont mes affaires. Alors, si tu n'y vois pas d'inconvénient, je vais finir de m'occuper de la chèvre. Je verrai ensuite.

J'entendis les hommes ricaner dans mon dos et je vis Duncan les fusiller du regard. Les autres se turent à grand-peine. Je commençais à comprendre pourquoi mon fils était tombé amoureux de cette fille. C'est qu'elle avait du caractère et ne s'en laissait pas imposer. Elle me plaisait bien, finalement.

Repus et fourbus, nous profitions encore un peu de la chaleur du feu avant d'aller nous coucher. Liam mettait la dernière main à la fabrication des abris. Marion, encore amère, s'était retirée dès la fin du repas. Je soupçonnais mon fils de ne pas s'être excusé auprès d'elle. Mais cela ne me regardait plus. Duncan était venu s'asseoir près de moi, comme il avait pris l'habitude de le faire chaque soir pour me raconter ce qu'il avait vécu depuis son départ de la vallée, à la mi-septembre.

Ainsi j'avais écouté, un peu angoissée, le récit de l'attaque du navire qui avait mouillé dans le loch Fyne. Le compte rendu de ses entretiens avec le laird de Glenlyon et le duc d'Argyle m'avait amusée. Mais ce soir, mon cœur s'était serré et j'avais versé des larmes en l'écoutant me raconter la bataille de Sheriffmuir. Il semblait plus facile pour lui que pour Liam de m'en parler. J'appris donc tout ce qu'il s'était passé : les jours de marche, la plaine de l'enfer, le camp d'Ardoch, la mort de Simon.

— Père a été très éprouvé par la mort de Ranald, dit Duncan en fixant les flammes. Il n'est plus le même depuis.

— C'est vrai. Il s'en veut, tu sais. Assister, impuissant, à la mort de son fils...

— Il ne pouvait rien faire, mère. Nous étions trop loin de lui. La cavalerie est arrivée sur nous et fauchait tout sur son passage... J'ai moi-même essayé de le secourir, mais...

— Je sais, Duncan. C'est arrivé et nous n'y pouvons plus rien. Mais Ran sera toujours avec nous.

— Oui, je sais.

Il entortillait nerveusement l'ourlet de son kilt autour de son doigt. Son regard était dirigé vers les abris où Marion dormait et où son père finissait d'attacher quelques branches de pin. Quelque chose le tracassait et il n'arrivait pas à en parler.

— C'est Marion qui te cause du souci?

— Marion? Non... je...

— Tu ne lui as pas parlé, n'est-ce pas?

— Non.

— N'attends pas que la coupe déborde, mon fils.

Il tourna vers moi un visage perplexe.

— Règle tes différends le plus tôt possible. Ne les laisse pas s'accumuler.

— Je sais. Demain.

— Tu l'aimes, n'est-ce pas?

— Hum... Oui, plus que je ne l'aurais cru possible. Elle est...

— Bien trempée?

Il émit un rire ironique et posa ses yeux bleus sur moi.

— Comme l'acier tranchant d'un poignard, lança-t-il.

— C'est une Campbell, fis-je observer comme pour l'excuser.

— Oui, j'ai parfois tendance à l'oublier. Mais, bizarrement, on vient toujours me le rappeler à un moment ou à un autre.

— Tu l'as emmenée à Glencoe?

Une petite hésitation m'indiqua un malaise.

— Oui.

— Cela ne s'est pas bien passé, c'est ça?

Il hocha la tête et se mit à labourer la neige du talon. Il faisait toujours ça, enfant, lorsqu'il était préoccupé. Je contemplai son profil et la ligne anguleuse de sa mâchoire ombrée par un chaume sombre dans lequel s'accrochait la lueur des flammes. Le feu éclairait le côté intact de son visage. Je constatai qu'il ne restait plus rien des rondeurs de l'enfance dans ses traits. Mon fils était un homme maintenant. Il ne m'appartenait plus.

M'avait-il déjà appartenu? Dieu nous donnait des enfants. Nous les aimions, les nourrissions, les regardions grandir sous notre protection. Puis un jour, ils nous quittaient. Mais il nous restait toujours quelque chose d'eux en nous. Je soupirai.

— Tu veux me raconter?

Il haussa les épaules. Certes, il était un homme. Mais je retrouvais en lui, avec une certaine joie, ces petits gestes qui me rappelaient l'enfant qu'il avait été.

— Et Elspeth?

— Elspeth? reprit-il, un peu surpris.

— C'est que tu étais avec elle avant... Tu te souviens? Je crois même que tu hésitais à la demander en mariage avant de partir. Encore heureux que tu ne l'aies pas fait.

— C'est réglé, répondit-il simplement. Elle est avec Allan Macdonald maintenant.

Je haussai les sourcils avec étonnement.

— Ce grand rustre? Non, mais...

Cette fois-ci, je réussis à le dérider un peu.

— Tu vois, elle ne m'aura pas pleuré longtemps. Je suppose que les choses seront un peu plus faciles à vivre de cette façon. Allan a toujours eu un faible pour elle. Il lui tournait autour comme une abeille autour d'une fleur.

Son talon martelait toujours la neige. Je posai une main sur sa cuisse pour l'immobiliser.

— Alors qu'est-ce que tu as, Duncan?

Il se tourna carrément vers moi cette fois-ci et me regarda fixement. Mon cœur se serra. Je ne retrouvais plus le jeune homme insouciant qui avait quitté la vallée quelques mois plus tôt. Derrière ce visage marqué par les cruautés de la vie se trouvait un homme transformé par les épreuves et les terribles visions de la guerre. J'avais l'impression qu'une éternité s'était écoulée depuis ce matin gris où les cornemuses avaient accompagné le départ des hommes.

— C'est père qui m'inquiète, me confia-t-il doucement en jetant un bref coup d'œil vers Liam.

— Pourquoi?

— Il s'est passé quelque chose, mère. Je le sais et je voudrais que tu me dises de quoi il s'agit. Quand il est revenu de Carnoch, il semblait n'être plus qu'un spectre. Ce ne sont peut-être pas mes affaires, mais...

— En effet, répondis-je un peu durement.

Il se tendit. Que croyait-il? Que lui avait raconté son père?

— Il t'en a parlé?

— Non, tu le connais.

J'hésitai tout de même.

— Ton père... se sent responsable de la mort de ton frère, de Simon...

— C'est ridicule!

— De celle d'Anna et de Coll aussi. Et de son père et de sa sœur.

— Mais pourquoi? Cela fait plus de vingt ans!

— Je ne sais pas... Il est comme ça. Peut-être a-t-il besoin de trouver un coupable à qui s'en prendre, et il n'a que lui-même.

Mon fils demeura silencieux un moment, le regard perdu dans le vide. Que lui raconter? La vérité? Je me tus. Puis je me dis qu'il finirait bien par savoir. Les gens parlent toujours. Il était préférable qu'il apprenne la vérité de ma bouche.

— Mais tu as raison... Il y a autre chose qui ronge ton père, Duncan. Il... il a décidé de partager sa peine avec quelqu'un d'autre que moi.

Son visage se plissa d'incompréhension.

— Quoi, avec John?

— Non, pas avec John. Si au moins cela avait été le cas...

— Je ne comprends pas, mère. Tous ses amis étaient à Perth.

— J'étais partie à Dalness avec Frances pour l'aider à s'installer. Ton père avait préféré rester à Carnoch. Lorsque je suis revenue, je... je l'ai trouvé avec... Margaret Macdonald.

Au fur et à mesure que l'évidence faisait son chemin dans son esprit, sa bouche se tordait en une moue horrifiée.

— Je n'ose pas dire ce que je pense... souffla-t-il.

— Ne dis rien, surtout.

— Mais, mère, tu en es certaine? Tu ne pourrais pas t'être méprise?

— Certaine? Je ne pourrais l'être plus, Duncan. Je les ai surpris ensemble... dans notre lit.

J'avais une grosse boule dans la gorge. Je fermai momentanément les yeux et serrai les dents. Ce n'était peut-être pas une si bonne idée de ressasser tous ces mauvais souvenirs. Duncan était complètement retourné; il fixait d'un air indéchiffrable son père qui travaillait toujours avec les frères Macdonnell.

— Mère... Père avec... Je n'arrive pas à y croire. Pourquoi?

— Pourquoi? Je me suis posé la question tant de fois...Tu sais, il y a des événements qui rapprochent les couples et d'autres qui les éloignent. La perte de Ranald m'a causé une telle douleur... J'en ai oublié ton père, et il s'est tourné vers quelqu'un d'autre.

— Mais il a couché avec elle! s'indigna-t-il.

— Ne le juge pas, Duncan.

— Mais, mère...

Impassible, il se tourna de nouveau vers Liam. Que pensait-il de lui? de moi?

— Vous êtes toujours ensemble?

— Je l'aime, lui dis-je en lui touchant le bras. Il a fait une erreur, certes. Je vais devoir vivre avec. Mais je ne veux pas vivre sans lui. Il a été à un cheveu de mourir. J'ai compris, et je lui ai pardonné. Mais on n'oublie pas pour autant, tu sais. Nous faisons tous des erreurs, Duncan. J'en ai fait... Tu en feras, toi aussi, tu verras. Nous sommes tous humains, donc fragiles...

Quelque chose me frôla la nuque et me fit sursauter. Liam se pencha au-dessus de moi et m'effleura la joue de ses doigts.

— Tu viens dormir? chuchota-t-il à mon oreille.

Duncan le fixa quelques secondes d'un œil froid. « Non, Duncan, ne lui en veux pas. C'est mon affaire, pas la tienne. » Il capta mon regard et ébaucha un sourire falot en se relevant.

— Je crois que je ferais mieux d'aller retrouver ma femme... Bonne nuit.

Liam le regarda s'éloigner d'un œil circonspect et s'accroupit derrière moi pour m'enlacer.

— De quoi parliez-vous? me demanda-t-il avec suspicion. Il m'a paru troublé. Ça ne va pas avec Marion?

— Hum... Ton fils n'est plus un enfant, Liam. Je suppose qu'il se sent un peu plus concerné par les choses de la vie, maintenant.

— Ouais, je suppose. Allez, viens.

***

Le soleil se levait et teintait la neige de pastels. La lumière l'effleurait, s'accrochait aux quartz enchâssés dans le granit, sous ses pieds, et rebondissait sur les arbres qui l'entouraient. Un silence tranquille régnait et apaisait son âme.

Duncan n'avait pas beaucoup dormi. L'aveu de sa mère l'avait perturbé plus qu'il ne l'aurait cru. Son père infidèle? Comment cela se pouvait-il? Pour un enfant, il existait trois genres humains : les adultes, les enfants et ses parents. Ces derniers, il se les appropriait, il les idolâtrait, les considérant comme différents des autres adultes. Les baisers dont il

455

était témoin, qu'il surprenait, étaient dénués de toute sexualité pour lui. Il lui était difficile, voire impossible, d'imaginer ses parents faisant l'amour. Mais Duncan n'était plus un enfant. Il était un homme et considérait maintenant son père comme un homme semblable aux autres : fragile et faible devant la chair.

Combien d'hommes avait-il vu rechercher des plaisirs éphémères dans les bras d'une autre femme que la leur? Des hommes de son clan, heureux et amoureux de leur épouse qu'ils avaient laissée derrière, loin de la dure réalité de la guerre. Ces hommes quêtaient-ils ainsi un peu de réconfort? Quel endroit plus merveilleux pour se perdre, oublier ses angoisses, chagrins et ses peurs que les bras d'une femme? Les aléas de la guerre rendaient l'homme faible. À Perth, il avait surpris Calum avec une jeune fille. À plusieurs reprises, il avait entendu gémir et glousser sur la couche de Donald, qui pourtant adorait sa Janet.

Dans les camps, les femmes écartaient facilement les cuisses pour un quignon de pain ou simplement pour oublier le malheur et la détresse qui les entouraient. Lui-même avait été sollicité à quelques reprises. Mais cette chair offerte à rabais ne l'avait pas tenté. Il avait la tête trop pleine de Marion. Qu'en serait-il dans dix ans? dans vingt ans? Lorsque la passion aurait fait place à un amour tranquille ne connaissant que quelques étincelles de folie?

Son père avait cédé. Il s'était perdu à la croisée des chemins. Pourtant, au camp, il ne s'était pas approché de ces femmes qui retroussaient leurs jupes pour émoustiller les soldats. Il était retourné à Carnoch pour retrouver celle qu'il désirait vraiment, mais il avait cherché réconfort auprès d'une autre. Le chagrin de sa mère faisait pleurer son cœur. Mais elle avait raison. Il n'avait pas le droit de juger son père sans avoir porté ses chaussures.

Toutefois, ce qui l'atterrait, le terrifiait, c'était de réaliser qu'il avait ses propres faiblesses, qu'il pourrait un jour lui aussi se tromper de chemin. Comment réagirait Marion s'il lui était infidèle? Il préférait ne pas y penser et souhaitait qu'une telle chose ne se produise jamais.

Un campagnol se faufila entre ses pieds et s'éloigna de son trottinement insouciant. Duncan vit un autre animal s'en approcher sournoisement. Il cessa de respirer, subjugué par la vision du fauve traquant habilement sa proie. Le chasseur glissait silencieusement sur la neige, épousant les reliefs du sol qu'il foulait. Puis il bondit sur le petit rongeur qui, coincé entre ses crocs, cria de frayeur. Le fauve tenait son petit-déjeuner dans sa gueule et regardait Duncan droit dans les yeux. Puis le chat sauvage s'éloigna et disparut.

L'esprit encore ailleurs, Duncan fixait toujours l'endroit où l'animal se trouvait peu avant.

— Il est très beau...

— Aaaah! cria-t-il en bondissant de sa souche moussue. Bon sang, Marion!

Le rire de Marion lui procura un grand soulagement. Elle ne lui faisait plus la tête.

— Tu me laisses mourir de froid! Que fais-tu ici, si tôt?

Elle prit un coin du plaid négligemment posé sur les épaules de Duncan et s'engouffra dessous pour se lover contre son flanc et lui voler un peu de sa chaleur. Elle était effectivement glacée. Il frissonna de froid et de plaisir.

— Je n'arrivais plus à dormir. Je... j'avais besoin de réfléchir...

— Je t'empêche de réfléchir?

Il l'étreignit et l'embrassa sur le dessus de la tête. Elle leva un regard amoureux vers lui.

— Qu'est-ce qui te tracasse, Duncan?

« Je me demandais comment tu réagirais si tu me surprenais avec une autre femme... »

— Rien de vraiment important.

Un geai qui venait de se percher au-dessus d'eux se mit à lui faire des reproches en criaillant. « Tu lui mens! Tu lui mens! » Duncan lança un regard noir au volatile effronté qui, lui adressant de nouveaux cris, s'envola sous d'autres cieux.

— Marion, je... je te dois des excuses.

— *Tuch!* Ça va. Je sais : tu as eu peur et tu as cru...

— Je n'avais pas le droit de te crier après comme je l'ai fait devant les autres.

Elle ne dit rien, se contenta de passer les bras autour de sa taille et de se serrer contre lui en lui caressant le dos.

L'image de Marion avec les bras couverts de sang le secoua alors. Oui, la peur lui avait tordu les boyaux lorsqu'il avait entendu le coup de feu. Oui, il avait imaginé... l'inimaginable. Marion gisant dans son sang. Mais tout ce sang n'était que celui d'une chèvre qui avait nourri la troupe à satiété.

— Marion, je t'aime.

Non, cela ne lui arriverait pas à lui. Jamais il ne pourrait la tromper, lui préférer une autre femme.

***

À la cinquième journée de notre périple, le beau temps nous abandonna lâchement. Les nuages envahirent le ciel, menaçant de nous cracher toute leur hargne et de pleurer sur nous leur chagrin devant la folie des hommes. Nous risquions de nous retrouver trempés jusqu'aux os. Pour Liam, cela représentait un risque potentiel de rechute. Malgré tous les efforts qu'il faisait pour me le cacher, je le savais encore faible. Dans sa respiration, la nuit, traînait encore l'empreinte de sa maladie. L'effort prolongé le faisait souffler plus rapidement.

Atteignant un début de civilisation après le pénible contournement

457

des Cairngorm, nous eûmes droit à une paillasse miteuse dans une bauge. Nous n'étions séparés des chevaux, entassés avec la basse-cour, quelques chèvres et une vache, que par quelques planches de bois rongé par la vermine. Mais au moins étions-nous à l'abri des éléments. Après un petit-déjeuner frugal composé d'un porridge insipide et gluant que j'avalai en évitant de vérifier ce qui croquait sous ma dent, nous entreprîmes la dernière étape de notre voyage. Selon le temps qui sévirait, nous pourrions être aux portes d'Inverness à la tombée de la nuit au plus tard.

J'avais remarqué que l'attitude des hommes du clan qui nous accompagnaient s'était modifiée envers Marion. Depuis la petite scène cocasse de la chèvre, ils cherchaient à lui faire la causette et se montraient plus aimables avec la fille de celui qu'ils avaient toujours considéré comme leur ennemi juré. Cela n'était pas pour déplaire à Duncan, que je surpris à sourire à plusieurs reprises.

Nous venions de traverser le passage étroit de Slochd Mor et mon estomac criait désespérément famine. J'espérais pouvoir le remplir rapidement dans un des petits hameaux qui se nichaient tout en bas des collines. Soudain, comme surgissant de nulle part, un homme apparut à quelques mètres devant nous, sur la route. L'œil hagard, la tignasse et la barbe hirsutes, il s'arrêta net et nous dévisagea avec stupéfaction.

Quelques secondes s'écoulèrent dans un silence sépulcral. Un régiment de corbeaux frôla la cime nue des arbres et disparut de l'autre côté de la colline. L'homme portait la veste rouge des soldats de la couronne. Une manche était en lambeaux et le reste tout aussi passablement amoché. Son pantalon de flanelle blanche, qui avait dû connaître de meilleurs jours, était taché de sang séché et de boue.

— Mais c'est un putain de *Sassannach*! gronda une voix derrière moi.

J'entendis le grincement du métal, celui d'une lame qui sortait lentement de son fourreau, et je tournai la tête. Liam regardait fixement le déserteur; sa mâchoire se contractait convulsivement sous sa peau d'une pâleur cadavérique. J'en eus la chair de poule.

L'homme, ayant bien eu le temps d'évaluer la force des six Highlanders armés jusqu'aux dents qui lui faisaient face, commençait à reculer. Il portait en même temps une main tremblante à son poignard, qui était visiblement la seule arme dont il disposait.

Le cheval de Liam renâcla et s'ébroua nerveusement. Son cavalier soulevait son épée avec une lenteur terrifiante, sans trembler. Mais que faisait-il? Ce soldat ne représentait aucun danger pour nous.

— Liam... murmurai-je, inquiète.

Il ne m'entendait pas, obnubilé par la veste écarlate qui se préparait maintenant à détaler. La nervosité commençait à gagner les autres. Je me sentis prise d'un malaise.

— Liam?

Puis, comme la foudre qui s'abat, son cri sauvage résonna sur les escarpements et fit trembler le sol. Mon sang se figea. Il éperonna sa monture, qui se cambra sous la violence du coup, et partit dans un galop effréné. Je n'eus que le temps de voir la terreur déformer les traits du soldat, qui prenait déjà ses jambes à son cou pour filer droit vers les bois.

— Mais qu'est-ce qu'il fait? m'écriai-je, horrifiée.

Liam avait sauté de sa monture, l'abandonnant sur la route, et courait maintenant derrière le fugitif qui poussait des cris. L'espace se réduisait considérablement entre les deux. La bête sauvage rattrapait sa proie.

Puis un coup d'épée arrêta la course du soldat. Je tressaillis sous le cri de douleur du pauvre homme qui venait de tomber.

— Non, Liam... Arrête!

Je criais et commençais à m'élancer. Mais une poigne d'acier me retint fermement et je pivotai.

— Non, mère... laisse, il est trop tard...

— Oh, mon Dieu! Mais que fait-il? Pourquoi? Duncan, arrête-le!

— Non, mère. L'homme est déjà mort. Laissons-le, il... il en a besoin, je crois.

Liam frappait et hurlait avec une violence sauvage que je ne lui avais jamais connue. Je me détournai de la scène horrifique et enfouis mon visage dans l'épaule de Duncan. Une vague de nausée me submergea et retourna mon estomac pourtant vide. Je sentis le goût amer de la bile dans ma bouche et sur ma langue. Puis un silence funeste retomba brusquement sur nous. Je sentis les bras de Duncan se détendre doucement autour de moi.

— C'est fini, balbutia-t-il après un moment.

Je me retournai lentement. Liam était toujours debout au-dessus du corps du déserteur. Il regardait son œuvre d'un œil halluciné en respirant bruyamment. Je fis quelques pas dans sa direction. Mon geste le tira de sa torpeur. Il tourna son visage souillé d'éclaboussures de sang et déformé par la rage et la haine. La souffrance fut tout ce que je pus lire dans son regard. Il pivota sur lui-même en poussant un dernier cri et en levant haut son épée, qu'il abattit sur une aspérité rocheuse. La lame se brisa dans un crissement à faire grincer les dents.

Lorsque cela fut fait, il recouvrit le corps de neige propre. Puis il se laissa tomber à genoux et marmonna une prière. Quelques minutes s'écoulèrent pendant lesquelles les autres se tinrent muets. Ensuite il nettoya les souillures de sang sur ses mains et son visage avec la neige.

— Que Dieu ait son âme, murmura Duncan en retournant vers son cheval.

Liam se leva enfin et revint vers nous. Passant près de moi, il évita de me regarder. Je le retins par le bras.

— Cet homme n'avait rien fait pour mériter cela!

Me regardant droit dans les yeux, son regard aussi froid que l'ardoise soutint le mien. Ses traits demeuraient imperturbables et pas un muscle ne tressaillit. Je frémis en pensant que c'était certainement ce même regard implacable qu'il avait posé sur l'ennemi avant de l'abattre. Et je tremblai en imaginant ce qu'avait ressenti sa victime en le croisant. Il respira profondément et fut secoué d'un frisson.

— Je sais, dit-il simplement. Autant que Ran ou Colin n'ont rien fait pour mériter ce qui leur est arrivé.

Le ton de sa voix était dur. Il baissa les yeux sur ses mains. Un peu de sang les tachait encore. Était-ce là le sang d'un innocent? Il serra les poings. Puis l'expression de son visage se détendit progressivement. Je relâchai alors son bras et il se dirigea calmement vers sa monture. Je pris une profonde respiration avant de bouger pour le suivre.

28

Inverness

$\mathcal{E}$t la pluie tomba. Au début, ce ne fut qu'un crachin. Au fur et à mesure que nous approchions du bourg royal, cela devint une pluie fine, puis carrément une averse. Ce fut enfin sous des trombes d'eau que nous entrâmes, à la tombée de la nuit, dans Inverness.

Sachant la ville sous le contrôle des forces gouvernementales, nous voulions rester le plus discrets possible. Heureusement, avec le rideau de pluie qui s'abattait sur nous et transformait les rues en marécages, même les chiens préféraient demeurer à l'intérieur. Je devinais que le premier endroit où aller pour essayer de trouver Frances était le Tolbooth. Aussi, je pressai Liam de nous y conduire. Mais il jugea préférable de commencer par nous trouver une chambre et un endroit où nous restaurer. Nous pourrions ainsi mieux réfléchir à ce que nous devions faire ensuite. Par chance, les trois établissements à visiter ne se trouvaient qu'à dix pas l'un de l'autre sur Kirk Street.

Nous aurions cependant dû deviner qu'avec les couleurs de nos tartans, les habitants sourcilleraient sur notre passage.

— Nous allons avoir des problèmes, annonça Calum en repoussant son assiette vide. Il y a des soldats partout; je ne crois pas qu'ils verront d'un bon œil notre présence ici.

Comme pour confirmer ses dires, monsieur Ross, le propriétaire du café où nous étions attablés, nous lança un regard improbateur. Je doutais cependant que servir à dîner à de « sales jacobites » payant rubis sur l'ongle puisse porter préjudice à la réputation de son minable estaminet. Les murs crasseux semblaient n'avoir jamais été peints et les fenêtres étaient tellement poussiéreuses que, même en plein jour, l'intérieur devait rester plongé dans l'obscurité. Quant aux meubles et à la vaisselle, ils étaient plutôt en mauvais état.

— Marion et toi irez vous renseigner au Tolbooth, conclut Liam après mûre réflexion. Calum a raison. Nous devons éviter de trop nous mon-

461

trer. À moins que quelqu'un ne nous trouve des plaids aux couleurs du clan Fraser...

— Pouah! s'écria Robin. Je préfère encore risquer de montrer nos couleurs que de porter celles de ce lascar de Simon Fraser de Lovat. Ce traître a retiré les trois cents hommes de son clan qui s'étaient ralliés sous l'étendard du Prétendant, à Sheriffmuir. Il croit que servir la maison de Hanovre est pour lui une bonne occasion pour remettre la main sur ses terres et son titre de seigneur qui lui ont été confisqués après qu'on eut découvert ses manigances pour prendre la tête de son clan. Si vous voulez mon avis, ils auraient mieux fait de le pendre haut et court.

Liam fronça les sourcils.

— Calme-toi, mon vieux, l'interrompit-il en chuchotant. Ce n'était qu'une plaisanterie et je te suggère aussi de baisser le ton.

En dépit de ce qui nous amenait ici, je trouvai Liam d'humeur plutôt gaie. Cela faisait des lunes que je ne l'avais pas entendu plaisanter.

— Holà! fit Duncan. En parlant du loup... on a la visite de gentils-hommes Fraser.

D'un geste discret, il désigna deux hommes qui venaient d'entrer dans le café. Le premier, à la stature gargantuesque et à l'œil rapace, portait un pantalon de tartan qui moulait ses volumineuses cuisses. Sous ses genoux étaient nouées des jarretières rouges, dans l'une desquelles était glissé un *sgian dhu*. Sous son plaid, négligemment posé sur ses épaules, une veste du même tartan avait de la peine à rester boutonnée. Il portait un béret piqué d'un écusson d'argent.

L'autre, sans doute un garde du corps, portait le plaid à la manière traditionnelle : kilt plissé autour de la taille et le pan restant ramené par-dessus ses épaules pour le protéger de la pluie. Les deux hommes nous tournaient le dos et discutaient avec le tenancier du café. Ce dernier ne cessait de nous jeter des regards à la dérobée. Je sentais Liam se tendre contre ma cuisse. Personne ne soufflait mot. Ils ne restèrent que quelques minutes.

— Lord Lovat en personne! souffla Donald.

— Il ne faut pas traîner ici, dit Liam.

Il lança quelques pièces sur la table pour signaler notre départ. Nous nous apprêtions à sortir lorsque ce cher monsieur Ross, visiblement nerveux, nous interpella :

— Je ne sais pas ce que vous venez faire ici, mais vous devriez quitter la ville.

Les hommes échangèrent un regard.

— Si nos deniers vous rebutent, nous irons ailleurs, monsieur, rétorqua Liam en toisant le gringalet. D'ailleurs, ce que nous faisons ici ne vous regarde en rien.

Sur ce, il se détourna. Mais l'homme le retint par la manche. Liam pivota, son poignard à la main, et l'empoigna par le collet. Je retins mon souffle.

— Vous vous méprenez sur mes intentions, protesta violemment monsieur Ross en roulant des yeux épouvantés à la vue de la lame. Je voulais vous avertir...

— Nous avertir? dit Donald. Fraser est en ville, ça, nous le savions déjà.

— Non, vous n'y êtes pas du tout. Jacques Édouard... le Prétendant, il prépare sa fuite. Elle est imminente. Ils mettent sous les verrous tous les rebelles... Vous ne devriez pas rester ici.

Liam tiqua de la mâchoire, puis le lâcha brusquement.

— Votre nom est bien Ross?

Le tenancier hocha la tête dans l'affirmative.

— La position de votre clan est assez ambiguë par rapport à ce soulèvement. Peut-être devriez-vous m'éclairer un peu...

— Mon épouse est une Mackintosh parente du vieux Borlum, expliqua-t-il. Je dois avouer que...

Il jeta un coup d'œil vers les quelques clients qui restaient. Tous semblaient à des lieues, perdus dans les brumes de l'alcool. Il poursuivit sur le ton de la confidence :

— Mon cœur bat pour les Stuarts.

— Il ment! s'exclama Robin. Le prince vient tout juste d'arriver. Il ne peut pas déjà...

— Il a peut-être raison, s'interposa Duncan. Il y avait des rumeurs à Perth. Certains disaient que l'insurrection allait bientôt se terminer... à notre désavantage.

— Des rumeurs ne seront toujours que des rumeurs, fit observer Robin.

Liam voulut en savoir un peu plus.

— Où avez-vous obtenu ces informations, Ross?

— Il y a de cela trois jours, l'un des hommes du marquis de Huntly, qui était de passage ici, discutait avec le colonel Walter Fraser à l'une de mes tables. Je n'ai pas pu m'empêcher d'écouter leurs propos.

Liam esquissa un sourire sournois.

— Évidemment. Mais que faisait un homme de Huntly par ici? Serait-ce un espion à la solde de l'ennemi?

La surprise se peignit sur le visage de monsieur Ross.

— Vous ne savez pas? Huntly s'est rendu au gouvernement dans des conditions honorables, avec une partie des Gordon. Son épouse, Henrietta, est anglaise, alors... Il s'est placé sous la protection du comte de Sutherland. Alexander d'Auchintoul a pris le commandement des troupes des Gordon qui sont restées fidèles au prince.

— Ainsi, c'était vrai... murmura Duncan. Et le comte de Seaforth, a-t-il vendu ses Mackenzie au gouvernement, lui aussi? Il était de ceux qu'on pointait du doigt dans les rumeurs.

— Seaforth? Non, je ne crois pas.

— Hum... fit Liam en se frottant le menton. Nous ne resterons que le temps qu'il faudra et éviterons dans ce cas les petites soirées mondaines.

Monsieur Ross le dévisagea d'un air songeur.

— Un dernier renseignement, reprit Liam après un moment.

— Si je peux vous être utile.

— Il y a plusieurs auberges ici?

— Eh bien il y en a une juste à côté, puis une autre sur la route menant à Nairn, à la sortie de la ville, et une dernière sur Bridge Street.

— Bridge Street. C'est tout près. Avec ce temps de chien...

— Il y a juste à côté aussi, monsieur, lui rappela le tenancier.

— Avec le Tolbooth juste en face qui grouille de soldats gouvernementaux? Vous voulez rigoler?

— Vous avez peut-être raison... Je n'y avais pas pensé.

— Alors ce sera Bridge Street. Comment s'appelle l'auberge?

— *The Bluidy Rose.* [103]

— *The Bluidy Rose?*

Liam fronça les sourcils. J'entendis des ricanements dans mon dos.

— Et leurs affaires vont bien? s'enquit-il, sceptique.

— Oh oui! Ne vous préoccupez pas du nom de l'auberge. C'est à cause d'une vieille histoire. On dit qu'il y a plus d'une centaine d'années, il y avait une roseraie dans le jardin de l'auberge. L'un des rosiers donnait toujours des fleurs plus belles que les autres. Mais si par malheur la femme du propriétaire osait en couper une, la fleur se mettait à saigner. Évidemment, la femme avait cessé de toucher au rosier. Puis un jour, il n'y eut plus de fleurs. Le propriétaire, trop heureux de pouvoir enfin s'en débarrasser, fit déterrer le rosier. On découvrit alors que l'arbrisseau avait été planté sur la sépulture d'un enfant. Sous la tombe était caché un coffret rempli de livres sterling toutes neuves.

— Des livres sterling?

— C'est que l'enfant, d'après l'histoire, était un bâtard de Charles II, conçu avec une jeune servante d'ici. La jeune femme, renvoyée de son service et mise au ban de la société, a noyé l'enfant et l'a enterré dans le jardin avec l'argent qu'on lui avait remis pour son éducation. Puis elle s'est pendue... Le propriétaire a fait déplacer les restes du petit corps dans le cimetière et a gardé le coffret, puisque, à l'évidence, personne ne viendrait réclamer l'argent. Il a appelé son établissement *The Bluidy Rose* pour célébrer sa fortune. Sa famille étant demeurée prospère, le nom est resté. Par contre, on raconte que le fantôme de la jeune mère rôde toujours autour de l'auberge et appelle l'enfant. Mais je vous assure, c'est la plus confortable des trois auberges. Quant à la demoiselle, elle n'a jamais fait de mal à personne... depuis sa mort.

— Un fantôme, une pendue, des roses qui pissent le sang! s'esclaffa Donald alors qu'on sortait du café. C'est pas sérieux. Qui voudrait passer une nuit là-bas?

— Angus et toi, l'informa Liam.

---

103. La rose ensanglantée.

Donald cessa immédiatement de rire et dévisagea Liam d'un air incrédule.

— Tu te moques de nous? intervint le deuxième intéressé.

— Pas du tout, Angus. Je dois nous protéger, expliqua Liam le plus sérieusement du monde. Donald et toi irez dormir là-bas. Vous ferez des rondes pour guetter une éventuelle apparition de la milice. Ross nous croit là-bas. Je ne lui fais pas confiance. Il peut lui prendre l'envie de signaler notre présence en ville en échange d'une récompense. S'il y a quelque chose, vous rappliquez d'urgence.

— C'est qu'avec cette histoire de fantôme... bougonna Angus. C'est pas que je sois très superstitieux, mais tout de même... J'arriverai jamais à fermer l'œil.

Liam rit franchement et gratifia son ami d'une bonne claque sur l'épaule.

— Tu seras plus efficace lors de ton tour de garde, mon vieux.

— Et peut-être que j'arriverai à dormir un peu, renchérit Donald. Tu ronfles toujours comme une vieille cornemuse qui se dégonfle.

Angus jeta un regard noir à Donald et se mit aussitôt en route sous la pluie diluvienne. Donald le suivit en faisant encore d'autres remarques sur la panoplie de bruits qu'il émettait en dormant. Après avoir contourné la croix du marché érigée au centre de la place, tous deux disparurent à l'angle de Bridge Street et de Kirk Street.

— À toi maintenant, *a ghràidh*... me chuchota Liam.

Il s'était tourné vers moi. La gravité avait remplacé l'amusement sur son visage.

— Soyez prudentes.

Il m'embrassa sur le front et me serra contre lui, avant de s'écarter et de me pousser vers l'entrée du Tolbooth.

Je levai la tête et fixai d'un œil morne la tour noire qui servait de cour de justice et de prison. Deux petites échoppes, une herboristerie et une librairie, occupaient le rez-de-chaussée. Seul un panneau sur lequel était inscrit « Inverness Court-House » et qui était éclairé par deux flambeaux indiquait l'entrée.

— Bon, dis-je en me tournant vers Marion qui me suivait, quand il faut y aller...

La salle d'audience dans laquelle régnait un fouillis indescriptible était déserte. Des chaises renversées, d'autres cassées étaient éparpillées un peu partout autour d'une estrade de bois sur laquelle se trouvait une longue table où devaient présider les magistrats. Une seconde estrade, plus petite, se dressait à sa gauche. Une seule chaise y était juchée et faisait face aux magistrats. Là devait s'asseoir l'accusé. Je réprimai un frisson.

Une seule lampe empestant l'huile de phoque, placée sur un bureau près de nous, éclairait la sinistre salle. Frances avait-elle été jugée ici? Et Trevor?

— Il n'y a personne, me chuchota Marion. Il faudra revenir demain.

Un bruit sourd suivi d'un juron nous fit sursauter. Puis une tête coif-

465

fée d'une tignasse blonde surgit derrière le bureau. Un regard ensommeillé nous considéra quelques instants. L'homme bâilla bruyamment.

— Ze peux vous aider? zézaya-t-il en se remettant d'aplomb.

— Euh... oui, fis-je, un peu décontenancée par l'apparition inattendue de ce jeune soldat. Je cherche quelqu'un, une femme.

— Une femme... répéta-t-il comme pour le noter mentalement.

— Ma fille, précisai-je. Elle devrait se trouver ici.

— Votre fille, ici... Bon, voyons voir... Dans quel coin de la ville faisait-elle ses affaires?

— Ses affaires?

Marion me donna un léger coup de coude dans les côtes et se pencha vers moi.

— Je pense qu'il croit que votre fille est une prostituée...

J'écarquillai les yeux, scandalisée.

— Quoi?

Le jeune homme leva un regard ennuyé vers moi, puis bâilla de nouveau, m'offrant une vue sur ses splendides amygdales.

— Son nom? demanda-t-il en refermant la bouche.

— Frances.

— Hum... Frances, Frances, Frances... Hum... Frances, Frances...

Un moment, je crus qu'il allait composer une chansonnette. Il sortit un registre, le posa sur le bureau et commença à le feuilleter avec un ennui évident. Il l'ouvrit à la page des dernières inscriptions.

— Nom de famille?

— Macdonald.

Cette fois-ci, il dut bien comprendre, car il ne répéta pas et posa plutôt sur nous un regard curieux et inquiétant.

— Ah bon!

D'un doigt à la propreté douteuse, il parcourut la liste des noms inscrits sur la page en en marmonnant quelques-uns au hasard. Son doigt s'immobilisa sur la page précédente.

— Ah voilà! Frances Macdonald de Glencoe... dix-sept ans... seveux auburn... yeux...

— Ça va! Je sais parfaitement de quoi a l'air ma fille. Je veux savoir où elle se trouve, répétai-je un peu énervée.

— Où elle est... Où elle est... Voyons voir. Arrêtée dans le Lochaber et enfermée à Fort William le 23 décembre dernier... Transférée ici le 26, passée en zuzement le 3 zanvier...

Il grimaça; mon cœur se serra.

— Ze suis désolé, madame...

— Que voulez-vous dire par « désolé »?

Mes jambes mollirent; le bras de Marion se glissa sous le mien en guise de soutien. Le jeune soldat, mal à l'aise, frottait son menton imberbe.

— Eh bien, elle a été condamnée au trou sous le pont, madame. Pour une durée de six zours.

— Au trou? Six jours? Mais elle est innocente, bon sang! Pourquoi l'ont-ils mise au trou?

J'étais hors de moi. Mon bébé... ma petite fille, traitée comme une criminelle? Que lui était-il arrivé? Six jours... Elle avait donc dû en sortir le 9. Cela faisait deux semaines qu'elle était libre.

— C'est qu'elle a été accusée de complicité de meurtre... Étant donné son âze et son sexe, et le manque de preuves... Ils ont été cléments pour sa sentence.

— Mais où se trouve-t-elle maintenant? rétorquai-je en criant presque.

Le soldat haussa les épaules en signe d'impuissance.

— Ze ne pourrais vous le dire, madame. Les inscriptions du rezistre n'en disent pas plus.

Il leva un doigt qui me rassura un peu.

— Ah, mais peut-être... Il y a un pasteur qui s'occupe parfois des pauvres gens.

Son front se plissa sous l'effort de la concentration, puis son visage s'éclaira.

— Ah oui! C'est le révérend Sizolm. William Sizolm.

— William Chisholm... bon, merci.

Je m'apprêtais à partir lorsque je réalisai que j'avais oublié de m'enquérir du sort de Trevor.

— J'oubliais, monsieur...

— Muck, dit-il, Rézinald Muck.

— Un homme était avec ma fille. Son mari.

— Son mari? Son nom?

— Trevor Alexander Macdonald.

— Hum... oui, en effet. Ils sont arrivés ensemble. Trevor Macdonald est passé en zuzement le lendemain de celui de votre fille. Les affaires ont été traitées séparément. Il a été accusé du meurtre d'un soldat de Sa Majesté le roi Zeorze. Un serzent. Le verdict... coupable, et la sentence... euh, la pendaison, ze le crains.

— Oh, Seigneur!

Je me retins au bureau et me retrouvai assise sur une chaise, avec un verre d'eau à la main.

— Quand la sentence devait-elle être appliquée?

— Il a été pendu le 20 zanvier, madame. À huit heures précises du matin, avec deux autres détenus.

Deux mains solides m'agrippèrent par les épaules et me secouèrent avec vigueur. J'ouvris les yeux, en proie à une terreur inexpliquée, et haletai bruyamment. Il faisait sombre et humide. Le trou... J'étais dans le trou avec Frances...

— Nooon, Frances...

— Ça va, Caitlin, me dit une voix grave.

Ce n'était pas Frances. Un soldat? Où était ma fille? Et comment ce bâtard connaissait-il mon nom?

467

— Où est Frances? Qu'avez-vous fait de ma fille, sale?...

L'une des grandes mains lâcha mon épaule pour attraper mon poing.

— Tout doux, *a ghràidh*, tu fais un cauchemar.

J'eus un petit hoquet. Mes yeux s'accoutumaient à l'obscurité et je distinguais maintenant les contours du visage de Liam. Mes muscles se détendirent progressivement.

— Je l'entendais m'appeler... Mais je ne la voyais pas. Elle... elle semblait si loin, si désespérée, Liam.

— Nous la retrouverons, murmura-t-il sur un ton qui se voulait apaisant. Demain, nous la retrouverons.

— Elle est peut-être morte! m'écriai-je en sanglotant. Mon Dieu! Je ne supporterai pas de perdre un autre enfant.

— Elle n'est pas morte, rétorqua Liam un peu durement. Si elle t'a appelée, c'est qu'elle vit encore.

— Ils l'ont mise au trou, les ordures! Comment a-t-elle pu survivre à ça?

— Elle est forte et sa tête est aussi dure que la tienne. Elle ne s'est certainement pas laissée abattre comme ça.

Il me faisait mal et je me tortillai pour me dégager de sa prise. Il me lâcha sur-le-champ et se laissa tomber sur le matelas, à côté de moi, dans un craquement inquiétant.

Le feu s'était éteint dans le brasero; il n'en restait que quelques tisons. Si mon cœur était en mille morceaux à cause de l'exécution de Trevor, je me demandais dans quel état se trouvait celui de ma fille. Avait-elle su pour sa sentence avant d'aller au trou?

Le « trou » d'Inverness. Il s'agissait d'une petite cellule située sous le tablier du pont qui enjambait la Ness. Une certaine Mary Macbean, qui était de passage dans notre vallée, m'en avait parlé quelques années plus tôt. La pauvre femme l'avait visité pour avoir volé du laitage et un sac de grains d'orge à sa voisine. L'espace était si étroit, avait-elle expliqué, qu'on ne pouvait pas y circuler. Au mieux, on arrivait à s'accroupir pour dormir. Et avec le martèlement incessant des sabots et des pas, la tête semblait vouloir éclater. Si Frances avait su pour son mari avant d'y être enfermée, cela aurait pu devenir son tombeau.

Liam m'attira contre lui, et je posai ma joue sur sa poitrine. J'entendais son cœur battre à un rythme régulier; sa respiration était profonde et contrôlée. Mais je sentais qu'il était tout aussi anxieux que moi. Sa main qui se voulait rassurante me caressait les cheveux.

— Demain, nous trouverons ce révérend... Chisholm, c'est bien ça?

— Hum...

— Une âme charitable doit bien l'héberger quelque part... à moins qu'elle ne soit déjà repartie pour Glencoe.

Il referma ses bras sur moi, m'enveloppant de sa chaleur.

— Et toi? demandai-je doucement. Comment te sens-tu?

Il ne répondit pas tout de suite. Ses doigts se mirent à tracer des dessins dans mon dos, me procurant de petits frissons.

468

— C'est horrible à dire, mais... je me sens beaucoup mieux depuis... enfin, ma rencontre avec le déserteur.

Il poussa un profond soupir et se tut. Le rythme de son cœur me calmait. J'étais sur le point de retomber dans les bras de Morphée lorsque je le sentis se tendre sous ma joue. Je levai la tête, un peu groggy. Il me repoussa doucement.

— Il y a quelqu'un, chuchota-t-il en sortant du lit.

— Quoi? Où? bafouillai-je en me redressant dans le lit.

Je distinguais sa silhouette qui traversait la chambre. Au bout de son bras luisait son poignard dans l'aube naissante. Quelqu'un gratta à la porte.

— Hé, Liam! murmura une voix à travers la cloison.

— Nom de Dieu!

Il ouvrit la porte pour laisser entrer dans la pièce un MacEanruigs un peu gêné.

— C'est pas un peu tôt pour réveiller les gens? grogna Liam en rangeant son poignard dans son étui. Si c'est pour te plaindre d'Angus, je te jure que...

— Non, c'est pas pour ça. J'obéis à tes ordres. Tu nous as demandé de rappliquer si quelqu'un se présentait... On a eu de la visite.

Liam fronça les sourcils.

— Les Fraser? Je me doutais bien que ce foutu Ross ouvrirait la bouche.

— Oh non! C'était pas la milice, c'était le fils du boulanger, Ian Mor Mackintosh, rectifia Donald en faisant signe d'entrer au jeune garçon qui attendait dans le corridor, sous la bonne garde d'Angus.

Un adolescent d'environ treize ou quatorze ans pénétra dans la chambre. Un peu effrayé, il me lança un regard et se détourna aussitôt, gêné. Liam, adossé au mur, le considéra quelques secondes. Il se gratta le menton en plissant les yeux.

— Tu me cherchais, jeune homme? demanda-t-il visiblement curieux de savoir ce que ce garçon lui voulait. Qu'y a-t-il de si important qui ne peut attendre au petit matin?

Nous n'étions dans la ville que depuis quelques heures. Comment ce garçon pouvait-il le savoir? Le jeune Ian Mor roula des yeux terrifiés devant la massive stature de Liam, qui venait de reprendre son poignard.

— C'est... c'est que... je... enfin, c'est que j'ai entendu...

Ses yeux étaient rivés sur l'arme avec laquelle jouait Liam.

— Si tu commençais par me dire qui t'envoie, petit?

— R-R-Ross... M-m-monsieur Ross, le tenancier du café, monsieur...

— Je sais qui c'est, l'interrompit Liam, un peu agacé.

Il reposa le poignard sur la table derrière lui et se pencha pour regarder le jeune homme droit dans les yeux.

— Et quel message Ross a-t-il à me transmettre en pleine nuit?

— Eh bien, c'est pas lui qui a un message à transmettre, c'est... moi.

— Toi?

Se redressant d'un coup, Liam fixa le garçon avec un intérêt nouveau.

— Je livrais mon pain, se mit à expliquer le garçon en retrouvant un peu de son aplomb, et j'ai surpris une conversation.

— Où?

— Dans Castle Wynd. Des hommes sortaient d'une maison clo... euh, de chez madame Rose. Moi, je sortais de la boulangerie de mon père. J'étais resté dans l'ombre du portique et j'attendais, de peur qu'ils ne me volent la marchandise que je devais livrer. Ils discutaient à voix basse, mais j'ai tout de même réussi à comprendre qu'ils parlaient d'un groupe de mercenaires. Je crois même que l'un des deux en faisait partie. Ces mercenaires venaient d'arriver du Caitness et devaient descendre vers le sud pour y accomplir une terrible mission.

— Hum... qui est? l'encouragea Liam avec une curiosité grandissante.

— Trouver et assassiner le Prétendant, laissa tomber Ian Mor.

Donald émit un sifflement et Angus grommela quelques propos incompréhensibles. Liam resta muet un moment.

— Pourquoi Ross t'a-t-il envoyé à moi?

— Mon père a été fait prisonnier en Angleterre lors de la capitulation des jacobites à Preston, monsieur. Il servait sous les ordres du vieux Borlum. Je devais livrer mon pain à monsieur Ross, et je lui en ai parlé. Je sais que je peux lui faire confiance. Monsieur Ross est mon oncle. Il m'a dit de venir vous voir et de vous raconter ce que j'ai entendu. Il a pensé qu'étant du clan Macdonald... eh bien, vous seriez intéressé et voudriez avertir Sa Majesté du grave danger qu'elle court.

Liam se tourna vers moi, puis regarda de nouveau le jeune Ian Mor.

— Tu les as bien vus, ces hommes? Tu les connais?

— Non, mais je sais qu'il y en a un qui se faisait appeler Mackay. Il faisait sombre, vous savez. Mais je suis certain qu'il portait un bandeau sur son œil droit. Et à la façon dont il parlait, il devait certainement être l'un de ces mercenaires.

— Mackay, gronda Angus. Ce nom est aussi courant dans ce coin de pays que Macdonald dans l'ouest.

— Bon, fit Liam à voix basse, tu peux partir. Nous nous occuperons de faire parvenir le message au prince.

Le garçon sourit, probablement aussi heureux d'être libéré de notre compagnie que satisfait d'avoir transmis une information qui pourrait sauver la vie du dernier des Stuarts. Comme un petit furet, il se faufila hâtivement entre Angus et Donald, et disparut dans l'opacité du couloir.

L'information corroborait l'histoire de Duncan et celle de Mathew concernant un régicide probable sur la personne de Jacques Édouard Stuart. Mais, forcément, quelqu'un d'autre que le fils du duc d'Argyle était à la tête du sinistre complot.

— Qu'as-tu l'intention de faire? demandai-je à Liam du bout des lèvres, devinant déjà sa réponse.

— Ce que je vais faire? Qu'en penses-tu? On ne peut pas repartir pour Glencoe en sachant cela. Il faut tenter quelque chose, nom de Dieu! Nous n'avons pas le choix.

— Quand tout cela va-t-il finir?

— Nous allons retrouver Frances puis nous nous rendrons au manoir de ton frère près de Stonehaven. Il faut avertir Patrick. Il enverra d'urgence un messager à Perth.

Curieusement, je n'avais plus du tout sommeil.

La pluie avait cessé de tambouriner sur les toitures abruptes des maisons du petit bourg. Quelque trois mille âmes se dispersaient dans cinq cents habitations agglutinées autour des quatre principales rues et de la multitude de venelles qui les entrecoupaient et les reliaient.

Ce fut donc sous un pâle soleil que nous nous mîmes en route et que nous fîmes le tour de la croix du marché. Il y avait foule ce matin-là. Deux navires s'étaient vidés de leur précieuse marchandise et on en négociait la vente sur les pierres plombées du *clach-na-cuddain*, forum qui formait un losange à demi enfoui dans le sol boueux. Le tout se déroulait sous l'œil intéressé des lavandières qui se reposaient en écoutant les derniers ragots circulant dans la place. À leurs pieds était posé un lourd panier rempli de vêtements et de légumes qu'elles venaient de laver dans les eaux boueuses de la Ness, un peu plus bas. À leurs jupes étaient accrochés quelques marmots pleurnichards.

C'était l'animation quotidienne de la ville, principale porte d'entrée du monde extérieur dans l'est des Highlands. Ici, les chefs des clans de la région venaient vendre leurs bœufs, leur laine et leur alcool. Ici, ils venaient se procurer ce que le pays n'offrait pas : les épices, la soie, la dentelle, des armes et des munitions, le vin français qu'ils affectionnaient tant et les livres d'Europe. Inverness, malgré sa petitesse, jouait un rôle dans l'économie des Highlands.

Les rues étaient étroites et sombres. Les rangs de maisons se dressaient telles des murailles de pierres, les ombrant davantage. Les étages supérieurs des maisons se prolongeaient et se suspendaient au-dessus de nos têtes. Elles se rapprochaient en effet tellement qu'on pouvait se passer un pot de chambre d'une fenêtre à l'autre avec le voisin d'en face. Nous dûmes nous résigner à marcher à côté de nos montures pour éviter de nous y cogner le crâne. Je remarquai que les habitants n'hésitaient pas à afficher leur philosophie de vie et leurs principes moraux en peignant des maximes, des phrases de la Bible ou d'autres textes sur les façades de pierres rouges ou sur les murs chaulés : « Il n'y a que la foi qui sauve! », « Un homme n'est que ce qu'il sait! », « Celui qui rend violence pour violence ne viole que la loi et non l'homme! ». Je reconnaissais bien là l'âme et la nature des Écossais. Pragmatiques, un peu obtuses, mais très pratiques.

Les gens vaquaient à leurs occupations, nous ignorant complètement et nous bousculant même au passage. Un cri se répercuta dans l'enfilade

471

des bâtiments et fut suivi d'un mouvement de foule à l'autre bout de Bridge Street.

— Faites place! Allez, dégagez! Laissez passer le shérif! beuglait un homme debout dans une charrette tirée par deux bœufs.

Liam me poussa brusquement contre le mur. Je me retrouvai coincée entre un baril rempli d'eau de pluie et ma monture. La charrette passa à quelques centimètres sans s'occuper des passants.

— D'autres pour la corde! hurla quelqu'un en levant le poing.

Je suivis le regard haineux de l'homme au visage rubicond qui déblatérait et rencontrai les yeux vides d'expression de trois hommes enchaînés à l'arrière de la charrette. Des Highlanders jacobites portant la cocarde blanche des Stuarts à leur béret. Deux soldats se tenaient difficilement debout à côté d'eux et pointaient sur eux la baïonnette de leur mousquet. Je vis un quatrième homme couché dans le fond de la charrette. Un frisson me parcourut. Celui-là portait la veste écarlate. Il semblait me regarder fixement, la mâchoire pendante, ballottant au gré des soubresauts du véhicule qui cahotait dans les ornières. Ses longs cheveux cendrés flottaient, poisseux de sang. Il était mort. Je détournai le regard.

— Allez, viens, me dit Liam en me tirant derrière lui. Ne restons pas ici.

Le révérend Chisholm exerçait son ministère dans les murs de la St. John's Chapel, sur Kirk Street, et habitait l'un des étages de la maison qu'on appelait *Innes's Land* dont les tours en encorbellement nous surplombaient. Comme on était lundi matin, il devait probablement se trouver chez lui. Je frappai à sa porte tout en haut d'un périlleux petit escalier en spirale. Quelques minutes s'écoulèrent. J'étais perdue dans la contemplation du mouvement des passants, dans la rue au-dessous, lorsque la porte percée d'une minuscule fenêtre rectangulaire et grillagée s'ouvrit. Un homme immense, au large visage avenant mangé par une barbe et au crâne lisse couronné d'une frange argentée qui lui balayait les épaules, me dévisagea en clignant des yeux dans la lumière laiteuse.

— Euh... Je cherche le révérend Chisholm, déclarai-je, hésitante devant ce géant.

Je souris d'un air plutôt benêt en apercevant la tenue sombre et austère ainsi que le col blanc empesé de l'homme. Je m'attendais à trouver un pasteur à l'allure revêche et froide, de petite taille et ventripotent. Mais celui-ci ferait tout aussi bien l'affaire. Il me sourit.

— Je suis le pasteur Chisholm. Que puis-je pour vous, ma chère dame?

— Je cherche ma fille, Frances, expliquai-je. Elle aurait séjourné dans le trou du pont il y a de cela deux semaines. Je me demandais si vous... C'est qu'on m'a dit que vous vous occupiez parfois de...

— Mmmph... De la veuve et de l'orphelin?

Ses deux grosses mains velues se joignirent sur son ventre, et son front se plissa.

472

— Frances Macdonald, spécifiai-je devant son air songeur. Elle est un peu plus grande que moi, avec des cheveux de couleur auburn et des yeux bleus.

— Macdonald? Ah, je crois que ce nom me dit quelque chose.

Son regard se perdit dans le vague, derrière moi. Puis il s'éclaira tout d'un coup avant de se rembrunir aussitôt. Il me regarda de ses yeux gris attristés; mon estomac se noua.

— Oui, oui, oui... la pauvre enfant, elle était dans un tel état.

— Où est-elle? Savez-vous où elle a pu aller?

— Je l'ai confiée à la vieille Janet Simpson. Mais je ne pourrais vous dire si elle s'y trouve encore.

— Où vit cette Janet Simpson? demandai-je, le cœur plein d'espoir.

L'homme de Dieu à la stature impressionnante pointa l'index vers le sud-ouest.

— À trois kilomètres d'ici environ, de l'autre côté de la Ness, dans les collines. Vous trouverez un hameau de petits cottages le long de la route. Demandez aux gens; ils vous indiqueront dans lequel elle habite.

— Je vous remercie, bafouillai-je, émue.

Il inclina le chef sans se départir de son sourire compatissant.

— Mon enfant, je ne fais qu'appliquer les préceptes des Saintes Écritures. Charité, amour du prochain et pardon. Les pauvres brebis ont parfois besoin d'un berger.

Le hameau de cottages me sembla plutôt être un agglomérat de taudis. Les masures sans fenêtres, aux murs de pierre et de tourbe, étaient à moitié enfouies dans le flanc de Dunain Hill. On aurait dit des champignons surgissant çà et là entre les saillies rocheuses, dans la brume. Nous cherchions, parmi les visages amaigris et noircis par la fumée de tourbe qui nous dévisageaient, celui de Frances. En vain. Je ne croisai que les regards curieux des enfants morveux et ceux, éteints, des adultes. Inverness était entourée de plusieurs petits hameaux de ce genre, peuplés d'hommes et de femmes n'appartenant à aucun clan. Des épaves humaines ayant quitté leur vallée ancestrale en croyant trouver mieux en ville.

Emmitouflée dans un vieux plaid usé aux couleurs passées, une femme sans âge me fixait de ses petits yeux mobiles. Je m'approchai d'elle. Elle se mit à grogner et courut se réfugier dans l'embrasure de la porte de sa bauge, d'où sortit en criant un porc poursuivi par une fillette aux pieds habillés de boue.

— Janet Simpson? demandai-je simplement en gardant mes distances.

La femme hocha la tête et ajouta quelque chose pour la fillette, qui nous dévisageait d'un œil circonspect. Duncan fouilla dans l'une de ses sacoches et en sortit un quignon de pain qu'il tendit bien haut devant lui.

— Janet Simpson, où habite-t-elle? demanda-t-il à son tour.

La femme lorgnait l'offrande avec avidité.

— *Mairead, faigh an t-aran!*[104] s'écria-t-elle.

La fillette ne se le fit pas dire deux fois.

— *Càit'a bheil an thaigh aice?*[105] insista Duncan comme les petites mains affamées se refermaient sur le vide.

La femme nous lança un regard noir, puis pointa un doigt vers le haut de la colline où une masure se dressait un peu à l'écart.

— *Thall an-sin.*[106]

— *Tapadh leat*[107], fit Duncan avec un magnifique sourire.

La fillette lui arracha le quignon de la main et s'engouffra avec son précieux butin à l'intérieur, suivie de près par la femme.

Devant le cottage délabré était assise une vieille dame. Elle semblait somnoler sur son banc. Pas de Frances. Liam me lança un regard inquiet avant de descendre de sa monture pour s'approcher.

— Bon sang, marmonna Duncan à Marion qui semblait sidérée par l'insalubrité et la pauvreté des lieux, je me demande bien dans quel état nous allons la retrouver.

Sa voix fit réagir la femme. Elle ouvrit un œil opaque, puis un deuxième d'un beau vert bronze. Elle arqua un sourcil et se redressa en nous toisant d'un air suspect. Liam s'immobilisa à quelques pas d'elle.

— Êtes-vous Janet Simpson?

— Qui êtes-vous?

— Nous cherchons Frances Macdonald.

Le regard borgne de la femme, inexpressif, se posa tour à tour sur chacun de nous.

— C'est le révérend Chisholm qui nous envoie ici...

— Ah! Le bon pasteur! s'écria-t-elle alors en découvrant une bouche édentée.

Elle nous fit signe de la suivre et, nous tournant son dos gibbeux, elle claudiqua jusque dans le cottage. Je suivis Liam à l'intérieur. Une forte odeur de fumée et d'urine me prit à la gorge. Mes yeux mirent quelques secondes à s'adapter à la pénombre. Je fis le tour de la pièce du regard.

Il y avait là un fourbi indescriptible. Une pile de vêtements crasseux se dressait sur un banc. Deux vieilles épées rouillées pendaient au mur. Une multitude de petits boutons dorés et argentés étaient soigneusement alignés sur une étagère, à côté de broches et d'écussons aux emblèmes de divers clans highlanders. Une veste rouge déchirée et grossièrement raccommodée pendait au-dessus d'un vieux coffre recouvert de cuir. La serrure avait été forcée.

---

104. Margaret, va chercher le pain!
105. Où est sa maison?
106. Là-bas.
107. Merci.

D'un coup de pied, la vieille femme délogea une grosse poule qui avait élu domicile sur une pile de blocs de tourbe.

— Vous êtes son père? demanda-t-elle en se dirigeant vers le fond de la pièce.

Un petit lit couvert d'un monticule de vieux tartans se trouvait là. Liam, les yeux plissés, scrutait la pénombre.

— Oui.

— La pauvre fille ne parle plus depuis qu'elle a assisté à la pendaison de son mari, expliqua-t-elle.

— Seigneur! murmurai-je en fermant les yeux.

— J'ai tenté de la dissuader d'y aller, continua-t-elle. Mais je n'y suis pas arrivée. Elle est obstinée comme une mule.

Haussant les épaules, elle tourna vers nous un regard contrit. Doucement, elle remua le tas de tartans. Les étoffes s'écroulèrent au sol, découvrant une chevelure auburn, emmêlée et terne.

— Frances! m'écriai-je.

Je me précipitai vers ma fille. Elle remua lentement et roula sur le dos, les yeux entrouverts sur un regard vide. J'écartai les mèches qui lui cachaient le visage tout en lui chuchotant des mots doux. Elle était blême et ses yeux cernés me fixaient sans sembler me voir. « Frances, mais que t'ont-ils fait? » Liam se pencha par-dessus mon épaule et tendit la main pour lui caresser la joue.

— *Frannsaidh, mo nighean.*[108]

Nos voix durent se frayer un chemin dans son esprit engourdi. Elle plissa les yeux et tenta de se redresser.

— *Mamaidh?*[109]

Le cœur en émoi, la gorge serrée, je fus incapable de lui répondre. Je pris sa main dans les miennes et la serrai doucement.

— Nous sommes venus te chercher, dit Liam dans un trémolo.

— Mais c'est trop tard... C'est trop tard, papa.

Sa voix éraillée s'étrangla, et elle éclata en sanglots.

— Je sais, fis-je, la mort dans l'âme, je sais, ma fille.

— Ils... ils l'ont pendu, maman. Ils ont pendu mon Trevor...

Je savais que les mots étaient inutiles. Seul le temps arriverait à mettre un baume sur sa plaie encore vive. Liam l'enroula dans sa cape, puis la souleva dans ses bras pour la sortir. Janet tira sur ma manche. Elle m'offrait un plaid aux couleurs des Macdonald, mais confectionné d'après le *sett*[110] de Dalness.

— C'était celui de son mari, précisa-t-elle. Je l'ai récupéré sur lui après

---

108. Frances, ma fille.

109. Maman?

110. Séquence des rayures de couleur qui forment un tartan. Chaque clan possède ses propres *setts*.

qu'ils l'ont envoyé dans la fosse commune. J'y ai glissé son béret et son écusson aussi.

— Merci... pour tout.

Je fouillai dans ma poche, en sortis ce qu'il me restait de pièces sonnantes et les lui tendis. Elle fixa l'argent en hésitant, puis se décida à les prendre, affichant un large sourire qui lui donna une allure de gargouille.

— Je suppose que Dieu ne verra pas d'un mauvais œil que j'accepte une petite récompense, bredouilla-t-elle en faisant disparaître les pièces dans les replis de sa jupe de grosse laine.

— Vous y étiez? Lors de la pendaison, je veux dire.

Elle acquiesça lentement de la tête.

— Ils en pendent toutes les semaines depuis quelque temps. Des déserteurs, des Highlanders... Ils deviennent fous!

— Comment était-elle?

Je jetai un œil dehors. Liam venait de grimper sur son cheval, derrière Frances.

— Elle n'a pas pleuré, pas une seule larme, raconta la femme en fronçant ses gros sourcils broussailleux sur un regard triste. De retour ici, pendant trois jours, elle a pleuré. Pendant trois autres jours, elle a dormi. Elle refusait de manger et de parler. Hier elle a avalé un peu de bouillon; ce matin aussi. Elle est jeune et jolie; elle se trouvera bien assez tôt un autre mari.

Ma bouche se tordit en une moue sceptique, mais je me mordis la langue pour ne rien dire. Je la remerciai de nouveau. Je me préparais à sortir de ce capharnaüm infect lorsqu'une question me vint à l'esprit :

— Pourquoi vous êtes-vous occupée d'elle?

Elle resta songeuse quelques secondes.

— Une promesse que j'ai faite à Dieu après qu'une femme m'eut recueillie de la même façon, à la fin d'un séjour en prison. J'avais volé la bourse bien garnie d'un seigneur qui s'était servi de moi sans me payer en retour. Mais à la différence de votre fille, personne n'est jamais venu me chercher. Ma famille m'a répudiée et le clan m'a bannie. C'était il y a bien longtemps... Je devais avoir à peu près l'âge de votre fille. Elle a de la chance malgré tout, vous savez.

Je la considérai pendant un moment, remarquant sa fine ossature sous la peau flétrie et usée par les épreuves. Elle avait sans doute été jolie. La vie ne lui avait pas fait de cadeaux. Je lui pris la main et la serrai chaleureusement en lui souriant.

— Oui, vous avez probablement raison... Janet. Merci.

29

Chronique d'une exécution

Quel était le sens de notre passage sur cette misérable terre? N'étions-nous que de simples pièces sur un immense échiquier? Rois, reines, fous, chevaliers et simples pions dans une éternelle partie opposant le Bien et le Mal. Lorsqu'un pion tombait, un autre le remplaçait. Si le roi était en mauvaise posture, un chevalier se sacrifiait. Mais quelles mains manipulaient les pièces, décidaient de leur sort? Quel était le but du jeu? Quel était l'enjeu?

Je fermai mes yeux brûlants de fatigue et tentai d'imaginer Dieu se penchant sur le plateau de jeu, réfléchissant en lissant sa longue barbe blanche de sa main aux articulations noueuses, puis essuyant ses paumes moites de nervosité sur sa robe immaculée, avant de faire son prochain mouvement d'une main tremblante. J'imaginai le diable, assis en face de Lui, selon les images que nous donnaient de lui les récits entendus au cours de mon enfance : grotesque. Les pieds fourchus et les jambes velues se chevauchant, il L'observait d'un œil noir luisant, la bouche déformée par un sourire sournois.

Dieu prend une pièce entre ses doigts, hésite un moment. Le diable éclate d'un rire méphistophélique qui fait vibrer les pièces et le plateau. Dieu lève un regard penaud vers son adversaire et se mord la lèvre. Aurait-Il fait une erreur? Vient-Il de perdre une autre âme en l'exposant au Mal? Il Lui semble en avoir perdu plusieurs ces derniers temps, au profit de son adversaire qui lui sourit maintenant avec malice. Dieu tente de se concentrer. À moins que ce ne soit une ruse du diable pour Le dissuader de faire son mouvement? Comment savoir? Il faut jouer; le temps s'écoule.

Dieu dépose la pièce une case plus loin. Le diable gonfle son puissant torse; ses petits yeux froids se referment sur un regard mauvais. Il ouvre la bouche, découvre une rangée de crocs acérés et exhale une écœurante odeur putride.

— Vous sacrifiez là une bien belle pièce, mon ami, remarque-t-il soudainement d'une voix d'outre-tombe.

Dieu baisse les yeux sur le jeu. Son roi est protégé par la reine et par un cheva-
lier. Il risque une tour et deux pions, selon ce que décidera le maître du Mal. Quelle
erreur a-t-Il commise? Il n'avait pas le choix; Il devait sacrifier une pièce. Un pion...
Bah! C'est le moindre mal; Il garde la monarchie à l'abri. Sacrifice d'un pion pour
la protection du roi... Le rire démoniaque résonne à nouveau et glace le sang de
Dieu, qui réalise soudain que le nombre de pièces qu'il Lui reste est inférieur à celui
de son terrible adversaire. Il a chaud et s'agite. Le Mal gagne du terrain...

— On passe au prochain jeu, propose alors le diable en faisant pivoter la
table sur son axe pour placer un nouveau plateau de jeu entre eux. Je commence
à me lasser de l'empire britannique. Si on passait à l'empire prussien? À moins
que vous ne préfériez les Amériques?

Était-ce ainsi que se jouait la destinée du monde?

Mon cheval fit une embardée. Son sabot avait dérapé sur une plaque
de glace dissimulée sous une mince couche de neige. Je jetai un coup
d'œil sur ma gauche. Frances chevauchait, silencieuse, perdue dans ses
terribles souvenirs. Nous en étions au cinquième jour de notre voyage.
J'étais fourbue et vidée. Je devenais trop vieille pour ce genre d'escapade.
Au dire de Liam, il nous restait encore une journée de route avant
d'atteindre la côte et Stonehaven.

— C'est moi qui l'ai tué.

Je sursautai sur ma selle et me tournai vers Frances avec un air ébahi.
Elle gardait les yeux rivés sur son pommeau de selle et entortillait nerveusement ses rênes autour de ses poignets.

— Qu'est-ce que tu dis?

— C'est à cause de moi qu'il est mort, dit-elle d'un ton morne.

— Trevor?

Elle ne répondit pas.

— Il a tué un soldat, Frances...

— Non! me coupa-t-elle sèchement.

Elle tourna son regard tourmenté vers moi et me fixa.

— C'est moi qui l'ai tué.

J'écarquillai les yeux et restai bouche bée. La cuisse toute tendue de
Liam frôla la mienne.

— Explique-toi, dit-il.

Elle glissa son regard par-dessus mon épaule vers son père.

— J'étais cachée dans un buisson, commença-t-elle. Trevor s'était
approché du convoi qui faisait halte.

Elle fit une moue de mépris.

— Ces imbéciles n'avaient même pas pris soin de mettre quelqu'un à
surveiller l'arrière du convoi. Trevor s'était approché du dernier chariot.
Il avait réussi à détacher la bâche qui le couvrait et fouillait dessous quand
l'un des soldats est venu se poster juste à côté pour se soulager. Trevor ne
pouvait pas le voir d'où il était; mais moi, si. Je ne pouvais pas l'avertir du
danger sans ameuter toute la troupe. Trevor n'était armé que de son poignard et de son pistolet, car il m'avait laissé le fusil de chasse.

Elle fit une pause, puis se mit à caresser distraitement l'encolure du cheval de Colin.

— Il n'avait pas vu le soldat. Le soldat, lui, a probablement entendu du bruit provenant de l'arrière du chariot. Je... j'ai paniqué quand je l'ai vu se diriger vers Trevor.

Son silence se prolongeait. Ses yeux humides se plissaient sur une vision, devant elle. Liam et moi restions muets. C'était la première fois qu'elle nous parlait de leur terrible mésaventure. Nous avions bien essayé d'avoir quelques explications, mais elle avait toujours éludé le sujet et nous avions respecté son silence. Un jour elle parlerait, me disais-je, lorsqu'elle serait prête.

— Je suis sortie de ma cachette avec le fusil. J'ai dévalé la colline en courant. Il faisait sombre; une nuit sans lune. La neige étouffait le bruit de ma course. Je ne voulais pas le tuer. Je voulais seulement avertir Trevor du danger. Seulement... le soldat est arrivé avant moi. Il avait déjà dégainé son épée.

Ses sourcils se crispèrent sur un regard affligé.

— J'ai levé l'arme. C'était instinctif. J'étais complètement affolée. Je savais que le soldat allait le frapper et je n'arrivais pas à crier... J'ai... j'ai tiré.

Je fermai les yeux pour contenir mes larmes. Une fraction de seconde pour commettre l'irréparable, toute une vie pour le regretter.

— Le soldat est tombé, continua-t-elle, toujours concentrée sur sa vision. Évidemment, le coup de feu a alerté le reste de la troupe, qui s'est aussitôt précipitée vers nous. C'est à ce moment-là que Trevor a eu l'idée... de m'arracher le fusil des mains.

— Nom de Dieu! murmura Liam sur ma droite. Ils ont accusé Trevor du meurtre. Il a voulu te protéger, Frances.

Elle hocha tranquillement la tête et renifla bruyamment.

— Au début, je n'ai pas compris son geste. J'ai cru qu'il était en colère contre moi, qu'il m'ôtait le fusil des mains de peur que je ne commette une autre bourde. Mais quand les soldats l'ont emmené et que j'ai compris que c'était lui qu'ils croyaient coupable du meurtre, j'ai crié... Je leur criais que c'était moi qui avais tiré. Trevor me lançait des regards désespérés et me faisait signe de me taire. Je ne voulais pas... Les soldats se moquaient de moi; ils disaient que je n'arriverais même pas à toucher un homme à un mètre. J'ai continué à crier comme une damnée. Ils ne pouvaient pas prendre Trevor...

Sa voix se faisait plus dure et plus forte. Ses jointures étaient blanches sur les lanières de cuir.

— Je continuais à crier. Alors un soldat m'a frappée... Je suis tombée. Je crois que c'est à ce moment-là que je me suis mordu la langue, car je me souviens d'avoir eu un goût de sang dans la bouche. Ensuite, on nous a conduits à Fort William.

— De quoi t'a-t-on accusée? demanda son père.

— De vol... Pourtant, nous n'avions rien volé encore. Le brigadier Maitland m'a interrogée. Je persistais à dire que c'était moi qui avais tué le soldat. D'après Maitland, Trevor avait affirmé que j'étais sa sœur et que j'avais l'esprit un peu dérangé.

Elle prononça le dernier mot avec une pointe d'ironie et émit un petit rire sarcastique.

— Dérangé... répéta-t-elle dans un murmure. Il leur a dit que j'étais sa sœur... J'imagine qu'avec mon comportement qui frisait l'hystérie, sa version leur semblait la plus plausible. Trevor leur a demandé que je sois relâchée, leur jurant que j'étais innocente et que je n'avais rien à voir avec ce crime. Ils ont refusé. On nous a alors transférés à Inverness, par précaution. Avec le soulèvement et le manque d'effectifs, ils ont craint de voir débarquer les hommes du clan de Dalness. Un certain nombre étaient revenus de Perth et rôdaient dans les parages. Je me suis donc retrouvée au Tolbooth. Ensuite, j'ai été convoquée devant les assises. L'affaire a été réglée en l'espace de quelques minutes. Je présume que tout était décidé d'avance... Et ce fut le trou pour moi.

Doucement, je posai une main sur son bras, que je serrai tendrement.

— C'était l'enfer, maman...

— Faisons halte, murmurai-je à Liam.

— Hum...

Je pris la bride du cheval de Frances et poussai la monture sur le côté de la route.

— J'avertis les autres, dit Liam.

Nous nous trouvions au bord d'un petit loch partiellement couvert de glace. Une pierre grise et plate, épaisse de plusieurs centimètres, tranchait sur le blanc du sol, duquel elle émergeait. Une croix celte était gravée sur l'une des faces. Frances s'en approcha et s'agenouilla devant. Puis elle se mit à suivre les aspérités des entrelacs avec ses doigts.

— J'aimerais tant pouvoir oublier cette partie de ma vie, dit-elle doucement.

— Nous avons tous des épisodes de notre vie que nous voudrions effacer à jamais. Mais c'est impossible, ma fille. Cela fait partie de nous. C'est ce qui nous façonne, tu sais. Nous sommes comme de la pâte entre les mains du destin. Chaque coup du sort laisse son empreinte.

— Qui décide? demanda-t-elle en posant ses mains à plat sur la pierre froide.

— Dieu... le Bien, le Mal. L'un ne va pas sans l'autre. Les deux nous déchirent, nous manipulent et nous modèlent pour faire de nous ce que nous sommes.

— C'est si douloureux.

— Je sais, je sais, admis-je en lui caressant les cheveux.

Elle enfouit son visage dans mes jupes et ceignit mes genoux de ses bras.

— Maman... j'ai voulu mourir dans ce trou, dit-elle en sanglotant. Je savais bien que Trevor allait être accusé de meurtre et je n'avais aucun doute sur l'issue de son procès : il serait condamné à la pendaison. J'avais tellement mal... dans mon cœur et dans mon corps. Tous les jours, quand une carriole passait ou qu'une troupe de soldats marchait au-dessus de moi, cela résonnait dans ma tête comme un rappel, et je criais pour ne pas entendre. Je me disais que c'était Trevor qu'on menait au gibet; je me disais que je ne le reverrais plus jamais.

Elle hoqueta.

— Je voulais tellement lui dire que j'étais désolée, que je l'aimais. Une dernière fois. Oh, maman...

— Personne ne te donnait de nouvelles de lui?

— Oh! non. La harpie grincheuse qui venait me porter ma ration de bouillie quotidienne se faisait un plaisir sadique de me laisser dans l'ignorance. C'est le révérend Chisholm qui a eu la bonté de me dire que Trevor n'avait pas encore été exécuté, quand je suis sortie de là. Je voulais le voir, mais j'étais trop faible. Puis la mère Simpson m'a recueillie chez elle. Elle a été très bonne pour moi. Après quelques jours, elle m'a emmenée au Tolbooth.

Je revis en pensée la vieille Janet Simpson et toutes ces femmes qui vivaient dans le cloaque de Dunain Hill. Au premier regard, ces femmes qui portaient les stigmates d'une vie indigente sans espoir m'avaient fait penser aux sorcières de la lande de *Macbeth*. En Janet, j'avais vu Hécate, avec son œil blanc. Mais d'une sorcière, cette femme n'avait que l'apparence. Malgré son dénuement le plus total qui l'obligeait à mendier pour se nourrir, elle avait recueilli ma pauvre fille.

Je m'accroupis à côté de Frances et m'appuyai contre la croix. « Chaque homme ne doit-il pas porter sa croix? » me rappelai-je avec une certaine ironie. Les mots du docteur Mansholt prenaient tout leur sens en ce moment. J'attirai Frances contre moi et la blottis dans le creux de mon épaule, comme lorsqu'elle était enfant et qu'elle se réveillait la nuit, la tête pleine de lutins et de créatures qui lui faisaient peur. Elle avait toujours eu une imagination débordante. Liam attendait à quelques pas, hésitant. Se sentant sans doute impuissant devant tant de malheur et de peine, il s'assit sur une vieille souche pour me laisser réconforter notre fille.

— Tu as pu le voir? demandai-je doucement à Frances.

— Oui...

Sa voix s'étrangla et elle mouilla mes cheveux de ses regrets.

— Oh, Frances... Ma petite Frances...

— Il... il ne m'en voulait pas, tu sais. Il m'a dit que c'était un accident. Mais ce n'est pas vrai, maman. Je savais l'arme chargée et j'ai pressé sur la détente.

— Tu voulais lui sauver la vie, ma fille.

Un profond gémissement résonna sur ma poitrine et me serra le cœur.

— Au lieu de le sauver, je l'ai tué.

Que dire? La culpabilité la déchirait. Aucune de mes paroles n'adoucirait ses remords. Seul le temps lui permettrait de comprendre qu'on ne pouvait rien contre la fatalité, qu'il fallait accepter.

— Ils l'ont emmené au... gibet le 20, à l'aube. Je devais y aller... Ça a été la chose la plus pénible que j'aie eu à faire de toute ma vie, maman. Mais il le fallait, pour Trevor. Ils étaient trois. Les deux autres étaient des déserteurs. Trevor avait une partie du visage tuméfiée. Les salauds ne se contentaient pas de le pendre, ils l'avaient rossé. Ils ont marché jusqu'au gibet, qui se trouve à environ deux kilomètres du Tolbooth. Les prisonniers portaient une planchette au cou, avec l'inscription « traître » peinte en rouge. Pour Trevor, ils avaient ajouté « sale jacobite » et « chien de papiste ».

Elle fit une pause pour renifler et laissa tomber quelques jurons.

— La foule en liesse suivait le sinistre cortège. Les tambours roulaient comme le tonnerre et les injures fusaient comme la foudre. Je tentais de suivre... Les gens me bousculaient et mes jambes menaçaient de me lâcher à tout moment. Il est tombé une première fois à la sortie de la ville. Il a buté sur une pierre enfouie dans la boue. Comme ils étaient enchaînés, les deux autres ont dû s'arrêter. Un des déserteurs s'est penché pour l'aider, mais les piquiers l'ont violemment repoussé et ont roué Trevor de coups de pied pour le forcer à se relever. Maman... ils le traitaient comme un chien.

Comment aurais-je vécu une telle horreur si cela avait été Liam? Je la serrai contre moi, le visage inondé de larmes. Puis elle reprit d'un ton las.

— Ils riaient, maman... La foule, les hommes, les femmes, les enfants... Pour eux, ce n'était rien de plus qu'un divertissement. Mais c'était mon Trevor qu'ils allaient pendre... parce qu'il avait voulu me protéger. C'est injuste...

Ne pas chercher à comprendre... Dieu et ses plans. La justice des hommes et celle de Dieu. Elle gémit et se remit à sangloter sur ma cape déjà bien trempée. Je lui caressai doucement les cheveux, attendant qu'elle se calme.

— C'est quand j'ai aperçu l'échafaud et la triste silhouette de la potence que... j'ai réalisé que j'allais être veuve, reprit-elle en hoquetant.

Puis elle émit un ricanement sarcastique en secouant la tête.

— Veuve à dix-sept ans... Je me disais que je devais rêver. Mais le roulement des tambours et les vitupérations de la populace qui m'écorchaient les oreilles et le cœur me disaient le contraire.

— Il savait que tu étais là? demandai-je à voix basse.

— Oui. Je le lui avais dit. Il ne voulait pas. Il voulait que je retourne à Dalness, mais je n'ai pas pu. Je ne pouvais pas l'abandonner, le laisser seul face à la mort. De toute façon, je me fichais de ce qui pouvait m'arriver ensuite.

Quelques secondes s'écoulèrent.

— J'aurais dû être avec toi, Frances...

— Papa était malade, maman, me coupa-t-elle en levant vers moi son visage décomposé et bouffi. D'ailleurs, vous n'auriez rien pu faire pour lui; son sort était scellé... Ensuite, Trevor est monté sur les planches de l'échafaud. Le bourreau lui a passé la corde... Puis il m'a vue.

Je la sentis se tendre et trembler d'émotion contre moi.

— Ce regard... Je n'oublierai jamais. Un pasteur est venu. Trevor est resté impassible tout le temps qu'il leur parlait. Il ne me quittait pas des yeux. Lorsque le pasteur eut terminé ses prières, il m'a souri... juste avant qu'on ne lui bande les yeux.

Son regard absent semblait chercher une image dans ses souvenirs. Sa voix se fit plus douce et un petit sourire lui retroussa les coins de la bouche.

— Son sourire si merveilleux. Je me souviens... lors de la dernière fête de Beltane, il était venu à Glencoe régler une affaire avec John MacIain au nom de son père. Il m'a aperçue à la brasserie, alors que j'aidais papa à remplir les tonnelets. Il était avec Robin Macdonnell. Il lui a demandé qui j'étais et si mon cœur était libre. Il est resté pour les festivités...

— Il restera toujours avec toi, Frances, en esprit. Ça, personne ne pourra jamais te l'enlever.

— Oui, c'est ce que papa m'a dit. Là où il est, il ne souffre plus. Comme Ranald, Colin et les autres...

— Oui, c'est vrai, murmurai-je, un peu troublée par le souvenir de Liam qui avait vu... qui avait failli y rester.

— Après... continua-t-elle d'un air sombre, ils l'ont laissé accroché à la potence. Des morceaux de choix pour les vautours que sont les hommes. J'ai voulu m'approcher pour le toucher, pour le serrer contre moi. Les piquiers m'ont repoussée. Alors la mère Simpson m'a emmenée à l'église. Là, j'ai prié pour lui et j'ai attendu la tombée de la nuit. Ils ont finalement descendu les corps et les ont jetés dans la fosse commune comme de vieilles carcasses... De la pâture pour les rapaces qui attendaient dans l'ombre pour venir arracher leur butin.

Secouant frénétiquement la tête, elle s'agrippa à l'étoffe de ma cape avec force.

— Ils ne l'ont même pas respecté dans la mort. Ils l'ont dépouillé de ses vêtements, enfin, de ce qui lui restait. Ils se jetaient sur les corps comme des charognards, se disputant les boutons, les boucles, les chemises, les chaussures... Maman, c'était horrible. On aurait dit... une bande de loups affamés, sauvages, se délectant d'une proie bien fraîche et grognant dès qu'un autre s'approchait.

Je revis soudain les piles de vêtements dans la masure de la vieille Janet. Les boutons brillants, les broches soigneusement alignées, les plaids déchirés. Un frisson de dégoût me parcourut de la tête aux pieds. Des trophées.

— Janet... soufflai-je.

— Si ce n'avait pas été elle, il y aurait eu quelqu'un d'autre. Au moins ai-je gardé quelque chose.

— Tu n'es pas descendue dans la fosse, j'espère?

Elle ne répondit pas.

— Frances?

— Je... voulais lui dire adieu, maman.

Comment avait-elle pu faire ça? J'imaginais assez bien le cadavre d'un homme mort depuis plusieurs heures, nu et gelé. N'en avait-elle pas déjà assez vu sans avoir à ajouter ce tableau à ses funestes souvenirs? « Qu'aurais-tu fait, Caitlin, à sa place? »

La colère s'empara alors de moi. Toute cette terrible histoire n'aurait pas eu lieu si Trevor n'avait pas eu la stupide idée de voler un convoi de ravitaillement. Il serait encore vivant et le cœur de ma fille ne serait pas en ruine à l'heure qu'il était.

— Mais pourquoi? demandai-je, exaspérée. Pourquoi avez-vous attaqué ce convoi?

— Nous avions faim, maman, dit Frances en détournant honteusement les yeux.

— Vous aviez faim? rétorquai-je incrédule. Mais...

— Maman, m'interrompit-elle brusquement, Trevor avait été absent plus de trois mois. Le peu qu'il avait mis en réserve, je l'avais mangé. Il a tenté de chasser, mais le gibier le fuyait comme la peste. Il ne voulait pas mendier sa pitance au reste du clan. D'ailleurs, les autres n'avaient pas grand-chose à offrir. Trevor voulait tellement me rendre heureuse.

— Tu aurais pu venir à Carnoch, je t'aurais donné...

— Non, trancha-t-elle durement.

Ses traits se décomposèrent et ses yeux s'emplirent de larmes.

— Maman, Trevor était si fier! Il ne voulait pas. Je lui en ai parlé, mais il a refusé catégoriquement. Il m'a dit... il m'a dit : « Plutôt mourir que quémander! »

« Il ne croyait pas si bien dire! »

— Mais pourquoi y avoir été seuls alors? m'enquis-je sur un ton plus compréhensif.

— Ses cousins devaient nous rejoindre. Ils ont dû être retardés. Trevor n'en pouvait plus d'attendre. Il avait peur que le convoi se remette en route et que nous ne puissions plus mettre la main sur quelque chose. Le chariot de queue n'était plus surveillé... Nous avions faim.

Pendant ce temps, le Prétendant et ses nobles gens se mettaient la plus fine venaison sous la dent, l'arrosant des meilleurs vins français. Quelle vie de misère! Tous ces soldats qui avaient fait campagne depuis la fin de l'été, qui avaient combattu, revenaient à leurs foyers pour n'y retrouver que des greniers et des garde-manger vides. Et le soulèvement qui échouait. Le roi George n'allait pas tarder à sévir. Des commissions de feu et d'épée allaient être émises. Des accusations allaient être portées. Il y aurait des proscriptions, des exécutions. Les hommes allaient devoir se cacher dans les collines pendant quelque temps.

— Que vas-tu faire maintenant?

— Retourner chez moi.

— Où?

Elle me regarda d'un drôle d'air, comme si elle ne comprenait pas le sens de ma question.

— Mais à Dalness, maman! C'est là qu'est ma maison, désormais.

J'étais sa femme, même si ce ne fut que pendant quelques mois. Je suis maintenant sa veuve pour le reste de ma vie.

Elle leva sa main gauche où brillaient de petites bandes de cuivre torsadées.

— Il l'avait commandée au forgeron du camp pendant la campagne. Il voulait m'en offrir une en argent plus tard. Je crois que celle-ci... fera très bien l'affaire.

Elle resta un moment silencieuse à fixer l'alliance qui lançait les mêmes reflets que ses cheveux.

— Maman, j'ai peur. Je me sens si seule. La nuit... je fais des rêves. Je revois toute la scène.

Elle ferma les yeux et se pelotonna contre moi.

— Son visage... Le bruit de la trappe qui s'ouvre sous ses pieds... Je revois tout nuit après nuit, je réentends tout... C'est terrible.

— Je sais.

Oh! oui, je savais! J'avais eu les mêmes cauchemars pendant l'incarcération de Liam, à Édimbourg, pour le meurtre de lord Dunning. Cependant, les miens n'étaient que le fruit de mon imagination. Une sorte de transposition de mes angoisses. Pour Frances, c'était différent. C'était la réalité vécue et revécue. Ils la hanteraient toute sa vie. Je poussai un profond soupir et essuyai mes yeux. Qu'avait dit le docteur Mansholt? « Même du mal, la puissance de Dieu tire le meilleur de nous »? Oui, quelque chose comme ça. Je baissai les yeux sur ma fille et le souhaitai ardemment.

Je tournai la tête et regardai d'un œil vague le loch Kinord. Je contemplais les dures et les douces beautés du paysage qui m'entourait et me racontait l'histoire de ce pays. Trevor, Simon, Colin, Ranald... combien d'autres? Cette terre buvait leur sang comme une éponge boit l'eau.

L'Écosse, vieille terre ridée et usée, avait été la Calédonie pour les Romains, la Dalriada pour les Scots venus d'Irlande. Puis elle avait été appelée le royaume d'Alba par les Pictes et enfin le royaume de Scotti.

Je posai ma joue sur la pierre glacée qui engourdit légèrement ma peau. Je sentais les aspérités des motifs compliqués qui composaient la croix, vestige d'un autre temps. Cette croix ciselée dans le granit avec tant de soin était l'empreinte du passage éphémère d'un homme ici. C'était la signature d'une vie anonyme gravée dans la pierre immuable, insensible au temps qui la piétinait.

Nos souvenirs demeuraient gravés dans nos mémoires, mais disparaissaient en même temps que nous. Ces stèles de granit représentaient la mémoire du temps. L'Écosse foisonnait de ces bornes qui marquaient le cours de l'histoire. Cette croix datait du début de la christianisation des peuplades pictes, vers la moitié du premier millénaire.

Columba, moine celte chrétien, était parti de mon Irlande natale pour arriver dans ce pays de montagnes perdu dans les brumes du paganisme des Pictes. Prince de sang royal mû par l'affliction, il avait abandonné titres et richesses pour convertir autant d'âmes qui avaient été perdues dans la dernière bataille sanglante d'Irlande et dont il avait été la cause. Il avait ainsi traversé les eaux et mis le pied sur la côte des Gaëls, royaume des Scots de Dalriada, aujourd'hui l'Argyle.

Le roi des Scots lui avait donné Iona, petite île située au large de Mull. Il y avait fondé un monastère. Puis, avec ses disciples, il avait entrepris de prêcher les Évangiles dans chaque repli de la terre païenne d'Écosse. Il s'était heurté à l'hostilité du roi picte, Brude, et à ses druides. Évidemment, comme lors de tout changement en ce bas monde, le sang avait coulé. Columba, par chance ou avec l'aide de Dieu, avait fait quelques petits miracles. Ainsi il avait sauvé un homme, le sortant de la gueule béante et rugissante d'une effroyable créature sortie des eaux glauques et sombres du loch Ness. Brude aurait alors reconnu les grands pouvoirs de son Dieu et de celui qu'il appelait le Christ, et se serait converti. Moins de cent ans plus tard, l'Écosse était terre chrétienne.

Certaines de ces pierres dressées qui dataient d'avant cette époque étaient couvertes d'inscriptions mystérieuses en alphabet oghamique et de symboles païens représentant des croissants, des serpents, des loups et des guerriers en armes. Récits d'événements? Pierres à caractère religieux? Quoi qu'il en soit, elles jalonnaient les Highlands et étaient protégées des profanateurs par le mystère qui continuait de les entourer.

Plusieurs minutes s'écoulèrent; le froid humide commençait à me faire frissonner. Je sentis une présence et tournai la tête lorsqu'une main m'effleura la joue.

— Ça va, *a ghràidh*?

Je souris à Liam d'un air triste.

— Ça peut aller, répondis-je d'une voix éraillée par le chagrin.

Liam caressa la joue de Frances qui semblait s'être assoupie, enroulée dans sa cape.

— Elle s'en sortira, chuchota-t-il.

« Oui, comme nous nous en sortons tous... Comme nous après Ranald. Comme toi après Anna et Coll. » Au début, nous souhaitons être morts avec eux. Nous voudrions que le soleil s'éteigne, que la terre s'arrête de tourner. Puis un nouveau matin se lève, et un autre, nous faisant faire un pas vers l'acceptation. Comment arrivait-on à accepter quelque chose d'aussi déchirant qu'était la perte d'un être cher? « La foi est la main tendue qui nous aide à traverser les épreuves... »

— Mais elle ne les empêche pas... finis-je tout haut.

— Que dis-tu?

— Euh... rien, rien. Il faut y aller. Il fait froid et la route est encore longue, annonçai-je en secouant légèrement Frances.

Elle ouvrit des yeux hagards sur la réalité et me dévisagea, un peu perdue. Comme ses souvenirs refaisaient surface, ses traits s'assombrirent et sa bouche s'étira en une moue qui exprimait sa douleur.

— Maman, murmura-t-elle en se retenant à mon bras, j'ai voulu mourir, tu sais?

Je ne dis rien, lui exprimant ma compassion juste par un sourire. Nous restâmes silencieuses quelques secondes. Puis elle esquissa un faible sourire.

— Merci, maman...

L'émotion m'étrangla; je restai sans voix. Oui, elle s'en sortirait.

30

Le piège
Février 1716

Les arbres étaient couverts d'une mince couche de glace. Ils se tenaient dans les pâles rayons du soleil qui perçaient timidement le voile brumeux telles de délicates sculptures de verre brillantes de mille étincelles. Je devinais les eaux froides et tumultueuses de la Caron Waters qui couraient se jeter dans la baie de Stonehaven à travers le brouillard.

Mon œil dévia vers une petite larme scintillante qui tremblotait au bout d'une stalactite cristalline accrochée à une tuile d'ardoise. La larme s'étira lentement et vacilla comme si elle tentait désespérément de rester accrochée, luttant contre les forces immuables de la nature. Mais en vain. Elle finit par se détacher et plongea dans la flaque d'eau qui s'élargissait sur le balcon dallé de pierres moussues du modeste manoir de lord Dunn, dans la Kirktown de Fetteresso, en banlieue de Stonehaven.

Sentant la présence de Liam derrière moi mais trop lasse pour me retourner, je continuais de contempler le paysage givré par la pluie glacée de la nuit précédente. Éreintés et affamés, nous avions franchi les grilles du petit domaine de Patrick cinq nuits plus tôt. L'accueil avait été très chaleureux et les retrouvailles, chargées d'émotions. Liam n'avait pas revu sa sœur depuis près d'un an; moi, j'avais hâte d'avoir des nouvelles de Patrick et de son état de santé.

Sa jambe allait mieux. Mais je devinais qu'elle le faisait encore souffrir, car je le surpris à plusieurs reprises à grimacer en la frictionnant lorsqu'il ne se croyait pas observé. D'ailleurs, il se servait encore d'une canne pour se déplacer.

Liam dut annoncer l'affreuse nouvelle de la mort de Colin à Sàra. Il attendit le lendemain de notre arrivée pour le faire. Bien qu'il m'eût demandé d'être présente, je préférai les laisser seuls, ne me sentant plus la force de réconforter qui que ce fût. Le trop peu d'énergie qui me restait, je le gardais pour pouvoir retourner dans notre vallée. Ce fut donc d'un air dépité que Liam quitta notre chambre pour aller parler à sa sœur.

Frances, pour le moment, dormait. En vérité, elle dormait presque dix-huit heures par jour depuis notre arrivée, ne se levant que pour se nourrir, faire un brin de toilette et bouger un peu. Cependant, son état semblait sensiblement s'améliorer.

Mon frère attendit avec tact la troisième journée de notre séjour pour nous annoncer que le prince Jacques Édouard l'avait adoubé. Mon frère était ainsi chevalier. Lord Patrick Dunn... Les os de notre père devaient en trembler de fierté dans sa tombe. La cérémonie d'adoubement avait eu lieu au château de Fetteresso, le 27 décembre, lors du passage du Prétendant qui venait de débarquer. Le comte de Marischal avait réuni plusieurs nobles dans le château devenu le siège des Keith. Le futur roi avait usé de ses fonctions royales pour accorder des titres à ceux qui avaient montré leur loyauté envers la couronne des Stuarts. Ainsi, le comte de Mar s'était vu accorder un duché. Mais je doutais fort qu'il pût en jouir très longtemps...

Le Prétendant n'était resté que quelques jours à Fetteresso. Terrassé par un accès de fièvre quarte, il avait tout de même trouvé la force de recevoir le clergé épiscopalien d'Aberdeen, les magistrats, le conseil de ville et les jacobites de l'Aberdeenshire. Le 2 janvier, il s'était remis en route pour Perth.

Patrick n'avait pas tari d'éloges à l'égard de la personne de Jacques. Nous l'avions tous écouté sans mot dire, sachant qu'il n'avait pas vécu la désillusion du camp de Perth. Sa jambe l'avait cloué chez lui. Seul son coursier qui faisait la navette entre Perth et Fetteresso lui rapportait les derniers événements. Ce dernier, curieusement, ne s'était pas présenté depuis près de trois semaines, laissant Patrick dans l'ignorance.

La veille, un messager envoyé par Mar lui-même était enfin arrivé avec de tristes nouvelles. Le glas du soulèvement avait sonné. Le 29 janvier, Argyle avait marché sur Perth. On avait aperçu plusieurs de ses dragons envoyés en reconnaissance, et un espion avait confirmé le départ de Stirling des troupes gouvernementales. Le commandant en chef jacobite avait dès lors pris la décision de se retirer sans délai et d'abandonner la ville à l'ennemi, au grand désarroi des hommes. Il avait envoyé d'urgence un officier à Dundee, où mouillaient trois navires français dans la Tay, avec l'ordre de longer la côte jusqu'à la baie de Montrose et d'y attendre le Prétendant.

Patrick avait ordonné que son cheval soit sellé à l'aurore. Les troupes jacobites avaient quitté Perth le 31 janvier au matin; nous étions le 2 février. Il était de son devoir de se rendre immédiatement à Montrose pour organiser l'accueil du prince, qui de toute évidence préparait son retour d'exil.

Une autre gouttelette se détacha péniblement du glaçon après quelques secondes d'une lutte acharnée contre la gravité, et alla briser la surface lisse de la flaque dans une série de cercles concentriques qui allaient grandissant.

— Qu'est-ce qui se passe dans ta jolie petite tête?

Je sursautai, arrachée à mes rêveries. Liam encercla ma taille de ses bras et m'attira à lui. Je fermai les yeux et appuyai mon dos contre son torse chaud.

— Rien de particulier, répondis-je avec langueur.

Sa joue fraîchement rasée frôla ma tempe.

— Combien de temps devrons-nous encore rester ici? demandai-je dans un soupir de lassitude.

— Hum... je crois que je devrais partir avec mes hommes pour Montrose, moi aussi. Là où sera le Prétendant seront les assassins.

Je frémis. Le sang, toujours le sang! Je fus tentée de supplier Liam de tout laisser tomber, de nous emmener, notre fille et moi, dans notre vallée pour nous y terrer jusqu'à ce que la nature se réveille de nouveau. Mais je n'en fis rien. Je savais au fond de moi-même que, pour lui, cela signifierait laisser tomber le prince, le laisser se faire assassiner.

Nous détenions une information de la plus haute importance; nous ne pouvions en faire fi. Néanmoins, nous étions loin de nous douter de la tournure que prendraient les événements. Ce fut une servante venue nous porter le thé et quelques petites pâtisseries qui déclencha tout.

Je l'entendis murmurer à l'oreille de Sàra, qui nous lança un regard indéchiffrable, puis se tourna de nouveau vers la jeune fille.

— Tu en es certaine?

— C'est monsieur Milne qui me l'a affirmé. Il est venu porter votre commande de bière et...

— Est-il encore ici?

— Je crois que oui, madame.

— Fais-le venir.

D'un geste de la main, elle congédia la servante et se frotta le front en soupirant.

— Je crains que votre bande d'assassins ne se trouve dans les parages, annonça-t-elle après un moment.

Liam se raidit dans mon dos. Duncan et Marion, qui faisaient une dispute de trictrac, levèrent la tête. Nous attendions la suite.

— Le propriétaire de l'auberge qui nous fournit en bière a affirmé qu'un groupe d'hommes à l'allure peu recommandable gîtait chez lui depuis quelques jours. L'une de ses serveuses les aurait entendus parler d'une mission... d'une récompense qui faisait briller leurs yeux et qu'ils auraient déjà commencé à dépenser au jeu... et avec des femmes.

— Cela ne veut rien dire, dis-je, le cœur battant. Cela peut être n'importe qui...

— Mais tout le monde ne s'appelle pas Mackay et ne porte pas un bandeau sur l'œil droit, me coupa-t-elle.

— Ça ne peut être qu'eux, me dit Liam.

Me libérant de sa chaleur, il se tourna vers la fenêtre pour réfléchir, le regard plongé dans le paysage lumineux que j'avais contemplé plus tôt. Duncan qui s'était levé se mit à arpenter le parquet. Il s'immobilisa à la limite du tapis en le fixant d'un œil absent.

— Il faut trouver un moyen de les empêcher de s'approcher du prince. Combien sont-ils? s'informa Liam en revenant vers nous.

— Je ne sais pas, répondit Sàra.

La porte s'ouvrit et la servante réapparut avec toutes les réponses. Un homme d'âge mûr bien charpenté et au visage plutôt sombre la suivait. Il froissait son chapeau entre ses grosses mains râpeuses. Sàra se leva à son arrivée.

— Monsieur Milne! s'exclama-t-elle joyeusement. Approchez...Vous avez quelques informations pour moi, je crois?

— Oui, madame... euh, lady Dunn.

Sàra éclata de rire.

— Laissez tomber les « lady », mon ami. Nous nous connaissons depuis trop longtemps. Et puis, pour être franche, le titre ne me colle pas très bien à la peau. Enfin... Eilein me dit que des hommes qui louent des chambres chez vous semblent fomenter un complot?

— Je ne pourrais le jurer. Mais je vous assure que ces hommes n'ont pas l'air très propres. Ils semblent toujours tenir des conciliabules et affichent des airs mauvais dès qu'on les approche d'un peu trop près. Ma nièce Elizabeth les a entendus s'entretenir du Prétendant hier soir. C'est ce qui m'a poussé à venir vous parler. Elle a aussi entendu qu'ils attendaient impatiemment un messager, qui tarderait. C'est probablement ce qui les rend si nerveux.

— Vous ne connaissez pas ces hommes? demanda Liam.

— Oh non! s'empressa de répondre l'aubergiste. Ils ne parlent pas le scots. Ils parlent la langue du nord. Et puis, il y a cet individu qui semble être leur chef, un certain Mackay. Pas très commode, celui-là, j'peux vous l'dire.

— Avez-vous d'autres noms?

— Macghie, Robison, Williamson, Scobie... Je ne les ai pas tous retenus. Ils sont huit en tout.

— Quand sont-ils arrivés? s'enquit Duncan à son tour.

— Ils sont chez moi depuis une semaine environ. Ils sont partis pendant deux jours, payant leurs chambres d'avance pour que je les garde. Puis ils sont revenus hier. Je ne pourrais pas vous dire où ils sont allés, cependant.

— Vous avez bien fait de venir m'avertir, monsieur Milne, dit Sàra. Est-ce que Howard vous a réglé la note?

— Tout est réglé, lady Dunn.

Sàra grimaça. Visiblement, elle ne se sentait pas à l'aise avec son nouveau titre. Pourtant, moi, je trouvais qu'il lui allait plutôt bien. Patrick et elle venaient toùt juste d'emménager dans le manoir. Ils avaient vidé leur maison d'Édimbourg et dispersé leurs quelques biens parmi ceux qui meublaient déjà cette jolie demeure construite sur un magnifique domaine. Quoique de dimension modeste, le terrain était aménagé en superbes jardins « à la française » et longeait le cours de la rivière.

La bonne Rosie les avait suivis et avait aussitôt pris en charge les cuisines. Gare à celui qui mettait les pieds dans son royaume étincelant de cuivres et d'argenterie sans sa permission! J'avais de bonnes raisons de m'inquiéter pour le tour de taille de Patrick, qu'elle avait entrepris de « gaver » à son arrivée. « Un noble se doit de bien tendre ses gilets! » ne cessait-elle de répéter à qui voulait l'entendre. Les effets commençaient à se manifester.

— Bon, si autre chose survient, vous me ferez prévenir.

— Soyez sans crainte, je vous enverrai mon Charlie au trot.

Après nous avoir salués avec respect, l'homme quitta le petit salon. Nous restâmes tous plongés dans nos spéculations sur les dispositions à prendre.

— Il faudrait les attirer dans un guet-apens, laissa tomber Duncan.

— Oui, mais ces hommes ne se laisseront pas prendre aussi facilement, rétorqua Liam avec agacement. Ce sont des mercenaires et celui qui les a engagés pour une telle mission n'a certainement pas choisi des demeurés.

Il se frotta les yeux en grognant et retourna se perdre dans le paysage féerique. Je savais que cette situation lui pesait. La nuit d'avant, sachant que le Prétendant était attendu à Montrose, il était très agité et nous avions très peu dormi. Nous savions qu'on voulait attenter aux jours du prince, mais nous ne savions pas de qui il s'agissait.

— Il doit bien y avoir un moyen!

— Si nous savions qui est ce messager qu'ils attendent, nous pourrions l'intercepter. Le Prétendant aurait alors le temps de s'embarquer et de quitter l'Écosse avant qu'ils ne s'en aperçoivent, dit Duncan.

— Cette personne doit certainement les informer de l'endroit où le Prétendant doit se rendre, fit observer Sàra. Peut-être est-ce un homme de l'entourage du prince lui-même? Pourquoi pas une femme? Qui sait?

— Mais si ce messager n'est pas encore arrivé, nous pourrions prendre sa place!

Tous les regards convergèrent sur Marion, qui n'avait encore rien dit.

— Que veux-tu dire? l'interrogea Duncan, soudain inquiet de ce qu'elle avait en tête.

Liam croisa les bras sur sa poitrine, attendant la suite des explications avec une curiosité évidente.

— Eh bien, commença-t-elle, un peu embarrassée, l'un de nous pourrait se faire passer pour ce messager et leur fournir une fausse information. Pourquoi ne pas les envoyer à Inverness?

— Tu n'es pas sérieuse, Marion? s'écria Duncan, stupéfait.

Elle posa son regard bleu clair sur lui et se renfrogna.

— Très sérieuse, souligna-t-elle sur un ton coupant. Il n'y a pas ici matière à plaisanter. Nous savons tous que le fils d'Argyle fait partie de ce complot. Le messager pourrait très bien venir de lui.

— Inverness! Ils n'avaleront jamais ça! La ville est sous l'égide du gouvernement; le prince ne s'y risquerait jamais. Et qui, selon toi, serait le plus apte à remplir ce rôle d'imposteur, dis-moi? demanda-t-il sur un ton moqueur.

— Moi! annonça-t-elle en relevant son menton volontaire vers Duncan pour le défier.

Une expression horrifiée se peignit sur le visage de mon fils. Il la dévisagea un moment, bouche bée, puis pivota sur lui-même dans un tourbillon de plaid, levant les bras au ciel. Pendant un instant je crus qu'il faisait quelques pas plutôt bien réussis du *highland fling*.[111]

— Non, mais je rêve! s'écria-t-il comme s'il s'adressait à tous les saints du ciel.

— Réfléchis, Duncan, se défendit-elle.

Il tourbillonna encore, blême de rage et d'inquiétude.

— Mais c'est tout réfléchi. Et c'est non!

— Je suis une Campbell... j'ai mes entrées à Inveraray et...

— Ah, mais ça, je le sais que tu es une Campbell, figure-toi! Pourquoi faut-il toujours qu'on se charge de me le rappeler?

Marion tapa du pied, mais continua ses explications sans relever la remarque.

— ... et étant une femme, j'aurais plus de facilité à gagner leur confiance.

— Il te serait aussi plus facile de te faire prendre!

— Duncan! s'écria-t-elle brusquement. Tu me prends pour une mijaurée ou quoi?

Elle eut un grognement sourd pour toute réponse.

Je regardai Liam qui les observait sans mot dire. Un sourire en coin retroussait légèrement ses lèvres. Puis son regard se dirigea vers moi. Je fronçai les sourcils devant son air amusé. Comprenant qu'il mijotait quelque chose, j'ouvris la bouche pour protester. Mais il exprima son point de vue plus rapidement que moi :

— Ça pourrait marcher, dit-il lentement.

Un silence de plomb s'abattit sur nous. Marion resta un moment sans voix. Enfin, un sourire triomphal se dessina sur ses lèvres.

— Jamais! gueula Duncan en foudroyant son père du regard. Elle est ma femme et jamais je ne la laisserai s'exposer à une bande de malfrats. Bon sang, père!

Liam haussa les épaules.

— Je ne pourrai aller à l'encontre de ta décision, mon fils. Mais l'idée n'est pas si mauvaise. As-tu autre chose à proposer?

— Il doit bien y avoir une autre solution...

— Tu m'accompagnerais, Duncan... Tu serais mon garde du corps en quelque sorte, se risqua Marion. Et puis, je sais me servir d'un pistolet...

Il écarquilla les yeux.

— Non, mais ça ne va pas? On n'a pas affaire à un troupeau de chèvres, je te ferai remarquer. Et puis, n'importe quel Écossais est capable de

---

111. Danse traditionnelle écossaise.

faire la différence entre le tartan des Macdonald que je porte et celui des Campbell! Tu as déjà vu un Macdonald servir de garde du corps à un Campbell?

Marion soupira bruyamment.

— Ce que tu peux être obtus parfois!

Sur cette remarque acrimonieuse, elle quitta la pièce. Duncan fixa d'un œil ahuri, pendant quelques secondes, la porte qui s'était refermée derrière elle. Puis il reporta son attention sur son père. Sàra et moi restâmes des témoins silencieux de la scène qui allait suivre.

— Pourquoi as-tu approuvé son idée? explosa Duncan.

Nullement décontenancé par l'attitude de son fils, Liam lui fit face.

— Parce qu'elle était bonne, c'est tout. Pour le moment, nous n'en avons pas d'autre.

— Une bonne idée? Parce que jeter ma femme dans la gueule du loup est une bonne idée pour toi?

— Je comprends ta réaction, Duncan. Mais quel risque réel y a-t-il pour elle à entrer dans l'auberge et à donner un message à Mackay, pour ensuite revenir ici? Tu serais avec elle et nous serions dans les parages.

Un rire sarcastique résonna dans l'atmosphère tendue.

— Oh, bien sûr! Il n'y a pas cinq minutes, tu me disais que nous avions affaire à des mercenaires qui n'avaient rien d'une bande de demeurés. Et maintenant tu me demandes de laisser ma femme les aborder? C'est pas sérieux!

Liam ne dit plus rien. Pour ma part, je ne savais trop que penser. Je comprenais la réaction de Duncan, mais d'un autre côté... Je préférais toutefois m'abstenir de tout commentaire.

Duncan s'était remis à arpenter la frontière du tapis, les poings sur les hanches. Il fulminait comme un sanglier pris au piège.

— C'est pas vrai! Ma femme ne mettra pas les pieds dans cette auberge.

Il tapait du pied et frappait du poing dans sa main pour se défouler.

— Pas Marion... Non, je ne la laisserai pas...

Il ralentit. Une idée faisait son chemin.

— Pourquoi ne pourrais-je pas être ce messager? demanda-t-il soudain en s'arrêtant.

— Essaie de penser comme ces hommes, Duncan. Si tu étais Mackay, à qui ferais-tu confiance le plus naturellement? À un homme de clan à l'allure peu avenante ou à une innocente jeune femme de bonne famille?

— Merci du compliment, père.

Liam éclata d'un rire franc. Duncan sourit du coin de la bouche.

— Je dois te faire remarquer que Marion n'a rien d'une innocente jeune femme de bonne famille lorsqu'elle ouvre la bouche. Et puis, qu'est-ce qui prouvera à Mackay qu'elle est bien le messager attendu? Ils doivent avoir convenu d'un code, d'un signe pour se reconnaître.

— Tu as vu le document du fils d'Argyle. Il y a sans doute quelque chose dessus... Un mot bizarre, des chiffres, un symbole...

Duncan se frotta les paupières en soupirant, l'air de réfléchir. Puis sa main s'immobilisa brusquement.

— Un symbole...

Le regard perdu dans les motifs du tapis, il secoua la tête comme pour chasser les pensées qui surgissaient dans son esprit. Il se tourna alors vers moi, l'air de dire : « Maman, aide-moi! » Ma gorge se serra. Combien de fois, enfant, m'avait-il lancé ce regard implorant? Après avoir fait une bêtise, lorsqu'il attendait de subir les foudres de son père ou bien lorsqu'il devait prendre une décision difficile, choisir entre aller à la pêche ou s'entraîner au combat à l'épée.

— Tu es maître de tes propres décisions, fis-je doucement.

Il montra sa frustration.

— Marion doit bien savoir ce qu'elle fait, ajoutai-je prudemment.

Justement, la porte s'ouvrit et la jeune femme entra avec un plaid roulé sous le bras.

— Voilà, monsieur... Campbell, déclara-t-elle, narquoise, en lui lançant l'étoffe.

Les traits du visage de Duncan exprimèrent la surprise, puis la répulsion profonde.

— Non, mais...

Il brandit le plaid aux couleurs des Campbell.

— Tu ne crois tout de même pas que je vais porter ça?

Marion le toisait, les bras croisés et un sourire en coin.

— Et puis comment se fait-il que tu aies encore ce plaid avec toi?

— C'est le mien, Duncan Macdonald, annonça-t-elle. Je porte peut-être ton nom, mais tu n'imaginais tout de même pas que j'allais renier le mien? Le sang qui coule en moi sera toujours celui de mes ancêtres...

— Et tu crois que je vais porter... ça?

Elle souffla, exaspérée.

— Écoute, j'ai bien dû porter tes couleurs pour sauver les hommes de mon père d'un massacre. Tu peux donc bien porter les miennes pour sauver ton roi!

— *Fuich!*

— Ne sois pas si têtu, Duncan.

— Marion!

— Tu es vexé parce que c'est moi qui ai eu l'idée et pas toi!

Duncan ouvrit la bouche, médusé. Je le connaissais assez bien pour savoir que son sang bouillait et qu'il se contenait à grand-peine. Je me rapprochai de Liam qui semblait s'amuser de la scène. Sàra, gênée, s'était dirigée discrètement vers la sortie, prête à s'éclipser.

— Vexé? C'est ce que tu crois? Ça, c'est la meilleure! Je refuse de porter ça et je ne veux pas que tu te mêles de cette histoire. C'est clair?

Le plaid vola à travers la pièce pour atterrir aux pieds de la jeune femme rouge de colère.

— Te marier avec une Campbell, ça te va. Mais porter ses couleurs...

— En effet. C'est avec toi que je me suis marié, pas avec ton clan! Et dois-je te rappeler que nous avons affaire à une bande de tueurs? Ils ne doivent pas faire dans la dentelle, tu sais.

— Mais tu seras avec moi...

— Ils sont huit... Ils ne feront pas la queue pour me sauter dessus, je peux te l'assurer!

— Je ne ferai que leur indiquer où serait attendu le Prétendant. Je partirai aussitôt.

Duncan soupira bruyamment et se passa une main sur le visage.

— Et que leur offriras-tu comme preuve que tu es bien de la maison des Campbell, en dehors de ta langue bien pendue? Un plaid, c'est pas assez.

Elle fouilla dans la poche de sa jupe et en sortit deux broches. La première était en bronze doré et représentait une tête de sanglier entourée de la devise du clan. C'était une broche de très belle facture ayant forcément appartenu à un gentilhomme. La deuxième était plus délicate, en argent ciselé. De forme ovale, elle avait la même devise gravée autour. Le centre était magnifiquement travaillé et représentait une branche de myrtille des marais, avec ses petites feuilles lancéolées de malachite et ses baies violâtres d'améthyste. C'était l'emblème végétal des Campbell.

— D'où viennent ces broches? demanda Duncan, pantois. Je ne les avais jamais vues auparavant.

— Celle-ci appartenait à ma mère.

Elle plaça la broche d'homme dans la main de Duncan, qui la regarda sans chercher à cacher son mépris pour l'objet.

— Celle-là me vient de mon cousin, Hugh, qui m'était très cher. Je la garde comme porte-bonheur. Je ne voulais pas les laisser dans ta maison, de peur de...

Elle s'interrompit, embarrassée.

— De te les faire voler?

Marion rougit violemment et se détourna.

— Nous ne nous volons pas entre nous, répliqua-t-il froidement. Tu es une Macdonald maintenant, que tu le veuilles ou non.

Un silence embarrassant nous enveloppa. Je commençais à me demander s'il n'aurait pas été plus sage de quitter la pièce et de les laisser régler leur différend seuls.

— Ne me le fais pas regretter, Duncan, murmura la jeune femme d'une voix blanche.

Il y eut comme un moment d'hésitation. « Ne dis plus rien, Duncan. » Mon fils demeura immobile, comme s'il essayait de comprendre le sens des dernières paroles de Marion. Puis, lentement, il se pencha pour ramasser le plaid, qu'il froissa entre ses doigts, le regard perdu dans les teintes sombres. L'air indéchiffrable, il pivota et se dirigea vers un fauteuil dans lequel il se laissa choir lourdement, avec tout le poids de son accablement.

— Et quel endroit nous suggères-tu pour l'embuscade? marmonna-t-il d'un ton las.

497

Je décelai l'ombre d'un sourire vainqueur sur les lèvres de Marion et ne pus m'empêcher de sourire à mon tour.

— Dunnottar, laissa tomber Sàra.

— La forteresse?

— Les Keith l'ont pratiquement désertée depuis le siège de Cromwell, en 1652. Ils n'ont fait aucune réparation; les bâtiments sont endommagés. Elle ne sert plus que de garnison et de dépôt de munitions. Elle est pour ainsi dire déserte depuis le début de la rébellion. Marischal n'y a laissé qu'une poignée d'hommes sous les ordres du gouverneur Ogilvie. Vous pourriez les y attendre.

Liam réfléchissait, tandis que Duncan fixait en grimaçant la broche qui étincelait entre ses doigts.

— Voudront-ils pénétrer dans l'enceinte de la forteresse? C'est plutôt risqué. Ils s'y sentiront coincés comme des lapins. Il y a une seule entrée, donc une seule sortie. Cela peut aussi jouer contre nous. Et pourquoi le Prétendant irait-il jusqu'à Dunnottar?

— C'est l'une des propriétés du comte de Marischal. Une forteresse parmi les plus sûres d'Écosse. Il y a une poterne qui donne sur la falaise de Castle Haven. Là se trouve un petit port de mer naturel. Un endroit sûr pour l'embarquement du prince.

— Hum... Goberont-ils cette histoire?

— Je peux vous arranger cela, dit Sàra en esquissant un petit sourire énigmatique. Une missive.

— Et pour le scellé? demanda Duncan, qui sortait de sa bulle.

Nous nous lançâmes des regards consternés. Nous n'avions aucun cachet de la maison d'Argyle pour authentifier le document.

— Nous pouvons toujours nous servir de la broche de Hugh... suggéra Marion. Mais... je me souviens, il y avait une sorte de dague d'imprimée sur le document. Peut-être...

— Tu pourrais la reproduire?

— C'est un peu flou, mais je peux essayer.

Sàra s'était déjà installée devant le petit bureau placé sous le portrait du dernier comte de Marischal, George Keith. Il était représenté dans un décor champêtre avec deux superbes lévriers écossais à ses pieds. Il portait un fusil de chasse accroché en bandoulière à une épaule et une gibecière à laquelle pendaient les fruits d'une bonne chasse. Liam dictait à sa sœur le message à porter. Marion s'était placée à côté d'elle. Elle aussi penchait son visage au-dessus d'une feuille. Elle se frottait le bout du nez de sa plume et plissait le front pour se concentrer sur l'estampille qu'elle avait vue sur le fameux pli d'Argyle. Je m'approchai de Duncan qui était resté dans son fauteuil à broyer du noir et posai ma main sur son épaule.

— Je sais que l'idée ne te plaît pas...

Il tressaillit, et jura.

— Ce n'est qu'un bout de chiffon, tu sais.

— Un bout de chiffon! Mère! Un tartan n'est jamais qu'un bout de chiffon, tu devrais le savoir! C'est notre sang, notre histoire...

Je grimaçai. « Mauvaise entrée en matière, Caitlin. » Je me repris :

— Soit! Tu as raison. Mais ce tartan ne s'est-il pas aussi couvert de sang pour le prince Stuart, sur la plaine de Sheriffmuir?

— Hum... Cela n'a rien à voir avec la loyauté envers le roi. C'est une question de... Ce tartan est taché de notre sang, mère, je ne veux pas m'en couvrir.

Je me penchai sur lui et le regardai dans les yeux. Il tenta de me fuir, mais je le rappelai à l'ordre :

— Duncan, ce tartan appartient à ta femme. C'est son sang et son histoire à elle. Tu l'aimes...

— Oui, je l'aime, mais je l'aime, elle, pas son clan.

— Tu ne peux tout de même pas lui demander de renier ses couleurs, de s'en dissocier comme ça. On ne te demande pas de prêter serment à Glenlyon... Duncan, c'est pour la sécurité de Marion...

— Je sais...

— Fais-le pour elle.

Il se laissa aller contre le dossier du fauteuil, l'air accablé. Je savais qu'il comprenait et que c'était son orgueil qui le faisait résister encore. Son regard obliqua vers sa femme, qui s'acharnait sur la feuille de papier. Elle lissa une mèche rebelle qui lui était tombée devant les yeux et passa sa langue sur ses lèvres.

— Elle est assez audacieuse, fis-je remarquer. Je l'aime bien.

— Et moi alors... souffla-t-il.

Ses doigts effleuraient les reliefs de la broche, qu'il tenait toujours dans sa main. Il soupesa le bijou et referma ses doigts dessus. Puis il soupira de résignation.

— Ça va, mère, j'ai compris. Ce qu'on ne ferait pas pour...

— Une femme? le coupai-je.

Il resta silencieux pendant quelques secondes, tripotant distraitement le plaid Campbell et ne quittant pas Marion des yeux. Puis il enfouit son nez dans le lainage aux teintes sombres, le huma et ferma les yeux.

— Je veux deux hommes avec nous. Ils attendront devant l'auberge. Dès que Marion en aura terminé, elle repartira avec eux. Moi, j'irai rejoindre père à la forteresse.

— Sàra pourra certainement arranger cela.

— Je veux également qu'elle soit armée... d'un poignard, en plus de son couteau.

Il rouspéta encore un peu, puis se leva. Le plaid passé par-dessus son épaule, il se dirigea vers le buffet.

— J'ai besoin d'un verre.

Je le laissai noyer son orgueil dans le whisky et rejoignis Liam qui examinait l'ouvrage de Sàra.

— Alors?

— Qu'est-ce que tu en penses? me demanda-t-il en me tendant la missive.

Je la parcourus rapidement des yeux. Elle stipulait que le prétendant à la couronne d'Écosse devait se rendre incessamment à Dunnottar Castle, où un canot l'attendait pour le conduire sur l'un des navires français qui venaient de quitter Dundee. La porteuse de la missive, étant une nièce du duc – ce qui n'était pas faux, soit dit en passant –, devait être traitée comme si elle était le duc lui-même.

Je restai un peu sceptique sur la dernière instruction. Encore fallait-il savoir comment ces coupe-jarrets auraient traité le duc, justement. Enfin, dans l'ensemble, l'histoire se tenait. Elle me semblait crédible. Mais la ruse allait-elle fonctionner?

L'idée était de faire pénétrer les mercenaires dans l'enceinte de la forteresse. Cela ne devait pas être trop difficile; on attacherait à la missive un carton portant le sceau des Keith qu'ils présenteraient au gardien de Dunnottar; les mercenaires se présenteraient en tant que troupe de reconnaissance des lieux avant l'arrivée du prince. Ils n'auraient qu'à se positionner et à attendre le prince. Pour des hommes de leur trempe, le reste ne devrait être qu'un jeu d'enfant. Enfin, presque...

— Je crois que c'est à peu près ça, marmonna Marion en examinant le fruit de ses efforts. Mais je ne peux être certaine de l'exactitude de la ressemblance.

Elle fronça ses fins sourcils, plissa le nez et grimaça.

— Hum... Je ne sais pas...

S'humectant un doigt, elle tapota délicatement le dessin.

— Mais que fais-tu? lui demandai-je, perplexe.

— Un... petit accident. Ah! Voilà! c'est mieux, s'écria-t-elle devant le fac-similé brouillé. Comme ça, les différences seront moins perceptibles.

Je souris devant son ingéniosité.

— Qu'est-ce que tu en penses, Duncan? Oh!

Je suivis le regard de surprise de Marion. Mon fils était vêtu du plaid de Glenlyon auquel était piquée la broche des Campbell. Adossé contre le mur, il nous regardait, les bras croisés, le regard piteux.

— Je vous prierais de laisser tomber les commentaires...

***

Les ombres qui s'étiraient marquaient le temps qui passait inexorablement. Une angoisse sourde me torturait les entrailles et commençait à semer le doute dans mon esprit. Mille et une questions se bousculaient dans ma tête. Et si?... Peut-être que?... Était-ce bien?... Plus d'une heure s'était écoulée depuis le départ de Liam pour Dunnottar. Duncan et Marion avaient pris le chemin de l'auberge de Stonehaven, accompagnés de deux hommes rattachés à la maison des Keith.

Je fixais les petits éclats lumineux qui parsemaient le dessus de la table en marbre turquin d'Italie. Le soleil disparaissait derrière les Grampians; ses rayons qui ricochaient sur les verres de cristal faiblissaient rapidement.

Sàra me tendit une coupe de claret. Le front soucieux, elle s'assit sur le fauteuil situé en face de moi en soupirant. Je pris une profonde inspiration et trempai mes lèvres dans le liquide rouge sang.

— Tout ira bien, dit-elle.

Je me demandais qui de nous deux elle espérait convaincre le plus. Je portai mon attention sur une cage placée près d'une fenêtre. Le petit rossignol posé sur une branche de bouleau s'était tu et s'appliquait maintenant à faire sa toilette en lissant ses rémiges. Je tentais de me concentrer sur les ablutions du volatile pour tromper mon esprit... sans résultat. La sinistre silhouette de Dunnottar me hantait.

Place forte construite sur un ancien site sacré picte, le remarquable château se dressait sur le haut plateau d'une péninsule unique constituée d'un conglomérat de galets qu'on appelait « poudingue ». Le donjon de pierre datait du XIVe siècle et avait été construit par sir William Keith, comte-maréchal et gardien du trésor royal d'Écosse. Il avait remplacé les ruines de l'ancienne forteresse de bois prise par le célèbre héros William Wallace. En 1297, à la tête de plusieurs clans rebelles à l'autorité du roi d'Angleterre Édouard Ier, cet homme, qui avait la ferme intention de libérer l'Écosse, y avait brûlé la garnison de soldats anglais qui refusait de se rendre après son évidente défaite.

Les autres bâtiments avaient été ajoutés au fil des besoins au cours des siècles suivants. Une seule entrée y donnait accès, dans le creux d'un ravin qui reliait le promontoire à la terre. Il était impossible d'y passer sans être vu par la sentinelle. Sur les trois autres côtés, d'imposantes falaises de plusieurs dizaines de mètres se dressaient, infranchissables pour le commun des mortels. La forteresse était reconnue pour être pratiquement imprenable sans une artillerie lourde et un long siège qui affamerait les habitants. Cromwell, soixante ans plus tôt, avait réussi à s'en emparer, après plusieurs mois de patience. Mais comme l'avait fait remarquer Liam, il n'y avait qu'une seule entrée, donc une seule sortie. Si les mercenaires découvraient trop tôt le pot aux roses, ils pouvaient tout aussi bien s'y retrouver pris au piège...

La voix de Sàra me frappa les oreilles, m'extirpant de mes sombres méditations. Elle m'invitait à grignoter le poulet froid qu'avait apporté Rosie. Si la nourriture pouvait procurer un certain réconfort à mon estomac, il en allait différemment pour mon esprit. Je me saisis d'une cuisse et me mis à la grignoter sans grand appétit.

Eilein venait d'entrer avec des chandelles qu'elle déposa sur le bureau quand Howard, le majordome, se présenta à son tour.

— Un coursier arrivant de Perth demande à voir lord Dunn, milady, annonça-t-il. Je lui ai dit qu'il était absent pour quelques jours. Il a alors insisté pour vous voir. Il dit que c'est urgent.

— Qui est-ce ?

— Monsieur Gordon, milady.

— Monsieur Gordon? Faites-le monter, Howard. Il est plus que temps qu'il se montre, celui-là!

J'observais la jolie Eilein qui remplaçait les chandelles trop courtes et en allumait de nouvelles sur un candélabre. Le visage de Sàra s'éclaira. Elle se redressa d'un coup, tendant les bras vers le visiteur.

— Ah, mon cher William! Cela fait un sacré bout de temps qu'on ne vous a pas vu à Fetteresso.

— Pardonnez-moi, mais j'ai été malade...

— Vous allez mieux, à ce que je vois.

— Fonctions obligent, ma chère amie. On ne peut se permettre de rester malade trop longtemps.

Un frisson glacé me parcourut l'échine. Cette voix... Gordon, William Gordon... Le coursier du comte de Marischal! Le jeune homme qui avait cherché à me tirer des informations sur les rumeurs du régicide. Le messager du colonel Turner... Perdue dans mes pensées, je n'avais pas porté attention au nom du visiteur qu'on annonçait. D'où j'étais, je ne pouvais le voir ni être vue de lui. Je reposai lentement ma cuisse de poulet dans l'assiette et enfonçai mes doigts dans les accoudoirs du fauteuil.

— Je ne vous dérangerai pas longtemps, milady. Je suis venu chercher mes gages pour le mois dernier et une avance sur les deux prochaines semaines, comme me l'a promis le comte de Marischal. Je dois repartir au plus vite. Le Prétendant quitte l'Écosse, alors...

— Oui, oui, le rassura Sàra. Patrick a reçu l'argent. Le comte a ajouté les gages d'un mois supplémentaire pour vous récompenser de vos loyaux services.

Elle lança un coup d'œil sur Eilein qui venait d'allumer sa dernière chandelle.

— Ça peut aller, Eilein. Je me débrouillerai pour le reste.

La servante s'inclina et quitta la pièce en emportant avec elle les bouts de chandelles à refondre. Sàra retira un volume des étagères et le posa sur la table de marbre bleu. Le livre était en réalité une boîte. Elle en retira une enveloppe et le replaça soigneusement là où elle l'avait pris. Puis elle se retourna vers son visiteur, croisant mon regard au passage. Je déglutis en espérant que l'homme quitte sans tarder.

— Caitlin, viens que je te présente un ami à Patrick et à moi...

Elle venait de contourner mon fauteuil et revint en traînant derrière elle le grand brun efflanqué, qui se pétrifia dès qu'il me reconnut.

— Ça ne va pas? me demanda-t-elle. Tu es toute pâle.

J'ouvris la bouche pour répondre, et me retrouvai soudain aphone.

— Caitlin, qu'est-ce qu'il y a?

Elle se tourna vers Gordon qui faisait la carpe tout aussi bien que moi et fronça les sourcils, perplexe.

— Vous vous connaissez?

— Caitlin... Macdonald? demanda simplement le jeune homme d'une voix blanche.

— Ah! Vous vous connaissez! Caitlin est la sœur de Patrick...

Son teint avait viré au gris. Il passa rapidement une main nerveuse dans ses mèches ébouriffées, puis cligna des yeux sans détacher son regard éberlué de ma personne.

— Caitlin Dunn... Et dire que je vous avais sous le nez tout ce temps!

Il tenait toujours ses gages dans sa main. Je me levai lentement. Ses yeux se rétrécirent jusqu'à devenir de minces fentes. Sàra commençait à se rendre compte du malaise qui s'installait et pâlit à son tour.

— Quelque chose m'échappe, dit-elle, avant de se tourner vers moi. Tu peux m'expliquer ce qui se passe?

L'homme fourra son argent dans la poche intérieure de sa veste. Un sourire se dessinait sur ses lèvres, mais son regard restait froid, se faisant même menaçant. Il me toisait avec morgue. Ce regard bleu-vert... quelque chose dans ses traits me rappelait quelqu'un d'autre.

Gordon qui s'était remis de sa surprise plus rapidement que moi fit un pas dans ma direction. Instinctivement je reculai pour garder une distance entre nous.

— William, dit Sàra, manifestement troublée par la situation, tu peux m'expliquer?

— Cet homme est une taupe, Sàra, déclarai-je alors pour l'éclairer un peu. Il m'a menacée à Perth, son couteau sur ma gorge.

— Q-q-quoi?

Je ne quittais pas Gordon des yeux ni, par le fait même, le poignard qui pendait à sa ceinture. Nous nous évaluions l'un l'autre du regard, immobiles. Il ne semblait nullement craindre mes révélations à son sujet.

— Il voulait que je lui dévoile ce que je savais sur le complot du fils d'Argyle.

— William, qu'est-ce que ça veut dire?

— Ça n'a plus d'importance aujourd'hui, déclara-t-il d'une voix basse. Le fils du duc s'est dégonflé.

— Mais les assassins...

Sàra avait laissé s'échapper ces mots, qui résonnèrent dans la pièce comme de la porcelaine se fracassant sur le parquet. Gordon sursauta et tourna son regard glacé vers elle.

— De quoi parlez-vous?

Elle me lança un regard désemparé et effrayé. D'un geste, je lui indiquai de ne rien dire.

— Cette bande de lâches m'a laissé tomber! avoua Gordon.

Ses gestes pataud trahissaient sa nervosité contenue, malgré l'impassibilité qu'il affectait.

— Je devrai me débrouiller seul...

C'était lui, le messager attendu! Les assassins auraient donc bien quitté l'auberge pour Dunnottar. La tromperie avait fonctionné. Mais où était Marion? Elle n'était pas encore rentrée. Mon cœur s'emballait tandis qu'un sombre pressentiment m'envahissait. Si les choses avaient tourné de travers?

Une main s'empara de mon poignet et me tira violemment.

— Vous venez avec moi.

— Quoi?

Il ricana, sarcastique.

— Vous ne croyez tout de même pas que je vais partir sans un gage à échanger contre ma vie si les choses n'allaient pas pour moi? Et puis, votre salaud de mari m'a foutu une de ces raclées. J'aimerais bien lui rendre la monnaie de sa pièce. Vous êtes plutôt mignonne. Vous lui manquerez certainement...

— Vous ne pouvez pas faire ça! rétorqua vivement Sàra en tentant de se placer entre lui et moi.

Il la repoussa sans ménagement. Je me débattis, mais m'immobilisai sur-le-champ lorsque je sentis le froid de l'acier d'un canon sur ma nuque. « Caitlin! Te voilà encore dans de beaux draps! »

— Vous criez, milady, et je lui fais sauter la cervelle, menaça-t-il en me tirant vers la porte. Ce serait bien dommage...

Sàra, tétanisée par la peur, était complètement paniquée. Son cri s'évanouit sur ses lèvres. Évidemment, les domestiques n'étaient jamais visibles lorsqu'on avait besoin d'eux! Gordon m'entraîna à sa suite dans le couloir, jusqu'au hall d'entrée, et s'empara d'une cape qui avait été laissée sur un banc. Il s'empara aussi de sa houppelande.

— Où m'emmenez-vous?

— À Montrose. J'ai quelque chose à régler là-bas, expliqua-t-il. Vous, c'est autre chose; c'est d'ordre personnel.

Il se tut un instant, puis jeta un coup d'œil dans le couloir. Les talons de Sàra martelaient le parquet. Un remue-ménage agitait les domestiques, qui commençaient à pousser des cris de terreur. Montrose... Il avait l'intention d'assassiner lui-même le Prétendant. Mais que venais-je faire dans cette histoire?

— Allez! grogna-t-il en me poussant du bout de son arme. Il n'y a pas de temps à perdre; nous devons nous mettre en route.

— Je n'ai rien à voir avec vous, William Gordon! criai-je.

— C'est ce qu'on verra!

Il m'ordonna de monter sur son cheval qui attendait devant l'entrée et grimpa derrière. Me retenant fermement par la taille, il éperonna sa monture. La bête s'élança dans la brume opaque. Je jetai un dernier regard derrière moi et n'eus que le temps de voir Sàra debout sur le seuil, une main sur la bouche pour étouffer un cri. J'étais en route pour Montrose, à la merci d'un homme qui se préparait à commettre un régicide. Je ne donnais pas cher de ma peau à ce moment-là.

31

Les assassins

Duncan vidait sa deuxième chope, observant du coin de l'œil trois hommes aux allures suspectes qui tenaient un colloque dans un coin sombre de l'auberge. Marion était assise en face de lui et froissait bruyamment l'enveloppe entre ses doigts, de façon à ce qu'elle soit bien visible des hommes. Où pouvaient bien se trouver les autres? Étaient-ils repartis? Le messager était peut-être déjà venu et avait pu demander à ces trois hommes de rester derrière pour une raison quelconque. Toutefois, Duncan jugeait la chose peu probable. Celui qui se faisait appeler Mackay était là et lui faisait face. « Certainement pas un enfant de chœur, celui-là! » Il était manifestement le chef de la bande.

Mackay leur lançait justement des regards furtifs. Duncan savait qu'il avait remarqué l'enveloppe et le sceau qu'elle portait.

— Il ne viendra pas, marmotta Marion en lorgnant discrètement vers Mackay.

— Attendons encore quelques minutes. S'il ne vient pas nous... merde! Ça y est, *mo aingeal*.

L'homme se levait lentement en les regardant d'un œil méfiant. Il s'approcha d'eux, suivi de près par ses deux acolytes. Duncan approcha sa main du manche de son poignard. Marion se composa un air détendu. Une ombre menaçante se dressa au-dessus d'eux. Duncan commençait à sentir un malaise lui tordre les boyaux. Il regrettait déjà d'avoir laissé Marion participer à cette sinistre mascarade. Il aurait dû venir seul, même si les risques que le plan échoue étaient plus grands. Mackay se pencha au-dessus de Marion avec une moue sournoise.

— Bonjour, ma petite dame. Serait-ce possible que vous cherchiez quelqu'un?

— Et vous, attendez-vous quelqu'un? répondit Marion, impavide.

L'homme ricana sinistrement.

— C'est possible. Mais je m'attendais à voir quelqu'un d'autre.

Il pointa son index sur la lettre, que Marion avait laissée tomber sur la table pour qu'il ne remarque pas ses tremblements.

— Qu'est-ce que ceci?

— Je ne sais pas exactement à qui je dois la remettre, dit-elle candidement. John m'a seulement dit de m'arrêter ici, m'affirmant qu'on m'aborderait. Le destinataire saurait...

— John? la coupa Mackay, perplexe.

— D'Argyle, précisa Marion sur le même ton désinvolte. Le fils du duc.

Pendant un moment, l'homme ne dit rien. Puis il hasarda une main vers l'enveloppe. Marion l'attrapa avant qu'il n'ait eu le temps d'y toucher.

— Comment puis-je savoir si vous êtes bien celui à qui je dois remettre ce document?

— Et moi, qui me dit que vous êtes bien la personne que j'attends?

Il sortit néanmoins une enveloppe de sa poche et la mit sous le nez de Marion. Les yeux de Duncan ne quittaient pas les mains des deux sbires, qui étaient restés un peu en retrait. « Des hommes brisés », pensa-t-il en les évaluant du regard. L'aubergiste, monsieur Milne, avait raison. Ce Mackay n'avait pas l'air commode, et Duncan, malgré sa forte stature, craignait de devoir en venir aux mains avec lui. L'homme était un peu plus petit que lui, mais il était bâti comme un taureau. Une seule de ses mains pouvait assurément faire le tour du délicat cou de cygne de Marion pour le briser. Duncan déglutit à cette idée.

D'une main incertaine, Marion prit l'enveloppe de Mackay et compara les deux estampilles. Duncan jeta un coup d'œil lui aussi et resta estomaqué devant la similitude des deux dessins.

— Alors, ça vous va comme ça? lui demanda Mackay.

— Oui... je crois que vous êtes celui que j'attends.

Elle lui tendit la fausse missive d'un air nonchalant, puis plongea vite le nez dans sa chope pour éviter qu'il remarque son trouble. Mackay examina l'enveloppe.

— L'estampille, fit-il observer, elle est différente.

Lui aussi avait l'œil aiguisé. Il ne se laisserait pas berner si facilement. Les jointures de Marion blanchirent sur l'anse de la chope.

— C'est que j'ai renversé de l'eau dessus, mentit effrontément la jeune femme. J'en suis désolée.

— Hum... ouais.

Elle déposa sa chope sur la table pour qu'on ne voie pas ses tremblements. Duncan s'efforçait de respirer normalement, mais y parvenait assez difficilement. Leurs regards se croisèrent pendant un instant. Il aurait voulu pouvoir la sortir de l'auberge à ce moment précis. Mackay avait le message; elle n'avait pas de raison de rester plus longtemps. Cependant, il fallait attendre pour ne pas éveiller les soupçons. L'homme déchira l'enveloppe et se plongea dans la lecture du message.

— C'est pas sérieux! grogna-t-il en montrant la feuille à Marion. Qu'est-ce que c'est que ça? Et d'abord, qui êtes-vous?

Duncan se tendit; ses doigts effleurèrent le poignard, prêts à le dégainer. Les deux sbires s'étaient rapprochés.

— Qui je suis ne vous regarde en rien, dit stoïquement Marion. Je passais par Aberdeen pour me rendre au château de Cawdor, afin de visiter une tante. Mon cousin John a cru bon de me faire porter cette lettre. Il était trop occupé au camp, avec son père. Vous savez qu'ils marchent présentement sur Perth, alors... Je ne connais pas le contenu de ce message et ne souhaite pas le connaître. Si quelque chose vous déplaît...

Elle haussa les épaules, l'air de dire : « Je m'en fous royalement! » ou bien « Mettez-la où je pense! », et le regarda droit dans les yeux.

— Mais c'est de la folie! s'écria Mackay. Dunnottar... Sacredieu!

— Qu'est-ce qu'il y a, Aenas? demanda le plus gros des sbires d'un air inquiet.

Mackay lui tendit la lettre. L'homme la contempla, un peu penaud.

— Tu sais bien que j'sais pas lire.

— On nous demande de nous rendre à Dunnottar; c'est de la folie! Le Prétendant doit y arriver cette nuit.

Duncan s'agitait et jugea le moment venu pour s'éclipser avec Marion. Il commençait à se lever quand Mackay le repoussa sur son banc.

— Holà! On ne va nulle part!

— Maîtresse Campbell a encore une longue route avant d'arriver à Cawdor. Elle devait repartir sitôt le message remis.

— Eh bien, « Maîtresse Campbell » ne partira pas tant que je ne l'aurai pas décidé. Will, va rassembler les autres. On doit discuter.

Le compagnon illettré tourna les talons et sortit de l'auberge.

— Dunnottar n'est pas ce à quoi je m'attendais! Lunan Bay, Stonehaven peut-être. Arbroath même... Jamais Dunnottar!

Il fouilla dans son *sporran* et en sortit une carotte de tabac. Il en arracha une feuille et se la fourra dans la bouche avec une brusquerie qui exprimait sa fureur. Duncan regarda Marion, mais elle gardait obstinément les yeux rivés sur sa chope. Les choses n'allaient pas comme voulu. Ils auraient dû prévoir un plan de rechange en cas de nécessité.

Quelques minutes s'écoulèrent encore avant que le reste de la bande n'entre dans l'auberge, provoquant une légère agitation parmi la clientèle déjà présente. Celui qui avait engagé ces hommes savait à qui il avait affaire.

— Qui vous a envoyée, redemanda Mackay avec autorité.

Il s'était penché sur Marion et la fixait d'un œil mauvais.

— Je... je suis les instructions de mon cousin.

— Quelque chose ne va pas, mais alors là, pas du tout! Je veux votre nom!

— Mon sang est Campbell, monsieur, gronda-t-elle en le défiant du regard.

Son visage s'était empourpré de colère et Duncan la connaissait assez bien pour savoir dans quel état cela la mettait qu'on doute de ses origines. L'homme mâchouilla sa chique quelques secondes, l'air indéchiffrable, la jaugeant de la tête aux pieds. Puis l'ébauche d'un sourire retroussa un coin de sa bouche, d'où coulait un mince filet noirâtre qu'il essuya du revers de sa manche.

— Ouais. Campbell, hein? D'Argyle? fit-il en regardant les couleurs du tartan.

— Campbell de Kames.

— Kames... hum... Et lui?

— Mon escorte. Vous ne croyez tout de même pas que je voyage seule? Dois-je vous rappeler que le pays est en plein soulèvement?

Mackay lorgna de biais vers Duncan qui, immobile comme une statue de marbre, faisait le terrible constat qu'il avait mis sa femme entre les griffes d'un tueur. Un frisson glacé le parcourut. Mackay sembla deviner son trouble; sa bouche se tordait en un rictus hideux qui découvrait une rangée de dents noires dont quelques-unes étaient cassées.

Les hommes de Mackay formaient maintenant un mur autour d'eux. Marion et lui étaient dans le pétrin, et c'était peu dire. Il devait trouver un moyen de les sortir de là le plus rapidement possible. Le malfrat se tourna vers ses hommes. Le torse bombé de suffisance, il s'adressa à eux d'une voix forte et impérieuse, faisant fi de la présence des clients qui les regardaient avec curiosité.

— Il semble que nous allons devoir changer nos plans. Nous allons en discuter, puis nous prendrons une décision.

Un murmure parcourut le groupe d'hommes.

— Sortons! ordonna-t-il. Vous aussi, vous nous suivez!

La couvrant de sa cape, Duncan aida Marion à se lever. D'une pression sur l'épaule, il tenta de la rassurer. Mais le sourire et le regard qu'elle lui rendit étaient peu convaincants. Elle était terrorisée. Il était trop tard maintenant. Ils devaient être prudents.

L'un des hommes poussa Marion un peu rudement dans le dos pour la faire sortir. Elle pirouetta sur ses talons et lui lança un regard meurtrier.

— Ne me touchez pas!

— Vous saviez que dans le Strath Halladale, on laisse les sorcières s'enliser dans les tourbières? lui dit-il d'un air moqueur en plissant ses yeux noirs de maquignon.

— Allez vous faire foutre, espèce de vieux bouc puant! Chez nous, en... Argyle, nous pendons les hommes comme vous!

— Ça suffit, Ewie! intervint Mackay. Cette dame est la nièce du duc d'Argyle. Elle s'appelle « Défense d'y toucher ». Est-ce clair?

L'air frais leur fouettait la peau. Le crépuscule commençait à étendre son manteau de pourpre sur la baie de Stonehaven. Le petit bourg portuaire, dont la principale activité était la pêche, était niché dans une anse sablonneuse, au pied des falaises de Downie Point. Les cris des mouettes qui faisaient des cercles au-dessus d'eux résonnaient et se répercutaient sur les façades de pierre des habitations.

Ils se tenaient sur Highstreet qui offrait une vue sur la baie et attendaient que les hommes de Mackay finissent de délibérer. La rue se vidait peu à peu de ses passants. Duncan chercha du regard les deux hommes qui étaient censés raccompagner Marion. Ils s'étaient fondus parmi les pêcheurs qui rentraient de leur journée et qui s'affairaient à accrocher leurs filets pour les faire sécher. Il croisa le regard de l'un d'eux. L'homme avait compris la situation. Duncan lui fit signe de ne rien tenter. Il ne voulait pas prendre le risque que Marion soit blessée dans une escarmouche qui tournerait mal.

La main de la jeune femme effleura la sienne et l'agrippa. Il avait une envie terrible de la prendre dans ses bras, mais il devait garder une attitude distante, à la limite amicale, avec elle. Le petit homme au visage chafouin qui les surveillait de près tripotait sans cesse son pistolet, comme pour leur donner un avertissement.

— Qu'est-ce qu'on va faire? demanda Marion sur son épaule en feignant de regarder derrière elle.

— Attendre, pour le moment. Tu as toujours ton poignard?

Pressant légèrement sa cuisse contre la sienne, elle lui fit sentir le renflement de l'arme cachée dans les replis de sa jupe. Il se pencha vers elle.

— N'oublie pas, en dernier recours seulement.

Un grondement parcourut le groupe d'hommes. À en juger par leurs expressions, la destination qui leur était imposée ne les enchantait guère.

— On ne va pas aller se fourrer dans cette forteresse! Aussi bien se tirer une balle dans la tête!

— Écoute, Doug, on n'est pas venus jusqu'ici pour retourner les mains vides à Cape Wrath! On nous a promis à chacun cinq pour cent de la récompense. Tu veux cracher sur tout cet argent? T'es complètement taré ou quoi? Cinq mille livres sterling, c'est plus que tu n'auras jamais dans ta putain de vie!

— Ouais... Encore faut-il que je sois encore là pour le dépenser, crétin!

— Ça va, les gars. Faut se décider. On y va, oui ou non?

— Moi, j'dis que Finlay a raison. On est tout de même pas venus jusqu'ici pour rentrer bredouilles. Ma femme attend un septième marmot. Un peu d'argent serait bienvenu.

— T'es sûr d'en être le père, Connor?

— Ta gueule, Andrew! Avec la tronche que t'as, j'serais pas surpris que la tienne se fasse engrosser par ton frère, histoire d'avoir des gosses à peu près regardables tout en restant dans la famille.

Un poing s'abattit dans un bruit sourd sur le nez de Connor qui se mit à jurer et à cracher du sang. Un seul regard de Mackay eut tôt fait de calmer les deux malotrus. Les hommes délibérèrent bruyamment pendant quelques minutes encore, pour en arriver finalement à un consensus. Dieu régnait au ciel et l'argent sur la terre... Ils iraient à Dunnottar.

Mackay brandit le petit carton portant les armes des Keith, qui leur permettrait d'entrer en toute sécurité dans la forteresse.

— C'est notre clé d'entrée, je présume? Comment Argyle a-t-il bien pu se procurer ceci?

Marion feignit la surprise en examinant le carton comme si elle le voyait pour la première fois.

— Je ne sais pas, bredouilla-t-elle, commençant à s'affoler.

Mackay se posait trop de questions auxquelles ils n'avaient pas de réponses. Il était temps de partir.

— J'avoue que je ne sais pas trop quoi penser. Je continue de croire qu'il y a anguille sous roche dans cette affaire. Vous venez avec nous.

Marion écarquilla les yeux.

— Non... je dois repartir...

Le malfrat l'attrapa par le poignet et la tira derrière lui. Duncan tenta de les rattraper, mais fut vite retenu par deux hommes qui le repoussèrent brutalement. Mackay se retourna et éclata d'un rire sardonique.

— Croyez-vous que je suis assez bête pour aller m'enfermer dans une forteresse ennemie sans garantie pour pouvoir en ressortir? Et comme on dit, qui ne tente rien n'a rien, n'est-ce pas? Votre maîtresse vient avec moi. Grimpez sur votre monture, jeune homme. Vous venez aussi. On aura peut-être le temps de faire plus ample connaissance. Allez, les gars, on n'a pas toute la nuit! On ne sait pas quand l'objet du contrat doit arriver au château.

Le fracas des vagues leur parvint bien avant qu'ils voient l'eau se lancer à l'assaut du littoral déchiqueté. À présent, Duncan pouvait distinguer la sombre et impressionnante silhouette de Dunnottar dans le clair-obscur. Il en eut la chair de poule. Les embruns couvraient les arbres d'une fine couche de givre scintillante et collaient leurs cheveux à leur visage. Prisonnière de Mackay, Marion chevauchait devant lui, évitant de se retourner. Avec sa cape qui se gonflait d'air et ses cheveux qui volaient autour de sa tête, elle avait l'air d'une créature de l'autre monde venue hanter les tours écroulées du château. La sorcière de Dunnottar. Duncan ne put s'empêcher de frémir devant le tableau à la fois féerique et funeste.

La troupe fit halte avant de descendre le chemin tortueux qui s'enfonçait dans les brumes opaques des replis rocheux du ravin. La brise marine portait l'écho des cris des oiseaux qui tournoyaient et se laissaient flotter sur les courants d'air chaud arrivant de la mer. Mackay fixait la forteresse d'un air indéchiffrable, évaluant la situation avec circonspection tout en mastiquant sa chique. Il cracha un amas gluant, grogna son insatisfaction, puis jura dans sa barbe. Duncan crut qu'il allait rebrousser chemin. Mais l'homme fit signe au groupe d'entreprendre la descente. Le chemin était si boueux que les montures glissaient et s'enlisaient parfois jusqu'aux genoux en renâclant.

Duncan sentait son estomac se serrer à l'approche du promontoire qui se dressait devant eux. Il pesta contre lui-même. Il aurait dû empêcher Marion de jouer ce stupide rôle. Cependant, pour être tout à fait honnête avec lui-même, il devait admettre qu'elle s'en était admirablement sortie. En vérité, elle avait été bien meilleure que lui et avait su cacher son trouble à Mackay. Si ce foutu malfrat avait été un tantinet plus bête qu'ils l'avaient cru, ils ne se seraient pas trouvés là. Mackay ne leur faisait pas confiance et les gardait comme otages. La situation tournait au vinaigre. Duncan souhaitait seulement que son père et les hommes de son clan n'attaquent pas avant qu'il ait trouvé un moyen de la mettre à l'abri.

— Stop! cria Mackay en levant la main.

Quelques chevaux hennirent nerveusement. L'obscurité rampait sur la façade de pierre d'une dizaine de mètres percée d'une seule porte. Le mur adjacent était quant à lui parsemé d'une multitude de meurtrières derrière lesquelles devaient se trouver des canons prêts à riposter en cas d'attaque.

Des hommes murmuraient, d'autres s'agitaient nerveusement sur leur selle en levant des yeux inquiets vers les hautes murailles et en se demandant certainement ce qui les attendait derrière. On amorça les armes. Duncan chercha à accrocher le regard de Marion. Se sentant probablement observée, elle tourna les yeux vers lui. Elle était si pâle...

— Qui va là? cria soudain une voix.

Duncan tressaillit. Une petite fenêtre percée au centre de la porte s'ouvrit. Mackay hésita, lançant un regard suspect vers les deux otages. Il descendit de son cheval, forçant Marion à le suivre jusqu'à la porte. Il glissa le carton dans l'ouverture grillagée, qui se referma aussitôt après l'avoir avalé. Il y eut une longue attente silencieuse pendant laquelle les hommes scrutaient nerveusement les ouvertures obscures de la façade. Duncan était au supplice. Il s'empara de son poignard et décrocha son pistolet. Les poils se hérissaient sur ses bras et la chair de poule déclencha un frisson qui lui parcourut l'échine. La dernière fois qu'il avait eu cette sensation, c'était sur la plaine de Sheriffmuir, juste avant la bataille. Il ferma les yeux et secoua la tête pour dissiper les terribles images qui commençaient à affluer dans son esprit.

Enfin, le cliquetis des chaînes et le grincement du métal annoncèrent qu'on levait la herse. L'entrée était déserte. Des torches accrochées aux murs éclairaient les marches dallées d'une lueur vacillante qui faisait danser les ombres inquiétantes des individus en train de franchir l'entrée. La porte se referma derrière le groupe, puis un troublant silence suivit. Le piège se refermait.

Tout en haut du passage qui montait se trouvait une autre porte. Ils passèrent devant la salle des gardes vide et d'autres meurtrières pour canons à mitraille. Un coup de ces canons, et ils se retrouvaient tous en bouillie. Ils étaient maintenant à la merci de ceux qui se tapissaient dans l'ombre.

Le bruit de leurs pas et le martèlement des sabots des chevaux résonnaient entre les murs froids et ruisselants d'humidité, tandis qu'ils grimpaient vers l'entrée secondaire. Dans le passage où ils se trouvaient, ils faisaient des cibles faciles pour des tireurs cachés dans les hautes herbes, au-dessus des parapets. Un endroit idéal pour une embuscade. Duncan ne put s'empêcher de penser que l'ordre d'attaquer aurait sans doute déjà été donné si tout s'était déroulé comme prévu. Il resta aux aguets, serrant le manche de son poignard si fort qu'il en avait mal aux jointures. Dunnottar était un chef-d'œuvre de construction fortifiée.

Quelques minutes plus tard, ils arrivaient enfin dans l'enceinte même de la forteresse. Duncan embrassa la cour intérieure du regard. Personne en vue. Le mugissement incessant des vagues qui venaient se briser sur les rochers trente-sept mètres plus bas était assourdissant et ajoutait à l'atmosphère lugubre de l'endroit.

Sur sa droite se dressait le donjon, que jouxtaient quelques bâtiments : les écuries, sans doute, et d'autres dépendances. Un peu plus près d'eux s'érigeait une construction plus récente. En face, la chapelle ou ce qu'il en restait. La toiture et deux des murs s'étaient écroulés. Un petit cimetière, derrière lequel une palissade de bois dissimulait probablement quelques chaumières dont il ne voyait que les toitures. Sur sa gauche, trois bâtiments allongés se rejoignaient aux angles et ceinturaient une cour où était creusée la citerne de laquelle s'élevait une odeur d'eau croupie. Duncan scrutait l'obscurité qui s'épaississait autour d'eux, imaginant des silhouettes accroupies, lames fourbies et pistolets chargés. Prêtes à foncer sur l'ennemi.

— Qu'est-ce qu'on fait? chuchota soudain un homme.

— On aurait peut-être mieux fait de rester à l'auberge. Il y a de quoi se sentir comme un souriceau dans une trappe.

— T'es qu'une poule mouillée...

— La ferme, Andrew!

La tension montait. Le silence inquiétait. Où se trouvait la garnison? Duncan n'avait pas vu âme qui vive depuis leur arrivée dans les murs de la place forte. Mackay allait certainement se poser des questions, et même découvrir le pot aux roses. Ils l'avaient sous-estimé, il n'y avait pas de doute.

Marion tordait son poignet dans la main de son geôlier, qui ne lâchait pas prise. Quelques torches éclairaient faiblement les façades des bâtiments. Mais la cour était maintenant plongée dans l'obscurité et la brume s'immisçait entre eux, diminuant encore la visibilité. « Ils n'arriveront jamais à viser juste dans ce brouillard! » songea Duncan. L'angoisse le torturait. Il devait éloigner Marion et la mettre à l'abri. Ici, ils faisaient de bien trop belles cibles s'ils se trouvaient pris au milieu de feux croisés. Il s'approcha d'elle.

— Je vais installer la dame à l'intérieur, déclara-t-il.

— Pas question! Elle reste avec moi, grogna Mackay.

Duncan s'énerva.

— Entrez avec elle alors, si vous voulez. J'ai pour ordre de veiller à sa sécurité.

— Je n'en ai rien à foutre! La dame ne va nulle part.

Duncan vit un mouvement imperceptible pour celui qui ne l'anticipait pas. Mais pour lui, ce fut le signal d'alarme. Tournant la tête vers la palissade de bois, il vit le reflet de la lumière cendrée de la lune sur une lame. Ils étaient bien là, tapis dans l'obscurité. Mackay plissa les yeux et vit lui aussi. Il considéra Duncan un instant, mâchonna encore un moment, puis cracha de nouveau à ses pieds.

512

Duncan cessa de respirer. Mackay venait de deviner le piège. L'homme regarda de nouveau vers la palissade et sourit sournoisement.

— Eh bien, monsieur « Campbell ». Il me semble qu'on nous attendait... et je doute que ce soit le prince.

Puis tout s'enchaîna à la vitesse de l'éclair. Mackay poussa Marion devant lui vers le bâtiment le plus proche, puis, levant son pistolet, visa Duncan qui eut juste le temps de se jeter au sol et de rouler se cacher.

La détonation prit tous les hommes de court. Elle fut rapidement suivie d'une deuxième, puis d'une troisième. Quelqu'un s'écroula.

— C'est une embuscade! cria l'un des hommes.

En quelques secondes, ce fut la confusion totale. Les tirs fusaient de toutes parts. Mackay s'engouffra dans le bâtiment avec Marion. Duncan ne pouvait pas les suivre sans risquer de se faire tirer dessus. Un homme courait dans sa direction pour se mettre à couvert. Duncan le mit en joue et tira. Un cri étouffé; l'homme vacilla et tomba au sol. Il devait sortir Marion de là.

Le cœur battant, il longea à quatre pattes le mur du bâtiment jusqu'à l'entrée. La porte était restée entrebâillée. Il donna un coup de pied dessus. Une détonation retentit et se répercuta sur les murs; le bois de la porte explosa au-dessus de lui. S'aplatissant comme une crêpe, il attendit quelques secondes. Dans la cour, des silhouettes hurlantes gesticulaient. Les combats à l'épée avaient commencé. L'obscurité rendait les tirs trop imprécis. La peur s'insinuait en lui.

« Je me croirais de nouveau à Sheriffmuir. »

Il entendit des bruits de pas, des meubles qu'on heurtait et les cris étouffés de Marion. Ils se dirigeaient vers la droite. Duncan vérifia l'amorce de son pistolet, puis pénétra dans le bâtiment.

— Marion! appela-t-il.

Un faible gémissement lui parvint du fond de la pièce. Il longea le mur en tâtonnant, butant contre des chaises et des bancs. Une ouverture... Non, c'était l'âtre d'une cheminée.

— Marion!

L'écho... Il n'arrivait pas à les localiser. Son cœur battait à lui rompre la poitrine. Mackay allait certainement s'en prendre à elle, maintenant qu'il se savait dupé par eux. Il devait faire vite.

— Marion!

Un autre gémissement étouffé, qui faisait écho au-dessus de lui. Il leva la tête. Des ténèbres abyssales l'enveloppaient.

— Duncan!

L'appel affolé de Marion emplissait la pièce, venant de nulle part et de partout à la fois.

« Où sont-ils? »

L'écho d'une cage d'escalier! C'était cela! Ils étaient montés à l'étage. Mais où se trouvait cette fichue cage d'escalier? Y allant à l'instinct, il rasa le mur en direction du gémissement entendu quelques secondes plus tôt.

Une autre ouverture? Oui, une porte! Il s'y engouffra et se heurta à une contremarche.

« Un escalier en colimaçon! »

Il y ferait une cible parfaite. Une petite fenêtre était percée à mi-chemin dans le mur, laissant entrer une faible lueur. Si Mackay l'attendait dans l'ombre, il pourrait facilement l'atteindre dès qu'il traverserait le rai de lumière. Mais il n'avait pas le choix. Marion était entre les griffes de ce salaud.

Il grimpa les marches une à une, le dos collé au mur, les yeux dirigés vers le haut. Il avait grand-peine à respirer et le sang lui fouettait sauvagement les tempes.

« C'était pas une bonne idée... Pas une bonne idée! »

Les cris et le fracas des lames qui s'entrechoquaient lui parvenaient de la cour et emplissaient sa tête d'images terrifiantes. Sheriffmuir le hantait comme un cauchemar. Il transpirait abondamment. Surgissaient soudain des images du champ de bataille... rouge de sang, couvert de corps mutilés, Écossais et *Sassannachs* réunis dans un sommeil éternel. Il revoyait Ranald qui se tournait vers lui, narguant la mort d'un sourire. La lame du dragon qui s'élevait, luisante et tranchante. Il entendait encore le cri de son père, le sien... Puis, maintenant, c'était celui de Marion qui l'appelait. Il étouffait, suant à grosses gouttes. Il gémit. Non! Il devait se concentrer sur Marion. Ils n'auraient pas Marion.

« Marion! »

Des bruits étouffés, et des crissements... On déplaçait des meubles sur un parquet de bois. Puis des pas précipités. Marion sanglotait. « Sainte Mère de Dieu; protégez-la! » Les pierres étaient froides et dures dans son dos. Il rasa le mur. Son souffle se condensait en une fine vapeur blanche devant lui; pourtant Duncan avait très chaud.

Il atteignait l'entrée du premier étage qui s'ouvrait sur sa gauche. L'oreille tendue, il retint son souffle pour écouter. Rien. Où étaient-ils? Duncan essayait de revoir mentalement de quoi se composait l'arsenal de Mackay : deux pistolets, certainement à répétition; un mousquet, qui était cependant resté dans les fontes de son harnais; une épée et un poignard... Il réalisa avec consternation qu'il ne pourrait se servir de son propre pistolet si Mackay faisait de Marion son bouclier. Et si lui ne pouvait tirer sur ce salaud, l'autre, en revanche, s'en donnerait à cœur joie!

Le grincement de sa lame frôlant le mur lui rappela qu'il avait son épée suspendue à son baudrier. Il passa son poignard dans sa main gauche et troqua son pistolet pour la lame qu'il brandit devant lui. Puis il contourna le chambranle d'un bond. La pièce était vide.

Duncan s'élança à travers l'enfilade de pièces, longeant les murs, retenant son souffle. Vides! Toutes vides! Son cœur lui martelait la poitrine. Il avait mal. Mackay était monté dans les combles. Il revint vers la cage d'escalier et reprit l'ascension périlleuse des marches en spirale, usées et glissantes d'humidité.

— Marion! cria-t-il, en proie à la panique.

— Duncan...

Un cri étranglé, puis un autre, terrifié celui-là, lui glacèrent le sang. Il avait l'impression que l'escalier se dérobait sous lui, qu'il montait à l'infini. Il arriverait trop tard... Fils de pute de Mackay! Il aurait sa peau!

Une décharge d'adrénaline lui donna la force de franchir les dernières marches. Une odeur de moisi et de poussière le prit à la gorge. Il remarqua que la toiture s'affaissait légèrement dans un coin et qu'il manquait quelques ardoises. Une lumière laiteuse filtrait et plombait les plaques de pierre qui jonchaient le plancher. Sàra leur avait dit que les Keith, pratiquement ruinés après le long siège de Cromwell en 1652, avaient laissé le château aux bons soins des vents marins et des oiseaux. Après soixante ans de négligence, l'état des bâtiments s'était grandement détérioré.

Duncan perçut un mouvement au fond de la pièce. Il fouilla des yeux l'obscurité pendant un moment. Des caisses de bois, des chaises brisées, un tapis roulé, un vieux matelas de plumes éventré. L'espace, qui servait visiblement de débarras, était jalonné de poutres qui supportaient la toiture. Aucun abri ne s'offrait à lui; l'obscurité seule était son alliée.

Un gémissement lui parvint encore; Marion... était-elle blessée? Il s'accroupit pour passer sous une entretoise qui lui barrait le chemin. Quelque chose lui frôla le pied. Il sursauta et abattit sa lame d'instinct. Un rat... « Un putain de rat! » Une détonation retentit, et le bois de la poutre contre laquelle il s'appuyait éclata. Il plongea et roula sur le sol un peu plus loin. Il avait signalé sa présence à Mackay qui, en fin tireur, l'avait manqué de peu.

— Duncan... gémit Marion, en proie à une angoisse insoutenable.

— La ferme, garce! aboya Mackay.

Duncan entendit le bruit sourd d'un coup et le cliquetis d'un objet métallique qui rebondissait. Marion jura et grogna de douleur. Se battait-elle avec lui? Incrédule, Duncan s'élança vers l'endroit d'où lui provenaient les bruits de lutte.

— Un pas de plus, et sa petite cervelle d'oiseau s'étale sur le mur!

Duncan se figea immédiatement. Son cœur s'arrêta net, puis repartit au galop. Il les voyait bien maintenant. Ils ne se trouvaient qu'à quelques pas de lui, sous le coin affaissé de la toiture. Un mince rai de lumière argentée faisait luire la platine du pistolet de Mackay pointé sur Marion. Celle-ci s'était réfugiée sous une lourde table de chêne, les genoux ramenés sous le menton.

— Marion?

— On ne bouge pas... Duncan. C'est votre nom, je crois?

Marion se tourna vers lui, la bouche entrouverte, se penchant légèrement de façon à mettre son visage dans la lumière lunaire. Un mince filet sombre barrait sa joue droite. Du sang... il l'avait blessée. Elle passa une main dessus et l'essuya sur sa jupe. Puis ses lèvres articulèrent silencieusement : « Ça va! » Duncan poussa un profond soupir.

— Qui êtes-vous? tonna Mackay. Et qui vous envoie?

— Vous n'avez pas à savoir, répondit Duncan avec un calme appliqué.

Il était demeuré dans la pénombre et, de ses yeux, il balayait frénétiquement l'espace autour de Mackay, dans l'espoir de trouver quelque chose qui pourrait lui servir à le neutraliser. Mais le fond de la pièce était désespérément vide. L'éclat de son épée retint l'attention de l'assassin.

— Déposez doucement vos armes, ordonna Mackay.

Duncan hésita quelques secondes. Mackay releva son pistolet, prêt à tirer sur Marion. Duncan savait qu'il n'hésiterait pas à appuyer sur la détente. Il obtempéra donc et se délesta avec grands bruits de ses armes blanches. Il conserva néanmoins son pistolet resté accroché à sa ceinture et qu'il dissimula sous le pan libre du plaid ramené par-dessus son épaule.

— Poussez-les vers moi.

Les armes se retrouvèrent aux pieds de Mackay, qui l'observait d'un œil d'aigle.

— Vous n'êtes pas des Campbell, fit alors remarquer l'assassin avec hargne. Vous êtes des saletés de jacobites... Des sales papistes!

Sous la virulence des propos, Duncan ne put s'empêcher de sourire. L'homme plissa les yeux et jura.

— Qui vous envoie? Est-ce que ce foutu de Gordon m'aurait baisé? Je lui ferai la peau, à celui-là, quand je lui mettrai la main au collet!

Occuper l'esprit de l'assassin, gagner du temps... Voilà ce qu'il devait faire.

— Si vous sortez d'ici vivant, mon vieux! railla Duncan. Vous vous doutez bien que je n'étais pas seul et que la forteresse...

— Ha! Dites-vous bien que si je ne sors pas d'ici vivant, mon ami, vous non plus ne vous en sortirez pas.

L'homme s'agita, dirigeant maintenant son pistolet vers Duncan, qui fixa le trou noir de la gueule du canon et déglutit. Puis son regard glissa lentement vers Marion. « Sors de là! Sauve-toi! » Mais Marion restait clouée au sol, sous la table, et le fixait, comme hypnotisée. Elle ne sortirait pas de son abri. Mackay appuierait indubitablement sur la détente si elle tentait un geste.

Ils étaient pris au piège. L'un d'eux allait assurément être tué. La situation était désespérée. Au pire, ce salaud allait les tuer tous les deux. Il n'avait plus le choix : il devait risquer le tout pour le tout. Discrètement, il glissa une main sous son plaid jusqu'au pistolet « oublié ».

— Qui est ce Gordon qui vous a engagé? demanda-t-il pour occuper Mackay.

— Un homme du comte de Marischal.

Mackay articulait nerveusement ses mots. Il cracha un amas noirâtre sur le sol et s'essuya la bouche du revers de la main. Duncan avait la crosse de son arme bien en main et la faisait pivoter doucement pour la décrocher de sa ceinture. Une goutte de transpiration lui coulait le long de l'échine, jusque dans le creux de ses reins. Mackay reprit en souriant de toutes ses dents brunes ébréchées :

— Personnellement, je me moque que notre roi soit papiste ou protestant. On m'aurait demandé de tuer le bon George et j'aurais accepté le contrat. L'un ou l'autre, ils se moquent bien de nous. Et les temps sont difficiles...

— Combien on vous a offert pour accomplir cette sale besogne? Quelques centaines de livres?

Mackay éclata de rire.

— Quoi? Pensez-vous que je risquerais la peine de haute trahison pour si peu? On parle ici de milliers de livres, l'ami.

— Dans ce cas, je pense que votre employeur sera plus riche de quelques milliers de livres. Le Prétendant s'embarque à Montrose, et vous ne serez pas là-bas pour l'accueillir comme vous auriez dû.

La mâchoire de Mackay se crispait et sa pomme d'Adam montait et descendait. Il y eut un petit cliquetis métallique qui donna des sueurs froides à Duncan. Il avait réussi à décrocher son pistolet et venait de l'armer. La sueur perlait maintenant sur ses tempes. Un seul faux mouvement et c'en était fait d'eux. Il gardait l'arme bien calée dans le creux de sa paume moite, cachée sous le plaid. Mackay, qui le dévisageait, semblait méditer sur sa dernière déclaration.

— Qui vous envoie ici? demanda-t-il soudain avec agacement.

— Quelqu'un qui, à l'évidence, est au fait de ce qui se tramait... Je me demande bien qui aurait pu le mettre au courant. Peut-être que Gordon en aurait parlé...

— Gordon n'a pas parlé... il risque gros, tout autant que nous...

« C'est ça, Mackay, cause toujours. Ton temps est compté! » S'il arrivait à semer le doute dans l'esprit de l'assassin...

— Il peut avoir changé d'idée et avoir tendu un piège pour se débarrasser de témoins gênants.

L'homme déglutit. Son assurance s'ébranlait. Marion remua, détournant l'attention de Mackay qui retrouva son aplomb.

— Si c'est vraiment le cas, dit-il d'une voix déterminée, je lui réserve la dernière balle de mon pistolet.

Il releva son arme qui avait commencé à pointer légèrement vers le sol et rajusta sa ligne de tir vers la poitrine de Duncan qui fut momentanément attiré par un mouvement à la périphérie de son champ de vision. Il baissa les yeux et rencontra deux petites billes noires et luisantes qui le fixaient. Les combles étaient à l'évidence infestés de petits rongeurs! Le rat continua tranquillement son chemin.

Duncan se remit à réfléchir. Il lui fallait arriver à confondre Mackay. Mais le sang qui lui martelait les tempes et la peur qui lui tordait les tripes l'empêchaient de réfléchir rapidement. Du temps, il avait besoin de temps. Mackay n'avait certainement pas envie de faire la causette toute la nuit. Il commençait d'ailleurs à montrer des signes d'impatience.

Marion poussa un cri aigu. Le rat détala. Mackay pivota et pointa l'arme sur elle. Duncan glissa la sienne dans son dos, calculant rapidement ses chances de l'atteindre. L'atmosphère était tendue. Il avait du mal à respirer. Mackay fit un pas derrière, l'arme toujours braquée sur Marion qui s'était reculée le plus loin possible sous la table. Son regard glissa ensuite furtivement vers lui, froid et calculateur. Le temps semblait s'être arrêté. « Il va appuyer... »

Duncan avait appris à reconnaître cette lueur de folie passagère qui éclairait le regard d'un homme au moment où il s'apprêtait à appuyer sur la détente. Un rictus hideux tordit la bouche de l'assassin. « Il va le faire, bon sang! Il va tuer Marion! » Ses pensées se bousculaient dans sa tête. S'il le manquait? S'il n'arrivait pas à le neutraliser? Mackay, la gueule de son canon pointée sur sa cible, commençait à bouger le doigt sur la détente. Le cœur de Duncan allait exploser dans sa poitrine.

Maintenant! Il dégagea son pistolet. Mackay dirigea son regard vers lui. L'arme qu'il brandissait était maintenant devant lui, pointée sur l'homme. L'effet de surprise fit reculer Mackay d'un pas.

— Espèce de...

Une détonation retentit dans la pièce, puis une deuxième. Il y eut un hurlement de douleur. Marion criait d'angoisse, paralysée sous la table. Duncan avait touché sa cible au bras. Le pistolet de Mackay avait fait feu vers la toiture et était tombé au sol. L'homme se tenait le bras en geignant et en pestant.

— Chien de bâtard!

Un horrible craquement résonna dans les combles. Duncan leva les yeux et constata avec horreur que la toiture s'affaissait. La balle de Mackay avait percuté une poutre instable. Le malfrat levait lui aussi un regard éberlué vers le ciel. Marion remua sous son abri, étira une jambe.

— Non! Ne bouge pas, Marion! s'entendit hurler Duncan.

Puis, dans un vacarme indescriptible de craquements et de grincements, une partie de la toiture s'effondra sur eux.

La mémoire du corps.

Des cris, le choc des armes faisant vibrer chacune de ses cellules lui parvenaient faiblement. La douleur sourde de la peur et la nausée qu'elle engendrait l'étreignirent. Son estomac se retourna. La vision d'un carnage le frappa, l'horrifia. Il réprima une violente nausée en serrant les dents. Sheriffmuir... Il était de retour sur le champ de bataille, les jambes coincées sous la bête. Il gémit, puis remua. Une douleur aiguë lui déchira la cuisse. Sa blessure... Le coup d'épée, le dragon... N'avait-il pas été touché à l'aine? Pourtant il lui semblait que... Non, il avait mal à la cuisse, pas à l'aine.

Lentement, d'une main tremblante, il tâta sa jambe emprisonnée sous un poids. Pas de doux pelage tiède. Ses doigts ne rencontrèrent qu'une surface dure et rugueuse. Ce n'était pas une bête, mais une poutre de bois. Ses doigts glissèrent sous son plaid, à l'endroit où il avait mal. Une éclisse de bois s'était enfoncée dans sa chair et dépassait de quelques centimètres. D'un coup sec et rapide il tira dessus, poussant un cri de douleur. L'éclat était fin et long d'une quinzaine de centimètres, poisseux de sang. Il n'était pas à Sheriffmuir.

Dunnottar... La toiture... Marion...

— Marion... gémit-il.

Rien que le silence. Un silence angoissant, avec en fond le mugissement des vagues qui déferlaient sur le promontoire rocheux. Son cerveau se remettait lentement à fonctionner. Il se hissa sur ses coudes et fit le tour de la pièce du regard. Un trou béant laissait apparaître le ciel étoilé et s'immiscer la fraîcheur mordante de l'hiver côtier.

— Marion! Seigneur, non!

D'un nuage de poussière émergeait un amas de poutres et de pierres sombres et luisantes. N'écoutant que la douleur de son cœur, faisant fi de celle de son corps, il repoussa la poutre qui pesait sur lui. Il n'avait rien de cassé. L'effondrement l'avait épargné. La poutre aurait probablement volé sur lui après avoir rebondi au sol. Il se leva péniblement et fit le tour des combles d'un œil affolé. Il vit une paire de jambes bizarrement tordues dépasser de l'amas. « Va pourrir en enfer, Mackay! » La table... Marion était sous la table! Mais où était la table?

— Marion! hurla-t-il en proie aux pressentiments les plus sombres.

Il se jeta sur l'amas de débris et se mit à fouiller l'endroit où la table se trouvait un peu plus tôt. Les bords tranchants des ardoises fracassées lui entaillaient les doigts, tandis qu'il s'acharnait avec rage à retrouver sa femme dans les décombres.

— Oh, mon Dieu! Faites qu'elle soit en vie...

Ses doigts heurtèrent la surface lisse et douce du bois poli par les années. Avec l'énergie du désespoir, il finit de dégager la table. Elle s'inclinait jusqu'au sol d'un côté; deux pattes avaient cédé sous le poids des tuiles. Puis son regard accrocha une boucle orangée. Il retira une tuile et découvrit la masse des boucles rousses de Marion.

— Nooon! gémit-il faiblement.

Les larmes affluaient, coulaient, se mêlant à la poussière sur ses joues et brouillant sa vue. Il souleva la table et dans un craquement la fit basculer. Marion gisait les jambes repliées, le visage ensanglanté.

— Nooon! Marion, *mo aingeal*... cria-t-il en enfouissant son visage dans le corsage de sa femme. Je ne voulais pas ça... Pardonne-moi!

Il sanglotait sur le corps de sa bien-aimée, sur son malheur.

— Seigneur, je l'ai tuée...

Ses doigts s'emplirent des mèches soyeuses, s'en emparèrent et tirèrent dessus pour redresser la tête. Il glissa son autre main sous la nuque molle de Marion pour la soulever. Marion poussa un faible gémissement. Il écarquilla les yeux. Il n'en revenait pas. Incrédule, il posa sa joue sur la poitrine de la jeune femme. Le cœur battait... Un mélange indicible d'émotions le submergea. Elle n'était pas morte, elle vivait!

Il la souleva complètement et regarda autour de lui, cherchant un endroit confortable où la déposer. Le vieux matelas...

— *Mo aingeal...* murmura-t-il en lui caressant doucement la joue.

Ses doigts tremblaient tellement qu'ils effleuraient à peine la peau de soie. Marion émit une plainte et remua. Ses paupières clignèrent, découvrant un regard égaré. Elle se crispa et poussa un cri. Duncan la retint par les épaules pour l'empêcher de se redresser.

— C'est fini... C'est fini... *Tuch!* chuchota-t-il doucement.

Elle geignit, effrayée, puis son regard rencontra le sien.

— Duncan?

— *Tuch!*

Il essuya la traînée de sang qui lui souillait la joue et lui examina le visage : une petite coupure, simplement.

— Duncan? C'est bien toi? Tu es vivant?

— Oui, Marion. Es-tu blessée?

Elle plissa légèrement les yeux.

— Je crois que ça peut aller. J'ai un peu mal à la tête, c'est tout.

Délicatement, Duncan lui inspecta le crâne.

— Tu as une énorme bosse sur le dessus de la tête. La table t'a certainement frappée fort en s'effondrant sur toi et t'a assommée. Marion... J'ai cru que... que...

L'émotion l'étranglait. N'arrivant plus à dire quoi que ce soit, il écrasa sa bouche sur la sienne et l'embrassa avec fougue. La seule façon qu'il avait trouvée pour exprimer le désarroi qui l'avait dévasté. Au goût du sang se mêlait celui de la poussière et du sel des larmes. Une vague irrépressible de bonheur l'envahit brusquement et fit trembler toutes les fibres de son corps. Marion vivait!

— *A Mhórag, mo aingeal*, je t'aime... Je t'aime, mon amour.

Ses doigts fouillaient la chevelure, exploraient le visage. Comme pour se convaincre qu'il ne rêvait pas, il voulait la sentir vivre et vibrer entre ses bras.

— Je suis désolée, Duncan... dit tristement Marion, emprisonnée sous lui.

— De quoi es-tu désolée, mon amour? Tu es vivante, bon sang! C'est le plus grand bonheur que tu puisses m'apporter.

Ses mains s'agitaient sur elle. Il voulait la toucher, la caresser. Dans la flambée d'émotions qui l'assaillait, il en oublia sa blessure, qui l'élançait maintenant soudain à la cuisse. Marion le considéra un moment, les sourcils froncés d'inquiétude.

— Tu es blessé?

— À peine, grimaça-t-il en l'embrassant.

Elle l'écarta doucement, l'air soucieux.

— Duncan! Tu es blessé?

Il la repoussa sur le matelas encore moelleux qui dégageait une odeur aigre. Quelques plumes tourbillonnèrent autour d'eux. Les mains curieuses et inquiètes de Marion tâtèrent le dos et les flancs de Duncan, puis descendirent sur ses fesses qu'il banda à leur contact.

— *Mòrag*, je t'assure qu'il n'y a rien de grave...

Il l'embrassa encore, sur la bouche, dans le cou. Il enfouit son visage dans son corsage. Elle continuait fébrilement son inspection. Elle effleura sa cuisse. Il gémit et s'immobilisa en grimaçant. Marion le dévisagea, pétrifiée.

— Mais ta cuisse est ouverte, fit-elle avec incrédulité.

Puis elle approcha sa main couverte de sang de ses yeux horrifiés.

— Ce n'est pas grand-chose! Comme je t'aime, Marion!

Il la serra fort à la faire gémir. Cette fois-ci, elle ne résista pas et se blottit contre lui. Ils demeurèrent enlacés un bon moment à écouter le silence. Puis le froid se fit sentir. L'effet du choc se dissipant, ils commencèrent à grelotter.

Oublier sa blessure et se focaliser sur elle... sur le corps tiède et bien vivant qu'il serrait. Elle gémit de contentement et, glissant ses doigts dans ses cheveux, elle l'attira vers elle pour l'embrasser.

— *Mòrag*... souffla-t-il sur ses lèvres humides entrouvertes.

Marion enroulait amoureusement une mèche couleur corbeau autour de son index d'ivoire. Elle luisait de reflets bleutés dans le clair de lune. Sa joue était posée contre le front moite de Duncan qui reposait les yeux fermés.

— Je t'aime, Duncan, chuchota-t-elle dans ses cheveux.

— Je t'aime, *Mòrag*.

Les mots la frôlèrent comme une douce caresse. Elle aimait quand il l'appelait ainsi. *Mòrag* était la forme gaélique de Marion. Elle n'avait pas été longue à se rendre compte qu'il ne lui murmurait ce surnom que lorsqu'ils se retrouvaient dans l'intimité.

Lentement, elle leva les yeux vers la parcelle de voûte céleste. *Ursa Minor* était partiellement visible à travers les poutres. La vue de la constellation la ramena brusquement en Glenlyon, par une autre nuit froide. Celle où elle s'était donnée à lui. Elle sourit de contentement et frissonna de plaisir. Duncan resserra son étreinte autour d'elle.

Le vent s'engouffrait en sifflant dans les combles. Seulement là réalisa-t-elle l'étrangeté du silence. Elle n'entendait plus le vacarme des combats.

— Duncan, murmura-t-elle, inquiète en le repoussant légèrement. Ton père... où sont les autres?

Il s'écarta et leva la tête en même temps que des voix retentissaient dans le bâtiment. On les appelait. Il la regarda et lui sourit.

— Mon père va penser que je suis venu ici pour me payer du bon temps pendant qu'eux guerroient.

Marion tira sur l'encolure de sa chemise pour l'approcher.

Elle l'embrassa. Sous ses lèvres, elle devinait un sourire mutin qui la fit rire. Les appels résonnaient maintenant dans la cage d'escalier. Duncan se leva en grimaçant et Marion rajusta ses vêtements. La plaie saignait abondamment. Il s'adossa contre une poutre, haletant. Puis, il risqua un œil sur sa cuisse.

— Oh, merde!

Marion se pencha sur lui, examinant à son tour la plaie dans la pénombre.

— Sàra doit bien avoir du fil et une aiguille.

— Pas question! Bientôt j'aurai l'air d'une vieille chaussette toute reprisée.

— Ne t'inquiète pas! Je ne me débarrasse pas si facilement de mes vieilles chaussettes.

Une lueur dorée vacillante illuminait l'entrée des combles, tandis que les voix se précisaient. Trois silhouettes massives surgirent de la tour de pierre, armées d'épées et de flambeaux.

— Nom de Dieu! souffla Liam visiblement soulagé de voir les deux jeunes gens sains et saufs.

La cuisse provisoirement pansée, Duncan chevauchait derrière Marion, la tête appuyée sur son épaule. Ses mains caressaient doucement son ventre sous la cape. Bercé par les mouvements de la monture, il se laissait docilement conduire. Les hommes de Mackay avaient donné du fil à retordre aux Macdonald. L'obscurité jouant contre eux, ces derniers avaient mis du temps à les débusquer, à les maîtriser et à les faire mettre aux fers par les soldats de la garnison. Ils avaient cependant eu l'avantage de connaître un peu les lieux par rapport aux assassins.

Mackay avait eu la nuque brisée dans l'effondrement de la toiture. Trois de ses hommes avaient été tués; les autres avaient été enfermés dans les voûtes souterraines de Dunnottar.

Marion se retourna légèrement, le frôlant de ses boucles folles qui dansaient dans le vent et lui chatouillaient le visage.

— Tu ne souffres pas trop?

— Hum... un peu.

La ligne brisée de son profil se découpait sur la grisaille brumeuse qui les enveloppait d'un manteau feutré. Il souleva la tête et posa ses lèvres sur la peau fraîche de la joue de Marion qui s'offrait à lui.

— À l'avenir, je t'interdis de proposer des idées de ce genre, murmura-t-il dans son oreille.

— Mais nous avons réussi!

Il la tint fermement contre lui.

— J'ai failli te perdre, Marion! Si tu ne t'étais pas cachée sous cette table, je n'ose même pas penser... Et puis, ce plaid m'étouffe...

— Qu'est-ce qu'il a, ce plaid, Duncan? demanda-t-elle avec un sourire. Tiens ta langue, je n'ai pas encore sorti mon nécessaire à repriser.

— Ouille! D'accord. À bien y penser, les couleurs ne sont pas si mal.

— Hum... ouais.

Soudain leur parvint le martèlement grandissant d'un cheval au galop venant dans leur direction sur la route. La troupe venait de se ranger sur le côté lorsque le cavalier émergea de la brume et les passa à vive allure sans les voir.

— Hé! mais c'est Hamish, le palefrenier des Dunn! s'écria Calum.

Liam et Angus avaient déjà éperonné leurs montures pour le rattraper. Duncan les observait, intrigué. On s'inquiétait probablement au sujet de Marion au manoir. Pourtant, Hamish, l'un des deux hommes qui les avaient accompagnés à l'auberge de Stonehaven, les avait bien vus partir avec Mackay et ses hommes. Duncan lui avait même fait signe de retourner au manoir.

Les trois hommes avaient une discussion animée. Enfin, Liam descendit de cheval. Angus et le palefrenier revenaient tranquillement vers le groupe, la mine décomposée, laissant Liam seul.

— Qu'est-ce qui se passe? demanda Marion à Duncan.

— Je ne sais pas. Mais nous n'allons pas tarder à le savoir...

Un cri déchirant rompit le silence. Liam se prenait la tête dans les mains et jurait. Duncan le regardait avec appréhension. Que pouvait-il avoir appris de si terrible?

— Bon sang...

Marion s'était figée devant lui et ne disait mot. Angus s'approcha d'eux, hésitant. Sur son visage, Duncan pouvait lire une partie des angoisses que semblait vivre son père. Son esprit commençait à émettre les hypothèses les plus sombres sur ce qui avait bien pu se passer. Le Prétendant avait peut-être été abattu malgré tout. Le duc d'Argyle avait pris de l'avance sur les troupes jacobites et les aurait massacrées. Patrick avait été pris dans une embuscade... Il interrogea Angus du regard, bien conscient que les nouvelles ne seraient pas bonnes.

— Duncan... commença le vieux compagnon de son père. Je... C'est ta mère.

Il s'était attendu à tout, mais pas à ça! Il se tourna derechef vers son père, qui semblait complètement abattu. Sa mère... Son estomac se crispait au fur et à mesure qu'il imaginait le pire. Les doigts de Marion qui s'enfonçaient dans ses bras lui témoignaient qu'elle partageait ses craintes.

— Ma mère?

— Elle a été enlevée par...

— Quoi? Enlevée?

— ... par William Gordon, le coursier de Marischal, termina Angus. Ils sont partis vers Montrose. Le messager...

— C'était lui, balbutia Marion.

32

Un cadavre dans le placard

Une désagréable odeur de poisson pourri emplissait mes narines. J'observais le profil droit de mon ravisseur. Appuyé contre le chambranle de la porte grande ouverte sur la mer, il fixait le large, les yeux mi-clos. La brise faisait onduler ses cheveux que la longue chevauchée avait emmêlés et qui tombaient maintenant librement sur ses épaules. Sa mâchoire se contractait au même rythme que ses doigts sur son genou replié. Il semblait réfléchir à la situation.

Après avoir longé la côte déchiquetée jusqu'à Montrose dans le silence le plus complet, nous avions atteint le bourg aux environs de minuit et nous nous étions directement dirigés ici, sur la plage déserte où se dressaient quelques cabanes de pêcheurs. Ces baraques servaient de fumoir et de remises lors de la saison active. Gordon m'avait forcée à entrer dans l'une d'elles et m'avait attaché les poignets à la proue d'une petite chaloupe retournée.

Il s'était installé dans l'embrasure de la porte et muré dans un silence qui s'éternisait. Cela devait bien faire une heure. Mes yeux fatigués se fermaient malgré moi et ma tête dodelinait, lourde de questions sans réponse. Des bribes de phrases qu'il avait prononcées me taraudaient l'esprit et m'empêchaient de sombrer dans le sommeil. Caitlin Dunn semblait le perturber beaucoup plus que Caitlin Macdonald. Pourquoi? Il avait sans doute quelque chose à régler avec elle. Mais il y avait vingt ans que je portais le nom de Macdonald. Il devait faire erreur sur la personne.

Le froid me gelait jusqu'aux os. Je me recroquevillai sur moi-même et laissai finalement mes paupières me couper de cette réalité complexe. Liam devait savoir ce qui s'était passé à l'heure qu'il était, et je ne doutais pas un seul instant qu'il serait en route pour Montrose en ce moment même... si tout s'était passé comme prévu à Dunnottar. Je laissai aller ma tête contre la coque de bois et me laissai bercer par le murmure des vagues qui portait jusqu'à moi les chants envoûtants des sirènes.

— Ainsi, vous êtes la sœur de Patrick?

525

Je bondis. Mon épaule glissa sur la courbure de la coque et je tombai à la renverse. Une main m'aida à me relever. Le cœur encore battant d'un réveil si abrupt, je ne répondis pas tout de suite. William Gordon, assis devant moi sur un tas de filets de pêche, m'observait à la lueur d'une chandelle. La porte était maintenant fermée.

— Désolé, dit-il, je ne croyais pas que vous dormiez.

« Imbécile! Nous sommes aux petites heures du matin, nous avons chevauché pendant plus de quatre heures et je n'ai pratiquement rien avalé depuis le déjeuner. Qu'est-ce que tu croyais? » J'accueillis sa remarque d'un regard mauvais.

— Il ne sera pas heureux d'apprendre ce que vous avez comploté, dis-je.

Son regard me jaugeait. Il prit appui sur ses coudes et étira ses jambes devant lui en les croisant.

— Non, certainement pas. Enfin... je l'aimais bien, Patrick. C'est dommage, déclara-t-il.

Il s'interrompit pour me parcourir du regard. Son expression restait indéchiffrable.

— Juste comme je désespérais de vous retrouver, vous m'apparaissez...

— Vraiment? Laissez-moi vous dire que le sentiment n'est pas réciproque.

— Hum...

Une ombre furtive assombrit son regard. Il se détourna légèrement.

— Comment avez-vous su que j'étais le contact de l'ennemi chez vous?

Allais-je lui parler de la petite soirée qui avait eu lieu chez Clémentine? Après tout, au point où j'en étais... Peut-être pourrais-je en savoir un peu plus sur lui?

— Je vous ai vu à Édimbourg, en octobre dernier.

Il plissa le front, l'air interrogateur, faisant mine de réfléchir.

— À Édimbourg? Je ne me souviens pas vous y avoir rencontrée. Or, croyez-moi, je m'en serais souvenu.

— Chez une amie à moi, madame Clémentine Stratton, précisai-je.

— Stratton? Ça ne me dit rien.

— Peut-être pas. Vous n'étiez pas invité à cette soirée. Vous étiez seulement venu dire quelques mots au... colonel George Turner.

Il tiqua.

— Sur Castlehill... Vous étiez là-bas?

— Oui.

Il me considéra d'un air bizarre en fronçant les sourcils.

— Que faisiez-vous à cette soirée? Vous êtes mariée, pourtant.

— Madame Stratton est une connaissance...

— Oui, bien sûr, c'est ce qu'elles disent toutes. Vous ne voudriez certainement pas que votre mari sache que vous fréquentez ces petites soirées... galantes.

— Je ne suis pas ce que vous insinuez, monsieur Gordon. Je vous assure.

Il poussa une exclamation qui en disait long sur ce qu'il en pensait et esquissa un sourire charmeur en me lorgnant. Puis il s'assombrit.

— Non, bien sûr... Vous saviez que le colonel Turner avait été assassiné cette nuit-là?

Je pâlis et m'agitai. Je n'avais pas particulièrement envie de parler du colonel Turner, mais j'étais curieuse de savoir quel cancan circulait sur le meurtre. Je revis en pensée le fringant Lachlan Stuart sur le lit, complètement abruti par une forte dose d'opium, un poignard ensanglanté dans la main, sa victime allongée près de lui. Qu'avait-il raconté à la police? M'avait-il accusée? De toute façon, il ne connaissait pas ma vraie identité. Pour lui, j'étais Joan Turnhill de Berwick. Turner n'avait pas eu l'occasion de lui dire qui j'étais réellement avant de mourir.

— C'est triste. Ce colonel Turner était un homme charmant. Que lui est-il arrivé?

— Il a été poignardé, annonça rudement Gordon. L'affaire n'est pas très claire. Prétextant que l'enquête était en cours et qu'il ne fallait pas nuire à son déroulement, on a refusé de m'en divulguer les détails.

Évidemment! Le gouverneur de la forteresse se réveille au petit matin, encore un peu groggy de sa veillée, trouve un homme mort avec lui dans son lit et l'arme du crime dans sa main! On a probablement étouffé l'affaire.

— Une histoire de cœur, s'est-on contenté de me dire. Mais je n'en crois rien. Je connaissais trop bien George pour savoir qu'il ne s'intéressait pas aux femmes de petite vie comme... celles qui ont l'habitude de fréquenter ces dîners.

Son regard scrutateur m'indiquait qu'il attendait une réaction de ma part. Je ne lui offris rien pour le satisfaire.

— Alors, pourquoi fréquentait-il ces dîners?

— On y fait parfois des rencontres intéressantes... Des hommes importants. On peut y glaner des informations très utiles.

Ça, Clémentine le savait!

— Hum... Vous le connaissiez bien?

Il baissa les yeux et fixa une bouée de liège incrustée d'algues séchées rongée par le sel et les vers. De la tristesse se peignit sur son visage.

— Il était mon père adoptif.

Je manquai m'étouffer.

— Votre père adoptif?... bredouillai-je, interloquée. C'est... triste... Mais vous ne portez pas son nom?

— C'est que, pour être exact... enfin, ce ne sont pas de vos affaires...

— Pourquoi le colonel Turner vous aurait-il pris en charge? Il n'était pas marié.

Sa bouche lippue se tordit, puis eut une moue d'ignorance. Je posai de nouveau ma tête sur la coque pour éviter de piquer du nez. Le sommeil menaçait de me faire basculer dans le vide une nouvelle fois.

— Je ne sais pas vraiment... George était une connaissance de mon père naturel, qui a été tué peu après ma naissance. Vous êtes fatiguée, vous devriez dormir, dit-il en refoulant un bâillement, comme pour mettre un terme à notre discussion.

Il s'accroupit devant moi et m'observa, les yeux mi-clos. La lueur de la chandelle s'accrochait au sombre duvet qui mangeait ses joues. Ce regard... Un instant je crus voir un autre visage se superposer sur ses traits, mais l'image disparut aussitôt, me laissant un sentiment de frustration qui me fit serrer les dents.

— Demain, le Prétendant n'arrivera que vers la fin de la journée. Nous aurons tout le temps de faire plus ample connaissance.

Sa main s'approcha de ma joue et resta suspendue devant mon mouvement de recul.

— Hum... Ouais.

Il sortit de la remise, laissant la porte ouverte derrière lui. La brise aux effluves iodés s'engouffra à l'intérieur, soufflant la chandelle et me faisant grelotter. Je fus plongée dans l'obscurité. Puis, peu à peu, la clarté lunaire m'enveloppa. Je fermai les yeux, incapable de résister plus longtemps à l'appel de Morphée. J'eus vaguement conscience qu'on glissait quelque chose de doux sur mes épaules, puis ce fut le néant.

Le mugissement constant des vagues caressait mes oreilles de son lamento languissant. Je voulus rouler sur le dos, mais sentis mes liens qui me retenaient aux poignets. Je me rappelai brusquement où j'étais et avec qui j'y étais. J'ouvris les yeux. Une lumière vive pénétrait dans le petit cabanon par les nombreux interstices des planches. Gordon était absent.

Je remuai mes doigts gourds et déglutis. J'avais terriblement soif et mon estomac grognait. Où était Gordon? D'un regard, j'embrassai l'intérieur du cabanon. J'avais besoin de me soulager. La corde qui me reliait à la chaloupe ne me donnait que quelques mètres de liberté, tout juste de quoi effleurer la porte. Assez futé, le jeune homme. J'allai derrière la chaloupe et revins sur la couverture de laine qu'avait mise sur moi mon ravisseur.

Ankylosée et un peu engourdie par la fraîcheur de l'air, je fis quelques pas, réfléchissant à un moyen pour me sortir d'ici. Mes liens étaient plutôt solides. Crier? C'était une idée... Encore fallait-il que je sois certaine que Gordon ne se trouvât pas dans les parages. Et puis, je n'avais aucune idée de la distance qui me séparait de l'habitation la plus proche. Nous étions certainement isolés du village.

La porte s'ouvrit, laissant un flot éblouissant se déverser sur moi. Je clignai des yeux. La silhouette d'un homme se profilait à contre-jour. Assez mince, plutôt grand, mais tout de même bien proportionné. Mon cœur, qui avait fait un bond, se remit à battre normalement. Gordon était revenu.

— Bien dormi?

Je lui répondis d'un sourire cynique qu'il feignit d'ignorer. Il déposa un petit balluchon sur le sol et s'assit en tailleur, à côté.

— Vous avez faim?

De la nourriture! J'étais prête à faire une trêve pour avaler un morceau. Je m'assis devant lui et l'observai tandis qu'il déballait nos agapes du matin : petits pains au lait dorés, fromage de lait cru, harengs fumés, jambon froid, pommes et vin de Bordeaux. Pas de porridge. Un vrai festin, quoi!

Gordon trancha du pain et du fromage avec son poignard et me tendit les morceaux avec un sourire. Ses cheveux étaient lâchement ramenés sur sa nuque en une queue de cheval nouée par un ruban bleu nuit. Ses joues étaient lisses et légèrement rougies. Il s'était rasé. J'engloutis ma tartine tout en détaillant mon ravisseur.

— Qu'allez-vous faire de moi?

Consciencieusement, il coupa quelques tranches de jambon, en piqua une sur la pointe de son couteau et me la présenta. Je fixai un moment la petite pointe acérée qui traversait la chair rose et pris le morceau de jambon en le remerciant du bout des lèvres. Je ne devais pas oublier qui était cet homme et pourquoi il m'avait emmenée. Malgré les égards avec lesquels il me traitait, le poignard qui m'offrait ma pitance ce matin pouvait très bien servir à autre chose un peu plus tard.

— Ce que je vais faire de vous? Je ne sais pas, avoua-t-il avant d'enfourner un hareng fumé.

Il essuya ses doigts sur le carré de lin qui faisait office de balluchon et but une gorgée de vin avant de m'offrir la bouteille. Mes liens gênaient mes mouvements. Il s'en rendit compte.

— Attendez, dit-il en prenant son poignard.

D'un geste rapide, il trancha la corde, libérant mes poignets irrités par la rugosité du chanvre. Je me frictionnai.

— Pour quelques minutes seulement, m'avertit-il en posant son regard bleu de mer sur moi.

Je n'en doutais pas un seul instant. Je me saisis de la bouteille et avalai quelques gorgées de vin. Gordon demeurait étrangement silencieux et ne me quittait pas du regard. Cette drôle d'impression de déjà-vu qui m'avait taraudé l'esprit la veille revenait me hanter. Ce port de tête, cette façon de sourire... Quelque chose me disait que j'avais déjà vu cet homme quelque part, ailleurs qu'à Perth ou à Édimbourg. Mais où? Ma mémoire me trahissait.

— Combien de temps allez-vous me garder ici? lui demandai-je encore.

— Le temps qu'il faudra, le Prétendant doit arriver aujourd'hui. Les navires français sont en rade, je les ai aperçus ce matin.

— Pourquoi voulez-vous le tuer? Il repart pour la France, n'est-ce pas assez pour vous?

— Non, répondit-il simplement.

Il croqua dans sa pomme et mastiqua avec lenteur.

— Il peut toujours tenter de revenir, expliqua-t-il.

— C'est la récompense qui vous intéresse?

— La récompense? C'est vrai qu'elle a pesé dans la balance. Mais je ne crois plus être en mesure de la réclamer. Je suis seul, et le prince sera certainement bien entouré de ses nobles et de ces « nargue-potence » de guerriers highlanders.

Son ton acerbe me fit réagir.

— Et moi? Que m'arrivera-t-il après?

Il soupira, se passant une main sur le visage.

— Je ne sais pas, je vous l'ai dit. Vous ne faisiez pas partie de mes plans.

— Pourquoi m'avoir emmenée alors? Que me voulez-vous à la fin? Je ne peux que vous encombrer!

J'avais indiqué mon agacement en enflant la voix et en détachant bien les syllabes de mes mots. Son visage se durcit et ses poings se fermèrent.

— Peut-être... Je ne sais pas, dit-il, troublé. Quand je vous ai vue, hier... quelque chose m'a poussé à vous emmener avec moi, c'est tout.

Un long moment de silence suivit. Gordon, manifestement troublé, se leva et s'empara de la corde.

— Je dois partir, annonça-t-il nerveusement pour expliquer son geste. Je vais au village. Il faut que je sache exactement où logera le prince.

Il m'attacha les poignets dans le dos. Je me sentais trop lasse pour offrir une quelconque résistance. Ramassant les restes de notre pique-nique improvisé, il les fourra dans un sac de toile, gardant la bouteille pour prendre quelques bonnes lampées de vin.

— L'assassinat... pourquoi vous obstinez-vous? Vous n'y gagnerez que la corde qui vous pendra.

— C'est une affaire personnelle... Mais j'ai aussi été mandaté par quelqu'un...

Il s'interrompit brusquement. Son air se fit soucieux. Il semblait en proie à un dilemme intérieur.

— Au point où vous en êtes, vous pouvez me dire qui vous a engagé. Bientôt tout sera terminé...

— Peut-être... De toute façon, mon sort est scellé, quoi qu'il arrive.

D'un geste machinal, il faisait tourner le liquide rubis dans la bouteille.

— Le comte de Stair, laissa-t-il tomber.

— Stair? Vous voulez parler de sir John Dalrymple?

— Celui-là même. Il est ambassadeur à la cour de France.

— Vous espionnez pour lui?

— Si on veut.

Dalrymple était l'instigateur du massacre des Macdonald de Glencoe qui avait eu lieu en 1692. Encouragé par le comte de Breadalbane, il était l'homme qui avait signé l'ordre d'exécution du clan de MacIain.

— Stair a exercé des pressions sur le régent de France pour que le Prétendant soit arrêté si jamais il remettait les pieds sur le sol français. Mais le régent n'a donné son accord que du bout des lèvres. Alors Stair a préféré prendre les choses en main. Il a envoyé des hommes ici pour organiser l'assassinat. J'ai été chargé d'engager des mercenaires et de les diriger. Mais ces fumiers se sont probablement dégonflés à la dernière minute. Ils ont quitté l'auberge où je devais les rejoindre quelques minutes avant que je me présente. L'aubergiste m'a affirmé qu'ils étaient repartis vers le nord.

Je jugeai préférable de ne rien dire concernant le piège dans lequel ses hommes avaient été attirés. Cependant, un détail m'agaçait :

— Mais qu'est-ce que le fils du duc d'Argyle vient faire dans cette histoire?

— Ah, John? Nous nous sommes rencontrés à Londres, l'été dernier, juste avant que je n'entre au service de Marischal. Ayant les mêmes opinions sur la situation de l'Écosse au sein de l'Empire britannique, nous avons fraternisé aussitôt. Nous sommes tous les deux arrivés à la conclusion que, pour régler définitivement les problèmes que provoquaient les clans séditieux dans les Highlands, il fallait s'attaquer directement à la source : la cause des Stuarts. L'homme ne peut servir deux maîtres en même temps. Il y a un roi de trop ici.

— Je vois que vous ne connaissez pas vraiment le fond du problème, William, lui fis-je observer. Remettre les Stuarts sur le trône d'Écosse n'est qu'un des remèdes au mal qui ronge les Highlands, pas « le » remède. Vous êtes highlander vous-même...

— Désolé, mais les Highlands ne coulent pas dans mes veines, Caitlin. Je me considère comme britannique, et mon sang, je m'apprête à le verser pour le bien de l'Empire.

Je le regardai un moment.

— Laissez tout tomber. Libérez-moi et retournez chez vous...

Il éclata d'un rire ironique et coula vers moi un regard équivoque. Son sourire se figea, s'effaça lentement pour ne devenir qu'une ligne mince et droite entre ses lèvres tendues.

— On oublie tout ça? Vraiment, Caitlin, vous êtes trop naïve. Oh! Certainement, pour sauver votre peau, vous seriez prête à feindre d'oublier tout ce que vous voulez. Moi aussi, je dois l'admettre. Mais il est trop tard. Trop de gens savent qui je suis maintenant, et je ne donne plus cher de ma vie. Si je réussis à échapper aux jacobites, ce sera seulement pour me retrouver face au duc d'Argyle qui me demandera réparation pour avoir entraîné son fils. Il n'y a plus d'issue pour moi. Je suis un traître, Caitlin, et...

Il s'interrompit brusquement pendant un instant, le regard perdu dans le vin clapotant dans la bouteille qu'il tenait toujours. Sa bouche s'étira en un sourire amer.

— ... assurément, on me réserve le traitement de faveur des traîtres.

Il blêmit et déglutit, passant un doigt derrière sa cravate de soie blanche.

— Au moins mourrai-je pour une bonne cause.

— Je doute que le colonel Turner ait été d'accord avec votre projet. Un militaire donne sa vie pour son pays, mais il la donne en se battant honorablement. Il n'assassine pas lâchement... Je ne comprends pas votre prise de position. Votre père est un Gordon... donc des Highlands...

Il me considéra un moment d'un œil vague. Puis il pinça les lèvres. Je m'apprêtais à poursuivre lorsqu'il reprit la parole sur un ton cassant :

531

— Graham Gordon de Strathavon n'est pas mon père naturel. Le laird n'avait pas d'enfants, sa femme étant stérile. C'est pourquoi il m'avait adopté. J'ai vécu avec eux les premières années de mon enfance. Son épouse a eu la mauvaise idée de mourir prématurément. Il s'est remarié. Sa seconde épouse, nettement plus prolifique, lui a donné quatre enfants, dont deux fils. George venait me rendre visite trois ou quatre fois par an pour s'assurer qu'on me traitait bien. Lorsque Graham Gordon est mort, ma situation a commencé à se détériorer. Vous pouvez comprendre qu'aux yeux de la veuve, je ne pesais plus très lourd. Je me suis retrouvé à remplir des fonctions de domestique. George s'en est vite rendu compte et m'a pris sous son aile... Avec lui, j'ai eu droit à une éducation correcte. J'ai eu mes entrées dans les hautes sphères de ce bas monde. J'ai eu un avenir.

« Que tu t'apprêtes à foutre en l'air! »

— Et votre mère naturelle, vous la connaissez?

Il ne répondit pas tout de suite, mais il me regarda d'un drôle d'air, semblant méditer sur la question.

— Elle est morte.

— Je suis désolée...

— Pas autant que moi, murmura-t-il faiblement.

— Vous avez une petite amie? Quelqu'un à qui vous tenez?

Son expression s'adoucit. Son regard s'égara un moment dans le vague. Puis il redressa le torse et le menton d'un coup.

— Laura trouvera rapidement quelqu'un d'autre pour s'occuper d'elle et...

Il secoua la tête et porta le goulot de la bouteille à ses lèvres pour avaler encore quelques gorgées de vin.

— N'avez-vous pas d'autre famille?

— George était ma seule famille. Il m'a élevé comme si j'avais été son propre fils. Sa mort m'affecte beaucoup. La famille de George... j'ai bien quelques oncles et une tante. Mais ils n'ont jamais cherché à me voir. Ils n'ont jamais compris pourquoi leur frère s'occupait d'un enfant qui n'était pas le sien et qui, de surcroît, était illégitime. J'étais donc un indésirable pour eux. D'ailleurs, George ne les fréquentait pas.

Il me fixait d'un air songeur, tapant la bouteille contre sa cuisse, faisant clapoter le liquide.

— Mais si vous avez été légalement adopté par Gordon, en tant qu'aîné, vous avez droit à son titre de laird et à ses...

Il éclata de rire et bascula la tête vers l'arrière, m'offrant la ligne nette de sa mâchoire volontaire. Décidément, il y avait chez cet homme quelque chose qui me perturbait.

— Ha! Ma belle-mère s'est arrangée pour que seuls ses fils héritent. De toute façon, on m'offrirait mes droits de succession sur un plateau d'argent que je n'en voudrais même pas! Des fermes et des moulins... Non, je souhaitais autre chose.

Un silence embarrassant s'installa. Évoquer son passé l'avait visiblement perturbé. Je me dis qu'il était préférable de ne pas lui demander ce qu'il souhaitait vraiment. Se penchant vers moi, il risqua une main maladroite sur ma joue.

— Je suis désolé, mais je n'ai pas le choix, dit-il à voix basse en sortant un mouchoir de sa poche.

Je fermai les yeux. Son pouce suivit le contour de ma mâchoire. Puis ses doigts remontèrent sur ma joue, effleurant mes lèvres. Sa main s'attarda sur ma peau moite. Je sentis son souffle effleurer ma bouche. Vin boisé, légèrement acidulé. Je me détournai vivement, dégoûtée, et serrai les dents.

— Quel âge avez-vous, William?

Il sembla surpris et fronça les sourcils.

— J'ai eu vingt et un ans en janvier.

— Vingt et un ans... Mon fils aîné aura vingt ans en mars. Vous réalisez que je pourrais être votre mère?

— Ma mère... vraiment?

La caresse se faisait plus lente, puis s'arrêta brusquement. Il enserra mon cou de sa main et me força à le regarder. Ses yeux bleus fixaient mes lèvres qui tremblaient. Il ne dit rien de plus, me regardant d'un œil inexpressif. Sa bouche s'entrouvrit. Il hocha la tête, refoulant les mots qui lui venaient.

— William... le suppliai-je, libérez-moi. Je n'ai rien à voir avec votre mission.

Il me regardait toujours fixement, comme s'il ne m'avait pas entendue. Sa tête pencha légèrement sur le côté; ses yeux se plissèrent. Puis je sentis le froid du métal effleurer la peau de mon cou.

— J'ai pensé vous tuer cette nuit...

Son visage de marbre ne laissait paraître aucune émotion.

— Vous êtes assez encombrante, mais...

— P-p-pourquoi ne l'avez-vous pas fait?

Il émit un bref ricanement nerveux, puis se tut. Son regard ne me quittait pas, se faisait plus intense tandis que la lame quittait ma gorge, à mon grand soulagement.

— J'ai un jour découvert un journal qu'a soigneusement tenu un proche de mon père naturel. Il décrit mon père comme étant un homme... très particulier. Rien de bien flatteur, je dois l'admettre. Mais cet homme décrit aussi ma mère dans les moindres détails...

Il fit glisser une de mes mèches broussailleuses entre ses doigts.

— Cheveux noirs comme du jais, yeux de la couleur de l'océan, teint de lait...

Il marqua une pause, me dévisageant avec froideur.

— Cette nuit j'ai essayé d'imaginer comment vous étiez il y a vingt ans. Vous deviez lui ressembler. George la connaissait. Les circonstances de ma naissance étant plutôt obscures, je lui ai demandé un jour de m'en parler. Il m'a alors raconté que ma mère n'était qu'une petite servante qui avait voulu se servir de moi pour obtenir une part de la fortune de mon père. Voyant qu'elle n'obtiendrait rien de lui, elle l'a tué. Puis elle m'a abandonné et s'est enfuie. Je hais cette femme, à vouloir la tuer. Je me le suis promis...

— Vous m'avez dit qu'elle était morte...

— Dans ma tête, elle l'est. Mais elle ne l'est pas vraiment. Un jour, George engagea une nouvelle cuisinière. Elle avait été au service de mon père pendant plusieurs années. Elle aussi avait connu ma mère. Je l'ai questionnée et ce qu'elle m'a raconté est très différent de ce que m'a dit George. Toutefois... j'ai préféré croire George. C'est plus facile de haïr ceux qui nous ont blessé que d'essayer de les comprendre... N'est-ce pas, Caitlin Dunn?

Sur ce, il me lâcha brusquement et s'assit sur ses talons devant moi, les bras appuyés sur ses genoux fléchis. Je le regardai d'un œil nouveau. Comme un indicible mélange de douleur et d'horreur m'envahissait, William poussait sans douceur le mouchoir dans ma bouche, le maintenant en place avec une corde qu'il noua solidement derrière ma nuque. Puis il sortit en fermant la porte derrière lui.

Je restai sous le choc pendant un moment. Mon esprit et mon cœur refusaient de comprendre, de se rendre à l'évidence. « Vous pourriez feindre d'oublier... » Ses paroles prenaient brusquement un tout autre sens.

De vagues réminiscences me vinrent à l'esprit. Comment oublier? Les cris de douleur d'une femme dont les entrailles se déchirent. Ceux de la sage-femme l'exhortant à pousser. Le vent qui fait claquer un battant de la fenêtre, encore et encore. Becky qui va et vient dans la pièce, priant pour la femme qui souffre et l'enfant qui tarde à naître. N'allait-elle pas refermer cette maudite fenêtre? Avais-je seulement assisté à cette scène du premier acte? En avais-je été témoin ou en avais-je été la principale comédienne? Je devinai que j'allais bientôt jouer le dernier acte de cette triste comédie...

Je respirais avec peine et me retenais à la coque de bois. La peinture s'écaillait sous mes doigts et pénétrait sous mes ongles. Une soudaine et triste envie de rire m'emplit la poitrine, mais y demeura coincée. Seul un hoquet s'échappa de ma gorge. Non, ce n'était pas possible! Quelle aberration!

***

Le jour était à la frontière du crépuscule qui striait le ciel de rubans rose saumoné, améthyste et magenta, irisant les murs chaulés des habitations de Montrose. Une clameur sourde portée par l'écho des ruelles parvenait jusqu'à la petite alcôve où s'étaient retirés des hommes de Glencoe. L'armée jacobite piétinait d'impatience dans le bourg. La rumeur du départ imminent du prince avait soulevé une vague de mécontentement chez les soldats, qui avaient aperçu au large les trois navires battant pavillon français.

On était sur le point de mettre les troupes en marche pour Aberdeen. Les conseillers de Jacques Édouard jugeaient préférable de les faire bivouaquer plus loin sur la côte. L'annonce de ce mouvement aurait pour effet d'endormir les soupçons et de calmer les frustrations. Le Prétendant, leur dirait-on, les suivrait sous peu après s'être sustenté et reposé. Pour pousser la rouerie un peu plus loin, on avait même posté la monture du prince devant la porte de la maison où il logeait avec sa garde personnelle, prête à repartir.

Alasdair Og fixait Liam d'un air grave. Sa mâchoire se contractait, ses doigts se perdaient dans sa chevelure chenue qu'il lissait machinalement. Puis il recala son béret sur sa tête.

— Tu es certain de ce que tu avances?

Liam acquiesça.

— Patrick en a eu la confirmation hier.

Leur attention fut momentanément distraite par les cris d'un officier de la cavalerie qui aboyait des ordres en traversant la ruelle sur laquelle donnait leur fenêtre. Liam étouffait dans la petite pièce enfumée, mais ce n'était pas le manque d'air qui l'empêchait de respirer. Il savait que Caitlin se trouvait quelque part dans cette ville, entre les griffes d'un tueur, et il ne pouvait rien faire pour le moment. Il prit une autre gorgée de whisky et poursuivit sur un ton morne :

— Le Prétendant n'ira pas plus loin qu'ici sur la terre d'Écosse, Sandy. Les navires que les hommes ont vus au large vont effectivement traverser la mer du Nord jusqu'au continent, avec lui et sa suite à bord.

Des bruissements d'étoffe, des cliquetis d'armes et des grognements agacés animèrent le petit groupe d'hommes entassés dans la pièce exiguë. C'était la fin d'un rêve. La fin d'un rêve d'une patrie en quête de sa liberté et de ses droits. La déception était d'autant plus cruelle que les espérances étaient grandes au départ.

À l'annonce de l'arrivée à Perth des troupes du duc d'Argyle quelques jours plus tôt, une vague d'espoir avait déferlé parmi les soldats jacobites. Ces derniers avaient anticipé avec une joie exubérante une nouvelle rencontre avec l'ennemi. À ce moment-là, Mar et ses conseillers se réunissaient pour discuter des mesures à prendre. Leurs délibérations avaient duré toute la nuit du 29 janvier. À l'aube du 30, la retraite avait été annoncée. La confusion et l'incompréhension s'étaient alors peintes sur les visages des hommes en armes qui, eux, n'attendaient que l'ordre de charger l'ennemi.

Le 31, à la barre du jour, les quatre mille derniers hommes que comptaient les troupes jacobites avaient traversé les glaces de la rivière Tay et pris le chemin de Dundee, puis de la côte orientale écossaise. Le duc était à leurs trousses. Une seule journée de marche séparait les deux armées.

Le rideau élimé et taché d'éclaboussures de bière qui les coupait du reste de la taverne s'écarta. Patrick Dunn entra.

— Alors? demanda Liam sans pouvoir masquer son impatience.

— J'en arrive. J'ai expliqué la situation aux comtes de Mar et de Marischal. Il faut attendre que les troupes aient complètement évacué Montrose avant de mettre notre plan à exécution. Le départ du Prétendant doit être gardé secret pour éviter les saccages.

— Et quand partent-elles? demanda Alasdair.

— Elles ont commencé. Le Prétendant est en train de rédiger, à l'intention du général Gordon, des lettres contenant des instructions quant à ce qu'il doit faire des troupes. Dans deux heures, la ville devrait avoir retrouvé son calme.

— Et pour l'embarquement? intervint Liam.

— C'est là que les choses se compliquent, expliqua Patrick en s'asseyant sur la chaise qui lui avait été réservée.

Liam lui versa un *dram* de whisky, qu'il vida d'un trait. Puis il adressa un regard éloquent à Alasdair qui, d'un ordre sec, congédia ses hommes. Quelques minutes plus tard, il se remit à parler :

— Le Prétendant ne peut pas se risquer à embarquer avec cet imbécile de Gordon dans les parages.

— Mais cet homme agira-t-il seul? demanda Alasdair, le regard préoccupé, en se calant contre le dossier de sa chaise.

— Probablement, lui répondit Liam. Ses mercenaires sont enfermés à Dunnottar et je doute qu'il ait prévu une bande de tueurs de rechange.

Il tripotait d'un air absent l'écusson piqué dans son béret. Non, Gordon n'était pas seul; il avait Caitlin avec lui. Le whisky lui brûla la gorge de nouveau et le fit grimacer. Il reposa bruyamment son verre sur la table. Patrick posa une main sur son avant-bras et le pressa en un geste qui se voulait réconfortant. Il avait été aussi bouleversé que lui en apprenant la nouvelle du rapt de Caitlin par Gordon.

— Tout sera terminé demain soir au plus tard. Lundi, Argyle devrait franchir les portes de la ville. Le Prétendant n'a pas intérêt à traîner ici. Il ne nous reste donc que très peu de temps pour débusquer Gordon.

— Ouais, ajouta Liam.

Un silence alourdit l'atmosphère. Duncan s'agitait à côté de son père.

— J'ai proposé un plan qui pourrait accélérer les choses, reprit Patrick en regardant Liam. Nous pourrions simuler l'embarquement et ainsi forcer Gordon à se découvrir.

— Simuler?

— Évidemment, le prince n'y participerait pas. Je porterais ses habits et...

— Toi? éructa Liam en se levant d'un bond. Il te tuera. Gordon n'est pas venu ici pour serrer la pince du prince. Nous avons eu notre lot de morts à enterrer, Patrick!

— Ils ont donné leur accord. Il y va de la vie du prince... et de celle de Caitlin. C'est pour ce soir.

***

536

Le chant plaintif des cornemuses s'enroulait autour de moi et m'enveloppait d'une mélancolie et d'une tristesse qui accompagnaient les cris de mon cœur. Les troupes jacobites quittaient Montrose. Ainsi, le prince était bien arrivé. Les platines argentées des pistolets que Gordon venait d'astiquer brillaient dans les rayons mourants. Je ne pouvais détacher mon regard du profil de mon ravisseur qui, avec une minutie presque obsessive, venait de s'attaquer à son mousquet. L'homme était tendu. Son silence était dicté par un esprit en ébullition. Je pouvais le deviner aux brusques changements d'expression de son visage.

Ses traits étaient fins, comme ceux de Patrick. Peut-être même avait-il ce petit air hautain que Winston affichait. Une fossette creusait sa joue lorsqu'il souriait. Je l'avais remarquée un peu plus tôt, mais n'y avais pas porté attention. Maintenant, elle revêtait toute son importance. Ses cheveux lisses étaient plus clairs que les miens. Je regardai ses mains. Elles s'activaient avec précision. Il avait dû répéter ces mêmes gestes tant de fois. Ses doigts étaient longs; les ongles, taillés et propres. Des mains trop lisses pour appartenir à un paysan. Sous le velours de qualité de sa culotte et la soie de ses bas, je devinais des jambes longues à la musculature bien développée pour un bureaucrate. J'étais certaine qu'il était un excellent cavalier et épéiste. Je revins à son visage. Il était sombre. Ses lèvres, minces et joliment dessinées, se pinçaient dans la concentration. Le coin gauche de sa bouche se retroussait par saccades, attestant sa nervosité.

Cela sautait aux yeux. Qu'allais-je faire maintenant?

Pendant la journée, mon esprit avait eu tout le loisir de se perdre dans les méandres de l'analyse des derniers faits que j'avais appris. Il avait sauté d'une thèse à une antithèse. Il s'était égaré sur le chemin des doutes. Il avait trébuché sur des éléments nouveaux, quelques détails, quelques lacunes qui m'avaient échappé dans mon affolement. Il avait un moment pris le sentier de l'optimisme. Puis il s'était heurté durement au mur des évidences, de l'irréfutable... pour finalement revenir à la case départ.

Bref, mon esprit avait tourné en rond. Puis ma petite voix intérieure, lasse de me voir tergiverser, s'était mise à me parler : « Écoute ton cœur, Caitlin. Ne t'égare pas dans le dédale des conjectures. L'esprit est trop analytique. Il complique tout. Il dissèque, juge, pèse, examine, raisonne, confronte et vérifie tout avant de pouvoir nous donner un compendium qui puisse nous guider. Il est froid et implacable. »

Vidée de toute énergie, je m'étais alors laissé diriger par l'instinct : mon instinct de mère. J'allais... plutôt, je devais lui dire qui j'étais, lui expliquer la vérité. L'image qu'il avait de moi était celle que des esprits haineux avaient construite à son intention. Stephen ne savait rien de moi, de sa naissance. Je lui devais la vérité.

Il ne m'avait pas adressé la parole depuis son retour. Il s'était contenté de me libérer du bâillon tout dégoulinant et s'était abîmé dans l'entretien minutieux de son artillerie, ne me prêtant plus attention. La crosse posée sur le sol, l'arme calée entre ses cuisses, il venait de retirer la baguette et l'insérait dans la gueule du canon. Ses sourcils crispés par la concentration jetaient son regard bleu dans l'ombre.

J'enserrai mes genoux repliés de mes bras et posai mon menton dessus. Mes yeux se refermèrent et je me replongeai dans mes réflexions. Comment l'aborder? Par où commencer? « Bonjour, je me présente, Caitlin Dunn, ta mère... » ou peut-être « Stephen, mon fils! Enfin, je te retrouve! Raconte-moi tes vingt et une dernières années... » Non, pas fameux!

J'ouvris les paupières. La gueule sombre du canon du mousquet était pointée sur moi. Stephen m'observait d'un œil froid au bout de la ligne de mire, le doigt sur la détente. Mon cœur s'arrêta net.

— Je me suis toujours demandé comment on se sentait face à la mort, dit-il lentement.

Doucement, il retira son doigt de la détente.

— Alors? s'enquit-il.

Je pressai fermement mes paumes moites sur mes cuisses et pris une grande inspiration.

— Stephen?... murmurai-je, le cœur au galop.

Plissant les yeux, il abaissa l'arme avec une lenteur calculée. En fait, chacun de ses mouvements semblait calculé. Nous flottions dans le temps. Vingt ans... Mon fils... Il me fixait, l'air de ne pas comprendre.

— C'est moi qui t'ai donné ce prénom. Je suis ta mère, Stephen.

Pendant quelques secondes d'un lourd silence, Stephen demeura immobile, me scrutant. J'attendis. Il ne tiquait pas, ne semblait pas surpris de ce que je venais de lui annoncer.

— Il est inscrit dans le registre de baptême, mais je ne l'emploie jamais.

Il se leva, se mit à marcher de long en large devant moi, d'un pas mesuré, m'observant à la dérobée, par-dessus son épaule, d'un regard enfiévré. Le regard d'un homme qui est sur le point de commettre un terrible crime. Le *ceol mor*[112] s'était tu.

— Ils sont repartis. Le prince ne devrait pas tarder à s'embarquer, déclara-t-il en s'appuyant contre le chambranle de la porte. Je dois y aller.

Les ombres creusaient plus profondément ses traits. Il posa une main sur le jambage opposé. Une boule se formait dans ma gorge et m'empêchait de respirer.

— Stephen. Je suis ta mère, tu as entendu?

Ma voix qui avait résonné dans la petite remise était revenue frapper mes tympans avec violence, me fouettant de l'inéluctable vérité. Mon fils se tenait devant moi. Un homme. Un inconnu. Un traître... Il s'apprêtait à commettre un régicide, à tuer le roi pour lequel mon autre fils s'était battu et était mort. Je voulus crier, mais mes poumons n'arrivaient même plus à s'emplir d'air.

---

112. Grande musique de cornemuse.

Mes ongles s'enfonçaient dans mes cuisses. Comme si la douleur physique que cela me causerait avait pu enrayer celle de mon cœur. Stephen tourna vers moi son visage impassible, comme à son habitude. Je me demandais s'il avait déjà ressenti autre chose que de la haine ou un désir de vengeance. Son regard brillant mais inexpressif me jaugeait dans la pénombre.

— Je le savais...

Je le regardai, éberluée.

— Tu le savais?

— C'est ce qui m'a empêché de vous tuer la nuit dernière. Je voulais savoir... si... vous vous souveniez de moi.

— Si je me souviens de toi? Stephen! Je te pleure depuis ta naissance!

— Depuis ma naissance... Alors, vous ne m'avez pas oublié?

Sa voix était faible, presque un murmure. Il fixait le large, perdu dans ses pensées.

— Comment une mère pourrait-elle oublier son premier enfant?

Il se tourna vers moi. La tristesse, la colère, l'amertume... Les émotions défilaient sur son visage.

— Comment une mère peut-elle abandonner son premier enfant? Vous vous êtes servie de moi et m'avez abandonné quand...

— C'est faux!

— C'est pourtant ce que vous avez fait, non? cria-t-il.

— Je ne me suis pas servie de toi comme on te l'a raconté.

— Qu'importe! Le fait est que vous m'avez abandonné. Mais au fond... pourrais-je vous en blâmer? Quelle femme voudrait d'un bâtard conçu dans la luxure? Si au moins vous vous étiez contentée de partir...

L'amertume donnait le ton à ses mots; la colère, tout leur poids. Seule la tristesse se peignait maintenant sur ses traits. Il prit encore du vin. Il essuya sa bouche sur sa manche. Puis il poussa un cri de rage et lança la bouteille qui alla se fracasser contre le mur.

— Non... il vous a fallu plus! continua-t-il âprement en affichant tout son mépris. Vous avez tué mon père. Vous m'avez volé mon nom, mon héritage, ma vie.

— Ton père n'était qu'un monstre. Il... il...

— Vous avait violée?

Il savait...

— Becky, dit-il pour s'expliquer. Mais... je n'ai pas voulu la croire.

— Elle connaissait la vérité, Stephen. Il y en avait eu d'autres avant moi...

— Ne m'appelez pas comme ça! Je hais ce nom!

Les mots étaient sortis abruptement. Comme des poignards, ils s'étaient enfoncés dans mon cœur.

— Pour moi, c'est ton seul prénom. C'était le prénom de mon grand-père paternel : Stephen Dunn. C'est le seul héritage que je pouvais te donner.

Son regard fuyait, se réfugiait dans la solitude que procurait l'océan.

— J'ai des frères, des sœurs? s'informa-t-il plus calmement quelques minutes plus tard.

La question me prit de court.

— Euh... deux frères. Une sœur.

— Leurs noms?

— Pourquoi?

— J'apprends que j'ai une famille, j'aimerais au moins savoir comment ils s'appellent!

— Duncan Coll, Ranald et Frances. Ton frère Ranald... est mort, à Sheriffmuir.

Il resta songeur, le regard baissé.

— Becky, comment va-t-elle? demandai-je.

— Elle est morte il y a trois ans.

— Elle était présente au moment de ta naissance.

— Je sais. Elle m'a raconté.

— Elle t'a aussi raconté, pour l'entente qu'on m'a forcée de signer? Elle t'a dit comment lord Dunning s'est servi de moi? Comment il m'a humiliée et manipulée?

Il laissa le silence courir, fixant un point au large, sans bouger. Après un moment, il hocha la tête affirmativement.

— Alors tu connais les circonstances qui m'ont amenée à... te laisser dans d'autres bras?

— Oui...

Un souffle plus qu'un mot. Sa tête tomba sur sa poitrine.

— Stephen, j'ai agi pour ton bien. Quel avenir pouvais-je t'offrir, moi, une simple servante? Lord Dunning m'avait offert de t'élever comme... enfin, tu étais tout de même son fils. Si je refusais, je me retrouvais avec toi à la rue, sans ressources. J'aurais certainement été forcée de te donner en adoption de toute façon. Ce n'est pas de gaieté de cœur que j'ai fait ce choix, crois-moi. Et je ne pouvais pas deviner ce qui allait se passer par la suite. Si j'avais su... je...

Il s'était tourné vers moi; son regard me décontenança. Je baissai les yeux et me tus devant son mépris ostensible, ses reproches implicites. Comment un enfant, fût-il devenu un homme, pouvait-il comprendre le choix qui s'était imposé à moi alors que moi-même, je n'avais jamais accepté? Et puis, voulait-il seulement comprendre? Toute ma vie, j'avais espéré retrouver mon fils. J'avais secrètement attendu ce moment. Aujourd'hui, je ne savais plus.

— Je ne te demande pas de me comprendre, Stephen. Encore moins de me pardonner. Je veux seulement que tu connaisses la vérité. Turner me détestait. Il t'a transmis sa haine de moi. Tu n'as vu qu'une facette de sa perso...

— George a été le seul être à me témoigner un peu d'amour, me coupa-t-il, l'œil brillant. Il le faisait à sa façon, je suppose. Il n'était pas très démonstratif, certes, mais il s'est assuré que je ne manque de rien... et...

— Et que tu me haïsses? C'est aussi lui qui t'a appris à trahir ta patrie?

Il pivota sur ses talons, me foudroyant du regard.

— Je ne trahis pas l'Angleterre! Au contraire, ce que je fais, c'est pour elle!

— Qu'importe, Stephen! Tu as trahi ceux qui te faisaient confiance! Patrick, le comte de Marischal, tous les autres...

— Qui êtes-vous pour me juger?

Il se tenait debout devant moi, blanc de fureur, son regard me braquant froidement. Je le regardai en soufflant ma rage et ma frustration de voir que mon fils avait été manipulé par des esprits retors, qu'on s'était servi impunément de lui pour assouvir des désirs de vengeance. Il était trop tard. Son âme était noircie par la haine. Je me résignai. Mon fils était ce qu'on avait fait de lui. Par ma faute...

— Je regrette tant...

Un éclat de rire teinté de sarcasme m'écorcha les oreilles. Les entraves de mes poignets m'empêchaient de les boucher pour m'y soustraire.

— Que regrettez-vous tant, « mère »?

Son ton était mauvais, son sourire aussi.

— Ma naissance? Le meurtre de mon père?

— C'était de la légitime défense, rétorquai-je avec force.

— Et celui de George?

J'eus un sursaut, restai muette d'ahurissement.

— Turner? Ce n'est pas moi, protestai-je faiblement.

— Mais vous étiez là-bas, ce soir-là. Je le savais avant même que vous m'en fassiez l'aveu. J'ai fait ma petite enquête, vous savez. La belle Clémentine ne sait pas mentir sous la menace d'une lame. Vos manigances pour sortir Patrick de la forteresse... Évidemment, George ne devait pas se montrer. Mais il vous a reconnue lors de ce dîner, il a eu des doutes sur vos intentions et a voulu en avertir le gouverneur. Mais il est arrivé trop tard... ou plutôt, devrais-je dire, trop tôt. Vous étiez sur le point de partir. S'il était arrivé quelques minutes plus tard, il serait toujours vivant à l'heure qu'il est.

— Clémentine, vous ne l'avez pas...

— Non, n'ayez crainte, je ne l'ai pas tuée... juste un peu effrayée.

Il savait tout. Il m'avait joué la comédie depuis le début. Une sinistre comédie. Pendant un instant, je voulus qu'il ne fût pas mon fils. Comment avais-je pu donner le jour à un être si vil? Puis, je me dis que si je l'avais gardé avec moi, si j'avais pu lui donner mon amour, si Turner ne l'avait pas contaminé, si... si... si... On m'avait donné le choix pour l'avenir de Stephen. Je constatai tristement que celui que j'avais fait n'avait pas été le bon.

Mon fils souffrait, et je ne pouvais plus rien pour lui. Je préférai me taire, ne pas poursuivre ce plaidoyer inutile. Je n'en avais plus la force ni l'envie.

— Que vas-tu faire de moi?

— Vous?

— Oui, moi! Que vas-tu faire de moi? Tu ne vas certainement pas te risquer à revenir ici après...

Il se tendit de façon imperceptible, se redressant le dos dans un sursaut. Apparemment, mon sort était le dernier de ses soucis pour le moment. Il tourna brusquement la tête vers le rivage et fit un pas dans la sécurité de l'ombre. Quelque chose avait dû bouger sur la plage. Promptement, il vint vers moi.

— Vos poignets! ordonna-t-il sur un ton péremptoire.

— Stephen...

Il me dévisagea durement. J'obtempérai sans regimber. Il défit les liens, me fit passer les poignets dans le dos pour les attacher de nouveau.

— Stephen! fis-je pour lui rappeler ma présence.

Il glissa un des pistolets dans sa ceinture et s'empara du mousquet, le mettant en bandoulière. Il braqua alors le deuxième pistolet sur moi. Le sang se retira de mon visage. Ces yeux bleus, froids et calculateurs. Winston... Traits ataviques des Dunning. Mon fils en avait hérité.

— Je reviendrai, dit-il pour toute réponse à ma question implicite.

Puis il sortit son mouchoir. La seule pensée d'être bâillonnée me remplissait d'angoisse. La bouche couverte, j'avais l'impression d'étouffer et de mourir d'asphyxie. Voyant mon air terrifié et désemparé devant le mouchoir qu'il tenait, il hésita.

— Je ne peux pas prendre le risque que vous vous mettiez à crier, expliqua-t-il en attachant le mouchoir.

Il s'évanouit ensuite dans la nature. Dans la précipitation de son départ, il oublia de refermer la porte derrière lui. Je fixai le large d'un œil vide. Trois navires s'y étaient ancrés et derrière eux émergeait une lune grise. Mon cœur se liquéfia.

***

Des amas de varech piqués de fragments de coquillages blancs vomis par les vagues écumantes s'agglutinaient contre les coques des trois chaloupes qui avaient été tirées sur le sable. Les soldats de la garde personnelle du Prétendant s'étaient postés autour, aux aguets. Leurs regards cachés dans l'ombre de leurs tricornes piqués d'une cocarde blanche scrutaient les arbres qui bordaient la plage. Le piège se mettait en place.

Liam commençait à s'impatienter. Rien n'avait bougé. Les soldats étaient à leur poste depuis maintenant près d'une demi-heure et l'obscurité se pressait d'étaler son manteau de velours sombre sur eux. Cela allait inévitablement rendre l'exercice plus malaisé. Il se tourna vers Duncan en affichant un air résigné. Il avait espéré que Gordon, dans son zèle à accomplir sa funeste tâche, se pointât aussitôt les soldats placés en vigie. Il devait admettre que le jeune homme était plus futé qu'il ne l'avait présumé.

— Va chercher Patrick.

Son beau-frère attendait, affublé des habits du prince. Liam aurait préféré que ce fût quelqu'un d'autre qui joue ce rôle. Plusieurs hommes s'étaient offerts, considérant comme un honneur de sacrifier leur vie pour le prince. Mais Patrick était resté inflexible. Il avait insisté sur le fait que c'était lui qui avait fait entrer le jeune Gordon au service de la maison des Keith. C'était entièrement de sa faute si la vie du prince était menacée. Mais il y avait aussi Caitlin, Kitty comme il l'appelait affectueusement. Il se sentait responsable de sa situation.

Liam ne cessait de se demander pourquoi Gordon avait enlevé Caitlin. Simple otage pour obtenir une liberté provisoire? Il était resté perplexe. Sàra lui aurait été d'une bien plus grande utilité; elle représentait bien plus pour l'entourage du prince. Elle était une lady et l'épouse du secrétaire personnel du comte de Marischal, alors que Caitlin... Quels que fussent les motifs de cet enlèvement, Caitlin était retenue prisonnière quelque part autour de Montrose. Le mot d'ordre pour la capture de Gordon était de le prendre vivant... dans la mesure du possible. Lui seul savait où se trouvait Caitlin.

William Gordon avait un passé obscur. Ils ne savaient que très peu de chose sur lui. Son père, fervent jacobite qui avait été laird de Strathavon, était mort lorsqu'il n'avait que dix ans. Il avait deux frères cadets, à qui il avait curieusement abandonné ses droits sur le titre de laird. Le jeune homme était de nature assez taciturne. Il n'avait pour ainsi dire pas d'amis. Lors des rares dîners auxquels il daignait assister, il demeurait en retrait, préférant observer, écouter et ne risquant un commentaire que lorsqu'il était sollicité. Mais son empressement à s'acquitter de ses fonctions avec brio avait pallié le reste. Une irrégularité, cependant, avait échappé à Patrick : il avait été élevé par un officier de l'armée hanovrienne.

Le bruit des sabots répercuté sur les façades de pierre le tira de ses réflexions. Il se retourna. Une cuirasse dorée, embossée du blason des Stuarts, brillait dans la clarté de la lune montante. Pendant un instant, il aurait juré voir le Prétendant arriver. Mais le regard du personnage à l'ombre de la lourde perruque poudrée avait croisé le sien. C'étaient bien les yeux noirs de Patrick; le prince avait un regard clair. Mais avec l'obscurité et la distance, Gordon n'y verrait que du feu.

Huit soldats français en vestes blanc et bleu encadraient le prince. Quelques Highlanders dignes de confiance les accompagnaient, sans parler des nobles qui constituaient la suite du prince et ceux qui devaient s'exiler avec lui.

— Nos hommes sont en place? lui demandait la voix de son fils dans son dos.

Liam fit volte-face.

— Oui. Et, toi, ça va?

D'un geste de la tête, il lui indiquait sa cuisse bandée. Duncan souleva un pan de son kilt. Une petite tache sombre traversait le pansement soigneusement préparé par Marion.

— Ouais. À ce rythme, Marion aura raccommodé chaque parcelle de mon corps avant que je n'atteigne mes trente ans.

Liam émit un rire narquois et gratifia Duncan d'une claque sur l'épaule.

— De quoi te plains-tu? Elle a des doigts de fée, ta brodeuse. Plus d'un homme se laisserait entailler la peau pour sentir ses doigts sur lui.

Duncan arqua les sourcils sur un regard étonné.

— Heureux pour toi qu'elle soit une Campbell. Son nom suffit à tenir les hommes en respect. Mais les regards ne mentent pas. Le sang des Gaëls bout en elle.

Son fils ébaucha un sourire complice.

— Comme mère?

Un instant de silence crispé suivit.

— Oui, comme ta mère, confirma Liam d'une voix grave en posant une main sur l'épaule de son fils.

Il le regarda fixement dans les yeux, la gorge serrée.

— Et comme ta mère l'a fait pour moi, elle te donnera des fils dont tu seras fier.

Sa poitrine se gonfla d'orgueil et ses yeux brillèrent. Oh oui! Il avait de quoi être fier. Il se rappela brusquement le jour de la naissance de Duncan. Caitlin, qui ne faisait jamais les choses comme tout le monde, avait enfanté sur la lande. Faute de secours, il avait dû faire office de sage-femme. Il en avait été terrifié. Aujourd'hui encore, il se demandait comment il avait fait. Voir sa femme déchirée par les douleurs de l'enfantement lui avait fait perdre tous ses moyens. Puis il avait tenu ce petit être tout neuf dans ses mains. Ce petit corps chaud et grouillant de vie avait empli ses mains tremblantes de joie. Son fils...

Son second fils... rectifia-t-il dans sa tête. Coll avait été son premier fils. Qui serait-il aujourd'hui? Comment serait-il? Que ferait-il? Il revoyait encore son visage menu... puis, derrière lui, surgit celui d'Anna. Ces vies qui lui avaient été arrachées. Cela lui semblait si loin maintenant qu'il avait cessé de se demander pourquoi. La vie était si fragile...

Mais qu'était la vie d'un homme? Un espace de temps insignifiant dans l'éternité, mais si riche et intense, jalonné d'épreuves parfois si terribles. Comment un homme pourrait-il les traverser sans amour? Et que restait-il de cet homme après son passage, aussi insignifiant fût-il, sur cette terre? Ses enfants? Sa chair, son sang, bref le prolongement de lui-même. La preuve irréfutable qu'il avait été et qu'il avait occupé un rôle quelconque, dans l'histoire des hommes.

Duncan se tenait devant lui, droit et solide sur ses jambes. C'était un brave guerrier et un homme plein de bon sens. Son caractère, d'habitude égal – ses sautes d'humeur ne duraient jamais longtemps –, et sa loyauté indéfectible envers les siens lui valaient le respect de tous. Oui, il en était fier. Et aujourd'hui, étrangement, il ressentait le besoin de le lui dire.

Mais Liam n'avait pas l'habitude des mots qui exprimaient les sentiments. Certes, il avait maintes fois félicité ses fils de leurs exploits tout au long de leur enfance : une bonne prise à la pêche, un entraînement au combat bien réussi ou un butin intéressant lors d'un raid. Mais jamais il ne leur avait révélé les émotions qu'ils suscitaient en lui lorsqu'il les voyait devenir des hommes. Pour Ranald, il était trop tard. Certainement, son fils disparu avait dû éprouver au fond de lui, comme lui-même face à son propre père, le sentiment de lui plaire, de lui apporter de la fierté. Mais parfois, les mots...

Un coin de la bouche de Duncan bougea légèrement; son épaule se tendit sous ses doigts. Puis son fils baissa ses yeux pleins d'émotion.

— Duncan, murmura Liam, je voulais que tu saches.

— Je savais, père...

— C'est que je voulais te le dire. C'est pas toujours facile pour un homme... pour un père de dire à son fils ce qu'il a dans le cœur. Tu verras. Je ne sais pas pourquoi, mais dire à sa femme qu'il l'aime, à sa fille aussi, ça va. Mais à son fils? Peut-être parce qu'on ne se sent pas très à l'aise de dire « je t'aime » à un autre homme. Je sais que c'est un peu ridicule, mais c'est comme ça.

Duncan releva son regard humide vers lui, ses lèvres, un peu tremblantes, s'entrouvrirent. Ses mots restaient coincés dans sa gorge. Ils s'éteignirent.

— Moi aussi, je t'aime, père, dit finalement Duncan.

Liam essuya discrètement une larme sur le plaid de son fils et lui tapota doucement l'épaule. Curieusement, il se sentait mieux.

— Allons, dit-il en s'écartant un peu gauchement, il faut retrouver ta mère.

Les hommes étaient tous à leur poste. Au pas de course, Liam et Duncan rejoignirent Angus et Donald qui s'étaient couchés dans les hautes herbes. Les hommes de Mar procédaient à l'embarquement.

— Alors? demanda Liam en se camouflant à son tour.

— Rien, grommela Donald. Peut-être a-t-il laissé tomber? Il est seul et il doit bien se douter que nous l'attendons de pied ferme. Il doit savoir que, même s'il arrive à atteindre le Prétendant, ses chances de s'en sortir sont très minces.

— Hum...

Liam avait déjà réfléchi à cette possibilité et s'en était trouvé mal. Qu'allait faire Gordon de Caitlin s'il décidait de tout abandonner? Allait-il la relâcher, ou bien... Maintenant, il devait espérer que ce salaud aille jusqu'au bout. Son regard scruta les bois. Il l'avait étudié plus tôt dans la journée pour tenter de trouver les endroits les plus propices pour s'embusquer. Il avait marché sur la plage jusqu'aux cabanes de pêcheurs, un demi-kilomètre plus loin.

Deux endroits avaient retenu son attention. Le premier était une petite butte couverte de ronces et d'herbes d'où émergeait un affleurement rocheux. Gordon pourrait s'accroupir derrière et se mettre à l'abri tout en ayant une bonne vue sur la plage. La deuxième était un épais hallier de jeunes saules dont les branchages enchevêtrés étaient si serrés que, même dénudés, ils formaient un écran opaque. Les chaloupes étaient à portée de tir de ces deux endroits.

Liam avait posté des hommes à une dizaine de mètres du hallier. Lui s'était réservé la butte. Quelque chose lui disait que c'était là que l'homme viendrait se cacher. Dans une situation comme celle-ci, il fallait se glisser dans la peau de sa proie, anticiper ses pensées et ses réactions. Ce qu'il avait fait. Il aurait lui-même choisi la butte, car c'était l'endroit qui offrait les meilleures possibilités de fuite.

L'une des chaloupes s'était éloignée de quelques mètres avec six hommes à son bord. Patrick était encore debout, les bottes immergées dans quelques centimètres d'eau. Il était étroitement entouré des soldats qui avaient leur mousquet bien en main. Si Gordon ne voyait pas de possibilité de l'atteindre, peut-être allait-il tout simplement abandonner. Cette situation déchirait Liam. Pour lui, c'était comme choisir entre la vie de Caitlin et celle du mari de sa sœur. Il laissa échapper un juron entre ses dents.

— Holà! chuchota lentement Angus. Là-bas, tu vois?

Liam plissa les yeux; il ne voyait rien.

— Juste derrière le chêne, précisa son compagnon en pointant son canon sur l'endroit désigné.

Liam dirigea son regard vers la gauche, où un énorme chêne tordu avait enfoncé dans le sol ses grosses racines telles de longues griffes. Immuable, il avait refusé de céder dans les tempêtes qui s'étaient abattues sur la côte. Quelques secondes s'écoulèrent. Sa vue faiblissait-elle? Il plissa de nouveau les yeux. Puis il le vit. L'éclat d'une chemise trop claire, le miroitement d'une platine trop bien astiquée. Son cœur se mit à battre à un rythme effréné. L'homme était en position de tir.

— C'est lui, murmura-t-il. Nom de Dieu, il va tirer!

Angus et Duncan l'avaient mis en joue. Donald rampait pour prendre position un peu plus loin. Mû par l'instinct, Liam se leva brusquement et se mit à crier pour avertir Patrick. Ce fut le signal. Des détonations retentirent autour de lui; une fusillade éclata. Un soldat s'écroula dans une chaloupe. Pendant un instant, il crut voir Patrick chanceler et se retenir au bras d'un autre soldat, qui le poussa aussitôt dans le fond de l'embarcation. Il avait touché Patrick! Ce chien de bâtard...

— Où est-il? aboya-t-il en sautant par-dessus la petite dune chevelue.

— Il vient de s'enfoncer dans la forêt! cria Duncan qui courait déjà devant lui.

— Il ne faut pas laisser filer ce chien! beugla Liam, les poumons en feu. Je le veux vivant, vous m'entendez?

Il s'engagea à la suite des autres à la recherche de Gordon.

***

« Je reviendrai... » Il allait revenir... Pour me tuer? Je ne tenais pas vraiment à attendre pour le savoir. Il me fallait sortir d'ici avant son retour. « Réfléchis... » Cela faisait près d'une demi-heure que j'essayais de desserrer les liens qui m'écorchaient les poignets dans mon dos. Je mordis de rage dans mon bâillon. Je ne pouvais compter que sur moi-même pour m'évader.

La porte restée ouverte m'offrait assez de lumière pour me permettre de distinguer ce qui m'entourait. Mon regard désespéré glissa sur les caisses de bois empilées dans un coin. Un vieux brasero rouillé et percé aurait pu m'être utile, avec ses bords d'acier. Mais la corde n'était pas assez longue pour le rejoindre et user mes liens dessus. Une pile de planches de bois vermoulu. Une claie pour le séchage du poisson sur laquelle adhéraient encore quelques morceaux brunâtres de chair séchée.

Enfin, le seul objet à ma portée était la chaloupe retournée. Je la considérai d'un œil nouveau, cherchant sur elle l'outil qui m'apporterait la liberté. Mon œil déçu allait se refermer de résignation lorsqu'un éclat métallique l'accrocha. Je me penchai pour examiner la chose de plus près. Une plaque d'acier tordue et à moitié arrachée à la poupe. Elle devait avoir retenu un anneau d'arrimage.

Le cœur battant, je me laissai glisser jusqu'au sol contre le bois de la coque et tâtai le métal froid dans mon dos. Il pouvait être assez tranchant pour user mes liens... avec un peu de chance. « Allez, Caitlin, ne perds pas de temps... » Je me mis à la besogne sur-le-champ.

Pendant plusieurs longues minutes, mes bras travaillèrent indépendamment de mon esprit. Sauf lorsque le métal m'écorchait la peau des poignets. Mes bras sciaient la corde; mon esprit échafaudait des plans. Toutefois, je savais que l'instinct de survie l'emporterait sur toutes les ébauches de fuite imaginées. La corde céda.

Je demeurai quelques secondes sidérée devant la liberté inespérée qui s'offrait soudain à moi. Figée dans la brise hivernale qui s'engouffrait dans la petite remise malodorante qui avait été ma prison, je ramenai lentement mes bras devant moi en grimaçant de douleur. Mes épaules s'étaient ankylosées et mes poignets écorchés saignaient. Je retirai l'étouffant bâillon, me retenant de hurler de bonheur. Mais mon cœur criait sa joie. J'étais libre!

Le mugissement continu des vagues fut ponctué d'un cri puis d'un claquement. Mon cœur qui trottinait de joie se mit brusquement à galoper de peur. D'autres détonations et d'autres cris firent écho aux premiers sur la plage. Je m'élançai à l'extérieur. Des silhouettes se découpaient sur le miroir de la mer. L'une d'elles tombait dans une chaloupe; les autres couraient dans un sens et dans l'autre. Stephen avait attaqué.

L'appréhension me broyait l'estomac. Avait-il réussi? L'avait-on abattu? Où était Liam? Les réponses attendraient; je devais filer d'ici. Le tueur ne tarderait pas à rappliquer. Je retroussai mes jupes et pris le chemin des bois. Je m'efforçais de rester calme et de garder la tête froide, mais les claquements des mousquets qui se rapprochaient m'affolaient de plus en plus. Je craignais d'être confondue avec le tueur dans cette épaisse obscurité qui, d'ailleurs, m'empêchait d'avancer aussi vite que je l'aurais voulu.

Mon pied se coinça sous l'arche d'une racine qui jaillissait du sol. Je me retrouvai la tête la première dans les feuilles mortes mouillées et poussai un cri. Ma cheville s'était tordue. Je rampai jusqu'au tronc de l'arbre fautif et lui assenai un coup de poing rageur en me mordant la lèvre sur un second cri qui faillit s'échapper de ma bouche. « Te voilà bien avancée, Caitlin! » Je n'avais franchi que quelques mètres. Décidément, j'avais le don de me mettre les pieds là où il ne fallait pas. Quelle galère!

Prise de panique, je n'avais pas remarqué le silence qui était retombé sur les bois. Je m'adossai contre le tronc et tentai de deviner ce qui se passait. Avaient-ils attrapé Stephen? Soudain, il y eut un craquement. Je tournai la tête dans la direction du bruit, cessant de respirer. Rien. Je soufflai. Probablement une bête nocturne en quête de nourriture. Un craquement m'indiqua que la créature se trouvait tout près de moi. Je ne pus réprimer un nouveau gémissement de frayeur. Mes yeux fouillaient frénétiquement l'obscurité. Toujours rien. Puis une main se plaqua sur ma bouche, étouffant mon cri de stupeur comme mes yeux s'agrandissaient de terreur.

— On tente de me fausser compagnie? chuchota la voix, qui me fit frémir.

La lame d'un poignard me convainquit de me lever malgré la douleur lancinante à la cheville. Stephen me poussa rudement contre le tronc d'arbre; je me retins à sa veste pour ne pas tomber. L'étoffe était toute poisseuse et une odeur de sang frais m'arriva aux narines.

— Mais tu es blessé? dis-je bêtement.

— Merci de me le rappeler, haleta-t-il avec ironie.

Ses yeux qui luisaient me regardaient fixement. J'en eus la chair de poule. Je pouvais voir sa poitrine se soulever et s'abaisser à un rythme d'enfer. Il était en fuite; les soldats ne devaient pas être très loin derrière lui.

— Je m'en doutais, murmura-t-il faiblement. Les hommes de votre mari... Ils étaient là...

— Liam? Vous l'avez vu?

— Si je l'ai vu?

Il pouffa de rire, s'étouffant aussitôt. La lame demeura menaçante sur ma gorge, m'interdisant toute tentative de fuite. Quelques secondes s'écoulèrent avant qu'il reprenne :

— Comment pourrait-on ne pas le voir? Avec la taille qu'il a... Bon Dieu! J'aurais bien aimé l'avoir, lui aussi. Je sais qu'il a tué... mon frère. George m'a raconté. Winston était parti du manoir avec vous... Le palefrenier l'a confirmé. Puis Macdonald s'est présenté... vous cherchant... Mon frère n'est jamais revenu au manoir... Et vous, vous êtes retournée dans vos damnées montagnes, réduisant à néant ma seule chance de posséder un jour ce qui me revenait de droit.

— Winston a organisé mon exécution, Stephen. Il a voulu me tuer. Me croyant morte, il est revenu sur les lieux du crime pour provoquer Liam en duel. Tout s'est déroulé trop rapidement... Avant que je ne réalise qu'en mourant il m'éloignait de toi à jamais, il était trop tard...

Je m'étranglai d'émotion, me retrouvai brusquement dans la clairière lumineuse, près de la vieille chaumière délabrée. Je revis Winston et Liam fendre l'air de leurs épées. J'entendis les chocs de l'acier, les sentis se répercuter jusque dans mes os. Je revis le visage sidéré de Winston lorsqu'il me vit accourir vers eux en criant. Son plan machiavélique avait échoué. La main de Liam devant être celle qui m'enverrait dans l'autre monde. Or je vivais... et lui se mourait. Avec sa mort, je perdais irrémédiablement Stephen... Il emportait dans sa tombe le nom de l'endroit où il avait caché mon fils.

Ses yeux se refermèrent à demi; sa respiration se fit plus laborieuse.

— George a plus été un père pour moi que ne l'aurait jamais été Dunning... Et il est mort, par votre faute. Mon frère... je ne l'ai jamais connu... Mon père... même s'il a été le pire des salauds, m'aurait donné un nom respectable... Vous avez semé la mort autour de moi; vous m'avez tout arraché... Je devrais vous tuer, Caitlin. Je... je vous ai tuée tant de fois... tant de fois... que bizarrement je n'en ressens plus le besoin. Je ne ressens plus rien... pour rien ni personne. Je n'ai plus personne, vous comprenez? Je suis le bâtard de Dunning... Je ne suis personne.

La douleur que je sentais dans ses paroles, dans ses accusations étreignit mon cœur.

— Tu ES mon fils, sanglotai-je. Stephen... Je t'ai aimé toute ma vie. Je t'aime encore, malgré tout.

— Mais cela n'a vraiment plus d'importance aujourd'hui, n'est-ce pas?

La lame s'appuya un peu plus fortement sur ma gorge. Je n'osai bouger, m'accrochant aux quelques minutes de vie qui m'étaient encore allouées, espérant que quelqu'un surgirait derrière lui. Mais personne ne venait. Les lieux restaient cruellement silencieux. Avaient-ils abandonné leur poursuite?

L'ironie de ma situation me frappa. Mon fils allait me tuer. Et, comme un boulet de canon, la malédiction qu'avait proférée contre lui Meghan Henderson me revint brutalement. Je l'avais repoussée dans un compartiment obscur de ma mémoire. Mon fils aîné vivrait en traître, mourrait en traître... Elle croyait condamner Duncan. Elle ne savait pas pour Stephen.

Il hoqueta et geignit. Le poignard quitta mon cou, et je soufflai de soulagement. Son corps s'affala légèrement sur moi. Il respirait difficilement. Mon fils se mourait. Je le retins contre moi et, sentant ses mains me presser doucement, fermai mes yeux brûlants de larmes. Un hoquet, comme un sanglot, dans mes cheveux. Étreinte fugace. Il s'écarta, renifla.

— Vous avez raison, mère, je ne suis qu'un traître. Je me trahis moi-même. Je m'étais promis de vous tuer le jour où je vous retrouverais... Je savais que ma mère était la sœur de Patrick Dunn... George... Cela lui a échappé un jour... Me mettre à son service me servait doublement... Et puis, la description que j'avais de vous... Lorsque je vous ai vue... chez votre frère, j'ai su d'emblée... que vous étiez ma mère.

Il remua, geignit, râla avant de reprendre :

— Mais je ne peux me résoudre à vous laisser partir... sans vous faire goûter à la souffrance qui m'a torturé l'âme depuis ma plus tendre enfance. J'ai... tant réclamé vengeance. Cela m'a étouffé, m'a aveuglé... Caitlin, vous me devez un tribut...

La lumière blanche de la lune maintenant suspendue au-dessus de nous filtrait entre les branches et donnait à son teint déjà livide une allure funeste. Ses joues étaient baignées de larmes. « Stephen, qu'a-t-on fait de toi, mon fils? Ils t'ont nourri de haine. » Ses doigts remontèrent jusqu'à ma joue; caresse furtive. Ils glissèrent sur mon cou, l'enserrèrent doucement, témoignèrent de ses intentions. La pression se relâcha et je pus respirer à pleins poumons. Puis, brusquement, il lâcha mon cou pour s'emparer de mon bras, qu'il releva droit au-dessus de moi, le plaquant violemment contre l'arbre. Je sentis la rugosité de l'écorce meurtrir le dos de ma main, qu'il maintenait solidement. Quelques secondes de flottement.

— Maman...

Je voulus crier, le serrer contre moi, lui dire de tout arrêter, de se sauver. Que je l'aimais... Le râle de sa respiration emplissait mes oreilles; l'odeur de sa transpiration et celle, plus suave, de son sang, pénétraient mes narines. Je m'étais figée d'effroi, attendant mon châtiment. Je priai Dieu, j'espérai Liam, j'implorai la clémence. Rien ne vint. « Ne pas chercher à comprendre les desseins de Dieu... » C'était si difficile... devant ce que j'appréhendais.

Puis je hurlai de douleur. Je criai à me fendre l'âme. J'entendis la voix de Stephen murmurer le nom de son père, honnir le mien, blasphémer Dieu. Puis plus rien. Il était parti. Je restai clouée au tronc de l'arbre par son poignard qui me traversait la paume. Suspendue dans une douleur insoutenable, je me retins de mon autre main à une branche pour empêcher la lame de m'ouvrir complètement la paume.

Je m'agrippai et enfonçai mes doigts dans l'écorce qui éraflait mes doigts gourds. La douleur atroce m'arrachait des hurlements qui me déchiraient la poitrine, me brûlaient les poumons et la gorge. Mes cris en engendrèrent d'autres. Pendant un moment, je crus entendre l'écho de ma douleur. Mais les cris, qui se faisaient plus clairs, m'appelaient.

Une main m'empoigna, me retint contre le tronc, puis me souleva légèrement. Dans un dernier cri, je sentis la lame s'arracher de ma paume, qui retomba lourdement sur l'épaule de mon sauveteur. Des silhouettes tournaient autour de moi; celles des arbres dansaient avec elles. Des voix me parvenaient faiblement... jusqu'à ce que celle de Liam n'abatte le mur de mon hébétude. J'ouvris les yeux et croisai ceux de mon deus ex machina.

— Caitlin... *a ghràidh*...

Sa voix était larmoyante. Son regard souffrait avec moi. Finalement, mes prières n'avaient pas été vaines...

— Rattrapez-moi ce chien de bâtard! aboya-t-il aux hommes. Mort, de préférence.

Les cris des chasseurs se dispersaient autour de nous. Le gibier n'irait pas loin; il était blessé. Je m'affolai, criai pour les empêcher de l'abattre. C'était mon fils, bon Dieu!

— Non, Liam... Ne le tuez pas!

Mais les hommes ne m'entendaient pas; ils s'étaient évanouis dans les ténèbres. Je hurlai ma douleur. Tentai d'expliquer, n'y arrivai pas. Liam s'énerva lui aussi, ne comprenant pas mon désarroi. Il me serra contre lui.

— Il ne te fera plus rien, *a ghràidh*. Je te le promets. Je le tuerai de mes propres mains s'ils me le ramènent vivant. C'est fini...

— Non! criai-je en le martelant furieusement, il ne faut pas le tuer...

La douleur dans ma main m'arrêta. Je hurlai comme une damnée. Liam, en proie à la panique, me gifla. Mais c'était trop tard. Les hommes revenaient déjà, chargés du gibier qu'ils laissèrent tomber sur les feuilles mortes, sans plus de considération. Stephen, mon fils, gisait sans vie. Je me dégageai des bras de Liam, repoussai les hommes qui s'affairaient déjà à fouiller les poches. Duncan tenta de me retenir. Je le repoussai violemment et me laissai tomber sur le corps de mon enfant en sanglotant.

Je ne sus combien de temps je restai ainsi sur lui, mais ce dut être plusieurs longues minutes. Le silence régnait autour de moi lorsque mon esprit s'éclaircit un peu. Je relevai la tête, hoquetai une dernière fois. Les hommes se tenaient debout autour de moi, silencieux, figés de stupeur. Quelques secondes de profond silence s'égrenèrent. Une main se posa sur mon épaule, la serra doucement, chercha à me relever. Je résistai; elle insista fermement. Liam se pencha sur moi.

— Caitlin...

Son regard était inquiet. Il ne comprenait pas; il ne pouvait pas savoir. Comment pouvaient-ils savoir qu'ils avaient tué mon fils?

— C'est fini, dit-il doucement. Allez, viens...

— C'est Stephen... C'est mon enfant, Liam, chuchotai-je en m'accrochant à lui.

— C'est terminé. Allons...

— Je te dis que c'est...

— Il est mort, Caitlin. Il ne te fera plus de mal! dit Liam en me serrant les épaules et en me forçant à m'éloigner du corps.

— Tu ne m'écoutes pas! C'est Stephen, je te dis! criai-je en le repoussant avec rudesse.

Il s'immobilisa, me dévisageant d'un air dubitatif. Puis, lentement, il dirigea son regard vers le cadavre de Stephen.

— Le fils de...

Il n'osait prononcer le nom. Il était complètement pétrifié.

— Tu veux dire?... Tu en es certaine? C'est que...

Incapable de répondre, j'acquiesçai de la tête. Les autres, embarrassés, s'éloignèrent un peu. Liam fixa le corps encore quelques secondes.

Puis, il s'en détourna, reportant son regard empli d'un mélange d'horreur et d'incrédulité sur moi. Il ouvrit la bouche, n'arriva qu'à pousser un faible gémissement.

— C'est... mon fils, Liam.

— Nom de Dieu...

Il se laissa tomber près de moi, paralysé par la stupéfaction.

— Nom de Dieu... répéta-t-il plus bas comme il prenait pleinement conscience de ce que je venais de lui annoncer.

Je sentais le regard des hommes posé sur moi. Je sentis plus particulièrement celui de Duncan me peser dans le dos. Je demeurai prostrée auprès du corps inanimé de Stephen, lissant ses cheveux et caressant son front moite. Je tremblais terriblement. Je luttai contre les larmes, mais n'y arrivai pas. Liam s'approcha enfin de moi et m'attira à lui.

— Viens, *a ghràidh*...

Il me força à me détourner et me serra contre lui. J'eus grand-peine à me détacher du corps encore tiède de Stephen. Alors il me prit dans ses bras et me serra contre lui. Et là je pleurai.

On ramassa le corps. Je regardai les hommes faire, comme détachée de la scène, de moi-même. Puis, ils disparurent avec Stephen.

— Tu ne pouvais plus rien pour lui, me chuchota Liam en caressant mon dos. Il a décidé de son sort au moment où il a appuyé sur la détente pour abattre le Prétendant.

— Je sais... Je veux qu'il soit enterré dans un cimetière.

— Ce sera fait.

— Tu m'y emmèneras...

— D'accord.

L'effet du choc se dissipant, ma main me faisait affreusement souffrir. Je me laissai alors submerger par la douleur physique pour tromper celle du cœur. Liam examina la plaie, improvisa un pansement en déchirant l'ourlet de sa chemise. Je pensai bêtement que je devrais lui en faire une nouvelle, tout en me demandant comment j'y arriverais avec une main dans cet état. Il m'entoura de ses bras; je me lovai dans sa chaleur. Il me murmura des mots doux; je me laissai bercer par eux. Après plusieurs minutes, mes tremblements s'atténuèrent. Liam me couvrit de baisers, de tendresse et d'amour. La douleur s'apaisa.

La tranquillité était revenue dans le petit bourg. Assise sur les marches qui menaient au débarcadère, je regardai la mer lécher le sable et l'imbiber. La lune s'y reflétait par fragments frémissants. Je terminai le verre d'eau-de-vie que Liam m'avait forcée à boire. Cela me fit du bien, me calma. J'arrivais maintenant à penser plus clairement, à voir les choses sous un autre angle. J'avais donné la vie à Stephen; il était mort dans mes bras. Je ne connaissais pas cet homme qui était mon fils. Aucun souvenir ne nous unissait hormis ces deux événements. Mais il n'en demeurait pas moins une partie de moi.

Je me tournai lentement vers la lueur d'un flambeau qui s'éloignait. Duncan partait avec Donald MacEanruigs trouver un prêtre qui accepterait de s'occuper de l'enterrement de son frère dont il n'avait appris l'existence que cette nuit. Liam venait de lui révéler la triste histoire de Stephen. Il était resté silencieux, les yeux écarquillés, tout au long du récit. Il avait gardé son sang-froid pour demeurer magnanime devant ce qu'il devait considérer une trahison de ma part envers son père. Aux regards qu'il me lançait, je savais qu'il m'en voulait et prendrait du temps pour accepter. Je lui devais des explications sur cette partie secrète de ma vie. Mais je ne me sentais pas la force de les lui donner ce soir.

Ce fut à ce moment-là que je remarquai d'autres hommes qui arrivaient, tenant flambeaux et épées. L'un d'eux, vêtu d'une cuirasse luisante, était entouré d'un groupe hétéroclite de nobles en habits coûteux et de Highlanders aux plaids défraîchis et usés. En l'apercevant à son tour, Liam se leva promptement, me forçant à me lever moi aussi.

— Hé, mon vieux! s'écria-t-il, visiblement ému, me tirant derrière lui vers le pompeux personnage que je devinai être le prince.

Abasourdie, je regardai Liam l'étreindre avec effusion.

— Je croyais qu'il t'avait touché, tu avais... commença-t-il en s'écartant.

Il s'interrompit brusquement en voyant dans la cuirasse rutilante, au niveau de l'épaule gauche, le trou d'impact dans lequel se trouvait toujours la balle de plomb.

— Nom de Dieu! bafouilla-t-il, les yeux écarquillés. Il t'a manqué de peu.

— Je t'assure que le choc a tout de même été violent, dit le Prétendant. Crois-tu que je doive m'excuser d'avoir abîmé la cuirasse?

Je restai estomaquée devant la familiarité que se permettait Liam avec le prince qui, lui, ne semblait pas s'en offusquer. Ce dernier se tourna alors vers moi, me dévisagea quelques secondes. Mon cœur se mit à battre très fort. Je baissai les yeux et esquissai une petite révérence maladroite, tout émue qu'il daigne remarquer ma présence. Un étrange silence s'abattit sur nous. Gênée, je n'osai relever la tête. Des rires fusèrent alors de toutes parts. Vexée, je me redressai et m'apprêtais à répliquer vertement lorsque je croisai les yeux noirs et le sourire éclatant de Patrick, qui venait de retirer sa volumineuse perruque bouclée.

— Kitty, dit-il en tentant manifestement de contenir son fou rire, je préférerais te serrer dans mes bras, petite sœur.

— Patrick? Mais qu'est-ce que?...

— Plus tard, répondit-il en m'attirant à lui. Oh, petite Kitty, ce que je suis heureux de te voir en un seul morceau!

Il s'écarta légèrement, m'examina à la clarté des flambeaux et se pencha sur mon pansement qui s'était imbibé de sang. Je tenais mon bras engourdi de douleur contre mon cœur en morceaux. Liam lui expliqua la nature de ma blessure.

— Je crois que le chirurgien du prince est encore ici. Venez. Jacques

Édouard est sur le point de s'embarquer, mais il veut vous remercier. Il dit l'avoir échappé belle...

Échappé belle? L'imbécillité de la déclaration me sidéra. Moi, j'avais perdu deux fils, un beau-frère, un gendre, presque un frère ainsi qu'un mari... et probablement une partie de ma raison... et le prince, lui, disait tout bonnement l'avoir « échappé belle », alors qu'il se trouvait bien à l'abri, derrière son armée et les murs de pierre des palaces! Un ricanement amer s'échappa de mes lèvres. Il se mua lentement en rire libérateur. Liam s'esclaffa avec moi. Nous nous vidâmes de nos angoisses, nous nous délivrâmes de cette peur qui blanchit les cheveux. Nous renouâmes avec la vie dans cette hilarité incongrue, mais ô combien salutaire, enlacés, serrés l'un contre l'autre. Malgré la douleur de ma main blessée, je serais restée ainsi pendant une éternité.

ÉPILOGUE

33

Ainsi soit-il
Août 1716

Le vent soufflait son haleine iodée, gonflant les plis d'un kilt aux couleurs vives. Il taquina la crinière de cuivre et d'argent qui étincelait dans le chaud soleil d'août. Je laissai l'air infusé de varech et de terre fraîchement retournée emplir mes poumons, puis expirai lentement, détournant les yeux, suivant la danse d'une myriade de feux que projetait une broche sur une pierre grise gravée.

Le silence lourdement chargé des mots que nous n'osions prononcer fut brusquement perturbé par un sourd grondement. Le ciel se couvrait rapidement. Je contemplai le profil de Liam, qui se recueillait sur la tombe de Colin dont les restes venaient d'être inhumés sur *Eilean Munde*.

— *Garbh fois an sith, mo bhrathair*[113], murmura-t-il, une main posée sur la croix gravée dans le granit.

Liam avait beaucoup vieilli au cours de cette dernière année. Bien qu'il eût retrouvé son poids normal, ses cheveux s'étaient allègrement peints d'argent et son visage s'était creusé de rides marquant un épisode de sa vie. Il se redressa lentement, comme si tout le poids de sa peine reposait sur ses épaules, ouvrant et refermant ses grandes mains dans une rage contenue.

Les lambeaux de cris d'une nuée d'oies caressant du bout de leurs ailes les eaux noires du loch Leven tourbillonnèrent jusqu'à nous et le détournèrent de sa douleur. Il suivit des yeux le vol des oiseaux, puis dirigea son regard vers le massif rocheux qui nous surplombait. Des mèches entremêlées de la couleur du feu et de la nuit fouettaient doucement des visages heureux. Marion était assise entre les jambes fléchies de Duncan, appuyée contre son torse. Elle gardait les yeux fermés tandis qu'il lui glissait quelques mots à l'oreille, les mains posées sur le renflement maintenant

---

113. Repose en paix, mon frère.

visible d'un ventre fertile. Liam les observa un long moment, d'un air indéchiffrable. Puis la ligne tendue de ses lèvres se courba en un sourire qui se figea sur son visage fatigué.

Je lissai derrière mon oreille une mèche rebelle qui s'était échappée de ma tresse et qui dansait avec entrain dans le vent, devant mes yeux. Liam se tourna vers moi, et je plongeai dans son regard bleu sombre comme les lochs d'Écosse, dans ce regard qui m'avait conquise dès la première fois où je l'avais vu posé sur moi.

Il se tenait droit et fier, guerrier dans l'âme, Gaël dans le sang. Un homme taillé dans le granit des montagnes de cette patrie qui l'avait vu naître et pour qui il s'était si vaillamment battu. Je me souvins brusquement d'une déclaration qu'avait faite, un certain après-midi de novembre, le jeune Isaak MacEanruigs, citant son père : « Écossais toujours, sujet britannique, peut-être, Anglais, jamais... » Telle devrait être la devise des Highlanders. Les Anglais avaient étouffé la rébellion de 1715, mais n'avaient pas éteint cette flamme qui brûlait comme une croix ardente dans le cœur des vaincus.

Apparemment inspiré par le charmant tableau qu'offraient Duncan et Marion, Liam vint s'asseoir derrière moi et, glissant ses bras autour de ma taille, m'attira contre son torse. Je nichai ma tête dans le creux de son épaule et soupirai de contentement. Son odeur m'enveloppait, musquée, forte et âcre. Une odeur virile qui se mélangeait à celles du savon et de la bruyère que j'aimais glisser entre ses chemises propres. Son souffle caressait ma tempe, réchauffait le sang qui battait juste sous la surface de ma peau pour ensuite me réchauffer le cœur.

L'orage se préparait. Il faisait chaud et humide, mais l'herbe était fraîche sous nos pieds nus. Le vent murmurait son requiem entre les sépultures qui nous entouraient et gémissait sa peine dans les ruines de la petite chapelle. Le bâtiment avait été construit par Fillian Munde, l'un des disciples de Columba venus christianiser les païens qui habitaient ces montagnes un millénaire plus tôt.

Près de la stèle qui marquait la tombe de Colin, un fragment de tartan déchiqueté aux couleurs fanées fouettait la lame rouillée d'une épée enfoncée dans le sol. La garde en corbeille, maintenant ternie, brillait faiblement. J'avais tenu à ce qu'une partie de Ranald se retrouve sur *Eilean Munde*. Les cendres de sa chair et de ses os avaient depuis longtemps été dispersées aux quatre vents. « L'Écosse t'appartient, mon fils. » Toutefois, je savais que son âme avait retrouvé le chemin de sa vallée. Il nous manquait cruellement. « Dieu avait donné, Dieu a repris, a dit Job. Si nous accueillons le bonheur comme un don de Dieu, comment ne pas accepter le malheur de même! »

J'avais eu plus que ma part de malheur ces derniers mois et j'aspirais maintenant à un peu de bonheur.

Les mains de Liam montaient et descendaient le long de mes bras. Il se pencha pour m'embrasser.

— Tu veux marcher un peu? Les autres ne semblent pas avoir terminé.

Je portai mon regard sur ma droite où se tenaient quelques membres du clan qui avaient profité de la traversée pour venir se recueillir sur les tombes de leurs bien-aimés disparus. Je m'arrêtai sur une silhouette recroquevillée, adossée contre les pierres ocrées par le lichen d'un vestige de mur de la chapelle celte chrétienne. Margaret Macdonald avait accompagné sa fille Leila et son gendre Robin qui étaient venus porter des fleurs sur la sépulture de leur premier enfant, mort-né.

Liam prit ma main et m'aida à me lever en suivant mon regard.

— Quand lui pardonneras-tu, *a ghràidh*? N'a-t-elle pas assez souffert?

— C'est difficile...

— Je sais, fit-il après une pause, mais tu pourrais essayer.

— Liam...

— Elle est seule, Caitlin, me coupa-t-il un peu rudement en me forçant à le regarder. Toi, tu m'as. Elle... elle n'a plus personne, tu devrais comprendre. Que lui reste-t-il? Vous avez été si proches, toutes les deux.

— C'est là tout le problème, Liam. C'est pourquoi c'est si difficile. Et puis, elle a ses enfants.

— Tu sais bien que ce n'est pas la même chose. Elle a besoin d'une amie. Les autres femmes du clan l'évitent depuis...

Son regard s'abaissa momentanément, assombri par le souvenir de cette triste nuit. Ses joues rosirent.

— Elles attendent que tu fasses les premiers pas, par respect pour toi. C'est à toi d'aller la trouver.

— Jamais je n'arriverai à l'absoudre de son péché.

— « Notre » péché, Caitlin, me précisa-t-il cruellement. C'était notre péché, à elle et à moi. J'étais aussi coupable qu'elle. Pourtant tu m'as pardonné, à moi.

J'avais mal. Il avait raison; je le savais depuis longtemps. Certes, j'avais cessé d'éviter Margaret en faisant des détours. J'avais même recommencé à lui adresser la parole. Un « bonjour » impersonnel, un regard indifférent, comme lorsqu'on croise un étranger. Chaque fois, je m'en voulais de ma froideur appliquée destinée à la blesser davantage. Elle avait amplement pâti. Mais dès que je la revoyais devant moi...

— Sois indulgente, *a ghràidh*, c'est ce que Dieu attend de nous.

— Dieu... Que sait-Il des cris et des peines de cœur des hommes et des femmes?

Il se mit à rire doucement. J'enviais sa foi aveugle et indéfectible en Dieu. Liam ne posait jamais de questions sur ce qui nous arrivait. Dieu avait Ses raisons, disait-il toujours. C'était ainsi. Il ne fallait s'en prendre qu'à soi-même si nous n'avions pas su faire mieux avec ce qu'Il nous avait donné.

— Il en sait certainement plus que tu ne le crois. N'a-t-Il pas créé Adam et Ève?

— Hum...

— Dieu façonna une femme et l'amena à l'homme, qui dit alors :

559

« C'est l'os de mes os, la chair de ma chair! » C'est pourquoi l'homme quitte son père et sa mère pour s'attacher à sa femme. Elle est une partie de lui. « Et ils deviennent une seule chair... »

Sur ces mots, il m'attira à lui et m'embrassa tendrement.

— Mais Dieu a laissé Ève s'approcher du serpent, fis-je observer en fronçant les sourcils. Le Mal l'a séduite et l'a poussée à croquer dans le fruit défendu, celui qui apporte le discernement entre le bien et le mal. Elle savait qu'il était mal de séduire Adam à son tour.

— Oui, acquiesça-t-il d'une voix ténue. Mais Adam a accepté de croquer dans la pomme, il est aussi coupable qu'elle.

Il plongea son regard dans le mien et caressa doucement ma nuque, me faisant frissonner malgré la chaleur étouffante.

— Dieu a puni la femme et le serpent, repris-je.

— Il a aussi puni l'homme : « À force de peines tu tireras ta subsistance du sol tous les jours de ta vie... À la sueur de ton visage tu mangeras ton pain jusqu'à ce que tu retournes au sol puisque tu en fus tiré. Car tu es glaise et tu retourneras à la glaise. » L'infidélité, premier péché de l'humanité. Ils furent bannis de l'Éden et condamnés à vivre dans un monde où le bien et le mal les déchiraient. Et c'est encore celui dans lequel nous vivons, *a ghràidh*. Nous y sommes contraints et ne pouvons nous y soustraire. Caitlin, nous sommes faibles face aux forces du mal. Parfois, nous n'avons plus l'énergie ou la volonté de combattre. Mais la sanction du péché doit permettre à l'homme de se relever de sa chute et l'éclairer sur le mal qu'il a commis. Ainsi, il sera meilleur.

Je ne comprenais vraiment pas où il voulait en venir. Le voyant à mon air dubitatif, il jugea bon de préciser :

— Margaret a eu sa sanction; Dieu s'en est chargé. Tu n'as pas à la punir davantage. Est-ce que tu saisis?

— Je crois...

Je ne pus m'empêcher de lui poser la question qui me taraudait depuis notre retour de Montrose.

— Est-ce que tu y repenses, parfois? Je veux dire... à elle et toi?

— Caitlin...

— Je veux savoir.

Ses lèvres s'étirèrent en une moue amère. Il ferma les yeux un instant et hocha la tête de lassitude, puis jeta un regard vers la silhouette de Margaret.

— J'y repense, avoua-t-il, mais pas comme tu l'imagines. Mes souvenirs de cette nuit-là sont assez confus. C'est plutôt une gamme d'émotions qui remonte en moi lorsque j'y repense : le chagrin, la culpabilité, le sentiment de rejet. J'avais tellement besoin de...

Il s'arrêta devant mon air dépité.

— Mais bon sang, Caitlin! Qu'est-ce que tu crois? Ce n'était pas elle que je serrais dans mes bras, c'était toi. Je l'appelais par ton nom. Et pour elle, c'était la même chose. Tu crois qu'elle est fière de ce qui est arrivé?

Ne crois-tu pas qu'elle s'en veut? Simon venait de mourir. Elle le trahissait tout autant que moi je te trahissais et elle souffre autant que moi... sauf qu'elle ne saura jamais s'il lui a pardonné. Nous avons recherché chacun un simulacre de réconfort dans les bras de la mauvaise personne. C'est de toi dont j'avais besoin...

Il me prit la main et, de son pouce, suivit la longue cicatrice rose boursouflée qui marquait ma paume. La guérison avait été longue et douloureuse. Il y avait eu une infection. À un certain moment, nous avions cru qu'il faudrait amputer. Mais un miracle s'était produit, et l'infection avait disparu aussi vite qu'elle était apparue. Je savais que j'avais eu beaucoup de chance. Bien que certains de mes doigts aient perdu un peu de leur mobilité, ma main avait repris du service. Seule cette cicatrice demeurait. Mais la blessure morale, beaucoup plus profonde, mettait encore du temps à guérir. Liam examina ma paume quelques instants, puis y déposa ses lèvres avant de refermer mes doigts dessus. Son regard revint vers moi, noyé d'émotion. Il reprit là où il s'était interrompu :

— Après, lorsque je t'ai vue dans la chambre, cette nuit-là... Ton regard... Je ne pourrai jamais l'oublier. J'ai alors compris ce que j'avais fait. Ce que je « t'avais » fait. La honte, le remords me dévoraient, *a ghràidh*. Le pire, c'était que je ne pouvais plus rien pour réparer ton cœur brisé. Rien de ce que j'aurais pu faire n'aurait réparé le mal que je t'avais fait. C'est pourquoi, lorsque tu es venue à Perth, je n'ai pas pu venir te voir immédiatement... malgré l'urgence de la situation. L'idée seule de te revoir me tuait, mais j'en mourais d'envie aussi. C'était la hantise de ton regard et de tes reproches qui me retenait. Et Colin... dans ta chambre, sur ton lit... t'enlaçant d'un bras. Toi... vêtue d'une simple chemise. Tes vêtements épars sur le sol...

Il prit une profonde inspiration pour endiguer le flot de sentiments qui le bouleversaient et me fixa intensément.

— J'ai réellement cru que tu avais inventé toute cette histoire d'arrestation pour m'attirer dans la chambre et... me faire subir le même calvaire.

— Liam...

— Avec Colin, cela aurait été si facile : il t'aimait.

— Il t'aimait aussi, tu le sais très bien, lui rappelai-je. C'est pourquoi il s'est refusé à aller plus loin...

Je m'interrompis brusquement en me mordant violemment la langue. Liam pâlit; sa mâchoire se contracta.

— De quoi parles-tu? balbutia-t-il. Tu m'avais dit...

— Oh, Liam, murmurai-je, la gorge serrée, il s'en est fallu de si peu... Colin et moi, enfin... Cette nuit-là, j'ai compris que la chair est faible quand notre âme est blessée et que notre corps est ivre.

Il encaissa la révélation sans ciller, mais ses doigts se crispèrent sur ma nuque. Derrière lui, je vis Margaret se lever et nous observer discrètement du coin de l'œil. J'étais aussi coupable qu'eux... car c'était l'honneur de Colin qui m'avait sauvée. Moi... j'avais été trop faible pour me sauver moi-même.

— D'accord, je lui parlerai demain avant notre départ pour Dalness, décidai-je.

Nous nous tenions sur un massif de roc qui surplombait les eaux sombres et froides du loch, quelques mètres plus bas. Liam regardait droit devant lui d'un air absent. Je devinais ce qui troublait son esprit. Il s'écarta lentement et fit quelques pas vers le bord du rocher.

— Liam, l'appelai-je doucement.

L'espace d'un instant, je crus qu'il ne m'avait pas entendue. Puis il hocha lentement la tête et se tourna vers moi en tendant la main.

— Viens.

***

Presque une année s'était écoulée depuis que la croix ardente avait rallumé la flamme dans le cœur des rebelles. Duncan pinça les lèvres en une moue sceptique. « Rebelle. » L'était-il vraiment? Il était simplement un homme qui ne désirait « qu'être ». Être un Écossais, être un Highlander, être un Macdonald. Si cela impliquait d'être un rebelle, alors soit! Il était rebelle aussi!

Marion se lova plus étroitement contre lui. Elle se tourna alors, captant son regard. Il y vit le ciel d'Écosse brillant d'un tel éclat lumineux qu'il l'éblouissait. Marion était heureuse.

Elle s'intégrait merveilleusement bien au clan. Son exploit à Dunnottar Castle n'y était pas étranger. Donald, Angus et les frères Macdonnell n'avaient pas tari d'éloges sur sa hardiesse et son courage pour défendre les intérêts du prince. Évidemment, il y avait encore des récalcitrants qui voyaient en elle la main qui tenait l'épée de Damoclès, le rappel du massacre, l'ennemi. Elspeth s'usait les méninges pour nuire à Marion. Cependant, de manière générale, elle était bien accueillie. C'était un début.

Mais Duncan était triste à l'idée que ces yeux qui brillaient de tant de bonheur allaient bientôt s'assombrir et pleurer. Il devrait en effet, dans quelques heures, remettre à Marion une lettre du laird de Glenlyon. Il redoutait le moment où elle lirait que son père avait quitté l'Écosse pour, peut-être, ne plus jamais y revenir. Glenlyon s'exilait, et parfois l'exil était très long.

D'abord, au fil de sa lecture, il verrait ses traits se métamorphoser, révélant chacune de ses pensées, chacune de ses émotions. Sur son visage, il lirait la surprise, l'incrédulité, le désarroi, puis la colère. Ensuite, il lui tendrait les bras, lui offrirait son épaule, prononcerait des paroles qui se voudraient apaisantes, réconfortantes. Mais il savait que rien n'atténuerait la douleur qui la déchirerait indubitablement.

Il avait reçu la lettre des mains mêmes du plus jeune frère de sa femme, David, un peu plus tôt dans la journée. Marion était absente à ce moment-là. Son père n'avait pu lui faire ses adieux de vive voix. Les troupes gouvernementales qui patrouillaient les Highlands à la recherche des proscrits avaient fait irruption en Glenlyon hier matin. Il avait juste eu le temps de prendre son mousquet et de filer vers les collines, où son fils John l'avait rejoint quelques heures plus tard avec ses effets. C'était là, dans l'une des petites huttes d'été, qu'il avait écrit ces quelques mots pour sa fille.

Duncan n'aimait pas particulièrement le laird de Glenlyon, mais il le respectait en tant qu'homme et en tant que beau-père. Il savait l'âme de John Buidhe déchirée de partir et de laisser sa fille qui attendait son premier enfant. C'était la raison qui avait tant retardé sa fuite. Aujourd'hui, il ne pouvait plus se permettre de rester. Un procès et la prison l'attendaient.

Duncan entoura Marion de son bras, glissa sa main sur le ventre qu'il avait empli de vie. Jamais il ne pourrait lui rendre la pareille. Que pouvait un homme devant une femme qui lui offrait le miracle de la vie, un enfant? Rien, si ce n'était l'aimer.

L'ébauche de vie remua sous ses doigts. Son cœur bondit.

— Duncan... Tu as senti?

— Oui... répondit-il dans un souffle.

Il avait perçu le mouvement fugace d'un pied ou d'une main. Comme un petit poisson faisant frémir la surface lisse de l'onde. Léger, presque imperceptible, mais bien réel. Son enfant... Les mots lui manquaient.

— Duncan Og...

— Quoi?

— Il s'appellera Duncan Og. Et si c'est une fille... euh... J'aimerais bien Margaret, c'était le nom de ma mère.

— Alors ce sera Margaret.

Marion lui sourit, radieuse. Il l'étreignit plus étroitement contre lui. La vie qui pouvait se faire si implacablement cruelle pouvait aussi être si généreuse. Il eut une pensée pour son frère Ranald et pour Colin. Puis son regard descendit le massif pour aller rejoindre les deux silhouettes qui s'enlaçaient près d'une stèle toute neuve. Sa mère se remettait lentement de la mort de ses deux fils. Elle lui avait raconté pour Stephen; elle lui avait confié son secret si bien gardé pendant toutes ces années. Elle s'en remettrait avec le temps, avec le temps seulement...

Le ciel grondait au loin et une armée de gros nuages noirs portés par le vent menaçait. Duncan ferma les yeux, goûta ces quelques instants de répit qui leur étaient donnés. Ce soir la tempête sévirait. Dans les Highlands, les moments de paix ne duraient jamais longtemps.

***

Glissant sur les cailloux et tirant sur ma jupe que les orties retenaient, je suivis Liam dans le petit sentier qui descendait vers le bord de l'eau. La marée était basse et quelques grosses pierres coiffées de soyeuses algues vertes offraient un festin aux bécassines, qui y picoraient leur pitance.

Liam restait silencieux. Je ne voulais pas lui reparler de cet épisode avec

Colin, dans la chambre. J'avais relégué ce souvenir dans un coin reculé de mon esprit. Colin était mort, et pour le respect de son âme... Mais il l'avait fait ressurgir, et les mots m'avaient échappé. J'en étais mortifiée. Il était trop tard.

— Je ne peux pas t'en vouloir, dit-il enfin sur un ton cassant qui m'agaça un peu.

Je mis le pied sur l'un des îlots glissants et perdis l'équilibre. Un bras me happa in extremis et me retint fermement. Le visage de Liam n'était qu'à quelques centimètres du mien; son regard contristé me fixait.

— Je crois qu'au fond de moi, je m'en doutais, m'annonça-t-il d'une voix grave. Je... Oh, Caitlin! Je suis désolé, je ne voulais pas te reparler de ça. C'est trop douloureux.

— Je sais.

Il m'attira plus fermement contre lui, me faisant passer sur la pierre voisine, qui était plus haute, sèche et plate. Je me retins à son plaid.

— Notre vie n'a été que chaos depuis le début du soulèvement et...

Sa voix, qui s'était radoucie, hésita. Sa mâchoire se contracta. Brusquement, il me souleva de son bras toujours enroulé autour de ma taille, pivota sur lui-même et me coinça contre la paroi rocheuse qui se dressait derrière nous. Il esquissa un sourire et ouvrit la bouche pour continuer de parler. Seul un son rauque sortit. Il soupira.

— Caitlin, *a ghràidh mo chridhe*, murmura-t-il enfin. Qui suis-je pour te juger?

Il frémit.

— Ne gâchons plus ce que Dieu nous accorde. Prenons tout ça comme un cadeau, comme une seconde chance.

J'acquiesçai silencieusement, la gorge nouée. Sa bouche s'étira en un doux sourire, puis ses lèvres, tièdes et humides, frôlèrent les miennes, me communiquant son frisson. Une goutte de transpiration coula le long de sa tempe, s'accrochant à un filin d'argent, et alla se perdre dans la masse de cuivre de ses cheveux. Sa chemise lui collait à la peau. Je fermai les yeux et goûtai le sel, le soleil et l'amour sur ses lèvres.

Il m'entraîna derrière lui jusqu'à une petite anse herbeuse. À l'abri des regards, il retira sa chemise et moi mon corselet pour laisser le vent nous sécher. Nous nous allongeâmes dans l'herbe. Puis il cala sa tête dans mes jupes, sur mes cuisses. Nous demeurâmes ainsi pendant de longues minutes, à écouter le clapotis de l'eau contre les pierres.

— Cinq hommes sont venus de Glenlyon ce matin, annonça Liam de but en blanc.

J'ouvris les yeux et le dévisageai avec un mélange de perplexité et d'inquiétude. Je me mis sur mon séant pour mieux le regarder. Des hommes de Glenlyon dans Glencoe? Il devait y avoir urgence, à moins que...

— Duncan n'aurait pas recommencé à...

Son rire coupa court à ma suspicion naissante.

— Duncan se contente des vaches du Lorn. C'est peut-être un peu plus loin, mais pour lui c'est plus sûr.

— Alors pourquoi des hommes de Glenlyon viendraient s'aventurer à Glencoe? Que voulaient-ils?

— Pour être plus précis, c'était David Campbell, le plus jeune frère de Marion. Le comte de Breadalbane est mort. Le vieux renard s'est finalement éteint.

Il sourit. On ne pleurerait pas l'homme dans la vallée. Une troupe de soldats de la couronne s'était rendue à Finlarig, peu après l'échec du soulèvement. Ils venaient chercher le vieillard pour le mettre aux arrêts. Le comte, sur son lit de mort, les aurait cavalièrement éconduits. Ils l'auraient laissé en paix depuis : à quatre-vingt-un ans et moribond, l'homme n'était plus une menace pour la couronne de Hanovre.

— David est aussi venu porter une lettre pour Marion. Glenlyon s'exile.

— Oh, mon Dieu! dis-je, interdite.

Une paix relative et fragile était revenue dans les Highlands. Après l'embarquement du Prétendant pour la France, l'armée avait été dispersée et chacun s'en était retourné dans sa vallée pour retrouver les siens après plus de quatre mois de campagne. Patrick s'était enfermé avec Sàra dans son petit manoir. Il veillait aux affaires du comte de Marischal qui s'était caché sur ses terres, comme tant d'autres chefs jacobites lorsqu'ils ne s'exilaient pas carrément en Suède ou en France.

Deux exécutions eurent lieu à la tour de Londres, à la fin de février. Plusieurs prisonniers furent déportés vers les Antilles. De nombreux domaines et titres furent confisqués. Parfois, à l'annonce d'une troupe de la Garde, les hommes couraient se réfugier dans les montagnes. La peur des représailles et le souvenir des horreurs des répressions antérieures aidant, nous vivions dans la crainte constante de voir nos maisons partir en fumée, d'assister au saccage de nos récoltes et à la confiscation de nos troupeaux.

Malgré tout, la répression de la rébellion fut modérée. Nous nous vîmes forcés de remettre nos armes au gouverneur de Fort William. Mais le succès de cette tentative des autorités pour nous désarmer fut mitigé. Comme à leur habitude, les Highlanders ne remirent que les vieilles armes usées et rouillées, gardant les meilleures pour... une prochaine fois. Un Highlander vivait avec son cœur dans une main et son poignard dans l'autre. Il ne pouvait en être autrement, question de survie.

— Que va-t-il nous arriver, Liam?

— Rien.

Je réfléchis quelques instants, les doigts perdus dans sa chevelure qui s'étalait sur ma jupe.

— Et John MacIain? Devra-t-il s'exiler lui aussi?

Ses paupières s'ouvrirent et découvrirent un regard incertain.

— John?

Il fit mine de réfléchir, puis pinça la bouche.

— Non, déclara-t-il avec une assurance qui me rasséréna quelque peu.

Levant une main, il attrapa ma mèche rebelle et tira dessus, m'approchant de lui pour m'embrasser.

— John n'a pas personnellement participé à la rébellion. Et puis, j'imagine que notre clan n'est pas assez... important à leurs yeux.

Il y eut cependant un temps où on l'avait considéré comme assez important pour vouloir l'exterminer pour l'exemple. La ligne de sa bouche se tordit, et je devinai qu'il pensait à la même chose que moi.

— Les *Sassannachs* vont patrouiller dans les Highlands pendant quelque temps, histoire de nous rappeler qui est le maître ici. Progressivement, les choses vont se tasser. Bientôt, tout ceci ne sera plus qu'un affreux souvenir. Nous n'avons qu'à nous tenir tranquilles.

— Et les exilés?

Je repensai à John Cameron. Le chef de Lochiel s'était embarqué le mois précédent à bord d'un navire français qui mouillait quelque part dans les Hébrides. Il s'exilait avec les quelques nobles jacobites n'ayant pas encore quitté le pays. Il avait laissé Achnacarry et confié son clan à son jeune fils de seize ans, Donald.

— Ils obtiendront peut-être la grâce du roi dans quelques années, lorsqu'il ne verra plus son trône menacé. Je ne crois pas que le Prétendant, banni du sol français et réfugié à Rome sous l'aile bienveillante du pape, reviendra revendiquer ses droits de sitôt. Peut-être devrait-il se concentrer sur la fabrication d'un héritier.

Cela me ramena brusquement à la condition de Marion. Je caressai le front tiède et sec de Liam et retroussai les coins de ma bouche.

— Te rends-tu compte que tu vas être grand-père, *mo rùin*? lui fis-je observer sur un ton moqueur.

— Ce qui fera inévitablement de toi une grand-mère, *a ghràidh*. Aïe! se plaignit-il en frottant sa joue, que je venais de lui pincer. Et une vilaine grand-mère par-dessus le marché!

L'enfant était attendu pour l'hiver 1717. Je ne pus m'empêcher d'éprouver de la commisération pour le laird de Glenlyon qui ne serait pas là pour la naissance de son premier petit-fils ou de sa première petite-fille.

Quelques cailloux rebondirent dans l'herbe, près de nous. Liam plissa les yeux et mit sa main en visière pour voir qui nous épiait du haut du mur de roc.

— Nous partons, annonça Duncan. Malcolm ne veut pas se faire surprendre par l'orage. Il menace de vous laisser passer la nuit ici avec les âmes errantes si vous ne vous dépêchez pas.

Liam se leva en grognant.

— Va dire à ce vieux grincheux de Malcolm que, s'il m'oublie ici, je peux fort bien oublier de lui chasser son cerf.

Un sourire entendu étincela au-dessus de nous, puis disparut. Je regardai Liam, qui enfilait sa chemise et feignis l'indignation.

— Tu n'oserais tout de même pas laisser ce pauvre Malcolm mendier tout l'hiver?

— J'oserai si lui ose nous laisser ici, *a ghràidh*, insista-t-il en riant.

Malcolm Macdonald, notre bon vieux menuisier, avait atteint l'âge vénérable de soixante-dix-sept ans. Depuis quelque temps, ses articulations ne lui permettaient plus de travailler ni de courir la lande et les montagnes pour chasser. À chaque année, Liam lui offrait donc un beau cerf avant les grands froids. Même si Malcolm le laissait moisir ici une semaine durant, il irait malgré tout lui chasser une belle bête, j'en étais certaine.

Liam m'aida à me lever et à lacer mon corsage, un sourire mutin dans son beau visage hâlé par le soleil d'été. Il rentra sa chemise dans son kilt et fixa son plaid avec sa broche, au centre de laquelle étincelait une agate bleue de forme rectangulaire. Il m'attira à lui et m'enlaça tendrement.

— Hum... Toutefois, l'idée de rester ici, seul avec toi, n'est pas pour me déplaire.

Je frissonnai à la perspective de passer une nuit sur une île peuplée d'esprits, fussent-ils nos bien-aimés disparus. J'avais toujours craint les fantômes.

Mon regard se porta sur le loch dans lequel se reflétaient les gros nuages noirs qui masquaient l'azur du ciel. On m'avait raconté que la nuit, parfois, des hommes qui traversaient le loch en barque apercevaient la lumière des esprits qui dansaient sur l'île. Des feux follets. Je me souvenais encore très bien des histoires de petits lutins et d'esprits malins que ma tante Nellie me racontait au cours de mon enfance en Irlande, et je ne souhaitais pas particulièrement faire la connaissance de ces êtres étranges.

Je fermai les yeux et secouai la tête pour dissiper les images de gnomes malveillants. « Tu es bien superstitieuse, Caitlin! Garde donc tes histoires de fées et d'elfes pour tes petits-enfants. »

— Tu viens ou tu tiens à rester ici?

Liam s'était engagé dans le sentier et m'attendait, le bras tendu.

— Je viens...

Je pris encore quelques secondes et admirai la vue de notre majestueuse vallée qui s'ouvrait sur le loch. J'apercevais, émergeant fièrement d'un écran d'arbres, la toiture d'ardoises du manoir de John MacIain. Quelques cottages étaient visibles également. Le clan était sauf... pour cette fois-ci.

Si la défaite avait laissé aux insurgés un goût amer, elle ne leur avait pas enlevé l'espoir d'arriver un jour à leurs fins. Certes, les Anglais nous avaient à l'œil. Mais les années passeraient, et un jour un homme se lèverait et brandirait de nouveau la croix ardente. Alors les clans sortiraient de leur léthargie et fourbiraient l'acier tranchant de leurs armes, astiqueraient leurs mousquets. Puis les cris de guerre retentiraient dans les vallées pourpres et ocre des Highlands, et feraient vibrer les guerriers endormis de Fionn MacCumhail. Le sang des Gaëls se remettrait à bouillir dans leurs veines. Les Anglais devraient se méfier de l'eau qui dort. Les Écossais avaient la tête aussi dure que le granit de leurs montagnes : jamais ils n'abandonneraient.

Le vent s'enroulait autour de moi et murmurait à mes oreilles. Un moment, je crus l'entendre chuchoter mon nom. Je sentis un grand froid m'envelopper et m'étreindre. « Mère... » Mes cheveux se dressèrent sur ma tête et un frisson me parcourut de la tête aux pieds. Je me figeai de stupeur. « Ranald... c'est bien toi, mon fils? »

— Caitlin, tu es toute pâle. Est-ce que ça va?

Je clignai des yeux et sortis de ma torpeur. L'étrange sensation que je venais d'éprouver s'était envolée avec le vent. La chaleur étouffante de la canicule se jetait de nouveau sur moi.

— Euh, oui...

— On dirait que tu as vu un spectre.

Je lui souris faiblement et le rejoignis dans le sentier.

— Tu l'as senti? ne pus-je m'empêcher de lui demander.

— Quoi?

— Le grand froid. Il m'enveloppait et... j'ai senti comme une présence près de moi.

Il me regarda fixement un court moment. Un sourire vint éclairer son visage.

— Tu t'y habitueras, *a ghràidh*. Tu verras, parfois ils viennent nous dire à leur façon qu'ils sont encore là, près de nous. Un jour, tu commenceras à leur parler. Ils font toujours partie de nous, tu sais.

— Cela t'arrive de ressentir ce froid? m'étonnai-je.

— À l'occasion, m'avoua-t-il. Ils viennent comme ça, sans prévenir, et repartent aussi rapidement.

Il prit doucement ma main, souriant de plus belle et découvrant une rangée de dents éclatantes. Le ciel se mit à gronder au-dessus des montagnes.

— Viens, ne tentons pas le diable. Malcolm serait peut-être capable de nous laisser ici, après tout... avec l'orage qui arrive.

— Liam! fis-je, un peu éberluée. Tu veux dire que c'était vraiment un...

— Un quoi? Un fantôme? Mais bien sûr... Holà!

Je glissai sur une des pierres. Il me retint avant que je ne tombe dans l'eau.

— Nous sommes des âmes, m'expliqua-t-il, des âmes emprisonnées dans une enveloppe charnelle. Nous sommes là pour accomplir... enfin, ce que Dieu veut de nous sur cette terre. Quand Il juge que notre travail est terminé, Il nous en libère par la mort. Et l'âme, elle, peut aller où elle veut.

— Comment arrives-tu à parler ainsi de la vie et de la mort?

Son visage devint grave. Il me fit monter le sentier situé de l'autre côté du mur rocheux, à travers les orties, jusqu'en haut du promontoire. L'île était maintenant déserte.

— J'ai vu plusieurs facettes de la mort. Je l'ai vue frapper tant de fois que j'en suis venu à la considérer différemment. La vie est éphémère, Caitlin. Le destin frappe cruellement, sans prévenir, tu le sais autant que moi. C'est inévitable...

— Je n'aime pas en parler.

— La mort fait partie de la vie. C'est un cycle. Nous n'avons rien à craindre d'elle. J'ai eu un aperçu de l'autre côté, tu te souviens?

— Oui, répondis-je faiblement en baissant les yeux.

Comment aurais-je pu ne pas me rappeler? Me voyant troublée, il m'embrassa sur le front et releva mon menton de son doigt.

— Mais je ne suis pas pressé de partir, *a ghràidh*. Dieu m'a donné une bonne raison de vouloir prolonger mon séjour ici, aussi pénible puisse-t-il être parfois. Et cette raison, c'est toi. Je t'aime, Caitlin. Un jour, je le sais, nos corps se sépareront. Mais nous nous retrouverons de l'autre côté et, à ce moment-là, ce sera pour l'éternité. Ad vitam æternam...

Il se tut. Le vent soulevait et gonflait mes jupes qui s'enroulaient autour de ses jambes. J'eus soudain une telle impression de légèreté dans ses bras que je crus avoir des ailes. Malheureusement, un cri d'appel eut vite fait de me faire retomber sur terre; le ciel y mit également du sien en nous envoyant quelques gouttelettes. Liam s'écarta et tourna son visage vers la source du rugissement d'impatience.

— Nous avons assez abusé de leur temps. Et puis, mon estomac se plaint. Il doit bien rester quelque chose à grignoter à la maison?

— Glouton! me moquai-je en pinçant un petit bourrelet à travers sa chemise. Tu ne penses qu'à manger et à faire l'amour.

Affichant un air penaud, il pouffa de rire en se remettant en route, le pas allègre.

— Mais c'est de ta faute, se défendit-il avec force. N'est-ce pas toi qui disais que j'avais quelques kilos à reprendre? Pour le reste... j'essaie de rattraper le temps perdu.

Je me mis à courir derrière lui.

— Liam Macdonald!

Je le heurtai de plein fouet, perdis l'équilibre et l'entraînai dans ma chute. Nous roulâmes au travers des hautes herbes dans une confusion d'étoffes et de rires.

La pluie s'intensifiait; le tonnerre grondait bruyamment dans les montagnes. Le ciel d'Écosse exprimait sa colère. Il pleurait ses morts, son roi en exil. Mais demain, il baptiserait le fruit des ventres arrondis des femmes, fruit qui donnerait un souffle et une vigueur renouvelés à ce peuple sauvage, insoumis, toujours en quête de liberté.

« Voici la fin d'une vieille chanson », s'était écrié avec tristesse un lord en 1707, à la fermeture définitive du parlement écossais. La fin? Pourtant, j'entendais toujours un air de liberté dans le vent qui balayait nos landes, dans le clapotis des rivières sauvages qui coulaient dans le creux de nos vallées. Il donnait le rythme à notre vie. Mes enfants le chantonnaient; leurs enfants le feraient aussi. Depuis l'invasion des légions romaines d'Agricola, on cherchait sans succès à étouffer cet air dans le cœur des Highlanders. Je ne pouvais écrire la suite de l'histoire, mais une chose était sûre : si cette liberté nous était refusée ici, dans nos montagnes, notre peuple la chercherait ailleurs. Notre histoire était une histoire sans fin que notre sang écrirait sur la face du monde.

Étouffant un dernier rire, nous restâmes silencieux un long moment, à nous regarder. Puis l'amusement fit place à la tendresse. Lentement, Liam se pencha sur moi.

— Dis-moi, *a ghràidh*, pourquoi est-ce que je ne peux m'empêcher de t'embrasser? Pourquoi ai-je toujours tellement envie de toi?

Il caressa mes cheveux, me parcourant du regard.

— Parce que tu m'aimes... et que je t'aime, déclarai-je dans un doux murmure.

— Parce que je t'aime... susurra-t-il avant de fredonner dans mon oreille : *B'òg chuir mi eòlas air leannan mo ghràidh, 's a rinn mise suas ri'sa ghleannan gu h-àrd; a gnuis tha cho aoidheil, làn gean agus bàigh, is mise bhios cianail, mur faigh mi a làmh... Gur tric sinn le chéile gabhail cuairt feadh an àit', 's a falbh troimh na cluaintean gach bruachag is màgh; na h-eoin bheag le smudan a' seinn dhuinn an dàn, 's toirt fàilte do'n mhaighdinn d'an d'thug mi mo ghràdh...*[114]

Après avoir lancé un regard vers le débarcadère, Liam se pencha et m'embrassa de nouveau avec passion. Je fermai les yeux et me laissai submerger par la vague d'émotions qui montait en moi. Je m'enivrai de son haleine, me sustentai de ses caresses et de ses baisers. « Liam, mon amour, vingt ans que tu partages ma vie, vingt ans que je t'aime. » Ces mots, je les gravais dans sa peau avec mes doigts et mes lèvres. Nos corps disaient ce que les paroles ne pouvaient exprimer. Nos âmes se délectaient des sensations que nos enveloppes charnelles bien vivantes leur procuraient. J'embrassais mon bonheur à pleines mains et à pleine bouche. Mon cœur chantait un Te Deum, remerciant le ciel pour la grâce qu'il m'accordait une nouvelle fois.

L'amour d'un homme.

À suivre...

Cœur de Gaël, La Terre des conquêtes

---

114. *Si charmante tu étais, mon amour, dans la vallée, lorsque, sur toi, mes yeux se sont posés, depuis ce jour, sans toi je ne peux demeurer; car sous le charme de tes yeux je suis tombé... Je me souviendrai toujours de ce soir de mai; les bois et les champs nous courions le cœur gai, le chœur des oiseaux était si doux à écouter, et les fleurs sauvages sous la pluie, si parfumées...* Ce sont les deux premiers couplets de *Cailin mo rùin-sa*, de Donald Ross. La traduction donne l'idée générale des versets.